ISBN 978-0-266-22710-6
PIBN 11031656

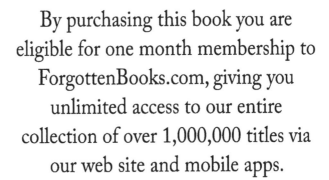

MONATSBERICHTE

DER

KÖNIGLICH PREUSSISCHEN

AKADEMIE DER WISSENSCHAFTEN

ZU BERLIN.

Aus dem Jahre 1880.

Mit 23 Tafeln.

BERLIN 1881.

VERLAG DER KGL. AKADEMIE DER WISSENSCHAFTEN.

MONATSBERICHT

DER

KÖNIGLICH PREUSSISCHEN

AKADEMIE DER WISSENSCHAFTEN

ZU BERLIN.

Januar 1880.

Vorsitzender Secretar: Hr. Mommsen.

5. Januar. Sitzung der physikalisch-mathematischen Klasse.

Hr. Siemens las folgende Abhandlung:

Über die Abhängigkeit der elektrischen Leitungsfähigkeit der Kohle von der Temperatur.

Matthiessen machte zuerst[1]) auf die merkwürdige Eigenschaft der Kohle aufmerksam, bei höherer Temperatur die Elektricität besser zu leiten, als bei niedriger. Er fand für die am besten leitende und zugleich schwerste und festeste Modification derselben, die Gasretortenkohle, welche durch Zersetzung des überhitzten Leuchtgases entsteht und an den Wandungen der Retorten der Gasbereitungsanstalten abgesetzt wird, die specifische Leitungsfähigkeit (Quecksilber = 1 gesetzt) 0,0236 bei 25° C. und zwischen 0 und 140 eine Verminderung des Widerstandes um 0,00245 für jeden Grad C.

Beetz fand die Thatsache der Zunahme der Leitungsfähigkeit bei steigender Temperatur nur bei sogenannter künstlicher Kohle bestätigt, die aus Kohlenpulver mit einem geringen bindenden Zusatz von Theer oder Zuckerlösung zusammengepresst und darauf erhitzt wird, wodurch die Zuckerlösung in entweichendes Gas und Kohle zerlegt wird, aber nicht für Kohlenstäbe, die aus Retortenkohle geschnitten waren. Bei diesen konnte er keine Zunahme der

[1]) Pogg. Ann. Bd. 103 S. 428 (1858).

Leitungsfähigkeit bei Erhöhung der Temperatur beobachten. Die Zunahme der Leitungsfähigkeit der sogenannten künstlichen Kohle erklärte Beetz durch einen stärkeren Druck, welchen die nur lose zusammenhängenden Kohlentheilchen auf einander ausüben müssten, wenn sie durch Erwärmung ausgedehnt werden. Ich selbst hatte öfters Gelegenheit, mich bei anderweitigen Versuchen zu überzeugen, dass Matthiessen's Angabe richtig war. Um so auffallender war mir das Resultat einer neueren Arbeit von Felix Auerbach, vorgelegt von Riecke der Kgl. Gesellschaft der Wissenschaften in Göttingen, Jan. 1879, dahin gehend, dass die Gasretortenkohle sich hinsichtlich der elektrischen Leitungsfähigkeit wie die Metalllegirungen verhalte, indem ihr Leitungswiderstand bei wachsender Temperatur in steigendem Verhältniss zunehme. Dass ein so exakter Beobachter, wie Matthiessen, sich so vollständig geirrt haben sollte, konnte ich kaum annehmen, obschon auch Beetz bei der Gasretortekohle keine Zunahme der, Leitungsfähigkeit finden konnte; die Versuche Auerbach's waren jedoch andrerseits offenbar mit Sorgfalt und mit guten Instrumenten durchgeführt. Leider hatten alle drei Beobachter ihre Versuche nicht detaillirt genug beschrieben, um durch eine kritische Untersuchung derselben den Grund der Verschiedenheit ihrer Resultate ermitteln zu können. Bei der allgemeinen Anordnung der Auerbach'schen Versuche liess sich im Wesentlichen nur die Art der Erhitzung der Kohlenstäbe und der geringe Widerstand derselben bemängeln. Die gleichmässige Erwärmung der ca. 6^{mm} dicken und 122^{mm} langen Stange in einer lufterfüllten Kammer bis zu einer bestimmten Temperatur dürfte sich nur sehr schwer ausführen lassen. Wie die Erwärmung der Luft ausgeführt wurde, ist aus der Beschreibung der Versuche nicht zu erkennen. Die Annahme, dass die Temperatur des Stabes mit der des Thermometers übereingestimmt habe, wenn keine weitere Veränderung des Widerstandes am Galvanometer zu bemerken war, dürfte für exakte Messungen wohl nicht zulässig sein. Da nur Mittel aus mehreren Messungen für jede Temperatur angegeben sind, ohne Angabe der Abweichung der einzelnen Messungen von einander, so fehlt jede Controlle der Richtigkeit der vorausgesetzten Temperaturen der Kohlenstäbe. Immerhin ist die Übereinstimmung der beobachteten und berechneten Resultate gross genug, um den Gedanken auszuschliessen, dass das Endresultat der Messungen des Hrn. Auerbach nur auf Beobachtungsfehlern beruhen könnte.

Da eine unzweifelhafte Entscheidung der Frage, ob und in welchem Grade der Widerstand der Kohle bei Temperaturänderungen zu- oder abnimmt, nicht nur wissenschaftlich von grösstem Interesse ist, sondern auch eine grosse technische Wichtigkeit erlangt hat, so entschloss ich mich zu einer eingehenden Untersuchung derselben.

Ich liess mir cylindrische Kohlenstäbe verschiedener Dicke und Länge anfertigen. Dieselben wurden an den Enden etwa 15^{mm} weit galvanisch verkupfert. Dann wurden die Drähte einer Kupferlitze an die verkupferten Enden gelegt und dieselben mit feinem Kupferdraht einige Male umwunden, um sie dadurch an der Kohle zu befestigen. Das so vorbereitete Kohlenende wurde nun wieder in die Kupferlösung gebracht, und so viel Kupfer darauf niedergeschlagen, dass die Kupferdrähte mit der ersten Verkupferung und dadurch auch mit der Kohle fest verwachsen waren. Die Erwärmung der so vorbereiteten Kohlen geschah in dem Bade einer nicht leitenden Flüssigkeit. Für niedrige Temperaturen bis 60° C. benutzte ich ein schweres Petroleum, für höhere bis 270° C. geschmolzenes Paraffin. Die Flüssigkeit befand sich in einem Blechtroge und konnte durch untergesetzte Brenner erhitzt oder durch Einsetzen des Troges in Schnee abgekühlt werden. Der ca. 260^{mm} lange, 75^{mm} breite und 80^{mm} hohe Trog wurde durch eine Schieferplatte bedeckt, die von zwei kupfernen Bolzen durchbohrt war, welche an beiden Enden geeignete Klemmen trugen. In die unteren Klemmen wurden die Kupferenden der Kohle eingespannt und darauf zu noch grösserer Sicherheit mit denselben verlöthet. Vermittelst der oberen Klemmen des Schieferdeckels des Troges wurde die Kohle in eine Brückencombination eingeführt, welche aus zwei genau abgeglichenen Widerständen im Verhältniss 1:100 und einer Widerstandsscala, die $\frac{1}{10}$ bis 10 000 Q. E. einzuschalten gestattete, bestand. Als Galvanometer diente ein empfindliches Spiegelgalvanometer mit vier Drahtrollen und einem astatischen Magnetnadelpaare. Zur Controlle der Einrichtung und Constatirung ihrer Empfindlichkeit sowie der Genauigkeit der Messungen wurde zunächst anstatt der Kohle eine zweite Widerstandsscala eingeschaltet, und constatirt, dass beim Gleichgewicht die Widerstände der beiden Scalen sich immer im Verhältniss 1 : 100 befanden, wenn der Widerstand der Zuleitungen, der auf 0,033 Q. E. bestimmt wurde, in Rechnung gezogen wurde. Die Einschaltung

Der Widerstand der Zuleitungsdrähte betrug bei sämmtlichen Messungen 0,033 Q. E.; Derselbe ist in Vertical-Colonne 4 von dem abgelesenen Widerstande in Col. 3 abgezogen. In Col. 8 ist die procentische Zunahme der Leitungsfähigkeit zwischen zwei benachbarten Messungen für 1° Temperatur berechnet. Die Messungen derselben Kohle wichen an verschiedenen Tagen erheblich von einander ab, was sich zum Theil aus Temperaturschwankungen der Zimmerluft erklärt, welche das Verhältniss des Widerstandes der Brückenzweige etwas veränderte. Genaue Versuche mit höherer Erhitzung als 270° (die noch durch ein Paraffinbad zu erreichen ist) sind nur schwierig anzustellen, da es an einer sicheren Erhitzungsmethode, so wie an bequemen Mitteln, die Temperatur der Kohle mit Genauigkeit zu bestimmen, fehlt. Um jedoch Gewissheit darüber zu erlangen, ob der Widerstand der Kohle auch bei Erhitzungen bis zur Glühhitze noch stetig abnimmt, liess ich ein ca. 200^{mm} langes Kupferrohr von ca. 20^{mm} lichter Weite anfertigen. Vermittelts zweier durchbohrter Gypspfropfen, durch welche die Kupferansätze der Kohlenenden hindurchgeführt wurden, ward der Kohlenstab so ziemlich in der Mitte des Kupferrohres schwebend erhalten. Das so vorbereitete Kupferrohr ward nun auf einen kleinen offenen Chamotte-Ofen gelegt und durch ein in demselben angefachtes gleichmässiges Holzkohlenfeuer erhitzt. Der Widerstand der Kohle war bei Lufttemperatur vor der Erhitzung = 1,452 Q. E. Während der Erhitzung verminderte sich der Widerstand fortdauernd. Als das Kupferrohr so weit erhitzt war, dass kleine Zinnstückchen in Berührung mit seiner Oberfläche schmolzen, war der Widerstand = 1,375 Q. E. und als auch Zinkstückchen schmolzen, war er 1,298 Q. E. Nimmt man die Schmelztemperatur des Zinnes zu 230° C. und die des Zinkes zu 423° C. an, so ergiebt dies, die Zimmertemperatur zu 20° C. angenommen, zwischen ihr und der Zinnschmelztemperatur eine procentische Zunahme der Leitungsfähigkeit von 0,00025 und zwischen dieser und der Zinkschmelztemperatur eine Zunahme von 0.00029 für jeden Temperaturgrad. Wahrscheinlich hatte die Kohle noch nicht vollständig die Temperatur der Röhre angenommen. Es wurde darauf die Erhitzung bis zur dunkelen Rothglut des Kupferrohres fortgesetzt. Der Widerstand der Kohle veränderte sich dabei sehr unregelmässig und schwankend. Als die Tempe-

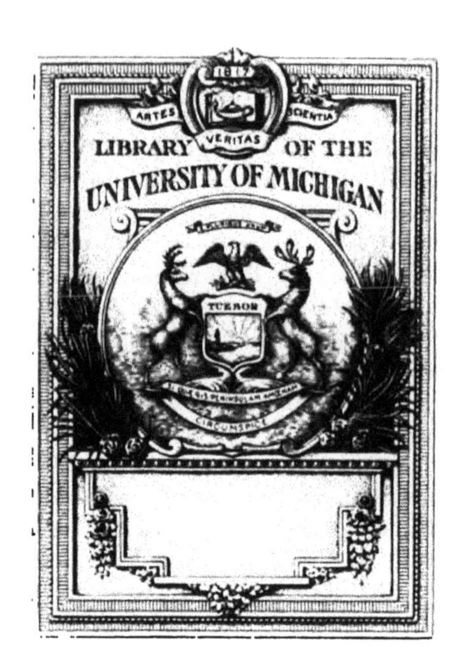
1817
ARTES
VERITAS
SCIENTIA
LIBRARY OF THE
UNIVERSITY OF MICHIGAN
TUEBOR
CIRCUMSPICE

Berliner Gas-retorten-Kohle	Widerstand gemessen	Widerstand wirklich	Temperatur	Differenz des Widerstandes	Differenz der Temperat.	Coëfficient der Zunahme pro Grad	Bemerkungen
	2,2443	2,2095	75				Die Kohle wurde zum ersten Male benutzt.
	2,2260	2,1912	100	0,0183	25	—0,000329	
	2,2070	2,1722	125	0,0190	25	—0,000347	
	2,1864	2,1516	151	0,0206	26	—0,000364	
	2,1659	2,1311	175	0,0205	24	—0,000397	
	2,1660	2,1312	173,5	0,0156	22,5	—0,000323	Am folgenden Tage gemessen.
	2,1816	2,1468	151	0,0184	24,5	—0,000346	
	2,2000	2,1652	126,5	0,0192	25,3	—0,000347	
	2,2192	2,1844	101,2	0,0193	25,2	—0,000347	
	2,2385	2,2037	76				
	2,2385	2,2037	76				
	2,2196	2,1848	101	0,0189	25	—0,000343	
	2,2028	2,1680	125	0,0168	24	—0,000320	
	2,1857	2,1509	149,5	0,0171	24,5	—0,000323	
	2,1674	2,1326	145	0,0183	25.5	—0,000334	
	2,1492	2,1144	201,5	0,0182	26.5	—0,000322	

MONATSBERICHTE

DER

KÖNIGLICH PREUSSISCHEN

AKADEMIE DER WISSENSCHAFTEN

ZU BERLIN.

Aus dem Jahre 1880.

Mit 23 Tafeln.

BERLIN 1881.

VERLAG DER KGL. AKADEMIE DER WISSENSCHAFTEN.

Es folgt hieraus, dass die künstlichen, durch Pressung aus Kohlenpulver erzeugten Kohlenstangen, ebenso wie die aus Gasretortenkohle geschnittenen, bei wachsenden Temperaturen eine grössere Leitungsfähigkeit zeigen, und dass die Zunahme nicht ganz so gross ist wie bei der Gasretortenkohle. Die von anderen Beobachtern gefundenen abweichenden Resultate werden wahrscheinlich ebenfalls auf mangelhafte Verbindung der Enden zurückzuführen sein.

Bei den beschriebenen Versuchen stellt sich keine bestimmte Vergrösserung oder Verminderung des Zunahme-Coëfficienten mit der Temperatur heraus. Ich nehme auch um so mehr Anstand, aus den mitgetheilten Messungen in dieser Hinsicht eine bestimmte Ansicht auszusprechen, als sie überhaupt nicht so bestimmte und sichere Resultate angegeben haben, wie die angewendete Methode sie erwarten liess. Ob diese bisher nicht erklärlichen Unregelmässigkeiten darin zu suchen sind, dass die leitende Verbindung auch bei der galvanischen Verkupferung noch nicht als vollkommen zu betrachten ist, oder ob die Kohle ähnlichen, ihre Leitungsfähigkeit ändernden Einflüssen unterliegt, wie das Selen, muss einer eingehenderen Untersuchung vorbehalten bleiben. Die Erklärung, welche Beetz für die Erscheinung der Zunahme der Leitungsfähigkeit der Kohle bei steigender Temperatur gegeben hat, würde nur auf Kohlenpulver oder lose zusammenhängende Kohle anwendbar sein, welche von festen, sich weniger wie die Kohle ausdehnenden Wänden umschlossen war. Da das Gesammtvolumen des Körpers in demselben Verhältniss wächst, wie das seiner Theile, so kann eine vergrösserte Pressung der Theile bei gleichmässiger Temperaturerhöhung bei nicht eingeschlossenen Körpern auch nicht eintreten. Beetz führt zur Unterstützung seiner Hypothese einige Versuche an, die er mit Metallspähnen angestellt hat. Sowohl durch äussere Compression als durch Erhitzung verminderte sich der Leitungswiderstand derselben. Dass dies eintreten muss, wenn wirklich eine Compression des Pulvers auftritt, ist wohl unzweifelhaft und auch durch Versuche vielfach bestätigt. Wenn das Pulver von Gefässwänden theilweise umschlossen war, konnte daher sehr wohl eine Verminderung des Widerstandes eintreten. Wahrscheinlich ist aber auch die auf der Oberfläche der Theilchen des Pulvers condensirte Luft von Einfluss gewesen. Der Rückschluss vom Pulver auf eine zusammenhängende Masse ohne umschliessende Wände, wie die geformte Kohle, kann aber nicht zugestanden werden. Dass selbst ein starker Druck die Leitungsfähigkeit der geformten Kohle nicht ändert, ist durch einen einfachen Versuch nachzuweisen. Versieht man die Enden eines Kohlencylinders durch galvanische Verkupferung mit sicheren, angelötheten Zuleitungen, und setzt dann den Kohlenstab in der Richtung seiner Axe einer starken Pressung aus, so verändert sich der Leitungswiderstand desselben nicht im mindesten, wenn man selbst den Druck bis zur Zertrümmerung der Kohle steigert. Es zeigt dies, dass die gut imprägnirte und gebrannte geformte Kohle als fester, wenn auch noch poröser Körper und nicht mehr als nur lose zusammenhängendes, verschiebbares Pulver zu betrachten ist. In noch viel höherem Grade gilt dies von der ungepulverten, festen Gasretortenkohle. Der Bildungsprocess dieser Kohle geht in ähnlicher Weise vor sich, wie die galvanische Abscheidung der Metalle, da, wie schon hervorgehoben wurde, die Kohle in unmittelbarer Berührung mit der Fläche der Retortenwand frei wird und sich durch Molekularanziehung im Augenblick des Freiwerdens an einander legt. Die Gasretortenkohle ist mithin nicht als zusammengebackenes Pulver, sondern als eine feste Kohlenmasse zu betrachten. Dass das specifische Gewicht der Gasretortenkohle ein verschiedenes ist, wird wohl mehr eine Folge eingeschlossener kleiner Hohlräume und der Einschliessung fremder Körper als einer Verschiedenheit der Masse selbst zuzuschreiben sein. Die allgemein gültige Eigenschaft der Kohle, in höherer Temperatur besser zu leiten, muss daher als eine Eigenschaft der Kohlenmaterie selbst und nicht als eine Folge ihrer Structur aufgefasst werden.

Eine Analogie für dies Verhalten der Kohle bildet das der Elektrolyte — zu denen nach Hittorf auch Einfach-Schwefelkupfer und andere zusammengesetzte feste Körper zu rechnen sind — und von einfachen Körpern Tellur und Selen. Letzteres ist bei schneller Abkühlung aus dem geschmolzenen Zustande ein Nichtleiter — wie auch der Diamant. Wird es bis 100° C. erwärmt, so wird es krystallinisch und leitet dann die Elektricität, wie die Kohle, in der Weise, dass seine Leitungsfähigkeit bei wachsender Temperatur zunimmt. Das Selen verliert bei der Erwärmung auf 100° C. latente Wärme; es ist daher wahrscheinlich, dass diese Verminderung der latenten Wärme es zu einem Leiter der Elektricität gemacht hat. Wenn man schnell erstarrtes, sogenanntes amorphes Selen bis in die Nähe seines Schmelzpunktes, d. i. bis über 200° C. erhitzt und längere Zeit in dieser Temperatur erhält, so verliert es noch mehr latente Wärme und nimmt dann, wie ich gezeigt habe[1]), eine weit grössere Leitungsfähigkeit an. Es leitet die Elektricität aber jetzt wie ein Metall, d. i. seine Leitungsfähigkeit nimmt bei Erhöhung der Temperatur ab. Es erscheint daher wahrscheinlich, dass die Eigenschaft des krystallinischen, noch latente Wärme haltenden Selens, die Elektricität wie die Elektrolyte und die Kohle in der Weise zu leiten, dass die Leitungsfähigkeit mit der Temperatur zunimmt, daher rührt, dass es noch latente Wärme enthält. Da latente wie freie Wärme ein Hinderniss der Elektricitätsleitung bilden oder wahrscheinlich sogar die Ursache des Leitungswiderstandes sind, und da die Stabilität allotroper Zustände, welche Wärme gebunden halten, durch Erhitzung sich vermindert oder ganz verloren geht, wobei dann die latente Wärme entweicht, so muss das Hinderniss, welches die letztere dem Durchgange des elektrischen Stromes entgegensetzt, bei erhöhter Temperatur geringer werden. Die bessere Leitungsfähigkeit der Kohle bei höherer Temperatur lässt sich daher wie beim krystallinischen Selen erklären, wenn man annimmt, dass die Kohle wie dieses eine latente Wärme enthaltende, allotrope Modification eines hypothetischen metallischen Kohlenstoffs ist.

Für diese Annahme spricht auch das Verhalten der Kohlenstäbe, zwischen denen ein Davy'scher Lichtbogen gebildet wird. Das elektrische Licht hat bekanntlich seinen Sitz namentlich auf der hell glühenden Oberfläche der positiven Kohle. Von dieser geht nun auch der Transport der Kohle zur negativen Kohle aus. Stellt man zwei nicht zu starke Kohlenstäbe mit ebenen parallelen Grenzflächen einander dicht, etwa 1^{mm} von einander, gegenüber und lässt einen sehr starken Strom zwischen ihnen übergehen, so findet ein schnelles Übergehen der Kohle von der positiven zur negativen Kohle statt, und die letztere wächst eben so schnell, als die obere verzehrt wird. Die Folge ist, dass der Zwischenraum fortwandert, ohne merklich grösser zu werden. Es erklärt sich dies dadurch, dass die Kohle während ihres Transportes durch den Bogen nicht verbrennen kann, weil der schmale Zwischenraum das Eindringen der Luft nicht oder doch nur in sehr geringem Maſse gestattet.

[1]) Pogg. Ann. 159, S. 127.

en durch gleichgerichteten Strom gebildeten elektrischen Lichtbo-
n pflegt man so zu reguliren, dass der Bogen gerade die nö-
ige Länge hat, um alle transportirte Kohle zu verbrennen. In
esem Falle bemerkt man deutlich durch ein lichtschwächendes
las, dass es wesentlich die oft wechselnden Stellen der positiven
ohlenoberfläche, von denen der Davy'sche Bogen grösstentheils
sgeht, sind, die sehr hell leuchten. Es ist also nicht, wie
ohl angenommen wird, das Aufschlagen der durch den Bogen
sgerissenen und transportirten Kohlentheilchen auf die negative
ohle, sondern das Loslösen derselben von der positiven
ohle, was das Licht wesentlich erzeugt. Diese Wärmeerzeugung
der Trennungsstelle der losgelösten von der festen Kohle ist
um anders zu erklären als dadurch, dass der Kohlenstoff durch
n elektrischen Strom in metallischer Form fortgeführt wird, dass
ithin die latente Wärme der Kohle an der Trennungsstelle frei
rd und dadurch diese vorzugsweise hoch erhitzt.

Hr. A. W. Hofmann las:

ber die Einwirkung des Schwefels auf Phenylbenzamid.

Untersuchungen, über welche ich der Akademie in der Kürze
berichten hoffe, haben mich zu einigen Beobachtungen geführt,
ren Ergebniss mir gestattet sei, der Klasse schon heute mitzu-
eilen.

Man weiss aus den schönen Arbeiten von Merz und Weith[1]),
ss sich bei der Einwirkung von Schwefel auf Anilin unter Schwe-
wasserstoffentwicklung neben anderen Körpern Thioanilin bildet,
t welchem, nach Untersuchungen von Krafft[2]), der durch Ni-
rung und Amidirung des Phenylsulfids gebildete Körper iden-
ch ist. Angesichts der Überführung des Anilins durch Schwe-
in eine Verbindung

---

1) Merz und Weith, Ber. chem. Ges. III, 978.

2) Krafft, Ber. chem. Ges. VII, 384.

$$S\begin{cases}C_6H_4HN_2\\C_6H_4HN_2\end{cases}$$

welche aus 2 Mol. Anilin entsteht, war die Umwandlung des Phenylbenzamids durch Schwefel in eine entsprechende benzoylirte Verbindung

$$S\begin{cases}C_6H_4NHCOC_6H_5\\C_6H_4NHCOC_6H_5\end{cases}$$

in welcher zwei Phenylbenzamidmolecule vereinigt sind, nicht unwahrscheinlich. Die Bildung einer solchen Verbindung würde von verhältnissmässig geringem Interesse gewesen sein, allein auf einem andern Gebiete gesammelten Erfahrungen deuteten die Möglichkeit an, dass sich die Reaction auch in einem Mol. Phenylbenzamid vollziehen könne. Der Versuch hat gezeigt, dass dem in der That so ist.

Erhält man ein Gemenge von Phenylbenzamid und Schwefel — z. B. 2 Th. des ersteren und 1 Th. des letzteren — einige Stunden lang im Sieden, so erstarrt die schwarz gewordene Masse zu einem Kuchen von schwach krystallinischem Gefüge. Wiederholtes Auskochen dieses Kuchens mit heisser Salzsäure liefert eine schwach gelb gefärbte Flüssigkeit, welche auf Zusatz von viel Wasser zu einer weissen aus verfilzten Nadeln bestehenden Krystallmasse erstarrt. Ein kleiner Theil derselben Substanz bleibt in der verdünnten Salzsäure gelöst und kann daraus durch Sättigen der Flüssigkeit mit Natriumcarbonat gewonnen werden.

Die Krystalle sind eine nahezu reine Substanz; in der Regel zeigen sie jedoch noch einen Stich ins Gelbe. Man entfernt denselben leicht durch mehrfaches Umkrystallisiren aus heissem Alkohol. Wendet man eine nicht ganz ausreichende Menge des Lösungsmittels an, so bleibt eine minimale Menge gelben Harzes zurück und die abgegossene Flüssigkeit liefert alsdann beim langsamen Erkalten schöne farblose Nadeln, welche constant den Schmelzpunkt 115° zeigen und bei einer dem Siedepunkte des Quecksilbers nahen Temperatur fast unverändert destilliren. Die Destillation bietet in der That eine sehr einfache Methode der Reinigung dar. Der neue Körper löst sich auch in Äther und Schwefelkohlenstoff. Wie bereits bemerkt, löst er sich in concentrirter Salzsäure. Diese Lösung liefert auf Zusatz von Platinchlorid ein in langen haarförmigen Krystallen anschiessendes Platinsalz; mit Goldchlorid tsteht ein in feinen Nädelchen krystallisirendes Goldsalz. Auch anderen concentrirten Mineralsäuren, Schwefelsäure und Salpeter-ure, ist der Körper löslich und zeigt mithin die Charaktere einer se. Allein die basischen Eigenschaften sind schwach ausgespro-en; Wasser zerlegt die Salze, auch verlieren sie die Säure, wenn sie chtig, oft schon beim Abdampfen. Eine bemerkenswerthe Eigen-haft des Körpers ist der angenehme Geruch nach Theerosen und eranien, welcher namentlich bei gelindem Erwärmen deutlich abrnehmbar wird. Es ist dies von einem Körper, welcher 15 pCt. hwefel enthält, Alles was man verlangen kann.

Die Verbrennung der bei 100° getrockneten Krystalle führte der Formel

$$C_{13}H_9NS\ ,$$

ir die ich die berechneten und gefundenen Zahlen zusammenstelle:

	Theorie		Versuch				
C_{13}	156	73.93	73.73	73.44	73.89	—	—
H_9	9	4.27	4.18	4.38	4.48	—	—
N	14	6.64	—	—	—	—	—
S	32	15.16	—	—	—	15.23	15.31
	211	100.00.					

Diese Formel findet in der Analyse des oben erwähnten Gold-alzes willkommene Bestätigung. Der Formel

$$C_{13}H_9NS\ ,\ HCl\ ,\ AuCl_3$$

ntsprechen folgende Werthe

	Theorie	Versuch	
Gold	35.75	35.62	35.61

Die Bildung der Base erfolgt daher nach der Gleichung

$$C_{13}H_{11}NO + S = C_{13}H_9NS + H_2O.$$

In der That entwickeln sich bei der Reaction reichliche Men-en von Wasser. Allerdings tritt auch etwas Schwefelwasserstoff uf, allein er gehört einer untergeordneten Reaction an. Die Aus-eute an dem neuen Körper entspricht keineswegs der gegebenen Gleichung. Immerhin werden von 100 Gewichtsth. Phenylbenzamid 0—60 Th. der neuen Substanz gewonnen; ausserdem bleibt aber tets eine grosse Menge Phenylbenzamid unverändert.

Fragt man nach der Constitution der neuen Verbindung, s haftet der Blick alsbald an der Formel

$$C_6H_4\langle\!\!\begin{array}{c}N\\S\end{array}\!\!\rangle C - C_6H_5,$$

in der sich eine Gruppirung der Elemente spiegelt, wie sie in de letzten Zeit des Öfteren aufgetaucht ist.

Als Prototyp von Substanzen von ähnlicher Bildung lässt sic das schon vor mehreren Jahren von Fried. Hobrecker[1]) in hiesigen Laboratorium entdeckte Reductionsproduct der Acetverbin dung des Nitrotoluidins, die von ihm mit dem Namen Äthenylto luylendiamin bezeichnete Base

$$C_6H_3CH_3\langle\!\!\begin{array}{c}N\\NH\end{array}\!\!\rangle C - CH_3$$

betrachten. Die Analogie fällt in die Augen; denn wenn man da von absieht, dass die Formel die Toluylen- und Methenylgrupp statt der Phenylen- und Benzenylgruppe enthält, so liegt de Unterschied wesentlich nur darin, dass in derselben die bivalen Imidgruppe statt des gleichwerthigen Schwefelatoms figurirt. Meh rere ähnliche Basen, verschiedenen Reihen angehörig, sind spät von Hübner[2]) beschrieben worden, der für die so gebildete Körper den sehr zweckmässigen Namen Anhydrobasen vorgeschl. gen, auch zuerst darauf hingewiesen hat, dass sich nur diejenige Nitramide in derartige Basen verwandeln lassen, bei denen sic Amid- und Nitrogruppe in der Orthostellung befinden. Auc Ladenburg[3]) und später Wundt[4]) haben ähnliche Basen da gestellt, indem sie, den umgekehrten Weg einschlagend, statt vo Nitramiden von Diaminen ausgingen, welche sie mit Säuren b handelten. Noch näher aber steht der oben beschriebene Schwe felkörper den Verbindungen, welche uns die schönen Untersuchu gen Ladenburg's[5]) über die Condensation des Orthoamidoph

---

[1]) Hobrecker, Ber. chem. Ges. V, 920.

[2]) Hübner und Mitarbeiter, Ber. chem. Ges. VI, 795, 1128; VII, 46 1314; VIII, 471; IX, 774; X, 1711.

[3]) Ladenburg, Ber. chem. Ges. VIII, 677.

[4]) Wundt, Ber. chem. Ges. XI, 826.

[5]) Ladenburg, Ber. chem. Ges. IX, 1524; X, 1123.

nols und ähnlicher Körper unter dem Einflusse von Säuren oder Säurechloriden kennen gelehrt haben. Durch die Einwirkung von Benzoylchlorid auf Orthoamidophenol entsteht in der That eine dem neuen Schwefelkörper analoge Sauerstoffverbindung

$$C_6H_4\langle{}^{N}_{O}\rangle C-CH_3 .$$

Allerdings war ich einen Augenblick zweifelhaft, ob hier wirklich zwei Körper von analoger Constitution vorliegen. Die in Frage stehenden sauerstoffhaltigen Substanzen werden durch Säuren mit Leichtigkeit wieder in ihre Generatoren gespalten, während die beschriebene Schwefelverbindung von Säuren kaum angegriffen wird. Man kann sie Tage lang in geschlossener Röhre mit concentrirter Salzsäure auf 200° erhitzen, ohne dass sie die geringste Veränderung erleidet. Indessen darf man nicht vergessen, dass die Schwefelverbindungen im Allgemeinen beständiger sind als die entsprechenden Sauerstoffkörper. Erleiden doch die Senföle unter dem Einflusse des Wassers erst bei hoher Temperatur die Umbildung, welche sich bei den entsprechenden Cyanaten schon bei gewöhnlicher Temperatur vollzieht. Auch zeigte sich's alsbald, dass die Wirkung, welche die Säuren versagen, von den Alkalien ohne Schwierigkeit geübt wird. Waren die beiden genannten Verbindungen von analoger Constitution, so musste aus dem schwefelhaltigen Körper, neben Benzoësäure, Amidophenylmercaptan entstehen. Diese Substanzen werden in der That mit Leichtigkeit durch Behandlung mit Alkalien erhalten. Allerdings kann man die Krystalle stundenlang sowohl mit wässeriger als mit alkoholischer Kalilauge kochen, ohne dass sie die geringste Veränderung erleiden. Schmilzt man sie aber mit Kalihydrat — 10 g Krystalle werden zweckmässig in einer kleinen Retorte mit 20 g Kalihydrat erhitzt — so ist bereits nach 10 bis 15 Minuten der grösste Theil des Schwefelkörpers in die beiden genannten Verbindungen umgewandelt:

$$C_6H_4\langle{}^{N}_{S}\rangle C-C_6H_5 + 2H_2O = C_6H_4\langle{}^{NH_2}_{SH} + C_6H_5-COOH .$$

Die Schmelze löst sich mit brauner Farbe im Wasser. Es ist erwünscht, dass eine kleine Menge Schwefelkörper ungelöst bleibe, man weiss dann, dass die Reaction nicht zu weit gegangen ist.

Die filtrirte Flüssigkeit liefert auf Zusatz von concentrirter Salz säure eine reichliche Füllung von Benzoësäure; gleichzeitig scheide sich das Amidophenylmercaptan in Form eines Öles aus, welche aber auf Zusatz einer grösseren Menge von Salzsäure alsbald wie der in Lösung geht.

Das Amidophenylmercaptan ist, wie die aromatischen Mercap tane im Allgemeinen, sehr oxydirbar. Lässt man die Lösung a der Luft stehen, so scheiden sich schon bald an der Oberfläch schwerlösliche Krystalle der Salzsäure-Verbindung eines Disulfide

$$\begin{array}{l} S - C_6H_4NH_2 \\ | \\ S - C_6H_4NH_2 \end{array}$$

aus. Die völlige Abscheidung nimmt aber immerhin eine geraum Zeit in Anspruch; durch Anwendung eines gelinden Oxydations mittels kann man sie aber augenblicklich bewerkstelligen. Kalium bichromat, selbst in verdünnter Lösung, greift unter Bildung ge färbter Producte die Phenylgruppe an; dagegen ist Eisenchlorid i hohem Grade geeignet. Die kalte Lösung des salzsauren Amido phenylmercaptans setzt auf Zusatz von Eisenchlorid schon nacl wenigen Minuten eine prachtvolle Krystallisation des Disulfidchlor hydrats ab, welche in concentrisch vereinigten Blättern anschiesst Das Salz ist in kaltem salzsäurehaltigem Wasser so schwer lös lich, dass man die auf einem Filter gesammelten Krystalle durcl rasches Waschen von dem massenhaft in der Lauge befindlichen Chlorkalium ohne Schwierigkeit trennen kann.

In heissem Wasser ist das Salz löslich; die Lösung liefer mit Platinchlorid einen rothbraunen, nur schwach krystallinischen Niederschlag. Wird die Lösung mit Ammoniak versetzt, so fäll das Disulfid in wohlausgebildeten Blättchen, welche in Wasser un löslich sind, aber aus siedendem Alkohol mit Leichtigkeit umkry stallisirt werden können. Die Krystalle schmelzen bei 93°; es schien zweckmässiger, diese wohl definirte, sehr stabile, gut krystal lisirende Verbindung zu analysiren, als das lange flüssig bleibende, schwer zu reinigende und überdies so veränderliche Mercaptan. Be dieser Analyse wurden folgende Werthe erhalten:

	Theorie		Versuch		
C_{12}	144	58.07	58.03	57.93	—
H_{12}	12	4.83	5.12	4.86	—
N_2	28	11.30	—	—	—
S_2	64	25.80	—	—	25.61
	248	100.00.			

Unter dem Einfluss von Reductionsmitteln geht das Disulfid schnell wieder in das Mercaptan über. Leitet man einen Strom Schwefelwasserstoffgas in die erwärmte verdünnte Lösung des salzsauren Salzes des Disulfids, so scheidet sich alsbald Schwefel in dicken Flocken aus, und die Lösung enthält nunmehr das salzsaure Salz des Amidomercaptans, welches man durch Abdampfen in kleinen Krystallen gewinnt. Hierbei geht aber schon wieder ein Theil in die Disulfidverbindung über. Wird die Lösung des salzsauren Salzes mit Natriumcarbonat versetzt, so scheidet sich das Amidomercaptan als öliges Gerinsel ab, welches man zweckmässig in Äther aufnimmt. Nach dem Verdampfen desselben bleibt ein gelbliches Öl zurück, welches bei niedriger Temperatur nach einiger Zeit krystallinisch erstarrt.

Es verdient hier erwähnt zu werden, dass schon früher sowohl ein Amidophenylmercaptan, als auch ein Amidophenyldisulfid auf anderen Wegen erhalten worden ist. Das Mercaptan wurde von Glutz und Schrank[1]), dargestellt. Sie bereiteten es durch Reduction des Chlorides der Nitrobenzolsulfosäure, welche nach dem E. Schmitt'schen Verfahren durch Einwirkung von Schwefelsäure auf Nitrobenzol gewonnen worden war. Da aber nach späteren Untersuchungen von Limpricht[2]) auf die angegebene Weise die drei isomeren Säuren entstehen, so ist es zweifelhaft, ob die Genannten ein einheitliches Product in Händen gehabt haben.

Ein Disulfid ist von E. B. Schmidt[3]) in complexer Reaction durch die Einwirkung des Chlorschwefels auf das Acetanilid gewonnen und unter dem Namen Pseudodithioanilin beschrieben

---

[1]) Glutz u. Schrank, Journ. f. p. Chem., N. F. II, 223.

[2]) Limpricht, Ber. chem. Ges. VIII, 431.

[3]) Schmidt, Ber. chem. Ges. XI, 1168.

worden. Der mitgetheilte Schmelzpunkt (78—79°) scheint anzudeuten, dass das so erhaltene Product mit dem oben beschriebenen (vom Schmelzpunkt 93°) nur isomer ist. Im Übrigen stimmen die Eigenschaften beider Substanzen ziemlich nahe mit einander überein.

Die von mir dargestellten Verbindungen gehören, man kann wohl nicht daran zweifeln, der Orthoreihe an. In der That verwandelt sich das aus dem neuen Schwefelkörper abgeschiedene Amidophenylmercaptan mit grosser Leichtigkeit wieder in diese Verbindung zurück. Die Rückbildung erfolgt augenblicklich, wenn man das Mercaptan mit Benzoylchlorid behandelt. Es ist zu diesem Behufe nicht nöthig, dasselbe aus seiner Salzsäure-Verbindung abzuscheiden. Die Krystalle dieser Verbindung werden schon in der Kälte unter Entwickelung von Salzsäure angegriffen; beim Erhitzen lösen sich die Krystalle auf, es entwickelt sich nun auch Wasser und beim Erkalten bleibt eine krystallinische Masse, welche sich nahezu vollständig in concentrirter Salzsäure auflöst. Versetzt man diese Lösung mit Wasser, so scheidet sich der erwartete Körper alsbald in Krystallen aus, welche durch einmaliges Umkrystallisiren rein erhalten werden. Wahrscheinlich bildet sich eine intermediäre Verbindung

$$C_6H_4\left\langle\begin{matrix} NHCOC_6H_5 \\ SH \end{matrix}\right. ,$$

welche alsdann durch Wasserabspaltung in

$$C_6H_4\left\langle\begin{matrix} N \\ S \end{matrix}\right\rangle C - C_6H_5$$

übergeht. Behandlung des Amidophenylmercaptans mit Benzotrichlorid liefert begreiflich die Schwefelverbindung ebenfalls.

Wollte man der neuen Verbindung einen Namen geben, so könnte man sie im Hinblick auf diese Bildungsweise als Benzenylamidophenylmercaptan ansprechen.

Die glatte Bildung dieser Verbindung durch Behandlung des Phenylbenzamids mit Schwefel ist Veranlassung gewesen, das Verhalten auch anderer Klassen von Amiden gegen Schwefel zu studiren. Über die Ergebnisse dieser Studien hoffe ich der Akademie später zu berichten; heute ist es mir nur noch eine angenehme Pflicht, in Dankbarkeit des Eifers, der Sachkenntniss und der Geschicklichkeit zu gedenken, mit denen mich ein junger japanischer Chemiker, Hr. N. Nagai, bei Ausführung der beschriebenen Versuche während der Weihnachtsferien unterstützt hat.

Hr. W. Peters machte eine Mittheilung über die von Hrn. Dr. F. Hilgendorf in Japan gesammelten Chiropteren.

Die von Hrn. Dr. Hilgendorf in Japan gesammelten Fleder-thiere sind nicht allein wegen einer darunter enthaltenen neuen Art, sondern auch wegen des genauer bestimmten Fundorts, der von einigen noch nicht bekannt war, von besonderem Interesse.

1. *Rhinolophus ferrum equinum* Schreber, var. *nippon* Temminck. — Oyama.

2. *Rhinolophus cornutus* Temminck.

Eine Anzahl dieser in den Sammlungen noch immer seltenen Art hat Hr. Dr. Hilgendorf aus den Gebirgen von Nikko erhalten.

Dieselbe ist, wie ich schon früher (Monatsber. Berl. Ak. 1871. p. 309) angeführt habe, sehr nahe mit *Rh. pusillus* Temminck aus Java verwandt, unterscheidet sich aber merklich von diesem letzteren durch den grösseren zweiten unteren spitzen Prämolarzahn und die grösseren Füsse. *Rh. pusillus* ist, abgesehen von dem gleich langen Vorderarm, eine merklich kleinere Art.

Hr. Dobson (Cat. Chiroptera Brit. Mus. 1878. p. 114) hat diese Art unbegreiflicherweise mit *Rh. minor* Horsf. confundirt, welcher, wie dieses auch die Horsfield'sche Abbildung zeigt, den hinteren Fortsatz des Sattels bogenförmig abgerundet, wie *Rh. affinis*, und nicht scharf zugespitzt hat. Ebenso unbegreiflich ist es, wie Dobson (l. c. p. 115) *Rh. pusillus* Temminck für *Rh. hipporideros* hat halten können, was gewiss nicht geschehen wäre, wenn er Temminck's Abbildung von dem ersteren (Monographies II. Taf. 29. Fig. 8) verglichen hätte. Es ist möglich, dass in späterer Zeit auch Exemplare von *Rh. hipposideros* aus Versehen mit dem falschen Namen *Rh. pusillus* in dem Museum zu Leiden bezeichnet worden sind. Man kann aber nicht vorsichtig genug mit der Untersuchung von s. g. typischen Exemplaren sein, da sogar in einem grossen Museum nicht bloss aus Versehen ein Wechsel der Etiquets vorgekommen ist.

3. *Plecotus auritus* Linné.

Auch diese Art, deren Vorkommen auf Japan bisher noch nicht bekannt war, ist in dem gebirgigen District von Nikko gefunden worden.

4. *Miniopterus Schreibersii* Natterer. — Awa.

5. *Vesperugo noctula* Schreber. — Hekodate (Yesso).

6. *Vesperugo abramus* Temminck. — Yedo.

7. *Harpyiocephalus Hilgendorfi* n. sp. (Tafel Fig. 1-10.)

H. auriculis rotundatis, trago acuminato, margine externo concavo undulato; cauda apice prominente; premolari superiore primo secundo multo minore; brunneogriseus, subtus pallidus.

Long. tota 0,100; antibr. 0,041; tib. 0,017.

Habitatio: Yedo.

Ohr etwas kürzer als der Kopf, am Aussenrande über der Mitte schwach eingebuchtet, am Ende abgerundet, sowohl inwendig wie aussen convex; inwendig mit zerstreuten warzenförmigen Erhabenheiten, nach dem innern Rande hin lang behaart. Ohrklappe lang bis zu der Einbucht des äussern Ohrrandes reichend, spitz, an der Basis mit einem zahnförmigen Vorsprung, an dem Innenrande convex, an dem äusseren concaven Rande unregelmässig wellenförmig. Nasenlöcher wie bei *H. harpyia.* Am Gaumen vorn vier ganze, dann vier getheilte und zuletzt wieder eine einfache Schleimhautfalte. Körperbehaarung lang und weich. Schenkelflughaut und Zähne oben dichter, die Seitenflughäute bis zu dem Ellbogen sparsamer mit längeren Haaren bekleidet. Vorderarm und Daumen oben sparsam behaart. Flughäute bis zu der Mitte der ersten Phalanx der ersten Zehe herabsteigend. Die weichen knorpeligen Spornen sind kürzer als der Unterschenkel. Die Spitze des Schwanzes ragt 4 Mm. frei über die Schenkelflughaut hinaus.

Um die Augen und das Kinn herum schwarzbraun, unter den Ohren und hinter dem Kinn weissgrau. Am Rücken graubraun, die einzelnen Haare an dem Grunde dunkel und am Ende grau, oder mit einem subapicalen dunkeln Ringe und weisslicher Spitze.

Die Haare der Oberseite der Schenkelflughaut heller bräunlich, fast einfarbig. Haare der Bauchseite kürzer, zweifarbig, am Grunde dunkel, an der Spitze grauweiss.

					Meter
Totallänge					0,100
Kopf					0,022
Ohrhöhe					0,017
Vorderer Ohrrand					0,012
Ohrbreite					0,014
Ohrklappe					0,010
Schwanz					0,038
Oberarm					0,027
Vorderarm					0,041
L. 1. F.	Mh. 0,0045;	1 Gl. 0,0065;	2 Gl. 0,005		0,016
L. 2. F.	- 0,0345;	- 0,004			0,0385
L. 3. F.	- 0,038;	- 0,018;	- 0,015;	Kpl. 0,0085	
L. 4. F.	- 0,036;	- 0,014;	- 0,010;	- 0,0035	
L. 5. F.	- 0,037;	- 0,0135;	- 0,008;	- 0,004	
Oberschenkel					0,016
Unterschenkel					0,017
Fuss mit Kralle					0,0125
Sporn					0,014

Ein ausgewachsenes männliches Exemplar aus Yedo.

8. *Vespertilio macrodactylus* Temminck. — Nikko.

Diese Art steht dem südeuropäischen *V. Capaccinii* Bonaparte zwar sehr nahe, ist aber nach Vergleichung einer Anzahl von Exemplaren nicht mit demselben zu vereinigen. Die europäische Art ist im allgemeinen grösser, namentlich sind die Füsse auffallend länger, hat mehr abgerundete breitere Ohren und die Ohrklappe in der Endhälfte deutlich nach aussen bogenförmig gekrümmt, während sie bei *V. macrodactylus* ganz grade ist.

Erklärung der Abbildungen.

Fig. 1. *Harpyiocephalus Hilgendorfi* Ptrs. Männchen in natürlicher Grösse.
„ 2. Kopf desselben von der rechten Seite.
„ 3. Ohr desselben von der rechten Seite.
„ 4. Schädel im Profil; 5. Schädel von oben; 6. Schädel von unten.
„ 7. Gebiss im Profil; 8. Gebiss von vorn; 9. Oberes Gebiss von unten; 10. Unterkiefergebiss von oben.

Figur 3 und 7—10 vergrössert.

8. Januar. Gesammtsitzung der Akademie.

Hr. Duncker las über Napoleon's Übergang nach England.

---

15. Januar. Gesammtsitzung der Akademie.

Hr. Waitz las über die Gesta und die Historia gloriosa Ludovici VII.

19. Januar. Sitzung der philosophisch-historischen Klasse.

Hr. Weber las folgende Abhandlung:

Über zwei Parteischriften zu Gunsten der Maga, resp. Çâkadvîpîya Brâhmaṇa.

Durch die freundliche Güte des Hrn. R. A. Lloyd, Gov^t-Inspector of Public Instruction, North Western Provinces and Oudh, erhielt ich am 29. Nov. v. J. aus Lucknow (de 7. Nov.) die von ihm (s. Monatsberichte 1879 p. 475) erbetene Abschrift der khalavaktracapeṭikâ des Râjavallabha[1]), zugleich mit der eines ähnlichen Textes, der den Namen Sâmvavijaya führt. Mr. Lloyd hatte sich sofort nach Empfang meiner Bitte an den Besitzer der Original-Handschrift, Râja Râm Nâth of Fyzabad, gewendet; in Folge einer mehrmonatlichen Abwesenheit desselben indessen erhielt er die betreffenden Handschriften erst „within the last 6 weeks" zur Abschrift geliehen.

Die Abschrift ist anscheinend von derselben Hand gemacht, wie die der Magavyakti, und zwar somit ebenfalls sehr sorgsam und gut, hat auch mannichfache Correcturen bei einer vorgenomme-Revision erhalten. Der upadhmânîya und jihvâmûlîya erscheinen mehrfach, und zwar beide durch ႘ vertreten; vor Sibilanten erscheint der visarga vielfach als ç, sh, s; m in Pausa wird stets durch m mit virâma gegeben; die Nasale erscheinen resp. im Innern wie am Ende meist in der dem nächsten Consonanten homogenen Form; finales m bleibt hier und da auch vor v. — Die Abschrift umfasst beide Werckchen in einem Bande. Die Blätter liegen in europäischer Weise neben einander.

Voran steht der Sâmva[2])vijaya, auf 129 pagg., zu 15 Zeilen, à 17—20 akshara, in 15 adhyâya, angeblich aus dem Bhavishya (oder °shyat)-purâṇa, auch bezeichnet als Vainateya-Nâradasaṃvâda. Von allen diesen drei Titeln besteht jedoch anschei-

---

[1]) s. Catalogue of Sanskrit Mss. existing in Oudh, Sept. 1875 p. 54, und fascic. XI p. 38 (Calcutta 1878).

[2]) só durchweg hier, während in der khalavaktra°: Çâmva.

nend keiner zu Recht. Was nämlich zunächst die Bezeichnung als Vainateya° betrifft, so findet dieselbe in den ersten elf Capp., abgesehen von zwei kurzen Angaben in 1, 12 und 9, 42 (s. daselbst), eigentlich gar keinen Anhalt, und wird erst von Cap. 12 an wenigstens theilweise richtig. Der Titel Sâmvavijaya sodann, der sich am Schluss der Capp. 6. 7. 10. 12—15, so wie auf der Aussenseite des ersten Blattes (in englischer Schrift) findet, passt nur etwa auf die ersten vier Capp. die ihn gerade nicht tragen, da nur in ihnen (s. jedoch noch 11, 57) von Sâmva, freilich aber auch nicht von einem Siege desselben, nur von seiner Heilung die Rede ist. Endlich, auch die Beziehung auf das Bhavishyapurâṇam erscheint als ganz apokryph. Wenn man nämlich die von Aufrecht im Catalogus Codd. Msc. Sansc. Bibl. Bodl. p. 31ᵇ über die entsprechenden Abschnitte des Bhavishyapur. (Cod. Wilson 103, fol. 73ᵃ fg.) gemachten Angaben vergleicht, welche ihm zufolge „die Erzählung von Çâmba, der durch einen Fluch seines Vaters mit Krankheit behaftet war, und von seiner Belehrung durch Nârada über Natur, Nachkommenschaft und Dienst der Sonne“ enthalten, so ist ja zwar in der That Mehreres hiervon mit dem Inhalt des vorliegenden Textes identisch; aber der beiderseitige Text scheint doch ein gänzlich verschiedener zu sein. Denn theils finden sich die bei Aufrecht ausgehobenen Citate[1]) hier nicht vor; theils steht auch der Inhalt des hier vorliegenden Textes mit dem Inhalte der dortigen Citate mehrfach in directem Widerspruch. Es finden sich endlich auch die in der khalavaktracapeṭikâ aus dem Bhavishyapur. herangezogenen Stellen zwar mehrfach, obschon mit allerhand Varianten, bei Aufrecht vor, nicht aber in unserm Texte hier.

So gehe ich denn zunächst dessen Inhalt selbst der Reihe nach durch, und lasse erst dann meine allgemeinen Bemerkungen darüber folgen.

Der erste adhyâya, am Schlusse bezeichnet als: Sâmvaçâpavṛittakathanam, in 53 çl., bis p. 8, beginnt wie folgt:
ekadâ Naimishâraṇye ṛishayaḥ Çaunakâdayaḥ |
mahâsatraṃ samâsthâya papracchur idam âdarât || 1 ||

---

[1]) von denen freilich nur eines aus fol. 73ᵃ, die übrigen erst aus fol. 98ᵇ fg. entnommen sind.

Çaunakâdaya ûcuḥ |
Sûtâ "khyâhi param bhadraṃ Sâmvasya çâpakâraṇam |
bhagavân Rukmiṇînâtho devarsher vacasâ bhṛiçam || 2 ||
putrâya dharmaçîlâya kathaṃ çâpañ ca dattavân |
devarshir Nâradas sâkshâd vedamûrttis sanâtanaḥ || 3 ||
adâpayat kathaṃ çâpam îdṛiçañ Kṛiçna[1]-santatau |
yatho 'ddhâras tathâ vrûhi çrotum icchâmahe vayam || 4 ||
âçcaryam vahu no bhâti yat pitrâ çapyate[2] putraḥ |
Sûta uvâca |
vrâhmaṇânâṃ ca prastâve çrîKṛiçnaṃ samapṛicchata[3] || 5 ||
Dharmmarâjaḥ prahṛishṭâtmâ, setihâsam imaṃ çṛiṇu[4] |
bhagavadvarṇitaṃ samyag vrâhmaṇânâñ ca kîrttanam || 6 ||
dhanyaṃ yaçasyam âyushyaṃ sarvadaṃ puṇyavarddhanam |
râjarogâdiçamanaṃ putrapautrâdivarddhanam || 7 ||
çrutve 'daṃ sarvapâpebhyo mukto bhavati mânavaḥ |
ishṭaṃ manorathaṃ kshipraṃ kṛipayâ labhate hareḥ || 8 ||
Yudhishṭhira uvâca |
Vâsudeva mahâvâho govrâhmaṇasurârttihan[5] |
yajnârhâṃç ca[6] dvijân vrûhi pitṛîṇâṃ svarvbhujân[7] tathâ || 9 ||
ye viprâḥ pûjanîyâç ca daive paitrye ca karmaṇi |
vâcâṃ siddhiḥ karmasiddhir yyeshâṃs(!) tân vada Mâdhava! || 10 ||
bhavadbhiḥ pûjitâ ye vai Yâdavair Bhojakândhakaiḥ |
Rukmiṇîpramukhastrîbhiḥ pûjitâs tân vada prabho || 11 ||

Während also die Frage der Çaunakâdayas an den Sûta nach dem Fluche des Sâmva gerichtet ist, lässt sich derselbe in seiner Antwort auf diese Frage gar nicht ein, sondern berichtet, wie Yudhishṭhira den Kṛishṇa um Auskunft darüber gebeten habe,

---

1) so hier mehrfach für Kṛishṇa; umgekehrt prashṇa für praçna 13, 3. 5.

2) tapyate Cod. 3) °chat Cod.

4) dieses çṛiṇu ist wohl an Çaunaka gerichtet s. 3, 1; auch setihâsam ist auffällig! so auch v. 13 und noch sonst mehrfach, für itihâsa.

5) erst die Kühe, dann die brâhmana, zuletzt die Götter!

6) dies ca ist ganz unmotivirt; von erster Hand steht çvaṃ da, was in °çca geändert ist; es ist wohl: °s tvaṃ zu lesen.

7) diese Genetive sind wohl von yajna abhängig? „würdig für das Opfer der Manen und Götter" d. i. „beim Manen- und Götter-Opfer zu verehren"?; s. das erste Hemistich des nächsten Verses.

welche brâhmaṇa ehrwürdig seien, und welche derselben speciell in Kṛishṇa's Geschlecht verehrt würden? Und dem entsprechend lautet denn auch die Antwort Kṛishṇa's, der zufolge diese Frage übrigens schon früher einmal von Garuḍa an den Devarshi (Nârada! s. v. 3) gerichtet worden sei[1]), zunächst dáhin, dass alle Brâhmaṇa (bhûdevâs) überall auf Erden zu ehren seien. Und zwar gebe es jetzt im Bhârata khaṇḍa, im Innern von Jamvudvîpa, nördlich und südlich vom Vindhya, zehn Brâhmaṇa(-Geschlechter), fünf Gauḍa und fünf Drâviḍa[2]) (v. 18). Die erstern fünf seien die Sârasvata, Kânyakuvja, Gauḍa, Utkala-Maithilâḥ, die letztern fünf die Kârṇâṭaka, Mahârâshṭra, Tailaṅga, Gujjara und Drâviḍa. Von ihnen seien resp. die speciell Gauḍa und Drâviḍa Genannten die Geehrtesten (v. 22); bei den Drâviḍa sei Patañjalir bhagavân geboren (v. 23), in einem Gauḍa-Geschlecht werde Kalki, seinerseits ein Harer aṅça, geboren werden (v. 24). Dann gebe es aber auch noch Andere (Brâhmaṇa), wie die Mâthura und Mâgadha, die je in ihrem Lande geehrt würden, wie denn in jedem Berge und Wallfahrtsort je die dazu gehörigen Brâhmaṇa (parvate parvatîyâç ca tîrthe tîrthasya vrâhmaṇâḥ v. 28) zu ehren seien.

Und hier fällt nun Yudh. mit der Frage ein, wie es denn mit den aus dem sechsten dvîpa stammenden Maga stehe (v. 29):

katham eshâṃ hi vasatiḥ katham atra samâgamaḥ |
supratishṭhâḥ kathaṃ yâtâḥ çrîmadbhiḥ pûjitâḥ katham || 30 ||
kasyo 'padeçabhedâbhyâñ kasya kena ca hetunâ |
kenâ 'nîtâ jagatpûjyâ vrûhi tvam Madhusûdana || 31 ||

Nun erst beginnt Kṛishṇa, und zwar auch wieder ohne hierauf direct zu antworten, die Geschichte von der Verfluchung des Sâmva zu erzählen. Derselbe war einst so im Besingen der Herrlichkeit des Hari versunken (gâṃdharvam âsthitaḥ | mûrchanâlayasampanno

---

[1]) ayam eva kṛitaḥ praçno Garuḍena ca dhîmatâ |
Devarshir varṇayâmâsa mâhâtmyaṃ hi dvijanmanâm || 12 ||
tad ahañ kathayishyâmi setihâsaṃ(!) purâtanaṃ |
çṛiṇu cittaṃ samâdhâya dharmmakarmmapravarddhanaṃ || 13 ||
vgl. hiezu die Bezeichnung des Werkchens in der Schlussunterschrift der Capp. als: Vainateya-Nâradasaṃvâde! zu der im Übrigen hier eben weiter nichts vorliegt, denn v. 14 geht gleich zum Preise der Brâhmaṇa über. S. jedoch unter 9, 42, so wie 12, 3 fg.

[2]) s. Colebrooke misc. ess. 2, 159[2] (179[1]).

rågasvarasamanvitaḥ || 33 || gânavâdarato nityaṃ gâyati sma Harer guṇân), dass er den Nârada, der gerade vom Himmel kam, nicht bemerkte und daher auch nicht begrüsste[1]). Aus Ärger darüber verdächtigte ihn derselbe[2]) bei seinem Vater Kṛishṇa[3]) mit der Angabe, dass S. demselben durch seinen Sang seine 16,000 Weiber, die er (K.) nach dem Tode des Bhaumâsura heimgeführt hatte[4]), berücke[5]). Auf angestellte Probe hin habe er (K.) dann im eifersüchtigen Zorn den obwohl eigentlich doch unschuldigen Sohn verflucht (vyaṅgo bhavâ 'dhunâ putra), danach aber, als derselbe in Folge hiervon vom Aussatz befallen ward, auch wieder, voll Reue hierüber, den Nârada um Mittel zur Abhülfe gebeten.

Der zweite adhyâya, çrîsûryanârâyaṇopadeçakathanaṃ, in 33 vv., bis p. 12.

Der Sûta fährt in seinem Berichte an Çaunaka[6]) über die Verhandlungen hierüber zwischen Kṛishṇa und Nârada fort. Letzterer räth Jenem, sich an den Sonnengott zu wenden, der aus Lust an dem Gesange des Sohnes (hie und da) seinen Wagen anhalte: rathaṃ tishṭhati (als Causale!) tâvad dhi yâvad gândharvam âsthitaḥ (v. 2). Der Bitte des reuigen Vaters entsprechend[7]) verheisst çrîSûrya Heilung, und zwar durch Anbetung seiner eigenen mitten in der

---

[1]) gîyamânena (sic! für gâya°, Âtmanep. s. 9, 7) vâlena prapatis tasya no kritâ || 25 ||

[2]) in eine Unterhaltung zwischen Nârada und Vainateya passt dieser Bericht wenig hinein!

[3]) auch hier gilt das in der vorigen Note Bemerkte. In Kṛishṇa's Munde, dem Yudh. gegenüber, nimmt sich diese Erzählung seltsam genug aus, zumal ja Kṛishṇa (s. p. 32) Hari selbst ist!

[4]) die älteste Angabe über die vielen Frauen des Vishṇu s. in Ṛiks. 3, 54, 14.

[5]) in dem Citat aus dem Bhavishyapur. in der khalavaktracap. fol. 6a ist es Jâṃvavatî, die eigene Mutter des Sâmva, welche bei dem Anblick seiner Schönheit in Liebe zu ihm entbrennt (v. 11-13), worauf er, dies sehend, aus Schreck vom Aussatz befallen wird.

[6]) çriṇu (Singular! an Çaunaka gerichtet? s. 1, 6. 3, 1) cittaṃ samâdhâya saṃvâdaṃ Hari-viprayoḥ | paraṃ kautûhalaṃ viprâḥ (Plural! an Çaunaka's Genossen gerichtet) yaçovarddhanam uttamam || 1 ||

[7]) derselbe bezeichnet den Sonnengott dabei als trayîmûrti; udaye vrahmaṇo rûpaṃ madhyâhne ca maheçvaraḥ | sâyam prâpte Hariḥ sâkshât trayîmûrttimate namaḥ || 5 || ... und Hari selbst ist es, der só spricht! eine starke Abstraction; s. so eben Note 2. 3.

Candrabhâgâ befindlichen Edelstein-Statue[1]), unter Lobpreis mit vedischen Hymnen (ârshastavaiḥ v. 16), oder von Vâlmîki, Vyâsa etc. stammenden stotra, sowie unter Vorausschickung zahlreicher, einzeln aufgeführter anderweiter Götter-Spenden und reicher Geschenke an die Brâhmaṇa. Und auf die Frage Kṛishṇa's, wo die hierzu geeigneten Priester (vrâhmaṇâḥ) zu finden seien[2]), verweist er ihn auf den sechsten dvîpa, wo die vier Kasten die Namen Maga, Mâgasa, Mânasa, Mandaga führen, und von wo er denn die Maga ad hoc nach der Candrabhâgâ holen möge.

Der dritte adhyâya, shashṭhadvîpâd Dvârakâyâṃ dvijâgamanaṃ nâma, in 33 vv., bis p. 16.

Auf Çaunaka's Frage berichtet der Sûta dann weiter von der Unterweisung çrî-Kṛishṇa's durch den Sonnengott[3]), auf Grund deren Jener den Garuḍa nach dem Çâkâhvaya dvîpa sandte, um 18 Familien (kulâni) der Maga nach Dvârakâ einzuladen und auf seinem Rücken dahin zu bringen. Nach der sabhâ Sudharmâ nämlich, wo Nârada u. andere maharshi, Garga als purohita, Ugrasena als mahârâja, die Eltern des Kṛishṇacandra: Vasudeva und Devakî, Akrûra, Sât(y)aki, Revatîramaṇa, Pradyumna, Aniruddha und andere Kṛishṇa-Söhne, Kṛishṇa selbst nebst Rukmiṇî und seinen anderen Frauen sie ehrerbietig empfingen.

Der vierte adhyâya, Sâmvarogâpanayanaṃ nâma, in 55 vv., bis p. 24.

Mit grossen Zurüstungen ward nun, berichtet der Sûta weiter, das Opfer am Ufer der Candrabhâgâ vollzogen. Nach 7 Tagen

---

[1]) Candrabhâgânadîmadhye mûrttir maṇimayî mama | pûjayasva ca tatrai 'va parivârais savandhubhiḥ || 10 ||

[2]) kutrâ "sante, vadâ 'dhunâ || 25 || eine sonderbare Form!

[3]) bhânunâ Harimûrttinâ (v. 1). Und ähnlich im folgenden Verse: samapṛicchat tato viprâḥ! bhagavân Madhusûdanaḥ |
Sûryya-Nârâyaṇaṃ devaṃ prasannamukhapaṅkajam || 2 ||
Der Sonnengott wird somit hier speciell mit Vishṇu identificirt, und da Kṛishṇa seinerseits ja auch Vishṇu ist, so unterhalten sich hier zwei Formen derselben Gottheit mit einander! — Offenbar soll dadurch, dass der Sonnengott mit Hari, ja sogar mit der heiligen Trias selbst identificirt wird, auch auf die Träger seines Dienstes, die Maga, ein besondrer Glanz fallen, während sie daneben auch selbst wiederholt als Vaishṇava, Vaishṇavadharmiṇaḥ bezeichnet, somit ihres ausländischen Charakters direct entkleidet werden.

trat die Statue des Sonnengottes aus dem Wasser hervor[1]), empfing ihre Verehrung, und Sâmva war nach dem Schluss des Opfers wieder gesund. Den nach Dvârakâ zurückgekehrten Maga gab König Ugrasena einen reichen Landstrich[2]); Kṛishṇa selbst sang, im Verein mit seinen Söhnen Pradyumna etc. (v. 37) ihr Lob und bat sie flehentlich zu bleiben, indem er ihnen die grössten Ehren, unbedingte und völlige Gleichstellung mit sich (K.) selbst, so wie Schutz gegen alle etwaige Zurücksetzung oder Unbill verhiess. Die letzteren Stellen sind charakteristisch genug, um hier in extenso aufgeführt zu werden:

yair na dattaṃ sakṛi(c) chrâddhe shashṭhadvîpadvijâtaye |
nirâçâḥ pitaras teshâṃ çâpaṃ datvâ prayânti hi || 47 ||
ye nindanti Magân viprâṇ te nindanti ca bhâskaraṃ |
mahâdâridryam âpannâḥ kushṭhitândhâ (shṭ Cod.) na saṃçayaḥ || 48 ||
daivakarmaṇi paitrye ca yajne-yajne viçeshataḥ |
pûjanîyâs sadâ yûyaṃ shashṭhadvîpodbhavâ Magâḥ || 49 ||
shashṭhadvîpodbhavâ yûyaṃ ravigâtrasamudbhavâḥ |
hetor iti jagatpûjyâḥ çrîsûryyo bhagavân yathâ || 50 ||
yathâ sarvatra matpûjâ yushmâkañ ca tathâ bhuvi |
nai 'va kutrâ 'pi saṃsiddhir âvayor arcanam vinâ || 51 ||
siddhim ichubhir (iksh° Cod.) ávaçyam pûjanîyâḥ prayatnataḥ |
shashṭhadvîpo(d)bhavâ yûyaṃ daive paitre viçeshataḥ || 52 ||
ye dveshâd avahelante yushmâñç cai 'va Magadvijân |
Rauravâdishu majjante yâvat sûryyaprabhâ bhuvi || 53 ||

Der fünfte adhyâya, dvijânâṃ vishâdaprâptir nâma, 62 vv., bis p. 32.

Der Sûta berichtet auf Çaunaka's Frage weiter, wie die Maga dennoch, unter Hinweis auf die herangekommene böse Kali-Zeit[3]), diese Einladung K.'s ablehnten, und die Bitte an ihn stellten, durch Garuḍa wieder nach ihrer Heimath gebracht zu werden. Nách ihm (tyakte tvayi v. 9) würden andere, böse Könige und Geschlechter kommen, und sie wünschten daher nicht im Bhârata-dvîpa zu bleiben. So nahm sie denn Garuḍa auf seinen Rücken, und flog mit ihnen nach dem

[1]) tadaiva nissṛitâ mûrttir nadyâ maṇimayî raveḥ ... || 22 ||
[2]) Ânarttakaṃ deçaṃ çatakroçasya maṇḍalam || 34 ||
[3]) sthâtum atra ca ne 'cchâmaḥ, samâyâtaḥ khalaḥ Kaliḥ ... || 8 ||
Nach 12, 90. 13, 1 fg. kamen die Maga Dvâparânte, Dvâpare herüber, um den Sâmva zu heilen.

Çâkâhvaya dvîpa (v. 15). Unterwegs aber kamen sie in die Nähe von Gayâkshetra[1]), und hörten da von der Luft aus unten auf der Erde jämmerliches Klagen und Weinen, des Mâgadha-Fürsten Suloman nämlich und seiner Weiber. Am Aussatz leidend, war derselbe eben im Begriff, sich ins Feuer zu stürzen (kushṭhy agnigarte praveshṭum v. 17) und so seinem Leben ein Ende zu machen. Von Mitleid ergriffen veranlassten die Maga den Garuḍa hinabzusteigen und heilten den König[2]). Als sie nun aber trotz aller Bitten, da zu bleiben, wieder fort wollten, weigerte sich Garuḍa, sie zu tragen. Sie seien ihm nun durch die erhaltenen Geschenke (die Königinnen hatten ihnen 100 grâma geschenkt)[3]) zu schwer geworden. Kṛishṇa's Wunsch sei, dass sie bleiben möchten. Gayâ sei so schön und herrlich (v. 46—50 detaillirt)[4]). Sie würden die grössten Ehren geniessen, und ihr Geschlecht hochgeehrt die Erde erfüllen: bhavatâṃ vaṅçavaṅçyaiç ca dharâ pûrṇâ bhavishyati (v. 60).

Der sechste adhyâya, ohne besonderen Titel, 54 vv., bis p. 39.

Die Frage der Brâhmaṇa, wie könnten sie, nachdem sie Hari's Bitte, in Dvârakâ zu bleiben, ausgeschlagen, jetzt um der Bitte eines simplen Königs willen in Magadha bleiben? beantwortet Garuḍa mit einem noch detaillirteren Encomium von Gayâ[5]). Ob sie hier

---

[1]) der Çâkadvîpa liegt westlich, Gayâ östlich von Dvârakâ, so dass die Reiseroute, die Garuḍa nimmt, etwas sehr der Quere geht! Nun, dies stört einen sólchen Text nicht. Garuda bringt die Maga wohl absichtlich nach Magadha, s. im Verlauf.

[2]) sphaṭitâ (sphu°?) mûrddhatas tasya tvaksaruk (takmaruk?) Kûrmabhûpateḥ || 31 || Kûrmabhû somit hier = Magadha.

[3]) râjapatnyaḥ çatagrâmân likhitvâ parṇavîṭake || 37 || ... râjapatnyaç, çataṃ grâmân sandaduḥ parṇavîṭakaiḥ || 44 ||

[4]) icchâ bhagavato hy eshâ vasatâ 'tra dvijottamâḥ |
puṇyakshetraṃ samâsâdya Gayâkṛin(!) tîrtham uttamam || 46 ||
yatrâ "yânti ca sarveshâṃ pitaro vishṇurûpiṇaḥ (!) |
yasyâṃ gadâdharo devo nityaṃ kâmavarapradaḥ || 47 ||
tîrthaṃ Vishṇupadan nâma Phalgutîrthaṃ manoharam |
nadî Punaḥpunâ yatra smaratâm pâpahâriṇî || 48 ||
nityam vahati pitṛîṇân tushṭidâtrî sukhâvahâ |
pañcakroçañ Gayâtîrthaṃ kroçam ekaṃ Gayâçiraḥ || 49 ||
yasyâm vahati (vasati?) bhagavân gadâdharo janârddanaḥ |
Kṛishṇacandraprasâdena pratishṭhâm paramâñ gatâḥ || 50 ||
râjabbiḥ pûjitâ nityaṃ ramadhvaṃ jagatîtale . . .

[5]) Magadhe ca Gayâ puṇyâ nadî puṇyâ Punaḥpunâ |
Ṛishabhasyâ "çramaṃ puṇyaṃ puṇyo Râjagiris tathâ || 5 ||

oder in Dvârâvatî blieben, sei für Kṛishṇa ganz gleich, und er schliesst daran wieder ganz ungemessene Verheissungen von Glück Ehre, so wie von Schutz gegen jede etwaige Unbill. Die letzteren, die sich geradezu zu Verwünschungen gegen etwaige Gegner steigern, lauten:
ye 'pamânaṃ karishyanti svarthayâ (svech°?) dveshataḥ, kshasât (°ṇât) | rauravâdishu majjante yâvac candradivâkarau || 18 ||
karṇe jalpanti ye nindâm Magânâm bhânurûpiṇâm |
karṇakenâ 'lpa(!)mṛityus syât kule teshâṃ na saṃçayaḥ || 19 ||
jihvayâ ye ca nindanti shashṭhadvîpodbhavân Magân |
jihvakenâ 'lpa(!)mṛityus syât gehe teshâṃ na saṃçayaḥ || 20 ||
netrayos saṃjnayâ ye vai hy apakurvanti mânavâḥ |
Magânâñ guṇaçîlâṇâṃ, netrahînâ bhavanti te || 21 ||
vrâhmaṇâḥ kshatriyâ vaiçyâ(ḥ) çûdrâç câ 'pi tathe 'tare | ye nindanti magân viprân kushṭhino (shṭi° Cod.) 'ndhâ bhavanti te || 22
vrâhmaṇâ vedahînâç ca râjyahînâs tu vâhujâḥ |
dhanahînâḥ tathâ vaiçyâ vañçahînâḥ[1]) tu pâdajâḥ || 23 ||
kshayâpasmârakushṭâdi(shṭhâ)rogiṇo guṇavarjitâḥ |
mahândhâç ca daridrâç ca bhaveyur janma-janmani[2] || 24 ||
bhavatâṃ nindayâ nityaṃ vilapanti dharâtale |
jalavudvutsamaṃ[3]) viprâḥ saputravalavâhanâḥ || 25 ||

---

devâç ca pitaro yatra tatra devarshayo 'malâḥ |
vrahmarshayaç ca ye câ 'pi Kapilâdyâ maharshayaḥ || 6 ||
tyaktâbhimânino ye vai vaishṇavâ ruddhavâdayaḥ (Uddh°) |
râjâno dharmaçîlâç ca saṃsevante Gayâçiraḥ || 7 ||
tathâ Vishṇupadaṃ tîrthaṃ vaṭaç câ 'kshayasaṃjnakaḥ |
Phalgur nâmnî nadî puṇyâ vahaty antarato 'niçaṃ || 8 ||
Madhuçravâç ca yatrâ "ste(!) pitṛîṇâṃ câ 'titṛiptidâ |
vâso hy atra hi devânâṃ sâyamprâtaç ca nityaçaḥ || 9 ||
labhante pitaro bhâgân devâs tatrâ 'pi pûjitâḥ | bhûdevâç ca vasadhvam vo (als Nomin.!) Gayâyâm atra sâmpratam || 10 ||
yathâ priyâ hi Kṛishṇasya bhuvi Dvârâvatî purî |
tathâ gadâdharasyai 'va sthânaṃ câ 'tra Gayâçiraḥ || 11 ||
Sollte dem vaṭa in v. 8 etwa der heilige Bodhi-Baum zu Grunde liegen? und überhaupt hier buddhistisch-jainistische Motive (s. den Ṛishabha in v. 1) mit hinein spielen? cf. Ind. Stud. 1, 186ᵃ. Madhuçravas ist ein heiliger Fluss, s. Aufrecht Catal. 46ᵇ, 3 v. u.

[1]) d. i. wohl: sie sollen nicht einmal ein Bambusrohr zur Disposition haben?

[2]) für janmani-janmani! [3]) für vudvudasamaṃ!

Durch diese Verheissungen[1]) befriedigt, liessen sich die Brâhmaṇa nun in der Nähe von Gayâ (Gayâkshetrânti! v. 26) nieder. Vier von den achtzehn Familien aber gingen nach (der) Vadarî, um da als Asketen zu leben (taptum) und den Adhokshoja zu preisen, und begaben sich dann von da wieder in ihre Heimath, nach dem Çâkadvîpa im Milchmeer[2]), zurück. Es waren dies: Çrutikîrti, Çrutâyu, Sudharman und Sumati. Die übrigen 14 blieben in Gayâ[3]), nämlich: Mihirâñçu[4]), Sudhâñçu, Bharadvâja, Vasu, Parâsara, Kau(ṇ)ḍinya, Kaçyapa, Garga, Bhṛigu, Bhavyamati, Sûryyadatta, Nala[5]), Arkadatta, Kauçila[6]) (v. 30. 31). Als Garuḍa die Kunde hiervon nach Dvârâvatî brachte, sandte Kṛishṇa den çrîbhânurûpebhyo dvijebhyah durch seine pârshada unermessliche Geschenke nach Magadha. Die Brâhmaṇa beklagten sich gegen diese Boten darüber, dass sie Magadha gegen Dvârakâ eingetauscht hätten und versprachen dem Hari ihre zauberkräftige Hülfe gegen seinen Feind[7]), falls er mit Bhîma und Arjuna in Gestalt eines Tridaṇḍin nach Magadha kommen wolle (vv. 47 fg.). Als Kṛishṇa dies von seinen pârshada erfuhr, machte er sich sofort nach Indraprastha auf, um die Pâṇḍava aufzusuchen.

Der siebente adhyâya, pitâmahamantrakathanan nâma, 30 vv. bis p. 43.

Yudhishṭhira nimmt ihn festlich auf, und theilt ihm seinen Wunsch mit, ein râjasûya-Opfer zu begehen. Als Vorbedingung dazu nennt Kṛishṇa die Besiegung des Mâgadha-Königs Jarâsandha und die Befreiung der in dessen Kerker (kârâgṛihe) gefangen gehaltenen Könige. Bei einer grossen Kuru-Versammlung, die Yudh.

---

1) es ist klar, dass zur Zeit der Abfassung dieser Verse wie der in 4, 47 fg. die Maga mannichfachen Anfechtungen und Kränkungen ausgesetzt waren! der Vf. bezweckt eben, sie dagegen zu schützen; cf. 8, 13 fg. 9, 39 fg. 13, 104 fg.

2) tatra nârâyaṇaṃ devaṃ samârâdhya gatâ nijam | sthânaṃ kshîrasamudrânta(r) dvîpaṃ Çâkâhvayam param || 28 ||

3) Gayâkshetrântike 'vasuḥ (!) || 31 || 4) der einzige dieser Namen (s. auch 12, 78. 79), in dem ein persisches Wort vorliegt! die andern sind alle brahmanisch, einige davon gehören den edelsten Brâhm.-Geschlechtern an; die oben gesperrt gesetzten finden sich 13, 95. 96 unter den Namen der Sarayûpâriṇaḥ wieder.

5) só nach 12, 79; somit hier zu lesen: Sûryyadatto 'tha vai Nalaḥ. 6) wohl Kauçika?

7) hiermit ist der Magadha-König Jarâsaṃdha gemeint, s. im Verlauf.

deshalb beruft, und welcher Bhîshma, Vidura, Dhṛitarâshṭra, Droṇa, Vyâsa, Karṇa, Suyodhana[1]), Bhîma, Arjuna und die anderen Brüder assistiren, räth ihm der Pitâmaha, d. i. Bhîshma, sich einfach nur dem Rath und der Hülfe Kṛishṇa's anzuvertrauen.

Der achte adhyâya, Jarâsandhavadho dvaiçya(?)bhagavadvijayo nâma, mit 60 vv., bis p. 51.

Und so macht sich denn Kṛishṇa nebst Bhîma und Arjuna, je (v. 24) in Gestalt eines Tridaṇḍin, auf nach dem unter dem Schatten des Triçañku gelegenen Lande Magadha[2]), beherrscht von dem gewaltigen Jarâsandha, Schwiegervater seines mütterlichen Oheims (mâtulasyai 'va *svasuraḥ* v. 4), von lange her schon ihm verfeindet (pûrvavairasamâçritaḥ). Über die Gañgâ und den Çoṇa (v. 7) kamen sie zuerst nach Gayâ zu dem Tempel des Gadâdhara und zu den daselbst angesiedelten Brâhmaṇa aus dem sechsten dvîpa (v. 8). Kṛishṇa pries zunächst ihre Hoheit (mâhâtmyan v. 10) und ihre beiderseitige Freundschaft und solidarische Zusammengehörigkeit, jeden mit Fluch bedrohend, der ihnen Hohn zufügen sollte.

ye mâṃ tvâñ[3]) câ 'vahelante yajne kutrâ 'pi karmaṇi |
devâç ca pitaro nityam tân çapanti ca sarvataḥ || 13 ||
devâç cai 'va mamai 'vâ 'ñçâḥ sarveshâṃ pitaro 'hy[4]) ahaṃ |
ato 'ham eva kupyâmi bhavatâñ câ 'pahelanât || 14 ||
yeshâṃ yajne vrâhmaṇânâṃ romakauṭilatâ Magât (!) |
te cai vâ "çu vinaçyaṃti parivârais savândhavaiḥ || 16 ||

Darauf stellten dieselben auf dem Haupte des Vindhya 27 Tage lang Beschwörungen mit allerlei dem Sonnengott huldigenden Sprüchen an, auf Grund deren[5]) dann nach 27tägigem Keulenkampfe

---

[1]) Karaṇaṃ (!) Yuyodhanam (Suyo° zweite Hand) .. || 17 ||

[2]) deçam Magadhasañjnañ ca Triçañkoç châyayâ "çritam || 3 ||

[3]) man erwartet den Plural: vaç.

[4]) was soll hier der avagraha? und pitaro? steht dies für pitâ?

[5]) im MBhâr. ist von einer Betheiligung der Maga an der Besiegung des Jarâsandha oder gar an dem râjasûya des Yudh. (Cap. 9) nirgendwo die Rede! dieselbe ist eben eine völlig willkürliche, nur in majorem gloriam derselben erfundene Zuthat. — Von Interesse ist im Übrigen, beiläufig bemerkt, wie in dieser ganzen Sage von Jarâsandha auch schon für die epische Zeit dieselbe Rivalität und Feindschaft zwischen dem Westen (Dvârakâ) und Osten (Magadha) Indien's konstatirt wird, die wir im Daçakumâra und im Vîracarita (zwischen Mâlava und Magadha) vorfinden. Hierbei liegt in der That wohl ein historisches Moment zu Grunde.

Jarâsandha am 28sten von Bhîma, der ihn plötzlich als Ringer unterlief, getödtet ward[1]), worauf Hari dessen Sohn Sahadeva zum König der Sumagadha (v. 60) einsetzte.

Der neunte adhyâya, Maga(Mayu erste Hand)-râjaYudhishṭhirarâjasûyayajnamahotsâho nâma, mit 44 vv., bis p. 57.

Nach Befreiung der 20 000 gefangenen Könige, die danach die Thaten Kṛishṇa's lobpreisend besingen[2]), begiebt sich derselbe nach Gayâ, um den Maga daselbst für ihren Beistand zu danken, und nimmt sie dann mit nach Hâstinâpura, damit sie dem Yudhishṭhira dort sein râjasûya-Opfer ausrichten helfen. Es geht denn auch hierauf unter ihrer Hülfe richtig vor sich[3]). Und am Schlusse desselben, nachdem Kṛishṇa die von den Königen ihm durch ihre freie Wahl zugetheilte Auszeichnung gegen den ihm dieses nicht gönnenden Çiçupâla vertheidigt und ihn getödtet hat (v. 27. 28), traten die Maga vor ihn und erklärten, nun nicht wieder nach Magadha zurückkehren zu wollen. Er rieth ihnen indess doch, „Gayâyâm pitṛinilaye" wohnen zu bleiben, und wiederholte aufs Neue die Verheissungen für die, welche sie ehren würden, da zwischen ihm selbst und ihnen kein Unterschied sei, sowie die Verwünschungen derer, welche ihnen etwa zu nahe treten sollten.

ye mâṃ tvâñ[4]) câ vahelante dvishantaḥ kvâ 'pi karmmaṇi || 39 ||
teshâṁ patanti pitaro devâḥ kupyanti svarggatâḥ |
vañçahânis sadâ teshâṃ dhanahânis tathai 'va ca || 40 ||
mahârogais samâgrastâç kâraṇaç (kâṇâç?) ca vadhirâç ca te |
alpâyusho bhavishyanti hy âvayor nindakâ bhuvi || 41 ||

Und hieran schliessen sich sodann Lohnverheissungen für die-

---

[1]) Jarâs. erscheint hierbei als durchaus nobel, während Bhîma da er sieht, dass er im Keulenkampf nicht siegen kann, sich auf Kṛishṇa's hinterlistigen Rath, gegen alle Ordnung, einer andern Kampfesart zuwendet.

[2]) gâyamânâ (Âtmanep., s. bei 1, 25) bhagavato yaçaḥ Kalimalâpaham | sva(ibre eigne? oder: ejus?)-mokshaṇañ ca gopînâṃ Devakî-Vasudevayoḥ || 7 || gajendramokshaṇaṃ câ 'pi Maithilyâç câ 'pi mokshaṇam | Kaṅsâdidânujânâñ ca vadhaṃ çatror nijasya vai || 8 || Jarâsandhasya valino vadhâdi vahuço jaguḥ. Diese Befreiungs-Thaten erinnern an Indra's vedische dgl. Thaten.

[3]) Karṇa erscheint hier (v. 21) als Karaṇa (Karaṇo dânado yatra); so schon 7, 17, wo aber gegen das Metrum, während hier durch das Metrum geschützt.

[4]) wie oben, 8, 13, statt vaç.

jenigen: itihâsam imam puṇyan Nâradena samîritam | ye paṭhishyanti .. || 42 || eine Angabe, die hier ganz aus der Rolle fällt, s. jedoch das zu 1, 12 Bemerkte.

Der zehnte adhyâya, puraçcaryâvidhir nâma, 47 vv., bis p. 64.

Çaunaka kommt auf das Ritual, die puraçcaryâ, zurück, welches die Maga während der 27 Tage vor dem Tode des Jarâsandha celebrirt haben, und Sûta berichtet davon ausführlich. Es handelt sich dabei zunächst um ein goldenes Bild der Sonne:

saurî ca pratimâ kâryyâ jâṃvûnadavinirmitâ |
âdityapalamânena (?) mâshair vâ maṇḍalâkṛitiḥ || 4 ||

sodann um Diagramme in Lotusform etc., ganz nach Art der Angaben in der Râmatâpanî 1, 48 fg., resp. in der Weise des Tantra-Rituals. Bei der Angabe über die eigentliche Feier wird auf einmal Nârada als redend eingeführt! und zwar als Vertreter der Buchweisheit:

tatrai 'kaṃ pustakaṃ divyaṃ pûjârthaṃ sthâpayed gṛihe |
pâṭhaç ca çravaṇaṃ kâryyaṃ vijayasya hṛido 'sya ca || 31 ||
sûryyoktakavacasyâ 'pi sarveshṭaphalasiddhaye |
Nârada uvâca (!) | yadgṛihaṃ(°he?) pustakaṃ divyaṃ vijayasya ca pûjyate| hṛidayaṃ kavacaṃ câ 'pi tadgṛihe vijayas sadâ || 32 ||

Und am Schluss, nach Angabe der dakshiṇâ, wird sogar der Sonnengott selbst als Verkünder der Hoheit der Çâkodbhava Brâhmaṇa vorgeführt:

gaur deyâ vṛitaviprebhyo yajnâñgasya ca pûrttaye |
âdau kavacapâṭhaṃ hi kṛitvâ mantraṃ japet sudhîḥ || 46 ||
çrîSûryya uvâca: yad durllambha(m bha)vati sarvvakṛite ca yatne sarvvam mamai 'va kṛipayâ khalu siddhyatî 'ha | sadvrâhmaṇaiç ca bhagavatpriyadharmmaçîlaiç Çâkodbhavair guruguṇaiḥ kila karmmasiddhiḥ || 47 ||

Der elfte adhyâya, kavacahṛidayamantrakathanan nâma, 57 vv., bis p. 72.

Auf Çaunaka's weitere Frage berichtet Sûta zunächst von dem der Sonne geweihten kavaca-Spruche, welchen Sûrya selbst zur Heilung des Sâmva demselben mitgetheilt habe, nebst Angabe über die ihm beiwohnende magische Zauberkraft[1]). Ebenso ist auch

---

[1]) bhûryya(°rja)patre samâlikhya rocanâgurukuñkumaiḥ |
raviváre ca saṃkrântau saptamyâṃ ravivâsare || 18 ||
dhârayet sâdhakaḥ çreshṭhas trailokyavijayî bhavet.

vormals ein âdityahṛidayam von Agastya dem Râma gelehrt worden, als er den Râvaṇa besiegen wollte[1]), was ihm auch damit gelang (v. 51—53). Später hat der Sonnengott selbst dieses âdityahṛidayam dem Sâmva gelehrt, der es ebenfalls mit Erfolg anwendete, worauf es den Namen Sâmvavijayan nâma stotram erhielt (v. 57).

Der zwölfte adhyâya, dvijotpattikathanan nâma, mit 94 vv., bis p. 85.

Auf Çaunaka's Frage berichtet Sûta nun von der Entstehung der Maga[2]); und zwar thut er dies mit den Worten Nârada's, der seinerseits von Garuḍa hierüber befragt war (s. das bei 1, 12 u. 9, 42 Bemerkte). Er berichtet eine gar wundersame Legende, die an einen vedischen Mythus (Ṛiks. 10, 17, 1. 2) anschliesst[2]), denselben jedoch in ganz eigenthümlicher Weise um-, resp. ausgearbeitet hat. Um die mascula virtus des Sonnengottes für seine Tochter Prabhâ (oder Saṃjnâ) ertragbar zu machen[3]) (sie war ihrem Gatten, unter Zurücklassung einer châyâ, davon gelaufen, weil sie dieselbe nicht aushalten konnte), liess ihn Viçvakarman auf einen Wetzstein (çâṇa) sich stellen, und theilte da seine Gestalt zwölffach (v. 61). Die Stäubchen, die dabei abfielen, warf er in den Wind, der sie seinerseits, achtzehnfach getheilt, nach dem sechsten dvîpa am andern Ufer des Milchmeers führte, wo sie sofort bei der Berührung des Erdbodens[4]) sich in Sonnengleiche Brâhmaṇa umwandelten, und zwar so, dass 18 Familien derselben entstanden (v. 73). Da sie sofort mit vedischen Sprüchen den höchsten purusha priesen, hatte die im Sonnenrund wohnende Gâyatrî ihre Freude daran, holte sich von Bhâskara selbst Auskunft über sie, und stieg dann zu ihnen zur Erde nieder, sie mit ihren 18 Namen (vv. 78. 79, wie oben bei 6, 29—31) nennend und sie als ihre Lieblinge bezeichnend. Sie gab ihnen ihre eigenen Kräfte (vv. 80—82 namentlich aufgeführt) als ihre Töchter zu eigen und verhiess ihrer Nachkommenschaft daraus Glück und

---

[1]) ganz abweichend von dem Bhavishya Pur. bei Aufrecht p. 32[b], s. Monatsb. 1879 p. 455.

[2]) ekadâ bhagavân sûryyo vedamûrttis sanâtanaḥ |
Viçvakarmmasutâṃ sâdhvîm upayeme varânanâm || 6 ||

[3]) cf. Jupiter und Semele.

[4]) cf. den analogen Zug in der Sage von der Drachenzahnsaat des Jason.

Segen[1]). — Und an diesen seinen Bericht knüpft dann auch Nârada selbst noch weitere Verherrlichungen dieser in der Folgezeit am Ende des dvâpara[2]) (v. 90), durch Kṛishṇa nach Indien herübergeholten Maga, die er als Vishṇutulya und vrâhmaṇottama (v. 92), resp. als vishṇusamaprabha (v. 93) bezeichnet.

Schluss[3]): dvîpe mahâhemasuvarṇaçâke kshîrodarabhyo(myo?)rmmimarutsuçîte || 92 || jâtâ Magâ vishṇusamaprabhâvâs Târkshyopari nyastapadâravindâḥ || na kshîrasindhor iha vai dvitîyas[4]) sindhuḥ paraç câ 'tra dharâtale 'smin || 93 || no vishṇudevât[5]) sadṛiço 'nyadevo no vrâhmaṇaç Çâkabhavâd dvitîyaḥ || ye çṛiṇvanti samutpattiṃ Magânâṃ vrahmavâdinâm | te kṛitârthâḥ putrapautrair dhanadhânyair dharâtale || 94 ||

Der dreizehnte adhyâya, ohne besonderen Namen, 116 vv., bis p. 100.

Auf Çaunaka's weitere Frage, ob die Maga, schon ehe sie Kṛishṇa im Dvâpara herüberholte, bereits in einem andern Yuga herüber gekommen seien, und wann speciell dies in Bezug auf die

---

1) liegt etwa auch hier eine gelehrte Reminiscens an eine vedische Sage vor? an die Sage nämlich (Bṛihaddev. 4, 22, mit Bezug auf Ṛiks. 3, 53, 15. 16; s. Kuhn in den Ind. Studien 1, 119. 120) von der Sonnentochter „sasarparî" (resp. brâhmî und saurî vâc), welche die Jamadagni für Viçvâmitra aus dem Hause der Sonne herbeiholten, und die nun von dem Kuçika-Geschlechte alle „amati" forttrieb (so nach Sâyaṇa, in Müller's Ausgabe p. 932) und ihnen „Ruhm" brachte. Der Verfasser hätte dann diese Sage freilich noch etwas besser im Interesse seiner Maga ausnutzen und verwerthen können! Und dass er dies nicht gethan hat, erweckt denn allerdings Zweifel gegen seine bewusste Benutzung derselben. Hat aber eine solche nicht stattgefunden, dann ist dies Zusammentreffen immerhin eigenthümlich genug; die Sage muss dann eben wohl in der Tradition noch „unbewusst" nachspuken?

2) es stimmt dies nicht ganz zu 5, 8, wo die Maga selbst von der Gegenwart als dem bereits herangekommenen kali-Zeitalter sprechen, s. oben p. 33.

3) am Schlusse der adhyâya finden sich mehrfach einige Verse in solenneren Maassen, als dem des çloka abgefasst, s. bereits 10,47.

4) der Ablativ bei dvitîya (der Form nach hier ja auch Genetiv, was aber noch weniger passt; und im folgenden v. ist es ein Ablativ) ist sehr auffällig; „ein zweiter nach" bedeutet hier wohl: „ein zweiter zu" d. i. „ihm gleichkommend".

5) hier ist der Ablativ noch auffälliger! man erwartet den Instrumental oder etwa den Genetiv.

am Sarayû-Ufer wohnenden dgl. (Sarayûpâriṇo viprâḥ v. 3) geschehen sei, antwortet Sûta (! es fehlt hier jedoch das: sûta uvâca), dass auch Garuḍa bereits beide Fragen an Nârada gerichtet habe, und dessen Antwort wolle er nun mittheilen. Danach hat denn also auch schon Daçaratha, in der Tretâ, auf specielles Geheiss des Sonnengottes, an den er sich um Nachkommenschaft gewendet, vier Maga zur Beihülfe für seine im Bharatakhaṇḍa geborenen Priester, speciell für Ṛishyaçriñga und Vaçishṭha, herübergeholt[1]). Und zwar holte sie Vaçishṭha selbst aus dem sechsten dvîpa herbei (v. 20—22). Auch allerhand einheimische Brâhmaṇa (apare tu samâyâtâ vrâhmaṇâ Bhâratâs tu ye) und der çriñgî ṛishiḥ (! v. 23) kamen dazu nach Ayodhyâ; das Opfer fand dann am rechten Ufer des Sarayû (v. 24) statt und hatte den bekannten, erwünschten Erfolg, dass im Caitra, am neunten der weissen Hälfte, dem Daçar. die vier Söhne, Râma etc., geboren wurden (v. 31). So kamen in der Tretâ die Maga zuerst herüber und wurden von dem Raghuvarya Digratha (= Daçaratha!) hoch geehrt (v. 34). — Aber auch Râmacandra selbst liess sie, ebenfalls wieder auf specielles Geheiss des Sonnengottes, um dieser ihrer erfolgreichen Dienste bei dem Opfer des Daçaratha (v. 50. 51) willen, und weil sie aus dem Leibe des Sonnengottes selbst entsprossen seien, durch Garuḍa aus dem shashṭha dvîpa herüberholen[2]), zu gleichem Zwecke wie damals, nämlich behufs seines eigenen açvamedha, welches er anstellte, um sich von dem vrahmavadha in dem Kampfe mit Râvaṇa, resp. von der Tödtung der Paulastyavañçâs (v. 39) zu reinigen. Und zwar waren es wiederum vier Maga, die hier auch mit Namen genannt werden, nämlich: Sudhâñçu, Sudharman, Sumati und Vasu (v. 61). Hanûmant aber ward ausgesandt, um fünf Gauḍa(-Brâhmaṇa) und

---

[1]) râjan putreshṭiyajnaṃ ca kuru vañçasya vṛiddhaye |
mama debât samudbhûtâç (Nom.) caturvedasya pâragâḥ (Nom.) || 13
caturo vrâhmaṇâ(n) divyân svâbhîshṭasyai 'va siddhaye |
samânîya Magâṃc (!) chuddhân tathâ Bharatakhaṇḍajân || 14 ||
puṇyavañçân dvijân anyân daça vrahmakulodbhavân |
deçîyam(!) Ṛishiçriṅgaṃ(!) ca tejorâçiṃ tapodhanaṃ || 15 ||
guruṇâ svena karttavyaṃ (°vyaḥ? sc. yajnaḥ) Vaçishṭhena mahâtmanâ |
putrâs te bhavitâro vâ(!) sâkshâd vrahmǎ ivâ(!) 'parâḥ || 16 ||
vrahmaprârthanayâ bhûmer bhârottaraṇahetave |
îçvaro bhavitâ nûnaṃ caturddhâ ca gṛihe tava || 17 ||

[2]) Garuḍa muss alles dies ganz vergessen haben, da es ihm Nârada hier erst noch erzählen muss! (vv. 60. 68. 82.)

fünf Drâviḍa noch dazu herbeizuholen (v. 63). Diese Sendung misslang jedoch, da kein Brâhmaṇa an dem Opfer des mit vrahmavaṅçavadha behafteten Königs Theil nehmen wollte (v. 72). Da liess der König, entsprechend der ihm von Anfang an (v. 54—57) für diesen Fall gewordenen Weisung des Sonnengottes[1]), sechszehn Brâhmaṇa-Knaben aus Kânyakuvja-Geschlechtern durch Hanûmant nach Ayodhyâ locken (mittelst Leckerbissen und dgl.), daselbst durch Vaçishṭha weihen, und durch die vier Maga im Veda unterrichten. Nachdem sie so zu Brâhmaṇa geworden, vollzog er dann mit ihnen (als seinen sechszehn Priestern), mit den vier Maga und Vaçishṭha das Opfer. Garuḍa schaffte danach die Maga wieder nach dem shashṭhadvîpa zurück (v. 82). Die 16 jungen Brâhmaṇa aber wurden, als sie zu den Ihrigen zurückkehrten, von diesen

[1]) tasmât tvam api râjendra samânîya guṇâkarân || 52 ||
mama dehât samudbhûtân shashṭhadvîpân mamâ "jnayâ |
kuru yajnaṃ câ 'çvamedhaṃ kṛitvâ shoḍaça brâhmaṇân || 53 ||
aparân Bhâratîyâṅç ca, nâpaçyantî (nâ "yâsy°?) 'ha Bhâratâḥ |
pratyâkhyâto Bhâratîyair yajne 'smin vahudhâ bhuvi || 54 ||
tadâ Hanumatâ Râma pralobhya priyavastubhiḥ |
Antarvedyât (!) samânîya Kânyakuvjakulâd atha || 55 ||
vâlakân shoḍaçân (sic!) divyân dîkshâsaṃskâravarjjitân |
guruṇâ dîkshitair eva Magair vvedâdipâṭhitaiḥ || 56 ||
shoḍaçair(!) vrâhmanai râjan caturbhis tu Magair aho |
guruṇâ cai 'kaviṅçena yajnaṃ kâraya suvrata || 57 || Zu shoḍaçân, °çais s. caturdaçâni ratnâni 14, 31; Magair in 56[b] ist mit guruṇâ parallel, und hängt von pâṭhitaiḥ ebenso ab, wie guruṇâ von dîkshitaiḥ; die Construction ist überhaupt etwas sonderbar, nach samânîya ... vâlakân fehlt ein tais, und statt caturbhis tu erwartet man caturbhiç ca. — Die Ausführung dieser Vorschriften wird dann in v. 74 fg. mit nahezu denselben Worten, nur noch etwas ausführlicher, geschildert:
tam uvâca Hanûmantaṃ: gacchâ 'ntarvedyam uttamam || 74 ||
Kânyakuvjakulodbhûtân kulînâṅç cai 'va vâlakân |
shoḍaça vrahmajâtîyân pralobhya priyavastubhiḥ || 75 ||
kriyâçaktân mamâ "nîya dîkshâsaṃskâravarjjitân |
âgantavyaṃ tvayâ tûrṇaṃ mârute mama saṃnidhim || 76 ||
Râmâjnayâ Hanûmâṃs tu pralobhya priyavastubhiḥ |
divyâṃs tu vâlakân nîtvâ shoḍaça vrahmavaṅçajân || 77 ||
samâgamad Ayodhyâyâṃ yajnârthaṃ Râmasaṃnidhiṃ |
dîkshitâs te Vaçishṭhena Magair vedâṃç ca pâṭhitâḥ || 78 ||
vrâhmaṇâs tu tato jâtâḥ kṛito yajnas tu tair dvijaiḥ |
caturbhis tu Magair eva shoḍaça (! unflectirt) vrahmavaṅçajaiḥ || 79 ||
ekena guruṇâ câ 'pi Vaçishṭhena mahâtmanâ |

verläugnet (v. 86). Râma jedoch wies ihnen bestimmte Ländereien, Namens Râmarekhâ[1]), östlich von Oudh, zwischen Gaṇḍakî und Gaṅgâ, am nördlichen Ufer der Sarayû, südlich vom Campâraṇya, zum Wohnsitz an (v. 91—93). Von ihnen stammen die Sarayûpâriṇas (v. 94) ab[2]). Die 16 Geschlechter derselben aber haben folgende Namen: Garga, Gautama, Çâṇḍilya, Parâçara, Sâvarṇya, Kaçyapa, Atri, Bharadvâja, Gâlava, Kauçika, Bhârgava, Kasya (Kaṇva?), Kâtyâyana, Aṅgiras, Sâṃkṛit(y)a, Yâmadagnya(!)[3]) v. 95. 96. — Es schliesst sich hieran ein neues recapitulirendes Elogium der Maga (v. 99), als in der Tretâ von Daçaratha und Râmacandra, im Dvâpara von Kṛishṇacandra geehrt (100. 101); in letzterem Falle werden die Maga hierbei sélbst: Sarayûpâriṇaḥ genannt, was nach dem eben Gesagten nicht richtig ist, immerhin aber für die Identification dieser letzteren mit ihnen direct eintritt. Râma und Kṛishṇa spenden Beide dém ihre Huld, der dieselben ehrt; vishṇos samarcanaṃ yadvat sarvayajneshu pûjitaṃ | tathai 'shâm arcanaṃ nityaṃ sarvakarmapratishṭhitam (103). Und zwar sind eben jene 16 vrâhmaṇa-Geschlechter (104), ebenso wie die 18 Maga (105) —

---

[1]) s. v. 31 des Citates aus dem Bhavishya Pur. in der khalavaktrac. fol. 7ᵃ; — dies ist also das Terrain, wo wir die Örtlichkeiten der Magavyakti zu suchen haben? Monatsber. 1879 p. 471 flg.

[2]) Râmo 'pi bhagavân çrutvâ vṛittaṃ khyâtaṃ dvijair aho |
atîva kṛipayâ tebhyo jîvikârthaṃ dadau dharâm || 90 ||
svapûryâḥ pûrvvato-bhâge svenai 'va dhanushâ kṛitâ |
Râmarekhâ samâkhyâtâ tîrthaṃ cai 'va manoramam || 91 ||
tasyâç ca pûrvato-bhâge Gaṇḍakî-saṃgamâvadhi |
Gaṃgâyâṃ cai 'va viditaṃ çatakroçâvadhi smṛitam || 92 ||
Sarayvâç co 'ttaratațâc Campâraṇyâc ca dakshiṇe |
paṃcâçatkroçabhûbhâgaṃ susaṃkalpya ca dattavân || 93 ||
tato Râmâjnayâ te ca Sarayûpâram âgaman |
Sarayûpâriṇo jâtâ vrâhmaṇâ Râmapûjitâḥ |
kulînâç cai 'va paṃktisthâs svîyapaṃktisthabhojinaḥ || 94 ||
Von Interesse ist, dass dieser Erzählung zufolge die Maga an der Sarayû nicht eigentliche Maga, sondern von ächt brâhmanischer Herkunft, nur durch Maga geweiht und im Veda unterrichtet (!), sind.

[3]) es sind dies die vornehmsten brâhmanischen Geschlechter, welche der Verf. hier mit den Maga als ihren Lehrern in Bezug setzt. In der Magavyakti werden davon Kauçika (1, 20. 21) und Kaçyapa (2, 4) genannt, s. Monatsber. 1879 p. 468. — Die oben gesperrt gesetzten Namen finden sich auch 6, 30. 31 12, 78. 79 unter denen der 18 Maga selbst vor.

Beide werden hierbei als paṅktisthitâç câ 'pi sahai-'kabhojinaḥ bezeichnet — gleichmässig, ohne Unterschied, zu ehren; wer dagegen fehlt, geht zu Grunde[1]). In ihrem Geschlecht soll man die Weihe nehmen[2]), und sich seinen guru wählen (109 fg.).

Der vierzehnte adhyâya, ohne besonderen Titel, 67 vv., bis p. 109.

Auf Çaunaka's Frage nach der Entstehung und Bedeutung der Planeten (nandagraha, d. i. neun gr.; kheṭa) erklärt der Sûta wiederum, nur berichten zu wollen (setihâsaṃ purâtanam v. 2), was Nârada einst auf die gleiche Frage dem Garuḍa geantwortet habe. Der Inhalt des Capitels ist lediglich kosmologisch-mythologischer Art, handelt u. A. speciell vom Quirlen des kshîroda und den 14 ratna, die daraus hervorkamen, hat aber gar keine nähere Beziehung zu der Maga.

Der fünfzehnte adhyâya, sûryâdipaṃcadevadânamâhâtmya-pûjanan nâma, ohne Verszählung, bis p. 129.

Gleiche Einleitung wie bei Cap. 14. Der Inhalt betrifft fromme Gaben an fünf Götter und deren Verehrer, nämlich an die Sonne, Çiva, Gaṇeça, Vishṇu und Çakti, d. i. Durgâ, und zwar ohne irgend welchen Bezug auf die Maga. Es handelt sich hiebei um Bilder (pratimâ), Gold, Ländereien etc. Von Interesse sind die ungemessenen Ablass-Verheissungen dabei, und zwar gleichmässig für Geber und Empfänger (p. 116),

çâlagrâmaçilâṃ divyâṃ dhâtrîphalasamaprabhâm | ....
nânâbhûshaṇasaṃyuktâṃ gîtâpustakasaṃyuktâm ||
Harivaṅçasamâyuktâṃ Râmâyaṇasamanvitâm |
çrîBhâgavatasaṃyuktâṃ sahasranâmabhir yutâm ||
Mahâbhâratasaṃyuktâṃ nânâmaṇigunair yutâṃ |
dharâ(ṃ?) vṛittikarîyuktâṃ vâṭikârâmasaṃyutâm ||

---

[1]) imâv ubhâv îçvarapûjitau bhuvi hy ato 'nayor antaram eva nâ 'sty alam | svâjnânato bhedakaro naro bhave(n) mahândhakûpe patito 'vasîdati || 107 ||

[2]) dîkshâṃ tu gṛihṇîta kulottame dvije paṃktisthite câ 'pi sahaikabhojane | yato bhaven mânasiko na khedo guros samucchishṭamahâprasâde || 108 || Der Ausdruck sahaikabhojana, °bhojin kann nach der Analogie von sahaikasthâna nur bedeuten: „allein essend mit Jemand" d. h. hier wohl, cf. 13, 94. 105, „mit einander". Cf. im Übrigen noch die Angaben des Bhavishyapur. über die eigenthümlichen Speiseregeln der Maga, bei Aufrecht Catal. p. 32, Monatsber. 1879 p. 454. 455.

yo dadyâd Râmabhaktebhyas sa jîvanmukta ucyate |
golokavâsî purusho bhavaty eva na saṃçayaḥ ||
dâtâ cai 'va pratigrâhî ubhau samaphalânvitau |
pâparâçir vyâçîryyeta (!) sarvakâmaphalaṃ labhet (!) ||
goghnaç câ 'pi surâpo vâ bhrûṇahâ bâlaghâtakaḥ |
strîhantâ guruhantâ ca vrahmahâ pitṛimâtṛihâ ||
vrahmavṛittiharaç câ 'pi devavṛittiharo 'thavâ |
svarṇasteyî gurudrohî tîrthapâpakaro 'pi vâ ||
kanyâyâ vikrayî loke svakanyâdhânyabhakshakaḥ |
svapûrvvopârjita*d*bhûmer vikrayî purushâdhamaḥ ||
agamyâgamane çaktaḥ (sak°!) gurutalpagato 'pi vâ |
vrahmadrohî kṛitaghnaç ca tathâ viçvâsaghâtakaḥ ||
mâtṛipitṛivirodhî ca nijastrîtyâgakṛin naraḥ |
pitṛîṇâṃ parvvatyâgî ca vâlavṛiddhâpamânakaḥ ||
guroḥ kulâpamânî ca nijapûjyâpamânakṛit |
kuladroharataç câ 'pi abhakshyasyâ 'pi bhakshakaḥ ||
vedaniṃdâkaraç câ 'pi guruvrâhmaṇanindakaḥ |
nṛipanindâkaraç câ 'pi kulanindâkaro 'pi vâ ||
devanindâkaraç câ 'pi dharmmanindâkaro 'pi vâ |
pṛithivyâṃ vîryyapâtî ca kuladevâpamânakaḥ ||
parastrîniratac câ 'pi veçyâgâmî tu vrâhmaṇaḥ |
mâtṛigâmî svâduhitur bhaginîbhagabhogakṛit ||
nijaputravadhûgâmî jâtibhrashṭo mahâkhalaḥ | purushâṅga-
bhogî (lies: prushâ°) *kh*aṇḍhâṅgabhogakṛin manujâdhamaḥ ||
paravṛittyanusevî ca puṇyavṛikshavihiṅsakaḥ |
vidyâcauraç câ 'rthacauro dharmmacauro narâdhamaḥ ||
dushṭâcârarataç câ 'pi kupaṃthâ mâṅsabhakshakaḥ |
hiṅsakâ garadâç caurâ grâmadâhakarâḥ khalâḥ ||
mahâpâtakinas tv ete çudhyanti haridânataḥ |
çâlagrâmaçilâdânât te 'pi pûtâ na saṃçayaḥ ||
çâlagrâmaçilâdânapuṇyaṃ vaktuṃ na çakyate |
vrahmaṇâ ca hareṇâ 'pi hariṇâ jagatîtale ||

Wahrlich eine stattliche Liste von Verbrechen, Schandthaten und Todsünden (Blutschande, Mord etc.), die alle durch die Darbietung eines çâlagrâma Steinchens an Hari gesühnt werden! vgl. das zu Râmatâp. p. 358. 359. 363 (Abhh. 1864) Bemerkte.

Ein Rückblick auf den Inhalt dieses eigenthümlichen Textes lehrt, dass zunächst die beiden letzten Capp. in keinem directen Zusammenhange mit den übrigen stehen. Von diesen aber handeln Capp. 1—9 von den Beziehungen Kṛishṇa's zu den Maga, Capp. 10—12 bilden einen Nachtrag dazu und Cap. 13, welches von den Beziehungen der Maga zu Indien in der Zeit vór Kṛishṇa handelt, ist wohl auch als ein Nachtrag zu betrachten. Der Zweck dieser 13 Capp. ist die unbedingte Verherrlichung der Maga. Sie werden zu dem Zwecke nicht nur mit Kṛishṇa, wie dies im Bhav. Pus. geschieht, sondern auch mit einigen der Hauptereignisse des MBhârata (Tod des Jarâsaṃdha[1]), râjasûya des Yudhishṭhira) und des Râmâyaṇa (Opfer des Daçaratha und des Râma), ja sogar mit einer alten vedischen Mythe (Cap. 12) in speciellen Bezug gebracht, und ihren Geschlechtern werden die Namen alter vedischer Ṛishi gegeben. Alles dies ist natürlich eitel Trug, hat blos den Zweck theils der Verherrlichung theils der Abwehr übelwollender Angriffe, auf die wiederholentlich hingewiesen wird. Die Herüberkunft der Maga, resp. ihr Bleiben in Indien, wird durchweg als auf besondere Einladung, resp. erst nach dringenden Bitten eingetreten, dargestellt. Von einem historischen Hintergrunde, wie er den Sagen des Bhavishya Pur. über die Beziehungen der Maga zu Dvârakâ und zu Kṛishṇa, über die Herüberholung derselben zum Behufe der Einrichtung eines Sonnendienstes an der Candrabhâgâ unstreitig zu Grunde liegt, und der auch hier in den betreffenden Angaben (p. 32) noch durchschimmert, ist bei diesen neuen Zuthaten unseres Textes gar nicht mehr die Rede; sie sind vielmehr rein aus den Fingern gesogen.

---

[1]) der Magadha-König so wie das ganze Magadha-Land (s. oben p. 34) sind resp. wohl speciell ihres Namens wegen mit den Maga in Bezug gebracht worden, ähnlich wie etwa auch die Kîkaṭa (s. unten p. 54) nur darum mit den Magadha identificirt worden sein könnten, weil Ṛiks. 3, 53, 14 ihr König (s. Sâyaṇa Einl. zum Ṛik pag. 7, 18 ed. M. Müller) Pramagaṃda genannt wird, welcher Name wohl aber eher zu dem der Pañcâla-Stadt Mâkandî (s. Ind. Stud. 13, 177) zu stellen ist. — S. im Übrigen zu der angeblichen Beziehung zwischen den Maga und Magadha, so wie zu den Angaben über die Maga in Ayodhyâ, das Citat über das Pferdeopfer des Râma etc. aus dem Bhavishyapur. in der Khalavaktra° fol. 5[b] unten p. 54; und zu dem Opfer des Daçaratha ebendas. 18[a] unten p. 64.

Und zwar verdient hierbei bemerkt zu werden, dass auch der Harivaṅça, der ja doch so speciell von Kṛishṇa handelt, und in dem auch Çâmba wiederholt erwähnt wird, von dessen Beziehungen zu den Maga, ja auch von der Geschichte der Verfluchung Çâmba's durch Kṛishṇa, noch nichts weiss. Die Abfassungszeit dieses schon von Subandhu in der Vâsavadattâ speciell erwähnten Werkes muss ja überhaupt in eine verhältnissmässig frühe Zeit gesetzt werden, s. Ind. Streifen 1, 380 und 382. — Auf der anderen Seite jedoch ist hier ein Punkt zu erwähnen, der umgekehrt dafür einzutreten scheint, dass die Beziehung des Çâmba zu den Maga eventualiter doch Ansprüche hat, bereits in ziemlich alte Zeit hineinzureichen. Unter den im Vaṅçabrâhmaṇa des Sâmaveda aufgeführten Lehrern nämlich, s. Ind. Stud. 4, 372 fg., erscheint ein Çâmba Çârkarâksha als Genosse eines Kâmboja Aupamanyava und Schüler eines Madragâra Çauṅgâyani, wie dieser wieder als der eines Sâti Aushṭrâkshi[1]). Auf die eigenthümlich irânischen Beziehungen, welche sich an diese Namen, resp. etwa auch an den Namen des im weiteren Verlaufe genannten Çâkadâsa, anknüpfen, habe ich bereits vor 22 Jahren l. c. (p. 378—80), indem ich zugleich auf die Erwähnung des Tiriṇdira Parçu im Ṛik (8, 6, 46) hinwies, aufmerksam gemacht. Burnell in seiner dankenswerthen Ausgabe des Vaṅçabrâhm. hat den Gedanken nicht weiter verfolgt. Aus einer brieflichen Mittheilung aber eines früheren Zuhörers von mir, des Dr. Herm. Brunnhofer, Canton-Bibliothekar in Aarau, entnehme ich, dass er auch unter den in der Anukramaṇikâ des Ṛik aufgeführten Dichternamen irânischen Namen auf der Spur zu sein meint. — Jedenfalls gewinnt durch die Angabe des Vaṅçabr. die specielle Anknüpfung der Maga-Legende gerade an den Namen des Çâmva einen eigenthümlichen Hintergrund.

Unser Text hier ist denn nun freilich ganz modern, und zwar unstreitig in demselben Kreise entstanden und aus derselben Tendenz hervorgegangen, wie die Magavyakti, in der ja die Sarayû (s. oben p. 42 fg.) auch speciell genannt wird (4, 6 s. Monatsber. 1879 p. 472). Eine eigenthümliche Differenz freilich zeigt sich hierbei in dem bereits oben p. 44 geltend gemachten Umstande, dass die Sarayûpâriṇaḥ hier nicht direct als Maga

[1]) ein Bahvṛica Çâmba erscheint im MBh. 15, 312 als Zeitgenosse des Yudhishṭhira.

selbst, sondern nur als Nachkommen von durch Maga belehrten Brâhmaṇa erscheinen! Während im Übrigen die Magavyakti die Gegenwart, hat unser Text hier eben nur die Vergangenheit der Maga zum Gegenstande. — Auch die Sprache des Werkchens ist ebenso leicht und gefällig, wie die der Magavyakti, und auch der Versbau (besonders auch in den am Ende der Capp. mehrfach verwendeten künstlichen Metren) ist gelungen. Daneben zwar zeigen sich auch hier allerhand sprachliche Absonderlichkeiten und grammatische Ungenauigkeiten (s. oben, resp. unten, je ad l.); aber im Ganzen legen doch beide Texte ein gutes Zeugniss für die Sprachkenntniss sowohl wie für die Geschicklichkeit und Darstellungsgabe ihrer Autoren ab. Der Verfasser des vorliegenden Textes bekundet ausserdem auch noch eine gute Vertrautheit mit den epischen Gedichten, ja sogar eine gewisse dgl. mit vedischen Legendenstoffen!

Der zweite Theil der von Mr. Lloyd erhaltenen Abschrift, der sich übrigens von dem ersten auch durch ein rein äusserliches Moment — die Paginirung ist nicht nach Seiten, sondern nach Blättern (27) vorgenommen — unterscheidet, umfasst nicht blos die khalavaktracapeṭikâ, die nur bis fol. 19ᵇ reicht, sondern hinter derselben stehen noch eine Anzahl kleinerer Abschnitte, die nicht zu ihr gehören. Ich will zunächst kurz von ihnen berichten, ehe ich mich zu der „Maulschelle für die Bösen" selbst wende.

Unmittelbar auf ihren Schluss folgt, eingeleitet durch: atha saṃkshepeṇa gotrapravaranirṇayaḥ, tatra gotralakshaṇaṃ câ 'ha Vauddhâyanaḥ(!), ein Bruchstück eines jener genealogischen pravara-Texte, die zum çrauta-Ritual gehören und welche insonderheit für die erlaubten und nicht erlaubten Zwischenheirathen der brahmanischen Geschlechter maassgebend sind. So wird hier auf f. 21ᵃ·ᵇ speciell davon gehandelt, ob man die Tochter des Mutterbruders heirathen dürfe. Die Mâdhyaṃdinîya verbieten dies, aber: idam mâtṛigotravarjanam Mâdhindinîyânâm(!) *eva*[1]). Hierbei wird von Differenzen des Usus zwischen Mahârâshṭra und Gurjara (21ᵇ) gesprochen. Sollte etwa ausser der allgemeinen Beziehung dieses Gegenstandes zu dem Inhalt der khalavaktracap., dieser letztere Punkt bei der Hinzufügung gerade dieses Abschnittes mit von

---

[1]) vgl. Çatap. 1, 8, 3, 6. Ind. Stud. 10, 75 und meine Abh. über die Vajrasûcî p. 257 (1860).

Einfluss gewesen sein? Derselbe schliesst zunächst auf f. 21ᵇ mit den Worten: iti nirṇayasindhau gotrapravaravivâhâdau cintanîyam. Jedoch folgen darauf noch allerhand ebenfalls auf vivâha bezügliche Citate aus Garga, Bhṛigu, Çaunaka etc. eingeleitet durch: atha pratikûlâdau jyotirnivandhe Garggaḥ, und auf f. 22ᵇ schliessend mit: ity api nirṇau (d. i. nirṇayasindhau) vivâhâdi cintanîyam.

Unmittelbar hierauf, ohne irgend welche Zwischenbemerkung, folgt (f. 22ᵇ—26ᵃ) ein caraṇavyûha, beginnend mit dem Sâmaveda (sâmavedasyâ 'khilasahasrabhedatâ "sît), auf welchen (23ᵃ ult.) der Yajurveda mit seinen 86 bheda, sodann (24ᵇ 2) der Atharvaveda mit 9 bheda, endlich (25ᵃ) der Ṛigveda folgt.

Sollte diese umgekehrte Reihenfolge der Veda[1]) etwa damit in Verbindung stehen, dass in der khalavaktracap. auf f. 17ᵇ von der Maga ausgesagt wird, dass sie viparyastena vedena gâyanti? und soll dieser Text nun etwa den caraṇavyûha der Maga repräsentiren? — Es enthält übrigens dieser caraṇayûha, ebenso wie der vorausgehende pravara-Abschnitt, manche dankenswerthe Angabe, wie corrupt auch der Text theilweise ist. Ich gehe hier darauf jedoch nicht weiter ein.

Nach dem Schlusswort: ity âha bhagavân Vyâsaḥ Pârâçarîyo Vyâsaḥ Pârâçarîyaḥ, iti caraṇavyûha sarvavedanirṇayagotravarṇanaṃ stehen sodann folgende Angaben (f. 26ᵃᵇ):

vedântavedyacaraṇena Yadûttamenâ "jnápto 'ham eva nitarâṃ Yadunâthaviprah | sarvârthasâraçrutinirṇayapadmajâta -vyâkhyâṃ cakâra çubhagâṃ (?) çubhagâ (?) pivantu (?) ||

iti çrîmad Râdhâvallabha[2])caraṇaçaraṇâçrayâpannaYadunâthaçâstriṇâṃ saṃgṛihîtâ sarvârthâvabhâsikâ nirṇayadîpikâ samâptim aphâṇît (!) || tayâ haris tushyatu sarvadai 'va, agre agre çubhaṃ bhûyâṭ lekhakapâṭhakayor îçvarakṛipâtaḥ, saṃvat 1900.

Nehmen wir hier hinzu, dass der zweite Theil der Abschrift, nach dem Gruss an Gaṇeça, mit: çrî Râdhâvallabhâ[2])çritaçâstrî Yadunâthamiçrapaṇḍitavaryo hi vijayatu-tarâṃ beginnt, so ergiebt sich hieraus wohl, dass ein Anhänger Kṛishṇa's (oder resp. ein Schüler

---

[1]) gánz umgekehrt ist sie freilich nicht, nur der Ṛigveda steht am Ende, statt am Anfang; die übrigen Veda stehen in der üblichen Reihenfolge. — Sollte diese Voranstellung des Sâmaveda etwa in Bezug stehen zu den eigenthümlichen, anscheinend irânischen Beziehungen im Vañçabrâhmaṇa (s. oben p. 48)?

[2]) hiemit kann ein n. pr., oder auch Kṛishṇa selbst gemeint sein.

eines Râdhâvallabha), Namens Yadunâthamiçra, drei selbständige Texte, nämlich die khalavaktrac. des Râjavallabha, einen pravara-Abschnitt und einen caraṇavyûha, seinerseits zu einem Ganzen, unter dem Titel nirṇayadîpikâ zusammengestellt hat; und zwar hätte er dies, wenn wir das Datum am Schlusse auf diese seine Zusammenstellung selbst beziehen, nicht etwa blos als das Datum der betreffenden Handschrift (von der mir nun wieder diese Abschrift vorliegt) zu betrachten haben, im Jahre A D 1844 gethan!

Es schliesst sich nun aber noch ein Nachtrag, und zwar auch wieder ohne irgend welches Bindeglied, an. Unmittelbar auf: Saṃvat 1900 folgen noch dreizehn Verse aus der Magavyakti, nämlich 1, 4—10. 2, 1. 2. 3, 1—3. 4, 1; am Schlusse: iti magavyaktau saptâ 'rkâḥ. Es sind dies, abgesehen von 1, 4—7, nur die die Namen der 24 âra, 12 âditya, 12 maṇḍala und 7 arka enthaltenden Verse. Da sich hierbei einige Varianten finden, so mögen diejenigen Verse, in denen dies der Fall ist, hier folgen:

ûrûḥ khaṭenuḥ ksheriç ca makhapâ ca kurâya ca |
dekulî bhalunî cai 'va ḍumvarî (paḍarî, add.) tathâ || 5 ||
adayî ca pabherî (pr. m. blos bharî) syâd oṇḍarî pûty ataḥ param |
e çivârî[1] sarai kshatra vârâ 'vadhy oni jamvu ca || 6 ||
sikârî[1] madaḍârî[1] ca rahadaulî ti nâmataḥ | ... || 7 ||
dvâdaçâ "dityâ devâs te vâsuṇârko(!) vinâçavaḥ |
mahurâçir devaḍiho ḍuvarauro guṇâçavaḥ || 8 ||
kuṇḍâ tathâ malauṇḍaç ca gaṇḍâvaḥ sapahâ 'pi ca |
arihâsir dehulâsir jayanty ete jayapradâḥ || 9 ||
... | paṭiçâ caṇḍaroṭiç ca ḍihî kajha-kapitthakau || 10 ||
syâ terahaparâço 'pi khaṇḍasûpas tathâ paraḥ |
pâlivâdhaḥ khajurahâ bhîeḍâpâkarir ity api || 11 ||
vipuro vaḍasâraç ca gîrvâṇâ iva pûjitâḥ |
dadate te nṛikâmârthân nirvâṇam api sevitâḥ || 12 ||
... | çâpîdvîpi(!)-kshoṇidevaiḥ saptâ 'vanyâṃ pûjyante 'rkâḥ || 13 ||

Was nun die khalavaktracapeṭikâ selbst anbelangt, so ergiebt sich dieselbe aus der Angabe an ihrem Schluss (f. 19b) als das Werk eines in Kâçi lebenden Râjavallabha. Ihr Zweck ist, nachzuweisen, dass die Maga allen Anfeindungen ihrer Hasser zum Trotz als echte, ja als trefflichste Brâhmaṇa anzuerkennen seien. Der Vf. zieht zu diesem Behufe alle möglichen erreichbaren

[1]) â statt au der Magavyakti.

Purâṇa-Citate heran, deren Zusammenstellung den eigentlichen Inhalt seines Werkchens bildet; denn seine eignen, in einer höchst ungelenken, dürftigen Prosa abgefassten Zuthaten treten den Citaten gegenüber eigentlich ganz in den Hintergrund. Nicht einmal zwischen den Citaten selbst finden sich verbindende Glieder. Dieselben werden vielmehr ganz unvermittelt, ohne irgend welchen Übergang, hinter einander weg aufgeführt, so zwar, dass je erst am Schlusse eines Citates die Angabe seiner Quelle gegeben wird. — Es zerfällt seine Arbeit im Übrigen in zwei ziemlich gleiche Theile; der erste (f. 1ᵇ bis 10ᵃ) handelt von den sieben dvîpa, speciell dem Çâkadvîpa und seinen Brâhmaṇa, und der zweite zunächst von dem Wesen des Brâhmaṇa im Allgemeinen und sodann ebenfalls wieder speciell von den Brâhmaṇa des Çâkadvîpa.

Die Untersuchung über das Wesen des Brâhmaṇa bezeichnet der Vf. resp. gleich im Eingange als die eigentliche Absicht seiner Arbeit. Auf die Anfangsworte[1]): oṃ satyam ânandam vrahma | folgt nämlich die Ankündigung: atha vrâhmaṇasvarûpavarṇanam, welche nach einem dazwischengeschobenen Eingangsgebet[2]), dann nochmals, nun metrisch, wiederholt wird.

athâ 'taḥs sampravakshyâmi mâhâtmyaṃ vrâhmaṇasya ca |
çrutvâ sukṛitino loke lebhire 'py uttamâṃ gatim ||

Anstatt aber nun auf dieses Thema unmittelbar einzugehen, tritt der Verfasser zunächst vielmehr in eine Untersuchung über die sieben dvîpa, nämlich 1. Jamvû°, 2. Plaksha°, 3. Çâlmali°, 4. Kuça°, 5. Krauñca°, 6. Çâka°, 7. Pushkara°, ein, welche Untersuchung jedoch eben fast nur aus an einander gereihten Purâṇa-Citaten besteht. Und zwar leitet er dieselben, nach einigen nicht ganz klaren, resp. wohl unvollständigen Worten[3]), mit einer ziem-

---

[1]) die ihrerseits durch die oben p. 50 angegebenen Worte eingeleitet sind.

[2]) in çârdûlavikrîḍita; beginnt: deve varshati yajnaviplavarushâ vajrâçmavarshânilais, schliesst: °mahendramadabhit prîyân na indro gavâm ||

[3]) dieselben lauten: dvîpaṃ klîṃ vârimati arddhâṃ tamasâ âvṛiṇoti. — dvîpaṃ klîṃ ist wohl eine Art Überschrift: „dvîpa, Neutrum“ (vgl. unten p. 56 bei brâhmaṇa). Diese Bezeichnung des Wortes dvîpa als Neutrum ist freilich auffällig, da es ja doch só nur sehr selten, dagegeu in der Regel, und zwar in den dem-

lich unbeholfen gehaltenen prosaischen Legende über die Entstehung dieser sieben dvîpa ein[1]). Er schliesst hieran sodann die Angabe, dass jeder derselben in der angegebenen Reihenfolge immer doppelt so gross sei, als der je vorhergehende, so wie ferner dass jeder von ihnen einen der sieben Söhne des Königs Priyavrata und der Barhishmatî zum Oberherrn habe, und bringt dafür die Belege aus dem fünften skandha des Bhâgav. Pur. und aus dem Mârkaṇḍ. Pur. bei.

Hierauf werden die sieben dvîpa zunächst je einzeln durchgemustert, und zwar geschieht dies eben einfach durch Anführung längerer Citate, nämlich aus zwei Capp. (angeblich 130. 131) des Padmapurâṇa, auf f. 2ᵇ—5ᵃ. Es wird hier u. A. auch je einzeln angegeben, wie die Kasten in den einzelnen dvîpa heissen, und dabei werden denn hier die Namen Maga, Masaka, Mânasa, Mandaga (3ᵃ) dem Plakshadvîpa zugewiesen, nicht dem Çâkadvîpa, dessen Kasten vielmehr ṛitavrata, satyavrata, dâna° und anu° heissen (4ᵃ·ᵇ):

vipràdayas tathâ varṇâḥ khyâtâ nâmântareṇa tu |
âdyo ṛitavrato nâma tatas satyavrataḥ smṛitaḥ ||
dânavratânuvratau ca tṛitîyaç ca caturthakaḥ |
bhagavantaṃ vâyurûpaṃ bhajante ca yajanti ca ||
Çâkadvîpeçvarâ viprâ vadavedâṅgapâragâḥ |
jâjvalyamânâs tapasâ sâkshât sûryyasamâ dvija (°jâḥ) ||
sarvayajneshu tîrtheshu çrâddheshu ca viçeshataḥ |
pûjanîyâḥ prayatnena vastrâlaṃkâragodhanaiḥ ||

Bemerkenswerth ist hierbei ferner noch, dass hier nicht der Sonnengott, sondern Vâyu als der im Çâkadvîpa verehrte Gott erscheint.

Hieran schliesst sich sodann eine Reihe von Citaten, die sich speciell mit dem Çâkadvîpa, resp. den Maga und dem Sonnen-

---

nächst folgenden Purâṇa-Citaten ausschliesslich, als Masculinum gebraucht wird. Die Worte: vărimati etc. gehöreu wohl zu der Legende über die Entstehung der dvîpa, deren Anfang eben als unvollständig erscheint.

[1]) âvṛiṇoti] tadâ bhagavadupâsanopacitâtikrântapurushaprabhâvaḥ Priyavrato râjâ sûryyarathasamavegena jyotirmayarathena „rajanîm api dinaṃ karishyâmî" 'ti pratijnâṃ kṛitvâ saptavâraṃ dvitîyasûryya iva sûryyam anuparyakrâmat | yasya rathacaraṇanemiparikhâtâḥ sapta siṃdhava âsanaṃ(!), yyair eva siṃdhubhiḥ pṛithivyâs sapta dvîpâ(ḥ) kṛitâḥ ...

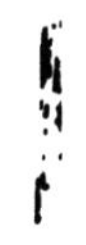

MONATSBERICHTE

DER

KÖNIGLICH PREUSSISCHEN

AKADEMIE DER WISSENSCHAFTEN

ZU BERLIN.

Aus dem Jahre 1880.

Mit 23 Tafeln.

BERLIN 1881.

VERLAG DER KGL. AKADEMIE DER WISSENSCHAFTEN.

MONATSBERICHT

DER

KÖNIGLICH PREUSSISCHEN
AKADEMIE DER WISSENSCHAFTEN
ZU BERLIN.

Januar 1880.

Vorsitzender Secretar: Hr. Mommsen.

---

5. Januar. Sitzung der physikalisch-mathematischen Klasse.

Hr. Siemens las folgende Abhandlung:

Über die Abhängigkeit der elektrischen Leitungsfähigkeit der Kohle von der Temperatur.

Matthiessen machte zuerst[1]) auf die merkwürdige Eigenschaft der Kohle aufmerksam, bei höherer Temperatur die Elektricität besser zu leiten, als bei niedriger. Er fand für die am besten leitende und zugleich schwerste und festeste Modification derselben, die Gasretortenkohle, welche durch Zersetzung des überhitzten Leuchtgases entsteht und an den Wandungen der Retorten der Gasbereitungsanstalten abgesetzt wird, die specifische Leitungsfähigkeit (Quecksilber = 1 gesetzt) 0,0236 bei 25° C. und zwischen 0 und 140 eine Verminderung des Widerstandes um 0,00245 für jeden Grad C.

Beetz fand die Thatsache der Zunahme der Leitungsfähigkeit bei steigender Temperatur nur bei sogenannter künstlicher Kohle bestätigt, die aus Kohlenpulver mit einem geringen bindenden Zusatz von Theer oder Zuckerlösung zusammengepresst und darauf erhitzt wird, wodurch die Zuckerlösung in entweichendes Gas und Kohle zerlegt wird, aber nicht für Kohlenstäbe, die aus Retortenkohle geschnitten waren. Bei diesen konnte er keine Zunahme der

---

[1]) Pogg. Ann. Bd. 103 S. 428 (1858).

Leitungsfähigkeit bei Erhöhung der Temperatur beobachten. Die Zunahme der Leitungsfähigkeit der sogenannten künstlichen Kohle erklärte Beetz durch einen stärkeren Druck, welchen die nur lose zusammenhängenden Kohlentheilchen auf einander ausüben müssten, wenn sie durch Erwärmung ausgedehnt werden. Ich selbst hatte öfters Gelegenheit, mich bei anderweitigen Versuchen zu überzeugen, dass Matthiessen's Angabe richtig war. Um so auffallender war mir das Resultat einer neueren Arbeit von Felix Auerbach, vorgelegt von Riecke der Kgl. Gesellschaft der Wissenschaften in Göttingen, Jan. 1879, dahin gehend, dass die Gasretortenkohle sich hinsichtlich der elektrischen Leitungsfähigkeit wie die Metalllegirungen verhalte, indem ihr Leitungswiderstand bei wachsender Temperatur in steigendem Verhältniss zunehme. Dass ein so exakter Beobachter, wie Matthiessen, sich so vollständig geirrt haben sollte, konnte ich kaum annehmen, obschon auch Beetz bei der Gasretortekohle keine Zunahme der, Leitungsfähigkeit finden konnte; die Versuche Auerbach's waren jedoch andrerseits offenbar mit Sorgfalt und mit guten Instrumenten durchgeführt. Leider hatten alle drei Beobachter ihre Versuche nicht detaillirt genug beschrieben, um durch eine kritische Untersuchung derselben den Grund der Verschiedenheit ihrer Resultate ermitteln zu können. Bei der allgemeinen Anordnung der Auerbach'schen Versuche liess sich im Wesentlichen nur die Art der Erhitzung der Kohlenstäbe und der geringe Widerstand derselben bemängeln. Die gleichmässige Erwärmung der ca. 6^{mm} dicken und 122^{mm} langen Stange in einer lufterfüllten Kammer bis zu einer bestimmten Temperatur dürfte sich nur sehr schwer ausführen lassen. Wie die Erwärmung der Luft ausgeführt wurde, ist aus der Beschreibung der Versuche nicht zu erkennen. Die Annahme, dass die Temperatur des Stabes mit der des Thermometers übereingestimmt habe, wenn keine weitere Veränderung des Widerstandes am Galvanometer zu bemerken war, dürfte für exakte Messungen wohl nicht zulässig sein. Da nur Mittel aus mehreren Messungen für jede Temperatur angegeben sind, ohne Angabe der Abweichung der einzelnen Messungen von einander, so fehlt jede Controlle der Richtigkeit der vorausgesetzten Temperaturen der Kohlenstäbe. Immerhin ist die Übereinstimmung der beobachteten und berechneten Resultate gross genug, um den Gedanken auszuschliessen, dass das Endresultat der Messungen des Hrn. Auerbach nur auf Beobachtungsfehlern beruhen könnte.

Da eine unzweifelhafte Entscheidung der Frage, ob und in welchem Grade der Widerstand der Kohle bei Temperaturänderungen zu- oder abnimmt, nicht nur wissenschaftlich von grösstem Interesse ist, sondern auch eine grosse technische Wichtigkeit erlangt hat, so entschloss ich mich zu einer eingehenden Untersuchung derselben.

Ich liess mir cylindrische Kohlenstäbe verschiedener Dicke und Länge anfertigen. Dieselben wurden an den Enden etwa 15^{mm} weit galvanisch verkupfert. Dann wurden die Drähte einer Kupferlitze an die verkupferten Enden gelegt und dieselben mit feinem Kupferdraht einige Male umwunden, um sie dadurch an der Kohle zu befestigen. Das so vorbereitete Kohlenende wurde nun wieder in die Kupferlösung gebracht, und so viel Kupfer darauf niedergeschlagen, dass die Kupferdrähte mit der ersten Verkupferung und dadurch auch mit der Kohle fest verwachsen waren. Die Erwärmung der so vorbereiteten Kohlen geschah in dem Bade einer nicht leitenden Flüssigkeit. Für niedrige Temperaturen bis 60° C. benutzte ich ein schweres Petroleum, für höhere bis 270° C. geschmolzenes Paraffin. Die Flüssigkeit befand sich in einem Blechtroge und konnte durch untergesetzte Brenner erhitzt oder durch Einsetzen des Troges in Schnee abgekühlt werden. Der ca. 260^{mm} lange, 75^{mm} breite und 80^{mm} hohe Trog wurde durch eine Schieferplatte bedeckt, die von zwei kupfernen Bolzen durchbohrt war, welche an beiden Enden geeignete Klemmen trugen. In die unteren Klemmen wurden die Kupferenden der Kohle eingespannt und darauf zu noch grösserer Sicherheit mit denselben verlöthet. Vermittelst der oberen Klemmen des Schieferdeckels des Troges wurde die Kohle in eine Brückencombination eingeführt, welche aus zwei genau abgeglichenen Widerständen im Verhältniss 1:100 und einer Widerstandsscala, die $\frac{1}{10}$ bis 10 000 Q. E. einzuschalten gestattete, bestand. Als Galvanometer diente ein empfindliches Spiegelgalvanometer mit vier Drahtrollen und einem astatischen Magnetnadelpaare. Zur Controlle der Einrichtung und Constatirung ihrer Empfindlichkeit sowie der Genauigkeit der Messungen wurde zunächst anstatt der Kohle eine zweite Widerstandsscala eingeschaltet, und constatirt, dass beim Gleichgewicht die Widerstände der beiden Scalen sich immer im Verhältniss 1 : 100 befanden, wenn der Widerstand der Zuleitungen, der auf 0,033 Q. E. bestimmt wurde, in Rechnung gezogen wurde. Die Einschaltung von $\frac{1}{10}$ Q. E. im grossen Brückenzweige über oder unter das Gleichgewicht bewirkte eine Ablenkung des Spiegels um ca. 20 Scalentheile, wenn 1 Einheit im kleinen Brückenzweige eingeschaltet war. Die Temperatur des Bades wurde mittels zweier verglichener Fuess'scher Thermometer abgelesen, von denen das eine Temperaturen von — 30 bis + 70 mit 0,1 Grad Theilung, das andere Temperaturen von 10 bis 300° mit Gradtheilung abzulesen gestattete. Das Thermometer wurde durch eineu seitlichen Schlitz in der Schieferplatte in das Bad eingeführt, welcher gestattete, dasselbe in der Nähe des Kohlenstabes in der ganzen Länge des Bades hin- und herzuführen, um dadurch eine gleichmässige Temperatur desselben und die Übereinstimmung der Temperaturen des Thermometers und der Kohle zu bewirken. Es gelang mir auf diese Weise leicht, eine beliebige Temperatur hervorzubringen und so lange zu erhalten, bis mein Sohn Wilhelm, der mir bei diesen Versuchen assistirte, die Einstöpselung des Gleichgewichtswiderstandes vollendet hatte. Es wurden gewöhnlich mit derselben Kohle die Temperaturen von 0 bis 250° C. ein oder auch mehrere Male in auf- und absteigender Reihenfolge durchgemessen.

No. der Kohle	Temperatur	Abgelesener Widerstand	Widerstand — Zuleitung	Temp.-Differ.	Widerstands-Differenz	do. für 1° C.	Coëfficient
		E	*E*		*E*	*E*	
1	270°	1,223	1,190				
	260	1,226	1,193	10°	—0.003	—0.00030	0.00025
	240	1,233	1,200	20	—0.007	—0.00035	0.00029
	220	1,242	1,209	20	—0.009	—0.00045	0.00038
	200	1,249	1,216	20	—0.007	—0.00035	0.00029
	180	1,255	1,222	20	—0.006	—0.00030	0.00025
	160	1,259	1,226	20	—0.004	—0.00020	0.00016
	140	1,267	1,234	20	—0.008	—0.00040	0.00033
	120	1,273	1,240	20	—0.006	—0.00030	0.00024
	100	1,283	1,250	20	—0.010	—0.00050	0.00040
	80	1,292	1,259	20	—0.009	—0.00045	0.00036
	60	1,313	1,280	20	—0.021	—0.00105	0.00087
	40	1,321	1,288	20	—0.008	—0.00040	0.00031
	25	1,326	1,293	15	—0.005	—0.00033	0.00026
	3	1,333	1,300	22	—0.007	—0.00032	0.00025

Mittlerer Coëfficient = 0.000331

ratur des Rohres jedoch einige Minuten in der Rothglut erhalten war, wurde er constant und auf 1,300 bestimmt. Es wurden nun die Kohlen schnell aus dem Ofen entfernt, und das Rohr schnell abgekühlt. Dabei nahm der Widerstand der Kohle stetig zu, bis er, als das Rohr die Zimmertemperatur wieder angenommen hatte, auf 1,685 stehen blieb. Die beobachtete bedeutende Vergrösserung des Widerstandes, den die Kohle nach erfolgter Abkühlung im Vergleich mit der Messung bei Beginn des Versuches zeigte, ist wohl wesentlich dem Umstande zuzuschreiben, dass der im Rohre enthaltene Sauerstoff einen Theil der Kohle verzehrt und ihren Widerstand dadurch dauernd vergrössert hatte. Dafür spricht auch die Vergrösserung des Widerstandes während der langsamen Erhitzung von der Zinkschmelzhitze bis zur Rothglut. Während der schnellen Abkühlung von dieser bis zur Zimmertemperatur konnte keine in Betracht kommende weitere Verbrennung der Kohle eintreten. Nimmt man die Rothglut zu 900° C. an, so ergiebt die Widerstandszunahme während der Abkühlung eine procentische Verminderung der Leitungsfähigkeit von 0,00033 pro Grad, — eine Übereinstimmung mit den bei niedrigen Temperaturen gefundenen Werthen, die bei der Unsicherheit der Temperaturannahme wohl nur zufällig ist. Als erwiesen ist aber durch diesen Versuch anzusehen, dass die Leitungsfähigkeit der Kohle bis zur Gluthitze hin zunimmt.

Der Umstand, dass ich wie Matthiessen die Verbindung der Kohlenenden mit den Zuleitungsdrähten durch galvanische Verkupferung hergestellt hatte, während Auerbach sie dadurch bewirkte, dass er die Kohlenenden in geschmolzenes Loth tauchte und darin erkalten liess, machte es mir wahrscheinlich, dass hierin der hauptsächliche Grund der unrichtigen Ergebnisse der Versuche des Letzteren zu suchen sei. Ich habe bereits im Jahre 1860[1]) auf die Beobachtung hingewiesen, dass Metalldrähte, wenn sie ohne vorherige Amalgamirung in ein Quecksilberbad getaucht werden, einen Übergangswiderstand zeigen, der wohl unzweifelhaft von einer schlecht leitenden, auf der Oberfläche der Metalle durch Molekularanziehung verdichteten Luftschicht, die der Strom durchlaufen muss, herrührt. Da die Kohlenstäbe, welche Auerbach

---

[1]) Pogg. Ann. Bd. 110. p. 11.

benutzte, bei geringer Länge verhältnissmässig stark (etwa 6^{mm} im Quadrat) waren, mithin nur wenig Widerstand hatten, so konnte der Widerstand einer ähnlichen Luftschicht, die auf der Oberfläche der Kohle wegen ihrer viel grösseren Verdichtungskraft für Gase auch viel stärker sein wird als bei den Metallen, einen überwiegenden Einfluss auf seine Messungsresultate ausgeübt haben. Zur Prüfung dieser Vermuthung brach ich einen Kohlenstab, der bereits zu Messungen gedient und eine entschiedene Vergrösserung der Leitungsfähigkeit bei wachsender Temperatur gezeigt hatte, etwa 20^{mm} von dem Kupferüberzuge des einen Endes ab und tauchte das freie Ende nach Auerbach's Methode in geschmolzenes Loth, an welches nach der Erkaltung der andere Zuleitungsdraht zur Brücke festgelöthet wurde. Der Erfolg war ein überraschender. Der Widerstand des jetzt etwa 10^{mm} langen Kohlenstabes vergrösserte sich ganz entschieden bei steigender Temperatur! Ein anderer Versuch mit einem längeren Kohlenstabe, dessen eines Ende ebenfalls nach Auerbach's Methode durch Loth mit dem Brückendrahte verbunden wurde, ergab zwar noch eine Zunahme der Leitungsfähigkeit bei wachsender Temperatur, doch war der Coëfficient derselben ein weit kleinerer geworden. Eine genaue Messung erwies sich als unthunlich, da der Widerstand, namentlich bei höheren Temperaturen, zu schwankend war.

Endlich wurde noch ein Gasretortenkohlenstab von quadratischem Querschnitte, von 63$\square^{mm}$ Durchschnittsfläche und 120^{mm} Länge, zunächst an den Enden mit Loth umgossen, und dann der Widerstand bei verschiedenen Temperaturen gemessen. Die Messungen waren sehr unconstant, doch war ein entschiedenes Ansteigen des Widerstandes bei steigender Temperatur zu beobachten. Darauf wurden die Lothkappen entfernt und die Enden galvanisch verkupfert. Es ergab sich jetzt bei steigender Temperatur eine ebenso entschiedene und ganz regelmässige Verminderung des Widerstandes.

Durch diese Versuche ist wohl unzweifelhaft erwiesen, dass bei der von Auerbach benutzten Methode der Umgiessung der Kohlenenden mit Loth keine directe Verbindung der Kohle mit dem Metalle erzielt wird, dass im Gegentheil wie beim Eintauchen eines nicht direct amalgamirbaren Metalles in Quecksilber eine die Kohle und das umhüllende Metall trennende Schicht verdichteter

Luft auch nach der Erkaltung des Lothes fortbesteht, und dass die abweichenden Resultate Auerbach's hierdurch ihre vollständige Erklärung finden.

Es ist hiermit aber die Frage noch nicht entschieden, ob die den Leitungswiderstand vergrössernde Luftschicht selbst die Eigenschaft besitzt, ihren Leitungswiderstand bei wachsender Temperatur in dem beobachteten Maſse zu vergrössern. Es ist auch denkbar, dass die ungleiche Ausdehnung des Metalles und der Kohle eine Lockerung der Verbindung und eine Verminderung der Zahl der wirklichen Berührungspunkte zwischen Kohle und Metall herbeiführt. Dass bei der galvanischen Verkupferung eine trennende Luftschicht nicht auftritt, ist wohl namentlich dem Umstande zuzuschreiben, dass die Flüssigkeit das auf der Kohlenoberfläche condensirte Gas auflöst, bevor der Kupferniederschlag beginnt. Es empfiehlt sich aus diesem Grunde auch, die Kohlenenden vor Beginn der Verkupferung auszukochen oder doch einige Zeit in der erhitzten Verkupferungsflüssigkeit stehen zu lassen. Anstatt der Verkupferung habe ich mich auch mit gutem Erfolge der Vergoldung der Kohlenenden in einer heissen Cyan-Goldlösung bedient. Mit der Goldschicht wurden dann die kupfernen Zuleitungen durch Kupferniederschlag in der beschriebenen Weise metallisch verbunden.

Mit einem auf diese Weise mit Zuleitungen versehenen runden Kohlenstabe von $2{,}43^{mm}$ Dicke und 148^{mm} Länge zwischen den Kupferansätzen, welche aus einem ausgewählten, sehr dichten und feinkörnigen Stück Berliner Gasretortenkohle geschnitten waren, wurde dann die folgende Versuchsreihe erzielt. Bei dieser so wie bei den späteren Versuchsreihen wurde sowohl der Widerstand genauer gemessen, als auch die Temperatur längere Zeit constant gehalten, als bei den früheren Versuchen.

Berliner Gas-retorten-Kohle	Widerstand gemessen	Widerstand wirklich	Temperatur	Differenz des Widerstandes	Differenz der Temperat.	Coëfficient der Zunahme pro Grad	Bemerkungen
	2,2443	2,2095	75				Die Kohle wurde zum ersten Male benutzt.
	2,2260	2,1912	100	0,0183	25	—0,000329	
	2,2070	2,1722	125	0,0190	25	—0,000347	
	2,1864	2,1516	151	0,0206	26	—0,000364	
	2,1659	2,1311	175	0,0205	24	—0,000397	
	2,1660	2,1312	173,5	0,0156	22,5	—0,000323	Am folgenden Tage gemessen.
	2,1816	2,1468	151	0,0184	24,5	—0,000346	
	2,2000	2,1652	126,5	0,0192	25,3	—0,000347	
	2,2192	2,1844	101,2	0,0193	25,2	—0,000347	
	2,2385	2,2037	76				
	2,2385	2,2037	76				
	2,2196	2,1848	101	0,0189	25	—0,000343	
	2,2028	2,1680	125	0,0168	24	—0,000320	
	2,1857	2,1509	149,5	0,0171	24,5	—0,000323	
	2,1674	2,1326	145	0,0183	25.5	—0,000334	
	2,1492	2,1144	201,5	0,0182	26.5	—0,000322	

Die specifische Leitungsfähigkeit der Gasretortenkohle ist hiernach bei 0° C. 0,0136 (Quecksilber = 1) und der Coëfficient der Zunahme der Leitungsfähigkeit 0,000345 pro Grad Celsius.

Die sogenannte künstliche Kohle, welche jetzt vorzugsweise zur Erzeugung des elektrischen Lichtes benutzt wird, wird in der Regel aus gepulverter Gasretortenkohle mit Theer oder concentrirter Zuckerlösung als Bindemittel gepresst und durch wiederholtes Glühen und Tränken dicht und gut leitend gemacht. Für diese hatte Beetz eine beträchtliche Zunahme der Leitungsfähigkeit bei wachsender Temperatur constatirt, während er eine solche bei Kohlenstäben, die aus Gasretortekohlen geschnitten waren, nicht fand. Es erschien nicht unwahrscheinlich, dass die aus zersetztem Theer oder Zucker entstandene Kohle, welche die Gaskohlen-Partikelchen trennt, andere Eigenschaften besitzt als die Gasretortenkohle, da die aus festen Kohlenwasserstoffen reducirte Kohle sehr hartnäckig auch noch bei starker Erhitzung Wasserstoff zurückhält und dann ein sehr schlechter Leiter ist — wie z. B. die nicht sehr stark und anhaltend geglühte Holzkohle. Eine solche schlecht leitende Zwischenschicht konnte auch den Coëfficienten der Zunahme der Leitungsfähigkeit wesentlich beeinflussen. Der Versuch hat dies jedoch nicht bestätigt. Es wurden zwei verschiedene französische, künstliche, runde Kohlenstäbe in der beschriebenen Weise mit Zuleitungen versehen und ihr Widerstand bei verschiedenen Temperaturen gemessen. Es ergaben sich dabei folgende Tabellen:

Es folgt hieraus, dass die künstlichen, durch Pressung aus Kohlenpulver erzeugten Kohlenstangen, ebenso wie die aus Gasretortenkohle geschnittenen, bei wachsenden Temperaturen eine grössere Leitungsfähigkeit zeigen, und dass die Zunahme nicht ganz so gross ist wie bei der Gasretortenkohle. Die von anderen Beobachtern gefundenen abweichenden Resultate werden wahrscheinlich ebenfalls auf mangelhafte Verbindung der Enden zurückzuführen sein.

Bei den beschriebenen Versuchen stellt sich keine bestimmte Vergrösserung oder Verminderung des Zunahme-Coëfficienten mit der Temperatur heraus. Ich nehme auch um so mehr Anstand, aus den mitgetheilten Messungen in dieser Hinsicht eine bestimmte Ansicht auszusprechen, als sie überhaupt nicht so bestimmte und sichere Resultate angegeben haben, wie die angewendete Methode sie erwarten liess. Ob diese bisher nicht erklärlichen Unregelmässigkeiten darin zn suchen sind, dass die leitende Verbindung auch bei der galvanischen Verkupferung noch nicht als vollkommen zu betrachten ist, oder ob die Kohle ähnlichen, ihre Leitungsfähigkeit ändernden Einflüssen unterliegt, wie das Selen, muss einer eingehenderen Untersuchung vorbehalten bleiben. Die Erklärung, welche Beetz für die Erscheinung der Zunahme der Leitungsfähigkeit der Kohle bei steigender Temperatur gegeben hat, würde nur auf Kohlenpulver oder lose zusammenhängende Kohle anwendbar sein, welche von festen, sich weniger wie die Kohle ausdehnenden Wänden umschlossen war. Da das Gesammtvolumen des Körpers in demselben Verhältniss wächst, wie das seiner Theile, so kann eine vergrösserte Pressung der Theile bei gleichmässiger Temperaturerhöhung bei nicht eingeschlossenen Körpern auch nicht eintreten. Beetz führt zur Unterstützung seiner Hypothese einige Versuche an, die er mit Metallspähnen angestellt hat. Sowohl durch äussere Compression als durch Erhitzung verminderte sich der Leitungswiderstand derselben. Dass dies eintreten muss, wenn wirklich eine Compression des Pulvers auftritt, ist wohl unzweifelhaft und auch durch Versuche vielfach bestätigt. Wenn das Pulver von Gefässwänden theilweise umschlossen war, konnte daher sehr wohl eine Verminderung des Widerstandes eintreten. Wahrscheinlich ist aber auch die auf der Oberfläche der Theilchen des Pulvers condensirte Luft von Einfluss gewesen. Der Rückschluss vom Pulver auf eine zusammenhängende Masse ohne umschliessende Wände, wie die geformte Kohle, kann aber nicht zugestanden werden. Dass selbst ein starker Druck die Leitungsfähigkeit der geformten Kohle nicht ändert, ist durch einen einfachen Versuch nachzuweisen. Versieht man die Enden eines Kohlencylinders durch galvanische Verkupferung mit sicheren, angelötheten Zuleitungen, und setzt dann den Kohlenstab in der Richtung seiner Axe einer starken Pressung aus, so verändert sich der Leitungswiderstand desselben nicht im mindesten, wenn man selbst den Druck bis zur Zertrümmerung der Kohle steigert. Es zeigt dies, dass die gut imprägnirte und gebrannte geformte Kohle als fester, wenn auch noch poröser Körper und nicht mehr als nur lose zusammenhängendes, verschiebbares Pulver zu betrachten ist. In noch viel höherem Grade gilt dies von der ungepulverten, festen Gasretortenkohle. Der Bildungsprocess dieser Kohle geht in ähnlicher Weise vor sich, wie die galvanische Abscheidung der Metalle, da, wie schon hervorgehoben wurde, die Kohle in unmittelbarer Berührung mit der Fläche der Retortenwand frei wird und sich durch Molekularanziehung im Augenblick des Freiwerdens an einander legt. Die Gasretortenkohle ist mithin nicht als zusammengebackenes Pulver, sondern als eine feste Kohlenmasse zu betrachten. Dass das specifische Gewicht der Gasretortenkohle ein verschiedenes ist, wird wohl mehr eine Folge eingeschlossener kleiner Hohlräume und der Einschliessung fremder Körper als einer Verschiedenheit der Masse selbst zuzuschreiben sein. Die allgemein gültige Eigenschaft der Kohle, in höherer Temperatur besser zu leiten, muss daher als eine Eigenschaft der Kohlenmaterie selbst und nicht als eine Folge ihrer Structur aufgefasst werden.

Eine Analogie für dies Verhalten der Kohle bildet das der Elektrolyte — zu denen nach Hittorf auch Einfach-Schwefelkupfer und andere zusammengesetzte feste Körper zu rechnen sind — und von einfachen Körpern Tellur und Selen. Letzteres ist bei schneller Abkühlung aus dem geschmolzenen Zustande ein Nichtleiter — wie auch der Diamant. Wird es bis 100° C. erwärmt, so wird es krystallinisch und leitet dann die Elektricität, wie die Kohle, in der Weise, dass seine Leitungsfähigkeit bei wachsender Temperatur zunimmt. Das Selen verliert bei der Erwärmung auf 100° C. latente Wärme; es ist daher wahrscheinlich, dass diese Verminderung der latenten Wärme es zu einem Leiter der Elektricität gemacht hat. Wenn man schnell erstarrtes, sogenanntes amorphes Selen bis in die Nähe seines Schmelzpunktes, d. i. bis über 200° C. erhitzt und längere Zeit in dieser Temperatur erhält, so verliert es noch mehr latente Wärme und nimmt dann, wie ich gezeigt habe[1]), eine weit grössere Leitungsfähigkeit an. Es leitet die Elektricität aber jetzt wie ein Metall, d. i. seine Leitungsfähigkeit nimmt bei Erhöhung der Temperatur ab. Es erscheint daher wahrscheinlich, dass die Eigenschaft des krystallinischen, noch latente Wärme haltenden Selens, die Elektricität wie die Elektrolyte und die Kohle in der Weise zu leiten, dass die Leitungsfähigkeit mit der Temperatur zunimmt, daher rührt, dass es noch latente Wärme enthält. Da latente wie freie Wärme ein Hinderniss der Elektricitätsleitung bilden oder wahrscheinlich sogar die Ursache des Leitungswiderstandes sind, und da die Stabilität allotroper Zustände, welche Wärme gebunden halten, durch Erhitzung sich vermindert oder ganz verloren geht, wobei dann die latente Wärme entweicht, so muss das Hinderniss, welches die letztere dem Durchgange des elektrischen Stromes entgegensetzt, bei erhöhter Temperatur geringer werden. Die bessere Leitungsfähigkeit der Kohle bei höherer Temperatur lässt sich daher wie beim krystallinischen Selen erklären, wenn man annimmt, dass die Kohle wie dieses eine latente Wärme enthaltende, allotrope Modification eines hypothetischen metallischen Kohlenstoffs ist.

Für diese Annahme spricht auch das Verhalten der Kohlenstäbe, zwischen denen ein Davy'scher Lichtbogen gebildet wird. Das elektrische Licht hat bekanntlich seinen Sitz namentlich auf der hell glühenden Oberfläche der positiven Kohle. Von dieser geht nun auch der Transport der Kohle zur negativen Kohle aus. Stellt man zwei nicht zu starke Kohlenstäbe mit ebenen parallelen Grenzflächen einander dicht, etwa 1^{mm} von einander, gegenüber und lässt einen sehr starken Strom zwischen ihnen übergehen, so findet ein schnelles Übergehen der Kohle von der positiven zur negativen Kohle statt, und die letztere wächst eben so schnell, als die obere verzehrt wird. Die Folge ist, dass der Zwischenraum fortwandert, ohne merklich grösser zu werden. Es erklärt sich dies dadurch, dass die Kohle während ihres Transportes durch den Bogen nicht verbrennen kann, weil der schmale Zwischenraum das Eindringen der Luft nicht oder doch nur in sehr geringem Maſse gestattet.

---

[1]) Pogg. Ann. 159, S. 127.

Den durch gleichgerichteten Strom gebildeten elektrischen Lichtbogen pflegt man so zu reguliren, dass der Bogen gerade die nöthige Länge hat, um alle transportirte Kohle zu verbrennen. In diesem Falle bemerkt man deutlich durch ein lichtschwächendes Glas, dass es wesentlich die oft wechselnden Stellen der positiven Kohlenoberfläche, von denen der Davy'sche Bogen grösstentheils ausgeht, sind, die sehr hell leuchten. Es ist also nicht, wie wohl angenommen wird, das Aufschlagen der durch den Bogen losgerissenen und transportirten Kohlentheilchen auf die negative Kohle, sondern das Loslösen derselben von der positiven Kohle, was das Licht wesentlich erzeugt. Diese Wärmeerzeugung an der Trennungsstelle der losgelösten von der festen Kohle ist kaum anders zu erklären als dadurch, dass der Kohlenstoff durch den elektrischen Strom in metallischer Form fortgeführt wird, dass mithin die latente Wärme der Kohle an der Trennungsstelle frei wird und dadurch diese vorzugsweise hoch erhitzt.

Hr. A. W. Hofmann las:

Über die Einwirkung des Schwefels auf Phenylbenzamid.

Untersuchungen, über welche ich der Akademie in der Kürze zu berichten hoffe, haben mich zu einigen Beobachtungen geführt, deren Ergebniss mir gestattet sei, der Klasse schon heute mitzutheilen.

Man weiss aus den schönen Arbeiten von Merz und Weith[1]), dass sich bei der Einwirkung von Schwefel auf Anilin unter Schwefelwasserstoffentwicklung neben anderen Körpern Thioanilin bildet, mit welchem, nach Untersuchungen von Krafft[2]), der durch Nitrirung und Amidirung des Phenylsulfids gebildete Körper identisch ist. Angesichts der Überführung des Anilins durch Schwefel in eine Verbindung

---

[1]) Merz und Weith, Ber. chem. Ges. III, 978.

[2]) Krafft, Ber. chem. Ges. VII, 384.

$$S\langle\begin{matrix}C_6H_4HN_2\\C_6H_4HN_2\end{matrix}$$

welche aus 2 Mol. Anilin entsteht, war die Umwandlung des Phenylbenzamids durch Schwefel in eine entsprechende benzoylirte Verbindung

$$S\langle\begin{matrix}C_6H_4NHCOC_6H_5\\C_6H_4NHCOC_6H_5\end{matrix}$$

in welcher zwei Phenylbenzamidmolecule vereinigt sind, nicht unwahrscheinlich. Die Bildung einer solchen Verbindung würde von verhältnissmässig geringem Interesse gewesen sein, allein auf einem andern Gebiete gesammelten Erfahrungen deuteten die Möglichkeit an, dass sich die Reaction auch in einem Mol. Phenylbenzamid vollziehen könne. Der Versuch hat gezeigt, dass dem in der That so ist.

Erhält man ein Gemenge von Phenylbenzamid und Schwefel — z. B. 2 Th. des ersteren und 1 Th. des letzteren — einige Stunden lang im Sieden, so erstarrt die schwarz gewordene Masse zu einem Kuchen von schwach krystallinischem Gefüge. Wiederholtes Auskochen dieses Kuchens mit heisser Salzsäure liefert eine schwach gelb gefärbte Flüssigkeit, welche auf Zusatz von viel Wasser zu einer weissen aus verfilzten Nadeln bestehenden Krystallmasse erstarrt. Ein kleiner Theil derselben Substanz bleibt in der verdünnten Salzsäure gelöst und kann daraus durch Sättigen der Flüssigkeit mit Natriumcarbonat gewonnen werden.

Die Krystalle sind eine nahezu reine Substanz; in der Regel zeigen sie jedoch noch einen Stich ins Gelbe. Man entfernt denselben leicht durch mehrfaches Umkrystallisiren aus heissem Alkohol. Wendet man eine nicht ganz ausreichende Menge des Lösungsmittels an, so bleibt eine minimale Menge gelben Harzes zurück und die abgegossene Flüssigkeit liefert alsdann beim langsamen Erkalten schöne farblose Nadeln, welche constant den Schmelzpunkt 115° zeigen und bei einer dem Siedepunkte des Quecksilbers nahen Temperatur fast unverändert destilliren. Die Destillation bietet in der That eine sehr einfache Methode der Reinigung dar. Der neue Körper löst sich auch in Äther und Schwefelkohlenstoff. Wie bereits bemerkt, löst er sich in concentrirter Salzsäure. Diese Lösung liefert auf Zusatz von Platinchlorid ein in langen haarförmigen Krystallen anschiessendes Platinsalz; mit Goldchlorid entsteht ein in feinen Nädelchen krystallisirendes Goldsalz. Auch in anderen concentrirten Mineralsäuren, Schwefelsäure und Salpetersäure, ist der Körper löslich und zeigt mithin die Charaktere einer Base. Allein die basischen Eigenschaften sind schwach ausgesprochen; Wasser zerlegt die Salze, auch verlieren sie die Säure, wenn sie flüchtig, oft schon beim Abdampfen. Eine bemerkenswerthe Eigenschaft des Körpers ist der angenehme Geruch nach Theerosen und Geranien, welcher namentlich bei gelindem Erwärmen deutlich wahrnehmbar wird. Es ist dies von einem Körper, welcher 15 pCt. Schwefel enthält, Alles was man verlangen kann.

Die Verbrennung der bei 100° getrockneten Krystalle führte zu der Formel

$$C_{13}H_9NS,$$

für die ich die berechneten und gefundenen Zahlen zusammenstelle:

	Theorie		Versuch				
C_{13}	156	73.93	73.73	73.44	73.89	—	—
H_9	9	4.27	4.18	4.38	4.48	—	—
N	14	6.64	—	—	—	—	—
S	32	15.16	—	—	—	15.23	15.31
	211	100.00.					

Diese Formel findet in der Analyse des oben erwähnten Goldsalzes willkommene Bestätigung. Der Formel

$$C_{13}H_9NS, HCl, AuCl_3$$

entsprechen folgende Werthe

	Theorie	Versuch	
Gold	35.75	35.62	35.61

Die Bildung der Base erfolgt daher nach der Gleichung

$$C_{13}H_{11}NO + S = C_{13}H_9NS + H_2O.$$

In der That entwickeln sich bei der Reaction reichliche Mengen von Wasser. Allerdings tritt auch etwas Schwefelwasserstoff auf, allein er gehört einer untergeordneten Reaction an. Die Ausbeute an dem neuen Körper entspricht keineswegs der gegebenen Gleichung. Immerhin werden von 100 Gewichtsth. Phenylbenzamid 50—60 Th. der neuen Substanz gewonnen; ausserdem bleibt aber stets eine grosse Menge Phenylbenzamid unverändert.

Fragt man nach der Constitution der neuen Verbindung, so haftet der Blick alsbald an der Formel

$$C_6H_4\langle{}^{N}_{S}\rangle C - C_6H_5\,,$$

in der sich eine Gruppirung der Elemente spiegelt, wie sie in der letzten Zeit des Öfteren aufgetaucht ist.

Als Prototyp von Substanzen von ähnlicher Bildung lässt sich das schon vor mehreren Jahren von Fried. Hobrecker[1]) im hiesigen Laboratorium entdeckte Reductionsproduct der Acetverbindung des Nitrotoluidins, die von ihm mit dem Namen Äthenyltoluylendiamin bezeichnete Base

$$C_6H_3CH_3\langle{}^{N}_{NH}\rangle C - CH_3$$

betrachten. Die Analogie fällt in die Augen; denn wenn man davon absieht, dass die Formel die Toluylen- und Methenylgruppe statt der Phenylen- und Benzenylgruppe enthält, so liegt der Unterschied wesentlich nur darin, dass in derselben die bivalente Imidgruppe statt des gleichwerthigen Schwefelatoms figurirt. Mehrere ähnliche Basen, verschiedenen Reihen angehörig, sind später von Hübner[2]) beschrieben worden, der für die so gebildeten Körper den sehr zweckmässigen Namen Anhydrobasen vorgeschlagen, auch zuerst darauf hingewiesen hat, dass sich nur diejenigen Nitramide in derartige Basen verwandeln lassen, bei denen sich Amid- und Nitrogruppe in der Orthostellung befinden. Auch Ladenburg[3]) und später Wundt[4]) haben ähnliche Basen dargestellt, indem sie, den umgekehrten Weg einschlagend, statt von Nitramiden von Diaminen ausgingen, welche sie mit Säuren behandelten. Noch näher aber steht der oben beschriebene Schwefelkörper den Verbindungen, welche uns die schönen Untersuchungen Ladenburg's[5]) über die Condensation des Orthoamidophe-

---

[1]) Hobrecker, Ber. chem. Ges. V, 920.

[2]) Hübner und Mitarbeiter, Ber. chem. Ges. VI, 795, 1128; VII, 463, 1314; VIII, 471; IX, 774; X, 1711.

[3]) Ladenburg, Ber. chem. Ges. VIII, 677.

[4]) Wundt, Ber. chem. Ges. XI, 826.

[5]) Ladenburg, Ber. chem. Ges. IX, 1524; X, 1123.

nols und ähnlicher Körper unter dem Einflusse von Säuren oder Säurechloriden kennen gelehrt haben. Durch die Einwirkung von Benzoylchlorid auf Orthoamidophenol entsteht in der That eine dem neuen Schwefelkörper analoge Sauerstoffverbindung

$$C_6H_4\langle{N \atop O}\rangle C - CH_3 .$$

Allerdings war ich einen Augenblick zweifelhaft, ob hier wirklich zwei Körper von analoger Constitution vorliegen. Die in Frage stehenden sauerstoffhaltigen Substanzen werden durch Säuren mit Leichtigkeit wieder in ihre Generatoren gespalten, während die beschriebene Schwefelverbindung von Säuren kaum angegriffen wird. Man kann sie Tage lang in geschlossener Röhre mit concentrirter Salzsäure auf 200° erhitzen, ohne dass sie die geringste Veränderung erleidet. Indessen darf man nicht vergessen, dass die Schwefelverbindungen im Allgemeinen beständiger sind als die entsprechenden Sauerstoffkörper. Erleiden doch die Senföle unter dem Einflusse des Wassers erst bei hoher Temperatur die Umbildung, welche sich bei den entsprechenden Cyanaten schon bei gewöhnlicher Temperatur vollzieht. Auch zeigte sich's alsbald, dass die Wirkung, welche die Säuren versagen, von den Alkalien ohne Schwierigkeit geübt wird. Waren die beiden genannten Verbindungen von analoger Constitution, so musste aus dem schwefelhaltigen Körper, neben Benzoësäure, Amidophenylmercaptan entstehen. Diese Substanzen werden in der That mit Leichtigkeit durch Behandlung mit Alkalien erhalten. Allerdings kann man die Krystalle stundenlang sowohl mit wässeriger als mit alkoholischer Kalilauge kochen, ohne dass sie die geringste Veränderung erleiden. Schmilzt man sie aber mit Kalihydrat — 10 g Krystalle werden zweckmässig in einer kleinen Retorte mit 20 g Kalihydrat erhitzt — so ist bereits nach 10 bis 15 Minuten der grösste Theil des Schwefelkörpers in die beiden genannten Verbindungen umgewandelt:

$$C_6H_4\langle{N \atop S}\rangle C - C_6H_5 + 2H_2O = C_6H_4\langle{NH_2 \atop SH} + C_6H_5 - COOH .$$

Die Schmelze löst sich mit brauner Farbe im Wasser. Es ist erwünscht, dass eine kleine Menge Schwefelkörper ungelöst bleibe, man weiss dann, dass die Reaction nicht zu weit gegangen ist.

Die filtrirte Flüssigkeit liefert auf Zusatz von concentrirter Salzsäure eine reichliche Füllung von Benzoësäure; gleichzeitig scheidet sich das Amidophenylmercaptan in Form eines Öles aus, welches aber auf Zusatz einer grösseren Menge von Salzsäure alsbald wieder in Lösung geht.

Das Amidophenylmercaptan ist, wie die aromatischen Mercaptane im Allgemeinen, sehr oxydirbar. Lässt man die Lösung an der Luft stehen, so scheiden sich schon bald an der Oberfläche schwerlösliche Krystalle der Salzsäure-Verbindung eines Disulfides

$$\begin{array}{l} S - C_6H_4NH_2 \\ | \\ S - C_6H_4NH_2 \end{array}$$

aus. Die völlige Abscheidung nimmt aber immerhin eine geraume Zeit in Anspruch; durch Anwendung eines gelinden Oxydationsmittels kann man sie aber augenblicklich bewerkstelligen. Kaliumbichromat, selbst in verdünnter Lösung, greift unter Bildung gefärbter Producte die Phenylgruppe an; dagegen ist Eisenchlorid in hohem Grade geeignet. Die kalte Lösung des salzsauren Amidophenylmercaptans setzt auf Zusatz von Eisenchlorid schon nach wenigen Minuten eine prachtvolle Krystallisation des Disulfidchlorhydrats ab, welche in concentrisch vereinigten Blättern anschiesst. Das Salz ist in kaltem salzsäurehaltigem Wasser so schwer löslich, dass man die auf einem Filter gesammelten Krystalle durch rasches Waschen von dem massenhaft in der Lauge befindlichen Chlorkalium ohne Schwierigkeit trennen kann.

In heissem Wasser ist das Salz löslich; die Lösung liefert mit Platinchlorid einen rothbraunen, nur schwach krystallinischen Niederschlag. Wird die Lösung mit Ammoniak versetzt, so fällt das Disulfid in wohlausgebildeten Blättchen, welche in Wasser unlöslich sind, aber aus siedendem Alkohol mit Leichtigkeit umkrystallisirt werden können. Die Krystalle schmelzen bei 93°; es schien zweckmässiger, diese wohl definirte, sehr stabile, gut krystallisirende Verbindung zu analysiren, als das lange flüssig bleibende, schwer zu reinigende und überdies so veränderliche Mercaptan. Bei dieser Analyse wurden folgende Werthe erhalten:

	Theorie		Versuch		
C_{12}	144	58.07	58.03	57.93	—
H_{12}	12	4.83	5.12	4.86	—
N_2	28	11.30	—	—	—
S_2	64	25.80	—	—	25.61
	248	100.00.			

Unter dem Einfluss von Reductionsmitteln geht das Disulfid schnell wieder in das Mercaptan über. Leitet man einen Strom Schwefelwasserstoffgas in die erwärmte verdünnte Lösung des salzsauren Salzes des Disulfids, so scheidet sich alsbald Schwefel in dicken Flocken aus, und die Lösung enthält nunmehr das salzsaure Salz des Amidomercaptans, welches man durch Abdampfen in kleinen Krystallen gewinnt. Hierbei geht aber schon wieder ein Theil in die Disulfidverbindung über. Wird die Lösung des salzsauren Salzes mit Natriumcarbonat versetzt, so scheidet sich das Amidomercaptan als öliges Gerinsel ab, welches man zweckmässig in Äther aufnimmt. Nach dem Verdampfen desselben bleibt ein gelbliches Öl zurück, welches bei niedriger Temperatur nach einiger Zeit krystallinisch erstarrt.

Es verdient hier erwähnt zu werden, dass schon früher sowohl ein Amidophenylmercaptan, als auch ein Amidophenyldisulfid auf anderen Wegen erhalten worden ist. Das Mercaptan wurde von Glutz und Schrank[1]), dargestellt. Sie bereiteten es durch Reduction des Chlorides der Nitrobenzolsulfosäure, welche nach dem E. Schmitt'schen Verfahren durch Einwirkung von Schwefelsäure auf Nitrobenzol gewonnen worden war. Da aber nach späteren Untersuchungen von Limpricht[2]) auf die angegebene Weise die drei isomeren Säuren entstehen, so ist es zweifelhaft, ob die Genannten ein einheitliches Product in Händen gehabt haben.

Ein Disulfid ist von E. B. Schmidt[3]) in complexer Reaction durch die Einwirkung des Chlorschwefels auf das Acetanilid gewonnen und unter dem Namen Pseudodithioanilin beschrieben

---

[1]) Glutz u. Schrank, Journ. f. p. Chem., N. F. II, 223.

[2]) Limpricht, Ber. chem. Ges. VIII, 431.

[3]) Schmidt, Ber. chem. Ges. XI, 1168.

worden. Der mitgetheilte Schmelzpunkt (78—79°) scheint anzudeuten, dass das so erhaltene Product mit dem oben beschriebenen (vom Schmelzpunkt 93°) nur isomer ist. Im Übrigen stimmen die Eigenschaften beider Substanzen ziemlich nahe mit einander überein.

Die von mir dargestellten Verbindungen gehören, man kann wohl nicht daran zweifeln, der Orthoreihe an. In der That verwandelt sich das aus dem neuen Schwefelkörper abgeschiedene Amidophenylmercaptan mit grosser Leichtigkeit wieder in diese Verbindung zurück. Die Rückbildung erfolgt augenblicklich, wenn man das Mercaptan mit Benzoylchlorid behandelt. Es ist zu diesem Behufe nicht nöthig, dasselbe aus seiner Salzsäure-Verbindung abzuscheiden. Die Krystalle dieser Verbindung werden schon in der Kälte unter Entwickelung von Salzsäure angegriffen; beim Erhitzen lösen sich die Krystalle auf, es entwickelt sich nun auch Wasser und beim Erkalten bleibt eine krystallinische Masse, welche sich nahezu vollständig in concentrirter Salzsäure auflöst. Versetzt man diese Lösung mit Wasser, so scheidet sich der erwartete Körper alsbald in Krystallen aus, welche durch einmaliges Umkrystallisiren rein erhalten werden. Wahrscheinlich bildet sich eine intermediäre Verbindung

$$C_6H_4\begin{cases} NHCOC_6H_5 \\ SH \end{cases},$$

welche alsdann durch Wasserabspaltung in

$$C_6H_4\begin{cases} N \\ S \end{cases}C - C_6H_5$$

übergeht. Behandlung des Amidophenylmercaptans mit Benzotrichlorid liefert begreiflich die Schwefelverbindung ebenfalls.

Wollte man der neuen Verbindung einen Namen geben, so könnte man sie im Hinblick auf diese Bildungsweise als Benzenylamidophenylmercaptan ansprechen.

Die glatte Bildung dieser Verbindung durch Behandlung des Phenylbenzamids mit Schwefel ist Veranlassung gewesen, das Verhalten auch anderer Klassen von Amiden gegen Schwefel zu studiren. Über die Ergebnisse dieser Studien hoffe ich der Akademie später zu berichten; heute ist es mir nur noch eine angenehme Pflicht, in Dankbarkeit des Eifers, der Sachkenntniss und der Geschicklichkeit zu gedenken, mit denen mich ein junger japanischer Chemiker, Hr. N. Nagai, bei Ausführung der beschriebenen Versuche während der Weihnachtsferien unterstützt hat.

Hr. W. Peters machte eine Mittheilung über die von Hrn. Dr. F. Hilgendorf in Japan gesammelten Chiropteren.

Die von Hrn. Dr. Hilgendorf in Japan gesammelten Flederthiere sind nicht allein wegen einer darunter enthaltenen neuen Art, sondern auch wegen des genauer bestimmten Fundorts, der von einigen noch nicht bekannt war, von besonderem Interesse.

1. *Rhinolophus ferrum equinum* Schreber, var. *nippon* Temminck. — Oyama.

2. *Rhinolophus cornutus* Temminck.

Eine Anzahl dieser in den Sammlungen noch immer seltenen Art hat Hr. Dr. Hilgendorf aus den Gebirgen von Nikko erhalten.

Dieselbe ist, wie ich schon früher (Monatsber. Berl. Ak. 1871. p. 309) angeführt habe, sehr nahe mit *Rh. pusillus* Temminck aus Java verwandt, unterscheidet sich aber merklich von diesem letzteren durch den grösseren zweiten unteren spitzen Prämolarzahn und die grösseren Füsse. *Rh. pusillus* ist, abgesehen von dem gleich langen Vorderarm, eine merklich kleinere Art.

Hr. Dobson (Cat. Chiroptera Brit. Mus. 1878. p. 114) hat diese Art unbegreiflicherweise mit *Rh. minor* Horsf. confundirt, welcher, wie dieses auch die Horsfield'sche Abbildung zeigt, den hinteren Fortsatz des Sattels bogenförmig abgerundet, wie *Rh. affinis*, und nicht scharf zugespitzt hat. Ebenso unbegreiflich ist es, wie Dobson (l. c. p. 115) *Rh. pusillus* Temminck für *Rh. hipporideros* hat halten können, was gewiss nicht geschehen wäre, wenn er Temminck's Abbildung von dem ersteren (Monographies II. Taf. 29. Fig. 8) verglichen hätte. Es ist möglich, dass in späterer Zeit auch Exemplare von *Rh. hipposideros* aus Versehen mit dem falschen Namen *Rh. pusillus* in dem Museum zu Leiden bezeichnet worden sind. Man kann aber nicht vorsichtig genug mit der Untersuchung von s. g. typischen Exemplaren sein, da sogar in einem grossen Museum nicht bloss aus Versehen ein Wechsel der Etiquets vorgekommen ist.

3. *Plecotus auritus* Linné.

Auch diese Art, deren Vorkommen auf Japan bisher noch nicht bekannt war, ist in dem gebirgigen District von Nikko gefunden worden.

4. *Miniopterus Schreibersii* Natterer. — Awa.

5. *Vesperugo noctula* Schreber. — Hekodate (Yesso).

6. *Vesperugo abramus* Temminck. — Yedo.

7. *Harpyiocephalus Hilgendorfi* n. sp. (Tafel Fig. 1-10.)

H. auriculis rotundatis, trago acuminato, margine externo concavo undulato; cauda apice prominente; premolari superiore primo secundo multo minore; brunneogriseus, subtus pallidus.

Long. tota 0,100; antibr. 0,041; tib. 0,017.

Habitatio: Yedo.

Ohr etwas kürzer als der Kopf, am Aussenrande über der Mitte schwach eingebuchtet, am Ende abgerundet, sowohl inwendig wie aussen convex; inwendig mit zerstreuten warzenförmigen Erhabenheiten, nach dem innern Rande hin lang behaart. Ohrklappe lang bis zu der Einbucht des äussern Ohrrandes reichend, spitz, an der Basis mit einem zahnförmigen Vorsprung, an dem Innenrande convex, an dem äusseren concaven Rande unregelmässig wellenförmig. Nasenlöcher wie bei *H. harpyia.* Am Gaumen vorn vier ganze, dann vier getheilte und zuletzt wieder eine einfache Schleimhautfalte. Körperbehaarung lang und weich. Schenkelflughaut und Zähne oben dichter, die Seitenflughäute bis zu dem Ellbogen sparsamer mit längeren Haaren bekleidet. Vorderarm und Daumen oben sparsam behaart. Flughäute bis zu der Mitte der ersten Phalanx der ersten Zehe herabsteigend. Die weichen knorpeligen Spornen sind kürzer als der Unterschenkel. Die Spitze des Schwanzes ragt 4 Mm. frei über die Schenkelflughaut hinaus.

Um die Augen und das Kinn herum schwarzbraun, unter den Ohren und hinter dem Kinn weissgrau. Am Rücken graubraun, die einzelnen Haare an dem Grunde dunkel und am Ende grau, oder mit einem subapicalen dunkeln Ringe und weisslicher Spitze.

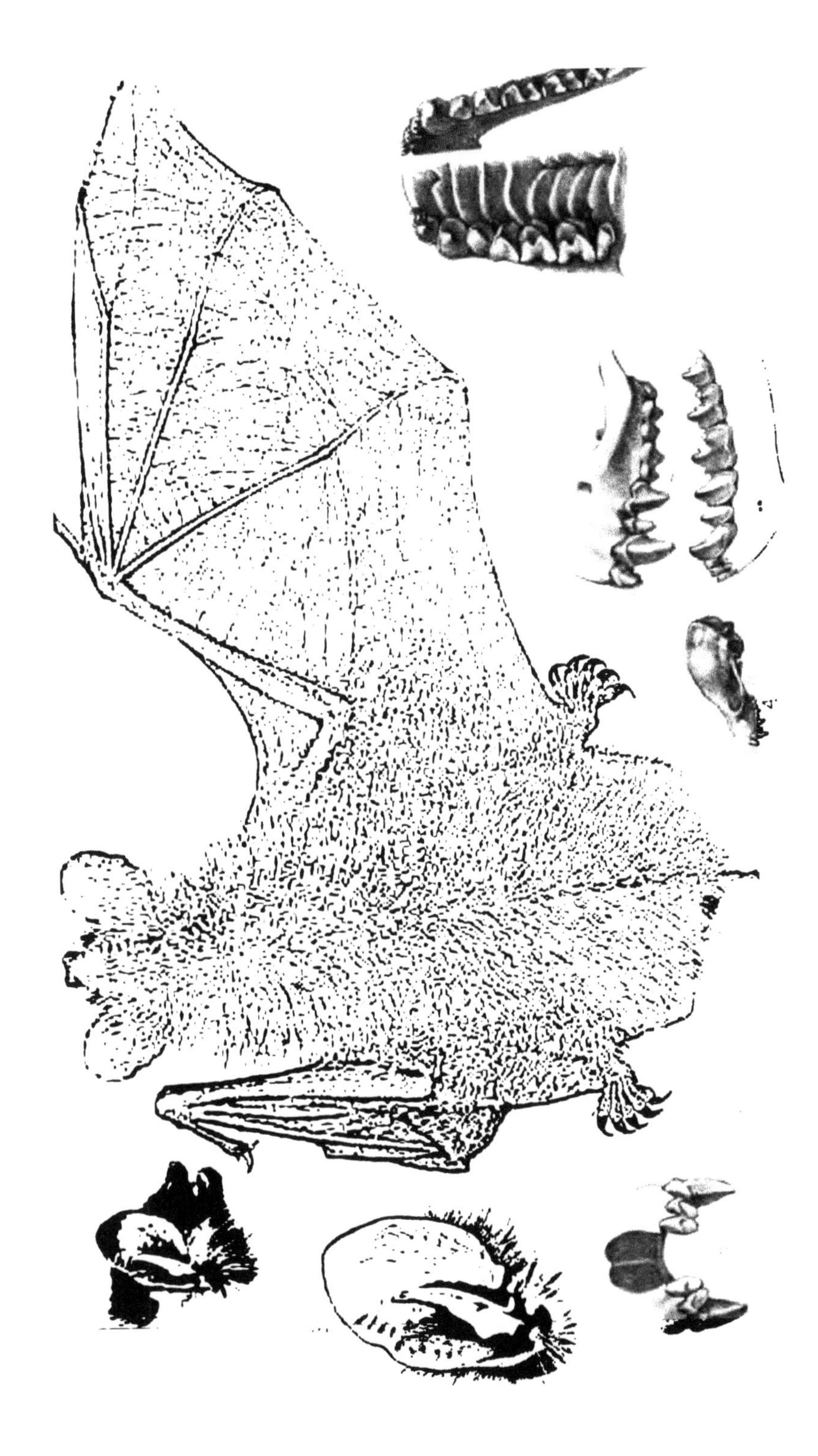

maṇaparikshâprasaṃgayogo nâmâ 'dhyâyaḥ, s. Vishṇup. 3, 15, 1—9. Und hier können wir nun die Interpolation direct nachweisen. Denn die Verse, in denen hier der Çâkadvîpodgatâ viprâs, als sâkshât sûryya ivâ 'parâḥ (! v. 2), sûryyarûpâ ṛitavratâḥ (v. 10), resp. als zu den bei çrâddha-Ceremonieen Heranzuziehenden gehörig gedacht wird, fehlen im Text des Vishṇu Pur. (ed. Bombay 1876; auch Hall 3, 174. 175 hat keine Spur davon). Die hiesigen Lesarten sind, beiläufig, auch im Übrigen sehr corrupt und kläglich.

Eingeleitet durch die völlig unberechtigte, offenbar nur in majorem gloriam hinzugefügte Angabe çrîçiva uvâca, folgt sodann in 14 vv. (fol. 8ᵃ—9ᵃ) die bekannte Schilderung des Çâkadvîpa im Vishṇu Pur. 2, 4¹), 59—71 (ed Bombay; Hall 2, 198—200), in welcher die vier dortigen Kasten als Maga, Magadha (resp. Mâgadha, ed. und Hall), Mânasa und Mandaga bezeichnet werden, und von ihnen gesagt wird, dass sie den Vishṇu unter der Gestalt der Sonne verehren. Ganz ohne Interpolation ist es übrigens auch bei dieser Stelle nicht abgegangen; nach Aufführung der vier Kasten wird hier nämlich vor dem Verse: magâ vrâhmaṇabhûyishṭhâ (°ḥ, cf. unten p. 60) hinzugefügt: svadharmaniratâç ca te vedâdhyayanapâragâḥ, offenbar um eben für die Maga die volle Brâhmaṇaschaft, nämlich auch die Veda-Kunde, zu sichern.

Ebenfalls wieder unmittelbar sich anschliessend folgen endlich (f. 9ᵃ·ᵇ) zwei Citate in 9 und 4 vv., am Schlusse bezeichnet als aus dem Çâkadvîpavrâhmaṇânayanopâkhyâna im Çâmvapurâṇa entlehnt. Und zwar das erste als ibid. adhy. 29 befindlich. Çâmva tritt darin selbst redend auf, indem er an die 18 kulâni der Maga (v. 4) die Aufforderung richtet, mit ihm zu gehen. Er komme im Auftrage des Sonnengottes, dem er am Ufer der Candrabhâgâ seine Bitte vorgetragen habe. Sie erklären sich bereit dazu, da sie auch ihrerseits schon von dem Gott darüber verständigt seien. Er lässt sie dann auf den Garuḍa steigen, und kommt mit ihnen in Kurzem wieder bei dem Mitravana²) an. Auf seine Meldung an den Sonnengott, dass sein Auftrag erledigt sei, antwortet dieser, dass fortab nun Jene seinen Dienst übernehmen sollen, und Çâmva

---

¹) hier aber als 2, 5 bezeichnet: iti vishṇupurâṇe dvitîyâṅçe paṃcamâdhyâye Çâkadvîpasya vrâhmaṇopakramaḥ.

²) dieser Name hier ist wohl noch ein klägliches Residuum des Mithra-Dienstes!

8. Januar. Gesammtsitzung der Akademie.

Hr. Duncker las über Napoleon's Übergang nach England.

---

15. Januar. Gesammtsitzung der Akademie.

Hr. Waitz las über die Gesta und die Historia gloriosa Ludovici VII.

Die Charakteristik des Brâhmaṇa (tallakshaṇam) leitet der Vf. (10[b]) durch drei Verse[1]), angeblich aus dem „mokshadharma des MBhârata", ein, die mit einem aus alt-buddhistischen Texten wohl bekannten Refrain (cf. Dhammapada, Vâseṭṭhasutta, Assalâyana-sutta, Vajrasûcî) schliessen: taṃ devâ brâhmaṇaṃ viduḥ, und die das Wesen des Brâhmaṇa nur in seiner ethischen Grösse und gänzlichen Begierdelosigkeit suchen. Es folgen 10½ dem Çrîkali (!) in den Mund gelegte Verse über das mâhâtmyam brâhmaṇânâm aus dem Kalipurâṇa (! fol. 11[a. b]), wesentlich von seiner äusseren Hoheit und Ehre handelnd. Ihnen schliessen sich zehn weitere Verse, gezählt als 11—20, an, für die aber keine Quelle angegeben ist, und in denen die Angaben über die einem Brâhmaṇa gebührende Ehre auf die Spitze getrieben werden. Brahman selbst giebt auf die Frage eines Hariçarman: wer wohl der beste unter den Br. und wem daher zu geben sei? die Antwort: alle Br. sind die trefflichsten und stets zu ehren; ob sie mit oder ohne Wissen sind, das macht nichts aus (v. 14). Auch mit Diebstahl oder andere Sünden behaftet, ein Br. bleibt trefflicher Br.; sich selbst mag ein Solcher hassenswerth sein, Andern niemals[2]). Ein sittenloser Br. ist ehrenwerth, nicht aber ein Çûdra, sei er noch so sittenstreng; (ebenso wie) Rinder (!), wenn sie auch essen, was man nicht essen soll, nicht aber ein Kola, wie weise auch[3]). Sie sind die Erdengötter, bhûmidevâs, bhûsurâs, die zu verehrenden guru der andern drei Kasten (v. 17. 18). Dem Br. neige man sich, als ob er Vishnu selbst sei (vishṇubuddhyâ, v. 19). Wer es nicht thut, dem schlägt Keçava (selbst) mit dem Sudarçana

---

[1]) vimuktas (!) sarvasaṃgebhyo munim âkâçavat sthitam | amvam (?) ekavacaṃ (?) yantaṃ taṃ devâ brâhmaṇaṃ viduḥ || jîvitaṃ yasya dharmârthaṃ dharmaratyarthaṃ eva ca | ahorâtraṃ ca puṇyârthaṃ taṃ devaṃ (!) br. v. || nirâçisham anârambham nirnamaskâram astutim | akshîṇaṃ kshîṇakarmâṇaṃ taṃ devaṃ (!) br. v. ||

[2]) steyâdidoshaliptâ ye vrâhmaṇâ vrâhmaṇottamâḥ | âtmabhyo dveshiṇas te 'pi parebhyo na kadâ cana || 15 || dies geht selbst über den Standpunkt der römischen Kirche doch noch hinaus!

[3]) anâcârâ dvijâḥ pûjyâ na ca çûdrâ jitendriyâḥ | abhakshyabhakshakâ gâvaḥ Kolâs sumatayo na ca || 16 || Nach dem Pet. W. ist Kola Name eines gefallenen Kriegerstammes, resp. einer Mischlingskaste, und eines Landes. An die Mission unter den Kohls ist hier nicht zu denken, da Gossner's Missionare erst 1845, also gerade ein Jahr nach der etwaigen jüngsten Abfassungszeit der khala°, zu ihnen gekommen sind.

welche brâhmaṇa ehrwürdig seien, und welche derselben speciell in Kṛishṇa's Geschlecht verehrt würden? Und dem entsprechend lautet denn auch die Antwort Kṛishṇa's, der zufolge diese Frage übrigens schon früher einmal von Garuḍa an den Devarshi (Nârada! s. v. 3) gerichtet worden sei[1]), zunächst dáhin, dass alle Brâhmaṇa (bhûdevâs) überall auf Erden zu ehren seien. Und zwar gebe es jetzt im Bhârata khaṇḍa, im Innern von Jamvudvîpa, nördlich und südlich vom Vindhya, zehn Brâhmaṇa(-Geschlechter), fünf Gauḍa und fünf Drâviḍa[2]) (v. 18). Die erstern fünf seien die Sârasvata, Kânyakuvja, Gauḍa, Utkala-Maithilâḥ, die letztern fünf die Kârṇâṭaka, Mahârâshṭra, Tailaṅga, Gujjara und Drâviḍa. Von ihnen seien resp. die speciell Gauḍa und Drâviḍa Genannten die Geehrtesten (v. 22); bei den Drâviḍa sei Patañjalir bhagavân geboren (v. 23), in einem Gauḍa-Geschlecht werde Kalki, seinerseits ein Harer aṅça, geboren werden (v. 24). Dann gebe es aber auch noch Andere (Brâhmaṇa), wie die Mâthura und Mâgadha, die je in ihrem Lande geehrt würden, wie denn in jedem Berge und Wallfahrtsort je die dazu gehörigen Brâhmaṇa (parvate parvatîyâç ca tîrthe tîrthasya vrâhmaṇâḥ v. 28) zu ehren seien.

Und hier fällt nun Yudh. mit der Frage ein, wie es denn mit den aus dem sechsten dvîpa stammenden Maga stehe (v. 29):

katham eshâṃ hi vasatiḥ katham atra samâgamaḥ |
supratishṭhâḥ kathaṃ yâtâḥ çrîmadbhiḥ pûjitâḥ katham || 30 ||
kasyo 'padeçabhedâbhyâñ kasya kena ca hetunâ |
kenâ "nîtâ jagatpûjyâ vrûhi tvam Madhusûdana || 31 ||

Nun erst beginnt Kṛishṇa, und zwar auch wieder ohne hierauf direct zu antworten, die Geschichte von der Verfluchung des Sâmva zu erzählen. Derselbe war einst so im Besingen der Herrlichkeit des Hari versunken (gâṃdharvam âsthitaḥ | mûrchanâlayasampanno

---

[1]) ayam eva kṛitaḥ praçno Garuḍena ca dhîmatâ |
Devarshir varṇayâmâsa mâhâtmyaṃ hi dvijanmanâm || 12 ||
tad ahañ kathayishyâmi setihâsaṃ(!) purâtanaṃ |
çṛiṇu cittaṃ samâdhâya dharmmakarmmapravarddhanaṃ || 13 ||
vgl. hiezu die Bezeichnung des Werkchens in der Schlussunterschrift der Capp. als: Vainateya-Nâradasaṃvâde! zu der im Übrigen hier eben weiter nichts vorliegt, denn v. 14 geht gleich zum Preise der Brâhmaṇa über. S. jedoch unter 9, 42, so wie 12, 3 fg.

[2]) s. Colebrooke misc. ess. 2, 159[2] (179[1]).

râgasvarasamanvitah || 22 || gânavâdarato nityam gâyati sma Harer gunân), dass er den Nârada, der gerade vom Himmel kam, nicht bemerkte und daher auch nicht begrüsste[1]). Aus Ärger darüber verdächtigte ihn derselbe[2]) bei seinem Vater Krishna[3]) mit der Angabe, dass S. demselben durch seinen Sang seine 16,000 Weiber, die er (K.) nach dem Tode des Bhaumâsura heimgeführt hatte[4]), berücke[5]). Auf angestellte Probe hin habe er (K.) dann im eifersüchtigen Zorn den obwohl eigentlich doch unschuldigen Sohn verflucht (vyaṅgo bhavâ 'dhunâ putra), danach aber, als derselbe in Folge hiervon vom Aussatz befallen ward, auch wieder, voll Reue hierüber, den Nârada um Mittel zur Abhülfe gebeten.

Der zweite adhyâya, çrîsûryanârâyaṇopadeçakathanam, in 33 vv., bis p. 12.

Der Sûta fährt in seinem Berichte an Çaunaka[6]) über die Verhandlungen hierüber zwischen Krishna und Nârada fort. Letzterer räth Jenem, sich an den Sonnengott zu wenden, der aus Lust an dem Gesange des Sohnes (hie und da) seinen Wagen anhalte: ratham tishthati (als Causale!) tâvad dhi yâvad gândharvam âsthitah (v.2). Der Bitte des reuigen Vaters entsprechend[7]) verheisst çrîSûrya Heilung, und zwar durch Anbetung seiner eigenen mitten in der

---

[1]) gîyamânena (sic! für gâya°, Âtmanep. s. 9, 7) vâlena praṇatis tasya no kritâ || 25 ||

[2]) in eine Unterhaltung zwischen Nârada und Vainateya passt dieser Bericht wenig hinein!

[3]) auch hier gilt das in der vorigen Note Bemerkte. In Krishna's Munde, dem Yudh. gegenüber, nimmt sich diese Erzählung seltsam genug aus, zumal ja Krishna (s. p. 32) Hari selbst ist!

[4]) die älteste Angabe über die vielen Frauen des Vishṇu s. in Riks. 3, 54, 14.

[5]) in dem Citat aus dem Bhavishyapur. in der khalavaktracap. fol. 6ᵃ ist es Jâmvavatî, die eigene Mutter des Sâmva, welche bei dem Anblick seiner Schönheit in Liebe zu ihm entbrennt (v. 11-13), worauf er, dies sehend, aus Schreck vom Aussatz befallen wird.

[6]) çriṇu (Singular! an Çaunaka gerichtet? s. 1, 6. 3, 1) cittam samâdhâya samvâdam Hari-viprayoh | param kautûhalam viprâh (Plural! an Çaunaka's Genossen gerichtet) yaçovarddhanam uttaman || 1 ||

[7]) derselbe bezeichnet den Sonnengott dabei als trayîmûrti; udaye vrahmaṇo rûpam madhyâhne ca maheçvarah | sâyam prâpte Haris sâkshât trayîmûrttimate namah || 5 || ... und Hari selbst ist es, der só spricht! eine starke Abstraction; s. so eben Note 2. 3.

Candrabhâgâ befindlichen Edelstein-Statue[1]), unter Lobpreis mit vedischen Hymnen (ârshastavaiḥ v. 16), oder von Vâlmîki, Vyâsa etc. stammenden stotra, sowie unter Vorausschickung zahlreicher, einzeln aufgeführter anderweiter Götter-Spenden und reicher Geschenke an die Brâhmaṇa. Und auf die Frage Kṛishṇa's, wo die hierzu geeigneten Priester (vrâhmaṇâḥ) zu finden seien[2]), verweist er ihn auf den sechsten dvîpa, wo die vier Kasten die Namen Maga, Mâgasa, Mânasa, Mandaga führen, und von wo er denn die Maga ad hoc nach der Candrabhâgâ holen möge.

Der dritte adhyâya, shashṭhadvîpâd Dvârakâyâṃ dvijâgamanaṃ nâma, in 33 vv., bis p. 16.

Auf Çaunaka's Frage berichtet der Sûta dann weiter von der Unterweisung çrî-Kṛishṇa's durch den Sonnengott[3]), auf Grund deren Jener den Garuḍa nach dem Çâkâhvaya dvîpa sandte, um 18 Familien (kulâni) der Maga nach Dvârakâ einzuladen und auf seinem Rücken dahin zu bringen. Nach der sabhâ Sudharmâ nämlich, wo Nârada u. andere maharshi, Garga als purohita, Ugrasena als mahârâja, die Eltern des Kṛishṇacandra: Vasudeva und Devakî, Akrûra, Sât(y)aki, Revatîramaṇa, Pradyumna, Aniruddha und andere Kṛishṇa-Söhne, Kṛishṇa selbst nebst Rukmiṇî und seinen anderen Frauen sie ehrerbietig empfingen.

Der vierte adhyâya, Sâmvarogâpanayanaṃ nâma, in 55 vv., bis p. 24.

Mit grossen Zurüstungen ward nun, berichtet der Sûta weiter, das Opfer am Ufer der Candrabhâgâ vollzogen. Nach 7 Tagen

---

[1]) Candrabhâgânadîmadhye mûrttir maṇimayî mama | pûjayasva ca tatrai 'va parivârais savandhubhiḥ || 10 ||

[2]) kutrâ ''sante, vadâ 'dhunâ || 25 || eine sonderbare Form!

[3]) bhânunâ Harimûrttinâ (v. 1). Und ähnlich im folgenden Verse: samapṛcchat tato viprâḥ! bhagavân Madhusûdanaḥ |
Sûryya-Nârâyaṇaṃ devaṃ prasannamukhapaṅkajam || 2 ||
Der Sonnengott wird somit hier speciell mit Vishṇu identificirt, und da Kṛishṇa seinerseits ja auch Vishṇu ist, so unterhalten sich hier zwei Formen derselben Gottheit mit einander! — Offenbar soll dadurch, dass der Sonnengott mit Hari, ja sogar mit der heiligen Trias selbst identificirt wird, auch auf die Träger seines Dienstes, die Maga, ein besondrer Glanz fallen, während sie daneben auch selbst wiederholt als Vaishṇava, Vaishṇavadharmiṇaḥ bezeichnet, somit ihres ausländischen Charakters direct entkleidet werden.

Ganz ohne Überleitung werden wir sodann (15[b]) wieder mit einem neuen Salto mortale mit den nächsten Worten: pitṛiçrâddhâdau samupasthite Çâkadvîpîyâ vrâhmaṇâ nimantraṇîyâ eva pûjanîyâç ca, zu einem ganz andern Gegenstande, resp. gleich in medias res hinein geführt, zu den speciellen Angaben nämlich, dass die Çâkadvîpîya Brâhmaṇa bei dem Manen-Opfer etc. einzuladen und zu ehren sind, wie dies aus der hohen Ehrenstellung, die ihnen im Bhavishya Pur. etc. zugetheilt werde, hervorgehe, bhavishyâdipurâṇâdau teshâm atipraçastatayâ vodhanâ(t). So ertheile Brahman selbst darin dem Yâjnavalkya die Anweisung, dass zuerst die Bhojaka zu speisen seien:

prathanaṃ Bhojakâ bhojyâḥ putra ! svavidushais[1] saha |
teshâm ṛite maṃtravidas tathâ vedavido dvijâḥ ||

Unter Bhojaka aber seien (16[a]) hier die Çâkadvîpîya br. zu verstehen. Denn dies Wort werde im Saptamîkalpa des Bhavishyapur., in dem Gespräch zwischen Çatânîka und Sumantu von Vyâsa dem Çâmva gegenüber mit ausdrücklichem Bezug auf die Çâkadvîpîya br. erklärt, und zwar dahin, dass dieselben wie die ṛishi bei ihren niyama, so auch beim Essen schweigen[2]):

çrûyante ṛishayas sarve bhojane niyamasthitâḥ |
bhuṃjante câ 'pi maunena tena te bhojakâḥ smṛitâḥ ||
munivaryâkṛitas[3] te 'pi Çâkadvîpanivâsinaḥ |

Ein anderer Vers erklärt diesen Namen damit, dass sie den Sonnengott mit Weihrauch, Kränzen etc. speisen[4]) d. i. bedienen:

dhûpamâlyaiç ca gandhaiç ca upahârais tathai 'va ca |
bhojayaṃti sahasrâñçuṃ tena te bhojakâḥ smṛitâḥ ||

Es folgen zwei Verse (in trishṭubh!) angeblich auch aus dem Bhavishya Pur., welche von reichen Geschenken handeln, die (vor Allen) den Bhojaka zu geben sind (16[a.b]); (nur) wenn keine dgl. da sind, sollen andre vipra an ihre Stelle treten:

---

[1]) svavidushaiḥ bezeichnet der Vf. als einen chândasa prayoga für svapurohitaiḥ!

[2]) só nach dem richtigen Text (der im Übrigen nicht im saptamîkâlpa steht) bei Aufrecht Catal. 33[a] 9—7 v. u.; statt bhojane heisst es nämlich daselbst maunena; der vierte pâda lautet resp. daselbst: mauninas tena bhojakâḥ; von Rechtswegen sollten sie im Übrigen hiernach eher mauninas, als bhojakâs heissen!

[3]) besser: municarya° bei Aufrecht.

[4]) vgl. Aufrecht 32[b], 17.

Çâkâhvaya dvîpa (v. 15). Unterwegs aber kamen sie in die Nähe von Gayâkshetra[1]), und hörten da von der Luft aus unten auf der Erde jämmerliches Klagen und Weinen, des Mâgadha-Fürsten Suloman nämlich und seiner Weiber. Am Aussatz leidend, war derselbe eben im Begriff, sich ins Feuer zu stürzen (kushṭhy agnigarte praveshṭum v. 17) und so seinem Leben ein Ende zu machen. Von Mitleid ergriffen veranlassten die Maga den Garuḍa hinabzusteigen und heilten den König[2]). Als sie nun aber trotz aller Bitten, da zu bleiben, wieder fort wollten, weigerte sich Garuḍa, sie zu tragen. Sie seien ihm nun durch die erhaltenen Geschenke (die Königinnen hatten ihnen 100 grâma geschenkt)[3]) zu schwer geworden. Kṛishṇa's Wunsch sei, dass sie bleiben möchten. Gayâ sei so schön und herrlich (v. 46—50 detaillirt)[4]). Sie würden die grössten Ehren geniessen, und ihr Geschlecht hochgeehrt die Erde erfüllen: bhavatâṃ vaṅçavaṅçyaiç ca dharâ pûrṇâ bhavishyati (v. 60).

Der sechste adhyâya, ohne besonderen Titel, 54 vv., bis p. 39.

Die Frage der Brâhmaṇa, wie könnten sie, nachdem sie Hari's Bitte, in Dvârakâ zu bleiben, ausgeschlagen, jetzt um der Bitte eines simplen Königs willen in Magadha bleiben? beantwortet Garuḍa mit einem noch detaillirteren Encomium von Gayâ[5]). Ob sie hier

---

[1]) der Çâkadvîpa liegt westlich, Gayâ östlich von Dvârakâ, so dass die Reiseroute, die Garuḍa nimmt, etwas sehr der Quere geht! Nun, dies stört einen solchen Text nicht. Garuda bringt die Maga wohl absichtlich nach Magadha, s. im Verlauf.

[2]) sphaṭitâ (sphu°?) mûrddhatas tasya tvaksaruk (takmaruk?) Kûrmabhûpateḥ || 31 || Kûrmabhû somit hier = Magadha.

[3]) râjapatnyaḥ çatagrâmâṇ likhitvâ parṇavîṭake || 37 || ... râjapatnyaç, çataṃ grâmân sandaduḥ parṇavîṭakaiḥ || 44 ||

[4]) icchâ bhagavato hy eshâ vasatâ 'tra dvijottamâḥ |
puṇyakshetraṃ samâsâdya Gayâkṛin(!) tîrtham uttamam || 46 ||
yatrâ "yânti ca sarveshâṃ pitaro vishṇurûpiṇaḥ (!) |
yasyâṃ gadâdharo devo nityaṃ kâmavarapradaḥ || 47 ||
tîrthaṃ Vishṇupadan nâma Phalgutîrthaṃ manoharam |
nadî Punaḥpunâ yatra smaratâm pâpahâriṇî || 48 ||
nityam vahati pitṝîṇân tushṭidâtrî sukhâvahâ |
pañcakroçañ Gayâtîrthaṃ kroçam ekaṃ Gayâçiraḥ || 49 ||
yasyâm vahati (vasati?) bhagavân gadâdharo janârddanaḥ |
Kṛishṇacandraprasâdena pratishṭhâm paramâñ gatâḥ || 50 ||
râjabbiḥ pûjitâ nityaṃ ramadhvaṃ jagatîtale . . .

[5]) Magadhe ca Gayâ puṇyâ nadî puṇyâ Punaḥpunâ |
Ṛishabhasyâ "çramaṃ puṇyaṃ puṇyo Râjagiris tathâ || 5 ||

dhyâyaṃti ca makâraṃ ye jnânaṃ teshâṃ tad-âtmakam |
makâro bhagavân rudro bhâskaraḥ parikîrtitaḥ |
makâradhyânayogâc ca Magâ hy ete prakîrtitâḥ |

Mehr ad rem ist das folgende Citat, sieben Verse aus dem Çâmvapurâṇa[1]), in denen die Maga in der That mit den Bhojaka in Bezug erscheinen, resp. gleichgesetzt werden, so dass diese Stelle somit in der That „çâkadvîpîyân vrâhmaṇân upakramya“ aufzufassen ist (f. 17[a.b]).

kathaṃ pûjâkarâ hy ete kiṃ Magâh kiṃ ca Bhojakâḥ |
etat sarvaṃ samâcakshva Bhojakânâṃ viceshṭitaṃ || 1 ||
Çâmvasya vacanaṃ çrutvâ Kṛishṇadvaipâyano muniḥ |
Kâlîsuto[2]) mahâtejâ uvâca paramaṃ vacaḥ || 2 ||
sâdhu! sâdhu! Yaduçreshṭha! sâdhu pṛishṭo 'smi suvrata! |
durgaṃ vai ceshṭitaṃ kintu Bhojakânâṃ na saṃçayaḥ || 3 ||
bhâskarasya prasâdena mamâ 'pi smṛitir âgatâ |
yathâ "khyâtaṃ Vasishṭhena tathâ hi vacmi kṛitsnaçaḥ || 4 ||
Magânâṃ caritaṃ çreshṭhaṃ çṛiṇu tvaṃ Kṛishṇanandana |
jnânavedina evai 'te kâmayogasamâçritâḥ || 5 ||
pûrvakâlena viproktaṃ vacanaṃ tat smarâmy ahaṃ |
viparyyastena[3]) vedena Magâ gâyanty, ato Magâḥ || 6 ||
ṛiksâmayajushâṃ maṃtraviparyyastais tu nityaçaḥ |
gâyaṃty arka(ṃ) vidhârena Magâs tena tataḥ smṛitâḥ || 7 ||

Die letzten drei Hemistiche, welche der Text selbst als Worte eines vipra der Vorzeit bezeichnet, finden sich, mit Varianten freilich, im Bhavishya Pur. vor (s. Aufrecht lc. 33[a], 13—11 v. u.), und wird damit die Priorität dieses Werkes, wie es factisch (abgesehen von den hiesigen Citaten) vorliegt, vór dieser Stelle des Çâmvapur. in der That wohl erhärtet. Noch ist bemerkenswerth, dass Vyâsa sich hier ausserdem auch noch auf Vasishṭha beruft. Es soll eben wohl damit der Angabe des Textes eine

---

[1]) angeblich eine Frage des Sumantu an Çatânîka aus dem saptamîkalpa des Çâmvap.; dies ist aber offenbar ein Irrthum; denn die beiden Sprechenden sind ja vielmehr Çâmva und Vyâsa (s. den Text). Der Vf. hat hier die den früheren beiden Citaten aus dem Bhavishyapur., resp. Bhavishyott. zugehörige Bezeichnung irrthümlicher Weise wiederholt.

[2]) ein bisher unbekannter Name des Vyâsa!

[3]) vyutkrameṇa pratilomene 'ty arthaḥ.

Durch diese Verheissungen[1]) befriedigt, liessen sich die Brâhmaṇa nun in der Nähe von Gayâ (Gayâkshetrânti! v. 26) nieder. Vier von den achtzehn Familien aber gingen nach (der) Vadarî, um da als Asketen zu leben (taptum) und den Adhokshoja zu preisen, und begaben sich dann von da wieder in ihre Heimath, nach dem Çâkadvîpa im Milchmeer[2]), zurück. Es waren dies: Çrutikîrti, Çrutâyu, Sudharman und Sumati. Die übrigen 14 blieben in Gayâ[3]), nämlich: Mihirâṅçu[4]), Sudhâṅçu, Bharadvâja, Vasu, Parâsara, Kau(ṇ)ḍinya, Kaçyapa, Garga, Bhṛigu, Bhavyamati, Sûryyadatta, Nala[5]), Arkadatta, Kauçila[6]) (v. 30. 31). Als Garuḍa die Kunde hiervon nach Dvârâvatî brachte, sandte Kṛishṇa den çrîbhânurûpebhyo dvijebhyah durch seine pârshada unermessliche Geschenke nach Magadha. Die Brâhmaṇa beklagten sich gegen diese Boten darüber, dass sie Magadha gegen Dvârakâ eingetauscht hätten und versprachen dem Hari ihre zauberkräftige Hülfe gegen seinen Feind[7]), falls er mit Bhîma und Arjuna in Gestalt eines Tridaṇḍin nach Magadha kommen wolle (vv. 47 fg.). Als Kṛishṇa dies von seinen pârshada erfuhr, machte er sich sofort nach Indraprastha auf, um die Pâṇḍava aufzusuchen.

Der siebente adhyâya, pitâmahamantrakathanan nâma, 30 vv. bis p. 43.

Yudhishṭhira nimmt ihn festlich auf, und theilt ihm seinen Wunsch mit, ein râjasûya-Opfer zu begehen. Als Vorbedingung dazu nennt Kṛishṇa die Besiegung des Mâgadha-Königs Jarâsandha und die Befreiung der in dessen Kerker (kârâgṛihe) gefangen gehaltenen Könige. Bei einer grossen Kuru-Versammlung, die Yudh.

---

[1]) es ist klar, dass zur Zeit der Abfassung dieser Verse wie der in 4, 47 fg. die Maga mannichfachen Anfechtungen und Kränkungen ausgesetzt waren! der Vf. bezweckt eben, sie dagegen zu schützen; cf. 8, 13 fg. 9, 39 fg. 13, 104 fg.

[2]) tatra nârâyaṇaṃ devaṃ samârâdhya gatâ nijam | sthânaṃ kshîrasamudrânta(r) dvîpaṃ Çâkâhvayam param || 28 ||

[3]) Gayâkshetrântike 'vasuḥ (!) || 31 || [4]) der einzige dieser Namen (s. auch 12, 78. 79), in dem ein persisches Wort vorliegt! die andern sind alle brahmanisch, einige davon gehören den edelsten Brâhm.-Geschlechtern an; die oben gesperrt gesetzten finden sich 13, 95. 96 unter den Namen der Sarayûpâriṇaḥ wieder.

[5]) só nach 12, 79; somit hier zu lesen: Sûryyadatto 'tha vai Nalaḥ. [6]) wohl Kauçika?

[7]) hiermit ist der Magadha-König Jarâsaṃdha gemeint, s. im Verlauf.

deshalb beruft, und welcher Bhîshma, Vidura, Dhṛitarâshṭra, Droṇa, Vyâsa, Karṇa, Suyodhana[1]), Bhîma, Arjuna und die anderen Brüder assistiren, räth ihm der Pitâmaha, d. i. Bhîshma, sich einfach nur dem Rath und der Hülfe Kṛishṇa's anzuvertrauen.

Der achte adhyâya, Jarâsandhavadho dvaiçya(?)bhagavadvijayo nâma, mit 60 vv., bis p. 51.

Und so macht sich denn Kṛishṇa nebst Bhîma und Arjuna, je (v. 24) in Gestalt eines Tridaṇḍin, auf nach dem unter dem Schatten des Triçanku gelegenen Lande Magadha[2]), beherrscht von dem gewaltigen Jarâsandha, Schwiegervater seines mütterlichen Oheims (mâtulasyai 'va *svasuraḥ* v. 4), von lange her schon ihm verfeindet (pûrvavairasamâçritaḥ). Über die Gangâ und den Çoṇa (v. 7) kamen sie zuerst nach Gayâ zu dem Tempel des Gadâdhara und zu den daselbst angesiedelten Brâhmaṇa aus dem sechsten dvîpa (v. 8). Kṛishṇa pries zunächst ihre Hoheit (mâhâtmyan v. 10) und ihre beiderseitige Freundschaft und solidarische Zusammengehörigkeit, jeden mit Fluch bedrohend, der ihnen Hohn zufügen sollte.

ye mâṃ tvâñ[3]) câ 'vahelante yajne kutrâ 'pi karmaṇi |
devâç ca pitaro nityam tân çapanti ca sarvataḥ || 13 ||
devâç cai 'va mamai 'vâ 'ṅçâḥ sarveshâṃ pitaro 'hy[4]) ahaṃ |
ato 'ham eva kupyâmi bhavatâñ câ 'pahelanât || 14 ||
yeshâṃ yajne vrâhmaṇânâṃ romakauṭilatâ Magât (!) |
te cai vâ "çu vinaçyaṃti parivârais savândhavaiḥ || 16 ||

Darauf stellten dieselben auf dem Haupte des Vindhya 27 Tage lang Beschwörungen mit allerlei dem Sonnengott huldigenden Sprüchen an, auf Grund deren[5]) dann nach 27tägigem Keulenkampfe

---

[1]) Karaṇaṃ (!) Yuyodhanam (Suyo° zweite Hand) .. || 17 ||
[2]) deçam Magadhasañjnañ ca Triçankoç châyayâ "çritam || 3 ||
[3]) man erwartet den Plural: vaç.
[4]) was soll hier der avagraha? und pitaro? steht dies für pitâ?
[5]) im MBhâr. ist von einer Betheiligung der Maga an der Besiegung des Jarâsandha oder gar an dem râjasûya des Yudh. (Cap. 9) nirgendwo die Rede! dieselbe ist eben eine völlig willkürliche, nur in majorem gloriam derselben erfundene Zuthat. — Von Interesse ist im Übrigen, beiläufig bemerkt, wie in dieser ganzen Sage von Jarâsandha auch schon für die epische Zeit dieselbe Rivalität und Feindschaft zwischen dem Westen (Dvârakâ) und Osten (Magadha) Indien's konstatirt wird, die wir im Daçakumâra und im Vîracarita (zwischen Mâlava und Magadha) vorfinden. Hierbei liegt in der That wohl ein historisches Moment zu Grunde.

Jarâsandha am 28sten von Bhîma, der ihn plötzlich als Ringer unterlief, getödtet ward[1]), worauf Hari dessen Sohn Sahadeva zum König der Sumagadha (v. 60) einsetzte.

Der neunte adhyâya, Maga(Mayu erste Hand)-râjaYudhishṭhirarâjasûyayajnamahotsâho nâma, mit 44 vv., bis p. 57.

Nach Befreiung der 20 000 gefangenen Könige, die danach die Thaten Kṛishṇa's lobpreisend besingen[2]), begiebt sich derselbe nach Gayâ, um den Maga daselbst für ihren Beistand zu danken, und nimmt sie dann mit nach Hâstinâpura, damit sie dem Yudhishṭhira dort sein râjasûya-Opfer ausrichten helfen. Es geht denn auch hierauf unter ihrer Hülfe richtig vor sich[3]). Und am Schlusse desselben, nachdem Kṛishṇa die von den Königen ihm durch ihre freie Wahl zugetheilte Auszeichnung gegen den ihm dieses nicht gönnenden Çiçupâla vertheidigt und ihn getödtet hat (v. 27. 28), traten die Maga vor ihn und erklärten, nun nicht wieder nach Magadha zurückkehren zu wollen. Er rieth ihnen indess doch, „Gayâyâṃ pitṛinilaye" wohnen zu bleiben, und wiederholte aufs Neue die Verheissungen für die, welche sie ehren würden, da zwischen ihm selbst und ihnen kein Unterschied sei, sowie die Verwünschungen derer, welche ihnen etwa zu nahe treten sollten.

ye mâṃ tvâñ[4]) câ vahelante dvishantaḥ kvâ 'pi karmmaṇi || 39 ||
teshâṁ patanti pitaro devâḥ kupyanti svarggatâḥ |
vaṅçahânis sadâ teshâṃ dhanahânis tathai 'va ca || 40 ||
mahârogais samâgrastâ꞉ kâraṇaç (kâṇâç?) ca vadhirâç ca te |
alpâyusho bhavishyanti hy âvayor nindakâ bhuvi || 41 ||

Und hieran schliessen sich sodann Lohnverheissungen für die-

---

[1]) Jarâs. erscheint hierbei als durchaus nobel, während Bhîma da er sieht, dass er im Keulenkampf nicht siegen kann, sich auf Kṛishṇa's hinterlistigen Rath, gegen alle Ordnung, einer andern Kampfesart zuwendet.

[2]) gâyamânâ (Âtmanep., s. bei 1, 25) bhagavato yaçaḥ Kalimalâpaham | sva(ihre eigne? oder: ejus?)-mokshaṇañ ca gopînâṃ Devakî-Vasudevayoḥ || 7 || gajendramokshaṇaṃ câ 'pi Maithilyâç câ 'pi mokshaṇam | Kaṅsâdidânujânâñ ca vadhaṃ çatror nijasya vai || 8 || Jarâsandhasya valino vadhâdi vahuço jaguḥ. Diese Befreiungs-Thaten erinnern an Indra's vedische dgl. Thaten.

[3]) Karṇa erscheint hier (v. 21) als Karaṇa (Karaṇo dânado yatra); so schon 7, 17, wo aber gegen das Metrum, während hier durch das Metrum geschützt.

[4]) wie oben, 8, 13, statt vaç.

jenigen: itihâsam imam puṇyam Nâradena samîritam | ye paṭhishyanti .. || 43 || eine Angabe, die hier ganz aus der Rolle fällt, s. jedoch das zu 1, 12 Bemerkte.

Der zehnte adhyâya, puraçcaryâvidhir nâma, 47 vv., bis p. 64. Çaunaka kommt auf das Ritual, die puraçcaryâ, zurück, welches die Maga während der 27 Tage vor dem Tode des Jarâsandha celebrirt haben, und Sûta berichtet davon ausführlich. Es handelt sich dabei zunächst um ein goldenes Bild der Sonne:

saurî ca pratimâ kâryyâ jâṃvûnadavinirmitâ |
âdityapalamânena (?) mâshair vâ maṇḍalâkṛitiḥ || 4 ||

sodann um Diagramme in Lotusform etc., ganz nach Art der Angaben in der Râmatâpanî 1, 48 fg., resp. in der Weise des Tantra-Rituals. Bei der Angabe über die eigentliche Feier wird auf einmal Nârada als redend eingeführt! und zwar als Vertreter der Buchweisheit:

tatrai 'kaṃ pustakaṃ divyaṃ pûjârthaṃ sthâpayed gṛihe |
pâṭhaç ca çravaṇaṃ kâryyaṃ vijayasya hṛido 'sya ca || 31 ||
sûryyoktakavacasyâ 'pi sarveshṭaphalasiddhaye |
Nârada uvâca (!) | yadgṛihaṃ(°he?) pustakaṃ divyaṃ vijayasya ca pûjyate| hṛidayaṃ kavacaṃ câ 'pi tadgṛihe vijayas sadâ || 32 ||

Und am Schluss, nach Angabe der dakshiṇâ, wird sogar der Sonnengott selbst als Verkünder der Hoheit der Çâkodbhava Brâhmaṇa vorgeführt:

gaur deyâ vṛitaviprebhyo yajnâñgasya ca pûrttaye |
âdau kavacapâṭhaṃ hi kṛitvâ mantraṃ japet sudhîḥ || 46 ||
çrîSûryya uvâca: yad durllambha(m bha)vati sarvvakṛite ca yatne sarvvam mamai 'va kṛipayâ khalu siddhyatî 'ha | sadvrâhmaṇaiç ca bhagavatpriyadharmmaçîlaiç Çâkodbhavair guruguṇaiḥ kila karmmasiddhiḥ || 47 ||

Der elfte adhyâya, kavacahṛidayamantrakathanan nâma, 57 vv., bis p. 72.

Auf Çaunaka's weitere Frage berichtet Sûta zunächst von dem der Sonne geweihten kavaca-Spruche, welchen Sûrya selbst zur Heilung des Sâmva demselben mitgetheilt habe, nebst Angabe über die ihm beiwohnende magische Zauberkraft[1]). Ebenso ist auch

---

[1]) bhûryya(°rja)patre samâlikhya rocanâgurukuñkumaiḥ |
ravivâre ca saṃkrântau saptamyâṃ ravivâsare || 18 ||
dhârayet sâdhakaḥ çreshṭhas trailokyavijayî bhavet.

vormals ein âdityahṛidayam von Agastya dem Râma gelehrt worden, als er den Râvaṇa besiegen wollte[1]), was ihm auch damit gelang (v. 51—53). Später hat der Sonnengott selbst dieses âdityahṛidayam dem Sâmva gelehrt, der es ebenfalls mit Erfolg anwendete, worauf es den Namen Sâmvavijayan nâma stotram erhielt (v. 57).

Der zwölfte adhyâya, dvijotpattikathanan nâma, mit 94 vv., bis p. 85.

Auf Çaunaka's Frage berichtet Sûta nun von der Entstehung der Maga[2]); und zwar thut er dies mit den Worten Nârada's, der seinerseits von Garuḍa hierüber befragt war (s. das bei 1, 12 u. 9, 42 Bemerkte). Er berichtet eine gar wundersame Legende, die an einen vedischen Mythus (Ṛiks. 10, 17, 1. 2) anschliesst[2]), denselben jedoch in ganz eigenthümlicher Weise um-, resp. ausgearbeitet hat. Um die mascula virtus des Sonnengottes für seine Tochter Prabhâ (oder Saṃjnâ) ertragbar zu machen[3]) (sie war ihrem Gatten, unter Zurücklassung einer châyâ, davon gelaufen, weil sie dieselbe nicht aushalten konnte), liess ihn Viçvakarman auf einen Wetzstein (çâṇa) sich stellen, und theilte da seine Gestalt zwölffach (v. 61). Die Stäubchen, die dabei abfielen, warf er in den Wind, der sie seinerseits, achtzehnfach getheilt, nach dem sechsten dvîpa am andern Ufer des Milchmeers führte, wo sie sofort bei der Berührung des Erdbodens[4]) sich in Sonnengleiche Brâhmaṇa umwandelten, und zwar so, dass 18 Familien derselben entstanden (v. 73). Da sie sofort mit vedischen Sprüchen den höchsten purusha priesen, hatte die im Sonnenrund wohnende Gâyatrî ihre Freude daran, holte sich von Bhâskara selbst Auskunft über sie, und stieg dann zu ihnen zur Erde nieder, sie mit ihren 18 Namen (vv. 78. 79, wie oben bei 6, 29—31) nennend und sie als ihre Lieblinge bezeichnend. Sie gab ihnen ihre eigenen Kräfte (vv. 80—82 namentlich aufgeführt) als ihre Töchter zu eigen und verhiess ihrer Nachkommenschaft daraus Glück und

---

[1]) ganz abweichend von dem Bhavishya Pur. bei Aufrecht p. 32[b], s. Monatsb. 1879 p. 455.

[2]) ekadâ bhagavân sûryyo vedamûrttis sanâtanaḥ |
Viçvakarmmasutâṃ sâdhvîm upayeme varânanâm || 6 ||

[3]) cf. Jupiter und Semele.

[4]) cf. den analogen Zug in der Sage von der Drachenzahnsaat des Jason.

Segen[1]). — Und an diesen seinen Bericht knüpft dann auch Nârada selbst noch weitere Verherrlichungen dieser in der Folgezeit am Ende des dvâpara[2]) (v. 90), durch Kṛishṇa nach Indien herübergeholten Maga, die er als Vishṇutulya und vrâhmaṇottama (v. 92), resp. als vishṇusamaprabha (v. 93) bezeichnet.

Schluss[3]): dvîpe mahâhemasuvarṇaçâke kshîrodarabhyo(myo?)rmmimarutsuçîte || 92 || jâtâ Magâ vishṇusamaprabhâvâs Târkshyopari nyastapadâravindâḥ || na kshîrasindhor iha vai dvitîyas[4]) sindhuḥ paraç câ 'tra dharâtale 'smin || 93 || no vishṇudevât[5]) sadṛiço 'nyadevo no vrâhmaṇaç Çâkabhavâd dvitîyaḥ || ye çṛiṇvanti samutpattiṃ Magânâṃ vrahmavâdinâm | te kṛitârthâḥ putrapautrair dhanadhânyair dharâtale || 94 ||

Der dreizehnte adhyâya, ohne besonderen Namen, 116 vv., bis p. 100.

Auf Çaunaka's weitere Frage, ob die Maga, schon ehe sie Kṛishṇa im Dvâpara herüberholte, bereits in einem andern Yuga herüber gekommen seien, und wann speciell dies in Bezug auf die

---

[1]) liegt etwa auch hier eine gelehrte Reminiscens an eine vedische Sage vor? an die Sage nämlich (Bṛihaddev. 4, 22, mit Bezug auf Ṛiks. 3, 53, 15. 16; s. Kuhn in den Ind. Studien 1, 119. 120) von der Sonnentochter „sasarparî" (resp. brâhmî und saurî vâc), welche die Jamadagni für Viçvâmitra aus dem Hause der Sonne herbeiholten, und die nun von dem Kuçika-Geschlechte alle „amati" forttrieb (so nach Sâyaṇa, in Müller's Ausgabe p. 932) und ihnen „Ruhm" brachte. Der Verfasser hätte dann diese Sage freilich noch etwas besser im Interesse seiner Maga ausnutzen und verwerthen können! Und dass er dies nicht gethan hat, erweckt denn allerdings Zweifel gegen seine bewusste Benutzung derselben. Hat aber eine solche nicht stattgefunden, dann ist dies Zusammentreffen immerhin eigenthümlich genug; die Sage muss dann eben wohl in der Tradition noch „unbewusst" nachspuken?

[2]) es stimmt dies nicht ganz zu 5, 8, wo die Maga selbst von der Gegenwart als dem bereits herangekommenen kali-Zeitalter sprechen, s. oben p. 33.

[3]) am Schlusse der adhyâya finden sich mehrfach einige Verse in solenneren Maassen, als dem des çloka abgefasst, s. bereits 10, 47.

[4]) der Ablativ bei dvitîya (der Form nach hier ja auch Genetiv, was aber noch weniger passt; und im folgenden v. ist es ein Ablativ) ist sehr auffällig; „ein zweiter nach" bedeutet hier wohl: „ein zweiter zu" d. i. „ihm gleichkommend".

[5]) hier ist der Ablativ noch auffälliger! man erwartet den Instrumental oder etwa den Genetiv.

am Sarayû-Ufer wohnenden dgl. (Sarayûpâriṇo viprâḥ v. 3) geschehen sei, antwortet Sûta (! es fehlt hier jedoch das: sûta uvâca), dass auch Garuḍa bereits beide Fragen an Nârada gerichtet habe, und dessen Antwort wolle er nun mittheilen. Danach hat denn also auch schon Daçaratha, in der Tretâ, auf specielles Geheiss des Sonnengottes, an den er sich um Nachkommenschaft gewendet, vier Maga zur Beihülfe für seine im Bharatakhaṇḍa geborenen Priester, speciell für Ṛishyaçṛiñga und Vaçishṭha, herübergeholt[1]). Und zwar holte sie Vaçishṭha selbst aus dem sechsten dvîpa herbei (v. 20—22). Auch allerhand einheimische Brâhmaṇa (apare tu samâyâtâ vrâhmaṇâ Bhâratâs tu ye) und der çṛiñgî ṛishiḥ (! v. 23) kamen dazu nach Ayodhyâ; das Opfer fand dann am rechten Ufer des Sarayû (v. 24) statt und hatte den bekannten, erwünschten Erfolg, dass im Caitra, am neunten der weissen Hälfte, dem Daçar. die vier Söhne, Râma etc., geboren wurden (v. 31). So kamen in der Tretâ die Maga zuerst herüber und wurden von dem Raghuvarya Digratha (= Daçaratha!) hoch geehrt (v. 34). — Aber auch Râmacandra selbst liess sie, ebenfalls wieder auf specielles Geheiss des Sonnengottes, um dieser ihrer erfolgreichen Dienste bei dem Opfer des Daçaratha (v. 50. 51) willen, und weil sie aus dem Leibe des Sonnengottes selbst entsprossen seien, durch Garuḍa aus dem shashṭha dvîpa herüberholen[2]), zu gleichem Zwecke wie damals, nämlich behufs seines eigenen açvamedha, welches er anstellte, um sich von dem vrahmavadha in dem Kampfe mit Râvaṇa, resp. von der Tödtung der Paulastyavañçâs (v. 39) zu reinigen. Und zwar waren es wiederum vier Maga, die hier auch mit Namen genannt werden, nämlich: Sudhâñçu, Sudharman, Sumati und Vasu (v. 61). Hanûmant aber ward ausgesandt, um fünf Gauḍa(-Brâhmaṇa) und

---

[1]) râjan putreshṭiyajnaṃ ca kuru vañçasya vṛiddhaye |
mama dehât samudbhûtâç (Nom.) caturvedasya pâragâḥ (Nom.) || 13
caturo vrâhmaṇâ(n) divyân svâbhîshṭasyai 'va siddhaye |
samânîya Magâṃc (!) chuddhân tathâ Bharatakhaṇḍajân || 14 ||
puṇyavañçân dvijân anyân daça vrahmakulodbhavân |
deçîyam(!) Ṛishiçṛiñgaṃ(!) ca tejorâçiṃ tapodhanaṃ || 15 ||
guruṇâ svena karttavyaṃ (°vyaḥ? sc. yajnaḥ) Vaçishṭhena mahâtmanâ |
putrâs te bhavitâro vâ(!) sâkshâd vrahmă ivâ(!) 'parâḥ || 16 ||
vrahmaprârthanayâ bhûmer bhârottaraṇahetave |
îçvaro bhavitâ nûnaṃ caturddhâ ca gṛihe tava || 17 ||

[2]) Garuḍa muss alles dies ganz vergessen haben, da es ihm Nârada hier erst noch erzählen muss! (vv. 60. 68. 82.)

fünf Drâviḍa noch dazu herbeizuholen (v. 63). Diese Sendung misslang jedoch, da kein Brâhmaṇa an dem Opfer des mit vrahmavaṅçavadha behafteten Königs Theil nehmen wollte (v. 72). Da liess der König, entsprechend der ihm von Anfang an (v. 54—57) für diesen Fall gewordenen Weisung des Sonnengottes[1]), sechszehn Brâhmaṇa-Knaben aus Kânyakuvja-Geschlechtern durch Hanûmant nach Ayodhyâ locken (mittelst Leckerbissen und dgl.), daselbst durch Vaçishṭha weihen, und durch die vier Maga im Veda unterrichten. Nachdem sie so zu Brâhmaṇa geworden, vollzog er dann mit ihnen (als seinen sechszehn Priestern), mit den vier Maga und Vaçishṭha das Opfer. Garuḍa schaffte danach die Maga wieder nach dem shashṭhadvîpa zurück (v. 82). Die 16 jungen Brâhmaṇa aber wurden, als sie zu den Ihrigen zurückkehrten, von diesen

---

[1]) tasmât tvam api râjendra samânîya guṇâkarân || 52 ||
mama dehât samudbhûtân shashṭhadvîpân mamâ "jnayâ |
kuru yajnaṃ câ 'çvamedhaṃ kṛitvâ shoḍaça brâhmaṇân || 53 ||
aparân Bhâratîyâṅç ca, nâpaçyantî (nâ "yâsy°?) 'ha Bhâratâḥ |
pratyâkhyâto Bhâratîyair yajne 'smin vahudhâ bhuvi || 54 ||
tadâ Hanumatâ Râma pralobhya priyavastubhiḥ |
Antarvedyât (!) samânîya Kânyakuvjakulâd atha || 55 ||
vâlakân shoḍaçân (sic!) divyân dîkshâsaṃskâravarjjitân |
guruṇâ dîkshitair eva Magair vvedâdipâṭhitaiḥ || 56 ||
shoḍaçair(!) vrâhmanai râjan caturbhis tu Magair aho |
guruṇâ cai 'kaviṅçena yajnaṃ kâraya suvrata || 57 || Zu shoḍaçân, °çais s. caturdaçâni ratnâni 14, 31; Magair in 56[b] ist mit guruṇâ parallel, und hängt von pâṭhitaiḥ ebenso ab, wie guruṇâ von dîkshitaiḥ; die Construction ist überhaupt etwas sonderbar, nach samânîya ... vâlakân fehlt ein tais, und statt caturbhis tu erwartet man caturbhiç ca. — Die Ausführung dieser Vorschriften wird dann in v. 74 fg. mit nahezu denselben Worten, nur noch etwas ausführlicher, geschildert:
tam uvâca Hanûmantaṃ: gacchâ 'ntarvedyam uttamam || 74 ||
Kânyakuvjakulodbhûtân kulînâṅç cai 'va vâlakân |
shoḍaça vrahmajâtîyân pralobhya priyavastubhiḥ || 75 ||
kriyâçaktân mamâ "nîya dîkshâsaṃskâravarjjitân |
âgantavyaṃ tvayâ tûrṇaṃ mârute mama saṃnidhim || 76 ||
Râmâjnayâ Hanûmâṃs tu pralobhya priyavastubhiḥ |
divyâṃs tu vâlakân nîtvâ shoḍaça vrahmavaṅçajân || 77 ||
samâgamad Ayodhyâyâṃ yajnârthaṃ Râmasaṃnidhiṃ |
dîkshitâs te Vaçishṭhena Magair vedâṃç ca pâṭhitâḥ || 78 ||
vrâhmaṇâs tu tato jâtâḥ kṛito yajnas tu tair dvijaiḥ |
caturbhis tu Magair eva shoḍaça (! unflectirt) vrahmavaṅçajaiḥ || 79 ||
ekena guruṇâ câ 'pi Vaçishṭhena mahâtmanâ |

verläugnet (v. 86). Râma jedoch wies ihnen bestimmte Ländereien, Namens Râmarekhâ[1]), östlich von Oudh, zwischen Gaṇḍakî und Gaṅgâ, am nördlichen Ufer der Sarayû, südlich vom Campâraṇya, zum Wohnsitz an (v. 91—93). Von ihnen stammen die Sarayûpâriṇas (v. 94) ab[2]). Die 16 Geschlechter derselben aber haben folgende Namen: Garga, Gautama, Çâṇḍilya, Parâçara, Sâvarṇya, Kaçyapa, Atri, Bharadvâja, Gâlava, Kauçika, Bhârgava, Kasya (Kaṇva?), Kâtyâyana, Aṅgiras, Sâṃkṛit(y)a, Yâmadagnya(!)[3]) v. 95. 96. — Es schliesst sich hieran ein neues recapitulirendes Elogium der Maga (v. 99), als in der Tretâ von Daçaratha und Râmacandra, im Dvâpara von Kṛishṇacandra geehrt (100. 101); in letzterem Falle werden die Maga hierbei sélbst: Sarayûpâriṇaḥ genannt, was nach dem eben Gesagten nicht richtig ist, immerhin aber für die Identification dieser letzteren mit ihnen direct eintritt. Râma und Kṛishṇa spenden Beide dém ihre Huld, der dieselben ehrt; vishṇos samarcanaṃ yadvat sarvayajneshu pûjitaṃ | tathai 'shâm arcanaṃ nityaṃ sarvakarmapratishṭhitam (103). Und zwar sind eben jene 16 vrâhmaṇa-Geschlechter (104), ebenso wie die 18 Maga (105) —

---

[1]) s. v. 31 des Citates aus dem Bhavishya Pur. in der khalavaktrac. fol. 7ª; — dies ist also das Terrain, wo wir die Örtlichkeiten der Magavyakti zu suchen haben? Monatsber. 1879 p. 471 flg.

[2]) Râmo 'pi bhagavân çrutvâ vṛittaṃ khyâtaṃ dvijair aho |
atîva kṛipayâ tebhyo jîvikârthaṃ dadau dharâm || 90 ||
svapûryâḥ pûrvvato-bhâge svenai 'va dhanushâ kṛitâ |
Râmarekhâ samâkhyâtâ tîrthaṃ cai 'va manoramam || 91 ||
tasyâç ca pûrvato-bhâge Gaṇḍakî-saṃgamâvadhi |
Gaṃgâyâṃ cai 'va viditaṃ çatakroçâvadhi smṛitam || 92 ||
Sarayvâç co 'ttaratatâc Campâraṇyâc ca dakshiṇe |
paṃcâçatkroçabhûbhâgaṃ susaṃkalpya ca dattavân || 93 ||
tato Râmâjnayâ te ca Sarayûpâram âgaman |
Sarayûpâriṇo jâtâ vrâhmaṇâ Râmapûjitâḥ |
kulînâç cai 'va paṃktisthâs svîyapaṃktisthabhojinaḥ || 94 ||

Von Interesse ist, dass dieser Erzählung zufolge die Maga an der Sarayû nicht eigentliche Maga, sondern von ächt brâhmanischer Herkunft, nur durch Maga geweiht und im Veda unterrichtet (!), sind.

[3]) es sind dies die vornehmsten brâhmanischen Geschlechter, welche der Verf. hier mit den Maga als ihren Lehrern in Bezug setzt. In der Magavyakti werden davon Kauçika (1, 20. 21) und Kaçyapa (2, 4) genannt, s. Monatsber. 1879 p. 468. — Die oben gesperrt gesetzten Namen finden sich auch 6, 30. 31 12, 78. 79 unter denen der 18 Maga selbst vor.

Beide werden hierbei als paṅktisthitâç câ 'pi sahai-'kabhojînaḥ bezeichnet — **gleichmässig**, ohne Unterschied, zu ehren; wer dagegen fehlt, geht zu Grunde[1]). In ihrem Geschlecht soll man die Weihe nehmen[2]), und sich seinen guru wählen (109 fg.).

Der **vierzehnte** adhyâya, ohne besonderen Titel, 67 vv., bis p. 109.

Auf Çaunaka's Frage nach der Entstehung und Bedeutung der Planeten (nandagraha, d. i. neun gr.; kheṭa) erklärt der Sûta wiederum, nur berichten zu wollen (setihâsaṃ purâtanam v. 2), was Nârada einst auf die gleiche Frage dem Garuḍa geantwortet habe. Der Inhalt des Capitels ist lediglich kosmologisch-mythologischer Art, handelt u. A. speciell vom Quirlen des **kshîroda** und den 14 ratna, die daraus hervorkamen, hat aber **gar keine** nähere Beziehung zu der **Maga**.

Der **fünfzehnte** adhyâya, sûryâdipaṃcadevadânamâhâtmyapûjanan nâma, ohne Verszählung, bis p. 129.

Gleiche Einleitung wie bei Cap. 14. Der Inhalt betrifft fromme Gaben an **fünf** Götter und deren Verehrer, nämlich an die Sonne, Çiva, Gaṇeça, Vishṇu und Çakti, d. i. Durgâ, und zwar ohne irgend welchen Bezug auf die **Maga**. Es handelt sich hiebei um Bilder (pratimâ), Gold, Ländereien etc. Von Interesse sind die ungemessenen **Ablass**-Verheissungen dabei, und zwar gleichmässig für Geber und Empfänger (p. 116),

çâlagrâmaçilâṃ divyâṃ dhâtrîphalasamaprabhâm | ....
nânâbhûshaṇasaṃyuktâṃ **gîtâpustaka**saṃyuktâm ||
Harivaṅçasamâyuktâṃ **Râmâyaṇa**samanvitâm |
çrî**Bhâgavata**saṃyuktâṃ sahasranâmabhir yutâm ||
Mahâbhâratasaṃyuktâṃ nânâmaṇigunair yutâṃ |
dharâ(ṃ?) vṛittikarîyuktâṃ **vâṭikârâma**saṃyutâm ||

---

[1]) imâv ubhâv îçvarapûjitau bhuvi hy ato 'nayor antaram eva nâ 'sty alam | svâjnânato bhedakaro naro bhave(n) mahândhakûpe patito 'vasîdati || 107 ||

[2]) dîkshâṃ tu gṛihṇîta kulottame dvije paṃktisthite câ 'pi sahaikabhojane | yato bhaven mânasiko na khedo guros samucchishṭamahâprasâde || 108 || Der Ausdruck sahaikabhojana, °bhojin kann nach der Analogie von sahaikasthâna nur bedeuten: „allein essend mit Jemand" d. h. hier wohl, cf. 13, 94. 105, „mit einander". Cf. im Übrigen noch die Angaben des Bhavishyapur. über die eigenthümlichen Speiseregeln der Maga, bei **Aufrecht** Catal. p. 32, Monatsber. 1879 p. 454. 455.

yo dadyâd Râmabhaktebhyas sa jîvanmukta ucyate |
golokavâsî purusho bhavaty eva na saṃçayaḥ ||
dâtâ cai 'va pratigrâhî ubhau samaphalânvitau |
pâparâçir vyăçîryyeta (!) sarvakâmaphalaṃ labhet (!) ||
goghnaç câ 'pi surâpo vâ bhrûṇahâ bâlaghâtakaḥ |
strîhantâ guruhantâ ca vrahmahâ pitṛimâtṛihâ ||
vrahmavṛittiharaç câ 'pi devavṛittiharo 'thavâ |
svarṇasteyî gurudrohî tîrthapâpakaro 'pi vâ ||
kanyâyâ vikrayî loke svakanyâdhânyabhakshakaḥ |
svapûrvvopârjit*â*bhûmer vikrayî purushâdhamaḥ ||
agamyâgamane çaktaḥ (sak°!) gurutalpagato 'pi vâ |
vrahmadrohî kṛitaghnaç ca tathâ viçvâsaghâtakaḥ ||
mâtṛipitṛivirodhî ca nijastrîtyâgakṛin naraḥ |
pitṛîṇâṃ parvvatyâgî ca vâlavṛiddhâpamânakaḥ ||
guroḥ kulâpamânî ca nijapûjyâpamânakṛit |
kuladroharataç câ 'pi abhakshyasyâ 'pi bhakshakaḥ ||
vedaniṃdâkaraç câ 'pi guruvrâhmaṇanindakaḥ |
nṛipanindâkaraç câ 'pi kulanindâkaro 'pi vâ ||
devanindâkaraç câ 'pi dharmmanindâkaro 'pi vâ |
pṛithivyâṃ vîryyapâtî ca kuladevâpamânakaḥ ||
parastrîniratac câ 'pi veçyâgâmî tu vrâhmaṇaḥ |
mâtṛigâmî svâduhitur bhaginîbhagabhogakṛit ||
nijaputravadhûgâmî jâtibhrashṭo mahâkhalaḥ | purushăñga-
bhogî (lies: prushâ°) *kh*aṇḍhâñgabhogakṛin manujâdhamaḥ ||
paravṛittyanusevî ca puṇyavṛikshavihiṅsakaḥ |
vidyâcauraç câ 'rthacauro dharmmacauro narâdhamaḥ ||
dushṭâcârarataç câ 'pi kupaṃthâ mâṅsabhakshakaḥ |
hiṅsakâ garadâç caurâ grâmadâhakarâḥ khalâḥ ||
mahâpâtakinas tv ete çudhyanti h a r i dânataḥ |
ç â l a g r â m a çilâdânât te 'pi pûtâ na saṃçayaḥ ||
ç â l a g r â m a çilâdânapuṇyaṃ vaktuṃ na çakyate |
vrahmaṇâ ca hareṇâ 'pi hariṇâ jagatîtale ||

Wahrlich eine stattliche Liste von Verbrechen, Schandthaten und Todsünden (Blutschande, Mord etc.), die alle durch die Darbietung eines çâlagrâma Steinchens an Hari gesühnt werden! vgl. das zu Râmatâp. p. 358. 359. 363 (Abhh. 1864) Bemerkte.

Ein Rückblick auf den Inhalt dieses eigenthümlichen Textes lehrt, dass zunächst die beiden letzten Capp. in keinem directen Zusammenhange mit den übrigen stehen. Von diesen aber handeln Capp. 1—9 von den Beziehungen Kṛishṇa's zu den Maga, Capp. 10—12 bilden einen Nachtrag dazu und Cap. 13, welches von den Beziehungen der Maga zu Indien in der Zeit vór Kṛishṇa handelt, ist wohl auch als ein Nachtrag zu betrachten. Der Zweck dieser 13 Capp. ist die unbedingte Verherrlichung der Maga. Sie werden zu dem Zwecke nicht nur mit Kṛishṇa, wie dies im Bhav. Pus. geschieht, sondern auch mit einigen der Hauptereignisse des MBhârata (Tod des Jarâsaṃdha[1]), râjasûya des Yudhishṭhira) und des Râmâyaṇa (Opfer des Daçaratha und des Râma), ja sogar mit einer alten vedischen Mythe (Cap. 12) in speciellen Bezug gebracht, und ihren Geschlechtern werden die Namen alter vedischer Ṛishi gegeben. Alles dies ist natürlich eitel Trug, hat blos den Zweck theils der Verherrlichung theils der Abwehr übelwollender Angriffe, auf die wiederholentlich hingewiesen wird. Die Herüberkunft der Maga, resp. ihr Bleiben in Indien, wird durchweg als auf besondere Einladung, resp. erst nach dringenden Bitten eingetreten, dargestellt. Von einem historischen Hintergrunde, wie er den Sagen des Bhavishya Pur. über die Beziehungen der Maga zu Dvârakâ und zu Kṛishṇa, über die Herüberholung derselben zum Behufe der Einrichtung eines Sonnendienstes an der Candrabhâgâ unstreitig zu Grunde liegt, und der auch hier in den betreffenden Angaben (p. 32) noch durchschimmert, ist bei diesen neuen Zuthaten unseres Textes gar nicht mehr die Rede; sie sind vielmehr rein aus den Fingern gesogen.

---

[1]) der Magadha-König so wie das ganze Magadha-Land (s. oben p. 34) sind resp. wohl speciell ihres Namens wegen mit den Maga in Bezug gebracht worden, ähnlich wie etwa auch die Kîkaṭa (s. unten p. 54) nur darum mit den Magadha identificirt worden sein könnten, weil Ṛiks. 3, 53, 14 ihr König (s. Sâyaṇa Einl. zum Ṛik pag. 7, 18 ed. M. Müller) Pramagaṃda genannt wird, welcher Name wohl aber eher zu dem der Pañcâla-Stadt Mâkandî (s. Ind. Stud. 13, 177) zu stellen ist. — S. im Übrigen zu der angeblichen Beziehung zwischen den Maga und Magadha, so wie zu den Angaben über die Maga in Ayodhyâ, das Citat über das Pferdeopfer des Râma etc. aus dem Bhavishyapur. in der Khalavaktra° fol. 5[b] unten p. 54; und zu dem Opfer des Daçaratha ebendas. 18[a] unten p. 64.

Und zwar verdient hierbei bemerkt zu werden, dass auch der Harivañça, der ja doch so speciell von Kṛishṇa handelt, und in dem auch Çâmba wiederholt erwähnt wird, von dessen Beziehungen zu den Maga, ja auch von der Geschichte der Verfluchung Çâmba's durch Kṛishṇa, noch nichts weiss. Die Abfassungszeit dieses schon von Subandhu in der Vâsavadattâ speciell erwähnten Werkes muss ja überhaupt in eine verhältnissmässig frühe Zeit gesetzt werden, s. Ind. Streifen 1, 380 und 382. — Auf der anderen Seite jedoch ist hier ein Punkt zu erwähnen, der umgekehrt dafür einzutreten scheint, dass die Beziehung des Çâmba zu den Maga eventualiter doch Ansprüche hat, bereits in ziemlich alte Zeit hineinzureichen. Unter den im Vañçabrâhmaṇa des Sâmaveda aufgeführten Lehrern nämlich, s. Ind. Stud. 4, 372 fg., erscheint ein Çâmba Çârkarâksha als Genosse eines Kâmboja Aupamanyava und Schüler eines Madragâra Çauṅgâyani, wie dieser wieder als der eines Sâti Aushṭrâkshi[1]). Auf die eigenthümlich irânischen Beziehungen, welche sich an diese Namen, resp. etwa auch an den Namen des im weiteren Verlaufe genannten Çâkadâsa, anknüpfen, habe ich bereits vor 22 Jahren l. c. (p. 378—80), indem ich zugleich auf die Erwähnung des Tiriṇdira Parçu im Ṛik (8, 6, 46) hinwies, aufmerksam gemacht. Burnell in seiner dankenswerthen Ausgabe des Vañçabrâhm. hat den Gedanken nicht weiter verfolgt. Aus einer brieflichen Mittheilung aber eines früheren Zuhörers von mir, des Dr. Herm. Brunnhofer, Canton-Bibliothekar in Aarau, entnehme ich, dass er auch unter den in der Anukramaṇikâ des Ṛik aufgeführten Dichternamen irânischen Namen auf der Spur zu sein meint. — Jedenfalls gewinnt durch die Angabe des Vañçabr. die specielle Anknüpfung der Maga-Legende gerade an den Namen des Çâmva einen eigenthümlichen Hintergrund.

Unser Text hier ist denn nun freilich ganz modern, und zwar unstreitig in demselben Kreise entstanden und aus derselben Tendenz hervorgegangen, wie die Magavyakti, in der ja die Sarayû (s. oben p. 42 fg.) auch speciell genannt wird (4, 6 s. Monatsber. 1879 p. 472). Eine eigenthümliche Differenz freilich zeigt sich hierbei in dem bereits oben p. 44 geltend gemachten Umstande, dass die Sarayûpâriṇaḥ hier nicht direct als Maga

[1]) ein Bahvṛica Çâmba erscheint im MBh. 15, 312 als Zeitgenosse des Yudhishṭhira.

dien herüber geholt worden seien, so könnten wir ja einfach dazu nur Ja und Amen sagen, wie wir denn in der That die Erhaltung dieser alten Traditionen von einer Verpflanzung des Mithradienstes und sonstigen persischen Wesens nach Indien, so wie die Angaben über noch vorhandene Spuren und Reste der Art, nur als dankenswerth zu begrüssen haben. Die Ansprüche dieser Leute gehen aber über diesen gewiss sicheren historischen Kern weit hinaus, und wollen sich in Gebieten einnisten, wo sie nichts zu suchen haben. Mit den Persönlichkeiten und Sagen des MBhârata und des Râmâyaṇa haben dieselben factisch nichts zu schaffen, denn diese Werke selbst wissen von einer Betheiligung der Maga an den in ihnen behandelten Vorgängen nichts. Und ihre Anknüpfung gar an vedische Legenden ist ebenfalls eitel Trug und Spiel der dichtenden Phantasie; ebenso wie die directe Identification ihrer Ahnherrn mit denen der vedischen Ṛishi-Geschlechter (s. oben p. 36. 44).

Immerhin aber stellt sich denn, trotz aller dieser Restrictionen, aus dem Gesammtinhalte der vorliegenden drei Werkchen doch entschieden eine weit grössere factische Ausdehnung und Anerkennung des Einflusses der Çâkadvîpîya Brâhmaṇa heraus, als bisher irgend bekannt war. Schon der Umstand allein, dass eben drei solche Texte vorliegen, ohne ersichtlichen Zusammenhang, und zwar so, dass wenigstens zweien von ihnen ein gewisses literarisches Geschick, während dem dritten eine gewisse Gelehrsamkeit, die übrigens auch in dem zweiten durchbricht, nicht abzusprechen ist, tritt in dieser Beziehung beweiskräftig genug ein.

Und auch wenn sich etwa wirklich herausstellen sollte, dass dieselben, sei es sämmtlich, sei es nur zum Theil, erst Fabricate der jüngsten Vergangenheit sind, so würde doch das Interesse, welches sich in der angegebenen Beziehung an sie knüpft, damit eher noch wachsen, als dadurch geschmälert werden. Man hat von jeher eigentlich nur von der alles Fremde ausschliessenden, festen Gliederung und Organisation der Brâhmaṇa-Kaste, gerade auch in ihrem gegenwärtigen Bestande, gehört, so dass eine solche bereitwillige Accommodation und Nachgiebigkeit derselben als eine geradezu unerhörte zu bezeichnen ist.

Übrigen immerhin, dass während die Araber und Perser von Ärzten berichten, die aus Indien kamen, diese Sagen umgekehrt die Arzneikunde der Maga verherrlichen. Auch nach arabischer Sage reist der persische Arzt Barzôî nach Indien, doch aber nur, um da zu lernen.

Einfluss gewesen sein? Derselbe schliesst zunächst auf f. 21[b] mit den Worten: iti nirṇayasindhau gotrapravaravivâhâdau cintanîyam. Jedoch folgen darauf noch allerhand ebenfalls auf vivâha bezügliche Citate aus Garga, Bhṛigu, Çaunaka etc. eingeleitet durch: atha pratikûlâdau jyotirnivandhe Garggaḥ, und auf f. 22[b] schliessend mit: ity api nirṇau (d. i. nirṇayasindhau) vivâhâdi cintanîyam.

Unmittelbar hierauf, ohne irgend welche Zwischenbemerkung, folgt (f. 22[b]—26[a]) ein caraṇavyûha, beginnend mit dem Sâmaveda (sâmavedasyâ 'khilasahasrabhedatâ "sît), auf welchen (23[a] ult.) der Yajurveda mit seinen 86 bheda, sodann (24[b] 2) der Atharvaveda mit 9 bheda, endlich (25[a]) der Ṛigveda folgt.

Sollte diese umgekehrte Reihenfolge der Veda[1]) etwa damit in Verbindung stehen, dass in der khalavaktracap. auf f. 17[b] von der Maga ausgesagt wird, dass sie viparyastena vedena gâyanti? und soll dieser Text nun etwa den caraṇavyûha der Maga repräsentiren? — Es enthält übrigens dieser caraṇayûha, ebenso wie der vorausgehende pravara-Abschnitt, manche dankenswerthe Angabe, wie corrupt auch der Text theilweise ist. Ich gehe hier darauf jedoch nicht weiter ein.

Nach dem Schlusswort: ity âha bhagavân Vyâsaḥ Pârâçarîyo Vyâsaḥ Pârâçarîyaḥ, iti caraṇavyûha sarvavedanirṇayagotravarṇanaṃ stehen sodann folgende Angaben (f. 26[ab]):

vedântavedyacaraṇena Yadûttamenâ "juâpto 'ham eva nitarâṃ Yadunâthavipraḥ | sarvârthasâraçrutinirṇayapadmajâta -vyâkhyâṃ cakâra çubhagâṃ (?) çubhagâ (?) pivantu (?) ||

iti çrîmad Râdhâvallabha[2])caraṇaçaraṇâçrayâpannaYadunâthaçâstriṇâṃ saṃgṛihîtâ sarvârthâvabhâsikâ nirṇayadîpikâ samâptim aphâṇît (!) || tayâ haris tushyatu sarvadai 'va, agre agre çubhaṃ bhûyâṭ lekhakapâṭhakayor îçvarakṛipâtaḥ, saṃvat 1900.

Nehmen wir hier hinzu, dass der zweite Theil der Abschrift, nach dem Gruss an Gaṇeça, mit: çrî Râdhâvallabhâ[2])çritaçâstrî Yadunâthamiçrapaṇḍitavaryo hi vijayatu-tarâṃ beginnt, so ergiebt sich hieraus wohl, dass ein Anhänger Kṛishṇa's (oder resp. ein Schüler

---

[1]) gánz umgekehrt ist sie freilich nicht, nur der Ṛigveda steht am Ende, statt am Anfang; die übrigen Veda stehen in der üblichen Reihenfolge. — Sollte diese Voranstellung des Sâmaveda etwa in Bezug stehen zu den eigenthümlichen, anscheinend irânischen Beziehungen im Vaṅçabrâhmaṇa (s. oben p. 48)?

[2]) hiemit kann ein n. pr., oder auch Kṛishṇa selbst gemeint sein.

tatra gatvâ Yamaḥ padbhyân tatâḍa laghuvikramam |
bhrâtaraṃ bâlabhâvena mâtaraṃ pativallabhâm[1] || 22 ||
kusumaṃ jagṛihe[2] hastâc chaneç ca laghuvikramât |
tadâ mâtâ cukopâ "çu çaçâpa tanayaṃ varam || 23 ||
kṛitâparâdhaṃ Yamunâbhrâtaraṃ strîsvabhâvataḥ |
„yato 'haṃ tâḍitâ putra tvayâ padbhyâm anâthavat || 24 ||
tasmât kalmâshapâdas tvaṃ vicarasva nirantaram" |
so 'pi çâpaṃ dadau tasmin kanishṭhe laghubhrâtari || 25 ||
çâpataḥ pâdakhañjo 'bhûc chaniç c h â y â suto 'py atha |
mâtuç çâpaṃ samâdâya çrutvâ nishṭhurabhâshaṇam || 26 ||
ruroda vâlabhâvena sañgamya pitur antike |
atadarhavacaḥ çrutvâ bhagavân mâtṛiputrayoḥ || 27 ||
vahuçaç cintayâmâsa vicâryya guṇadoshayoḥ |
„kuputro yadi jâyeta kumâtâ na ('tra?) bhavishyati || 28 ||
sutânâm aparâdho hi mâtrâ pitrâ ca kshamyate |
putrayoç ca kaliṃ dṛishṭvâ daṭṭaç ca çâpa îdṛiçaḥ || 29 ||
ekasmai ca svaputrâya câ 'nayas tu mahân kṛitaḥ |
çâpaṃ[3] mâtuç câ 'tadarhaṃ putrârhaṃ na kadâcana" || 30 ||
tasmâc chañkamanâ[4] bhûtvâ svapatnîṃ samapṛicchata |
„satyaṃ kathaya vṛittaṃ me kasmâd dattas tvayâ 'dhunâ || 31 ||
çâpaḥ putre câ 'tadarhaḥ (°rho!) mâtuç ca pitur anvaham[5] |
V i ç v a k a r m m a sutâ sâdhvî bhavatî kulabhûshaṇâ || 32 ||
vṛittam etat kathaṃ jâtaṃ bhavatyâ kulajâyayâ? |
kathayâ "çu svavṛittaṃ mâ(me!), no cet tvâṃ nâçayâmy aham" || 33 ||
patyu(ḥ) kopânvitaṃ vâkyaṃ çrutvâ cai 'vâ 'tyakampata |
satyañ ca varṇayâmâsa c h â y â mâyâsamudbhavâ || 34 ||
„bhagavan! dussahan tejo na sehe girikûṭavat |
tadâ mâṃ châyayâ(mây°!)sṛishṭvâ c h â y â (ṃ)mâṃ samabhâshata || 35 ||
„„tishṭha tvaṃ bhagavatpârçve gacchâmi pitur antikam |
patyuç çuçrûshaṇaṃ nityaṃ sutânâṃ[6] paripâlanam || 36 ||

---

[1]) aber es fehlt ein ca; nach v. 24 schlug er in der That nicht blos den Bruder, sondern auch die Mutter.

[2]) für jagrâha! [3]) çâpa als Neutrum!

[4]) °malâ[1], manâ[2]; ein Compositum aus çaṃkă(!) und manas; einfacher wäre çaṃkamâno!

[5]) diese pâda ist unklar; ob etwa „von Seiten der Mutter und des Vaters, stets"? Zur Sache s. oben p. 29 (Sâmvavij. 1, 5).

[6]) sutâtâm Cod. Als Prabhâ fortging, war aber nur ein Sohn und eine Tochter da! der Plural weist wohl auf die weitere Zukunft hin.

Purâṇa-Citate heran, deren Zusammenstellung den eigentlichen Inhalt seines Werkchens bildet; denn seine eignen, in einer höchst ungelenken, dürftigen Prosa abgefassten Zuthaten treten den Citaten gegenüber eigentlich ganz in den Hintergrund. Nicht einmal zwischen den Citaten selbst finden sich verbindende Glieder. Dieselben werden vielmehr ganz unvermittelt, ohne irgend welchen Übergang, hinter einander weg aufgeführt, so zwar, dass je erst am Schlusse eines Citates die Angabe seiner Quelle gegeben wird. — Es zerfällt seine Arbeit im Übrigen in zwei ziemlich gleiche Theile; der erste (f. 1ᵇ bis 10ᵃ) handelt von den sieben dvîpa, speciell dem Çâkadvîpa und seinen Brâhmaṇa, und der zweite zunächst von dem Wesen des Brâhmaṇa im Allgemeinen und sodann ebenfalls wieder speciell von den Brâhmaṇa des Çâkadvîpa.

Die Untersuchung über das Wesen des Brâhmaṇa bezeichnet der Vf. resp. gleich im Eingange als die eigentliche Absicht seiner Arbeit. Auf die Anfangsworte[1]: oṃ satyam ânandam vrahma | folgt nämlich die Ankündigung: atha vrâhmaṇasvarûpavarṇanam, welche nach einem dazwischengeschobenen Eingangsgebet[2], dann nochmals, nun metrisch, wiederholt wird.

athâ 'taḥs sampravakshyâmi mâhâtmyaṃ vrâhmaṇasya ca |
çrutvâ sukṛitino loke lebhire 'py uttamâṃ gatim ||

Anstatt aber nun auf dieses Thema unmittelbar einzugeben, tritt der Verfasser zunächst vielmehr in eine Untersuchung über die sieben dvîpa, nämlich 1. Jamvû°, 2. Plaksha°, 3. Çâlmali°, 4. Kuça°, 5. Krauñca°, 6. Çâka°, 7. Pushkara°, ein, welche Untersuchung jedoch eben fast nur aus an einander gereihten Purâṇa-Citaten besteht. Und zwar leitet er dieselben, nach einigen nicht ganz klaren, resp. wohl unvollständigen Worten[3], mit einer ziem-

---

[1]) die ihrerseits durch die oben p. 50 angegebenen Worte eingeleitet sind.

[2]) in çârdûlavikrîḍita; beginnt: deve varshati yajnaviplavarushâ vajrâçmavarshânilais, schliesst: °mahendramadabhit prîyân na indro gavâm ||

[3]) dieselben lauten: dvîpaṃ klîṃ vârimati arddhâṃ tamasâ âvṛiṇoti. — dvîpaṃ klîṃ ist wohl eine Art Überschrift: „dvîpa, Neutrum" (vgl. unten p. 56 bei brâhmaṇa). Diese Bezeichnung des Wortes dvîpa als Neutrum ist freilich auffällig, da es ja doch só nur sehr selten, dagegen in der Regel, und zwar in den dem-

lich unbeholfen gehaltenen prosaischen Legende über die Entstehung dieser sieben dvîpa ein[1]). Er schliesst hieran sodann die Angabe, dass jeder derselben in der angegebenen Reihenfolge immer doppelt so gross sei, als der je vorhergehende, so wie ferner dass jeder von ihnen einen der sieben Söhne des Königs Priyavrata und der Barhishmatî zum Oberherrn habe, und bringt dafür die Belege aus dem fünften skandha des Bhâgav. Pur. und aus dem Mârkaṇḍ. Pur. bei.

Hierauf werden die sieben dvîpa zunächst je einzeln durchgemustert, und zwar geschieht dies eben einfach durch Anführung längerer Citate, nämlich aus zwei Capp. (angeblich 130. 131) des Padmapurâṇa, auf f. 2ᵇ—5ᵃ. Es wird hier u. A. auch je einzeln angegeben, wie die Kasten in den einzelnen dvîpa heissen, und dabei werden denn hier die Namen Maga, Masaka, Mânasa, Mandaga (3ᵃ) dem Plakshadvîpa zugewiesen, nicht dem Çâkadvîpa, dessen Kasten vielmehr ṛitavrata, satyavrata, dâna° und anu° heissen (4ᵃ·ᵇ): viprâdayas tathâ varṇâḥ khyâtâ nâmântareṇa tu |
âdyo ṛitavrato nâma tatas satyavrataḥ smṛitaḥ ||
dânavratânuvratau ca tṛitîyaç ca caturthakaḥ |
bhagavantaṃ vâyurûpaṃ bhajante ca yajanti ca ||
Çâkadvîpeçvarâ viprâ vadavedâñgapâragâḥ |
jâjvalyamânâs tapasâ sâkshât sûryyasamâ dvija (°jâḥ) ||
sarvayajneshu tîrtheshu çrâddheshu ca viçeshataḥ |
pûjanîyâḥ prayatnena vastrâlaṃkâragodhanaiḥ ||
Bemerkenswerth ist hierbei ferner noch, dass hier nicht der Sonnengott, sondern Vâyu als der im Çâkadvîpa verehrte Gott erscheint.

Hieran schliesst sich sodann eine Reihe von Citaten, die sich speciell mit dem Çâkadvîpa, resp. den Maga und dem Sonnen-

---

nächst folgenden Purâṇa-Citaten ausschliesslich, als Masculinum gebraucht wird. Die Worte: vărimati etc. gehören wohl zu der Legende über die Entstehung der dvîpa, deren Anfang eben als unvollständig erscheint.

[1]) âvṛiṇoti] tadâ bhagavadupâsanopacitâtikrântapurushaprabhâvaḥ Priyavrato râjâ sûryyarathasamavegena jyotirmayarathena „rajanîm api dinaṃ karishyâmî" 'ti pratijnâṃ kṛitvâ saptavâraṃ dvitîyasûryya iva sûryyam anuparyakrâmat | yasya rathacaraṇanemiparikhâtâḥ sapta siṃdhava âsanaṃ(!), yyair eva siṃdhubhiḥ pṛithivyâs sapta dvîpâ(ḥ) kṛitâḥ ...

dienst derselben beschäftigen. An ihrer Spitze steht auf fol. 5ᵃ—7ᵇ ein längeres Citat von 37 vv. aus dem Bhavishyapurâṇa, ein Cap. nämlich aus dem Padmakhaṇḍa[1]) darin, welches den Namen Kîkaṭadeçâṃtaravarti-Magadhadeçavarṇanam führt, folgenden Inhalts: Im besten Theile von Jaṃvûdvîpa, resp. Bhâratakhaṇḍa, befinden sich von Vishṇu geehrte Brâhmaṇa, die vom Çâkadvîpa dahin gekommen sind (v. 1). Sonnengestaltig sind sie in Dvârakâ behufs Heilung des Çâmva von Kṛishṇa geehrt worden (v. 2. 3). Ebenso wurden sie in Ayodhyâpura von Râma bei Gelegenheit seines Pferde-Opfers hoch geehrt (v. 4). Wie dies Vyâsa selbst gegen Çâmva ausgesprochen hat (v. 5). Vyâsa redet aber bei seiner nunmehr folgenden Darstellung gar nicht den Çâmva, sondern: munayaḥ an (v. 6)! und spricht auch gar nicht von der Herbeiholung der Brâhmaṇa vom Çâkadv. nach Ayodhyâ, sondern diese seine Darstellung ist vielmehr eine vieles Interessante bietende geographische Auseinandersetzung über Magadha(!); und in diese ist denn allerdings, aber ganz unvermittelt, nach den nächsten vier vv. (7—10) zwar eben nichts von jener Herbeiholung nach Ayodhyâ, wohl aber die Geschichte von Çâmva's Krankheit und Heilung durch vier von Kṛishṇa auf seinem Wagen aus dem Çâkadvîpa nach Dvârakâ herbeigeholte âyurveda-kundige Brâhmaṇa, eingeschoben; dieselben begaben sich von da dann nach Magadha, um daselbst, resp. nânâdeçe, zu prakticiren, und allemal am 6ᵗᵉⁿ der weissen Hälfte des Âgrahâyaṇa das sûryavratam zu begehen (v. 11—22). Nach diesem Einschub geht der Text ruhig in der Beschreibung von Magadha weiter fort, ohne ihrer dabei irgend zu gedenken. Der Einschub ist somit entschieden verdächtig[2]), ebenso wie ja auch v. 1—5 ihrerseits zu der geogr. Auseinandersetzung über Magadha gar nicht passen, somit vermuthlich ebenfalls nicht ursprünglich zu diesem Cap. des Bhav. Pur. gehören.

Es folgt, ebenfalls ohne irgendwelche überleitende Bemerkung, ein Citat von 10 Versen (fol. 7ᵇ—8ᵃ), am Schlusse bezeichnet als: iti çrîvishṇupurâṇe pitṛiyajnârambhe vrâhmaṇânayane vrâh-

---

[1]) sic! nach Aufrecht Catal. 30ᵃ heist so ein Theil des Brahmâṇḍapurâṇa.

[2]) es spielt hier wohl einfach (s. oben p. 47) der Gleichklang der Namen Maga und Magadha mit hinein, der ja vermuthlich überhaupt alleinig den Anlass zu der Zusammenstellung und zu-einander-in-Bezug-Setzung ihrer Träger gegeben hat.

màtṛiṇàṃ darçanârthâya purâ Çâmvo 'gamad, dvijâḥ! |
putrasya dṛishṭvâ saundaryaṃ jâto manasi manmathaḥ || 12 ||
tenai 'va darçanenai 'va Çâmvasya ca mahâtmanaḥ |
kushṭarogâç(kushṭharogaç) ca deheshu jâto vîrasya vai, surâḥ! || 13 ||
dṛishṭvà nârâyaṇas[1] tatra ratham âruhya satvaram |
Çàkadvîpaṃ ca gatavân svaputrârogyahetave || 14 ||
àdityaṃ pûjayitvà ca vishṇuṃ Dvârâpurâdhipaṃ[2] |
àyurvedadharân viprân gṛihîtvâ caturo dvijân || 15 ||
pratyàgamanam âcakre sthâpayitvâ dvijân rathe |
Dvârakâṃ svîyanagarîṃ Çàmvasya nikaṭe tadâ || 16 ||
Çàmvasya ca mahârogaṃ kṛitvâ 'rogyaṃ(°gam?) dvijottamâḥ |
çrîKṛishṇapûjitàs santo Magadhaṃ jagmur utsukâḥ || 17 ||
Kṛishṇena pûjitâ viprâḥ sâkshât sûryyasamâ dvijâḥ |
ato yajnâdiçrâddhâdau pûjanîyâ dvijottamâḥ || 18 ||
Çàkadvîpodbhavâ viprâḥ sarvaroganivṛittaye |
vatsya(n)ti Magadhe mânyâḥ prajâbhis satataṃ dvijâḥ || 19 ||
Çàkadvîpadvijâḥ pûjyâ âyurvedaparâyaṇâḥ |
nava lakshà bhavishyaṃti kaliçeshâvadhir(°dhi) dvijâḥ || 20 ||
nànâdeçe gamishyaṃti jîvanopâyahetunaḥ[3] |
vràhmaṇâḥ sarvadâ tushṭâ vedavedàntapâragâḥ || 21 ||
âgrahâyaṇamâsasya çuklashashṭhyâṃ dvijottamâḥ |
sûryyavrataṃ karishyanti sadâ Magadhavâsinaḥ || 22 ||

Gaṅgâdakshiṇakacche ca grâmo Vaikuṃṭhasaṃjnakaḥ |
yatra devo mahàdevo nîlakaṇṭho virâjate || 23 ||
nîlakaṇṭhaprasàdena tatrasthâ(ḥ) prâṇino janâḥ[4] |
bhavishyati na dâridro Vaikuṇṭhapuravâsinâm || 24 ||
Narahana(dentales n)-Râmapurau samîcînau kalau yuge |
dharâmaranivâsaṃ ca tayor madhye bhavishyati || 25 ||
Bhṛigvâçramottaraṃ ramyaṃ Dharmâraṇyam iti çrutam |
gaṇaiç caturbhir bhagavân maheças tatra tishṭhati || 26 ||

---

1) d. i. Kṛishṇa! 2) dies ist doch aber Kṛishṇa selbst, s. v. 16; also wohl °dhipaḥ? Zu der Identification von âditya und vishṇu s. oben p. 32, und zu dem gleichzeitigen, unvermittelten neben-einander-Stehen und Zusammenfallen von Letzterem und Kṛishṇa s. oben p. 31.

3) °hetunâ? oder für °hetavaḥ?

4) verbum finitum und Praedicat fehlen.

sich nicht weiter darum zu bekümmern brauche. — Auch in dem zweiten Citat spricht Çâmva selbst, und zwar schärft er darin einfach den Sonnendienst ein, und preist die Pflege und die Pfleger desselben. Die Bezeichnung der letzteren als mokshavedinaḥ giebt dem Vf. (10ᵃ) Veranlassung zu einer längeren Note über die Bedeutung des Wortes moksha sowohl (es gebe eine vierfache mukti: sâlokya, sâmîpya, sârûpya, sâyujya), wie jenes Compositums, das er durch: vedavedântapâragâs tejassvarûpâḥ sûryyaprabhâmaṇḍalasthâḥ erklärt.

Hiermit schliesst der erste Abschnitt[1]). Und der Vf. geht nun, und zwar auch wieder ohne irgend ein verbindendes Wort, direct zu dem angeblichen Thema seiner Arbeit, der Untersuchung nämlich über das Wesen des Brâhmaṇa, über. Er beginnt dieselbe (f. 10ᵃ) mit einer etymologischen, resp. grammatisch-lexikalischen Darstellung über Ursprung und Bedeutung des Wortes selbst, resp. über die entsprechenden Synonyma[2]). Dieselbe besteht im Wesentlichen auch wieder nur aus einer Anführung von Citaten aus Medinî, Bharata, Amara, Râjanighaṇṭu, Bhâgavata, Vahni-Pur. Er führt u. A. auch an, dass der Brâhmaṇa im Plakshadvîpa: haṅsa heisse, im Çâlmalîdvîpa: çrutidhara, im Kuçadvîpa: kuçala, im Krauñcadvîpa: guru, im Çâkadvîpa: ṛitavrata, im Pushkaradvîpa gebe es nur eine Kaste. Hierzu ist zunächst zu bemerken, dass diese Angaben von denen, welche vorher (f. 2ᵇ fg.) aus Padmapur. adhy. 131 aufgeführt wurden, differiren; denn dort werden eben die Brâhmaṇa von Plakshadvîpa Maga genannt (hier haṅsa), und die von Krauñcadvîpa: purusha (hier guru). Das Auffälligste bleibt aber freilich immer, dass weder dort noch hier die Brâhmaṇa von Çâkadvîpa den Namen Maga erhalten, der hier resp. ganz fehlt, sondern dass sie hier wie dort ṛitavrata genannt werden.

---

1) es muss auffallen, dass unter den angeführten Citaten die Stelle des MBhârata (6, 436) über die Maga im Çâkadvîpa, ebenso wie die Angaben aus Varâhamihira, sich nicht befinden; sie waren dem Vf. somit offenbar nicht bekannt.

2) vrâhmaṇaṃ(°ṇoṃ Cod.)klîṃ (d. i. „vrâhmaṇa als Neutrum"; s. oben p. 52 dvîpaṃ klîṃ), vrahmasaṃghâtaḥ, vrâhmaṇa samûha vedabhâga iti medinî (der Text in der Medinî lautet: brâhmaṇaṃ brahmasaṃghâte vedabhâge napuṅsakam!); vrâhmaṇaḥ puṃ, vrahmaṇo viprasya prajâpater vâ apatyam ...

Die Charakteristik des Brâhmaṇa (tallakshaṇam) leitet der Vf. (10ᵇ) durch drei Verse[1]), angeblich aus dem „mokshadharma des MBhârata", ein, die mit einem aus alt-buddhistischen Texten wohl bekannten Refrain (cf. Dhammapada, Vâseṭṭhasutta, Assalâyana-sutta, Vajrasûcî) schliessen: taṃ devâ brâhmaṇaṃ viduḥ, und die das Wesen des Brâhmaṇa núr in seiner ethischen Grösse und gänzlichen Begierdelosigkeit suchen. Es folgen 10½ dem Çrîkali (!) in den Mund gelegte Verse über das mâhâtmyam brâhmaṇânâm aus dem Kalipurâṇa (! fol. 11ᵃ·ᵇ), wesentlich von seiner äusseren Hoheit und Ehre handelnd. Ihnen schliessen sich zehn weitere Verse, gezählt als 11—20, an, für die aber keine Quelle angegeben ist, und in denen die Angaben über die einem Brâhmaṇa gebührende Ehre auf die Spitze getrieben werden. Brahman selbst giebt auf die Frage eines Hariçarman: wer wohl der beste unter den Br. und wem daher zu geben sei? die Antwort: alle Br. sind die trefflichsten und stets zu ehren; ob sie mit oder ohne Wissen sind, das macht nichts aus (v. 14). Auch mit Diebstahl oder andere Sünden behaftet, ein Br. bleibt trefflicher Br.; sich selbst mag ein Solcher hassenswerth sein, Andern niemals[2]). Ein sittenloser Br. ist ehrenwerth, nicht aber ein Çûdra, sei er noch so sittenstreng; (ebenso wie) Rinder (!), wenn sie auch essen, was man nicht essen soll, nicht aber ein Kola, wie weise auch[3]). Sie sind die Erdengötter, bhûmidevâs, bhûsurâs, die zu verehrenden guru der andern drei Kasten (v. 17. 18). Dem Br. neige man sich, als ob er Vishnu selbst sei (vishṇubuddhyâ, v. 19). Wer es nicht thut, dem schlägt Keçava (selbst) mit dem Sudarçana

---

[1]) vimuktas (!) sarvasaṃgebhyo munim âkâçavat sthitam | am-vam (?) ekavacaṃ (?) yantaṃ taṃ devâ brâhmaṇaṃ viduḥ || jîvitaṃ yasya dharmârthaṃ dharmaratyarthaṃ eva ca | ahorâtraṃ ca puṇyârthaṃ taṃ devaṃ (!) br. v. || nirâçisham anârambham nirnamaskâram astutim | akshîṇaṃ kshîṇakarmâṇaṃ taṃ devaṃ (!) br. v. ||

[2]) steyâdidoshaliptâ ye vrâhmaṇâ vrâhmaṇottamâḥ | âtmabhyo dveshiṇas te 'pi parebhyo na kadâ cana || 15 || dies geht selbst über den Standpunkt der römischen Kirche doch noch hinaus!

[3]) anâcârâ dvijâḥ pûjyâ na ca çûdrâ jitendriyâḥ | abhakshya-bhakshakâ gâvaḥ Kolâs sumatayo na ca || 16 || Nach dem Pet. W. ist Kola Name eines gefallenen Kriegerstammes, resp. einer Mischlingskaste, und eines Landes. An die Mission unter den Kohls ist hier nicht zu denken, da Gossner's Missionare erst 1845, also gerade ein Jahr nach der etwaigen jüngsten Abfassungszeit der khala°, zu ihnen gekommen sind.

über das, was unter svakarma zu verstehen sei[1]), nämlich: vedavedântopanishadâdiçravaṇamanananididhyâsana ... Sodann aber schreitet er mit folgenden Worten: „punaç câ "ha(!) Maga ity asyo 'citaṃ vyâkhyânam" zu einer etymologischen Erklärung des Wortes Maga. Zu dem Zwecke citirt er (fol. 15a) in sehr gelehrter Weise, unter Angabe nämlich einiger Varianten (pâṭha), 5 vv. aus der varṇamâlâ eines Nandanabhaṭṭâcârya, welche vermuthlich, das wie? ist indess nicht recht ersichtlich[2]), der nun folgenden Zerlegung des Wortes in Ma—ga zur Grundlage dienen sollen; dieselbe lautet: maṃ raviṃ vaikuṇṭhaṃ garbhaṃ jyotisvarûpaṃ paramâtmânaṃ ga (!gaṃ?) jnânavishaye hṛitkaṃje darçanaṃ gamanâdikaṃ yeshâṃ te magâḥ. Daran schliesst sich noch eine zweite gleich schöne Erklärung, aus der für magâs die Bedeutung von vedasvarûpiṇaḥ sûryyarûpâ vâ hervorgeht! Und darauf heisst es weiter: athâ syo 'pari mânavaryyaçrîyuktapaṇḍitaRâjavallabhamiçramahâmahopâdhyâya(!) brahmâptyaika(kya?)pratipâdaka- ta(t) tvam asyâdimahâvâkyotthavijnânânubhavasvarûpânandaparâyaṇasyâ 'py atra sammatir jnâpyâ. Wie dieser Satz zu construiren sein soll, wenn wir nicht °dhyâyasya lesen, ist mir unklar. Er würde dann bedeuten, dass Râjavallabhamiçra diesem, d. i. wohl der letzteren Erklärung, zustimme. Nun ist ja aber Râjavallabha, der Angabe am Schlusse der khalavaktracap. zufolge (s. unt. p. 67fg.), deren Verfasser selbst! Wie kann sich dér denn auf einmal hier mitten in seinem eignen Werke selbst in dieser Weise citiren? Nun, vermuthlich liegt hier die Hand des Compilators der ganzen Zusammenstellung (nirṇayadîpikâ), von welcher die khalavaktrac. nur den ersten Theil bildet, des Yadunâtha also, vor (s. oben p. 50. 51). Dass derselbe sich aber erlaubt hat, in das Werk eines Andern hinein seinerseits in dieser Weise einzugreifen, bleibt höchst eigenthümlich. Auch das punaç câ "ha oben (Z. 3) ist wohl ähnlich aufzufassen?

---

[1]) die betreffende Stelle (Padmap. 131) lautet übrigens (f. 3a): Magâ vrâhmaṇabhû*m*ishṭhâ (nehmen die Stelle der br. ein) sva*dh*armmaniratâ dvijâ! Zu brâhmaṇabhûyishṭhâ(ḥ) s. indessen p. 55. 66.

[2]) vermuthlich ist statt: *sa* kâlî, womit der erste Vers beginnt, *ma* kâlî zu lesen; wenigstens enthält der Vers die Worte vaikuṇṭha und ravi; und die Bedeutungen von *ga* scheinen in v. 3 fg. vorzuliegen. Die varṇamâlâ des Nandanabh. erscheint als ein ekâksharakosha.

Ganz ohne Überleitung werden wir sodann (15[b]) wieder mit einem neuen Salto mortale mit den nächsten Worten: pitṛiçrâddhâdau samupasthite Çâkadvîpîyâ vrâhmaṇâ nimantraṇîyâ eva pûjanîyâç ca, zu einem ganz andern Gegenstande, resp. gleich in medias res hinein geführt, zu den speciellen Angaben nämlich, dass die Çâkadvîpîya Brâhmaṇa bei dem Manen-Opfer etc. einzuladen und zu ehren sind, wie dies aus der hohen Ehrenstellung, die ihnen im Bhavishya Pur. etc. zugetheilt werde, hervorgehe, bhavishyâdipurâṇâdau teshâm atipraçastatayâ vodhanâ(t). So ertheile Brahman selbst darin dem Yâjnavalkya die Anweisung, dass zuerst die Bhojaka zu speisen seien:

prathanaṃ Bhojakâ bhojyâḥ putra ! svavidushais[1] saha |
teshâm ṛite maṃtravidas tathâ vedavido dvijâḥ ||

Unter Bhojaka aber seien (16[a]) hier die Çâkadvîpîya br. zu verstehen. Denn dies Wort werde im Saptamîkalpa des Bhavishyapur., in dem Gespräch zwischen Çatânîka und Sumantu von Vyâsa dem Çâmva gegenüber mit ausdrücklichem Bezug auf die Çâkadvîpîya br. erklärt, und zwar dahin, dass dieselben wie die ṛishi bei ihren niyama, so auch beim Essen schweigen[2]):

çrûyante ṛishayas sarve bhojane niyamasthitâḥ |
bhuṃjante câ 'pi maunena tena te bhojakâḥ smṛitâḥ ||
municaryâkṛitas[3] te 'pi Çâkadvîpanivâsinaḥ |

Ein anderer Vers erklärt diesen Namen damit, dass sie den Sonnengott mit Weihrauch, Kränzen etc. speisen[4]) d. i. bedienen:

dhûpamâlyaiç ca gandhaiç ca upahârais tathai 'va ca |
bhojayaṃti sahasrâñçuṃ tena te bhojakâḥ smṛitâḥ ||

Es folgen zwei Verse (in trishṭubh!) angeblich auch aus dem Bhavishya Pur., welche von reichen Geschenken handeln, die (vor Allen) den Bhojaka zu geben sind (16[a.b]); (nur) wenn keine dgl. da sind, sollen andre vipra an ihre Stelle treten:

---

[1]) svavidushaiḥ bezeichnet der Vf. als einen chândasa prayoga für svapurohitaiḥ!

[2]) só nach dem richtigen Text (der im Übrigen nicht im saptamîkâlpa steht) bei Aufrecht Catal. 33[a] 9—7 v. u.; statt bhojane heisst es nämlich daselbst maunena; der vierte pâda lautet resp. daselbst: mauninas tena bhojakâḥ; von Rechtswegen sollten sie im Übrigen hiernach eher mauninas, als bhojakâs heissen!

[3]) besser: municarya° bei Aufrecht.

[4]) vgl. Aufrecht 32[b], 17.

ratnâni vastrâṇi tathâ ca gâvaḥ sugandhamâlyâni havishyam annam | tapasvinâṃ câ 'py atha **Bhojakâya** deyaṃ, tathâ nâ 'priyam âtmano yat[1] ||

bhaved **alâbho yadi Bhojakânâṃ** viprâs tadâ 'rhanti japopajîvanaḥ (!) | ye maṃtravida (!) vrâhmaṇapâṭhakâç ca ye câ 'pi sâmâdhyayanena (oder °ne na?) yuktâḥ ||

Ebenso heisse es in dem **Kalpataru** und bei **Hemâdri** bei Gelegenheit des **sûryavrata**[2]):

saptamyâṃ caitramâsasya[3]) bhojayed **Bhojakâṃ** (!) vudhaḥ |
saghṛitaṃ bhojanaṃ deyam bhojayitvâ vidhânataḥ ||
Bhojakâya pradeyâ tu dakshiṇâ svarṇamâshakaṃ |
saghṛitaṃ bhojanaṃ deyam raktavastrâṇi cai 'va hi ||
alâbhe Bhojakânâṃ ca dakshiṇîyâ[4]) dvijottamâḥ |
tathai 'va bhojanîyâç ca çraddhayâ parayâ vibho[5]) ||

Ohne irgend ein Bindeglied geht der Vf. nun auf einmal wieder von den Bhojaka zu den **Maga** zurück, und erklärt resp. dies Wort einfach durch: **Çâkadvîpîyo** brâhmaṇaḥ, ohne seiner früheren Angabe aus dem Padmapur., dass vielmehr die Brâhmaṇa im **Plakshadvîpa** só heissen, während die des Çâkadv. daselbst **ṛitavrata** genannt werden, auch nur zu gedenken. Er citirt nämlich einfach aus adhy. 38 des Çâmvapur. eine Frage des Çâmva an Nârada, welche von der dem Maga schuldigen Ehre etc. handelt:

Mage vai pûjite vipre yat phalaṃ prâpyate naraiḥ |
bhojane yat phalaṃ cai 'va tan me kathaya suvrata! ||

Die Antwort giebt er leider nicht an; es folgt vielmehr als Erweis für die richtige Erklärung des Wortes **Maga** durch Çâk. br. (**atra** pramâṇam!) eine weitere Stelle aus dem Saptamîkalpa des **Bhavishyottarapur.** (f. 17ª), resp. aus dem Çatânîka Sumantusaṃvâda darin (s. oben p. 61), in welcher Vâsudeva selbst den Vyâsa über die Maga belehrt, obschon freilich gar nicht über dás, worum es sich **hier** handelt, sondern nur über die Etymologie des Wortes(!):

---

1) atyantapriyam ity arthaḥ, najdvayasya prakṛitârthadârḍhyavodhakatvât.

2) nach p. 728 der Ausgabe in der Bibl. Indica aus dem Bhavishyatpurâṇa!

3) saptamyâṃ cai 'va saptamyâm (!) Bibl. Ind.

4) erklärt durch dakshiṇârhâḥ; dakshaṇîyâ dvijottamâ(!) Bibl. Ind. 5) parayâ 'nvitâḥ (!) Bibl. Ind.

Hr. **Curtius** legte folgende Mittheilung des correspondirenden Mitgliedes der Akademie Hrn. **Zachariae von Lingenthal** vor.

Während meines gegenwärtigen Aufenthalts in Athen (December 1879) hat mir Hr. Professor **Rhallis** die früher dem Γεράσιμος Βυζάντιος, Bischof von Aegina und Hydra, gehörige Handschrift mitgetheilt, deren er in den Vorreden zu dem Σύνταγμα τῶν κανόνων gedenkt und aus welcher er mehrere Stücke herausgegeben hat.

Die HS enthält unter vielem Anderen ein Bruchstück aus lib. II de caerimoniis aulae Byzantinae, und eine unvollständige Abschrift der einzigen bekannten Handschrift des Ioannes Laurentii Lydus de magistratibus reipublicae Romanae. Dieser jetzt in Paris befindliche Codex Caseolinus ist bekanntlich im J. 1785 in Kurutschesme bei Konstantinopel aufgefunden worden, und liegt der Ausgabe von **Fuss** (Leyden 1812) zum Grunde. Die Abschrift aber ist im Monat Juli 1765 gefertigt.

Auf der ersten Seite des ersten Blattes der Abschrift steht nur der Titel:

Ἰωάννου λαυρεντίου φιλαδελφέως τοῦ λυδοῦ περὶ πολιτικῶν ἀρχῶν.

Die zweite Seite enthält Folgendes:

Πίναξ τῶν περιεχομένων ἐν παλαιοτάτῳ ἐλλειπεῖ καὶ διεφθαρμένῳ μεμβράνῳ βιβλίῳ κεφαλαίων τῆς περὶ διοσημείων πραγματείας.

Περὶ τῶν ἡλιακῶν καὶ σεληνιακῶν διοσημειῶν (sic) ἐξ αὐτῶν καθολικῶν ἀποτελεσμάτων· ἀρχή· ἰστέον ἐν πρώτοις.

Ἐφήμερος βροντοσκοπία τοπικὴ πρὸς τὴν σελήνην κατὰ τὸν ῥωμαῖον φίγουλον ἐκ τῶν τάγητος καθ' ἑρμηνείαν πρὸς λέξιν. ἡ ἀρχή· εἰ ἐπὶ πάσαις ταῖς τῆς διοσημείας παραδόσεσι τὴν σελήνην φαίνονται λαβόντες οἱ ἀρχαῖοι.

Βροντοσκοπία ἐκ τῶν φωντηΐου τοῦ ῥωμαίου καθ' ἑρμηνείαν πρὸς λέξιν. ἡ ἀρχή· αἰγοκέρωτι σελήνης ἐχούσης τὸν αἰγόκερων εἰ ἐν ἡμέρᾳ βροντὴ γένηται, τύραννον ἐπαναστήσασθαι ἀπειλεῖ.

Καθολικὴ ἐπιτήρησις πρὸς σελήνην περὶ κεραυνῶν καὶ ἄλλων καταστημάτων ἐκ τῶν λαβεῶνος καθ' ἑρμηνείαν πρὸς λέξιν ἀπὸ θερινῆς τροπῆς. ἡ ἀρχή· εἰ κατὰ τὴν ιαʹ τοῦ καρκίνου μοῖραν καὶ εἰ ἐν κριῷ ἔσονται ἀχλύες καὶ βρονταὶ καὶ χάλ.

Περὶ κεραυνῶν. ἡ ἀρχή· τῆς φύσεως τῶν πραγμάτων λέγειν καὶ οὕτως γίνεσθαι κεραυνοὺς ἡ παλαιότης ὑπολαμβάνειν τοῖς ἀρχαίοις.

Περὶ σεισμῶν. ἡ ἀρχή· δήλων οὕτων τῶν εἰρημένων τοῖς πάλαι φιλοσοφήσασιν αἰτιῶν ἐπὶ τοῖς περὶ τὴν γῆν πάθεσι μίαν ἐκ πασῶν.

gesteigerte Auctorität und Beglaubigung verliehen werden (cf. den Schluss unseres Werkchens!).

Es folgt ein anderweites Citat aus dem Bhavishyottarapur., angeblich ein Wort Nârada's an Çâmva, in welchem die Maga in der That ganz direct als aus dem Çâkadvîpa herübergekommen bezeichnet werden:

Çâkadvîpâd ihâ "nîtâ ye Magâ vedapâragâḥ |
teshâṃ saṃdarçanâd dhyânât pûjanât sarvakarmasu ||
pâparâçîr vy*a*çîryeta[1] kâmaprâptiç ca jâyate ||

Der Vf. constatirt, dass hiernach bei allen rituellen Handlungen, welche sei es behufs Tilgung von Sünden oder behufs Erreichung von Wünschen vollzogen werden, das Fruchtbringen derselben von der Zuziehung der Maga abhängig sei.

Und so sei auch das Wort des Sumantu im Bhavishyottarapur. (f. 18ª):

yasya bhu(ṃ)kte Bhojokas tu gaṃdhapushpâdinâ 'rcitaḥ |
tasya bhânuḥ svayaṃ bhu(ṃ)kte pitaro devatâs tathâ ||

dahin zu verstehen, dass erst dann, wann die Bhojaka gespeist sind, die Manen selbst ihrerseits zum Essen schreiten. Es seien somit bei allen zur Sättigung der Manen gefeierten çrâddha vor Allen die Maga zu speisen.

So heisse es auch im Skandha(!)purâṇa: ... (die Stelle selbst fehlt!)

Der Vf. kommt nun zum Schluss. Wenn denn also (durch das Angeführte resp.) durch Aussagen, wie die folgende:

Kṛishṇas tu bhagavân sâkshâd vedavedâñgapâragân |
Çâkadvâpân Magân viprân ânayishy*a*nti(!) dvâpare ||
tathâ kushṭhâḥ praṇaçy*á*nti satyaṃ satyaṃ vadâmy aham |

es fest stehe, dass Kṛishṇa selbst die Maga herbeigeholt habe um seinem Sohne Çâmva den Aussatz zu vertreiben, und wenn ebenso auch Daçaratha sie um seiner putreshṭi, d. i. um seines Opfers zur Erlangung von Söhnen willen, herbeiholte[2]), so sei klar, dass diejenigen, welche sie tadelten, sich arg versündigen: tathâ tannindakânâṃ vahuço dosha ukta iti spashṭam.

---

[1]) vyaçîryeta hatten wir schon oben (s. p. 46).

[2]) von diesem letzteren Umstande ist hier bisher noch gar nicht die Rede gewesen! Speciell aber hätte das Pferdeopfer des Râma hier Erwähnung finden sollen, da es ja doch in der That auf f. 5ᵇ bereits aus dem Bhavishyapur. erwähnt worden ist.

Stehe denn aber (f. 18b) hiermit nicht die in den Vâcaspatyâdinivandheshu, auf Grund folgenden Purâṇa-Wortes:

kulâhaṃkâriṇaç çâmvâ vyâdhâ mushṭikulaṃdhanâḥ(!) |
kukarmasaṃsthitâ hy ete kupathâḥ parikîrtitâḥ ||
etaiḥ spṛishṭaṃ ca dṛishṭam ca çrâddhaṃ gacchati dânavân ||

resp. auf Grund der Erklärung des Wortes çâmvâ(s) darin durch: magâ mushṭikâ mallâḥ, verfügte Ausschliessung der Maga vom çrâddha im Widerspruch? Keineswegs! Denn unter maga[1]) seien dá ganz andere Leute zu verstehen. Aus dem Beisatz: kukarma° und aus der Zusammennennung mit Jägern etc. ergebe sich nämlich, dass unter Maga hier die rohes Fleisch verzehrenden, menschenfeindlichen Einwohner des Landes des Babhruvâ(ha)ṇa gemeint seien! Diese Maga hätten ihre Wohnsitze etwas östlich von Gañgâsâgara in unwegsamen Wäldern, nahe am Meere. Leute wie sie seien vom çrâddha fernzuhallen[2]). Dás sei unter den Bengalen ausgemacht (iti prasiddhaṃ Vaṃgadeçîyânâm). Dagegen werde nirgendwo den mit den Brâhmaṇa völlig gleichstehenden Trägern des Namens Maga eine Beziehung zu schlechten Werken zugewiesen: kiṃtu na hi kutrâ 'pi magaçavdenâ 'tra brâhmaṇasvarûpe kukarmasaṃsthitatvaṃ pratipâditam. Seien sie ja doch eben vielmehr zur Beseitigung des Aussatzes des Çâmva vom Çâkadvîpa herübergeholt worden. Wie denn ja auch Bhagavant im Vâyu Pur. bei der Schilderung der vier Kasten des Çâkadvîpa die Maga aus-

---

1) dass der Text gar nicht maga hat, sondern nur çâmva, — dies lässt der Vf. ganz unbeachtet!

2) tatra vacasi „kukarmasaṃsthitâ hy ete“ iti hetugarbhaviçeshaṇena vyâdhâdisâhacaryyeṇa ca magaçavdena apakvamâṅsabhakshakâ manushyahiṅsakâ Vabhruvâṇadeçajâ ye magâ magadeçasthâḥ Gaṃgâsâgarât kiṃcit pûrvabhâge durgamavanântare sâgarâbhyantaradeçaviçeshe magâ jâtiviçeshâs ta evâ 'tra vivâkshitâḥ, evaṃ kudeçavâsodbhavâḥ kukarmaniratâ magâ magadeçaviçeshasthâḥ prajâ evaṃrûpâ janâḥ çrâddhe heyâḥ. — Babhruvâhaṇa ist der König von Maṇipura in Kaliñga; es giebt aber auch ein Munnipur im obern Birma, dem er hier offenbar, obwohl irrig, zugetheilt wird, cf. Monatsber. 1869 p. 36 Indische Streifen 2, 395. „Burmese is called Mugh in Chittagong“, heisst es bei R. N. Cust mod. langu. of the East Indies p. 105. Und dies ist es offenbar wohl, was die Vañgadaçîya hier unter Maga verstehen. Eventualiter könnte sonst etwa auch an die nepâlesischen Magar gedacht werden (s. Ind. Streifen 3, 522).

drücklich als brâhmaṇabhûyishṭhâḥ bezeichne, was durch brâhmaṇaçreshṭhâḥ zu erklären sei[1]). — Und wenn man etwa frage, wie gerade die Wörter çâmva und maga dazu kämen, Jägern ähnliche Leute zu bezeichnen, nun, so möchten die Einsichtigen daran denken, dass die Sprache solche Gegensätze liebe, wie das Wort puṇyajana beweise[2]) (welches zugleich: rakshas bedeutet).

Und hieran knüpft sich denn nun schliesslich etwas höchst Wundersames, nämlich die in ziemlich sonderbarer Form, nach Art von Zeugen-Unterschriften geradezu abgefasste Zustimmungs-Erklärung von dreizehn Paṇḍit „zu dem só von dem in Kâçi lebenden Paṇḍit Râjavallabhamiçra Zusammengefassten"[3]), in folgendem Wortlaut:

iti çrîviçveçvaradhâmaka Kâçistha-parabrahmaparamâtmaikyâçaya-çrîmatpaṇḍita-Râjavallabhamiçrâcâryyavaryyeṇa saṃgṛihîtasyo 'pari tatrasthânâṃ vidushâṃ sammatiç câ, 'trâ "ha[4]): sammato 'yam artho bhaṭṭopanâmaka-Prabhâkaraçarmmaṇaḥ 1, sammatir atrâ 'rthe bhaṭṭopâkhya-Sakhârâmaçarmaṇaḥ 2, sammatir atrâ 'rthe bhaṭṭopâkhya-Jagannâthaçarmaṇaḥ 3, sammato 'yam artho Devopâkhya-Gaṇapatiçarmaṇaḥ 4, çramaṃstâ 'mamum (amaṅsatâ 'mum?) arthaṃ Devopâkhyâ Mahâdevaçarmaṇaḥ (°çarmâṇaḥ?) 5, kavi-shugulajâraçarmaṇaḥ (?) 6, sammato 'yam artho Nârâyaṇaçâstriṇâm 7, s. 'yam artho bhaṭṭopanâmaka-Vaidyanâmaçarmaṇaḥ 8, çrîrâmaḥ[5]) | âraṃgojaṃvi (?) çrî Îç-

---

[1]) s. oben p. 59. 60.

[2]) so wenigstens deute ich den Schlusssatz: evaṃ cet kushṭhavâcaka(!)çâmvamagaçavdayor vyâdhasadṛiçeshu pravṛittir nirûḍhaviparîtalakshaṇam ârakshasi (°ti?) puṇyajanaçavdavad iti sudhiyo vibhâ(va)yantu. Die Angabe kushṭhavâcaka ist sehr eigenthümlich; sie kann doch nur besagen (wofür freilich anderweit kein Anhalt vorliegt), dass çâmva aúch kushṭha bedeutet? Dann hätte der Vf. aber sich etwa só ausdrücken sollen: kushṭhârthe 'pi vartamânasya çâmvaçabdasya magaçabdasya ca vyâdha° ! Ganz concinn wäre resp. nur etwa: çâmvaçabdasya kushṭhe tasya ca magaçabdasya ca vyâdhasadṛiçeshv api pravṛittir.

[3]) und zwar bezieht sich dies, den am Schlusse noch folgenden Angaben nach (s. p. 67), auf das ganze Werk, nicht etwa blos auf die letzte Auseinandersetzung; nur Hîrânanda, der elfte Zeuge, giebt seine Aussage in verclausulirter Form.

[4]) zu diesem: atrâ "ha s. das oben p. 60 Bemerkte.

[5]) dieser fromme Mann hat seinen Namen wohl nicht ohne vorhergehendes çrîrâmaḥ schreiben wollen!

varadattaçarmapaṇḍitâḥ (9), sammato 'yam artho Râmakṛishṇavidushaḥ (10), etatpatralikhitavacanamâtrasâdhyamâtre 'rthe sammatiç caturvedi Hîrânandaçarmaṇaḥ 11, sammato 'yam artho Devaçarmaṇaḥ 12, arthaḥ (!) sammato 'rtho Durgâdattaçarmaṇaḥ 13.

Die einzige Erklärung für dieses eigenthümliche Vorgehen erscheint mir die, dass der Gegenstand, den der Vf. behandelt hat, in den Kreisen der gelehrten Paṇḍit von Benares grosses Aufsehen und grosse Aufregung erregt hatte, da es sich hier, worauf ja auch der Titel seines Werkchens direct hinführt, um eine Art Streitschrift handelt, und dass es ihm somit darauf ankam, das Gewicht seiner eignen Deduction dadurch zu erhöhen, dass er die Auctorität einer ganzen Zahl von Collegen dafür gleich mit in die Wagschaale legte, um seinem Elaborat dadurch von vorn herein das gebührende Ansehen zu sichern.

Man möchte nun meinen, dass mit diesen 14[1]) Namen sich die Zeit des Vf.s näher bestimmen lassen werde. Leider ist mir dies indessen doch nicht möglich, da diese Namen entweder häufig vorkommen, somit keine Identification mit einem bestimmten Träger gestatten, oder umgekehrt anderweit noch gar nicht nachgewiesen sind. Erwähnen will ich indess, dass Mahâdeva in seinem A. D. 1661 abgefassten Commentar zum Muhûrtadîpaka einen Râjavallabha (Aufrecht, Cat. p. 528, fasst dies indess als Titel eines Werkes) erwähnt, so wie dass ein Prabhâkara A. D. 1630 (75 Jahre alt) den laghusaptaçatikâstava verfasste, s. Verz. der Berl. S. H. p. 422.

Doch wozu sich hiermit abquälen! Der Vf. giebt uns ja selbst ganz genau das Datum seines Werkes an. Denn nach der letzten Zustimmungsformel heisst es:

khâka(corrigirt zu: khakhârka)bhûmite varshe Vikramâdityabhûpateḥ | nagare viçvanâthasya vyavasthai 'kâ prakâçitâ || 1 ||
smṛitiçlâghyamagadveshṭiskhala[2])vaktracapeṭikâ |
Kâçisthavidvatsammatyâ Râjavallabhanirmitâ || 2 ||

iti çrîviçveçvarapurîKâçidhâmasthavrâhmaṇamâtrasammate Çâkadvîpîyavrâhmaṇopâkhyâne mahâmahimaçrîyuta-çrîmân(!)-

[1]) zu denen ja auch noch Yadunâthamiçra und eventualiter Râdhâvallabha (s. oben p. 50. 51) hinzutreten!

[2]) wohl: dveshikhala?

Râjavallabhamiçrapaṇḍitaviracitâ khalavaktracapeṭikâ samâptâ | tayâ haris tushyatu sarvadai 'va.

Behalten wir die corrigirte Lesart bei, so ergiebt dieselbe: kha 0 kha 0 arka 1 bhû 1, d. i. saṃvat 1100 = A. D. 1044 als das Datum unsers Werkchens! Nnu, dass dies nicht richtig sein kann, liegt auf der Hand; schon das Citat aus Hemâdri (f. 16^b) allein macht dies unmöglich. Wenn somit der Corrector das khâkabhûmite der Abschrift in Übereinstimmung mit dem Original derselben in khakhârkabhûmite geändert hat, so — hat das Original ein falsches Datum! denn anzunehmen etwa, dass arka hier „sieben" bedeute[1]), weil ja theils in alten Zeiten von sapta sûryâs die Rede ist, theils in der Magavyakti (4, 1 fg.) ausdrücklich (s. oben p. 51) von sieben arka gehandelt wird, möchte doch schwer angehen, da bis jetzt eben kein andrer Fall vorliegt, wo „Sonne" wirklich in der Bedeutung „sieben" gebraucht wäre[2]). — Und das falsche Datum wäre also etwa auch wieder nur in majorem gloriam angegeben? um das Gewicht der erlangten Resultate dadurch zu verstärken, dass sie als bereits vor langer Zeit sicher gestellt dadurch markirt wären? Nun, geradezu unmöglich wäre dies ja nicht, aber immerhin doch eine sehr bedenkliche Annahme; denn wenn der Vf. auch von allerlei Falschmünzereien schwerlich freizusprechen ist (s. oben p. 54. 55. 61), so wäre ein solches Falsum doch mit der Aufführung gleichzeitiger Zeugen nicht gut in Einklang zu bringen. Und anzunehmen etwa, dass auch diese erfunden sein sollten, nun, dazu fehlt es nicht nur an jeden Anhaltspunct (der Styl der Aussagen allein schon spricht für ihre Authentität), sondern es tritt dagegen auch speciell noch dér Umstand ein, dass es sich doch hier eben um eine Parteischrift handelt, insofern dieser Charakter derselben entschieden auch eine specielle Aufmerksamkeit der Gégner bedingt, welchen gegenüber so grobe Falsa denn doch sehr gefährlich gewesen wären!

Und so mag denn hier, zur Ehrenrettung des Vf.s in dieser Beziehung wenigstens, eine andere Vermuthung ihren Platz finden. Wir sahen oben p. 50. 51, dass am Schluss der ganzen Compilation, deren ersten Theil die khalavaktracapeṭikâ bildet, das Datum:

[1]) wo es sich demnach dann um samvat 1700 = A. D. 1644 handeln würde!

[2]) s. Burnell, Elements of South Indian Pal.[2] p. 77 (p. 58[1]).

eine gewisse Modification von Glimmer, fallen lässt; sind dann entfernt von der Glimmerplatte und den Strahlenenden wieder wie oben leuchtfähige Platten, vom Glimmer geradlinig erreichbar, aufgestellt, — so geben sie Licht aus, sobald die elektrischen Strahlen den Glimmer treffen, obgleich dieser selbst dunkel bleibt.

Wird der Inductionsstrom, der die Röhre durchsetzt, in der gewöhnlichen Weise, d. h. ohne Einschaltung anderer nicht metallischer Widerstände als die evacuirte Röhre selbst, benutzt, so tritt die Differenzirung der Strahlenenden erst bei geringen Dichten ein. Es lässt sich indess zeigen, dass

5) die betrachtete Differenzirung nicht an bestimmte Dichten gebunden ist; sie kann, sobald die Kathode überhaupt mit Licht umkleidet ist, mittelst Einschaltung von verschieden langen Funken in freier Luft innerhalb einer weiten Dichtescala erzeugt werden.

Ebenso ist aber auch

6) das Phänomen nicht an eine bestimmte Entladungsintensität gebunden. Dies ergiebt sich einfach, indem man verschieden evacuirte Röhren hintereinander einschaltet, mit Rücksicht auf den früher (Berl. Akad. Ber. 1874, Aug.) von mir geführten Nachweis des Isochronismus der Entladungen in solchen Röhren. Die Beobachtung zeigt, dass wenn die Kathodenstrahlen in einer der Röhren das Leuchten fester Körper erregen, dies in andern noch nicht der Fall zu sein braucht, obwohl auch diese die Erscheinung zeigen, wenn sie auf dieselbe Dichte wie die erstleuchtende gebracht werden.

Es ergiebt sich somit, dass durch die geschilderte Modification das gesammte Licht um die Kathode sich mit einer heterogenen äussern Schicht umkleidet. — Die Lage der neuen Schicht hängt nur ab von der Lage der Wand und kann durch Verschiebung der Wand gegen die Kathode bei constanter Dichte in beliebig grosse Entfernung von der Kathode gebracht werden. Sie kann zugleich, immer durch die Strahlenenden gebildet, aus der äussersten Schicht des Kathodenlichts in eine der innern Schichten hineinrücken.

Wie die Entstehung der Strahl-Modification zu erklären ist, vermag ich bis jetzt nicht anzugeben.

Jedoch zeigt sich:

eher etwa an die Zeit des grossen Akbar und seiner Nachfolger denken, an jene Zeit der Grossmoguls, wo das Persische Hofsprache war, und wo durch die gesammte politische Constellation der Gedanke nahe gelegt wird, dass etwa auch alte Reste stammverwandter Art, die von Olim's Zeiten her in Indien ansässig waren, dadurch in ihrem Selbstgefühl gehoben werden konnten. — Jedenfalls, sind etwa doch auch diese beiden Werkchen ebenso modern, wie es bei obiger Annahme bei der khalavaktrac° der Fall wäre, nun, so dürfen wir ja wohl hoffen, dass dies auch für sie wirklich sich noch eruiren lassen wird.

Einstweilen sind wir auf ihren Inhalt selbst zu ihrer Beurtheilung angewiesen, der sie ja denn eben zunächst einfach nur als Parteischriften zu Gunsten der Maga, charakterisirt — ohne ein festes chronologisches Merkmal für ihre Abfassungszeit an die Hand zu geben. Die Magavyakti ist für die Maga, so zu sagen, ihr hohes Lied aus der Gegenwart (der Abfassungszeit), der Sâmvavijaya bringt in epischer Breite die Begründung ihrer Ansprüche aus der Vergangenheit durch Anknüpfung an die epische, ja vedische Legende, — die khalavaktracap. endlich summirt kurz und bündig alle dem Vf. zur Hand seienden Citate über sie aus den Purâṇa. Und zwar stellt er da in grösster Unbefangenheit sehr disharmonirende Angaben (s. oben p. 53. 59) neben einander. Wie es denn überhaupt mit diesen Citaten selbst steht, ob sie wirklich dem betreffenden Werke entlehnt sind, darüber muss theilweise erst noch weitere Auskunft abgewartet werden, theilweise ist ihre Falsification bereits jetzt schon erwiesen (s. p. 55). Dass auch der Sâmvavijaya schwerlich dem Bhavishyapur., dem er in den Unterschriften der adhyâya zugetheilt wird, angehört, wird sich ja auch wohl mit voller Bestimmtheit herausstellen. Offenbar hat hierbei der Wunsch, den Ansprüchen der Maga möglichste Beglaubigung zu sichern, zu zahlreichen Fälschungen geführt, wobei denn etwa je der Nachfolger in gutem Glauben nachgeschrieben haben mag. Beschränkten sich die Partisanen der Maga darauf, zu constatiren, dass dieselben vor Zeiten zur Pflege des Sonnendienstes im Mitravana an der Candrabhâgâ, so wie wegen ihrer Erfahrung in der Heilkunde[1]), aus ihrer Heimath, dem Çâkadvîpa, nach In-

[1]) Arzneikunde und Missionsthätigkeit gehen ja auch bei den christlichen Sendboten Hand in Hand. — Von Interesse ist es im

Was endlich den Charakter des Phänomens, um negatives wie um positives Licht, in optischer Beziehung anlangt, so dürfte wohl nicht zweifelhaft sein, dass man es hier mit einer Umwandlung hochbrechbarer Strahlen bezw. der in ihnen erfolgenden Schwingungen in Schwingungen von grösserer Wellenlänge zu thun hat, wie dies in den Erscheinungen der Fluorescenz und Phosphorescenz beobachtet wird. Auf Grund von Versuchen, welche mir schon früher zeigten, dass das Leuchten der festen Substanzen die Dauer der erregenden Entladungen beträchtlich übertrifft, spreche ich die beobachteten Wirkungen daher als Phosphorescenz-Erscheinungen an, — im Gegensatz zu der bisherigen Auffassung als Fluorescenz.

Es ergab sich ferner, dass von den zahlreichen geprüften Substanzen nicht eine einzige auch in den dünnsten herstellbaren Schichten für diese Strahlen noch durchlässig ist. Weder dünne Glashäutchen, noch die nach Mascart für hochbrechbare Strahlen so durchsichtigen Krystalle von Kalkspath und Quarz liessen Spuren davon hindurch. Schliesslich wurde auf eine Glaswand, die direkt von den Strahlen getroffen hell phosphorescirte, ein ausserordentlich dünnes Häutchen von Collodium abgelagert, indem ein Tropfen käuflichen Collodiums, nach starker Verdünnung mit Äther, rasch über das Glas ausgebreitet und dann abgedunstet wurde. Selbst diese Schicht, deren Dicke nur nach Hundertsteln eines Millimeters zu schätzen war, gab, als die elektrischen Strahlen auf sie fielen, auf der unmittelbar hinter ihr liegenden Wand einen so tintenschwarzen Schatten, wie ein metallisch-undurchsichtiger Körper.

Ohne numerische Werthe angeben zu können, darf man also doch die Scala der Wellenlängen, innerhalb deren die Vibrationen des Äthers noch als Licht wirksam werden, als über die von Fizeau gefundene untere Grenze hinausgeschoben betrachten.

Über die Ersetzung einer Kathode.

Eine Kathode von beliebiger Form kann in allen bisher vergleichbaren Beziehungen ersetzt werden durch ein System enger und dichtgedrängter Poren in einer *isolirenden*, mit der Kathode congruenten Fläche. Zu näherer Erklärung gebe ich sogleich die Beschreibung eines mir noch

1. aus adhyâya 12 des Sâmvavijaya (s. p. 40).

Nârada uvâca | ekadâ bhagavân sûryyo vedamûrttis sanâtanaḥ |
Viçvakarmmasutâṃ sâdhvîm upayeme varânanam || 6 ||
Sañjnâñ ca sarvvaçobhâḍhyâṃ Prabhân nâmântareṇa ca |
surûpâm alpavayasîm patidharmmaparâyaṇâm || 7 ||
tasyâm utpâdayâmâsa mârttaṇḍas tanayaṃ varam |
çrâddhadevaṃ Dharmmarâjaṃ Kâlindîṃ kanyakottamâm || 8 ||
tatpaççâd bhagavatpatnî dharmmaçîlâ pativratâ |
Viçvakarmmasutâ patyus tejas sehe na dussaham || 9 ||
tadâ svakâyât svăṃ(svâṃ!) sṛishṭvâ chây âṃ hi prativimvajâṃ
svadharmmaçîlaçobhâḍhyâṃ vayorûpaguṇâkarâm[1] || 10 ||
patisadmani saṃsthâpya mâyayâ nirmitâṃ çubhâm |
sambhâshya: „bhagavatsevâṃ kuru Châye manorame" || 11 ||
svayam eva jagâmâ "çu pitur eva niketanam |
Viçvakarmmâ ca tanayâm anâhûtâñ ca vipriyâṃ || 12 ||
vipriyañ karmma tasyâç ca pitâ nai 'vâ 'bhyanandat (°data) |
garhayâmâsa tâṃ sâdhvîṃ Prabhâñ ca kanyakottamâm || 13 ||
pituç câ 'nâdaram prâpya vimanâ gatamatsarâ |
vaḍavârûpam âsthâya sâ jagâmo 'ttarâṃ diçam || 14 ||
Mandarâcalakakshâsu cacârâ 'hatamañgalâ |
mârttaṇḍo bhagavan(°vân) patnyâ(ç) châyayâ samarîramat || 15 ||
tasyâm utpâdayâm âsa putrayugalam uttamam |
Sâvarṇis Sûryyasûnuç ca saurir eva çanaiçcaraḥ || 16 ||
vavarddhatuḥ pitur ggehe Sâvarṇi-Çanî[2] bhrâtarau |
Sauriṇâ kalaho jâta ekadâ samaye[3] 'py aho || 17 ||
pushpahetor ddevataror Nâradasya samarppaṇe |
ekadâ ca samâyâto devendrabhavanâd ṛishiḥ || 18 ||
pushpaṃ gṛihîtvâ sântânaṃ(?) bhâskarâya samarppitam |
prâptum icchâ kṛitâ vâlaiḥ[4] svarpushpasya[5] pitus svakât || 19 ||
dattavâñç ca vicâryyâ 'tha kanishṭhâya ravis svayam |
tenâ 'marshad Dharmmarâjaḥ pracaṇḍaç cukupe bhṛiçaṃ || 20 ||
lavdhapushpavaras Saurir mâtur anti jagâma ha |
mâtâ mumoda tanayaṃ dṛishṭvâ lavdhamanoratham || 21 ||

---

[1]) guṇâkara und mânasika sind zwei Lieblingswörter des Sâmvavijaya.
[2]) çani Cod. [3]) ekadâ samaye!
[4]) Plural, weil ja auch Dharmarâja dazu gehört.
[5]) svar (!) ist erst vom Corrector zugefügt.

tatra gatvâ Yamaḥ padbhyân taṭâḍa laghuvikramam |
bhrâtaraṃ bâlabhâvena mâtaraṃ pativallabhâm[1] || 22 ||
kusumaṃ jagṛihe[2] hastâc chaneç ca laghuvikramât |
tadâ mâtâ cukopâ ''çu çaçâpa tanayaṃ varam || 23 ||
kṛitâparâdhaṃ Yamunâbhrâtaraṃ strîsvabhâvataḥ |
„yato 'haṃ tâḍitâ putra tvayâ padbhyâm anâthavat || 24 ||
tasmât kalmâshapâdas tvaṃ vicarasva nirantaram“ |
so 'pi çâpaṃ dadau tasmin kanishṭhe laghubhrâtari || 25 ||
çâpataḥ pâdakhañjo 'bhûc chaniç c h â y â suto 'py atha |
mâtuç çâpaṃ samâdâya çrutvâ nishṭhurabhâshaṇam || 26 ||
ruroda vâlabhâvena sañgamya pitur antike |
atadarhavacaḥ çrutvâ bhagavân mâtṛiputrayoḥ || 27 ||
vahuçaç cintayâmâsa vicâryya guṇadoshayoḥ |
„kuputro yadi jâyeta kumâtâ na ('tra?) bhavishyati || 28 ||
sutânâm aparâdho hi mâtrâ pitrâ ca kshamyate |
putrayoç ca kaliṃ dṛishṭvâ daṭṭaç ca çâpa îdṛiçaḥ || 29 ||
ekasmai ca svaputrâya câ 'nayas tu mahân kṛitaḥ |
çâpaṃ[3] mâtuç câ 'tadarhaṃ putrârhaṃ na kadâcana“ || 30 ||
tasmâc chañkamanâ[4] bhûtvâ svapatnîṃ samapṛicchata |
„satyaṃ kathaya vṛittaṃ me kasmâd dattas tvayâ 'dhunâ || 31 ||
çâpaḥ putre câ 'tadarhaḥ (°rho!) mâtuç ca pitur anvaham[5] |
V i ç v a k a r m m a sutâ sâdhvî bhavatî kulabhûshaṇâ || 32 ||
vṛittam etat kathaṃ jâtaṃ bhavatyâ kulajâyayâ? |
kathayâ ''çu svavṛittaṃ mâ(me!), no cet tvâṃ nâçayârny aham“ || 33 ||
patyu(ḥ) kopânvitaṃ vâkyaṃ çrutvâ cai 'vâ 'tyakampata |
satyañ ca varṇayâmâsa c h â y â mâyâsamudbhavâ || 34 ||
„bhagavan! dussahan tejo na sehe girikûṭavat |
tadâ mâṃ châyayâ(mây°!)sṛishṭvâ c h â y â (ṃ)mâṃ samabhâshata || 35 ||
„„tishṭha tvaṃ bhagavatpârçve gacchâmi pitur antikam |
patyuç çuçrûshaṇaṃ nityaṃ sutânâṃ[6] paripâlanam || 36 ||

---

[1]) aber es fehlt ein ca; nach v. 24 schlug er in der That nicht blos den Bruder, sondern auch die Mutter.

[2]) für jagrâha! [3]) çâpa als Neutrum!

[4]) °malâ', manâ'; ein Compositum aus çaṃkă(!) und manas; einfacher wäre çaṃkamâno!

[5]) diese pâda ist unklar; ob etwa „von Seiten der Mutter und des Vaters, stets“? Zur Sache s. oben p. 29 (Sâmvavij. 1, 5).

[6]) sutâtâm Cod. Als Prabhâ fortging, war aber nur ein Sohn und eine Tochter da! der Plural weist wohl auf die weitere Zukunft hin.

kurrushva nitarâṃ sâdhvi patidharmmaparâyaṇâ““ |
tad-âjnâṃ samanuprâpya karishyâmi[1] tavâ 'ntike || 37 ||
Dharmmarâjasutenâ[2] ''çu mama putrasya tâḍanam |
kṛitaṃ kopân mayâ dattaç çâpo vâmasvabhâvataḥ“ || 38 ||
chây ay â varṇitaṃ çrutvâ cukopa bhagavân raviḥ |
chây ây â bhartsanaṃ kṛitvâ çvaçurasya niketanam || 39 ||
jagâma bhagavân sûryyaḥ patnîvirahakâtaraḥ |
satkâraṅ cai 'va yâmâtur (jâ°!) Viçvakarmmâ 'karod bhṛiçam || 40 ||
patnyâç câ 'darçanaṃ prekshya samapṛicchad ravis svayam |
„viçvakarmman hi bhavatas tanayâ nai 'va dṛiçyate || 41 ||
gatâ kutra ca vai sâdhvî mama patnî çucivratâ |
tadviyogâgnisaṃtaptaḥ kva gacchâmi? karomi kim?“ || 42 ||
Viçvakarmmo 'vâca: „bhagavan kanyakâ câ 'tra hy âgatâ mama
suvratâ | sadyo visarjjanan tasyâḥ kṛitaṃ tava bhiyâ mayâ || 43 ||
mattaç câ 'nâdaram (°radam pr. m.) prâpya sâ jagâmo 'ttarâṃ diçam |
vaḍavârûpam âsthâya carantî hâ 'ḍrikânane || 44 ||
bhagavaṅs tatra gaccha tvam ânayâ ''çu niketanam |
svapatnyâ sahito hy atra saṃramasva yathâruci“ || 45 ||
Viçvakarmmavacaç çrutvâ sa jagâmo 'ttarâṃ diçam |
Mandarâcalakakshâsu carantîṃ samapaçyata || 46 ||
dṛishṭvâ kâmâgnisantapto v a ḍ a v â ṃ s a m a d h â v a t a |
a ç v a r û p o r a v i r b h û t v â vîryyaṃ tasyâṃ samutsṛijat[3] || 47 ||
pátivratasya bhaṅgaṅ ca jnâtvâ 'çvâ sanniyamya vai |
nâsâbhyâṃ cai 'va saṃtyaktaṃ çukram âçvan dharâtale[4] || 48 ||
vabhûvatuç co t a t r a i 'va k u m â r a u sûryyavarccasau |
dṛishṭvâ 'dbhutau ca sasmâra patiṃ viçvapravodhakam || 49 ||
tushṭâva vahuças tatra nijarûpeṇa bhâminî |
tadâ prasanno bhagavân svâṃ patnîṃ samatoshayat || 50 ||
„jâye! mân tvaṃ samutsṛijya katham atrâ ''gatâ vanam |
vihâyai ''çvaryyam atulaṃ kâ pîḍâ tava suvrate?“ || 51 ||
Prabho 'vâca: „dussahaṃ bhagavaṅs tejo devadeveça te mama |
atas tvâṃ vañcayitvâ 'ham âgatâ pitur antikam || 52 ||
pitâ visarjjayâmâsa tvadbhayân mân tanûdbhavâm |
tasyâ 'vamânam âsâdya hy âgatâ girikandarâm || 53 ||

---

[1]) man erwartet eine Form der Vergangenheit: cakara tat.
[2]) dies ist karmadhâraya: „(dein) Sohn Dh.“!
[3]) Augment fehlt!
[4]) es fehlt ein Verbum finitum.

die elektrischen Strahlen nur so ab, wie es der von der Kathode nach dem Strahlenende hin fliessende Strom erfordert; der — vorläufig angenommene — zurückkehrende Strom bringt nicht die mindeste Lichterscheinung hervor, obgleich er im selben Medium und jedenfalls nicht in grösserem Querschnitt als der die ganze Röhrenweite ausfüllende „hin"-gehende Strom fliesst. Eine etwa von ihm veranlasste Lichterscheinung müsste aber erkennbar werden, wenn man durch Magnetisiren die gewöhnlich sichtbaren Strahlen, die des „hin"-gehenden Stromes, nach einer Seite der Röhre zusammendrängt; in dem freigewordenen Raume müsste dann ein etwaiger Lichteffect des hypothetischen zurückgehenden Stromes sich zeigen. Die Erfahrung zeigt aber, dass dieser Raum dunkel ist.

Es sei *4.*) die Kathode *a* wieder eine Ebene, deren Richtung der Cylinderaxe parallel ist, und welche durch die Mittelaxe selbst geht. Dann sind die negativen Strahlen, wie immer, fast ausschliesslich senkrecht gegen die strahlende Fläche gerichtet, gehen also nach den Seitenwänden hin. Die Strahlen enden bei etwas höheren Dichten frei im Raume, bevor sie die Wand erreichen, bei geringern Dichten, sobald sie auf die feste Wand treffen. Ganz entsprechend ist die Erscheinung in dem sehr gewöhnlichen Falle, wo *5.*) ein Draht, in Richtung der Cylinderaxe verlaufend, die Kathode darstellt. Auch hier sind die Strahlen nach den Seitenwänden, und zwar im speciellen Falle in jedem Querschnitt des Cylinders genau radial gerichtet.

Hier müsste also die Elektricität erst in Richtung der negativen Strahlen bis an deren Ende gehen, und dann einen dazu senkrechten Weg einschlagen, um zur Anode zu gelangen, — während wieder sowohl positives als negatives Licht ganz dieselbe Beschaffenheit haben, wie in den frühern Fällen, wo wir entweder direkten Übergang oder Hin- und Hergang des Stromes annahmen.

Die Mannigfaltigkeit neuer Annahmen, deren man bedarf bei der Auffassung, dass der Strom (ich verfolge stets die Richtung des negativen Stroms) aus dem negativen Licht in die erste positive Schicht, dann in die zweite etc. bis zur Anode sich fortpflanzt, wird aber noch grösser, wenn man die Existenz des dunkeln Raumes zwischen positivem und negativem Lichte berücksichtigt.

In den vorhergehenden Fällen wird der dunkle Raum nicht erwähnt; er verschwindet stets bei gewissen Verdünnungen, und

devâsurâṇâṃ saṅgrâme vâyur apy atha vyagratâm[1] |
kadâcid vikale tasmin svecchayâ prâpa tad bhuvi || 70 ||
kshîrodasya pare tîre shashṭhadvîpe dharâtale |
ashṭâdaçavibhâgena tejasâṃ râçinâ raveḥ || 71 ||
sadyas tadbhûtalasparçât samajâyanta vrâhmaṇâḥ |
bhagavatsûryyasaṃkâçâ vrahmavidyâviçâradâḥ || 72 ||
nirguṇopâsakâç câ 'pi devatulyâs tapodhanâḥ |
ashṭâdaça-kulaṃ[2] jâtan teshân tatra dharâtale || 73 ||
tushṭuvur vaidikair mantrair nirguṇaṃ purushaṃ param | ....

2. aus der khalavaktracapeṭikâ fol. 5ᵃ flg. (s. p. 54).

Jamvûdvîpottame kshetre Bhârata[3]khaṇḍottamottame |
Çâkadvîpeçvarâ viprâç câ "gatâ ̄vishṇupûjitâḥ || 1 ||
sûryyarûpâs taponishṭhâḥ çântâs santâpavarjitâḥ |
Kṛishneṇa pûjitâs sarve brâhmaṇâ brahmavâdinâ (°naḥ?) || 2 ||
Dvârakâyâṃ mahâbhâgâḥ Çâmvarogâ(pa)nuttaye |
pûjitâ vrâhmaṇâ nityaṃ Kṛishṇenâ 'dbhutakarmaṇâ || 3 ||
tathâ 'yodhyâpure viprâḥ Çâkadvîpanivâsinaḥ |
Râmeṇa pûjitâḥ sarve mudâ Râmâçvamedhake || 4 ||
yathâ "ha bhagavân[4] Vyâsaḥ[5] purâṇe sarvavit svayam |
Çâmvaṃ prati mahâbhâga tad ihai 'kamanâḥ çṛiṇu || 5 ||
çrîVedavyâsa uvâca: çṛiṇudhvam munayaḥ sarve vṛittântaṃ Magadhasya ca | kathayâmi samâsena nânâdbhutamayaṃ çubham || 6 ||
dakshiṇe ca Vihârasya pârçve Çivanadî çubhâ |
sîmâ Magadhadeçasya jnâtavyâ munibhir mudâ || 7 ||
uttare Gaṇḍakî sîmâ harihâro[6] yatra pâvanâ (?) |
darçanât pâpavahulaṃ dûraṃ gacchati tatkshaṇât || 8 ||
paçcime câ 'ralagrâmo Bhojadeçasamîpataḥ |
sîmâ, Magadhabhûdevâḥ çobhanâḥ paçcimâ matâḥ || 9 ||
Sûryyapuraṃ pûrvabhâge maryyâdâ dvijasattamâḥ |
Gaṃgâyâ dakshiṇe bhâge mânavânâṃ sukhâspadam || 10 ||

Jâṃvavatî Çâmvamâtâ padmavrataparâyaṇâ |
padmapatrâcchâdanaṃ ca câturmâsye kṛitaṃ tayâ || 11 ||

---

[1]) verbum finitum fehlt, steckt resp. etwa in: apyatha?
[2]) ein dvigu! [3]) zweisilbig. [4]) °van Cod.
[5]) vyâptaḥ Cod. [6]) dreisilbig.

Der dunkle Raum stellt nicht, wie man mehrfach angenommen, die Verlängerung der bei ihrer Ausbreitung an scheinbarer Helligkeit verlierenden negativen Strahlen dar: die negativen Strahlen haben die Eigenschaft der geradlinigen Ausbreitung und werden durch eine feste Wand begrenzt, — sie können also nicht um eine Ecke gehen. Die mit gebogenen Cylinderröhren gewonnenen, in Fig. 5 u. Fig. 6 dargestellten Entladungsbilder bedürfen daher wohl keiner weiteren Erläuterung, um zu beweisen, dass der dunkle Raum nicht als die Fortsetzung des Kathodenlichts angesehen werden kann, und auch für sich keine geradlinige Ausbreitung besitzt.

Man muss also, wenn man annimmt, dass der Strom des Kathodenlichts sich zur ersten positiven Schicht fortpflanzt, annehmen, dass der Strom zwischen beiden eine Strecke weit in einer neuen Form der Leitung verläuft.

Ich kehre zu der ungebogenen Röhrenform, Fig. 4, zurück. Verdünnt man von da ab, wo der dunkle Raum aufgetreten ist, das Gas weiter, so weichen die positiven Schichten langsam gegen die Anode hin zurück; gleichzeitig verlängern sich die Strahlen des Kathodenlichts, und zwar schneller als die positiven Schichten zurückweichen. Man so kommt zu einer Dichte, bei der der dunkle Raum durch stete Verkleinerung verschwunden ist, und das negative Licht unmittelbar an die erste Schicht des positiven Lichts heranreicht.

Jetzt würde man annehmen müssen, dass die neue Form der Leitung ganz weggefallen ist, obwohl in den sichtbaren Theilen der Entladung mit Vernachlässigung der geringen Verschiebung der positiven Schichten inzwischen keine Änderung eingetreten ist, als dass die negativen Strahlen sich verlängert haben; ihre Eigenschaften wie die der positiven Schichten sind ganz dieselben wie vorher.

Ich verdünne nun noch weiter: Die positiven Schichten weichen wieder zurück, die Strahlen des Kathodenlichts verlängern sich und wieder schneller, als die positiven Schichten zurückweichen. Das negative Licht wächst jetzt in die Schichten hinein, während seine Eigenschaften ungeändert bleiben, sich nicht mit

---

mässig lang werden zu lassen, ist in Fig. 4 die dritte Schicht des Kathodenlichts weniger dick gezeichnet worden, als sie sich verhältnissmässig bei der Gasdichte, auf welche die Abbildung sich bezieht, zeigt.

shashṭivarshasahasrâṇi Kâçîvâseshu yat phalam |
tat phalaṃ nimishârddhena kalau Darduras aṃjnake || 27 ||
Gâdhideçasya pûrve ca trayojanavyatikrame |
Siddhâçramo mahâdeçaḥ paṃcakroçâtmako mataḥ || 28 ||
caturastrî(°rasrî?) Râmavedî lokapâtakakhaṇḍinî |
vivâhayâtrâsamaye çrîRâmeṇa vinirmitâ || 29 ||
Vyâghreço vartate yatra tathâ Vyâghrasarovaraḥ[1] |
snânena darçanenai 'va lokânâṃ pâpakhaṇḍinam[2] || 30 ||
Râma-vâmanayo(ḥ) rekhâ[3] prasiddhâ sarvajâtibhiḥ |
siddhâçrame mahâpuṇye purâ jâta(°tâ?) dvijottomâḥ || 31 ||
Bhojadeçe puṇyatamo grâmas sarvottamottamaḥ |
Jagadîçapurâkhyaç ca yugâdau saṃbhavishyati || 32 ||
prâyaço vaishṇavâs tatra nivasanti sudharmikâḥ |
yâvad vishṇuḥ pṛithivyâṃ ca çâideçe[4] ca sthâsyati || 33 ||
Jarâsiṃdhaniruddhânâṃ nṛipâṇâṃ lakshasaṃyujâm |
târaṇârthe çaraṇyânâṃ mâraṇârthe ca bhûpateḥ || 34 ||
yâcakadvijarûpeṇa yugâdau kapaṭena ca |
Bhîmasanena sahito râjagehaṃ purâ gataṃ[5] || 35 ||
gamana[6]kâle Bhojapure dinam ekam uvâsa ha |
mahimânam[7] îçvareçasya jnâtvâ lokaiç ca pûjitâḥ(°taḥ?) || 36 ||
tad-avadhi[8] kathyate lokair Jagadîçapuraṃ mahat |
yâvat Kṛishṇakathâ loke puryyâṃ viprâ vasaṃti tam(!) || 37 ||
iti bhavishyapurâṇe padmakhaṇḍe Kîkaṭadeçâṃtaravarti-Magadhadeçavarṇanam ||

---

[1]) mascul.! [2]) khaṇḍanaṃ? [3]) zur Râmarekhâ s. p. 44.
[4]) was mag mit çâi gemeint sein? doch nicht etwa شاهی? dás hätte denn freilich eine arge Servilität von Seiten des Vfs., gegenüber einem etwaigen moslemischen Patron, zur Voraussetzung. [5]) wohl gataḥ? [6]) zweisilbig.
[7]) dreisilbig. [8]) desgl.

an der Anode, und auch da nur bei den allergeringsten Dichten, in der Röhre kein positives Licht entwickelt; das Kathodenlicht aber breitet sich, ohne Rücksicht auf die Nähe der Anode, (wie bei Fig. 3 p. 90) durch das ganze Gefäss aus, so weit geradlinig von *a* ausgehende Strahlen dasselbe durchsetzen können. In den weitesten der 3 Cylinder, Z_3, dringt so ein Strahlenbündel, dessen Durchmesser durch die Weite der Communicationsöffnung bestimmt wird. Das Strahlenbündel dringt bei fortgesetzter Verdünnung bis zum Boden *B* durch, und seine Strahlenenden erregen dort helle grüne Phosphorescenz des Glases auf einer Kreisfläche, welche der Durchschnitt von *B* mit dem eingedrungenen Strahlenbündel ist.

Löst man nun *c* von der Verbindung mit dem Inductorium und macht, während *a* Kathode bleibt, *b* in dem zweiten Cylinder Z_2 zur Anode, so erscheint (der abgebildete Fall) eine lange, geschichtete Säule positiven Lichts, welche einige Centimeter oberhalb der Mündung von Z_1 beginnt, und nach Z_2, diesen Theil ganz erfüllend, zur Anode *b* sich fortsetzt. Z_3 bleibt wie vorher von positivem Lichte frei. In Z_1 aber ist das Bündel blauen Lichts und am Boden *B* die phosphorescirende Kreisfläche, wie vorher, unverändert sichtbar: der zu unmittelbarer Anschauung gebrachte Beweis, dass das Kathodenlicht in positives Licht ein- und hindurch dringt.

(Die grüne Kreisfläche verschwindet, sobald statt *a* der Draht *c* oder *b*, kurz irgend eine Elektrode zur Kathode gemacht wird, deren Strahlen eine andere Richtung als die von *a* ausgehenden haben). Die (quantitativen) Differenzen, welche positives und negatives Licht sonst zeigen, bleiben bei ihrer Mischung bestehen, gleich als ob in dem gemeinsam erfüllten Raume jedes von beiden gesonderte Existenz und Zusammenhang in sich hätte.

Die Annahme, dass die Entladung aus dem negativen Licht sich in die dem negativen Pol nächste positive Schicht, dann in die zweite Schicht etc. fortpflanze, zwingt also zu der weitern Annahme, dass die Entladung bei der zuletzt betrachteten Phase, nachdem sie das negative Licht bis an sein (in das positive Licht eingesenkte) Ende durchlaufen, wieder zurückspringt, um nun die erste positive Schicht zu bilden, und dann wieder den schon einmal als negatives Licht zurückgelegten Weg nun unter ganz denselben Verhältnissen als positives Licht noch einmal zurücklegt.

Aber selbst hiermit ist die Complication neuer Annahmen,

Ἐφήμερος τοῦ παντὸς ἐνιαυτοῦ σημείωσις ἐπιτολῶν τε καὶ δυσμῶν τῶν ἐν οὐρανῷ φαινομένων ἐκ τῶν κλαυδίου τοῦ Θούσκου καθ᾽ ἑρμηνείαν πρὸς λέξιν. ἡ ἀρχή· Ἰαννουάριος α΄. Ἥλιος ὑψοῦται, ὁ δ᾽ ἀετὸς σὺν τῷ στεφάνῳ δύεται. β΄. τῇ πρὸ δ΄ νόνων ἰαννουαρίων ὁ μὲν Ἥλιος πηδᾷ τὸ δὲ μέσον τοῦ.

μεθ᾽ ἃ εἵπετο ἡ παροῦσα περὶ πολιτικῶν ἀρχῶν πραγματεία, καὶ αὕτη ἀτελὴς ἐξίτηλος καὶ περὶ τὴν ὀρθογραφίαν χωλαίνουσα, ἀντιγραφεῖσα ὡς ἦν ἐφικτὸν κατὰ τὸ αψξέ ἔτος κατ᾽ ἀρχὰς τοῦ ἰουλίου.

Das zweite Blatt enthält Μαρτυρίαι παλαιῶν περὶ τοῦ συγγραφέως aus Theophylactus Simocatta, Photii Bibliotheca, Suidas und der Anthologie.

Hierauf folgt auf dem dritten Blatte: Περὶ ἐξουσιῶν. Ἱερέας γενέσθαι κτλ. wie in der Ausgabe von Fuss.

Der Verfertiger dieser Abschrift des alten Originals ist offenbar derselbe, welcher in letzterem allerlei angebliche Verbesserungen angemerkt hat. Denn die Lesarten, welche Fuss als von einer secunda manus herrührend erwähnt, finden sich in der Abschrift wiedergegeben. So z. B. steht in Letzterer

pg. 18 lin. 7 (der Ausgabe) ἐκεῖνο
pg. 22 lin. 3 „ κόκκηον
pg. 29 lin. 13 „ θυρεούς

u. s. w.

Der Abschreiber hat vielfach Worte ausgelassen und durch eine Lücke in seiner Abschrift bezeichnet, Worte, die es Fuss im Original zu entziffern gelungen ist. So lautet die Abschrift:

ἐπ᾽ ἄκρου δὲ τοὺς δακτύλους . . . . . σφίγγον ἱμάντων ἑκατέρωθεν . . . . τὸ ψάμα τοῦ ποδὸς ἑλκομένων ἐπὶ τὸ στη . . . . . των ἀλλήλοις καὶ διαδεσμούντων τὸν πόδα . . . . . δακτύλων ἔμπρὸς καὶ ἐξόπισθεν διαφαίνεσθαι . . . . ὅλον δὲ τὸν πόδα τῇ περισκελίδι διαλάμπειν καμ . . . . . αὐτῆς ἐπὶ τὸν κάμπον οἱονεὶ τὸ πεδίον χρει . . . . . ἐπὶ γὰρ τοῦ πεδίου κτλ.

wo die Ausgabe von Fuss p. 36 lin. 12 sqq. keine Lücken hat.

Die Abschrift endigt mit den Worten ὥστε καὶ σύντονον ἐντρέχειαν οἱ τότε (pag. 178 lin. 15 der Ausgabe). Alles Übrige fehlt.

Ich lasse dahin gestellt sein, ob eine Collation der Abschrift von Interesse sein möchte. Es fehlt zwar nicht an Varianten, wie z. B. dieselbe wird, deren Realität sich in keiner erkennbaren Wirkung nachweisen lässt. Speciell die am meisten adoptirte convective Auffassung des Entladungsvorganges dürfte in den Erfahrungen über die gegenseitige Durchdringung der verschiedenen Theile der Entladung eine entschiedene Widerlegung finden. —

Durch vieles Vergleichen und die Berücksichtigung aller anscheinend wesentlichen Phaenomene des Gebiets bin ich zu folgender Auffassung gelangt:

Das Kathodenlicht, jedes Büschel von secundärem negativem Licht, sowie jede einzelne Schicht des positiven Lichts stellen jedes für sich einen besondern Strom dar, der an dem der Kathode zugewandten Theile jedes Gebildes beginnt und am Ende der negativen Strahlen, bez. der Schichtkörper schliesst, ohne dass der in einem Gebilde fliessende Strom sich im nächsten fortsetzt, resp. ohne dass die Elektricität, welche durch eines fliesst, auch der Reihe nach in die andern eintritt.

Ich vermuthe also, dass ebenso viel neue Ausgangspunkte der Entladung auf einer zwischen zwei Elektroden gelegenen Gasstrecke vorhanden sind, als dieselbe secundäre negative Büschel oder Schichten zeigt, dass, wie nach wiederholt erwähnten Versuchen, alle Eigenschaften und Wirkungen der an der Kathode auftretenden Entladung sich am secundären negativen Lichte und den einzelnen positiven Schichten wiederfinden, auch der innere Vorgang an diesen, wie an jener derselbe sei.

Diese Auffassung löst dann, wie ich unten kurz zeigen werde, alle frühern Schwierigkeiten und macht die vorhin nöthigen mannigfaltigen Hilfshypothesen sämmtlich entbehrlich. Die gemachte Annahme schafft aber nicht nur ein einfaches einheitliches Bild der zahlreichen Erscheinungen, die zunächst zu ihr führen, sondern es gibt noch eine grosse Anzahl von andern Erscheinungen, welche mit dieser Annahme ausserordentlich gut harmoniren, ja theilweise sie nicht nur als zulässig, sondern sogar als nothwendig erscheinen lassen.

Da nach oft angezogenen Versuchen das positive Licht nichts ist als eine Umbildung des negativen, so werde ich auch beim positiven Lichte von Strahlen des elektrischen Lichts sprechen, und darunter den Inbegriff der leuchtenden Theilchen verstehen, welche auf einer Linie liegen, die die Richtung [illegible] uzung von

22. Januar. Gesammtsitzung der Akademie.

Hr. Virchow las über die anthropologischen Ergebnisse der seitherigen Ausgrabungen in der Troas.

Hr. Helmholtz übergab die folgenden zwei Abhandlungen des Hrn. Eugen Goldstein zur Aufnahme in die Monatsberichte mit dem Bemerken, dass dieselben Abschnitte aus den Berichten des Autors sind, auf welche hin ihm die Akademie Unterstützung seiner Versuche bewilligt hat, und zwar ist die erste Abhandlung (Über die Entladung der Elektricität in verdünnten Gasen) ein Theil des in der Sitzung vom 28. Januar 1878, die zweite (Über elektrische Lichterscheinungen in Gasen) ein Theil des unter dem 29. October 1879 vorgelegten Berichts.

I.
Über die Entladung der Elektricität in verdünnten Gasen.

Über eine neue Differenzirung elektrischer Strahlen.

Eine ausgedehnte Gruppe meiner Versuche suchte die Gesetze der Ausbreitung jener merkwürdigen von der Kathode in einem verdünnten Gase ausstrahlenden Bewegung zu ermitteln, die durch ihre geradlinige Fortpflanzung sich den schon lange studirten Formen der Schall- und Lichtbewegung als neues Glied an die Seite stellt. Schon Hittorf hatte gefunden, dass diese Bewegung, oder wie er es bezeichnet, jeder elektrische Strahl, da, wo er auf eine feste Wand trifft, begrenzt wird. Ich habe nun im vergangenen Jahr weiter ermittelt, dass mit dieser Begrenzung durch feste Körper eine eigenthümliche Differenzirung der Strahlen an den der festen Wand zugekehrten Enden verbunden ist. Diese Erkenntniss führte dann weiter zu einer befriedigenden Erklärung der durch das Kathodenlicht in den Wandungen der umschliessenden Gefässe erregten, in der Literatur schon öfter erwähnten Lichtprocesse. Diese Lichterregung wurde bisher als Fluorescenz bezeichnet und der hohen Brechbarkeit der von der ganzen Gasmasse um den negativen Pol ausgesandten Lichtstrahlen zugeschrieben. Man hielt sie ferner für gleichartig mit den Lichterregungen, welche auch die Schichten des positiven Lichts in ihrer Wandung, oder selbst durch die Wandung hindurch auf vorgehaltenen Chinin-Schirmen u. dergl. erregen.

Meine Versuche ergaben nun:

1) Die Lichterregung durch einen elektrischen Strahl des Kathodenlichts in stark verdünntem Gase tritt nur ein, wenn der Strahl eine feste Wand schneidet.

2) Der lichterregende Theil ist nicht die ganze Länge, sondern nur das äusserste Ende der Strahlen.

Man kann beide Sätze, deren vollständige experimentelle Ableitung ich hier nicht schildern kann, leicht verificiren, indem man aus einer ausgedehnten Masse Kathodenlichtes durch einen mit einer Öffnung versehenen Schirm ein scharf begrenztes Bündel ausschneidet. Wird dann dem Bündel, ebenfalls im Innern des Gefässes, seitlich eine sonst fluorescenzfähige Platte genähert, so leuchtet dieselbe auch bei grosser Annäherung an das Bündel nicht, weder wenn es frei endet, noch wenn es eine feste Wand schneidet und nun an seinem Ende Leuchten erregt.

3) Die Ursache der Lichterregung ist eine optische Einwirkung.

Dies folgt mit Wahrscheinlichkeit zunächst aus der Identität der Farben, welche eine Reihe verschiedener Substanzen beim Leuchten durch elektrische Bestrahlung und durch Insolation ausgeben (Flussspath, Kalkspath, Kaliglas, Bleiglas, Chlorsilber u. a.).

Mit grösserer Bestimmtheit folgt es daraus, dass leuchtfähige Platten wirklich erregt werden, wenn sie im Innern der Gefässe so aufgestellt sind, dass sie sich im Schatten der von der Kathode geradlinig ausgehenden Strahlen befinden, dagegen geradlinig mit den durch die Enden der elektrischen Strahlen getroffenen Wandpunkten verbunden werden können. Solche Platten leuchten mit dem ihrer eigenen Substanz entsprechenden Lichte, auch wenn sie von den Strahlen-Enden, die selbst keine messbare Länge haben, um 1 cm. entfernt sind. Die Moleküle an den Enden der Kathodenstrahlen senden also, wie gewöhnliche glühende Theilchen, Strahlen nach allen Richtungen und Entfernungen, die von der elektrischen Bewegung selbst nicht erreicht werden können.

(Für den zu 1) und 2) angegebenen Versuch resultirt hieraus die leicht zu erfüllende Vorsicht, die von den End-Molekülen schräg seitlich emittirten Strahlen durch einen Schirm abzuschliessen.)

Schon früher hatte ich, mit dem Einfluss der negativen Oberfläche auf die Entladung beschäftigt, gefunden, dass, wenn eine Kathode eine nicht vollständig glatte Oberfläche besitzt, das von den Kathodenstrahlen in einer festen Wand erzeugte Licht sehr regelmässige Abbildungen des Oberflächenreliefs darstellt. So reproducirt sich z. B. der Kopf einer als Kathode benutzten Münze an der Wand des umschliessenden Glasgefässes.

Solche und ähnliche Erscheinungen waren unerklärlich, so lange man die Lichterregung in den festen Wänden der von der ganzen Gasmasse oder der ganzen Länge der elektrischen Strahlen ausgehenden optischen Strahlung zuschrieb; eine solche konnte niemals scharfe Bilder, sondern nur gleichmässige Erleuchtung auf den bestrahlten Wänden erzeugen.

Hingegen erklärt das nunmehr aufgedeckte Verhalten der Strahlenenden im Gegensatz zur übrigen Strahllänge die beobachteten Erscheinungen ohne Weiteres.

Der optische Charakter der betrachteten Wirkungen wird endlich bestätigt durch die Existenz photochemischer Wirkungen, welche von den Strahlenenden, nicht aber von der ganzen Länge der Strahlen ausgeübt werden. Dieselben Substanzen, welche unter dem Einfluss hochbrechbarer Sonnenstrahlen zersetzt werden, erleiden dieselben Veränderungen, wenn sie von den Strahlenenden getroffen werden. Es gelang mir, als gemeinsame Controle der Sätze 2) und 3) direkte photographische Abbildungen der von einer Relief-Kathode an der Wand ihres Gefässes erzeugten Bilder zu erhalten, indem ich trockene lichtempfindliche Papiere an die Gefässwand schmiegte und nun die Strahlen an diesen Platten enden liess.

Ich erhielt Abbildungen z. B. auf doppelt chromsaurem Kali, auf Chlorsilber, namentlich gut auf dem sehr empfindlichen oxalsauren Eisenoxyd.

Weitere Versuche zeigten dann:

4) Die Modification des Strahlenendes wird nicht nur beim Auftreffen des Strahls auf eine erregungsfähige Wand, sondern jedesmal wenn er auf eine beliebige feste Substanz auftrifft, erzeugt.

Dies lässt sich zeigen, indem man die elektrischen Strahlen auf nicht zum Eigenleuchten fähige Substanzen, wie z. B. Quarz oder eine gewisse Modification von Glimmer, fallen lässt; sind dann entfernt von der Glimmerplatte und den Strahlenenden wieder wie oben leuchtfähige Platten, vom Glimmer geradlinig erreichbar, aufgestellt, — so geben sie Licht aus, sobald die elektrischen Strahlen den Glimmer treffen, obgleich dieser selbst dunkel bleibt.

Wird der Inductionsstrom, der die Röhre durchsetzt, in der gewöhnlichen Weise, d. h. ohne Einschaltung anderer nicht metallischer Widerstände als die evacuirte Röhre selbst, benutzt, so tritt die Differenzirung der Strahlenenden erst bei geringen Dichten ein. Es lässt sich indess zeigen, dass

5) die betrachtete Differenzirung nicht an bestimmte Dichten gebunden ist; sie kann, sobald die Kathode überhaupt mit Licht umkleidet ist, mittelst Einschaltung von verschieden langen Funken in freier Luft innerhalb einer weiten Dichtescala erzeugt werden.

Ebenso ist aber auch

6) das Phänomen nicht an eine bestimmte Entladungsintensität gebunden. Dies ergiebt sich einfach, indem man verschieden evacuirte Röhren hintereinander einschaltet, mit Rücksicht auf den früher (Berl. Akad. Ber. 1874, Aug.) von mir geführten Nachweis des Isochronismus der Entladungen in solchen Röhren. Die Beobachtung zeigt, dass wenn die Kathodenstrahlen in einer der Röhren das Leuchten fester Körper erregen, dies in andern noch nicht der Fall zu sein braucht, obwohl auch diese die Erscheinung zeigen, wenn sie auf dieselbe Dichte wie die erstleuchtende gebracht werden.

Es ergiebt sich somit, dass durch die geschilderte Modification das gesammte Licht um die Kathode sich mit einer heterogenen äussern Schicht umkleidet. — Die Lage der neuen Schicht hängt nur ab von der Lage der Wand und kann durch Verschiebung der Wand gegen die Kathode bei constanter Dichte in beliebig grosse Entfernung von der Kathode gebracht werden. Sie kann zugleich, immer durch die Strahlenenden gebildet, aus der äussersten Schicht des Kathodenlichts in eine der innern Schichten hineinrücken.

Wie die Entstehung der Strahl-Modification zu erklären ist, vermag ich bis jetzt nicht anzugeben.

Jedoch zeigt sich:

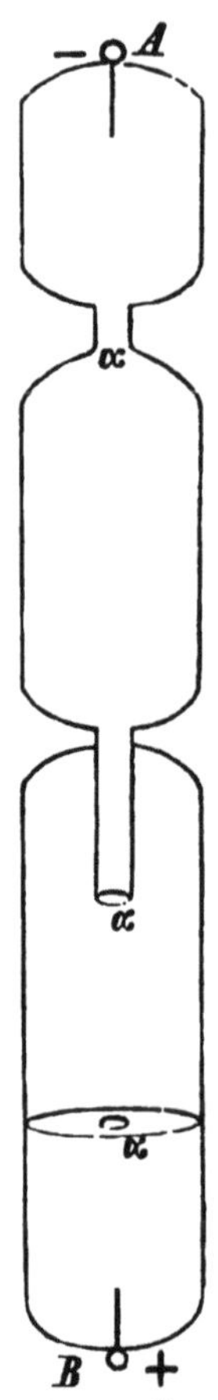

7) Dieselbe Differenzirung tritt auch ein bei den Strahlen des von mir aufgefundenen secundären negativen Lichts; ich nannte so Lichtgebilde, welche an einer beliebigen Stelle der Entladungsstrecke erzeugt werden, wenn man an der betreffenden Stelle eine Verengerung des Röhrenlumens anbringt; von der Einschnürungsstelle, die nach der Anode zu an ein weiteres Gefäss grenzt, geht dann in dieses weitere Gefäss eine Lichtmasse aus, die alle mir bekannt gewordenen Qualitäten des Kathodenlichts, nur quantitativ gemildert, darbietet. Der Ausgangsort der hier auftretenden negativen Strahlen ist der letzte Querschnitt des an das weitere Gefäss sich anschliessenden engern Rohrs, (als welches auch jede immer eine gewisse Länge erfordernde Einschnürung aufzufassen ist). In der nebenstehenden Figur sind die Stellen α die Ausgangsstellen des secundären negativen Lichts, dessen Strahlen sich nach *B* hin ausdehnen. Das Auftreten der modificirten Strahlenenden an solchen Strahlen, deren Ausgangspunkt im freien Gasraum liegt, zeigt somit, dass die Erklärung der Erscheinung nicht gesucht werden kann in den Eigenschaften, welche die Kathode als fester Körper und als metallischer Leiter besitzt.

8) Die Lichterregung durch die Enden der negativen Strahlen ist nicht gleicher Art mit dem bei geringerer Verdünnung durch die Schichten des positiven Lichts in den umgebenden Wandungen hervorgerufenen Leuchten.

Vielmehr ergeben die Beobachtungen, dass die übrigens ebenfalls optischen Strahlen, welche dieses Leuchten anregen, von der ganzen Masse der Schichten ausgehen. Man erhält deshalb auch bei scharfer Zeichnung der Schichten und starken Helligkeitsabstufungen im Übergange von der einen zur andern doch nur gleichmässig diffuses Leuchten der Wand längs der Säule der Schichten.

Was endlich den Charakter des Phänomens, um negatives wie um positives Licht, in **optischer** Beziehung anlangt, so dürfte wohl nicht zweifelhaft sein, dass man es hier mit einer Umwandlung hochbrechbarer Strahlen bezw. der in ihnen erfolgenden Schwingungen in Schwingungen von grösserer Wellenlänge zu thun hat, wie dies in den Erscheinungen der Fluorescenz und Phosphorescenz beobachtet wird. Auf Grund von Versuchen, welche mir schon früher zeigten, dass das Leuchten der festen Substanzen die Dauer der erregenden Entladungen beträchtlich übertrifft, spreche ich die beobachteten Wirkungen daher als Phosphorescenz-Erscheinungen an, — im Gegensatz zu der bisherigen Auffassung als Fluorescenz.

Es ergab sich ferner, dass von den zahlreichen geprüften Substanzen nicht eine einzige auch in den dünnsten herstellbaren Schichten für diese Strahlen noch durchlässig ist. Weder dünne Glashäutchen, noch die nach **Mascart** für hochbrechbare Strahlen so durchsichtigen Krystalle von Kalkspath und Quarz liessen Spuren davon hindurch. Schliesslich wurde auf eine Glaswand, die direkt von den Strahlen getroffen hell phosphorescirte, ein ausserordentlich dünnes Häutchen von Collodium abgelagert, indem ein Tropfen käuflichen Collodiums, nach starker Verdünnung mit Äther, rasch über das Glas ausgebreitet und dann abgedunstet wurde. Selbst diese Schicht, deren Dicke nur nach Hundertsteln eines Millimeters zu schätzen war, gab, als die elektrischen Strahlen auf sie fielen, auf der unmittelbar hinter ihr liegenden Wand einen so tintenschwarzen Schatten, wie ein metallisch-undurchsichtiger Körper.

Ohne numerische Werthe angeben zu können, darf man also doch die Scala der Wellenlängen, innerhalb deren die Vibrationen des Äthers noch als Licht wirksam werden, als über die von **Fizeau** gefundene untere Grenze hinausgeschoben betrachten.

Über die Ersetzung einer Kathode.

Eine Kathode von beliebiger Form kann in allen bisher vergleichbaren Beziehungen ersetzt werden durch ein System enger und dichtgedrängter Poren in einer *isolirenden*, mit der Kathode congruenten Fläche. Zu näherer Erklärung gebe ich sogleich die Beschreibung eines mir noch vorliegenden Gefässes (Fig. 2), in welchem eine cylindrische Kathode imitirt ist: Das Gefäss G setzt sich zusammen aus einer Kugel K mit der Elektrode a; an K schliesst sich das in den ca. 4 cm. weiten Cylinder Z eingeschmolzene Rohr r; über r ist an seinem offenen, b zugewandten Ende der aus ungeleimtem steifem Papier gerollte Cylinder P geschoben, der durch eine Glaskuppe g am andern Ende verschlossen ist. Die ganze Fläche von P ist durch zahlreiche feine Nadelstiche durchbohrt, durch welche also eine Communication von K durch das hohle Innere von P nach Z bis zur Elektrode b herbeigeführt worden ist.

Fig. 2.

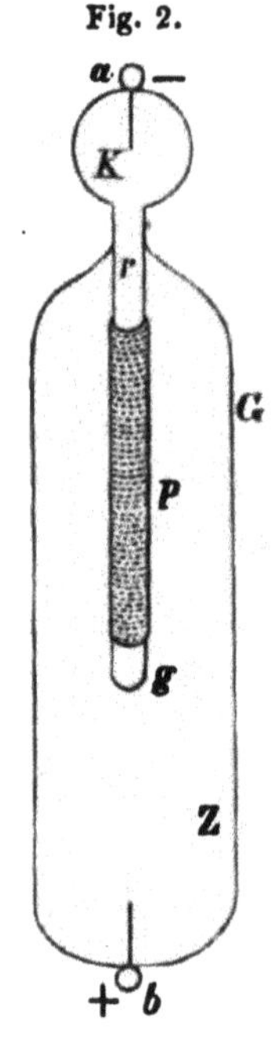

Wird das Gefäss nun evacuirt, a mit dem negativen, b mit dem positiven Pol des Inductoriums verbunden, so verhält sich der Papiercylinder, indem die Entladung aus den feinen Poren, von dem in diesen befindlichen Gase geleitet, heraustritt, qualitativ genau wie eine gleichgeformte Metall-Kathode. Ich habe die Vergleichung imitirter, durch ein Porennetz in Isolatoren ersetzter Kathoden, nach dreizehn, so weit erkennbar, von einander unabhängigen Eigenschaften durchgeführt, und überall die Deckung der Eigenschaften gefunden. Die magnetische Fläche Plücker's, die Phosphorescenz-Erregung durch die Enden des Lichts, die Umhüllung mit einem dunkeln Raum nach der Seite des positiven Lichtes hin, etc. etc. finden sich sämmtlich an diesen imitirten Kathoden wieder. [Statt Papier können auch Glasgewebe, und statt einer Isolatorsubstanz überhaupt auch isolirte Metalldrahtgewebe verwendet werden.][1]

Diese Resultate wurden erhalten in Verfolgung der bereits erwähnten Erscheinung, dass der letzte Querschnitt eines in die Entladungsbahn eingeschalteten engern Rohres sich nach der Anodenseite hin wie ein neuer negativer Pol verhält. Hierbei stimmt das von dem secundären negativen Pol ausgehende Licht um so mehr mit dem Licht an der Metallkathode auch quantitativ überein, je mehr der Querschnitt des engern Rohres von dem des sich anschliessenden

[1] [] Zusatz bei der Correctur.

Erscheinungen zeigen, welche die geschichtete Entladung gegenüber dem Magneten darbietet. Diese Erscheinungen wären hingegen unmöglich, wenn alle Schichten zusammen einen einzigen an Kathode und Anode sich inserirenden Strom bildeten.

Unmittelbar anschaulich zeigt sich die Zusammenhangslosigkeit der einzelnen Theile der Entladung, z. B. des Kathodenlichts mit der ersten Schicht des positiven Lichts, hierbei noch in Folgendem:

Wenn die Kathodenstrahlen sich spiralig einrollen, so folgt die erste Schicht des positiven Lichts keineswegs dem Ende des negativen Strahls auf seinen Umläufen, — sondern die Schicht bleibt ausserhalb der ganzen Spirale, an ihrer der Anode zugewandten Seite, ohne mit dem im Innern der Spirale liegenden Strahlenende irgendwelche Berührung zu haben.

Analog verhält sich jede Schicht gegen die nach der negativen Seite voraufgehende Schicht des positiven Lichts. —

Wie die von mir angedeutete Ansicht die oben dargelegten, aus der bisher üblichen Auffassung fliessenden Schwierigkeiten beseitigt, übersieht man schliesslich leicht:

Von der Kathode, wie von einer Anzahl zwischen den beiden Elektroden liegender Punkte, welche den Grenzen der positiven Schichten nach der Kathode hin entsprechen, gehen ungeschlossene Ströme aus, die auf ihrem Wege das verdünnte Gas zum Leuchten bringen, um so weiter reichend, je grösser die Verdünnung ist. Ist nun bei nicht sehr grosser Verdünnung die Länge der von der Kathode ausgehenden Entladung noch kürzer als das Intervall zwischen der Kathode und der nächsten Entladungsstelle (von der die erste positive Schicht ausgeht), so muss zwischen Kathodenlicht und erster positiver Schicht sich ein von keiner Entladung durchflossener Raum befinden, in welchem also auch kein Entladungslicht auftritt, der sogenannte Dunkle Raum.

Wächst die Stromlänge der Kathodenentladung bei der Verdünnung, so dass sie gleich dem Intervall zwischen Kathode und der nächsten Entladungsstelle wird, so erreichen die Kathodenstrahlen das positive Licht, — der Dunkle Raum ist verschwunden.

Wird die Stromlänge der Kathode noch grösser, als jenes Intervall, so setzt das Kathodenlicht sich in denjenigen Raum fort, in den von der zweiten Entladungsstelle her ebenfalls ein Strom sich tung. Die von *a* sich entfernenden Strahlen sind ebenso geradlinig, ebenso senkrecht zur Fläche *a* gerichtet, mit keiner Biegung versehen, wie die direkt nach *b* gerichteten Strahlen, und sie dehnen sich, wenn die Verdünnung fortschreitet, beliebig weit in der von der Anode abgewandten Richtung in den Gasraum aus.

Fig. 3.

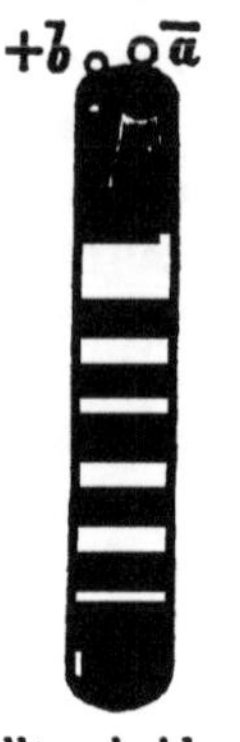

3.) Ein fernerer Fall, Fig. 3; *a* ist eine Fläche, welche den Röhrenquerschnitt nicht ganz ausfüllt, um noch Platz für die daneben gestellte Anode *b* zu lassen.

Dann gehen die Strahlen des negativen Lichts nicht nach der ganz nahen Anode hinüber, — sondern das negative Licht breitet sich, wie in der Figur dargestellt, ohne Rücksicht auf die Lage der Anode in geradlinigen Strahlen durch die ganze Länge der Röhre (z. B. 25 cm.) aus, ohne irgend welche sichtbare Verbindung mit der Anode.

Wie gelangt nun in den durch *2*) und *3*) dargestellten beiden Fällen die Elektricität von einem Pole zum andern, bezw. in welcher Bahn pflanzt sich die elektrische Erregung hier fort? Die Strahlen des negativen Lichts sind, wie schon Hittorf constatirte, elektrische Ströme, nicht etwa eine blosse Glüherscheinung, die sich um die Bahn der eigentlichen Entladung herum ausbreitet; das wird bewiesen durch das Verhalten der Strahlen gegen den Magneten, das dem Biot-Savart-Ampère'schen Gesetz bisher durchaus genügt. Man ist also genöthigt anzunehmen, dass die Strahlen dieses Lichts uns die Bahn der Elektricität zeigen, dass die letztere somit von der Kathode aus zunächst den Weg bis an das Ende der negativen Strahlen durchläuft; soll nun der Strom — gleichviel ob wir darin den Transport bestimmter identischer Elektricitätstheilchen oder nur eine Fortpflanzung der Erregung von Molekül zu Molekül sehen — nach der Anode gelangen, so muss er in *3*) denselben Weg, den er gekommen, wieder zurückgehen; in *2*) würde für die nach *b* hingerichteten Strahlen die bisherige Annahme des direkten Überganges ausreichen, für die sonst ganz gleich beschaffenen von der Anode abgewandten Strahlen aber müsste man den Hin- und Hergang der Elektricität annehmen.

Irgend eine Wirkung dieser hypostasirten zurückkehrenden Ströme aber ist in keiner Weise zu bemerken. Der Magnet lenkt

Diese Art der Phosphorescenz lässt sich beobachten, wenn man eine Elektrode des Entladungsgefässes mit einem feinen phosphorescenzfähigen Pulver umgibt, das den Raum zwischen Elektrode und Wand rings erfüllt, und auch das freie Ende der Elektrode noch überragt. Wenn man dann (während die Zuleitungsringe beider Elektroden mit dem Inductorium in leitender Verbindung stehen) die äussere Gefässwand um die Pulvermasse an einer Stelle ableitend berührt, so gehen von dem ableitenden Körper zur Glasfläche verästelte, sternartige Entladungen über, ähnlich denen, die man bei Erzeugung Lichtenberg'scher Figuren im Dunkeln auf der nichtleitenden Platte, welcher die Elektricität zuführende Spitze gegenübersteht, beobachtet.

Ausser diesen äussern Entladungen zeigen sich aber noch andere in der Umgebung der berührten Stelle zwischen der Innenwand und der sich ihr anschmiegenden Oberfläche der Pulvermasse. Auch diese Entladungen sind verzweigt, sie lassen aber im Allgemeinen eine viel reichere Verästelung, viel zierlichere dendritische Formen erkennen.

Diese innern Entladungen nun bringen die Oberfläche der Pulvermasse zum Leuchten; dieses Leuchten aber breitet sich nicht gleichmässig über die Fläche aus, sondern es stellt Muster von einer überraschenden Feinheit der Zeichnung dar, in denen sich die getreuen Abbilder aller dem Auge erkennbaren Verästelungen der Entladung wiederfinden. Die Phosphorescenz-Zeichnung zeigt aber ausserdem noch eine erstaunliche Menge feinerer Verästelungen, die das Auge in der erzeugenden Entladung selbst nicht zu erkennen vermag. Da dies von der Entladung erregte Phosphorescenzlicht viel heller ist, als das von der Entladung unmittelbar emittirte Licht, so ist wohl mit Recht zu vermuthen, dass die Phosphorescenz in den feinen Verästelungen Theile der Entladung zur Wahrnehmung bringt, die für die directe Beobachtung zu lichtschwach sind, und für deren Studium sich die Phosphorescenzerregung somit als ein nützliches Hilfsmittel erweist. Ich hoffe später zeigen zu können, dass das Studium solcher verästelter Büschelentladungen für eine nähere Erkenntniss des κατ' ἐξοχὴν sogenannten elektrischen Funkens und des Gewitterblitzes durchaus nothwendig sein dürfte.

Die grüne Phosphorescenz, welche in fein gestossenem Hohlglas durch solche Entladungen erzeugt wird, war bei abnehmender ich habe der Einfachheit halber zunächst die jenen Verdünnungen entsprechenden Bilder skizzirt.

Ist die Kathode wieder eine zur Cylinderaxe senkrechte Ebene *a*, die Anode eine am gegenüberliegenden Ende eingefügte beliebig geformte Elektrode *b*, so entspricht die Erscheinung der Entladung bei Vorhandensein des dunkeln Raumes der Fig. 4[1]).

Fig. 4. Fig. 5.

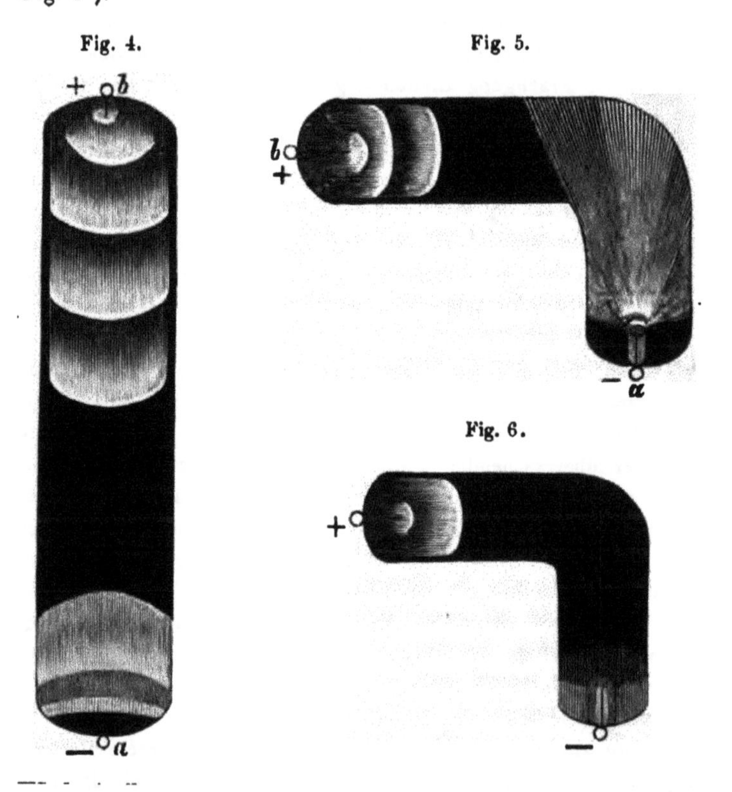

Fig. 6.

[1]) In den Figuren sind die verschieden gefärbten Schichten des Kathodenlichts durch verschiedene Schraffirung angezeigt: die erste, der Kathode nächste Schicht ist für Luft chamoisgelb, die zweite wasserblau, die dritte, die Hauptmasse des Lichts bildend, blau mit einem Stich nach violett. Zwischen dem geschichteten positiven Licht und der Wandung liegt ein dunkler Raum, in weitern Röhren bis zu mehrere Millimeter Breite, den die bisherigen Beschreibungen noch nicht erwähnen. — Um die Figur nicht über-

Der dunkle Raum stellt nicht, wie man mehrfach angenommen, die Verlängerung der bei ihrer Ausbreitung an scheinbarer Helligkeit verlierenden negativen Strahlen dar: die negativen Strahlen haben die Eigenschaft der geradlinigen Ausbreitung und werden durch eine feste Wand begrenzt, — sie können also nicht um eine Ecke gehen. Die mit gebogenen Cylinderröhren gewonnenen, in Fig. 5 u. Fig. 6 dargestellten Entladungsbilder bedürfen daher wohl keiner weiteren Erläuterung, um zu beweisen, dass der dunkle Raum nicht als die Fortsetzung des Kathodenlichts angesehen werden kann, und auch für sich keine geradlinige Ausbreitung besitzt.

Man muss also, wenn man annimmt, dass der Strom des Kathodenlichts sich zur ersten positiven Schicht fortpflanzt, annehmen, dass der Strom zwischen beiden eine Strecke weit in einer neuen Form der Leitung verläuft.

Ich kehre zu der ungebogenen Röhrenform, Fig. 4, zurück. Verdünnt man von da ab, wo der dunkle Raum aufgetreten ist, das Gas weiter, so weichen die positiven Schichten langsam gegen die Anode hin zurück; gleichzeitig verlängern sich die Strahlen des Kathodenlichts, und zwar schneller als die positiven Schichten zurückweichen. Man so kommt zu einer Dichte, bei der der dunkle Raum durch stete Verkleinerung verschwunden ist, und das negative Licht unmittelbar an die erste Schicht des positiven Lichts heranreicht.

Jetzt würde man annehmen müssen, dass die neue Form der Leitung ganz weggefallen ist, obwohl in den sichtbaren Theilen der Entladung mit Vernachlässigung der geringen Verschiebung der positiven Schichten inzwischen keine Änderung eingetreten ist, als dass die negativen Strahlen sich verlängert haben; ihre Eigenschaften wie die der positiven Schichten sind ganz dieselben wie vorher.

Ich verdünne nun noch weiter: Die positiven Schichten weichen wieder zurück, die Strahlen des Kathodenlichts verlängern sich und wieder schneller, als die positiven Schichten zurückweichen. Das negative Licht wächst jetzt in die Schichten hinein, während seine Eigenschaften ungeändert bleiben, sich nicht mit

---

mässig lang werden zu lassen, ist in Fig. 4 die dritte Schicht des Kathodenlichts weniger dick gezeichnet worden, als sie sich verhältnissmässig bei der Gasdichte, auf welche die Abbildung sich bezieht, zeigt.

denen des positiven Lichts, mit dem es sich gegenseitig durchdringt, ausgleichen.

Fig. 7.

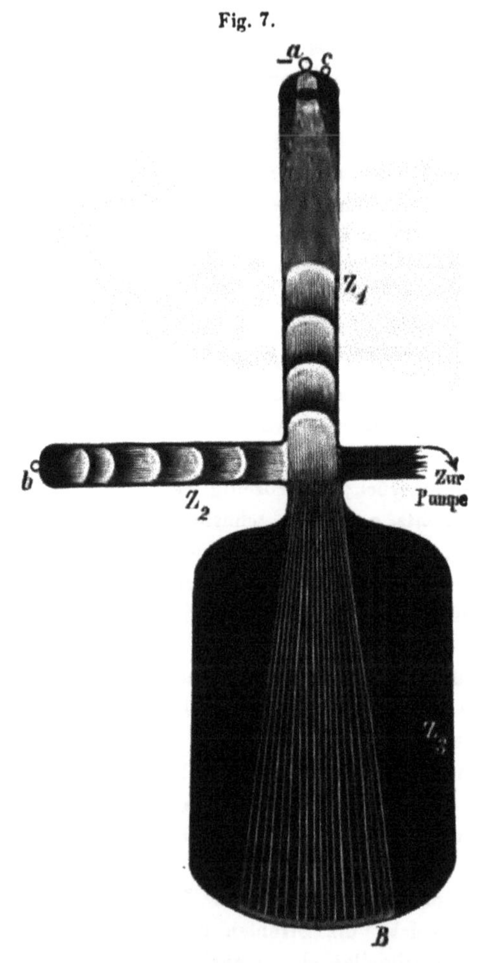

Man kann den Beweis für das Eindringen des negativen Lichts in das positive auf verschiedene Weise führen. In Fig. 7, welche den Durchschnitt eines aus 3 Cylindern zusammengesetzten Gefässes darstellt, ist die Kathode *a* der Querschnitt eines an der Längsseite mit Glas umschmolzenen dickern Drathes. Ist der neben *a* stehende Draht *c* die Anode, so wird, ausser ganz dicht an der Anode, und auch da nur bei den allergeringsten Dichten, in der Röhre kein positives Licht entwickelt; das Kathodenlicht aber breitet sich, ohne Rücksicht auf die Nähe der Anode, (wie bei Fig. 3 p. 90) durch das ganze Gefäss aus, so weit geradlinig von *a* ausgehende Strahlen dasselbe durchsetzen können. In den weitesten der 3 Cylinder, Z_3, dringt so ein Strahlenbündel, dessen Durchmesser durch die Weite der Communicationsöffnung bestimmt wird. Das Strahlenbündel dringt bei fortgesetzter Verdünnung bis zum Boden *B* durch, und seine Strahlenenden erregen dort helle grüne Phosphorescenz des Glases auf einer Kreisfläche, welche der Durchschnitt von *B* mit dem eingedrungenen Strahlenbündel ist.

Löst man nun *c* von der Verbindung mit dem Inductorium und macht, während *a* Kathode bleibt, *b* in dem zweiten Cylinder Z_2 zur Anode, so erscheint (der abgebildete Fall) eine lange, geschichtete Säule positiven Lichts, welche einige Centimeter oberhalb der Mündung von Z_1 beginnt, und nach Z_2, diesen Theil ganz erfüllend, zur Anode *b* sich fortsetzt. Z_3 bleibt wie vorher von positivem Lichte frei. In Z_3 aber ist das Bündel blauen Lichts und am Boden *B* die phosphorescirende Kreisfläche, wie vorher, unverändert sichtbar: der zu unmittelbarer Anschauung gebrachte Beweis, dass das Kathodenlicht in positives Licht ein- und hindurch dringt.

(Die grüne Kreisfläche verschwindet, sobald statt *a* der Draht *c* oder *b*, kurz irgend eine Elektrode zur Kathode gemacht wird, deren Strahlen eine andere Richtung als die von *a* ausgehenden haben). Die (quantitativen) Differenzen, welche positives und negatives Licht sonst zeigen, bleiben bei ihrer Mischung bestehen, gleich als ob in dem gemeinsam erfüllten Raume jedes von beiden gesonderte Existenz und Zusammenhang in sich hätte.

Die Annahme, dass die Entladung aus dem negativen Licht sich in die dem negativen Pol nächste positive Schicht, dann in die zweite Schicht etc. fortpflanze, zwingt also zu der weitern Annahme, dass die Entladung bei der zuletzt betrachteten Phase, nachdem sie das negative Licht bis an sein (in das positive Licht eingesenkte) Ende durchlaufen, wieder zurückspringt, um nun die erste positive Schicht zu bilden, und dann wieder den schon einmal als negatives Licht zurückgelegten Weg nun unter ganz denselben Verhältnissen als positives Licht noch einmal zurücklegt.

Aber selbst hiermit ist die Complication neuer Annahmen,

zu welcher die auf den ersten Blick so einfache, sonst adoptirte Vorstellung von der Entladung führt, noch nicht erschöpft. — Ich habe mich überzeugt, dass auch das secundäre negative Licht, welches an Verengungen der Röhren nach der Anode hin ausstrahlt, in das hinter der Verengung folgende positive Licht eindringt: wir würden also das Zurückspringen der Elektricität, und ihren Verlauf einmal als positives, einmal als negatives Licht ebenso oft in jeder Röhre haben, als dieselbe Verengungsstellen besitzt.

Hat man nun als Kathode wieder, wie in Fig. 8, eine senkrecht zur Cylinderaxe gerichtete Ebene, von der die Kathodenstrahlen sich also in der Längsrichtung des Cylinders ausbreiten, so würde man, da die Kathodenstrahlen bei genügender Verdünnung des Gases auch durch den Cylinder II sich ausdehnen, folgenden Gang der Elektricität haben: Zunächst von *a* aus ans Ende der bis tief in II hineinreichenden Kathodenstrahlen, dann rückwärts zum Beginn des bei *r* sich inserirenden secundären negativen Büschels; in den Strahlen desselben wieder nach vorwärts (zur Anode hin), und von den Enden der Strahlen, die in das positive Licht eindringen, nochmals rückwärts zur ersten positiven Schicht, um von da zum dritten Male dieselbe Bahn zu gehen.

Fig. 8.

Das secundäre negative Licht geht nun aber, wenn der Querschnitt der Verengung sich der Weite des (nach der Anode hin) anstossenden Röhrentheils nähert, continuirlich in eine Schicht des positiven Lichts über, und besondere Versuche lassen schliessen, dass bei geringen Dichten auch die Schichten in einander sich ausbreiten, länger sind als ihre scheinbaren Intervalle.

Wie die Complication der an die gewöhnliche Vorstellung von der Entladung sich anschliessenden Annahmen dadurch weiter vermehrt wird, brauche ich nicht auszuführen. —

Ich glaube nicht, dass man den bis hierher geschilderten Erscheinungen gegenüber, deren Aufzählung sich noch sehr erweitern liesse, die gemeingültigen Anschauungen für sehr plausibel halten, und um der Conservirung dieser Anschauungen willen ein halbes Dutzend neuer Annahmen über unsichtbare Vorgänge unterschreiben

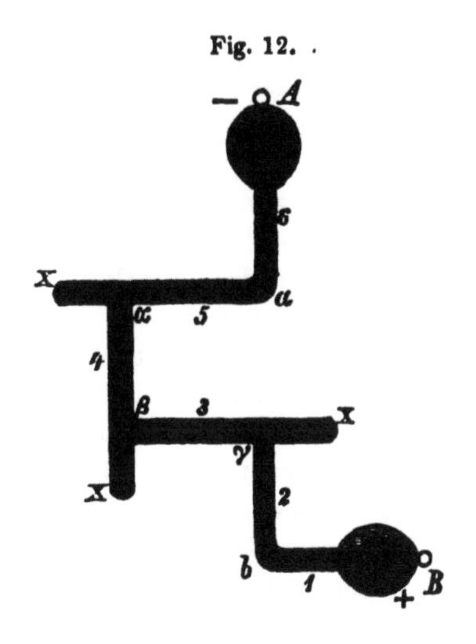

wie vorher nach *6*. Hinter der Biegung liegt wieder ein schräges positives Maximum, das nach der negativen Seite scharf abfällt; die positiven Strahlen in *5* biegen nicht bei *a* nach dem Rohr *4* um, sondern verlängern sich mit abnehmender Dichte immer mehr in den Fortsatz *x* hinein, bis sie denselben vollständig erfüllt haben; am geschlossenen Ende von *x* tritt alsdann grüne Phosphorescenz auf; hingegen zeigt sich jetzt keine Phosphorescenz an dem der Mündung *a* gegenüberliegenden Stücke von *5*. Am Eingang von *4* liegt wieder ein schaliges positives Maximum, über dem das Bündel in *5* deutlich gesondert verläuft. Dieselben Erscheinungen treten an allen entsprechenden Stellen des Gefässes auf, wie die Figur es andeutet: das positive Licht schlägt auch bei β und bei γ nicht den kürzesten Weg zur Anode, also mit Umgehung der Fortsätze ein, sondern dehnt sich bis ans Ende der Fortsätze aus und erregt hier Phosphorescenz. Die letztere fehlt, wie gegenüber α, auch gegenüber β und γ.

Die Versuche zeigen somit: Wie das Kathodenlicht breitet auch das positive Licht mit wachsender Gasverdünnung sich in gerader Richtung so weit aus, als die Raumverhältnisse des Entladungsgefässes es gestatten; es erfüllt jeden Raum, der in der Richtung seiner Strahlen, ohne eine feste Wand schneiden zu müssen, erreicht werden kann, auch wenn der Weg zu diesem Raum und bis zu seiner Begrenzung abweicht von dem kürzesten Wege nach der Anode.

Über die Crookes'sche Theorie der Entladungserscheinungen.

W. Crookes hat in Phil. Mag. Jan. 1879 eine Theorie der Phosphorescenzerregung durch die elektrischen Strahlen aufgestellt, welche diese Erregung in nahe Beziehung bringt zu der (von der irgend einem Punkte in der nach dem negativen Pol gekehrten Grenzfläche der Schicht bis an die zweite Grenzfläche darstellt.

Aus meinen Versuchen habe ich nun den Satz abstrahiren können:

Die Eigenschaften, welche die Entladung in einem bestimmten Punkte ihrer Bahn zeigt, hängen nicht sowohl ab von den Verhältnissen an dem betrachteten Punkte selbst, als vielmehr von den Verhältnissen an der Stelle, von welcher der durch den betrachteten Punkt gehende Strahl seinen Ursprung nimmt.

Oder etwas anders ausgedrückt: Ein elektrischer Strahl hat in seiner ganzen Länge die Eigenschaften, welche die Entladung an seiner Ursprungsstelle besitzt, und welche durch die Beschaffenheit dieser Ursprungsstelle bedingt sind.

Wenn z. B. zwei elektrische Strahlen in ganz gleich weiten, gleichgeformten Theilen desselben Entladungsgefässes verlaufen, dabei auch in Medien von genau identischer chemischer und physikalischer Beschaffenheit, so sind ihre Eigenschaften verschieden, wenn der Ursprung des einen Strahls in dem betrachteten Röhrenstücke selbst liegt, der andere aber von der Grenzstelle zwischen diesem Stück und einem andern von kleinerer Weite entspringt.

Schon das angeführte Beispiel lässt erkennen, dass hierher auch alle die Erscheinungen über den Einfluss der Querschnittsänderung auf den Charakter des Lichts als positiven oder negativen Lichts gehören[1]).

Ich will versuchen, durch ein frappantes Beispiel den angezogenen Satz anschaulich zu machen. In weiteren, mit Luft gefüllten Röhren, z. B. Cylindern von 2 cm. und mehr Weite, hat das geschichtete positive Licht eine gelbrothe Farbe und giebt prismatisch analysirt das von Plücker und Hittorf beschriebene und abgebildete, aus zahlreichen hellen, dichtgedrängten Banden bestehende Spectrum des Stickstoffs. Enge Cylinder dagegen zeigen bei denselben Dichten, wo weite gelbroth sind, blaues Licht, dessen Spectrum nur wenige der Banden deutlich erkennen lässt, welche das Spectrum des gelbrothen Lichts constituiren.

Lässt man nun zwei weite Cylinder durch ein etwa $1\frac{1}{2}$ mm.

[1]) Monatsber. d. Akad. 1876, p. 279.

Röhrchen communiciren, wie in Fig. 9, so
e positiven Schichten in den beiden Cy-
gelbroth, und das Licht des engen Röhr-
st blau. Von der der Anode zugewandten
; des Röhrchens aber breitet sich in den
Cylinder secundäres negatives Licht aus,
Strahlen in der Verlängerung des engen
ens ganz dieselbe blaue Farbe und dasselbe
m zeigen, wie das gesammte Licht des en-
rchen, von dessen Ende sie entspringen.
rlängern sich mit wachsender Verdünnung
hlen des secundären negativen Lichts, so
ch die zukommende Verlängerung stets
ne Farbe, und blaues Licht mit seinem
imlichen Spectrum kann so an jeder vor-
gelbrothem Licht eingenommenen Stelle
linders erscheinen, wenn die secundären
n Strahlen bis zu dieser Stelle sich aus-
Die dicht daran stossende erste positive
zeigt gelbrothes Licht.

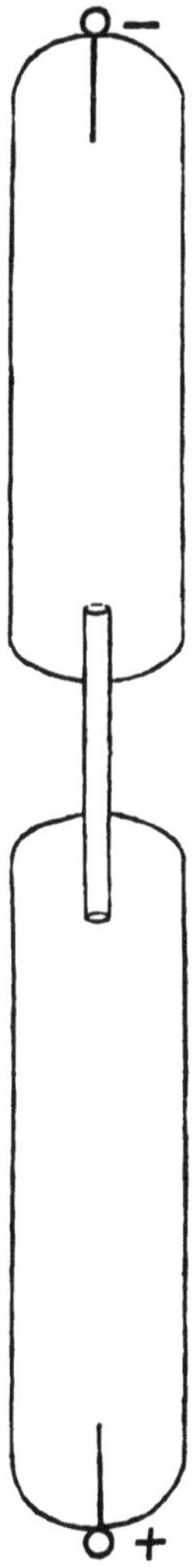

rbindet man mehrere hinter einander lie-
gleich weite Cylinder durch verschieden
die Cylinder hineinragende Röhrchen von
n Lumen, so besitzt das Blau, welches die
öhrchen bei geringer Dichte zeigen, je nach
umen eine verschiedene Sättigung, indem
ehmender Weite sich Gelbroth dem Blau
t.

jedem Röhrchen tritt nun in den nach
odenseite angrenzenden weitern Cylinder
mplex von secundärem negativen Licht,
nentlich der in der Verlängerung des Röhr-
elbst verlaufende Mitteltheil eines jeden hat
lasjenige Blau (und zwar in seiner ganzen,
Verdünnung immer zunehmenden Länge), welches dem en-
rchen entspricht, von dem die secundären negativen Strah-
pringen.

Fig. 9.

gegen zeigen die positiven Schichten in sämmtlichen Cy-
genau identische gelbrothe Färbung.

Man wird gestehen müssen, dass diese mit zahlreichen analogen Erscheinungen ganz den Eindruck machen, als stellte jedes secundäre negative Büschel eine Bewegung dar, welche an der Ursprungsstelle des Büschels erregt, sich von da aus auf das angrenzende Medium überträgt; so weit die Erregung sich fortpflanzt, nimmt also jedes ergriffene Theilchen die charakteristische Bewegungsform an, welche an der Ursprungsstelle der Büschelstrahlen erzeugt ist, — während bei einer Analogie der Entladung mit der Leitung in Metallen und Elektrolyten für die Erscheinung in jedem Punkte nur die Verhältnisse an dem Punkte selbst maassgebend sein könnten.

Je enger die zwischen den weiteren Gefässen eingeschalteten Röhrchen sind, desto reiner wird, wie erwähnt, ihr Blau, und desto mehr treten in dem von ihrem Licht gelieferten Spectrum alle Banden desselben bis zum Erlöschen zurück, ausser 4 ganz bestimmten, in denen fast alles Licht sich concentrirt.

Man versteht jetzt, weshalb in einem gleichmässig weiten Gefäss, dessen positives Licht durchweg gelbroth ist, die Umgebung der Kathode aus blauem Licht besteht. Wir sahen, dass eine Kathode angesehen werden kann als ein System feiner leitender Poren in einer sonst isolirenden Oberfläche; das Kathodenlicht muss also dann aus Strahlen bestehen, welche die Eigenschaften des Lichts sehr enger Röhren besitzen, — und in der That stimmt nicht nur die Farbe der Kathodenstrahlen mit dem Blau enger Röhren überein, sondern das Spectrum des Kathodenlichts besteht auch gerade aus denselben 4 Banden mit denselben Nebenmaximis in analoger Helligkeitsvertheilung, welche dem Blau der engen Röhren angehören.

Die von mir oben p. 97 ausgesprochenen Vermuthungen über den wahren Charakter einer anscheinend einfachen Entladung zwischen zwei Metallelektroden werden nun aber namentlich, wie mir scheint, unterstützt durch die Art der Einwirkung des Magneten auf die Entladung. Es geht daraus in der That hervor, dass jedes negative Büschel wie jede positive Schicht ein einheitliches Ganze für sich bildet.

Jedes negative Büschel nämlich, Kathodenlicht wie secundäres negatives Licht, sowie jede einzelne positive Schicht rollt sich bei der Magnetisirung jede für sich zu einer einzigen magnetischen Curve zusammen, und zwar ganz unabhängig von der Ausdehnung,

Hr. Crookes hat in verschiedenen Veröffentlichungen unter andern auch die Behauptung ausgesprochen, dass die Kathodenstrahlen stets senkrecht zu der emittirenden Fläche sich ausbreiten. Als Beleg dafür wird ein Versuch mit einem als Kathode benutzten kleinen sphärischen Hohlspiegel angeführt, bei welchem die an der Wand auftretende Phosphorescenzfläche auf einen Punkt sich reducirt, wenn die Wand gerade den Krümmungsmittelpunkt des Hohlspiegels aufnimmt. Nach meinen Erfahrungen über Strahlenablenkungen war ich überzeugt, dass die Thesis von Crookes nicht richtig sein konnte, und nach Beobachtungen, die ich selbst früher an verschiedentlich gekrümmten Kathoden angestellt hatte, vermuthete ich, dass auch das als Beweis von Crookes angeführte Experiment unvollständig beschrieben sei.

Zur Prüfung meiner Vermuthung stellte ich Versuche mit einem als Kathode fungirenden sphärischen Hohlspiegel an, dessen Öffnung 21½ mm., dessen Krümmungsradius 12½ mm. betrug.

Es ergab sich, dass wenn der Spiegel die von Crookes gewählte Lage gegen die Wand hatte, allerdings unter bestimmten Umständen die Phosphorescenzfläche des Kathodenlichts sich auf einen Punkt reducirte; aber bei constant gelassener Spiegellage konnten sowohl durch Funkeneinschaltung in die Entladung, als durch Änderung der Gasdichte statt dieses Punktes Flächen von sehr merklichem und sehr verschiedenem Durchmesser als „Brennflächen“ des Hohlspiegels erzielt werden. Ich erlaube mir, zur Veranschaulichung einige Daten der Versuche anzuführen.

Die Entfernung des Spiegelmittelpunktes von der Wand betrug 15 mm.; ein kleiner Ruhmkorff'scher Apparat, der in freier Luft Funken von etwa 1½ cm. Länge liefern konnte, wurde durch die 4 cm. weite Cylinderröhre entladen, deren Mittelaxe von der Spiegelaxe unter rechtem Winkel geschnitten wurde. Bei c. ⅛ cm. Gasdruck erscheint als Brennfläche eine runde helle Phosphorescenzscheibe von 4 mm. Durchmesser. Wird nun in den Schliessungsbogen ausser der Röhre noch eine Luftstrecke von variirender Länge eingeschaltet, so vergrössert der Durchmesser der Phosphorescenzfläche sich, und zwar um so mehr, je länger der miteingeschaltete Funken wird. Der Durchmesser der Fläche steigt so bis auf 1 cm. (Die Durchmesser wurden durch Auflegen eines getheilten Papierstreifens auf den Cylinderumfang gemessen.)

che bei der erwähnten Auffassung als der Ausgangspunkt ihrer Strahlen zu betrachten ist: das ist die dem negativen Pol zugewandte Grenze der Schichten. Diese Grenze braucht in dem Gefässraum unter verschiedenen experimentellen Bedingungen nicht immer fixe Lage zu behalten; trotzdem rollen die Strahlen sich stets gegen den jeweiligen Ort ihres Ausgangspunktes hin auf.

Sehr charakteristisch ist die Erscheinung, wenn im unmagnetisirten Zustande das Kathodenlicht bereits tief in das positive Licht, über die erste Schicht desselben hinaus, eingedrungen ist.

Das Ende des Kathodenlichts liegt dann also weiter von der Kathode ab als das Ende der ersten, und je nach der Verdünnung auch der zweiten, dritten etc. positiven Schicht.

Gleichwohl rollt sich das Ende der Kathodenstrahlen bei der Magnetisirung bis zur Kathode hin in die durch letztere gehende magnetische Curve zusammen; und erst durch einen dunklen Zwischenraum getrennt folgt nach der Seite der Anode hin eine Curve, in welcher alle Strahlen der ersten positiven Schicht zusammengerollt sind, dann eine Curve der zweiten etc.

Es zeigt dies, dass nicht die absolute Lage und Ausdehnung der Strahlen ihre Einstellung durch den Magneten bedingt, sondern die enge Beziehung, welche zwischen allen Punkten eines Strahls und seinem Ausgangspunkte besteht, durch welche jeder von einem bestimmten Punkte entspringende Lichtcomplex als ein einheitliches, zusammenhängendes Ganze erscheint. —

Im Sinne der hier vertretenen Vermuthungen setzen die aufeinanderfolgenden Schichten der Entladung sich nicht in einander fort, auch wenn sie durch die Verlängerung ihrer Strahlen dicht aneinandergrenzen oder sich sogar theilweise räumlich decken. Wenn jede einzelne Schicht demnach zu einer einzelnen Curve zusammengewickelt wird, so werden diese Curven im Allgemeinen distinct sein müssen, nicht, wie es bei einer Fortsetzung des Stromes aus einer in die andere der Fall wäre, zu einer zusammenhängenden Lichtfläche zusammenfliessen.

In der That beobachtet man, wenn der Magnet die Schichten zu magnetischen Curven zusammengerollt hat, dass die Curven getrennt erscheinen, und dass zwischen jeder und der auf sie folgenden sich ein dunkler Zwischenraum befindet.

Die Grösse der Brennflächen wächst also hier und ebenso im Allgemeinen bei Einschaltung eines Funkens und mit der Verlängerung desselben; bei abnehmender Gasdichte vermindert sich die Grösse der bei metallischer Schliessung auftretenden Fläche; gleichzeitig vermindert sich die Grösse des Maximums, auf welches der Flächendurchmesser durch Funkeneinschaltung gebracht werden kann, und zwar in noch stärkerm Maasse als die Grösse der bei rein metallischem Bogen auftretenden Fläche; die Amplitude, innerhalb deren die Flächengrösse schwanken kann, wird also bei zunehmender Evacuation immer geringer, bis bei ganz geringen Dichten der Flächendurchmesser unabhängig von der Funkeneinschaltung, constant wird.

Man könnte vielleicht vermuthen, dass die Änderung in der Grösse der Fläche, welche die Fusspunkte der vom Spiegel ausgehenden Strahlen aufnimmt, nur eine scheinbare sei; die Fläche selbst habe vielleicht constante Ausdehnung; bei verschiedenen Graden der Evacuation und der Entladungsintensität aber sei die Helligkeit der erregten Phosphorescenz eine verschiedene; wenn nun die Fläche noch nicht überall gleiche, sondern vom Centrum aus abnehmende Erleuchtung besitze, so könnten bei starker Intensität der Phosphorescenz weiter nach aussen liegende Zonen der Fläche sichtbar sein, als bei minderer Phosphorescenzhelligkeit, wo nur die innersten Theile zur Wahrnehmung hell genug wären. Die Vergrösserung und Verkleinerung der Brennfläche reducirte sich also auf eine Vermehrung und Verminderung ihrer Helligkeit.

Mit Rücksicht auf solche Einwände muss noch hervorgehoben werden, dass die Helligkeit der Fläche vom Centrum bis zur Peripherie nur sehr wenig abnimmt, an der Peripherie aber bei jeder Grösse der Fläche nach aussen sehr rasch abfällt, so dass die Begrenzung der Fläche sonst eine scharfe und deutlich bestimmte ist; ferner zeigt in den Versuchen die Verminderung der Flächengrösse sich bei abnehmender Gasdichte, während bekanntermaassen die Verringerung der Dichte sonst eine Verstärkung der Phosphorescenz zur Folge hat. Ausschlaggebend ist aber eine Erscheinung, die durch eine leichte Unvollkommenheit des benutzten Spiegels veranlasst war: der durch Stanzen (und nachfolgendes Poliren) hergestellte Spiegel war nahe dem Rande wegen der mangelhaften Geschmeidigkeit des Eisens, aus dem er gefertigt, an

Das Büschel besteht aus einem Vollkegel divergenter Strahlen. Die nahe um die Axe gelagerten Strahlen des Kegels heben sich durch grössere Helligkeit stets von den weiter nach aussen gelegenen deutlich ab; liegt also die Kegelaxe genau äquatorial, so kann an dem hellen Mittelbüschel die Bewegung der Strahlen gegen den Magneten bei äquatorialer Einwirkung erkannt werden.

Dieses Bündel nun geht mit wachsender Stärke des Magnetismus aus einem geraden Lichtfaden in eine zuletzt äusserst enge, ebene Spirale über, deren Ebene mit der Äquatorial-Ebene selbst zusammenfällt. Bei grosser Stärke des Magneten liegt der Durchmesser der Spirale schliesslich unterhalb 1 mm., so dass sie als nahe ein Lichtpunkt erscheint.

Liegt die Kegelaxe aber schräg gegen die Äquatorial-Ebene, so zeigen die Deformationen des hellen Mittelbüschels die Einwirkung des Magneten auf diejenigen Strahlen, welche grössere Winkel mit der Äquatorial-Ebene bilden. Ein solches schräges Bündel rollt sich magnetisirt zu einer Schraubenspindel auf, deren Windungen um so höher sind, je grösser der Winkel der Strahlen gegen die Äquatorial-Ebene, und um so enger, je näher sie dem Magnetpol liegen.

Mit wachsender Stärke des Magnetismus legen sich die Windungen dieser Schraubenlinien, von denen die vorerwähnte ebene Spirale einen speciellen Fall bildet, immer enger um die magnetische Curve, welche durch den Ausgangspunkt der Strahlen geht, und gehen für das Auge schliesslich in sie über. Eigentlich ist die magnetische Curve also nur die geometrische Axe der wahren Form des magnetisirten Lichts.

Man sieht aus dem Angeführten, dass die Formen der magnetisirten Strahlen die sind, welche ein von einem gleichgerichteten Strome durchflossener, gegen den Magnet gleichgelagerter, mit einer gewissen Steifigkeit begabter, linearer Leiter annehmen muss, wenn derselbe einseitig fixirt, am andern Ende aber frei ist.

Wirkte nun der Magnet auf einen aus mehreren in Richtung des Stromes aufeinanderfolgenden Stücken zusammengesetzten Leiter, welche Stücke sämmtlich am einen, dem negativen Pol zugewandten Ende fest, oder wenigstens senkrecht zur Stromrichtung schwer verschiebbar, am andern Ende aber frei wären, — sô würde ein solches System, indem es sich in ebensoviel einzelne magnetische Curven deformirte als einzelne Ströme vorhanden sind, genau die

Erscheinungen zeigen, welche die geschichtete Entladung gegenüber dem Magneten darbietet. Diese Erscheinungen wären hingegen unmöglich, wenn alle Schichten zusammen einen einzigen an Kathode und Anode sich inserirenden Strom bildeten.

Unmittelbar anschaulich zeigt sich die Zusammenhangslosigkeit der einzelnen Theile der Entladung, z. B. des Kathodenlichts mit der ersten Schicht des positiven Lichts, hierbei noch in Folgendem:

Wenn die Kathodenstrahlen sich spiralig einrollen, so folgt die erste Schicht des positiven Lichts keineswegs dem Ende des negativen Strahls auf seinen Umläufen, — sondern die Schicht bleibt ausserhalb der ganzen Spirale, an ihrer der Anode zugewandten Seite, ohne mit dem im Innern der Spirale liegenden Strahlenende irgendwelche Berührung zu haben.

Analog verhält sich jede Schicht gegen die nach der negativen Seite voraufgehende Schicht des positiven Lichts. —

Wie die von mir angedeutete Ansicht die oben dargelegten, aus der bisher üblichen Auffassung fliessenden Schwierigkeiten beseitigt, übersieht man schliesslich leicht:

Von der Kathode, wie von einer Anzahl zwischen den beiden Elektroden liegender Punkte, welche den Grenzen der positiven Schichten nach der Kathode hin entsprechen, gehen ungeschlossene Ströme aus, die auf ihrem Wege das verdünnte Gas zum Leuchten bringen, um so weiter reichend, je grösser die Verdünnung ist. Ist nun bei nicht sehr grosser Verdünnung die Länge der von der Kathode ausgehenden Entladung noch kürzer als das Intervall zwischen der Kathode und der nächsten Entladungsstelle (von der die erste positive Schicht ausgeht), so muss zwischen Kathodenlicht und erster positiver Schicht sich ein von keiner Entladung durchflossener Raum befinden, in welchem also auch kein Entladungslicht auftritt, der sogenannte Dunkle Raum.

Wächst die Stromlänge der Kathodenentladung bei der Verdünnung, so dass sie gleich dem Intervall zwischen Kathode und der nächsten Entladungsstelle wird, so erreichen die Kathodenstrahlen das positive Licht, — der Dunkle Raum ist verschwunden.

Wird die Stromlänge der Kathode noch grösser, als jenes Intervall, so setzt das Kathodenlicht sich in denjenigen Raum fort, in den von der zweiten Entladungsstelle her ebenfalls ein Strom sich ergiesst, — das Kathodenlicht ist in das positive Licht hineingedrungen.

Ganz ebenso erklärt sich dann die Entstehung des dunklen Raumes zwischen jedem Büschel secundären negativen Lichts und der darauf folgenden Schicht; es erklären sich die dunkeln Räume, welche die Schichten zwischen einander bei relativ geringen Verdünnungen zeigen, während sie bei stärkerer Evacuation unmittelbar an einander stossen etc.

Ebenso enthalten die unter die bisherigen Anschauungen nicht zu rubricirenden Erscheinungen, die p. 89—96 für verschieden geformte und gelagerte Kathoden angeführt wurden, jetzt nichts Räthselhaftes mehr, und von einem Hin- und Hergehen der Elektricität, von wiederholten Zickzackbahnen der letztern, von einer neuen, lichtlosen Entladungsart etc. etc. braucht, wie man sieht, jetzt keine Rede mehr zu sein.

Berlin im Januar 1878.

II.

Über elektrische Lichterscheinungen in Gasen.

Über neue Phosphorescenz-Wirkungen der elektrischen Entladung.

Die Phosphorescenz, welche die Kathodenstrahlen verursachen, war bisher das einzige Beispiel einer von einer unmessbar dünnen Schicht der Entladung ausgehenden und darum ganz scharfe Bilder darstellenden Lichterregung auf festen Flächen. Die Bilder sind die Durchschnitte der elektrischen Strahlenbündel mit der Wandung.

Es gelang mir, noch zwei Arten solcher Phosphorescenzerregung im letzten Jahre aufzufinden, resp. frühere gelegentliche Beobachtungen jetzt durch ausgedehntere, planmässige Versuche zu allgemeiner gültigen Resultaten umzugestalten.

Die erste der zu besprechenden neuen Phosphorescenzerregungen, tritt ebensowohl bei denjenigen Dichten auf, in welchen Kathodenstrahlen die bisher behandelte Phosphorescenz erregen, als auch bei Gasdichten, die mehrere tausend Mal stärker sind als jene: bei $\frac{1}{100}$ mm. Druck sowohl, wie sogar bei atmosphärischer Dichte.

Diese Art der Phosphorescenz lässt sich beobachten, wenn man eine Elektrode des Entladungsgefässes mit einem feinen phosphorescenzfähigen Pulver umgibt, das den Raum zwischen Elektrode und Wand rings erfüllt, und auch das freie Ende der Elektrode noch überragt. Wenn man dann (während die Zuleitungsringe beider Elektroden mit dem Inductorium in leitender Verbindung stehen) die äussere Gefässwand um die Pulvermasse an einer Stelle ableitend berührt, so gehen von dem ableitenden Körper zur Glasfläche verästelte, sternartige Entladungen über, ähnlich denen, die man bei Erzeugung Lichtenberg'scher Figuren im Dunkeln auf der nichtleitenden Platte, welcher die Elektricität zuführende Spitze gegenübersteht, beobachtet.

Ausser diesen äussern Entladungen zeigen sich aber noch andere in der Umgebung der berührten Stelle zwischen der Innenwand und der sich ihr anschmiegenden Oberfläche der Pulvermasse. Auch diese Entladungen sind verzweigt, sie lassen aber im Allgemeinen eine viel reichere Verästelung, viel zierlichere dendritische Formen erkennen.

Diese innern Entladungen nun bringen die Oberfläche der Pulvermasse zum Leuchten; dieses Leuchten aber breitet sich nicht gleichmässig über die Fläche aus, sondern es stellt Muster von einer überraschenden Feinheit der Zeichnung dar, in denen sich die getreuen Abbilder aller dem Auge erkennbaren Verästelungen der Entladung wiederfinden. Die Phosphorescenz-Zeichnung zeigt aber ausserdem noch eine erstaunliche Menge feinerer Verästelungen, die das Auge in der erzeugenden Entladung selbst nicht zu erkennen vermag. Da dies von der Entladung erregte Phosphorescenzlicht viel heller ist, als das von der Entladung unmittelbar emittirte Licht, so ist wohl mit Recht zu vermuthen, dass die Phosphorescenz in den feinen Verästelungen Theile der Entladung zur Wahrnehmung bringt, die für die directe Beobachtung zu lichtschwach sind, und für deren Studium sich die Phosphorescenzerregung somit als ein nützliches Hilfsmittel erweist. Ich hoffe später zeigen zu können, dass das Studium solcher verästelter Büschelentladungen für eine nähere Erkenntniss des κατ' ἐξοχήν sogenannten elektrischen Funkens und des Gewitterblitzes durchaus nothwendig sein dürfte.

Die grüne Phosphorescenz, welche in fein gestossenem Hohlglas durch solche Entladungen erzeugt wird, war bei abnehmender

Gasdichte bereits erkennbar, als die Luft des Entladungsgefässes auf 50 mm. evacuirt war, und am pulverisirtem Kalkspath zeigte sie in prächtig orangerothen Mustern sich sogar schon bei atmosphärischem Drucke.

Mit abnehmender Gasdichte nimmt die Helligkeit des Phosphorescenzlichts zu, und zugleich wächst die Flächenausdehnung der Bilder, wie ihr Reichthum an feinen und zierlichen Detailzeichnungen.

Anstatt diese Phosphorescenz bei Verbindung beider Elektroden mit dem Inductorium durch Berührung der Aussenwand mittelst eines nichtisolirten Leiters zu erzeugen, kann man dieselbe und zwar in gesteigerter Vorzüglichkeit auch dadurch hervorbringen, dass man den zur nicht umhüllten Elektrode führenden Poldraht von letzterer ablöst und sein Ende statt des neutralen Leiters an der innen vom Pulver berührten Wandung (aussen) ansetzt. Man bemerkt alsdann, dass die leuchtenden Figuren verschiedenen Habitus besitzen je nach der Polarität des aussen angesetzten Drahtes.

Diese Phänomene gehören zu den schönsten im Gebiete der durch Elektricität hervorgerufenen Lichterscheinungen.

Weniger effectvoll in den Formen ihrer Erscheinung ist die zweite neue Art der Phosphorescenz, die zu nicht unwichtigen Aufschlüssen über das sogenannte positive Licht der Entladung führt.

Während das Kathodenlicht in steifen und geradlinigen Strahlen sich ausbreitet, schien es, als ob das positive Licht stets aus Büscheln schmiegsamer, um jede Biegung des Entladungsrohrs sich herumwindender Strahlen bestände, — wenn hier bei dieser grossen Abschwächung der Eigenschaften des negativen Lichts der Ausdruck Strahlen überhaupt noch angebracht war.

Diese Auffassung wird durch Versuche, die ich während des letzten Jahres angestellt habe, entschieden widerlegt, wenigstens für das p o s i t i v e L i c h t b e i s e h r g e r i n g e n D i c h t e n des durchströmten Gases.

Wenn das positive Licht ein stark evacuirtes Cylinderrohr erfüllt, das an irgend einer Stelle eine Biegung hat, ohne dabei seinen Querschnitt zu ändern (s. nebenstehende Figur), so beobachtet man Folgendes: An der Biegung tritt an d e r Seite des Rohres, welche die Convexität der

Biegung bildet, eine helle Phosphorescenzfläche auf. Die Fläche ist ein Halboval, resp., da eine Begrenzung an der einen Seite nicht zu erkennen ist, von parabolischem Umriss. Die Axe der Parabel liegt in derjenigen Ebene, durch welche das gebogene Rohr in zwei congruente Längshälften zu zerschneiden ist. Die Fläche ist namentlich um den Scheitel herum scharf begrenzt; der Scheitel ist nach dem positiven Ende des Rohres gekehrt; an der entgegengesetzten, der Kathode zugewandten Seite verliert sie sich in ungewisser Begrenzung. — Nennt man Breite der Fläche ihre grösste Ausdehnung senkrecht zur Axe, gemessen auf dem Umfang des Rohres, so ist diese Breite etwas geringer als der halbe Umfang des Rohres. Die Fläche reicht mit ihrem scharf begrenzten Ende ein wenig nach der positiven Seite über diejenige Linie hinaus, in welcher die Leitlinien der inneren Wandung desjenigen Schenkels der Biegung, welcher nach der negativen Seite liegt, verlängert den andern Schenkel schneiden würden.

Bringt man an dem Entladungsrohr nicht blos eine, sondern mehrere Biegungen an, so tritt an der Convexität einer jeden einzelnen eine Phosphorescenzfläche von der Beschaffenheit der eben beschriebenen auf.

Daraus geht hervor, dass die Phosphorescenz nicht verursacht wird durch die Strahlen der Kathode; denn diese könnten höchstens ein Leuchten an der ersten Biegung veranlassen, über die erste Biegung, ihrer geradlinigen Ausbreitung halber, aber nicht hinausreichen. Das positive Licht selbst bringt also die Phosphorescenz hervor.

Die Phosphorescenz der Biegungsflächen wird, wie die vom Kathodenlicht hervorgerufene, durch eine nur ganz dünne, unmittelbar der Wand anliegende Schicht erzeugt.

Dies folgt aus der scharfen Begrenzung, welche die Fläche an ihrer dem positiven Gefässende zugekehrten Seite zeigt. Zweitens folgt es daraus, dass von nahe der Biegung passend aufgestellten isolirten Drähten scharfe Schatten auf den phosphorescirenden Theil der Rohrwand geworfen werden.

Die letztere Erscheinung beweist zugleich, dass die elektrische Bewegung, welche im positiven Lichte sich manifestirt, eine regelmässige Ausbreitung hat.

Stellt man statt eines schattenwerfenden Drahtes zwei auf, welche beide in eine Ebene fallen, die identisch oder parallel ist mit jener Ebene, welche das gebogene Stück in congruente Längshälften theilt, so decken sich die Schatten beider Drähte. Daraus folgt, dass die regelmässige Ausbreitung des positiven Lichts speciell geradlinig ist.

Die Lage des Schattens endlich zeigt an, dass die Phosphorescenz erregt wird durch Strahlen, die sich, sehr nahe der Röhrenaxe parallel, von der Seite der Kathode her nach der positiven Seite hin ausbreiten.

Dass die geradlinige Ausbreitungsrichtung nicht als vollkommen coincident mit der Richtung der Axen in den cylindrischen Stücken bezeichnet werden kann, folgt aus der vorhin angegebenen Thatsache, dass die Fläche nach der positiven Seite sich ein wenig über den Durchschnitt des negativen Schenkels der Biegung mit dem positiven Schenkel erstreckt.

Die Beobachtungen an einem weiter unten zu beschreibenden Gefässe ergeben, dass die Abweichung der Strahlen von der Axenrichtung rings um das ganze Bündel, nach allen Seiten gleichmässig stattfindet. Daraus ergibt sich, dass die Strahlen des positiven Lichts nicht untereinander parallel verlaufen, sondern dass sie ein konisches Büschel von schwacher Apertur mit kreisförmigem Querschnitt bilden.

Wir sehen die Phosphorescenzflächen an den Biegungen somit an als die leuchtenden Durchschnitte der die negativen Schenkel der Biegung durchfluthenden Lichtsäule mit der Gefässwand, und wir sind im Ganzen zu folgender Anschauung von dem positiven Lichte in cylindrischen, stark evacuirten Röhren gelangt:

Das positive Licht stark verdünnter Gase besteht aus geradlinigen Strahlen, die sich von der negativen nach der positiven Seite fortpflanzen. Die Strahlen bilden ein schwach konisches Büschel, dessen Axe die Mittelaxe des Cylinderrohres ist; wo dieses Büschel die Gefässwand schneidet, erregen die der Wand unmittelbar anliegenden Theile der Strahlen in ihr Phosphorescenzlicht.

Die in diesen Eigenschaften liegende Analogie zwischen den Strahlen des positiven Lichts und den Kathodenstrahlen ist in die Augen springend. Ich untersuchte, ob diese Analogie nicht bis zur Negation einer dem positiven Lichte bisher stets zugeschriebenen, charakterisirenden Eigenschaft ginge: nach den bisherigen Angaben schlägt das positive Licht stets den kürzesten Weg von seiner der Kathode zugekehrten Grenze nach der Anode ein; während das Kathodenlicht seine Strahlen unabhängig von der Lage der Anode ausbreitet, sei der Verlauf des positiven Lichts von der Anodenlage wesentlich bedingt.

Gefässe von der durch Fig. 10 angedeuteten Form dienten zur Prüfung, ob das Verhalten des positiven Lichts in der That den bisherigen Auffassungen entspricht. Das ganze Gefäss ist mit Ausnahme der ellipsoidischen Elektrodenbehälter *A* und *B* aus einem und demselben Rohrstücke gefertigt. Beim Aneinandersetzen der einzelnen Theile bei α, β, γ wurde darauf geachtet, dass an den Zusammenfügungsstellen keine Erweiterungen oder Verengerungen des Röhrenlumens einträten.

Fig. 10.

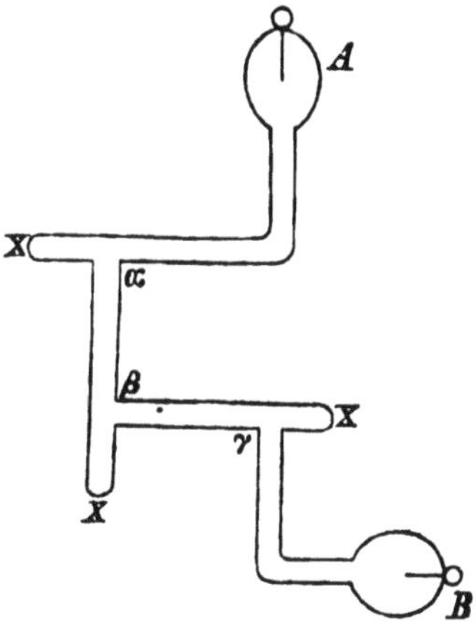

In einem concreten Falle war das Gefässrohr 1 cm. weit, die Distanzen zwischen den Stellen α und β, β und γ betrugen 6 cm., die blindsackförmigen Fortsetzungen x reichten jede 2 cm. über die Mündung des im rechten Winkel angesetzten Rohres hinaus.

Ist die Röhre nun stark evacuirt, und functionirt *B* als Kathode, so erhält man (Fig. 11) das folgende Erscheinungsbild der Entladung:

Das positive Licht (bei dieser Dichte l i l a und bei der stärksten Evacuation b l a u) breitet sich von der Mündung des Kathodengefässes *B* durch den Schenkel *1* aus, bis seine geradlinigen Strahlen an die Wand der ersten Biegung stossen und (bei *b*) eine grüne Phosphorescenzfläche von der früher beschriebenen Form hervorrufen. Kurz hinter der Biegung zeigt das positive Licht ein schräggestelltes Helligkeitsmaximum, das nach der negativen Seite hin gut begrenzt ist und sehr schnell abfällt, während nach der positiven Seite hin die Helligkeit sehr allmählig geringer wird; die im Schenkel *2* verlaufenden positiven Strahlen erreichen bei γ den Schenkel *3*, biegen aber nicht sogleich nach der Axe von *3* um, sondern setzen sich als ein rings wohlbegrenztes, schwach konisches, zur Axe von *2* symmetrisches Büschel bis zu der der Mündung γ gegenüberliegende Wandstelle von *3* fort; der Durchschnitt dieser Stelle mit dem aus γ hervortretenden Büschel erscheint als eine helle, ringsum scharf begrenzte, grüne Phosphorescenzfläche.

Fig. 11.

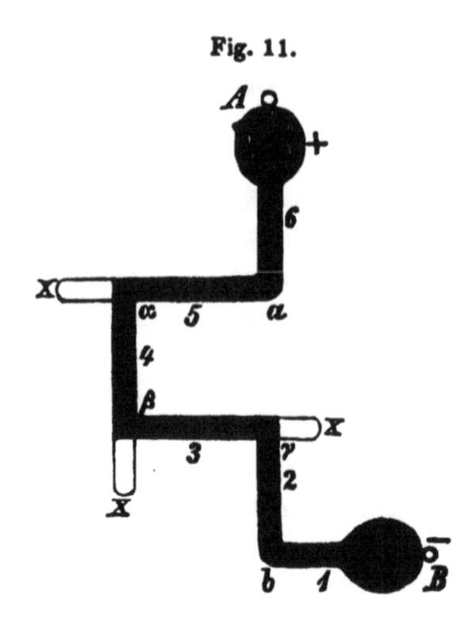

Neben dem Büschel findet sich in *3* wieder ein neues Maximum des positiven Lichts, von dem Büschel durch einen matt erhellten Zwischenraum getrennt. Das Maximum ist, wie das erste, nach der negativen Seite convex, die Helligkeit nach derselben Seite rasch, nach der positiven Seite allmählig abfallend, — also ganz das Bild der schalenförmigen nach der Kathode gekehrten Grenze einer positiven Schicht; die Axe des Schalenmaximums fällt hier auch zusammen mit der Mittelaxe von *3*. Der neben dem aus γ hervortretenden Büschel liegende blinde Fortsatz *x* bleibt völlig leer und lichtlos. Ganz identische Erscheinungen zeigen sich bei β und α; auch hier treten wohlumgrenzte Büschel hervor, die sich bis zu der der Mündung gegenüberliegenden Wand verlängern und da wo sie dieselbe schneiden, scharfumgrenzte Phosphorescenzflächen erzeugen. Auf jedes Büschel bei β und α folgt ein symmetrisch zur Axe des Rohrstücks gestelltes positives Maximum; auf das Büschel, das an der Biegung bei *a* eine grüne Fläche erzeugt, wieder ein schräg gestelltes Maximum des positiven Lichts. Die blinden Fortsätze *x* bleiben überall leer und dunkel.

Wird nun die Stromrichtung umgekehrt, so bietet die Entladung das folgende Bild (Fig. 12):

Das an der Mündung von *6* beginnende positive Licht erregt an der Biegung bei *a* eine grüne Fläche, deren scharfbegrenzte Seite aber jetzt umgekehrt wie vorhin gerichtet ist: nach *5* statt

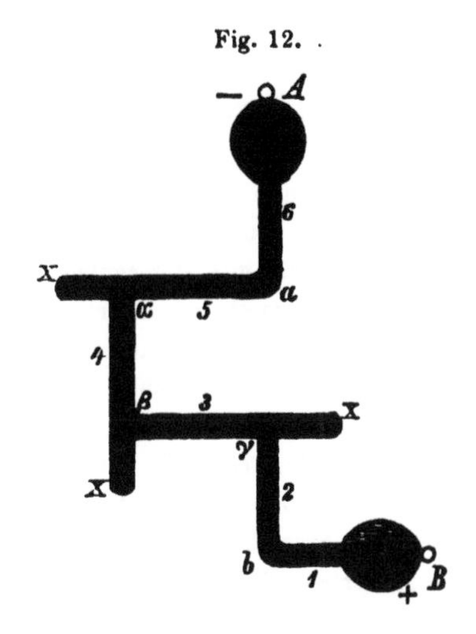

Fig. 12.

wie vorher nach *6*. Hinter der Biegung liegt wieder ein schräges positives Maximum, das nach der negativen Seite scharf abfällt; die positiven Strahlen in *5* biegen nicht bei α nach dem Rohr *4* um, sondern verlängern sich mit abnehmender Dichte immer mehr in den Fortsatz x hinein, bis sie denselben vollständig erfüllt haben; am geschlossenen Ende von x tritt alsdann grüne Phosphorescenz auf; hingegen zeigt sich jetzt keine Phosphorescenz an dem der Mündung α gegenüberliegenden Stücke von *5*. Am Eingang von *4* liegt wieder ein schaliges positives Maximum, über dem das Bündel in *5* deutlich gesondert verläuft. Dieselben Erscheinungen treten an allen entsprechenden Stellen des Gefässes auf, wie die Figur es andeutet: das positive Licht schlägt auch bei β und bei γ nicht den kürzesten Weg zur Anode, also mit Umgehung der Fortsätze ein, sondern dehnt sich bis ans Ende der Fortsätze aus und erregt hier Phosphorescenz. Die letztere fehlt, wie gegenüber α, auch gegenüber β und γ.

Die Versuche zeigen somit: Wie das Kathodenlicht breitet auch das positive Licht mit wachsender Gasverdünnung sich in gerader Richtung so weit aus, als die Raumverhältnisse des Entladungsgefässes es gestatten; es erfüllt jeden Raum, der in der Richtung seiner Strahlen, ohne eine feste Wand schneiden zu müssen, erreicht werden kann, auch wenn der Weg zu diesem Raum und bis zu seiner Begrenzung abweicht von dem kürzesten Wege nach der Anode.

Über die Crookes'sche Theorie der Entladungserscheinungen.

W. Crookes hat in Phil. Mag. Jan. 1879 eine Theorie der Phosphorescenzerregung durch die elektrischen Strahlen aufgestellt, welche diese Erregung in nahe Beziehung bringt zu der (von der

Oberfläche der Kathode ab gezählten) zweiten Schicht des Kathodenlichts. Hr. Crookes glaubt, dass die Entladung an der Kathode in einem Fortschleudern von an der Kathodenfläche elektrisch geladenen Gastheilchen bestehe; diese Gastheilchen drängten die nicht geladenen Moleküle bis auf eine gewisse Distanz von der Kathode vor sich her, und es entstände so ein Raum um die Kathode, der nur mit abgeschleuderten Molekülen erfüllt sei; da die Theilchen normal zur Oberfläche abgeschleudert würden, so wären bei einem geraden Draht oder einem ebenen Blech die Bahnen der abgeschleuderten Theilchen im ersten Fall sämmtlich divergent, im zweiten sämmtlich parallel, so dass die abgeschleuderten Theilchen unter einander keine Collisionen erleiden könnten. Nur die Collisionen der Theilchen unter einander aber sind nach Crookes die Ursache ihres Leuchtens; demnach erscheint jener nur von abgeschleuderten Theilchen erfüllte Raum als ein lichtloser. Dieser Raum dehnt sich mit zunehmender Gas-Verdünnung nach allen Richtungen aus, und wenn sein Durchmesser gleich dem Abstande der Kathode von der Wand geworden ist, — wobei die abgeschleuderten Theilchen dann also, ehe sie mit andern Gastheilchen collidirt sind, auf die Glaswand auftreffen, — so regen sie dieselbe unmittelbar zum Leuchten an.

Ich erwähne demgegenüber:

1) Die zweite Schicht des Kathodenlichts kann nicht aus von der Kathode lichtlos abgeschleuderten Molekülen bestehen; denn die Kathode wird unmittelbar von einer hellen, der gelbgefärbten ersten Schicht umhüllt; [es wäre irrthümlich, diese Schicht etwa als eine secundäre Glüherscheinung hervorgerufen durch verdampftes Natrium anzusehen; ihr Spectrum ist das Spectrum der Luft frei von Natriumlinien;][1])

2) die zweite Schicht selbst ist auch nicht lichtlos, sondern deutlich blau gefärbt; [bei der minimalen Dichte des leuchtenden Gases involvirt dies ein sehr starkes Emissionsvermögen desselben;][2])

3) die Strahlen des Kathodenlichts sind geradlinig, sowohl innerhalb der dritten, wie innerhalb der zweiten Schicht eines geraden Kathodendrahtes. Die Crookes'sche Theorie setzt aber implicite voraus, dass die Entladung, also auch die abstossende

---

[1]) [2]) [ ] Zusätze bei der Correctur.

elektrische Ladung an der Kathode mindestens so lange dauert, bis die erstabgeschleuderten Theilchen den Durchmesser der zweiten Schicht durchlaufen haben; daraus würde folgen, dass die Strahlen mindestens innerhalb der zweiten Schicht hyperbolisch gekrümmt sein müssen. Denn die abgeschleuderten Theilchen müssen, so lange die abstossende Ladung dauert, den Kraftlinien folgen; die Form der letztern aber bestimmt sich daraus, dass die Niveauflächen des elektrischen Potentials um einen geraden dünnen Draht confocale Ellipsoide sind.

Die vorstehend geltend gemachten Erfahrungen erhielt ich schon vor längerer Zeit; indess stellte ich der Crookes'schen Theorie halber auch einige Versuche neu an, die ich im Umriss skizziren will.

In einem Cylinder fungirte als Kathode ein ebenes Blech schräg gegen dieses Blech war eine phosphorescenzfähige ebene Platte aufgestellt, so dass bei Dichten, in welchen die Entladung Phosphorescenz erregt, ein Theil dieser Platte innerhalb, ein Theil ausserhalb der zweiten Schicht des Kathodenlichts lag. Da nach Crookes die zweite Schicht im Gegensatz zu den äussern Theilen des Kathodenlichts nur aus noch collisionslosen Theilchen besteht, und die Phosphorescenz der Wandung nur durch den Stoss solcher, vorher noch nicht aufgefangener Moleküle hervorgebracht wird, — so müsste die Durchschnittslinie der Leuchtplatte mit der äussern Contour der zweiten Schicht sich scharf markiren als Grenze eines Gebietes heller Phosphorescenz gegen eine matt oder gar nicht leuchtende Fläche: den Durchschnitt der Platte mit den äussern Theilen des Kathodenlichts. Die Beobachtung ergiebt indess, dass eine solche Scheidelinie in keiner Weise angedeutet ist; die Helligkeit der leuchtenden Platte ändert sich ganz stetig von Punkt zu Punkt, und ist im Bezirk des äussern Kathodenlichts, das nach Crookes fast ausschliesslich aus collidirenden, zur Phosphorescenzerregung unfähigen Theilchen gebildet ist, noch sehr intensiv.

Hr. Crookes hat in einzelnen Fällen ebenfalls constatiren müssen, dass Flächen, die ausserhalb der zweiten Schicht lagen, noch phosphorescirten. Zur Erklärung nimmt er an, dass einzelne Moleküle die mittlere freie Weglänge der abgeschleuderten Theilchen stark überschreiten, und so ausserhalb der zweiten Schicht liegende Phosphorescenzschirme erreichen und zum Leuchten anregen.

Die mittlere freie Weglänge der abgeschleuderten Theilchen fällt nach Crookes zusammen mit der von der kinetischen Gastheorie berechneten mittlern freien Weglänge in einem Gase von der Beschaffenheit des in der Entladungsröhre enthaltenen Gases. Ich liess eine cylindrische Röhre von 90 cm. Länge herstellen, deren Kathode ein am einen Ende der Röhre senkrecht zur Cylinderaxe aufgestelltes ebenes Blech war. Als die zweite Schicht eine Dicke von 6 cm. erreicht hatte, phosphorescirte das entgegengesetzte Ende des Cylinders hell unter dem Einflusse der bis dahin ausgedehnten Kathodenstrahlen.

Nach Untersuchungen von Hrn. E. Hagen, Assistenten am hiesigen physikalischen Institut, ist die geringste, mit einer Quecksilberpumpe herzustellende Dichte eines Gases bei der von mir benutzten Construction gleich $\frac{1}{125}$ mm. Quecksilberdruck. Nehmen wir an, dass diese kleinste mögliche Dichte in meinem Versuche erreicht war, so würde die ihr entsprechende mittlere Weglänge, in Anlehnung an den von Maxwell für atmosphärische Dichte gegebenen Werth, doch erst 0,00006 . 760 . 125 mm. = 5,7 mm. sein. Hingegen zeigt nach der oben angeführten Beobachtung die Weite der zweiten Schicht sich factisch mehr als zehnmal grösser.

Da eine von der Kathode fast 90 cm. entfernte Fläche bei derselben Dichte hell phosphorescirt, so müsste eine beträchtliche Anzahl Theilchen die mittlere Weglänge um das 150 fache überschreiten. Die Wahrscheinlichkeit hierfür für ein einzelnes Theilchen wäre e^{-150}, oder ungefähr $7 . 10^{-66}$. Das Entladungsgefäss hatte einen Inhalt von nahe $\frac{1}{2}$ Liter. Nach Thomson enthält ein Kubikzoll Luft gewöhnlicher Dichte und Temperatur eine Anzahl von $3 . 10^{20}$ Molekülen. In unserm Gefäss wären bei der angenommenen Dichte enthalten etwa $2 . 10^{17}$. Es ist also die Wahrscheinlichkeit, dass auch nur ein einziges von den an der Kathode ausgeschleuderten Theilchen ohne vorherige Collision den Gefässboden erreicht, durchaus verschwindend.

Der Werth dieser Wahrscheinlichkeit fällt noch kleiner aus, wenn wir ausser der Dichte des Gasresiduums noch die Spannung des in den Pumpenräumen vorhandenen Quecksilberdampfes in Rechnung ziehen. —

Hr. Crookes hat in verschiedenen Veröffentlichungen unter andern auch die Behauptung ausgesprochen, dass die Kathodenstrahlen stets senkrecht zu der emittirenden Fläche sich ausbreiten. Als Beleg dafür wird ein Versuch mit einem als Kathode benutzten kleinen sphärischen Hohlspiegel angeführt, bei welchem die an der Wand auftretende Phosphorescenzfläche auf einen Punkt sich reducirt, wenn die Wand gerade den Krümmungsmittelpunkt des Hohlspiegels aufnimmt. Nach meinen Erfahrungen über Strahlenablenkungen war ich überzeugt, dass die Thesis von Crookes nicht richtig sein konnte, und nach Beobachtungen, die ich selbst früher an verschiedentlich gekrümmten Kathoden angestellt hatte, vermuthete ich, dass auch das als Beweis von Crookes angeführte Experiment unvollständig beschrieben sei.

Zur Prüfung meiner Vermuthung stellte ich Versuche mit einem als Kathode fungirenden sphärischen Hohlspiegel an, dessen Öffnung 21½ mm., dessen Krümmungsradius 12½ mm. betrug.

Es ergab sich, dass wenn der Spiegel die von Crookes gewählte Lage gegen die Wand hatte, allerdings unter bestimmten Umständen die Phosphorescenzfläche des Kathodenlichts sich auf einen Punkt reducirte; aber bei constant gelassener Spiegellage konnten sowohl durch Funkeneinschaltung in die Entladung, als durch Änderung der Gasdichte statt dieses Punktes Flächen von sehr merklichem und sehr verschiedenem Durchmesser als „Brennflächen" des Hohlspiegels erzielt werden. Ich erlaube mir, zur Veranschaulichung einige Daten der Versuche anzuführen.

Die Entfernung des Spiegelmittelpunktes von der Wand betrug 15 mm.; ein kleiner Ruhmkorff'scher Apparat, der in freier Luft Funken von etwa 1½ cm. Länge liefern konnte, wurde durch die 4 cm. weite Cylinderröhre entladen, deren Mittelaxe von der Spiegelaxe unter rechtem Winkel geschnitten wurde. Bei c. ⅙ cm. Gasdruck erscheint als Brennfläche eine runde helle Phosphorescenzscheibe von 4 mm. Durchmesser. Wird nun in den Schliessungsbogen ausser der Röhre noch eine Luftstrecke von variirender Länge eingeschaltet, so vergrössert der Durchmesser der Phosphorescenzfläche sich, und zwar um so mehr, je länger der miteingeschaltete Funken wird. Der Durchmesser der Fläche steigt so bis auf 1 cm. (Die Durchmesser wurden durch Auflegen eines getheilten Papierstreifens auf den Cylinderumfang gemessen.)

Bei $\frac{1}{12}$ mm. Druck beträgt der Durchmesser ohne Funkeneinschaltung $2\frac{1}{2}$ mm. und steigt bei Einschaltung der Luftlücke bis 8 mm. Bei $\frac{1}{24}$ mm. ist der Minimaldurchmesser des Bildes gleich $1\frac{1}{2}$ mm.

Als statt des kleinen Ruhmkorff'schen Apparates ein grösseres Inductorium von beträchtlicherer Funkenlänge angewandt wurde, variirte der Flächendurchmesser sogar, während Spiegellage und Gasdichte constant gehalten wurde, auch bei constanter Länge der eingeschalteten Luftlücke. (Ich vermuthe, dass diese Variationen damit zusammenhängen, dass durch eine Luftlücke von constanter Länge Funken von verschiedener Länge übergehen können, je nach der Krümmung des Funkens; den stärker von der directen Verbindungslinie der Pole abweichenden, längern Funken dürften wohl auch grössere Spannungen entsprechen.)

So wechselte bei constanter Luftlücke (und constanter Dichte) der Durchmesser der Lichtfläche in rascher Abwechselung zwischen 2 mm. und mehr als 1 cm.

In einem andern Falle war der Mittelpunkt des Spiegels um den doppelten Krümmungsradius des letzteren von der Wand entfernt (25 mm.). Bei der von Crookes vorgestellten Verbreitungsweise der Strahlen hätte die Phosphorescenzfläche hier entlang der Cylinderaxe gerade den Durchmesser der Spiegelöffnung ($21\frac{1}{2}$ mm.) zeigen und constant behalten müssen.

Bei $\frac{1}{2}$ mm. Gasdruck erzeugte das Kathodenlicht bei rein metallischem Schliessungsbogen noch keine Phosphorescenz, bei Funkeneinschaltung aber erhielt man Phosphorescenzflächen bis zu 26 mm. Durchmesser.

Bei $\frac{1}{4}$ mm. Druck hatte die grösste durch Funkeneinschaltung zu erzeugende Fläche einen Durchmesser von 22 mm. (wieder, wie auch die folgenden Breiten, auf dem Cylinderumfang gemessen).

Bei $\frac{1}{8}$ mm. Druck zeigt sich auch ohne Funken schon eine Phosphorescenzfläche; ihr Durchmesser beträgt 12 mm.; durch Funkeneinschaltung kann derselbe bis auf 19 mm. vergrössert werden.

Druck $\frac{1}{16}$ mm.: Ohne Funken oscillirt der Flächendurchmesser zwischen 9 und $11\frac{1}{2}$ mm.; mit Funken steigt er bis auf 14 mm.

Druck $\frac{1}{32}$ mm.: Ohne Funken Durchmesser gleich 7 bis 8 mm.; mit Funken bis 10 mm.

Druck $\frac{1}{64}$ mm.: Ohne Funken 7 mm.; mit Funken nicht merklich grösser.

Die Grösse der Brennflächen wächst also hier und ebenso im Allgemeinen bei Einschaltung eines Funkens und mit der Verlängerung desselben; bei abnehmender Gasdichte vermindert sich die Grösse der bei metallischer Schliessung auftretenden Fläche; gleichzeitig vermindert sich die Grösse des Maximums, auf welches der Flächendurchmesser durch Funkeneinschaltung gebracht werden kann, und zwar in noch stärkerm Maasse als die Grösse der bei rein metallischem Bogen auftretenden Fläche; die Amplitude, innerhalb deren die Flächengrösse schwanken kann, wird also bei zunehmender Evacuation immer geringer, bis bei ganz geringen Dichten der Flächendurchmesser unabhängig von der Funkeneinschaltung, constant wird.

Man könnte vielleicht vermuthen, dass die Änderung in der Grösse der Fläche, welche die Fusspunkte der vom Spiegel ausgehenden Strahlen aufnimmt, nur eine scheinbare sei; die Fläche selbst habe vielleicht constante Ausdehnung; bei verschiedenen Graden der Evacuation und der Entladungsintensität aber sei die Helligkeit der erregten Phosphorescenz eine verschiedene; wenn nun die Fläche noch nicht überall gleiche, sondern vom Centrum aus abnehmende Erleuchtung besitze, so könnten bei starker Intensität der Phosphorescenz weiter nach aussen liegende Zonen der Fläche sichtbar sein, als bei minderer Phosphorescenzhelligkeit, wo nur die innersten Theile zur Wahrnehmung hell genug wären. Die Vergrösserung und Verkleinerung der Brennfläche reducirte sich also auf eine Vermehrung und Verminderung ihrer Helligkeit.

Mit Rücksicht auf solche Einwände muss noch hervorgehoben werden, dass die Helligkeit der Fläche vom Centrum bis zur Peripherie nur sehr wenig abnimmt, an der Peripherie aber bei jeder Grösse der Fläche nach aussen sehr rasch abfällt, so dass die Begrenzung der Fläche sonst eine scharfe und deutlich bestimmte ist; ferner zeigt in den Versuchen die Verminderung der Flächengrösse sich bei abnehmender Gasdichte, während bekanntermaassen die Verringerung der Dichte sonst eine Verstärkung der Phosphorescenz zur Folge hat. Ausschlaggebend ist aber eine Erscheinung, die durch eine leichte Unvollkommenheit des benutzten Spiegels veranlasst war: der durch Stanzen (und nachfolgendes Poliren) hergestellte Spiegel war nahe dem Rande wegen der mangelhaften Geschmeidigkeit des Eisens, aus dem er gefertigt, an einzelnen Stellen nicht vollkommen glatt, sondern zeigte dort kurze schwache Fältelungen. Als Folge davon erscheint die Phosphorescenzscheibe nicht von einer glatten Curve begrenzt, sondern die Peripherie des Bildes ist an einzelnen Stellen mit kleinen Zähnen und Protuberanzen besetzt.

Wenn nun das Bild in Folge von Funkeneinschaltung oder Dichteänderung seinen Durchmesser ändert, so treten an der Peripherie des Bildes jedesmal dieselben Zähnchen und Hervorragungen an entsprechenden Punkten in derselben relativen Lage auf; nur grösser, wenn die Fläche vergrössert ist, sowie in entsprechend verjüngten Dimensionen, wenn die ganze Fläche sich verkleinert.

Hierdurch dürfte definitiv erwiesen sein: dass die beobachteten Variationen der Flächengrösse wirklichen Änderungen in der Grösse des Durchschnitts entsprechen, welchen das von der Kathode ausgesandte Strahlenbündel mit der Glaswand bildet; oder: dass die Richtung der von einer concaven Kathode ausgehenden elektrischen Strahlen nicht constant ist, sondern mit der Gasdichte und den durch Einschaltung von Funken veränderten Bedingungen variirt.

Erscheinungen dieser Art sind mit der Grund, weshalb ich in anderen Veröffentlichungen über die Ausbreitung der Kathodenstrahlen und der Helligkeitsvertheilung in den von ihnen erzeugten Phosphorescenzbildern die Fälle convex-convexer und plan-convexer Kathoden von denen concaver Kathoden unterscheide.

Von verschiedenen Seiten war seit Jahren darauf hingewiesen, dass die fortschreitende Geschwindigkeit der in der Entladung leuchtenden Gastheilchen auf Grund eines bekannten Doppler'schen Satzes principiell das Spectrum des Gases beeinflussen müsste; da es mir schien, dass die experimentelle Behandlung dieses Punktes ein neues Kriterium dafür geben könnte, ob die Entladung in einem convectiven Transport der Elektricität seitens der Gastheilchen besteht oder nicht, — so nahm ich die mir durch Herrn Geh. Rath Helmholtz gebotene Gelegenheit zur Benutzung eines mit starker Dispersion ausgestatteten Spectral-Apparats gern wahr. Ich liess in eine Glasröhre zwei ebene Bleche als Elektroden einsetzen, deren Flächen, ohne sich zu schneiden, auf einander senkrecht standen. In raschem Wechsel konnte die eine oder die andere Fläche zur Kathode gemacht werden. Die Röhre enthielt verdünnten Wasserstoff. Vor dem Spalt des Spectralapparats wurde der die Kathode enthaltende Röhrentheil so aufgestellt, dass die Axe des Collimatorrohres auf der einen Fläche *a* senkrecht stand, der anderen *b* also parallel war. Dann fiel die Richtung der von *a* ausgesandten Hauptmasse von Strahlen also in die Richtung der Collimatoraxe, die Strahlen von *b* waren zur Collimatoraxe senkrecht. Wenn nun die elektrischen Strahlen aus Gastheilchen bestehen, welche die Fortpflanzung der Elektricität durch ihre Bewegung in Richtung der Strahlen vermitteln, und wenn die Elektricität im Strahl sich mit der Geschwindigkeit *c* fortpflanzt, so muss die Wellenlänge der optischen Strahlen bei dem von *a* ausgesandten Kathodenlicht kleiner erscheinen als die Wellenlänge der zu *b* gehörigen Lichtstrahlen im Verhältniss von 40000 Meilen zu 40000 + *c* Meilen. Die Linien des Spectrums von *a* müssen also gegen die entsprechende Maxima von *b* nach dem violetten Ende des Spectrums verschoben erscheinen; oder wenn man auch einen Antheil ruhender oder relativ wenig bewegter Moleküle im Lichte von *a* annehmen will, so müssen die Linien des zu *a* gehörigen Spectrums wenigstens eine Verbreiterung nach der violetten Seite des Spectrums zeigen. Die Beobachtungen wurden an der blaugrünen Linie des Wasserstoffspectrums (*F* im Sonnenspectrum) angestellt, und sie ergaben, dass beim Vertauschen der beiden zu einander senkrechten Kathoden weder eine Verschiebung noch eine Breitenänderung der Spectrallinie eintrat, welche gross genug gewesen wäre, mit zweifelloser Sicherheit bemerkt zu werden; d. h. genauer: es trat weder eine Verschiebung noch eine Verbreiterung von H_β (der *F*-linie) ein, welche den dritten Theil des Abstandes der beiden Natrium-Linien *D* im selben Apparate erreichte. Ich begnügte mich, ohne weitere Messungen über die Dispersionsverhältnisse des Apparats anzustellen, seinerzeit mit diesem für meine Zwecke hinreichenden Resultate. Es bedeutet, dass die fortschreitende Geschwindigkeit der Gastheilchen nicht grösser als 14 Meilen pro Secunde sein kann. (Eine genaue Kenntniss der relativen Dispersion in den verschiedenen Regionen des dargestellten Spectrums würde diesen Werth unzweifelhaft noch bedeutend herabdrücken; die Dispersion in der Gegend von *F* wird mindestens $1\frac{1}{2}$ Mal so gross sein als in der Gegend um *D*, die

Geschwindigkeitsgrenze der Gastheilchen könnte also auch kleiner als 10 Meilen angenommen werden.)

Wheatstone beobachtete in einem rotirenden Spiegel das Bild einer fast 2 Meter langen evacuirten Röhre, die der Drehaxe parallel gestellt war, und prüfte, ob bei der schnellsten Umdrehung des Spiegels das reflectirte Bild gegen die Richtung der Rotationsaxe sich schräg stellte. Das Eintreten dieser Erscheinung würde auf die Zeit haben schliessen lassen, welche die Entladung brauchte, um von einem Ende der Röhre sich bis ans andere Ende fortzupflanzen. Die Röhre blieb indess auch bei 800 Spiegelumdrehungen in der Secunde der Rotationsaxe parallel, und wie man auch die Grenze bestimmt, von der ab eine Schiefstellung hätte merkbar werden müssen, so ergiebt der Versuch als Fortpflanzungsgeschwindigkeit der Elektricität durch das Vacuum jedenfalls ein bedeutendes Vielfaches von 10 Meilen.

Ich bin bis jetzt über die Vorbereitungen zu Versuchen, wie Wheatstone sie anstellte, nicht hinausgekommen, hoffe aber, mir nach dieser Richtung noch selbständige Erfahrungen verschaffen zu können. Inzwischen habe ich aus gewissen von mir aufgefundenen Erscheinungen auf die Fortpflanzungsgeschwindigkeit der elektrischen Erregung speciell in Kathodenstrahlen zu schliessen versucht und habe als Resultat sehr beträchtliche Geschwindigkeiten erhalten. Ich erlaube mir hier nur die Grundlagen des Verfahrens kurz anzudeuten.

Wenn zwei Kathoden, *a* und *b*, in einem Gefäss nebeneinander angebracht sind, so schliesst jede von ihnen gewisse Strahlen der andern von einem bestimmten Theile der Glaswand aus, indem sie diese Strahlen seitlich ablenkt[1]). Es entstehen also bei Phosphorescenzdichte zwei Flächen, welche gegen ihre Umgebung dunkel erscheinen, weil die eine keine Strahlen von *a*, die andere keine von *b* erhält, während die umgebenden Theile der Glaswand von beiden Kathoden aus beleuchtet werden. — Würden hierbei die Strahlen z. B. der Kathode *a* nicht permanent durch *b* während der Entladungen von der einen Fläche ausgeschlossen werden, sondern etwa abwechselnd während gleicher kleiner Zeiten hinzugelassen und ausgeschlossen werden, so könnte man dies leicht constatiren. Man braucht der Kathode *a* nur ein Reliefmuster zu

[1]) Monatsber. d. Akad. 1876 p. 285.

geben, *b* glatt zu lassen; es müsste in der Dunkelfläche, zu der die Strahlen von *a* abwechselnd Zutritt haben, dies Muster sich dann markiren[1]). Seine Helligkeit wäre allerdings nur die Hälfte von der, die stattfinden würde, wenn *a* stets ungehindert seine Strahlen in die Fläche senden könnte; aber die Hälfte dieser Helligkeit würde, wie Controllversuche ergeben, zur Wahrnehmung reichlich genügen. Die Beobachtung bei Anwendung der Relief-Kathode zeigt nun permanente Ausschliessung der Strahlen von *a* an, auch wenn die beiden Kathoden 20 cm. von einander entfernt sind. (Beide gleichen Kathoden sind mit dem Ruhmkorff gleichartig verbunden.) Daraus folgt, dass die von *a* ausgehende Entladung an *b* jedesmal ankommt, so lange die Entladung, der Fläche *b* wenigstens, noch nicht die Hälfte ihrer Dauer durchlaufen hat, — oder: die Fortpflanzungsgeschwindigkeit der Entladung im Kathodenstrahle ist gross genug, um innerhalb der halben Entladungsdauer die Distanz zwischen den beiden Kathoden zurücklegen zu lassen. Nun ist aber die Dauer der Partialentladungen, die einen Öffnungsstrom zusammensetzen, nach von mir angestellten Drehspiegelversuchen kleiner als $\frac{1}{2000000}$ Secunde; also ist die Ausbreitungsgeschwindigkeit der Entladung mindestens gleich 2 . 2000000 . 20 cm. = 800000 m. — Man darf gegen diesen Schluss nicht einwenden, dass, da die einzelnen Entladungen durch endliche, sehr kleine Zeiträume von einander getrennt sind, eine von *a* ausgehende Entladung im elektrischen Strahl vielleicht bei dem erwähnten Arrangement immer erst bei *b* ankomme, wenn die an *b* mit jener gleichzeitig begonnene Entladung längst erloschen und wieder eine andere angebrochen sei, welche die nämlichen Wirkungen ausübe. Wäre dies der Vorgang, so müssten bei einer Variation der Kathodenentfernung Stellungen erreicht werden, wo die Entladungen, die *a* ausschickt, bei *b* während der Intervalle ankommen, die zwischen den von *b* ausgesandten Entladungen liegen. Da aber diese Intervalle nach allen vorliegenden Erfahrungen sogar grössere Dauer haben, als die durch sie getrennten Entladungen selbst, so würde dann jedesmal das ganze Licht von *a* in die Dunkelfläche Zutritt erlangen, die Dunkelfläche entgegen der Erfahrung vollkommen verschwinden.

---

[1]) l. c. p. 286.

Das Resultat des spectroskopischen Versuchs mit dem eben erhaltenen combinirt ergiebt also auf's Neue die Unwahrscheinlichkeit der convectiven Auffassung des Entladungsvorganges, der ich auch schon in meinem im vorigen Jahre der Akademie vorgelegten Berichte experimentelle Erfahrungen entgegengestellt hatte.

Berlin 20. October 1879.

29. Januar. Öffentliche Sitzung zur Feier des Jahrestages Friedrich's II.

Ihre Majestät die Kaiserin und Königin geruhten der Feier beizuwohnen.

Der vorsitzende Secretar, Hr. Curtius, eröffnete die Sitzung mit folgender Rede:

Wie die Lakedämonier mit dem Bilde des Polydoros siegelten, des grossen und glücklichen Königs, in dessen Sinn sie ihre Gemeinwesen weiter zu führen wünschten, so ist König Friedrich's Bild das Wahrzeichen unsers Staats, um das sich Jahr aus Jahr ein Diejenigen sammeln, welche mit den Waffen in der Hand wie mit dem Rüstzeug des Geistes die preussische Ehre zu vertreten haben. Verlangt doch jedes bewusste Leben einen zwiefachen Punkt, nach dem das Auge sich richte. Denn nur aus dem Verständniss des Geschehenen ergiebt sich die Sicherheit der ferneren Ziele. Aber nicht Alles kann in gleicher Weise gegenwärtig bleiben. Inhaltreichere Bilder drängen das Frühere zurück, und ist nicht fast Alles, was wir an geistigen Gütern unser nennen, wenn wir uns mit freudigem Stolz als Deutsche fühlen, in dem Jahrhundert gewonnen, das uns von Friedrich II. trennt? Die Zeit, in welche er hineintrat, ist keine Augenweide für uns. Das verwüstete Vaterland war in Bildung und Wissenschaft hinter den Nachbarländern zurückgeblieben. Die Besten des Volkes sahen mit Sehnsucht nach dem wälschen Athen hinüber und ausländische Schöngeisterei war die Würze der auserwählten Kreise. Das bürgerliche Leben der Reichsstädte war gesunken; die Reformation hatte ihre Segenskraft eingebüsst; denn der Protestantismus erschien wie ein Tummelplatz der Schulgezänke und gegenseitiger Verdächtigung. Selbst die frischen Lebensquellen echter Frömmigkeit, wie sie in Speners Liebeswerken strömten, wurden verketzert, während mit der spöttelnden Freigeisterei sich eine Aufklärung verbreitete, in deren dünner und frostiger Atmosphäre eine gesunde Menschenbrust keine vollen Athemzüge thun konnte. Es war eine arme, dürre Zeit und das Culturbild Deutschlands um die Mitte des vorigen Jahrhunderts verhielt sich zu dem, was wir jetzt unser nennen, wie der Kern des brandenburgischen Staates zu dem heutigen Besitz der Krone Preussen. Und doch soll die Vergangenheit nicht abgethan sein und vergessen. Denn nur Angesichts derselben versteht man, was Friedrich that, indem er in unserm Volk und Vaterland, das staatlos zu verkommen drohte, die Idee des Staats wieder lebendig machte und darum hat auf ihn das Wort des Aristoteles seine volle Anwendung: 'Von Natur 'lebt in allen Menschen der Zug nach staatlicher Gemeinschaft. 'Wer sie aber zuerst ins Werk setzt, dem werden die höchsten 'Güter verdankt.'

Aber wie? Klingt es nicht paradox, im achtzehnten Jahrhundert die Staatsidee wie eine neue Erfindung, den Staat wie die Entdeckung eines klugen Kopfes dargestellt zu sehen? Ist nicht der Staat so alt wie die Menschheit und hat nicht derselbe Philosoph treffender, als es allen noch so fein ausgeklügelten Definitionen moderner Theoretiker gelungen ist, das Wesen des Staats charakterisirt, wenn er sagt: der Staat ist ein von Natur Gegebenes; ja, er ist früher als der einzelne Mensch, der nur in ihm seine Bestimmung erfüllen kann?

Der Theil der Menschengeschichte, aus dem Aristoteles seine Lehre vom Wesen des Staats geschöpft hat, giebt uns noch heute die reichste Anschauung von den Formen der Staatsbildung; ihm entlehnen wir noch heute die Terminologie, deren sich die politische Wissenschaft bedient. Um so mehr wird es dem Philologen gestattet sein, auch am Gedächtnisstage König Friedrichs an die Staatslehre und Staatengeschichte des Alterthums anzuknüpfen, nicht um durch schillernde Streiflichter den Blick des Betrachtenden zu unterhalten, sondern um durch Analogien auf die Normen hinzuweisen, nach welchen sich in alten und neuen Zeiten die Staatsidee verwirklicht hat.

In gewissem Sinne ist allerdings der Staat mit dem Menschen geboren, wie eine unbewusst empfangene Mitgift, und diese Urform staatlicher Bildungen tritt uns dort am deutlichsten entgegen, wo innerhalb scharf gezogener Naturgränzen zusammenwohnende Gemeinden sich vereinigen. Diese Gauverbände sind die ursprünglichsten und zugleich dauerhaftesten aller politischen Genossenschaften. Jahrtausende hindurch haben in den Gebirgslandschaften Griechenlands, Italiens, der Schweiz solche Cantonalstaaten bestanden; sie sind aber überall nur zu einem ländlichen Stillleben befähigt gewesen, in gleichförmigen Zuständen lockerer Gemeinschaft verharrend. Staatliches Leben setzt Machtbildung voraus, und diese ist nur dort eingetreten, wo die autochthonen Zustände durch Zuwanderung unterbrochen und von auswärtigen Geschlechtern Herrschaften gegründet wurden.

So sind die Perseïden und dann die Pelopiden über See nach Argos gekommen, die Kadmeer nach Theben, die Temeniden nach Macedonien, die Tarquinier nach Rom. Das ist der Ursprung der Fürstenthümer, mit denen aller Orten das geschichtliche Bewusstsein, das politische Leben erwacht. An Stelle von Häuptlingen treten Könige, welche eine mit Waffengewalt gegründete Herrschaft friedlich ausbauen. Wo kein unbedingt hervorragender Herrscherstamm vorhanden ist, wie z. B. auf Ithaka, da sehen wir ein wüstes und selbstsüchtiges Kämpfen unter den Edeln des Landes, welche sich unter einander wie dem Könige ebenbürtig fühlen. Sie betrachten die Macht wie einen Besitz, dessen Vortheile sie ausbeuten und geniessen wollen, die Könige wie ein Amt, dessen sie zu warten haben.

Auf diesem Amtsbegriff beruht auch das Fürstenthum der Hohenzollern und er ist durch König Friedrich nur in voller Schärfe zum Ausdruck gekommen. Nur ein zuwanderndes Geschlecht war im Stande, im Herrschen eine verantwortliche Pflicht zu erkennen und die Idee des Staates frei von allen persönlichen Interessen aufzufassen. Nur so konnte in den Marken die Zucht des Gesetzes durchgeführt werden, die erste Bedingung für die Entwickelung eines selbständigen Staats.

Aristoteles betrachtet die Autarkie als das Kennzeichen des wahren Staats, d. h. diejenige Fülle von Mitteln und Kräften, welche nöthig ist, um sich nach allen Seiten zu behaupten, ohne von fremder Hülfe abhängig zu sein. Das ist das naturgemässe Ziel, nach welchem alle Gemeinschaften streben.

Für die Gaugenossenschaften giebt es dazu keinen andern Weg, als den der föderativen Vereinigung, in dem die Nachbarstämme, die sich durch Sprache, Sitte und Gottesdienst als ein Ganzes fühlen, sich zur Sicherung der Gränzen und zur Wahrung des gemeinen Friedens mit einander verbinden. Das ist die Amphiktyonie, wie sie besonders von den Griechen ausgebildet worden ist. Sie ist culturgeschichtlich von durchgreifender Bedeutung gewesen; denn in ihr ist das Volk vom Tempepasse bis Cap Malea zu einer Einheit zusammengewachsen; sie bildeten Jahrhunderte hindurch das Reich griechischer Nation. Zum politischen Handeln war sie aber vollkommen ungeschickt, denn sie war ein Kreis ohne Centrum, und nur durch einen Vorort von überwiegender Macht konnte sie zu politischer Wirksamkeit gelangen. Sparta war der geborene Vorort durch seine Verbindung mit Delphi, durch seine Heeresmacht und den Umfang seines Landbesitzes. Als aber zum ersten Male der Zeitpunkt da war, dass Hellas seine Gränzen gegen Barbaren zu vertheidigen hatte, versagten Bund und Vorort ihre Dienste, und es wäre mit der Geschichte von Hellas zu Ende gewesen, wenn nicht ein anderer Staat die Führung übernommen, ein zweiter Vorort, der wie ein jüngerer Zweig am Stamm des Volksthums sich entwickelt hatte. So wurde Hellas vom Untergange gerettet, aber die alte Amphiktyonie war gesprengt.

Dem griechischen Stammbunde entsprach in unserm Vaterlande als die einzige zu Recht bestehende Gesammtheit das Reich deutscher Nation. Das Fürstenthum, das in den engen Verhältnissen der Cantone früh untergehen musste, hatte sich bei uns erhalten, aber die Lockerheit, der Mangel an Centralisation, die Machtlosigkeit waren dieselben, und dadurch erwuchs dem nachgeborenen Hohenzollernstaate ein Beruf, welcher über die Gränzen der Mark weit hinaus ging, ein Beruf, der nicht amtlich übertragen, sondern geschichtlich geworden ist, und welcher mit dem der Athener in Griechenland eine unverkennbare Ähnlichkeit hat.

Athen war verhältnissmässig arm an natürlichen Hülfsmitteln. Der wahre Reichthum beruht aber, wie Aristoteles sagt, nicht in der unbegränzten Fülle, sondern im Vorrath dessen, was zur staatlichen Gemeinschaft unentbehrlich ist. Ein dürftigerer Boden ist der sicherste Schutz gegen träge Behaglichkeit, die Schule der Mässigkeit und haushälterischer Kunst, der Sporn zu rastloser Thätigkeit, um das Gegebene auszunutzen und sich mit frischen Elementen zu ergänzen. Athens Grösse beruht wesentlich auf der Tugend der Philoxenie, indem es während der Jahrhunderte, in denen der alte Vorort hellenischer Nation sich ängstlich absperrte, mit hochherziger Gastlichkeit Alles aufnahm, was einen Zuwachs geistiger Kraft in Aussicht stellte, und so ist auch für die Erhebung Preussens nichts segensreicher gewesen als die in seinem Herrscherhause erbliche Politik der Gastfreundschaft, die unbefangene Anerkennung jedes Talents und das Bestreben, keinen Strom geistigen Lebens an den Gränzen vorüberrauschen zu lassen.

Die Staaten des Alterthums sind auf dem Boden der Volksstämme erwachsen, darum waren sie denselben Naturgesetzen dahin gegeben, welchen Geschlechter und Stämme unterliegen, wenn sie ein Sonderleben führen. Sie entziehen sich diesem Naturgesetze nur durch eine frühe und glückliche Mischung verschiedener Elemente. Roms Grösse beruht darauf, dass es von Anfang an keine rein latinische und keine rein sabinische Gemeinde war. Athen ist immer eine ionische Stadt geblieben, aber seine jüngeren Adelsgeschlechter, denen sein ruhmreiches Königsgeschlecht angehörte, aus deren Mitte Solon, die Pisistratiden, Kleisthenes, Perikles, Alkibiades stammten, diese Geschlechter, die Träger bewegender Gedanken, sind aus dem Süden eingewandert und haben über die Enge des städtischen Horizonts den Blick hinausgeführt. Darum vermochte Athen, was den ionischen Städten sonst so fern lag, sich aus eigenem Antriebe zur Übernahme nationaler Pflichten zu entschliessen und hat, ohne auf die lahme Kraft des Volksbundes zu warten, aus eigener Kraft die gefährdeten Gränzen vertheidigt.

Solche Erhebung eines Bundesgliedes kann nicht ohne heftige Reibung erfolgen, denn sein selbständiges Vorgehen dringt wie ein Keil in das Gefüge des Staatenvereins, an dessen Bestand das Volk seit Menschengedenken gewöhnt ist. So sehr also auch Sparta das Recht verwirkt und die Kraft verloren hatte, unter wachsenden Schwierigkeiten der Hellenen Führer zu sein, sah man doch von allen Seiten missgünstig auf die emporstrebende Stadt; man hasste den Emporkömmling, man wollte den Seitenast, der sich vordrängte, beschränkt und beschnitten wissen, damit er nicht den ganzen Baum entstelle; alle Kleinstaaten fühlten sich unter einem unthätigen Vorort behaglicher, ja in Athen selbst erhielt sich eine mächtige Partei, welcher die Unterordnung unter den alten legitimen Vorort ein politischer Glaubensartikel war.

Unter ähnlichen Verhältnissen wie Athen ist unser Staat dem kleinstaatlichen Dasein entwachsen. Auch hier war eine Mischung von Volkselementen, welche die Schranken des Stammbewusstseins durchbrach. Auch hier übernahm der kleine Staat die Aufgabe, zu welchem das Reich berufen, aber unfähig war, die Gränzhut des gemeinsamen Vaterlandes; auch hier hatten die freiwilligen Vorkämpfer im eigenen Vaterlande unsägliche Schwierigkeiten zu überwinden. Denn es ist leichter und dankbarer, ein rohes Volk zum ersten Male in die Geschichte einzuführen, als in einer durch

Uneinigkeit verkommenen Nation einen neuen Mittelpunkt zu schaffen, um sie wieder zu sammeln und zu thatkräftigem Dasein aufzurichten. Dazu bedarf es heroischer Kräfte wie ausserordentlicher Männer. Wie Themistokles einst die Winkelstadt am saronischen Golfe mit seiner unwiderstehlichen Willenskraft auf einmal zu einem Grossstaate gemacht hat, so ist durch den Tag von Fehrbellin das Haus Brandenburg zu einer europäischen Macht geworden. Wohl hielt man es für ein Reis, das über Nacht aufgeschossen, bei dem ersten Sonnenbrande sein keckes Haupt wieder senken werde. Aber dem Starken folgte der Stärkere, der seines Wesens ganze Kraft daran setzte, der jungen Pflanzung die Selbständigkeit zu geben, welche nach dem alten Philosophen das Kennzeichen eines wahren Staates ist; ein Mann, in dem die verschollene Staatsidee wie durch eine innere Offenbarung wieder aufleuchtete, der sie wie ein Prophet durch Wort und That zum Ausdruck brachte; sie war in seiner Person verkörpert. Zwar urteilen auch wir wie Sophokles:

„Ein Staat ist das nicht, was in Eines Händen ruht".

Aber diese Identität von Fürst und Staat war nicht die, wie sie von den Selbstherrschern Frankreichs aufgestellt wurde, sondern das Gegentheil davon; denn er vernichtete den falschen Glorienschein der Krone; er verurteilte den frevelhaften Egoismus des Regenten, und wollte nur in der Hingabe an das Ganze der Erste seines Volkes sein.

So mächtig war seit den Tagen des Alterthums, wo das Gemeinwesen den ganzen Bürger in Anspruch nahm, der Staatsgedanke nicht wieder in das Leben getreten. Darum ging die Wirkung über das nächste Ziel weit hinaus und die längst vergessene Weisheit des Aristoteles, dem Ethik und Politik ein untheilbares Ganze waren, wurde wieder zur Wahrheit. Denn der Staat ist ja nicht wie ein Haus, in das man einzieht, nicht wie ein Kapital, von dessen Renten man lebt, sondern er ist ein Bau, der aus lebendigen Bausteinen stets neu sich fügt, eine Harmonie, welche den Einklang einer Fülle von selbständigen Stimmen voraussetzt; er muss, wie jedes ideale Gut, immer neu gewonnen werden und darum ist er eine Schule der Selbstverleugnung, der Treue und des opferwilligen Diensteifers.

Freilich können die Tugenden, welche dem Menschenleben Werth verleihen, auch in häuslicher Stille und engen Kreisen gedeihen; auch die warme Anhänglichkeit an Land und Volk ist unter den Deutschen in den traurigsten Zeiten ihrer Geschichte nie erloschen. Aber weil der Mensch von Natur ein politisches Wesen ist, so kann er nicht ganz und voll gedeihen, wenn er sich vorzugsweise in Privatverhältnissen bewegt, wenn das individuelle Leben vorherrscht, das bald zu einem falschen Idealismus hinneigt, bald in ein gedankenloses Genussleben ausartet. Durch Friedrichs Staatsgedanken neu erweckt, athmete man wieder die stärkende Luft des öffentlichen Lebens; aus der Heimathsliebe erwuchs ein Gemeinsinn, die Herzen schlugen wieder für König und Vaterland und das Volk erhob sich zu männlichem Selbstgefühl, nachdem so lange Zeit auch die Fürsten sich vor den Grossen des Auslandes schmählich erniedrigt hatten.

Durch das Bewusstsein neuer Pflichten gestählt, gewann der deutsche Geist überall eine selbständige Entfaltung. Man entwöhnte sich die Klassiker mit dem Auge der Romanen anzusehen, welchen Italien heimischer war als Griechenland, die unter dem Texte der Aeneis ihr 'Virgilius superat Homerum' zu wiederholen liebten; es bildete sich allmählich jenes nahe Verhältniss zum hellenischen Alterthum, das ein nationaler Zug der Deutschen geworden ist, und so wenig König Friedrich selbst solche Erfolge erwartet oder beabsichtigt hat, ist doch in freier Anerkennung seiner Heldengrösse auch die Deutsche Dichtkunst zu neuem Leben erwacht.

Die Staatsmänner von Athen haben eben so wie unsere grossen Fürsten dahin gearbeitet, so lange kein gemeinsames Vaterland staatlich vorhanden war, den eignen Staat so zu organisiren, dass die besten Kräfte der Nation in ihm zur Entfaltung kamen, damit er als Vorbild und Centrum dienen könne. Das gemeinsam Vaterländische ist in der Stadt des Perikles zum vollendeten Ausdruck gekommen. Aber dies Werk ist nur in culturgeschichtlichem Sinne gelungen. Athen ist doch zu sehr Stadtgemeinde und ionische Stadt geblieben, als dass es auch unter günstigeren Verhältnissen Hellas in sich hätte aufnehmen können und die Politik der grössten Athener ist an dieser Klippe gescheitert.

Auch bei uns zeigte es sich als die schwerste aller politischen Aufgaben, durch energische Verwirklichung der höchsten Staatszwecke, deren die Kraft eines Volkes fähig ist, ein aus den Fugen gegangenes Reich aufzubauen und das Vaterland zu erneuern.

Auch bei uns traten schwere Störungen mit Unterbrechungen der grossen Arbeit ein. Der Staat des grossen Königs, in Mechanismus erstarrt, verlor die Siegeskraft, welcher er seine Erhebung verdankt hatte, und das Vaterland wurde mehr als je gespalten, gerieth tiefer als je unter fremde Obmacht.

Aber die Kraft des Staats war nicht erstorben. Er wurde der Kern einer neuen Erhebung, wie Athen seiner Zeit der Mittelpunkt der Treugesinnten war, der Patrioten, der Bevölkerung des engern Vaterlandes, welche es verschmäht hatte, dem Landesfeinde Feuer und Wasser zu geben.

Zum zweiten Male knüpfte sich an preussische Siege eine Wiedergeburt des Vaterlandes, welche das ganze Geistesleben des Volks durchdrang. Denn die menschliche Natur scheint nach einem Gesetze des Gleichgewichts zu verlangen, dass grossen Erfolgen der äussern Geschichte geistige Fortschritte und Erwerbungen entsprechen. So war es in Athen nach den Tagen von Marathon und Salamis, dass ein unersättlicher Wissensdurst erwachte; so folgte auf unsere Freiheitskriege der neue Aufschwung aller Zweige der Erkenntniss. Die glänzende Entfaltung von Naturkunde und Mathematik, die Erforschung der Rechtsgeschichte und Verfassungen der Staaten des Alterthums, die Eröffnung der Quellen vaterländischer Geschichte, das Verständniss der Religion in ihrem Verhältniss zur allgemeinen Bildung. Das waren die Früchte, deren Keime der neue Geistesfrühling weckte, und die für das entschädigen mussten, was noch nicht gelungen war.

Wir haben gesehen, wie in alten und neuen Zeiten durch zuwandernde Geschlechter und Mischung der Völkerstämme eine höhere Staatsidee verwirklicht worden ist. Wir haben den Durchbruch einer neuen Volksgeschichte aus veralteten Bundesformen in analogen Vorgängen betrachtet. Es waren in Griechenland wie bei uns kleine Anfänge, deren Bedeutung auf sittlichen Kräften ruhte. Hier wie dort hatte der neue Vorort mit Mächten zu ringen, welche nur zum Widerstand fähig waren; hier wie dort war jeder Fortschritt des nationalen Gedankens und der politischen Wiedergeburt ein Aufschwung des geistigen Lebens.

Athen ist auf geistige Erfolge beschränkt geblieben und hat den Untergang des Vaterlandes nicht aufhalten können. Uns ist ein besseres Loos gefallen. Ein halbes Jahrhundert nach der zweiten Erhebung hat Kaiser Wilhelm die Siege erfochten, durch welche unser Vaterland vor dem Schicksal Griechenlands bewahrt ist. Nun ist der Baum erwachsen, zu dem die grossen Ahnen unsers Kaisers den Keim gelegt haben. Der Staatsgedanke König Friedrichs hat nicht nur die alte Amphiktyonie gesprengt, sondern es ist aus ihm durch wunderbare Führung ein neues Reich erwachsen, welches grünen und blühen wird, so lange das Banner des grossen Königs hoch gehalten wird, das Banner, unter welchem Jeder an seiner Stelle entschlossen ist, mit dem, was er vermag, für König und Vaterland einzutreten.

Sodann berichtete derselbe über die im Jahre 1879 eingetretenen Personalveränderungen, indem er den verstorbenen Mitgliedern Dove, Grisebach, von Brandt, Schiefner und Schömann einen Nachruf widmete. Neu gewählt ist als ordentliches Mitglied der physikalisch-mathematischen Klasse Hr. Schwendener, als auswärtiges Mitglied Sir George Biddell Airy. Zu Correspondenten der physikalisch-mathematischen Klasse sind ernannt die Hrn. Kundt in Strassburg, Quincke in Heidelberg, Schiaparelli in Mailand, Töpler in Dresden, Wiedemann in Leipzig, Winnecke in Strassburg; zu Correspondenten der philosophisch-historischen Klasse die Hrn. Imhoof-Blumer in Winterthur, Wieseler und Wüstenfeld in Göttingen.

Hr. du Bois-Reymond als Vorsitzender des Curatoriums der Humboldt-Stiftung verlas folgenden Bericht:

Das Curatorium der Humboldt-Stiftung für Naturforschung und Reisen erstattet statutenmässig Bericht über die Wirksamkeit der Stiftung im verflossenen Jahre.

Des Ministers der Geistlichen, Unterrichts- und Medicinal-Angelegenheiten Hrn. von Puttkamer Excellenz, als statutenmässiges Mitglied des Curatoriums, haben an Stelle des Geh. Ober-Regierungsrathes a. D., Hrn. Dr. Olshausen, welcher Hochderen Amtsvorgänger, den Staatsminister Hrn. Dr. Falk, im Curatorium vertreten hatte, den Geheimen Ober-Regierungs- und vortragenden Rath, Hrn. Dr. Göppert, zu seinem Vertreter ernannt.

Mit Stiftungsmitteln ausgerüstet, weilt augenblicklich auf den Inseln des Stillen Meers der ausgezeichnete Bremer Naturforscher, Sammler und Reisende, Hr. Dr. Otto Finsch. Wie dies schon im vorjährigen Bericht gesagt wurde, besteht der Hauptzweck seiner Reise darin, von der in Berührung mit den Europäischen Culturvölkern, in Befolgung eines traurigen Naturgesetzes, rasch hinschwindenden autochthonen Bevölkerung Polynesiens möglichst vollständige Zeugnisse und Denkmäler zu bewahren. Doch versteht sich, dass neben dem anthropologischen und ethnographischen Zweck der Reise zugleich Fauna, Flora und geologische Formation jener noch keineswegs wissenschaftlich erschöpften Eilande berücksichtigt werden sollen.

Seinem vom Curatorium genehmigten Plane gemäss ging Hr. Dr. Finsch über Nordamerika von San Francisco nach Polynesien ab, und langte am 17. Juni v. J. in Honolulu auf den Sandwich-Inseln an. Hier fand er bei der Landesregierung die freundlichste Aufnahme, und erforschte nicht allein die Insel Oahu, sondern auch Maui, wo er in einer von 1600 bis 3200^{m} wechselnden Höhe am Haleakala verweilte. Seine hier gemachte erste Sammlung von Säugern, Vögeln, Amphibien, Fischen, Mollusken, Insecten, Arachniden, Myriopoden, Crustaceen, Würmern, ferner auch von Pflanzen und Gebirgsarten ist unterweges nach Bremen, und wird hoffentlich bald in unseren Händen sein.

Am 29. Juli schiffte sich Dr. Finsch nach den Marshall-Inseln ein, und langte nach zwanzigtägiger Fahrt auf Jaluit, einer der sogenannten niedrigen Corallen-Inseln, an, wo er von einem dort ansässigen deutschen Kaufherrn, Hrn. Hernsheim, auf das Liebenswürdigste aufgenommen wurde. Obwohl er bald nach seiner Ankunft einen heftigen Fieberanfall zu überstehen hatte, und die ungeheure Hitze verbunden mit Feuchtigkeit der Luft — das Klinkerfues'sche Hygrometer zeigte dauernd 90—100° — das Sammeln und Conserviren sehr erschwerte, hatte er doch zur Zeit seines letzten Schreibens vom 30. September v. J. schon eine recht ansehnliche Sammlung zusammengebracht: 1 Art Säuger, 7 Arten Vögel, 7 Arten Amphibien (Reptilien) in etwa 250 Exemplaren, 70—80 Arten Fische, 36 Arten Insecten, viele Arten Krebse und Conchylien, etwa 20 Arten Corallen, ausserdem einige Arten Scorpione, Würmer, Seesterne und Holothurien. Von grossen Seethieren war ihm nichts vorgekommen, ausser Haifischen, von denen er zwei Skelete angefertigt hatte. Für Anthropologie war er sehr thätig, nahm Masken ab, machte eine ganze Reihe Messungen und Zeichnungen, sammelte Notizen über Haare, Hände, Füsse u. d. m. Dr. Finsch beabsichtigte, diese zweite Sammlung im October abzusenden, und dann noch eine Zeit lang auf Jaluit zu bleiben, um später auf die Erforschung einer niedrigen Coralleninsel die einer Hochinsel, wie Pleasant-Island, folgen zu lassen. Weiterhin wird es von der Reisegelegenheit abhängen, ob er etwa Neu-Britannien, Hermite und Anchorites näher erforschen kann. Er klagt über die Schwierigkeit der Communication, die Trägheit der Eingeborenen und die bisherigen grossen Reisekosten, wonach die ursprünglich ihm bewilligte Reiseunterstützung zur Durchführung des beabsichtigten Unternehmens nicht reichen wird.

Das Capital der Stiftung hat sich im vorigen Jahre eines nicht unerheblichen Zuwachses zu erfreuen gehabt, indem das der Stiftung durch den am 18. Juli 1877 zu Freiburg in Baden verstorbenen Dr. Alexander von Frantzius ausgesetzte Legat im Betrage von rund 14150 M. unserer Casse ausgezahlt wurde. Die für das laufende Jahr für Stiftungszwecke verwendbare Summe beläuft sich, ordnungsmässig abgerundet, auf 20400 M.

Hierauf hielt Hr. Conze folgenden Vortrag über Pergamon:

Neben die Aufdeckung der Altis zu Olympia, deren reichen Ergebnissen wir nunmehr schon im fünften Jahre mit unausgesetzter Theilnahme folgen, ist seit etwa anderthalb Jahren eine zweite archäologische Untersuchung in Pergamon getreten, zu welcher Hr. Karl Humann in Smyrna den Anstoss gab; ihre herrlichste Frucht sind jene heute hier schon ziemlich allgemein bekannten Skulpturenfunde, zu deren Hebung Hr. Humann durch das Kgl. Unterrichtsministerium in den Stand gesetzt wurde. Mit dem glücklichen Entdecker haben Viele, deren Namen ich nicht alle aufzählen kann, mitgearbeitet und halten bei der Arbeit und ihrer Förderung aus. So war auch ich amtlich zur Mitwirkung veranlasst, und wenn die feinere Verarbeitung und der Gewinn immer gesicherteren Verständnisses aus dem heute noch von Niemand vollständig geprüften Materiale auf lange Zeit wiederum mannigfaltige

Kräfte in Anspruch nehmen wird, so stehe ich selbst einstweilen allen Vorbereitungen zur weiteren Nutzbarmachung der Funde so sehr zunächst, dass ich zur Zeit die Berichterstattung über den heutigen Stand der Ergebnisse am besten übernehmen zu können mir getrauen darf.

Ausgangspunkt und bleibender Hauptgegenstand der Untersuchung war und ist der Prachtbau eines Altars unter freiem Himmel dicht unter der höchsten Höhe der Akropolis von Pergamon. Daneben sind aber, zumal seitdem die Hrn. Bohn, Stiller und Raschdorff, eine Zeit lang auch Hr. Lolling, an Ort und Stelle mit thätig sein durften, noch andre Baudenkmäler in ihren Resten freigelegt, beobachtet und aufgenommen.

Vor Allem ist der Tempel auf dem höchsten Gipfel der Stadtburg zu nennen, dessen ursprüngliche Gestalt im vollen Reichthume korinthischer Stilformen Hr. Stiller aus den auseinandergerissenen, aber zahlreich aufgefundenen Trümmern in annähernder Vollständigkeit wird wiederherstellen können. Entsprechend einer der bereits früher von den Hrn. Curtius und Adler aufgestellten Muthmassungen hat sich ergeben, dass der Tempel das auf den Münzen von Pergamon als ein Wahrzeichen der Stadt angedeutete Sebasteion, das templum Augusti et urbis Romae ist, dessen Errichtung bei Tacitus zwei Mal erwähnt wird, und über welches ein Pergamenischer Grammatiker, Telephos, zwei leider sammt seiner Periegese von Pergamon verlorene Bücher schrieb.

Weit abwärts nach Süden zu auf dem ausgedehnten Burgberge ist sodann ein andrer Gebäudecomplex, dessen aus dem Boden hervorragende Reste die Deutungslust schon älterer Reisenden herausforderten, wenigstens so weit frei gelegt, dass sich in ihm ein Gymnasium aus römischer Zeit mit Sicherheit hat erkennen lassen.

Ohne Ausgrabung, wohl aber mit Hülfe photographischer Aufnahmen, ist ausserdem noch eine ganze Reihe von Ruinen schärfer geprüft, sind namentlich die Stadtmauern in ihrer mannigfaltigen Gestaltung verschiedener Zeiten zum Gegenstande möglichst eingehender Betrachtung gemacht. So wird denn als ein Gesammtergebniss aller Arbeiten von der alten Stadt Pergamon ein mehrfach über unsre bisherige Kenntniss hinausgehendes Bild geboten werden können, ein Bild, von dessen im Laufe der Geschichte wechselnden Zügen besonders diejenigen Aufmerksamkeit verdienen, welche von der Königsstadt der Attaliden noch kenntlich geblieben sind.

Glänzend hebt sich aus ihnen jener marmorne Prachtbau eines Altars auf breiter sturmumwehter Höhe hervor. Er leuchtet trotz aller Zerstörung um so frischer, je mehr fast bis zum völligen Verschwinden die Kunde des Denkmals in der Erinnerung der Nachwelt verdunkelt war.

Von seiner Lage giebt am besten die neue Aufnahme[1]) der pergamischen Akropolis von der Hand des Hrn. Humann eine Vorstellung. Es ist einer der grössten hellenischen Akropolisberge, etwa wie Akrokorinth oder die messenische Ithome, auf welcher hart an dem Westrand in einer Höhe von reichlich 250 Metern über dem Meere der Altarbau errichtet war, mit dem Ausblicke weit über das ganze Kaïkosthal bis zum Golf von Elaia hin. Heute ist der Burgberg verlassen und verödet, nur mit Rasen, Dorn- und Ginsterbüschen bewachsen, die Bauten aus dem Alterthume sind dem Boden gleich geworden oder unter ihm verschwunden; allein die Mauerzüge, welche, zu verschiedenen Zeiten zur Befestigung der einzelnen Terrainabschnitte aufgeführt, alle wieder im Verfall, in langen Linien sich hinziehen, fesseln das Auge. Durch ihre besondere Dicke von etwa 6 Metern zeichnet sich unter ihnen eine Mauer aus, die, beginnend von dem westlich gegen das Thal des Selinusflusses gewandten Abhange, bis östlich an den jähen Absturz über dem Thale des Ketiosflusses sich erstreckt und offenbar zur Beherrschung einer von Osten her allmälig zur Höhe führenden Mulde errichtet wurde. Nicht, wie ziemlich alle andern Mauerläufe der Burg auf Grundlagen hellenistischer Zeit aufgeführt, also ihnen gegenüber deutlich unter ganz veränderten Bedingungen für nöthig befunden, scheint sie sich auch ihrer Konstruktion nach als einer jener gewaltigen Nothbauten zu charakterisiren, hinter denen die west- und oströmische Macht sich einen letzten Schutz gegen die sie überwältigenden Völkerfluthen zu schaffen suchte. Als die Mauer erbaut wurde, standen offenbar die Prachtbauten der untergehenden Welt des Alterthums, wenn auch schon im Verfalle, noch grossentheils aufrecht. Die Werkleute, der Mühe, selbst ihr Material zu brechen und zuzuhauen, überhoben, griffen in das Volle der bereitstehenden und -liegenden Marmor-

---

[1]) War in der Sitzung ausgestellt.

blöcke und schichteten Architekturtheile, Statuen, Reliefs und Inschriftsteine zu ihrem großgewaltigen Bau aufeinander. Reihenweise wurden Säulentrommeln der Länge nach neben einander gelegt, mit eisernen Klammern verbunden, sonst Alles mit einem wie Stein sich verhärtenden Mörtel vergossen, zu dem manches für bessere Zeiten kostbare Marmorstück in den Ofen geworfen sein wird. So hat die Befestigung, wir wissen zwar nicht, ob ihrem eigentlichen Erbauungszwecke auch nur vorübergehend erfolgreich entsprochen, doch Jahrhunderte lang in festem Gefüge dem auch über sie wieder ergehenden Verfalle, zumal den Angriffen der Steinbrecher folgender Generationen, zu einem grossen Theile widerstanden. Noch im Jahre 1871 hat Hr. Curtius mit seinen Reisegefährten den oberen Raum der Akropolis durch die Thoröffnung dieser Mauer betreten. Der sein Führer war, Hr. Humann, hatte bei einem längeren Aufenthalte in Pergamon mit regem Interesse, das einst in seinen Studienjahren hier in Berlin an den Skulpturen des K. Museums sich genährt hatte, die Bestandtheile der Mauer geprüft, und war auf grosse Stücke in ihr verbauter Hochreliefs aufmerksam geworden; einige, die er hatte herausziehen lassen, schenkte er damals dem hiesigen Museum. Der Wunsch, auf der Spur dieser gewaltigen Proben weiter zu suchen, von Hrn. Humanns stetig dringend wiederholtem Anerbieten, sich der Aufgabe persönlich widmen zu wollen, lebendig erhalten, bestand seitdem hier in den nächstbetheiligten Kreisen, in denen auch — ich weiss den eigentlichen Autor nicht ausfindig zu machen — eine für den schliesslichen Erfolg entscheidend wichtige Kombination gemacht wurde.

Ein obscurer Scribent, Namens Ampelius, der jedesfalls nach dem Anfange des 2 nachchristlichen Jahrhunderts ein Schriftchen über mirabilia mundi compilirte, nennt in seinem Sammelsurium der Wunderwerke auch einen grossen Marmoraltar zu Pergamon, 40 Fuss hoch, mit grossen Skulpturen und zwar einer Gigantomachie: cum maximis sculpturis, continet autem gigantomachiam. Die Humannschen bereits in das Museum gelangten Reliefbruchstücke gehörten aber, wie keinem Archäologen zweifelhaft blieb, zu einer Gigantomachie und sie konnten ihren Maassen nach nicht an einem Tempel, wohl aber an der Aussenfläche eines kolossalen Altars oder seines Unterbaues ihren Platz gehabt haben, wie man sich einen solchen Altar in den Hauptzügen nach der Beschreibung des olympischen Zeusaltars bei Pausanias, der ausdrücklich dabei an eine Ähnlichkeit mit dem pergamenischen erinnert, vorstellen durfte.

Diese Kombination konnte Hrn. Humann als Leitstern gezeigt werden, als er im Sommer des vorvorigen Jahres endlich mit dem Versuche, weitere Fragmente jener grossen Reliefs und wo möglich das Denkmal, dem sie angehört hatten, aufzufinden, betraut wurde.

Es war am Montage 9. September 1878, als Hr. Humann mit einem stillen Spruche im Namen des hohen Protectors der K. Museen mit dem Abbruche jener Mauer begann, in welcher die ersten Reliefproben gefunden worden waren. Mit gesundem Urtheile sagte er sich, dass solche gewaltige Blöcke gewiss nicht erst zum Mauerbau irgendwoher von unten zur Burg herauf geschleppt sein möchten, und selbst oben kaum von sehr weit her. Und wiederum mit richtigem Blicke fasste er eine leise Bodenanschwellung unten an dem oberhalb der Mauer gelegenen Abhange als einen Platz ins Auge, an dem der Altarbau, den zu suchen ihm aufgegeben war, gestanden haben könnte. Aus der Mauer kamen schon am zweiten Tage gegen Abend zwei etwa 2 Meter lange Reliefplatten hervor, die an der Innenseite der Mauer, mit der Bildfläche einwärts gekehrt, auf die hohe Kante gestellt waren; andre gleiche Funde reihten sich beim weiteren Abbrechen unmittelbar daran; die Arbeiter aber, welche auf der ebenerwähnten Stelle am Bergabhange in das Erdreich eindrangen, stiessen eben so rasch auf kompaktes Fundament. Am 12. September Abends, also am dritten Tage nach Beginn der Versuchsarbeit, ging das Telegramm ab: „elf grosse Reliefs, meist mit ganzen Figuren, 30 Bruchstücke und der Altar selbst gefunden“. Es überstieg jede Erwartung. Dass das aufgedeckte Fundament wirklich das des Altarbaus sei, hat sich dann in der That völlig bestätigt. Es liegt heute in vollem Umfange, nahezu 34,00, resp. 37,00 Meter in den Seiten messend, ausgeführt in einem sich rechtwinklig kreuzenden Netzmauerwerk, dessen Zwischenfelder mit Erde und Schutt ausgefüllt sind, wieder frei vor Augen, zwar der Marmorhülle seines Aufbaus so gut wie ganz und gar entkleidet und selbst in das weiche Fundamentgestein hinein von späteren Bewohnern des Platzes stark angegriffen, immer aber ein höchst werthvoller Kern alle der Fundthatsachen, welche, rings herum constatirt, den Altarbau auf diesem Platze ausser Frage stellen.

Und rasch, wie das erste Gelingen war, so ständig und ausgiebig hat sich das weitere Abbrechen der Mauer und Abtragen des Terrains so ziemlich ein volles Jahr lang erwiesen. Die Entdeckerfreude des Hrn. Humann erreichte ihren Höhepunkt, als im Mai die Platten mit der Kampfgruppe der Athena und am 21. Juli 1879 die mit der übergewaltigen Gruppe des gegen drei Giganten Blitze schleudernden Zeus dem Boden entstiegen. Es war auf der Ostseite des Fundaments und zwar gegen Norden hin, wo die Platten nahe bei einander, offenbar wie man sie einst von ihrem Platze gerissen hatte, zu irgendwelchem kleinlichen Bauzwecke auf die hohe Kante neben einander gestellt ausgegraben wurden. Denn nicht nur in jener Festungsmauer verbaut, sondern auch auf dem ganzen Terrain nördlich, östlich und südlich (weniger im Westen) des grossen Fundamentkerns fanden sich die Bruchstücke der Hochreliefs und andre theils sicher, theils vielleicht zum Altarbau gehörige, grossentheils aber auch von andren Denkmälern herrührende Bruchstücke (Architektur, Bildwerke, Inschriften) verstreut. Beim Verweilen auf dem Aufgrabungsplatze überwiegt bald die Freude an dem grossen Gewinne, den zu heben uns vorbehalten blieb, bald der peinliche Eindruck grässlicher Verwüstung, die über so viel Herrlichkeit dahin gegangen ist.

Von dem Marmoraufbau des Altars sind nur zwei, sage zwei Stufensteine auf der Ostseite noch am ursprünglichen Platze und in ihrer alten Verbindung; sonst Alles gestürzt, verschleppt, zerschlagen, verwittert, wieder verbaut, meist in jene grosse Mauer, aber wie die Zeus- und die Athenagruppe auch zu anderem ephemeren Gebrauche kümmerlicher Nachkommen, welche bis in die spätbyzantinische Zeit die Stelle besiedelt gehalten haben. Wie aus einem mächtigen monumentalen Palimpseste müssen die Züge des Ursprünglichen, die für uns Werth haben, aus den verwirrenden Umgestaltungen herausgelesen werden, zu denen auch Älteres, Theile von Bauten, die vor der Errichtung des Altars an seiner Stelle standen, sich gesellt. Es wird vornehmlich das Verdienst des Hrn. Baumeisters Bohn sein, wenn sich das Gesammtbild des in so reicher Ausgestaltung seiner Art einzigen Prachtbaus so gut wie völlig sicher in jeder Einzelheit des Aufrisses, weniger genau vermuthlich allerdings im Grundrisse, wird wiederherstellen lassen.

Ich wünsche den eigenen Darlegungen des Hrn. Bohn hier nicht vorzugreifen, darf aber doch nicht unterlassen, so weit es mit wenigen Worten angeht, ein Bild der ursprünglichen Gestalt des Ganzen zu entwerfen.

Über niedrigem umlaufenden Stufensockel erhob sich, wie schon gesagt, etwa 100 Fuss im Quadrat als Hauptkörper des Gebäudes der Unterbau, zu dem mindestens auf einer Seite und zwar schwerlich vorliegend, sondern einschneidend der Treppenaufgang zur oberen Plateform, wo der eigentliche Opferaltar stand, hinaufführte. Die senkrechten Aussenflächen des Unterbaus waren umlaufend in ihrem oberen Theile in einer Höhe von 2,30 M. von der gewaltigen Hochreliefcomposition des Kampfes der Götter und Giganten bedeckt. Uns sind ausser zahlreichen kleinen Fragmenten, die noch der fortgesetzten Versuche der Anpassung harren, 96 grössere Theile dieser Composition erhalten. Sie ihrem Zusammenhange im Grossen nach wieder zusammenzufügen, ist eine noch ungelöste Aufgabe; genug, dass hier und da bereits bis zu 6 unmittelbar an einander gehörige Platten einzelne grössere Theile des Ganzen zeigen. Unmittelbar über dem Relief vorkragend lag ein mächtig ausladendes Gesims, in dessen Hohlkehle die Namen der dargestellten Götter eingeschrieben sind. Wir lesen namentlich Athena, Herakles, Poseidon, Amphitrite und Triton, Aphrodite und Dione, Ares und Enyo, Themis, Leto; der Mutter der Giganten Ge, die in langem Lockenhaar mit klagend gehobenen Händen, als ihr Abzeichen das Füllhorn zur Seite, dort aus dem Erdboden aufsteigend dargestellt ist, wo Athena ihren vierfach geflügelten, aber rettungslos von der Schlange der Göttin umwundenen Gigantengegner am Haar schleift, ist ihr Name dicht neben ihr auf die Platte beigeschrieben. Ohne dass die zugehörigen Namen erhalten wären, erkennen wir sonst bis jetzt unter den kämpfenden Göttern noch Apollon, Dionysos, Helios auf seinem Viergespann und ihm voranreitend Eos, namentlich aber Zeus und auch wohl Herakles, dem die Sage eine wichtige Rolle im Gigantenkampfe zutheilt. Als wir die Götternamen auf den Werkstücken des Gesimses allmälig zusammengelesen hatten, vermissten wir jeglichen Namen eines Giganten. Erst als auf einem kleinen Architekturgliede der als solcher unverkennbare Gigantenname Chthonophylos beim Ausgraben zum Vorschein kam, wurden auch auf andern Fragmenten von Gliedern gleicher Profilirung noch andre Namen als die von Giganten des grossen Reliefs erkannt: Erysichthon, Palleneus, und andre mehr verstümmelte. Hr. Bohn setzt das Glied, welches so die Namen der Giganten trägt, unmittelbar unter die Reliefs; einmal, wo der einschneidenden Treppe wegen das Glied nicht fortgeführt sein konnte, steht der Name eines Giganten ihm unmittelbar im Relieffelde selbst beigeschrieben.

Noch Eines mag, da wir von den Inschriften reden, erwähnt sein, dass auch die Künstlernamen auf dem untern Architekturgliede, bescheidentlich tiefer noch als die Gigantennamen gestellt, vorhanden waren, aber bis auf Reste, die keine Wiederherstellung eines Namens bis jetzt zulassen, zerstört sind.

Bei dem Zeusaltare in Olympia, wo Pausanias flüchtig an unsern pergamenischen Altar als ähnlich erinnert, bestand das ganze Gebäude nur aus dem hohen Unterbau, zu dem Treppen hinaufführten, und auf welchem oben wiederum besonders erhöht der eigentliche Opferaltar stand. Ebenso einfach erscheint in der Restauration nach gefundenen Resten bei Serra di Falco der grosse Altarbau Hiero des zweiten zu Syrakus. Der Fundbestand zu Pergamon hat aber ergeben, dass dort nicht nur die eben beschriebene reiche Reliefdekoration der Seitenflächen den Bau schmückte, sondern auch noch eine, wie eine Attica in kleinem Maassstabe gehaltene, oben umlaufende Säulenhalle jonischen Stils die reiche Ausbildung des Baumotivs vervollständigte. Die Theile dieser Halle haben sich so vollständig gefunden, dass wir einen dreisäuligen Ausschnitt derselben hier im Museum vollständig wieder aufrichten werden. Die oben flache Kassettendecke dieser Halle war, wie Hr. Bohn aus schwachen Standspuren erkannt hat, zur Aufstellung kleiner, akroterienartig wirkender Bildwerke benutzt.

Sonst standen auf der oberen Plateform, wir können nicht genauer angeben wo, zahlreiche Kolossalstatuen, fast sämmtlich weibliche, von deren Torsen eine grössere Anzahl auf dem Wege in unser Museum ist. Endlich noch muss auf der Plateform, und zwar nach Innen gewandt den Platz um den eigentlichen Opferaltar umgebend, eine zweite Reliefreihe, etwa anderthalb M. (1,58) hoch, angebracht gewesen sein, von der einige 30 grössere Stücke erhalten sind. Schon Hr. Lolling, der beim ersten Funde solcher Stücke zugegen war, hat erkannt, dass einzelne der Darstellungen dieser Reliefreihe, die offenbar nicht Szenen der Göttersage enthält, uns aus der Sage vom Telephos, dem mythischen Ahnherrn der Pergamener, wohl bekannt sind. Auf dieser Basis wird hoffentlich mit der Zeit noch weitere Erklärung der Fragmente gelingen.

Wie einer verschiedenen Dichtungsgattung angehörig stehen diese kleineren Reliefs mehr idyllischen Charakters neben der grandiosen Gigantomachie, die Versalität des Könnens an einem und demselben Monument verkörpernd.

Von dem eigentlichen Opferaltare, dem Mittelpunkte der ganzen Bauanlage, oben auf der Plateform wissen wir aus der Notiz des Pausanias nur das Eine, dass er aus der Asche der Opferthiere hergestellt war, wie ein solcher Aschenaltar noch ganz jüngst in Olympia ziemlich wohlerhalten aufgedeckt ist.

Unter den mannigfachen Werkstücken, welche, als doch noch zum Theil möglicherweise zum Altare, in dessen überreichem Fundgebiete sie lagen, gehörig, einer Prüfung darauf hin unterzogen werden müssen, befinden sich auch drei Platten, auf denen ein König, Sohn des Königs Attalos, als Stifter eines Anathems für Zeus und Athena Nikephoros in grossen Schriftzügen sich nennt. Wollte man der, übrigens nicht weiter zu stützenden Vermuthung nachgeben, dass diese Inschrift etwa an der Einfassung des Aschenaltars sich befand, also die Widmung des ganzen Baus enthielte, so würde sich daraus mit Rücksicht auf Inhalt und Schriftform als Gewissheit ergeben, was wir auch ohne das aus mehreren Gründen als das Wahrscheinliche bezeichnen müssen, dass nämlich der Erbauer des Monuments König Eumenes II (197—159 v. Chr.) war, der König, welcher schon nach dem kurzen Gerippe einer Geschichte der Könige von Pergamon bei Strabo als der Salomon dieser Dynastenreihe erscheint, als derjenige, welcher die in harten Kämpfen errungene und behauptete Macht seines Staates in glänzendem Schmucke seiner Hauptstadt zum Ausdrucke brachte. Wohl sollte, nach griechischer Art im Spiegelbilde der Göttersage verherrlicht, durch das marmorne Kampfgetümmel der Gigantenschlacht erhebend für den Träger des Diadems und die Seinigen erinnert werden an das heisse Ringen, in dem Eumenes und sein Vorgänger die wilde Gewalt der Gallier, welche schon die Hauptstadt selbst bedrohten, brach und damit hellenischer Cultur noch ein Mal auf lange hin den kleinasiatischen Boden sicherte. Grosse Bronzegruppen, welche diese Gallierschlachten selbst darstellten, standen unweit des Altars. Am Götteraltare trat das Menschliche zurück; es werden aber Beziehungen in seinem künstlerischen Schmucke gewaltet haben, gleich jenen, in denen der attische Parthenon und seine Bildwerke zur Burggöttin und zur Blüthe Athens nach siegreich überstandenem Perserkampfe stand.

Unter den grossen Altarbauten, welche wir mit dem pergamenischen vergleichen können, waren die zwei oben bereits erwähnten zu Syrakus und Olympia dem Zeus geweiht, dem höchsten Himmelsgotte, dessen Kultus vorzugsweise auch ohne Tempel unter freiem Himmel sich erhielt. Aber doch nicht ausschliesslich ihm wurden solche selbständige Altäre erbaut, und das Zeugniss der Inschriften, welche im Bereiche des Altartemenos zu Pergamon gefunden sind, spricht für Athena als die Hauptgöttin des Platzes (Ἀθηνᾶ Πολιὰς καὶ Νικηφόρος); häufig in den Weihungen ihr gesellt und dann als der im Range höhere ihr vorangestellt erscheint aber auch Zeus, dem auch nahebei gefundene Einzeldedicationen an den Zeus Tropaios, Zeus Keraunios und ein kleines Marmoranathem mit dem Blitze gelten. Wenn so der ganze Altarbau der Athena und mit ihr dem Zeus geweiht gewesen sein wird, so fällt damit ein helleres Licht auf die beiden Hauptgruppen des grossen Gigantomachiereliefs. Man kann nicht genug als ein besonderes Glück preisen, dass uns am vollständigsten grade diese beiden Gruppen gerettet sind, welche die wirklich dominirenden Mittelpunkte der ganzen Komposition gewesen sein müssen. Nicht nur als die stets im Gigantenkampfe besonders hervortretenden Götter, sondern zugleich als die Götter des Heiligthums selbst sind Zeus und Athena von dem Künstler sichtlich als Pendants behandelt, und wenn er der kämpfenden Athena die Siegesgöttin zuschweben und sie kränzen lässt, so ist das geradezu der bildliche Ausdruck für den als sozusagen offiziell in den Weihungsschriften ständigen vollen Namen der Athena Nikephoros.

Wie der Altar selbst, so ganz vorwiegend gehört die Masse der um ihn her gemachten Einzelfunde der pergamenischen Königszeit an. Römisches ist verhältnissmässig spärlich vertreten. Damals muss der heilige Bezirk, der der religiöse Mittelpunkt der selbständigen Königsstadt gewesen war, seinen Vorrang eingebüsst haben. Dass in der That Kaiserkultus und Asklepiosdienst in Pergamon Zeus und Athena in Schatten stellten, beweisen übereinstimmend mit dem Ergebnisse unserer Ausgrabungen auch die Münztypen von Pergamon aus königlicher und römischer Zeit.

Jener Altar aber, den wir heute mit Rücksicht auf die gemessene Zeit zum Hauptgegenstande der Besprechung gemacht haben, ist für uns nicht nur das glänzendste Denkmal der Attaliden, er ist und wird es immer mehr werden ein Eckstein für den Ausbau unserer Kenntniss der hellenistischen Kunst. Wie mangelhaft erscheint schon heute jede bisherige kunstgeschichtliche Schilderung gegenüber diesem neuen Werke! Ich stehe nicht an, ihm für diese Periode eine gleiche Wichtigkeit beizumessen, wie Parthenon und Maussoleum sie für die Kenntniss der Kunst des 5. und 4. Jahrhunderts anerkannter Maassen behaupten.

Eines jener grossartig entworfenen und im Einzelnen fein ausgebildeten Prachtgebilde, wie der Scheiterhaufen Hephaistions und der des Dionysios von Syrakus, der Leichenwagen Alexanders, das Schiff des Hieron, von denen als ephemeren Schöpfungen nur die Beschreibungen uns geblieben sind, tritt uns mit einem Male, aus ansehnlichen Resten wenigstens grossentheils herstellbar, in vortrefflich frischester Erhaltung vieler einzelnen Theile wieder vor Augen. Wir dürfen wieder sehen, wie an einem Mittelpunkte der Macht und der Bildung, wo man mit dem Streben auch die Mittel besass, die besten Kräfte an sich zu ziehen, die Architektur gehandhabt wurde, wie freie Statuen und Reliefs phantasievoller Erfindung mit einer für die besten Künstler heutiger Zeit staunenswerthen Beherrschung der Form und der Technik, voll wärmster oft schrecklicher Natürlichkeit und doch in einem grossen Stile, in Marmor nicht nur ausgeführt, sondern, da man offenbar des gleichgrossen Modells nicht bedurfte, nach Skizze und Vorzeichnung gleich in Marmor gedacht und am Monumente selbst vollendet wurden.

Es verschwindet dabei die zu niedrige Vorstellung von einer Zeit des Verfalls, in der man bis vor kurzem — ich erinnere an die samothrakische Nike — sich scheute treffliche Werke entstanden zu denken. Es verschwindet jene zu enge Vorstellung — aus einem vorläufigen bequemen Fächerwerke erhaltener Nachrichten hervorgegangen — von einer pergamenischen Kunstschule neben einer rhodischen: entsprechend dem Genius jener Zeit ist es vielmehr dasselbe umfassende Vermögen hier wie dort. Es verschwindet endlich der zu einseitige Begriff antiker Kunst, in dem die Meisten befangen sind. Hier kann nicht mehr in vielbeliebtem Maasse das „Antike", als Eines das Andre gegensätzlich ausschliessend, dem „Modernen" gegenübergestellt werden. Die auch in der Skulptur bis zu einem gewissen Grade malerische Periode der Antike steht hier leibhaftig vor Augen. Sind es doch die Namen Michelangelo, Schlüter, die vielfach auf den Lippen der Beschauer, welche zuerst vor diese Werke hintreten, als Etwas, woran man erinnert wird, laut werden. Und unter den einzelnen antiken Skulpturen, welche sich nunmehr chronologisch an den festen Kern eines datirbaren Hauptwerkes anschliessen lassen werden, sind grade einige, wie der Schleifer, die sog. Meduse Ludovisi, die venetianischen Gallier, welche von mangelhafter Kritik einmal als moderne Arbeiten angesprochen wurden.

So ist uns mit Karl Humanns Funden das Beste einer wissenschaftlichen Entdeckung geschenkt, dass sie nicht nur unser Wissen im Einzelnen berichtige, sondern befruchtend auf ein ganzes grosses Gebiet der Forschung wirke und unsere allgemeinen Vorstellungen kläre und bereichere.

Auch Humanns patriotischer Wunsch ist erfüllt. Die Originale gehören der deutschen Hauptstadt an. Eine Förderung der Beobachtung wird zunächst hier am Orte, wo sie mit besonderem Eifer von Einheimischen und Besuchern geübt wird, geboten. Wir nennen das auch einen allgemeinen Gewinn in so fern, als eine Vertheilung der Werke griechischer Kunst in den Mittelpunkten der civilisirten Welt ihre Wirkung zu steigern geeignet ist, mehr als wenn das Streben heutiger Griechen erfüllt würde sie als Familieneigenthum bei sich zu halten, oder als wenn der Wille des ersten Napoleon Bestand gehabt hätte die besten alle in einer Metropole zu vereinigen, oder als wenn wir England den Vorrang in solchen mit Erwerbung verbundenen Entdeckungen unbestritten hätten lassen wollen.

Alles aber, was Humann that und anregte, hätte kaum voll durchgeführt werden können — je näher man dem Unternehmen stand, desto mehr hat man es gesehen — ohne die heutige Gestalt und Stellung unsres Staates. Und so erscheint es nicht als ein zufälliges Zusammentreffen, dass seit Friedrich der Grosse mit persönlichster Sorge das Erzbild des anbetenden Knaben erwarb, für Preussen keine Erwerbung von Skulpturen ersten Ranges wieder gemacht ist bis auf diese Pergamener unter der Regierung S. M. des Kaisers Wilhelm und unter höchst persönlicher Mitwirkung Sr. Kais. u. Königl. Hoheit des Kronprinzen, in der That des Protektors der wissenschaftlichen Anstalt unserer Museen.

Verzeichniss der im Monat Januar 1880 eingegangenen Schriften.

Leopoldina. Herausgegeben von C. H. Knoblauch. Heft XV. N. 23. 24. Halle 1879. 4.

Sitzungs-Berichte der math.-phys. Classe der k. b. Akademie der Wissenschaften zu München. Jahrg. 1879. Heft III. München 1879. 8.

Sitzungsberichte der philos., philolog. und histor. Classe der k. b. Akademie der Wissenschaften zu München. Jahrg. 1879. Bd. II. Heft 1. München 1879. 8.

Berichte der Deutschen Chemischen Gesellschaft. Jahrg. XII. N. 19. Berlin 1879. 8.

Zeitschrift der Deutschen Geologischen Gesellschaft. Bd. XXXI. Heft 3. Berlin 1879. 8.

Mittheilungen aus dem naturwissenschaftlichen Vereine von Neu-Vorpommern und Rügen in Greifswald. Jahrg. XI. Berlin 1879. 8.

Erster Jahresbericht der Geographischen Gesellschaft zu Hannover 1879. Hannover. 8.

Achtzehnter Bericht der Oberhessischen Gesellschaft für Natur- und Heilkunde. Giessen 1879. 8.

Mittheilungen des Deutschen Archaeologischen Institutes in Athen. Jahrg. IV. Heft 3. Athen 1879. 8.

Mittheilungen der Deutschen Gesellschaft für Natur- und Völkerkunde Ostasiens. Heft 19. October 1879. Berlin 1879. 4.

Monumenta Germaniae Historica. — Auctorum antiquissimorum T. III. Pars posterior. — Corippi libri rec. J. Partsch. Berolini 1879. 4.

L. Diefenbach, *Völkerkunde Osteuropas.* Bd. I. Darmstadt 1880. 8.

B. Troost, *Zur weiteren Begründung der Lichtäther-Hypothese.* Aachen 1879. 8.

E. Selenka, *Über einen Kieselschwamm von achtstraligem Bau etc.* Sep.-Abdr. 8.

Th. Wolf, *Ein Besuch der Galápagos-Inseln.* Heidelberg 1879. 8. Eingesandt von Hrn. vom Rath.

Sitzungsberichte der philos.-histor. Classe der K. Akademie der Wissenschaften in Wien. Bd. 90, Heft 1. 2. 3. Bd. 91, Heft 1. 2. Bd. 92, Heft 1. 2. 3. Bd. 93, Heft 1. 2. 3. 4. & Register Bd. IX. Wien 1878. 1879. 8.

Sitzungsberichte der math.-naturw. Classe der K. Akademie der Wissenschaften in Wien. Jahrg. 1878. I. Abth. N. 5—10. II. Abth. N. 4—10. III. Abth. N. 1—10. Jahrg. 1879. II. Abth. N. 1—3. III. Abth. N. 1—5. Jahrgang 1879. N. XXIV. Wien. 8.

Denkschriften der phil.-hist. Classe der K. Akademie der Wissenschaften in Wien. Bd. 28. 29. Wien 1878/79. 4.

— *der math.-naturw. Classe der K. Akad. der Wissensch.* Bd. 39. Wien Wien 1879. 4.

Almamach der K. Akademie der Wissenschaften. Jahrg. 1879. Wien 1879. 8.

30 Separatabdrücke aus den Sitzungsberichten und aus den Denkschriften der K. Akademie der Wissenschaften in Wien. Wien 1878/79. 4. & 8.

Archiv für Kunde österreichischer Geschichtsquellen. Bd. 57, Hälfte 2. Bd. 58, Hälfte 1. 2. Wien 1879. 8.

Jahrbuch der K. K. geologischen Reichsanstalt. Jahrg. 1879. Bd. 29. N. 3. Wien 1879. 8.

Verhandlungen der K. K. geologischen Reichsanstalt. 1879. N. 10. 11. 12. 13. Wien 1879. 8.

Mittheilungen der anthropologischen Gesellschaft in Wien. Jahrg. 1879. Bd. IX. N. 7. 8. Wien 1879. 8.

Berichte des naturwissenschaftlich-medizinischen Vereines in Innsbruck. IX. Jahrg. 1878. Innsbruck 1879. 8.

Mittheilungen der K. K. Central-Commission zur Erforschung und Erhaltung der Kunst- und histor. Denkmale. Neue Folge. Bd. V. Heft 4 (Schluss). Wien 1879. 4.

M. Neumayr, *Zur Kenntniss der Fauna des untersten Lias in den Nordalpen.* (A. d. Abhandlungen der K. K. geol. Reichsanstalt Bd. VII. Heft 5.) Wien 1879. 4.

Almanach der K. Ungarischen Akademie der Wissenschaften, 1879. 1880. Budapest. 8.

Értesitö (Akadémiai) 1878, 1—7. *(Bulletin acad.) 1879*, 1—6. Budapest 1878/79. 8.

Értesitö (Archaeologiai) 1878. Köt. XII. Budapest 1878. 4.

Évkönyvek. XVI, 2—5. Budapest.

Közlemények (Archaeol.) XII. XIII, 1. Budapest.

— *(Math. és Term.).* XIV. XV. Budapest.

— *(Nyelvtudományi).* XIV, 2. 3. XV, 1. 2. Budapest.

Értekezések a nyelvt. és szépirodalom Köréböl. VII, 3—10. VIII, 1—4. Budapest.

— *a társad. tudomángok Köréböl.* V, 1—8. Budapest.

— *a történelmi tudományok Köréböl.* VII, 5—10. VIII, 1—9. triml. a VII. Köt.

— *a mathem. tudományok Köréböl.* VI, 3—10. VII, 1—5. triml. a V. VI. Köt.

— *a természet-tudományok Köréböl.* VIII, 8—16. IX, 1—19. triml. a VIII. Köt.

Monumenta Hungariae Historica. I. Diplomataria. Vol. 16. — *III. Monum. Comit. R. Hung. Ed. Fraknói.* VI. Vol. — *III. Monum. Comit. Regni. Transylv. Ed. Szilágyi.* IV. V. Vol. — *IV. Acta extera. Ed. Nagy et Nyáry.* IV. Vol. Budapest 1878/79. 8.

Anjoukori okmánytar. Ed. Nagy Imre. I. Vol. Budapest. 8.

Történelmi Tár. XXV. Vol. Budapest. 8.

Archivum Rákóczianum. I. osztály. 6. 7. Budapest 1878/79. 8.

Literarische Berichte aus Ungarn. 1878, 1—4. 1879, 1—4. Budapest. 8.

Monumenta Archaeol. III, 2. Budapest 1878. 4.

Mittheilungen aus dem Jahrbuche der kön. ungar. geologischen Anstalt. Bd. III. Heft 4. Budapest 1879. 8.

Nyelvemléktár. VI. Vol. Budapest. 8.

Budenz Magyar-ugor Szótár. IV. Budapest 1879. 8.

Szabó, Régi magyar Könyvtár. Budapest 1879. 8.

Pesty, A Szörényi bánság. I.—III. Vol. Budapest 1878. 8.

Magyar hölgyek levelei. Budapest 1879. 8.

Magyar helyesirás. Budapest. 8.

Szinnyei Bibliotheca Hungarica historiae naturalis et matheseos. Budapest 1878. 8. Mit Begleitschreiben.

Reclus, *A Föld.* Budapest 1879. 8.

Hidegh, *Chemische Analyse Ungarischer Fahlerze.* Budapest 1879. 4.

Kosutány, *Magyarország jellembzöbb dohányainak.* Rész I. Budapest 1877. 4.

O. Herman, *Ungarns Spinnen-Fauna.* Bd. III. Budapest 1879. 4.

Népszerü természettudományi Elöadások Gyüjteménye. Köt. I. II. Budapest 1878/79. 8.

Johnson, *Miből lesz a termés.* Budapest 1878. 8.

Buza, *Kultivált Növényeink betegeségei.* Budapest 1879. 8.

Smith, *A Tápszerek.* Budapest 1877. 8.

A. Keller, *Catalog der Bibliothek der Ungarischen Naturwissenschaftlichen Gesellschaft.* Budapest 1877. 8.

Népszerű természettudományi Előadások. Budapest 1878. 8.

J. R. Landau, *Sammlung kleiner Schriften.* Budapest 1880. 8.

Rad Jugoslavenske Akademije znanosti i umjetnosti. Knjiga XI. IX. Zagrebu 1879. 8.

Monthly Notices of the R. Astronomical Society. Vol. XXXIX. N. 2. December 1879. London 8.

The Journal of the Chemical Society. N. CCVI. Jan. 1880. London. 8.

W. Miller, *On the influence of Colloids upon crystalline form and cohesion.* London 1879. 8.

H. Draper, *On the Coincidence of the Bright Lines of the Oxygen Spectrum.* Extr. 8.

Proceedings of the R. Geographical Society. Vol. II. N. 1. Jan. 1880. 8. *Title, Contents, and Index for Proceedings 1879.* London. 8.

Journal of the R. Microscopical Society. Vol. II. N. 7 & 7a. Decemb. 1879. London 1879. 8.

Journal of the Chemical Society. N. CCV. Dec. 1879. London. 8.

The Canadian Journal. New Series. Vol. I. P. I. Toronto 1879. 8.

Mineral Map and General Statistics of New South Wales, Australia. Sydney 1876. 8. 2 Ex.

Comptes rendus hebdomadaires des séances de l'Académie des Sciences de l'Institut de France. 1879. Semestre 2. T. LXXXIX. N. 26. Paris 1879. 4. & Tables T. LXXXVIII. Semestre 1. 1879. 4.

Nouvelles Archives du Muséum d'histoire naturelle. Ser. II. T. II. Fasc. 1. Paris 1879. 4.

Annales de Chimie et de Physique. Sér. V. T. XVIII. Nov. 1879. Paris 1879. 8.

Bulletin de la Société géologique de France. Sér. III. T. VI. Feuilles 34-36. Paris 1878. 8.

Bulletin de la Société mathématique de France. T. VII. N. 6. Paris 1879. 8.

Bulletin de la Société de Géographie. Novembre 1879. Paris 1879. 8.

Bulletin de l'Académie de Médecine. Sér. II. T. VIII. N. 50. 51. 52 1879. T. IX. N. 1. 2. 1880. Paris. 8.

Bulletin de la Société de Géographie commerciale de Bordeaux. Sér. II. Année III. N. 1. Bordeaux 1880. 8.

Revue scientifique de la France et de l'étranger. N. 25. 26. 27. 28. Paris 1879. 4.

Revue archéologique. Nouv. Série. 20. Année. XI. Nov. 1879. Paris. 8.

Polybiblion. — Revue bibliographique univ. — Partie litt. Série II. T. X. Livr. 6. Paris 1879. 8.

E. de Masquard, *Le troisième fleau régnant.* Nimes. 8.

H. Girard, *La philosophie scientifique.* Paris 1880. 8.

Th. H. Martin, *Mémoire sur l'histoire des hypothèses astronomiques chez les Grecs et les Romains.* Paris 1879. 4.

Memorie della R. Accademia delle Scienze di Torino. Ser. II. T. XXXI. Torino 1879. 4.

Atti dell' Accademia Pontificia de' Nuovi Lincei. Anno XXXII. Sess. IIIa del 16. Febbr. 1879. Roma 1879. 4.

Bullettino della Società Veneto-Trentina di Scienze naturali. Anno 1879. Dicembre. N. 2. Padova 1879. 8.

Atti della Società Toscana di Scienze naturali residente in Pisa. Processi verbali. Vol. II. Pisa 1879. 8.

Commentari dell' Ateneo di Brescia per l'anno 1879. Brescia 1879. 8.

P. Riccardi, *Biblioteca matematica italiana.* P. II. Vol. unico. Fasc. 1. Modena 1879. 4.

Portrait des Luigi Galvani. Von der Accademia delle Scienze di Bologna eingesandt. 1 Bl. fol.

A. Scacchi, *Ricerche chimiche sulle incrostazioni gialle della Lava Vesuviana del 1632.* Memoria I. Napoli 1879. 4.

P. Tacchini, *Sull' andamento della attività solare dal 1871 al 1878.* 4. Estr. 4 Exemplare.

O. Struve, *Mesures micrométriques corrigées des Étoiles doubles.* St. Pétersbourg 1879. 4.

Tabulae quantitatum Besselianarum pro annis 1880 ad 1884 computatae. Edi cur. O. Struve. Petropoli 1879. 8.

C. Kossowicz, *Canticum Canticorum ex Hebraeo convertit et explicavit.* Petropoli 1879. 8.

F. Wiedemann, *Zum Gedächtniss an F. A. Schiefner.* 1879. 8.

Öfversigt af Finska Vetenskaps-Societetens Förhandlingar. XXI. 1876—79. Helsingfors 1879. 8.

Observations météorologiques publiées par la Société des Sciences de Finlande. Année 1877. Helsingfors 1879. 8.

Instruktion för hydrografiska Observationers utförande vid Svenska Fyr- och Lots-Stationer. N. 4. 5. Stockholm 1879. 8.

Instruktion för Meteorologisk Loggboks förande af Nautisk-meteorol. Byrån. N. 1. Stockholm 1869. 8.

Tromsø Museums Aarshefter. II. Tromsø 1879. 8.

Observations made at the Magnetical and Meteorological Observatory at Batavia. Vol. III. Batavia 1878. 4.

Bulletin de l'Académie R. des Sciences de Belgique. Année 48. Série II. T. 48. N. 11. Bruxelles 1879. 8.

Annales de la Société entomologique de Belgique. Sér. II. N. 69—72. Bruxelles 1879. 8.

Annales de l'Observatoire R. de Bruxelles. Météorologie T. I. Feuilles 1—14. Bruxelles 1879. 4.

Bulletin de la Société des Sciences naturelles de Neuchâtel. T. XI. Cah. 3. Neuchâtel 1879. 8.

J. F. J. Biker, *Supplemento ā Collecção dos Tratados etc. celebrados entre a Corôa de Portugal e as mais potencias.* T. XXX. P. I. II. Lisboa 1879. 8.

Proceedings of the American Philosophical Society. Vol. XVIII. N. 103. Philadelphia 1879. 8.

Annals of the New York Academy of Sciences. Vol. I. N. 5—8. New York 1878. 8.

Memoirs of the Boston Society of Natural History. Vol. III. P. I. No. 1. 2. Boston 1878. 1879. 4.

Proceedings of the Boston Society of Natural History. Vol. XIX. P. 3. 4. Vol. XX. P. 1. Boston 1879. 8.

The Journal of the Cincinnati Society of Natural History. Vol. II. N. 2. July 1879. Cincinnati. 8.

Peabody Institute of the City of Baltimore. Twelfth Annual Report. June 1. 1879. Baltimore 1879. 8.

The American Journal of Science and Arts. Ser. III. Vol. XVIII. N. 108. Vol. XIX. N. 109. New Haven 1879. 1880. 8.

American Journal of Mathematics pure and applied. Vol. II. Number 3. Baltimore 1879. 4.

National Board of Health Bulletin. Vol. I. N. 24. Washington 1879. 4.

Bulletin of the U. S. Geological and Geographical Survey of the Territories. Vol. V. N. 1. 2. 3. Washington 1879. 8.

F. N. Hayden, *Catalogue of the Publications of the U. S. Geological and Geographical Survey of the Territories.* 3. Edit. Washington 1879. 8.

Guides for science teaching. N. 2. 3. 4. 5. Boston 1879. 8.

Astronomical and meteorological Observations made during the year 1875, at the U. S. Naval Observatory. Washington 1878. 4.

Zones of Stars observed at the National Observatory, Washington. Vol. I. P. 1. Washington 1860. 4.

Zones of Stars observed at the U. S. Naval Observatory with the Mural Circle in the years 1846, 1847, 1848, and 1849. Washington 1872. 4.

Zones of Stars observed at the U. S. Naval Observatory with the Meridian Transit Instrument in the years 1846, 1847, 1848, and 1849. Washington 1872. 4.

Zones of Stars observed at the U. S. Naval Observatory with the Meridian Circle in the years 1847, 1848, and 1849. Washington 1873. 4.

W. Harkness, *Report on the difference of longitude between Washington and St. Louis.* Washington 1872. 4.

S. Newcomb, *On the right ascensions of the equatorial fundamental stars and the corrections necessary to reduce the right ascensions of different catalogues to a mean homogeneous system.* Washington 1872. 4.

J. R. Eastmann, *Tables of instrumental constants and corrections for the reduction of Transit Observations made at the U. S. Naval Observatory.* Washington 1873. 4.

—, *Report on the difference of longitude between Washington and Detroit, Michigan, Nevada and Austin, Nevada.* Washington 1874. 4.

—, *Report on the difference of longitude between Washington and Ogden, Utah.* Washington 1876. 4.

H. A. Hagen, *Destruction of obnoxious Insects.* Cambridge 1879. 8.

Anales del Museo Nacional de Mexico. T. I. Entrega 6a. Mexico 1879. 4.
Boletin de la Sociedad „Andres del Rio“. Cuaderno 2. Mexico 1878. 8.
La Naturaleza. T. IV. Entrega N. 12. 13. 14. 15. Mexico. 1878. 1879. 8.

// MONATSBERICHT

DER

KÖNIGLICH PREUSSISCHEN

AKADEMIE DER WISSENSCHAFTEN

ZU BERLIN.

Februar 1880.

Vorsitzender Secretar: Hr. Mommsen.

2. Februar. Sitzung der physikalisch-mathematischen Klasse.

Hr. Virchow las über anomale Bildungen der Schläfengegend und über partielle Microcephalie, besonders der Umgebung der sylvischen Grube.

Hr. Kronecker las:

Über die Irreductibilität von Gleichungen.

Seitdem ich mich genau vor 35 Jahren bei Gelegenheit einer von Hrn. Kummer in Breslau gehaltenen Vorlesung über Zahlentheorie auf seine specielle Anregung mit der Vereinfachung des Beweises der Irreductibilität der Kreistheilungsgleichungen beschäftigt und das Ergebniss im XXIX. Bande des Crelle'schen Journals veröffentlicht habe, bin ich wiederholt auf die Frage zurückgekommen und habe mich namentlich bemüht, charakteristische Eigenschaften der irreductibeln Zahlengleichungen aufzufinden. Ich habe dafür sowohl in meinen allgemeinen Untersuchungen über algebraische Zahlen als auch in den specielleren über die singulären Moduln der elliptischen Functionen mancherlei Anhaltspunkte gefunden (vgl. Monatsbericht vom Juni 1862 pag. 368.), bin aber erst neuerdings zu einem befriedigenden Resultate gelangt, und zwar gerade rechtzeitig, um die erste Mittheilung davon meinem Freunde Kummer an seinem siebzigsten Geburtstagsfeste am 29. v. M. widmen zu können.

Den Kernpunkt der ganzen Entwickelung bildet folgender Satz:

„Ist $F(x)$ eine ganze ganzzahlige Function von x und bedeutet ν_p in der auf alle Primzahlen p ausgedehnten Summe

$$\Sigma \nu_p p^{-1-w}$$

die Anzahl der (gleichen oder verschiedenen) Wurzeln der Congruenz $F(x) \equiv 0 \bmod. p$, so wird der Grenzwerth jener Reihe für unendlich kleine positive Werthe von w proportional $\log \frac{1}{w}$ und zwar gleich $\log \frac{1}{w}$ multiplicirt mit der Anzahl der irreductibeln Factoren von $F(x)$."

Für irreductible Functionen ist also der Grenzwerth der Reihe $\log \frac{1}{w}$ selbst, und hieraus ergiebt sich eben unmittelbar jener Werth der Reihe für beliebige Functionen $F(x)$. Da ν_p nur die Werthe 0, 1, 2, ... n haben kann, wenn n den Grad von $F(x)$ bezeichnet, so ist jene Reihe in n Partialreihen zu zerlegen und in folgender Weise darzustellen:

$$\sum_{k=1}^{k=n} k \Sigma p_k^{-1-w},$$

wo p_k jede Primzahl bedeutet, für welche k Congruenzwurzeln von $F(x) \equiv 0$ existiren. Für alle Primzahlen ist bekanntlich der Grenzwerth von $\sum \frac{1}{p^{1+w}}$ gleich $\log \frac{1}{w}$; wenn man daher die Existenz einer Function voraussetzt, welche die Dichtigkeit der Primzahlen angiebt, so kann man den obigen Satz einfach so formuliren, dass diese Dichtigkeit mit derjenigen übereinstimmt, welche resultirt, wenn jede Primzahl p soviel mal genommen wird, als die Congruenz $F(x) \equiv 0 \bmod. p$ Wurzeln hat, vorausgesetzt, dass $F(x)$ irreductibel ist.

Nimmt man die Dichtigkeit aller Primzahlen als Maass und bezeichnet alsdann die Dichtigkeit der Primzahlen p_k mit D_k, so ist dem obigen Satze gemäss die Gleichung

$$\sum_{k=1}^{k=n} k D_k = 1$$

charakteristisch für irreductible Gleichungen $F(x) = 0$ überhaupt. Die Einzelwerthe der Dichtigkeiten D_k sind im Allgemeinen für die verschiedenen Grade der Gleichungen verschieden, aber stets dieselben für alle Gleichungen einer und derselben Classe.

Wenn $F(x) = 0$ eine allgemeine Gleichung ist, d. h. keinen besonderen Affect besitzt, so resultirt, indem man sich die Gleichung für eine lineare Function von h Wurzeln gebildet denkt, die Relation

$$\sum_{k=1}^{k=n} k(k-1)\dots(k-h+1)\,D_k = 1\,,$$

und diese ergiebt für die Dichtigkeit D_k den Werth

$$\frac{1}{k!}\sum_h \frac{(-1)^h}{h!} \qquad (h=0,1,\dots n-k) \qquad (0!=1),$$

welcher für grosse Werthe von n und relativ kleine von k nahezu gleich $\frac{1}{e}\cdot\frac{1}{k!}$ wird, und die Summe

$$\sum_{k=1}^{\infty}\frac{k}{e.k!}$$

wird eben wieder gleich 1. Dagegen wird die Gesammtdichtigkeit der Primtheiler einer irreductibeln Function $F(x)$, die gleich Null gesetzt eine allgemeine Gleichung repräsentirt, für grössere Werthe des Grades n nahezu $\left(1-\frac{1}{e}\right)$ also etwa $\frac{7}{11}$.

Die Dichtigkeit D_{n-1} ist stets gleich Null. Für solche irreductible Gleichungen, deren Wurzeln sämmtlich rationale Functionen einer sind, werden auch alle vorhergehenden Werthe von D gleich Null und also $D_n = \frac{1}{n}$. Hieraus folgt, dass jede irreductible ganzzahlige Function einer Variabeln $F(x)$ für unendlich viele Primzahlmoduln einem Product von Linearfactoren congruent ist, und dass die Dichtigkeit dieser Primzahlen durch den reciproken Werth der Ordnung des Affects der Gleichung $F(x) = 0$ d. h. durch den reciproken Werth des Grades der irreductibeln Factoren der Galois'schen Resolvente ausgedrückt wird. Aber nicht bloss diese Dichtigkeit, deren Index gleich dem Grade von $F(x)$ ist, sondern auch alle andern Werthe D_1, D_2, ... werden durch den Affect bestimmt, und es wird z. B., wenn $F(x) = 0$ eine auflösbare Gleichung vom Primzahlgrade n und die Ordnung ihres Affects nd ist, wo d einen Divisor von $(n-1)$ bedeutet,

$$D_1 = 1-\frac{1}{d}\,,\quad D_2 = 0\,,\quad \dots\quad D_{n-1} = 0\,,\quad D_n = \frac{1}{nd}.$$

Wenn zwei Functionen $n$ten Grades $F(x)$ und $F_1(x)$ dieselben charakteristischen Zahlen ν_p besitzen, so hat die aus den Wurzeln beider gebildete Gleichung n^2ten Grades für die Zahlen p_k die Zahl $\nu_p = k^2$ als charakteristische Zahl. Da jedenfalls $D_n > 0$ ist, so ist also

$$\Sigma k D_k > 1$$

d. h. die Gleichung muss reductibel sein. Dies kann auch schon erschlossen werden, wenn man nur voraussetzt, dass die Dichtigkeit der Primzahlen, für welche beide Congruenzen $F(x) \equiv 0$ und $F_1(x) \equiv 0$ genau k Congruenzwurzeln haben, mit der Dichtigkeit derjenigen, für welche je eine derselben diese Eigenschaft besitzt, für jedes k übereinstimmt. Ohne heute näher auf den allgemeinen Fall einzugehen, hebe ich hervor, dass die zugehörigen Galois'schen Gleichungen in dieselbe Gattung gehören müssen, und dass also, wenn n Primzahl ist, auch die Gleichungen selbst zu einer Gattung gehören, d. h.

> wenn für zwei Functionen, deren Grad eine Primzahl ist, die Primtheiler der verschiedenen Arten im Allgemeinen beiden gemeinsam sind, so sind die Wurzeln der einen Gleichung rational durch die der andern ausdrückbar,

und es ist also (in ähnlicher Weise, wie nach dem Cauchy'schen Satze eine Function durch ihre Randwerthe bestimmt wird) mit blossen Congruenzbestimmungen der ganze Inbegriff der durch die Gleichung definirten algebraischen Irrationalitäten bestimmt.

Um die einfachen Betrachtungen, welche zu dem obigen Satze führen, an den Kreistheilungsgleichungen darzulegen, knüpfe ich an Hrn. Kummer's Ausführungen im §. VIII seiner im XVI. Bande von Liouville's Journal veröffentlichten Abhandlung an. Darnach ergiebt sich, wenn α wie a. a. O. eine Wurzel der Gleichung

$$x^{\lambda-1} + x^{\lambda-2} + \cdots + x + 1 = 0$$

bedeutet, auch ohne die Voraussetzung der Irreductibilität, dass der mittlere Werth von $Nf(\alpha)$ constant und also $\Sigma Nf(\alpha)^{-1-w}$ für unendlich kleine positive Werthe von w proportional $\frac{1}{w}$ ist. Wird der Grad der irreductibeln Gleichung für α mit r bezeichnet, so ist unter $Nf(\alpha)$ natürlich nur das Product der r conjugirten Factoren zu verstehen. Nun ist andrerseits $\Sigma Nf(\alpha)^{-1-w}$ gleich dem auf alle Primzahlen $p_{\lambda-1}$ von der Form $n\lambda+1$ zu erstreckenden Producte

$$\Pi(1-p_{\lambda-1}^{-1-w})^{-r},$$

multiplicirt mit einem Producte von Factoren $(1-p^{-h-hw})^{-1}$, welches, da $h>1$ ist, für $w=0$ endlich und grösser als Eins bleibt. Man hat daher

$$\lim_{w=0}\sum\frac{r}{p_{\lambda-1}^{1+w}}=\log\frac{1}{w},$$

und dies ist für den vorliegenden Fall der Inhalt des obigen allgemeinen Satzes, da die Primzahlen $p_{\lambda-1}$ die sämmtlichen Primtheiler von

$$x^{\lambda-1}+x^{\lambda-2}+\cdots+x+1$$

bilden. — Der Nachweis, dass jene Gleichung für α irreductibel oder also dass $r=\lambda-1$ ist, lässt sich im Wesentlichen nunmehr darauf gründen, dass die Differenzen

$$\sum_{m=1}^{\infty}(m\lambda+h)^{-1-w}-\sum_{m=1}^{\infty}(m\lambda+k)^{-1-w}$$

und also auch jene Dirichlet'schen Reihen

$$\sum_{n}\frac{\beta^{h\,\mathrm{ind}.n}}{n^{1+w}}\qquad(h=1,2,\ldots\lambda-2),$$

wenn β wie in der Kummer'schen Abhandlung eine primitive $(\lambda-1)$te Wurzel der Einheit bedeutet, für $w=0$ endlich bleiben. Dass eben diese Reihen für $w=0$ auch nicht gleich Null werden, ergiebt sich gleichzeitig mit der Irreductibilität. Ist nämlich $P(w)$ das Product aller dieser $(\lambda-2)$ Reihen, so hat man die identische Gleichung

$$P(w)\sum n^{-1-w}=\prod_{d}\prod_{p_d}(1-p_d^{-\delta(1+w)})^{-d},$$

wenn mit d die verschiedenen Divisoren von $\lambda-1$, mit δ die complementären, wofür $d\delta=\lambda-1$ ist, und mit p_d die zum Divisor δ für den Modul λ gehörigen Primzahlen bezeichnet werden, und da die sämmtlichen den Werthen $d<\lambda-1$ entsprechenden Producte für $w=0$ endlich und grösser als Eins bleiben, so kommt

$$\lim_{w=0}\log.\frac{P(w)}{w}=\lim_{w=0}\sum\frac{\lambda-1}{p_{\lambda-1}^{1+w}}.$$

Der Grenzwerth des Ausdrucks auf der rechten Seite ist nach der obigen Deduction

$$\frac{\lambda - 1}{r} \log \frac{1}{w};$$

es muss daher erstens $P(w)$ für $w = 0$ von Null verschieden und zweitens $r = \lambda - 1$ sein. Der Kernpunkt des hier geführten Nachweises der Irreductibilität, der sich ohne Weiteres auf Wurzeln der Einheit mit zusammengesetzten Exponenten übertragen lässt, ist darin zu finden, dass jene Dirichlet'schen Reihen selbst ein System von conjugirten Einheiten liefern, deren Unabhängigkeit darauf beruht, dass die Werthe der Reihen für $w = 0$ von Null verschieden sind.

Die singulären Moduln der elliptischen Functionen führen zu Gattungen von ganzzahligen Gleichungen $F(x) = 0$, die ich in meiner Mittheilung vom 26. Juni 1862 näher charakterisirt habe. Wird der Grad der Function $F(x)$ wie dort mit $2N$ bezeichnet, so ist N gleich der Classenanzahl quadratischer Formen einer bestimmten negativen Determinante oder Discriminante, wenn man, wie ich es seit lange in meinen Universitäts-Vorlesungen zu thun pflege, hierbei die Formen $ax^2 + bxy + cy^2$ mit ganzen Zahlen a, b, c zu Grunde legt und $b^2 - 4ac$ als deren Discriminante bezeichnet. Jede der Gleichungen $F(x) = 0$ zerfällt unter Adjunction der Quadratwurzel der Discriminante in zwei Abelsche Gleichungen Nten Grades, und deren besondere Natur bestimmt sich durch die auf die Composition bezüglichen Eigenschaften der zugehörigen quadratischen Formen. Denkt man sich nämlich in der Weise wie im Monatsbericht vom December 1870 S. 882 bis 885 sämmtliche Formenclassen durch ein Fundamentalsystem

$$\theta_1^{h_1} \theta_2^{h_2} \theta_3^{h_3} \dots \theta_\nu^{h_\nu} \qquad (h_\alpha = 0, 1, \dots n_\alpha - 1\,;\ N = n_1 n_2 \dots n_\nu)$$

dargestellt, so sind die den einzelnen Classen entsprechenden Wurzeln jener Abelschen Gleichung Nten Grades gemäss den Auseinandersetzungen, welche ich im Monatsbericht vom December 1877 unter Nr. III gegeben habe, durch die entsprechenden Systeme der ν Indices

$$h_1, h_2, \dots h_\nu$$

charakterisirt, und wenn wie bei Gaufs (Disqu. arithm. sectio V, art. 305) m diejenige Zahl bedeutet, zu der im Sinne der Composition eine Classe quadratischer Formen gehört, so ist m als die kleinste den Congruenzen

$$mh_\alpha \equiv 0 \text{ mod. } n_\alpha \qquad (\alpha = 1, 2, \ldots \nu)$$

genügende Zahl bestimmt. Bezeichnet man nun die Discriminante der quadratischen Formen mit D und die sämmtlichen nicht in D enthaltenen Primzahlen mit p oder q, so dass stets

$$\left(\frac{D}{p}\right) = +1 \;,\; \left(\frac{D}{q}\right) = -1$$

ist, so zerfällt $F(x)$ für jeden Primzahlmodul q in N irreductible Factoren zweiten Grades, für jeden Primzahlmodul p aber in lauter irreductible Factoren $m$ten Grades, wenn die Formenclasse, durch welche p darstellbar ist, zu m gehört. Dabei ist zu bemerken, dass, falls p durch zwei entgegengesetzte Formenclassen darstellbar ist, beide zu derselben Zahl m gehören. Hiernach ist es das Product

$$\prod_m \prod_p (1 - p^{-m(1+w)})^{-\frac{2N}{m}} \cdot \prod_q (1 - q^{-2(1+w)})^{N} \,,$$

welches in diesem Falle auftritt und jenem zu den Kreistheilungsgleichungen gehörigen Doppelproducte auf p. 159 entspricht. Die auf p bezügliche Multiplication erstreckt sich auf die im Sinne der Composition zu m gehörigen Primzahlen p. Das Product ist in N Theilproducte

$$\prod_p (1 - w_1^{h_1} w_2^{h_2} \ldots w_\nu^{h_\nu} p^{-(1+w)})^{-1} \prod_q (1 - q^{-2(1+w)})^{-1}$$

zu zerlegen, deren jedes genau wie das speciellere bei Dirichlet im Monatsbericht vom März 1840 als Reihe darstellbar ist:

$$\tfrac{1}{2} \sum_{a,b,c} w_1^{h_1} w_2^{h_2} \ldots w_\nu^{h_\nu} \sum_{x,y} (ax^2 + bxy + cy^2)^{-1-w} \,,$$

und diese Reihe ist nach einer im Monatsbericht vom Jan. 1863 S. 46 aufgestellten Formel durch ϑ-Functionen zu summiren. Das erste Summenzeichen in der Reihe bezieht sich auf die verschiedenen Formenclassen (a, b, c) der Discriminante D, das zweite auf alle ganzen Zahlen x, y, für welche $ax^2 + bxy + cy^2$ zu D prim ist; die Grössen w sind die verschiedenen durch die Gleichungen

$$w_1^{n_1} = 1 \;,\; w_2^{n_2} = 1 \;,\; \ldots\; w_\nu^{n_\nu} = 1$$

bestimmten Wurzeln der Einheit, und die Exponenten h wie oben die ν Indices, welche der Classe (a, b, c) resp. den durch dieselbe darstellbaren Primzahlen p angehören.

Nach diesen Auseinandersetzungen sind es einzig und allein die durch die Hauptclasse darstellbaren Primzahlen p, für welche $F(x) \equiv 0$ wird, und deren Dichtigkeit ist gleich dem reciproken Werthe des Grades der irreductibeln Factoren von $F(x)$. Da nun die Differenzen

$$\sum_{x,y} (ax^2 + bxy + cy^2)^{-1-w} - \sum_{x,y} (a'x^2 + b'xy + c'y^2)^{-1-w}$$

für $w = 0$ endlich bleiben (vgl. meine Mittheilung im Monatsbericht vom Jan. 1863), so folgt in der oben für die Kreistheilungsgleichungen ausgeführten Weise, dass $F(x)$ irreductibel und dass die Dichtigkeit der Primzahlen in den einzelnen Classen quadratischer Formen (in erster Annäherung) proportional der Anzahl der Classen ist, durch welche die Primzahlen darstellbar sind. Die Dichtigkeit der Primzahlen ist demnach

$$\frac{1}{2N} \text{ oder } \frac{1}{N}$$

je nachdem die darstellende Classe *anceps* ist oder nicht, und die Dichtigkeit der den quadratischen Formen entsprechenden complexen Primfactoren ist in jeder Classe gleich $\frac{1}{N}$.

Um zum Schlusse nur ein Beispiel anzuführen sei $D = -31$. Alsdann kann für $F(x)$ die Function

$$(x^3 - 10x)^2 + 31(x^2 - 1)^2$$

genommen werden, welche unter Adjunction von $\sqrt{-31}$ in zwei Factoren dritten Grades mit der Discriminante 1 zerfällt. Die je 3 Wurzeln der betreffenden Gleichungen entsprechen den Formenclassen $(1, 1, 8)$, $(2, \pm 3, 5)$, und die Anzahl der Primzahlen $x^2 + 31y^2$ ist etwa halb so gross als diejenige der Primzahlen von der Form $5x^2 \pm 4xy + 7y^2$.

5. Februar. Gesammtsitzung der Akademie.

Hr. Vahlen las über ungedruckte Schriftstücke des Laurentius Valla.

12. Februar. Gesammtsitzung der Akademie.

Hr. Bruns las über die von Diogenes Laertius überlieferten Testamente der griechischen Philosophen Plato, Aristoteles u. s. w.

Hr. W. Peters machte eine Mittheilung über eine neue Art der Nagergattung *Anomalurus* von Zanzibar.

Durch die gütige Vermittelung des Hrn. Dr. G. A. Fischer habe ich ein noch junges Exemplar von einer Art der merkwürdigen Nagergattung *Anomalurus* aus Zanzibar erhalten, welches von Negern am 2. November 1879 gefangen worden war. Es ist zwar von Interesse, dass es einer neuen Art, aber noch mehr, dass es einer Gattung angehört, deren bisher bekannt gewordene Arten ausschliesslich in den tropischen Gegenden Westafrikas gefunden worden sind. Ich erlaube mir daher, diese Art hier vorzulegen.

Anomalurus orientalis n. sp. (s. Tafel).

A. supra fuscus, subtus rufus, dimidio caudae terminali fusco.

Long. ad caudae basin $21{,}5^{cm}$; *caudae* 30^{cm}.

Habitatio: Zanzibar.

Ohren oval, am Ende abgerundet, am vorderen Rande convex, am hinteren flach eingebuchtet, bis auf die Basis kahl, mit körnigen Erhabenheiten, innen am vorderen Rande schwach behaart, mit sechs Querfalten in der hinteren Hälfte. Nasenöffnungen weit, sichelförmig, durch eine tiefe Längsfurche von einander getrennt, welche sich auf die Oberlippe fortsetzt. Barthaare sehr lang, z. Th. bis 7^{cm}, in 5 bis 6 Längsreihen geordnet. Augen gross, über dem vorderen Theil derselben ein paar verlängerte Borsten.

Körperhaare lang, weich, kürzer an der Bauchseite; nach dem Rande der Flughaut hin ist die Behaarung kürzer, borstiger, anliegend. Die Körperflatterhaut geht bis auf den Rücken der Basalphalanx der ersten Zehe. Die Schwanzflatterhaut dehnt sich einerseits bis auf die erste Phalanx der fünften Zehe, andererseits bis dahin über den Schwanz aus, wo die Subcaudalschuppen aufhören. Schwanz länger als der Körper. Von den Subcaudalschuppen steht zuerst eine in der Mitte, dann folgen jederseits sieben schief oder alternirend stehende.

Daumenrudiment sehr klein, mit einem Plattnagel versehen; der vierte Finger wenig länger als der dritte, welcher merklich

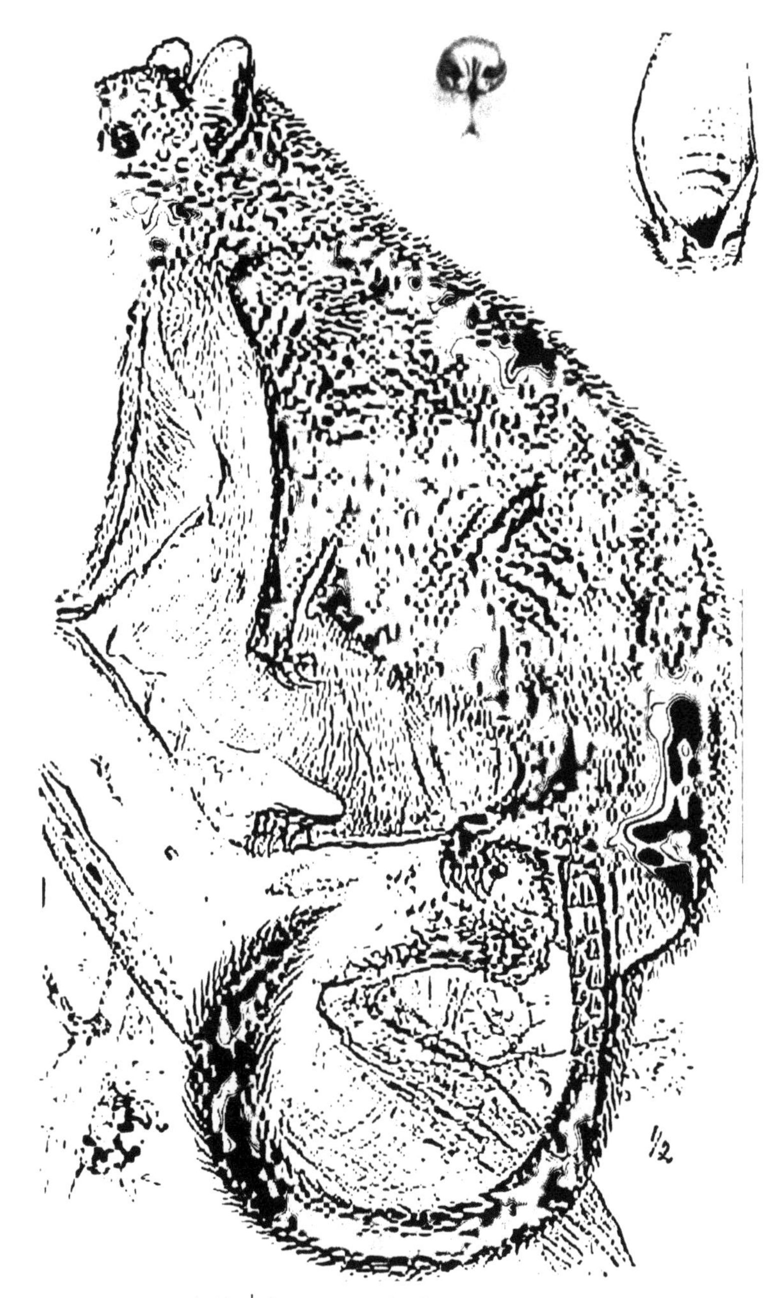
1/2

länger als der fünfte ist, während dieser wieder den zweiten sehr an Länge übertrifft. Die Krallen dieser Finger sind scharf und sehr zusammengedrückt, wie bei *Galeopithecus*. An der Handfläche stehen fünf Ballen hinter der Basis der Finger, zwei viel grössere unter der Handwurzel und in der Mitte ein centraler kleiner runder. Von den Zehen, welche sämmtlich scharf bekrallt sind, ist die erste die kürzeste; die zweite bis vierte nehmen allmählig an Länge zu und die fünfte ist länger als die dritte. An der Fusssohle sieht man sechs Ballen hinter der Basis der Zehen, unter der inneren Seite des Mittelfusses einen, unter der äusseren zwei lange Wülste, während die Fusswurzel behaart ist.

Oben graubraun, die Flughaut am Rande, die Aussenseite des Vorderarms, der Hand und der Hinterextremität dunkelbraun; der Schwanz an der Basalhälfte, wie der Körperrücken, graubraun, die Endhälfte schwarzbraun. Brust und Bauch rostfarbig. Die Haare sind sämmtlich zum grössten Theil schieferfarbig, am Rücken meistens mit einem subapicalen rostbraunen Ringe versehen oder ganz einfarbig schwarz. Die Haare an der oberen Seite des Randes des Fallschirms sind ebenso wie die langen Barthaare einfarbig schwarz. Die Haare der Bauchseite sind schieferfarbig mit rostrothen Spitzen. Die Schneidezähne sind blassgelb.

Länge von dem Schnauzenende bis zu der Schwanzbasis 21,5^{cm}; Kopf 55^{mm}; Ohrhöhe 36^{mm}; Ohrbreite 19^{mm}. Schwanz mit Haar 30^{cm}, ohne Haar 26^{cm}; Handsohle mit Krallen 38^{mm}; Fusssohle mit Krallen 59^{mm}.

Das einzige Exemplar ist ein Männchen, welches noch nicht ganz ausgewachsen ist.

Diese Art steht zwischen *A. Fraseri* Waterhouse und *A. Beecrofti* Fraser. In der Färbung der Oberseite und des Schwanzes stimmt sie mit dem ersteren, in der rostfarbigen Bauchseite mit dem letzteren überein.

Erklärung der Abbildung.

Fig. 1. *Anomalurus orientalis* Peters. Männchen, $\frac{1}{2}$ natürl. Grösse.

" 1a. Ohr der linken Seite, in natürl. Grösse.

" 1b. Schnauze von vorne, in natürl. Grösse.

Hr. W. Peters theilte ferner das Folgende mit:

Hr. Dr. Finsch (Jaluit vom 14. November 1879) sendet Listen seiner in nächster Zeit abgehenden Sammlungen ein und berichtet über einen Ausflug zur Erholung nach der Ratak-Kette vom 1. bis 10. November. Er konnte zwar nur einen Tag auf der Insel Arno (Pedder) zubringen, was aber hinreichte, die Übereinstimmung der Fauna mit der von Jaluit festzustellen. Er beabsichtigte, am 18. November eine Tour nach den Gilberts-Inseln zu machen, dann die nördlichen Inseln der Marshall-Gruppe zu besuchen und von dort nach den Carolinen zu gehen.

Hr. Auwers legte hierauf folgende Abhandlung des Hrn. Professor Theodor Ritter von Oppolzer in Wien vor:

Über die Sonnenfinsterniss des Schu-king 書經.

Im Schu-king, einem der klassischen Bücher Chinas, findet sich eine Stelle, die allgemein als ein Hinweis auf eine Sonnenfinsterniss betrachtet wird, welche sich im fünften Regierungsjahre des Kaisers Tschung-khang ereignet haben soll; dieselbe steht im Original wie folgt, doch sind hier die Schriftzeichen von links nach rechts geordnet und mit Nummern überschrieben:

1	2	3	4	5	6	7	8	9	10
乃	季	秋	月	朔	辰	弗	集	于	房

Mit Ausnahme des Zeichens 6, welches etwa wie *tschhän* lautet, besteht kein Zweifel über die Lesart der Stelle; die Zeichen haben die folgende Bedeutung:

1.) Etwa wie *Nài* lautend, bedeutet „da“ im örtlichen und zeitlichen Sinne (Schott chinesische Sprachlehre 125).

2.) *ki* lautend, stellt den letzten Monat des Herbstes vor, also auch, der Jahreszeit 3 Monate zuschreibend, den dritten Monat.

3.) *tsiu* = Herbst.

4.) *yüe* = Monat.

5.) *so* = Neumond.

6.) *tschhän.* In diesem Worte liegt die Hauptschwierigkeit der Übersetzung. Ursprüngliche Bedeutung wol „Zeit“, dann wird jetzt noch das Wort *tschhän* (vergl. Ideler Zeitrechnung der Chinesen S. 125) verwendet, wenn von den zwölf Neumonden des Jahres gesprochen wird, es wird aber auch benützt für die Bezeichnung der Morgenstunden zwischen 7 und 9 Uhr. Letztere Bezeichnung soll, wie Ideler hervorhebt, neueren Ursprungs sein, doch sagt Schlegel in seiner Uranographie chinoise (La Haye et Leyde 1875) Bd. I. p. 37 ausdrücklich das Gegentheil; die diesbezügliche Stelle über die Zwölftheilung des Tages lautet daselbst: On attribue généralment l'invention des noms des divisions de ce cycle à Tajao, ministre de l'empereur Hoang-ti, qui règna 2697 années avant notre ère. Il est certain que ce cycle est bien plus ancien, et qu'il a servi primitivement à diviser le jour en douze parties égales et ensuite à diviser l'année. Einige chinesische Commentatoren wollen für *tschhän* an der betreffenden Stelle „Sonne und Mond“ „Sonne und Mond in Conjunction“ auch „Himmelskörper“ lesen, welche Lesarten wohl als etwas willkürlich bezeichnet werden müssen. So viel ist mir über dieses im obigen Texte einzig zweifelhaft erscheinende Wort *tschhän* bekannt geworden.

7.) *fu* = Verneinung des folgenden Wortes.

8.) *tsi* = Übereinstimmung.

9.) *yü* = Präposition „in“ (Schott p. 107).

10.) *fang* = Gemach = Rectascensionsabschnitt zwischen $\varkappa$ und σ Scorpii nach Schlegel's Uranographie.

So viel zur Orientirung über die massgebende Stelle des Schu-king. Dr. August Pfizmaier, der bekannte Sinologe, dem ich mehrfache Unterstützung bei der Abfassung dieser Abhandlung verdanke, hat mir seine Übersetzung des betreffenden Theiles des Schu-king freundlichst zur Verfügung gestellt; ich hebe das wichtigste hier heraus, die massgebende Stelle ist gesperrt gesetzt:

„Doch um die Zeit warfen die Geschlechter Hi und Ho ihre Tugend über den Haufen. Sie versenkten sich unordentlich in Wein, verwirrten das Amt, trennten sich von der Rangstufe. Sie störten zum ersten Male die Jahresrechnung des Himmels, sie setzten weit hintan ihre Vorstehung. Da im letzten Monate des Herbstes am ersten Tage des Monates stimmte die Zeit nicht überein im „Gemache"; der Blinde brachte die Trommel zu Ohren, der sparende Mann jagte einher, die gemeinen Menschen liefen. Die Geschlechter Hi und Ho befanden sich in ihrem Amte, sie hörten und wussten nichts."

Gaubil übersetzt die massgebende Stelle wie folgt: „Au premier jour de la dernière lune d'automne le soleil et la lune dans leur conjonction ne furent pas d'accord dans Fang," während Amiot (Mémoires Tom II p. 256 u. 272) für die Worte Gaubil's „le soleil et la lune ne furent pas d'accord" gesetzt sehen will „le soleil ayant été caché par la lune."

J. Williams (Monthly notices Vol. XXIII, Juni) übersetzt: In the last month of the autumn the first day of the moon, the heavenly bodies were not in agreement in Fang.

J. Legge (The sacred books of China Oxford 1879 part. III p. 82) liest: On the first day of the last month of autumn, the sun and moon did not meet harmoniously in Fang.

Ich werde später selbst eine Lesart dieser Stelle ansetzen, die auf Grundlage der in dieser Abhandlung mitgetheilten Rechnungsresultate einige Wahrscheinlichkeit für sich in Anspruch nimmt.

Sieht man von der Amiot'schen, etwas willkürlichen Übersetzung ab, so lässt wohl die Stelle manchen Zweifel darüber übrig, ob dieselbe in der That auf eine Sonnenfinsterniss zu beziehen sei; doch spricht die Auslegung der Chinesen und fast aller Sinologen für eine derartige Auffassung; es soll demnach an der Voraussetzung festgehalten werden, dass sich diese Stelle des Schu-king auf eine Sonnenfinsterniss bezieht, und in diesem Sinne die folgende Untersuchung geleitet werden.

Die nächste Aufgabe, die sich bei einer derartigen Untersuchung stellt, ist, den Zeitraum beiläufig abzugrenzen, in welchem diese Finsterniss zu suchen ist. Nach den Angaben des Buches Yn-tsching fand dieses Ereigniss im fünften Regierungsjahre des Kaisers Tschung-khang statt. Nach den chinesischen Historikern fällt der Regierungsantritt dieses Kaisers auf das 59. Jahr des VIII. Cyclus also nach unserer Zeitrechnung um das Jahr —2158, so dass diese Finsterniss darnach nahe in der Mitte der fünfziger Jahre des betreffenden Jahrhundertes eingetreten wäre; doch ist, wie es die chinesischen Historiker selbst zugeben, diese Zeitbestimmung in so entfernten Epochen wohl auf einige Jahrzehnte unsicher. Mit dieser Angabe steht das nach Dr. Pfizmaier's

Mittheilung übrigens für die älteste Zeit ganz unverlässliche Bambusbuch, welches die in Rede stehende Sonnenfinsterniss auf das Jahr —1948 setzt, in argem Widerspruche. Ich werde deshalb vor Allem den Zeitraum zwischen —2200 und —1900 auf den Eintritt dieses Ereignisses zu untersuchen haben. In der That sind von verschiedener Seite innerhalb dieses Zeitraumes Finsternisse aufgewiesen worden, die der Überlieferung des Schu-king entsprechen sollen; ich führe die mir bekannt gewordenen Angaben hier nur kurz an, indem später bei den betreffenden Finsternissen ausführlichere Mittheilungen gemacht werden sollen, doch erwähne ich gleich hier, dass keine dieser Angaben bei der Anwendung der Hansen'schen Mondtafeln sich als zutreffend erweist; indem ich die Jahresangaben im astronomischen Sinne mache (Astr. — Hist. = + 1), sind genannt die Jahre: —2155 (von Gumpach), —2154 (Gaubil), —2127 (Rothmann und Lieu-hien), —2006 (Frèret-Cassini).

Es ist wohl leicht ersichtlich, dass innerhalb eines Zeitraumes von drei Jahrhunderten zahlreiche bedeutende für China sichtbare Sonnenfinsternisse auftreten, der Umstand aber, dass im Schu-king erwähnt wird, dass die Finsterniss im letzten Monate des Herbstes und im Fang stattfand, gibt eine willkommene Beschränkung. Die Chinesen zählen den Herbstanfang von der tropischen Sonnenlänge 135°, den Winteranfang von 225°. Nun ist der chinesische Winteranfang innerhalb des in Betracht zu ziehenden Zeitraumes etwa auf den 21—23 November (julianisch) zu setzen; da aber alle Mond-Monate der Chinesen, die den Winteranfang selbst ganz am Schlusse des Monates enthalten, als erste Wintermonate gezählt werden, so folgt daraus, dass wohl kaum die Finsterniss nach den 24. October (julianisch) gesetzt werden darf, ohne dem Wortlaute des Schu-king zu widersprechen. Die Angabe des letzten Herbstmonates aber beschränkt die Zeit der Finsterniss auf die Tage zwischen dem 24. September und 24. October, der Zusatz aber, dass dieselbe im Fang stattfand, gestattet eine noch weiter gehende Beschränkung. Der Fang umfasst, wie dies nach Schlegel's chinesischer Uranographie zweifellos resultirt, die Rectascensionen zwischen den Sternen π Scorpii und σ Scorpii. Die Positionen dieser Sterne sind für das Jahr —2100 etwa wie folgt anzunehmen:

	π Scorpii	σ Scorpii
Rectascension	184°2	189°3
Declination	— 3°9	— 4°7.

Also alle Finsternisse, für welche die tropische Sonnenlänge etwa 184° bis 190° beträgt, würden den Textworten genügen; hiermit erscheint der Jahrestag mit einer Unsicherheit von 6 Tagen festgelegt; beachtet man aber, dass eine genaue Theorie der Sonnenbewegung damals gewiss nicht bestand, und wohl nur die Lage der Sonne durch heliakische Aufgänge oder ähnliche Methoden bestimmt werden konnte, so wird man wohl diese Grenzen etwas erweitern müssen, um die für derartige Beobachtungen vorhandenen Unsicherheiten mit in Berücksichtigung zu ziehen; ich habe daher die Tage October 10·0 bis October 25·0 als Zeitgrenzen angenommen, die etwa den Sonnenlängen 180°—194° entsprechen.

Es sind also zunächst alle ekliptischen Conjunctionen des Mondes mit der Sonne innerhalb des Zeitraumes —2200 bis —1900, die in den eben präcisirten Jahresabschnitt fallen, zu untersuchen. Ich habe mich hierbei und bei den folgenden Untersuchungen meiner ekliptischen Tafeln bedient, die sich streng den von Hansen gegebenen, in der Analyse der ekliptischen Tafeln (Berichte der math.-phys. Klasse der Kgl. Sächs. Gesellschaft der Wissenschaften) entwickelten Ausdrücken anschliessen, nur habe ich die hundertjährige Knotenbewegung um 12″ vergrössert. Diese Correction, welche die neueren Beobachtungen so gut wie völlig unverändert darstellt, ist von Hansen selbst (Darlegung der theoretischen Berechnung der in den Mondtafeln angewandten Störungen, II. Band pag. 391) eingeführt worden und erzielt einen wesentlich besseren Anschluss an die von Hansen untersuchten historischen Finsternisse, auch findet dieselbe durch Newcomb's Untersuchung (Researches on the motion of the moon, Washington 1878, p. 274) eine nahe Bestätigung. Die Argumente meiner ekliptischen Tafeln, welch' letztere ich wohl nächstens der Öffentlichkeit übergehen werde, erstrecken sich vom Jahre —3000 bis + 2200. Die aus diesen Tafeln abgeleiteten Umstände einer Finsterniss können als identisch mit den Resultaten der Hansen'schen Mondtafeln aufgefasst werden, jedenfalls kommen die etwa noch auftretenden Unterschiede gegen die anderweitigen für so ferne Epochen vorhandenen Unsicherheiten nicht wesentlich in Betracht.

Die Bezeichnung der Resultate dieser Tafeln, die ich im Verlaufe dieser Abhandlung mittheile, ist ganz entsprechend der von Hansen in seiner Abhandlung: Ekliptische Tafeln für die Conjunctionen etc. (sächs. Gesell. der Wissenschaften, Sitzung am 18. Juli 1857) gewählten, nur ist statt P' und Q' hier ΔP und ΔQ gesetzt. Schliesslich erwähne ich noch, dass wofern nicht das Gegentheil ausdrücklich erwähnt ist, alle Jahresangaben im astronomischen Sinne angesetzt sind nach dem julianischen Kalender, und alle Zeitangaben und geographischen Längen sich auf den Meridian von Greenwich beziehen.

Innerhalb der eben erwähnten 3 Jahrhunderte ergaben meine ekliptischen Tafeln für die oben näher bezeichnete Jahreszeit die folgenden 34 ekliptischen Conjunctionen:

1.)	—2192	Oct. 10,	8^h	18.)	—2052	Oct. 22,	2^h
2.)	—2182	Oct. 20,	10^h	19.)	—2051	Oct. 11,	14^h
3.)	—2174	Oct. 21,	17^h	20.)	—2044	Oct. 23,	15^h
4.)	—2173	Oct. 11,	9^h	21.)	—2043	Oct. 12,	23^h
5.)	—2155	Oct. 21,	18^h	22.)	—2025	Oct. 24,	8^h
6.)	—2154	Oct. 11,	5^h	23.)	—2024	Oct. 12,	21^h
7.)	—2136	Oct. 21,	14^h	24.)	—2006	Oct. 24,	7^h
8.)	—2135	Oct. 10,	18^h	25.)	—2005	Oct. 13,	22^h
9.)	—2127	Oct. 12,	10^h	26.)	—1997	Oct. 15,	6^h
10.)	—2117	Oct. 22,	2^h	27.)	—1987	Oct. 24,	7^h
11.)	—2109	Oct. 23,	19^h	28.)	—1978	Oct. 15,	6^h
12.)	—2108	Oct. 11,	20^h	29.)	—1959	Oct. 15,	1^h
13.)	—2090	Oct. 23,	5^h	30.)	—1940	Oct. 14,	12^h
14.)	—2089	Oct. 12,	4^h	31.)	—1932	Oct. 16,	5^h
15.)	—2071	Oct. 22,	12^h	32.)	—1922	Oct. 25,	20^h
16.)	—2070	Oct. 11,	17^h	33.)	—1921	Oct. 14,	19^h
17.)	—2062	Oct. 13,	7^h	34.)	—1913	Oct. 16,	14^h

Die Zahl der in Betracht kommenden Finsternisse vermindert sich aber ganz beträchtlich, wenn man an dieselben die Bedingung der Sichtbarkeit in der Residenz der Hia knüpft. Als die Residenz der Hia ist mir von Dr. Pfizmaier zunächst Ngan-yĭ bezeichnet worden, welches an der Stelle des gleichnamigen noch jetzt bestehenden Ortes gelegen war; die geographische Breite kann etwa $+35° 5'$, die östliche Länge von Greenwich $110°58'$

angenommen werden, doch befand sich die Residenz der Hia, wie mir von demselben weiter mitgetheilt wird, zu verschiedenen Zeiten an sehr verschiedenen Orten; unter diesen wird auch Thai-khang genannt, für welchen Ort etwa $\varphi = +34°\ 7'$ und $\lambda = 114°54'$ angenommen werden kann; die Residenz des Kaisers Tschung-khang meint Pfizmaier nach Tshin-sin verlegen zu müssen ($\varphi = +36°46'$ und $\lambda = 119°20'$). Ich habe für die folgenden Untersuchungen aber stets den ersteren Ort, Ngan-yĭ, als massgebend angenommen; es kann übrigens bei der relativen Nähe der Orte ein sehr merklicher Fehler aus dieser Annahme nicht entstehen.

Es sollen nun die Finsternisse auf die Sichtbarkeit in Ngan-yĭ näher untersucht werden; in allen jenen Fällen, wo die Conjunctionszeit nicht sofort das Kriterium der Unsichtbarkeit für diesen Ort abgab, ist eine strenge Untersuchung der näheren Umstände angestellt, wie dies wohl auch aus dem textlichen Hinweise bei jeder Finsterniss hervorgeht; die Nummern der Finsternisse beziehen sich auf das oben gegebene Verzeichniss.

1.) Nach Conjunctionszeit in China unsichtbar.

2.) Nach Conjunctionszeit in China unsichtbar.

3.) Für Ngan-yĭ unsichtbar.

4.) Nach Conjunctionszeit in China unsichtbar.

5.) Die von Gumpach (Hülfsbuch der rechnenden Chronologie oder Largeteau's abgekürzte Sonnen- und Mondtafeln von Johannes von Gumpach, Heidelberg 1853) bezeichnete Finsterniss, doch muss in der diesbezüglichen Rechnung ein Fehler vorgefallen sein, da die Mondbreite nothwendig negativ ist, während sie von Gumpach positiv anführt und auch so seiner Rechnung zu Grunde legt. Die Elemente der Finsterniss, die ich hier anführe, damit Jedermann die Verification vornehmen kann, sind nach meinen ekliptischen Tafeln:

$T =$ Oct. 21·7323	$Q = +4·9748$	$u' = +0·5437$
$L =$ 191°332	$\Delta L = +0·5695$	$f' = +0·004750$
$m.\odot AR =$ 192°087	$\Delta P = +0·0565$	$\varepsilon = 23°970$
$P = -0·0639$	$\Delta Q = +0·0004$	$g+\omega = 355°915$

Diese Finsterniss ist danach in Ngan-yĭ sicher unsichtbar, und man hat das Gebiet ihrer Sichtbarkeit hauptsächlich auf der südlichen Erd-Hemisphäre zu suchen.

6.) Nach Conjunctionszeit in China unsichtbar. Ist die von Gaubil und den anderen Astronomen des Jesuitencollegiums in Peking bezeichnete Finsterniss. Es liegt hierbei kein Rechenfehler Gaubil's vor, es waren nur die ihm zu Gebote stehenden Mondtafeln nicht ausreichend genau, um die Finsternisse für so entfernte Epochen halbwegs genügend darstellen zu können.

7.) Diese Finsterniss wird sehr bedeutend für Ngan-yĭ; die nähere Untersuchung dieser und der anderen noch für diesen Ort in Betracht kommenden Finsternisse folgt später ausführlich; nur so viel will ich gleich hier erwähnen, dass nach der vorliegenden Untersuchung dies die Finsterniss des Schu-king ist.

8.) Diese Finsterniss ist für Ngan-yĭ als kleine partielle Finsterniss sichtbar, die näheren Umstände folgen später.

9.) Ist die von Rothmann (XI der Memoiren der Astronomical society in London) und dem chinesischen Arstronomen Lieu-hien auf die Überlieferung des Schu-king bezogene Finsterniss. Das Rechnungsresultat Rothmann's ist, wie dies bereits Largeteau (Additions der Connaisance des temps für 1846) nachgewiesen hat, deshalb ganz fehlerhaft, weil Rothmann die Länge von Peking mit falschem Zeichen in die Rechnung eingeführt hat; dieselbe ist aber nach einer richtig geführten Rechnung für den angegebenen Ort unsichtbar, fällt also ausser Betracht.

10.) Nach Conjunctionszeit in China unsichtbar.

11.) Für Ngan-yĭ sichtbar. Details später.

12.) Für Ngan-yĭ sichtbar. Details später.

13.) Nach Conjunctionszeit in China unsichtbar.

14.) Nach Conjunctionszeit in China unsichtbar.

15.) Für Ngan-yĭ sichtbar. Details später.

16.) Für Ngan-yĭ unsichtbar.

17.) Nach Conjunctionszeit in China unsichtbar.

18.) Nach Conjunctionszeit in China unsichtbar.

19.) In China unsichtbar, kleine partielle Finsterniss auf der südlichen Hemisphäre.

20.) Nur für die südliche Hemisphäre sichtbar.

21.) Für Ngan-yĭ unsichtbar.

22.) Nach Conjunctionszeit für China unsichtbar.

23.) Für Ngan-yĭ unsichtbar.

24.) Nach Conjunctionszeit für China unsichtbar. Diese Finsterniss wurde von Fréret nach den Rechnungen D. Cassini's als jene des Schu-king bezeichnet; es gelten hier die bei N. 6 gemachten Bemerkungen.

25.) Ist für Ngan-yĭ sichtbar. Details später.

26.) Nach Conjunctionszeit in China unsichtbar.

27.) Nach Conjunctionszeit in China unsichtbar.

28.) Nach Conjunctionszeit in China unsichtbar.

29.) Nach Conjunctionszeit in China unsichtbar.

30.) Für Ngan-yĭ nicht sichtbar.

31.) Nach Conjunctionszeit in China unsichtbar.

32.) Für Ngan-yĭ nicht sichtbar.

33.) Für China unsichtbar, kleine partielle Finsterniss auf der südlichen Hemisphäsre.

34.) Für Ngan-yĭ nicht sichtbar.

Überblickt man die eben gegebene Zusammenstellung, so erübrigen für die weitere Untersuchung die folgenden sechs Finsternisse:

7.) —2136 Oct. 21, 14^h
8.) —2135 Oct. 10, 18^h
11.) —2109 Oct. 23, 19^h
12.) —2108 Oct. 11, 20^h
15.) —2071 Oct. 22, 12^h
25.) —2005 Oct. 13, 22^h

die vorerst der Bedingung genügen, dass dieselben im letzten Herbstmonate nahe dem Rectascensionsabschnitte Fang stattfinden und wenigstens theilweise für Ngan-yĭ sichtbar sind. Man wird aber wohl zugeben müssen, dass wenn man den oben mitgetheilten Text des Schu-king überhaupt auf eine Finsterniss beziehen will, dieselbe eine bedeutende gewesen sein muss, da sonst wohl kaum eine derartig Schrecken erregende Wirkung auf die Bevölkerung stattgefunden hätte. Es müssen daher die obigen sechs Finsternisse an der Hand meiner ekliptischen Tafeln auf die näheren Umstände geprüft werden; es wird sich dann zeigen, dass man mit einem hohen Grade der Wahrscheinlichkeit die Finsterniss Nr. 7.) als jene des Schu-king bezeichnen darf; ich werde nun die näheren Umstände einer jeden der noch in Betracht kommenden Finsternisse ausführlich erläutern.

Finsterniss N. 7.) —2136. Oct. 21, 14^h.

Meine ekliptischen Tafeln geben für diese Finsterniss die folgenden Elemente:

$$
\begin{array}{llllll}
T = & \text{Oct. } 21\cdot5758 & Q = & +5\cdot2504 & u' = & +0\cdot5588 \\
L = & 191^\circ559 & \Delta L = & +0\cdot5362 & f' = & +0\cdot004750 \\
m.\odot AR = & 192^\circ317 & \Delta P = & +0\cdot0535 & \iota = & 23^\circ968 \\
P = & -0\cdot0403 & \Delta Q = & +0\cdot0004 & g+\omega = & 3^\circ519
\end{array}
$$

und darnach die weiteren Elemente mit strenger Beibehaltung der oben citirten Hansen'schen Bezeichnungsweise:

$$
\begin{array}{llll}
\log\gamma = & 9\cdot4481 & \log\beta = & 0_n9280 \\
\gamma_1 = & 151^\circ45'3 & \log\alpha_1 = & 6_n5857 \\
G = & 194^\circ10'9 & \log\beta_1 = & 7\cdot6753 \\
\log g = & 9\cdot4999 & u' = & +0\cdot5588 \\
K = & 88^\circ29'9 & \log\alpha_1 = & 6\cdot5836 \\
\log k = & 9\cdot9787 & \log\beta_1 = & 7_n6732 \\
\log\alpha = & 9\cdot9757 & u' = & -0\cdot0115
\end{array}
$$

($\log\alpha_1$, $\log\beta_1$, u' = 6_n5857, $7\cdot6753$, $+0\cdot5588$: äussere Berührung; $6\cdot5836$, 7_n6732, $-0\cdot0115$: innere Berührung)

Die Finsterniss ist darnach für die Erde ringförmig. Der Sonnenmittelpunkt mit Rücksicht auf die Refraction geht für Ngan-yĭ auf um $18^h\ 10^m$ wahre Ortszeit, also am 22. October (julianisch) um $6^h\ 20^m$ Morgens. Die Finsterniss beginnt 19 Minuten nach dem Sonnenaufgange, nämlich um $18^h\ 29^m$ wahre Ortszeit, und erreicht die grösste Phase um $19^h\ 37^m$. Die grösste Phase ist sehr bedeutend, nämlich 10·5 Zoll; das Ende dieser partiellen Finsterniss erfolgt um $20^h\ 53^m$ wahre Zeit von Ngan-yĭ. Es fand also eine sehr beträchtliche Sonnenfinsterniss am 22. October Vormittags im Jahre —2136 (—2137 der Historiker) für Ngan-yĭ statt; die Sonne stand sehr nahe am Fang, doch etwas über die Grenzen desselben in dem Rectascensionsabschnitte Sin. Da aber die Sonne nur die Grenze des Fang um etwas mehr als einen Grad überschritten hatte, so kann man den Text des Schu-king als völlig erfüllt ansehen, da man wohl damals nicht in der Lage war, mit Hülfe der heliakischen Aufgänge oder verwandter Methoden genauere Rectascensionsbestimmungen vorzunehmen. Die Finsterniss ist eine so bedeutende, dass sie in der That den im Texte erwähnten, Schrecken erregenden Einfluss auf die Bevölkerung ausgeübt haben kann.

Das hier gefundene Datum verschiebt die Zeitrechnung der chinesischen Historiker, die von denselben als auf einige Jahrzehnte zweifelhaft betrachtet wird, nur um nahe 20 Jahre.

Die Zone der Centralität (ringförmig) durchläuft China völlig, einige nach China fallende Punkte der Centrallinie sind:

Stundenwinkel	Länge	Breite
—50°	124°1	+28°1
—60°	116°1	+30°3
—70°	107°6	+32°2

Der Verlauf der Centrallinie zeigt, dass sich die für Ngan-yí ermittelten Umstände fast ohne wesentliche Änderungen auch für Thai-khang finden werden; für Tschin-sin wird die Finsterniss etwas kleiner, aber immer noch sehr bedeutend; die grösste Phase tritt um $20^h 17^m$ wahre Ortszeit ein und beträgt 9·3 Zoll.

Erwägt man, dass keine der folgenden näher behandelten Finsternisse auch nur genähert an Grösse der eben behandelten nahe kommt, so wird man sich wohl den Schluss erlauben dürfen, dass diese Finsterniss mit hoher Wahrscheinlichkeit der Überlieferung des Schu-king entspricht. Die Finsterniss fällt sonach auf den Tag Jîn-Schîn der 60tägigen chinesischen Woche.

Kehren wir nun noch einmal auf die massgebende Stelle des Schu-king zurück, so möchte ich nun dieselbe mit Rücksicht auf die oben citirte Bemerkung Schlegel's über das hohe Alter des Duodenarius wie folgt übersetzen:

„Da im letzten Monate des Herbstes stimmte der Neumond um 7 Uhr bis 9 Uhr Morgens nicht überein im Fang“.

Es scheint mir nämlich, dass durch die vorstehende Rechnung die Deutung des dunklen Zeichens *tschhän* eine überraschend einfache wird; indem in der That um 8 Uhr Morgens für China die grösste Phase eintrat, und die Dauer der Finsterniss etwas 2 Stunden überschreitet.

Der Commentar zu dieser Stelle wird sich etwa wie folgt gestalten:

Die Zeitrechnung der Chinesen war keine cyklische, ihr gebundenes Mondjahr wurde stets nach den Beobachtungen rectificirt; aus diesem Umstande folgt, dass die Abfassung eines Kalenders, an den man in China schon in den frühesten Zeiten gedacht hat, auf mehrere Jahre voraus ohne eine genauere Theorie, die damals gewiss nicht vorhanden war, nicht ausgeführt werden konnte; man behalf sich ursprünglich mit gewissen mittleren Verhältnissen, welchem Umstande der 60jährige Cyclus auch seine Entstehung verdankt, indem man 742 Mondläufe der Dauer nach 60 Sonnenjahren gleichsetzte. Nun ist es wohl leicht denkbar, — der Text des Schu-king giebt mehrfache Anhaltspunkte hierfür, — dass die Vorsteher der astronomischen Abtheilung es verabsäumt haben, den Kalender zu rectificiren [warfen die Geschlechter Hi und Ho ihre Tugend über den Haufen, sie versenkten sich unordentlich in Wein ..], und sich ein grösserer Fehler in der Vorausbestimmung des Neumondes eingeschlichen hat. Das Eintreten einer Sonnenfinsterniss lässt aber sofort den Moment des Neumondes erkennen; der Fehler war also offenkundig [sie störten zum ersten Male die Jahresrechnung]. Die Vorstellung, die sich das chinesische Volk über eine Sonnenfinsterniss macht, wonach ein Drache an der Quelle des Lichtes und Lebens nagt, war dann in Verbindung mit der offenkundigen Abweichung der Kalenderrechnung ganz geeignet, jenen Schrecken im Volke zu verbreiten, den die weiteren Worte des Schu-king schildern.

Finsterniss N. 8.) —2135. Oct. 10, 18^h.

Meine ekliptischen Tafeln geben für diese Finsterniss die folgenden Elemente:

T = Oct. 10·7488	$Q = +5{\cdot}4940$	$u' = +0{\cdot}5726$
$L = 180°282$	$\Delta L = +0{\cdot}5072$	$f' = +0{\cdot}004744$
$m.\odot AR = 181°406$	$\Delta P = +0{\cdot}0513$	$\varepsilon = 23°967$
$P = -0{\cdot}0900$	$\Delta Q = +0{\cdot}0011$	$g+\omega = 11°565$

und daraus die weiteren Elemente:

$\log\gamma = 0{\cdot}0036$	$\log\beta = 0_n9636$	
$\gamma_1 = 92°14'2$	$\log\alpha_1 = 4_n9755$	äussere Berührung
$G = 180°20'8$	$\log\beta_1 = 7{\cdot}6762$	äussere Berührung
$\log g = 9{\cdot}4964$	$u' = +0{\cdot}5726$	äussere Berührung
$K = 89°57'7$	$\log\alpha_1 = 4{\cdot}9733$	innere Berührung
$\log k = 9{\cdot}9775$	$\log\beta_1 = 7_n6740$	innere Berührung
$\log\alpha = 9{\cdot}9760$	$u' = -0{\cdot}0253$	innere Berührung

Diese Finsterniss ist darnach für die Erde ringförmig, für China aber unbedeutend, für Ngan-yĭ jedoch ihrem ganzen Verlaufe nach sichtbar. Die Finsterniss beginnt am 11. October des Jahres —2135 (—2136 der Historiker) um $0^h\,20^m$ Nachmittags wahre Zeit von Ngan-yĭ, erreicht ihre grösste Phase, die nur 4·2 Zoll beträgt, um $1^h\,41^m$ und endet um $2^h\,55^m$. Diese Finsterniss kann demnach, falls sie überhaupt bemerkt wurde, keinen bedeutenden Eindruck gemacht haben; beachtet man überdies, dass dieselbe schon ziemlich weit ausserhalb des Fang im vorangehenden Rectascensionsabschnitte Ti stattgefunden hat, so kann man wohl annehmen, dass diese Finsterniss im Schu-king nicht gemeint ist. Schliesslich kann noch erwähnt werden, dass für Tschin-sin die Finsterniss etwas grösser wird, doch noch ziemlich unbedeutend bleibt, die grösste Phase findet für den letzteren Ort etwa um $2^h\,19^m$ Ortszeit statt bei einer Grösse von 5·4 Zoll.

Finsterniss N. 11.) —2109. Oct. 23, 19^h.

Meine ekliptischen Tafeln liessen mich finden:

$T =$	Oct. 23·7744	$Q =$	$+5\cdot3442$	$u' =$	$+0\cdot5643$
$L =$	193°226	$\Delta L =$	$+0\cdot5246$	$f' =$	$+0\cdot004750$
$m.\odot AR =$	193°943	$\Delta P =$	$+0\cdot0526$	$\varepsilon =$	23°969
$P =$	$-0\cdot0417$	$\Delta Q =$	$+0\cdot0005$	$g+\omega =$	$+167°514$

Daraus ergab sich weiter:

$\log\gamma = 0\cdot0756$	$\log\beta = 1_n1361$		
$\gamma_1 = 75°4'8$	$\log\alpha_1 = 6_n6433$		
$G = 189°31'1$	$\log\beta_1 = 7\cdot6748$	äussere Berührung	
$\log g = 9\cdot6914$	$u' = +0\cdot5643$		
$K = 87°3'2$	$\log\alpha_1 = 6\cdot6412$		
$\log k = 9\cdot9424$	$\log\beta_1 = 7_n6727$	innere Berührung	
$\log\alpha = 9\cdot9384$	$u' = -0\cdot0170$		

Diese für die Erde ringförmige Finsterniss ist für Ngan-yĭ sehr unbedeutend, übrigens daselbst ihrem ganzen Verlaufe nach sichtbar; dieselbe tritt am 24. October —2109 (—2110 der Historiker) um $1^h\,48^m$ wahre Ortszeit ein, erreicht ihre grösste Phase, die nur 3·9 Zoll beträgt, um $2^h\,53^m$ und endet um $3^h\,52^m$ Nachmittags; auch diese Finsterniss, die ausserdem schon tief im Sin stattfindet, kann keinen Schrecken in der Bevölkerung verursacht haben, ist vielleicht im Gegentheile ganz unbemerkt vorübergegangen, und kann daher wohl schwerlich auf den Text des Schu-king bezogen werden. Für Tschin-sin ist diese Finsterniss etwas grösser als für Ngan-yï; die Zeit der grössten Phase fällt etwa auf $3^h\ 31^m$ mittlere Ortszeit und beträgt 4·9 Zoll.

Finsterniss N. 12.) —2108. Oct. 11, 20^h.

Nach meinen ekliptischen Tafeln ergaben sich die folgenden Elemente:

$$T = \text{Oct. } 11\cdot8517 \quad Q = +5\cdot5325 \quad u' = +0\cdot5752$$
$$L = 181°856 \quad \Delta L = +0\cdot5020 \quad f' = +0\cdot004744$$
$$m.\odot AR = 182°943 \quad \Delta P = +0\cdot0509 \quad \varepsilon = 23°969$$
$$P = -0\cdot1085 \quad \Delta Q = +0\cdot0011 \quad g+\omega = 175°560$$

und daraus

$$\log\gamma = 9\cdot7274 \qquad \log\beta = 1_n1668$$
$$\gamma_1 = 50°32'5 \qquad \left.\begin{array}{l}\log\alpha_1 = 5_n7938\\ \log\beta_1 = 7\cdot6762\\ u' = +0\cdot5752\end{array}\right\}\ \text{äussere Berührung}$$
$$G = 181°19'2$$
$$\log g = 9\cdot6953$$
$$K = 89°34'2 \qquad \left.\begin{array}{l}\log\alpha_1 = 5\cdot7916\\ \log\beta_1 = 7_n6740\\ u' = -0\cdot0279\end{array}\right\}\ \text{innere Berührung}$$
$$\log k = 9\cdot9388$$
$$\log\alpha = 9\cdot9373$$

Diese für die Erde ringförmige Finsterniss ist in Ngan-yï unbedeutend, und die Sonne geht noch vor Ablauf derselben partiell verfinstert unter. Die Finsterniss beginnt am 12. October —2108 (—2109 der Historiker) um $3^h\ 39^m$ wahre Zeit von Ngan-yï, erreicht ihre grösste Phase, die 4·5 Zoll beträgt, um $4^h\ 45^m$, die Sonne geht partiell verfinstert um $5^h\ 42^m$ unter, da das Ende der Verfinsterung um $5^h\ 45^m$ stattfindet, also 3 Minuten nach Sonnenuntergang. Die Sonne steht nahe im Fang, im Ti, doch dürfte wohl der geringe Grad der Verfinsterung ausreichender Grund sein, diese Finsterniss nicht den Worten des Schu-king unterzuschieben. Für Tschin-sin ist diese Finsterniss noch unbedeutender, für diesen Ort erreicht dieselbe die Grösse von 4·0 Zoll um $5^h\ 20^m$ Ortszeit, überdies steht die Sonne nahe dem Horizonte.

Finsterniss N. 15.) —2071. Oct. 22, 12^h.

Die Elemente nach meinen ekliptischen Tafeln sind:

T =	Oct. 22·5030	Q =	+5·4730	u' =	+0·5722
L =	192°721	ΔL =	+0·5089	f' =	+0·004750
$m.\odot AR$ =	193°473	ΔP =	+0·0514	ε =	23°964
P =	−0·1203	ΔQ =	+0·0010	$g+\omega$ =	182°713

und weiter:

$\log\gamma = 9_n1405$	$\log\beta = 1_n1522$	
$\gamma_1 = 177°30'6$	$\log\alpha_1 = 6_n6266$	äussere Berührung
$G = 189°5'5$	$\log\beta_1 = 7·6750$	äussere Berührung
$\log g = 9·6937$	$u' = +0·5722$	äussere Berührung
$K = 87°8'4$	$\log\alpha_1 = 6·6245$	innere Berührung
$\log k = 9·9415$	$\log\beta_1 = 7_n6729$	innere Berührung
$\log\alpha = 9·9378$	$u' = -0·0249$	innere Berührung

Diese für die Erde ringförmige Finsterniss ist für Ngan-yi nur theilweise und in unbedeutendem Grade sichtbar. Die Sonne geht am 23. October —2071 (—2072 der Historiker) noch theilweise verfinstert um $6^h\ 12^m$ Morgens wahre Zeit von Ngan-yĭ auf, die grösste Phase beträgt allerdings 6·9 Zoll, doch fand dieselbe 34^m vor Sonnenaufgang statt, nämlich um $5^h\ 38^m$ Morgens. Es ist demnach bei Sonnenaufgang nur mehr ein sehr kleiner Theil der Mondscheibe auf der Sonne sichtbar, da 26^m nach dem Aufgange um $6^h\ 38^m$ das Ende dieser Finsterniss für Ngan-yĭ erfolgt. Für Tschin-sin sind die Sichtbarkeitsverhältnisse theilweise günstiger. Die grösste Phase, die etwa 6·1 Zoll beträgt, tritt wenige Minuten nach Sonnenaufgang ein, etwa um $6^h\ 17^m$ Morgens; daher auch für diesen Ort nicht sehr auffallend. Ein Umstand jedoch könnte Veranlassung geben, diese Finsterniss auf die Worte des Schu-king zu beziehen; beachtet man nämlich die Worte: „Die Geschlechter Hi und Ho befanden sich ihrem Amte, sie hörten und wussten nichts“, so könnten dieselben durch die Umstände der Finsterniss dahin gedeutet werden, dass in der That Hi und Ho, die sich nach der geschichtlichen Überlieferung unter den Rebellen befanden, und sich in den westlichen Theilen Chinas aufhielten, während der Kaiser und seine Anhänger nach Osten gegen das Meeresufer gedrängt waren, in der That nichts von dieser Finsterniss wahrgenommen haben, während dieselbe im Lager des Kaisers, welches nach Tschin-sin verlegt war, gesehen wurde. Diese Finsterniss widerspricht sonst nicht gerade den Worten des Schu-king, denn die Sonne, im Sin stehend, ist nur wenig aus dem Fang getreten, auch findet die Finsterniss nahe der Bezeichnung *tschhān* entsprechend statt, doch etwas früher, als es dieser Tageszeit entspricht. Beachtet man aber, dass der Mond doch nur bis zur Mitte der Sonnenscheibe mit seinem Rande vorrückte, so möchte ich nicht zweifeln, dass man diese Finsterniss als dem Schu-king nicht angehörig bezeichnen kann. Jedenfalls wird es sich empfehlen, wenn seiner Zeit bessere Mondtafeln als die Hansen'schen zur Verfügung stehen, diese Finsterniss nochmals auf ihre näheren Umstände zu untersuchen. Wird sich dann, was mir nicht sehr wahrscheinlich ist, diese Finsterniss als die des Schu-king erweisen, so würde die Epoche des Kaisers Tschung-khang um 85 Jahre gegen die Annahmen der Historiker an die Gegenwart heranzurücken sein.

Finsterniss N. 25.) —2005. Oct. 13, 22^h.

Aus den ekliptischen Tafeln resultirt:

$T =$	Oct. 13·9309	$Q =$	$+4·9427$	$u' =$	$+0·5416$
$L =$	183°945	$\Delta L =$	$+0·5736$	$f' =$	$+0·004744$
$m.\odot AR =$	185°020	$\Delta P =$	$+0·0569$	$\varepsilon =$	$+23°951$
$P =$	$-0·0951$	$\Delta Q =$	$+0·0009$	$g+\omega =$	$+9°956$

und daraus

$\log \gamma = 9·8791$	$\log \beta = 0_n9106$	
$\gamma_1 = 25°23'5$	$\log \alpha_1 = 6_n1207$	äussere Berührung
$G = 184°49'5$	$\log \beta_1 = 7·6760$	äussere Berührung
$\log g = 9·4985$	$u' = +0·5416$	äussere Berührung
$K = 89°28'3$	$\log \alpha_1 = 6·1185$	innere Berührung
$\log k = 9·9775$	$\log \beta_1 = 7_n6738$	innere Berührung
$\log \alpha = 9·9758$	$u' = +0·0057$	innere Berührung

Diese für die Erde totale Finsterniss ist für Ngan-yĭ eben nur wenige Minuten nach Beginn der partiellen Verfinsterung sichtbar. Dieselbe beginnt am 14. October —2005 (—2006 der Historiker) um 5^h 48^m, die Sonne geht 10^m später um 5^h 58^m unter; ist also gewiss nicht auf die Worte des Schu-king zu beziehen. Für Tschin-sin ist die Finsterniss unsichtbar.

Das Resultat der vorstehenden Untersuchung kann daher in die folgenden Worte zusammengefasst werden: „Es ist mit einem hohen Grade von Wahrscheinlichkeit anzunehmen, dass die im Schu-king erwähnte Finsterniss im fünften Regierungsjahre des Kaisers Tschung-khang, am 22. October des Jahres —2136 (—2137 der Historiker) Morgens stattfand“.

Gegen die hier gemachten Schlussfolgerungen lässt sich wohl Einiges einwenden; doch dürfte der Einwand, dass unsere Mondtafeln auf so entfernte Epochen keine ausreichende Sicherheit bieten, der einzig schwerwiegende sein, um so mehr als Newcomb die Hansen'schen Mondtafeln mehrfach als unzuverlässig bezeichnet, insbesondere in Folge der von Hansen angewandten Säcularvariation der mittleren Bewegung. Indem ich hier die Frage unerörtert lasse, ob die Acceleration in der mittleren Bewegung von Delaunay richtiger bestimmt ist, als durch Hansen (ich glaube der letzteren den Vorzug geben zu müssen), so lässt sich nicht läugnen, dass die historischen Finsternisse der Sonne, die Hansen bis zum Jahre —584 mit seinen Tafeln vergleicht, durch seine Mondtafeln ganz gut dargestellt werden, während dies nach der Einführung der Newcomb'schen Correctionen nicht möglich wird, ohne Hinzuziehung einer neuen störenden, sich vorerst der theoretischen Bestimmung entziehenden Ursache, nämlich die durch die Gezeiten bedingte Verlangsamung der Erdrotation. Nimmt man die aus den alten Mondfinsternissen gezogenen Resultate, die übrigens noch manche berechtigte Zweifel zulassen, als richtig an, so wird man mindestens zugeben müssen, dass sich für die Sonnenfinsternisse in diesem Falle zwei Fehlerquellen in den Hansen'schen Mondtafeln in der glücklichsten Weise aufheben, und dass daher dieselben selbst für sehr entfernte Epochen zur genügenden Darstellung der Sonnenfinsternisse verwerthet werden können.

Ich kann übrigens leicht nachweisen, dass selbst für beträchtlich ältere Finsternisse, als die von Hansen benutzten, noch eine gute Übereinstimmung mit seinen Mondtafeln hervortritt; da dadurch die Resultate der vorstehenden Untersuchung eine wesentliche Unterstützung erhalten, so führe ich die diesbezüglichen Finsternisse hier an.

In dem alten historischen Werke der Chinesen, dem Tschüntsieu, sind 36 Sonnenfinsternisse erwähnt, die Gaubil grossentheils verificirt hat, und von denen John Williams in den Monthly notices (XXIV. December) eine Liste publicirt hat. Zwei dieser Finsternisse werden als total bezeichnet, und zwar die vom Jahre —600 (Sept. 20.) und —708 (Juli 17.).

I. Finsterniss —600 (—601 der Hist.) Sept. 19, 19^h.

Die Elemente nach meinen ekliptischen Tafeln gestalten sich wie folgt:

$T =$ Sept. 19·7833	$Q = +4·9000$	$u' = +0·5373$
$L = 170°609$	$\Delta L = +0·5786$	$f' = +0·004709$
$m.\odot AR = 172°491$	$\Delta P = +0·0574$	$\varepsilon = 23°777$
$P = -0·1990$	$\Delta Q = +0·0022$	$g+\omega = 173°265$

und daraus

$\log\gamma = 9·8856$	$\log\beta = 1_n0959$	
$\gamma_1 = 74°58'4$	$\log\alpha_1 = 6·4894$	äussere Berührung
$G = 173°15'5$	$\log\beta_1 = 7·6720$	
$\log g = 9·6898$	$u' = +0·5373$	
$K = 92°6'0$	$\log\alpha_1 = 6_n4873$	innere Berührung
$\log k = 9·9417$	$\log\beta_1 = 7_n6699$	
$\log\alpha = 9·9390$	$u' = +0·0100$	

Darnach wird die Finsterniss total und die Totalitätszone durchschneidet in dar That China; ich setze einige Orte der Totalitätszone an, die den Verlauf in China erkennen lassen.

Stundenwinkel	λ	φ
50°	117°4	+34°6
55°	120°4	+31°9
60°	123°7	+29°5

II. Finsterniss —708 (—709 der Hist.) Juli 16, 18^h.

Die Elemente nach den ekliptischen Tafeln sind:

T = Juli 16·7635	$Q = +4·9542$	$u' = +0·5352$
$L = 106°026$	$\Delta L = +0·5738$	$f' = +0·00462$[illegible]
$m.\odot AR = 107°587$	$\Delta P = +0·0568$	$\varepsilon = 23°790$
$P = -0·1719$	$\Delta Q = +0·0020$	$g+\omega = 176°004$

und weiter

$\log\gamma = 9·7112$	$\log\beta = 0_n7156$	
$\gamma_1 = 83°39'8$	$\log\alpha_1 = 7·2525$	äussere Berührung
$G = 119°52'4$	$\log\beta_1 = 7·6301$	
$\log g = 9·6400$	$u' = +0·5382$	
$K = 94°56'2$	$\log\alpha_1 = 7_n2504$	innere Berührung
$\log k = 9·9911$	$\log\beta_1 = 7_n6280$	
$\log\alpha = 9·9627$	$u' = +0·0121$	

Diese Finsterniss ist in der That für China total und der Zu[illegible] der Centrallinie ist durch die folgenden Punkte bestimmt.

Stundenwinkel	λ	φ
45°	117°0	+41°0
50°	120°6	+38°8
55°	124°0	+36°6

Professor M. Büdinger machte mich darauf aufmerksam dass im Jahre —762 (—763 der Historiker) eine Finsternis sich ereignet hat, die für Ninive total gewesen sein soll. Mein[illegible] ekliptischen Tafeln geben mir:

III. Finsterniss —762 (—763 der Hist.) Juni 14, 20^h.

T = Juni 14·8219	$Q = +4·9954$	$u' = +0·5356$
$L = 74°548$	$\Delta L = +0·5698$	$f' = +0·00460$[illegible]
$m.\odot AR = 75°209$	$\Delta P = +0·0564$	$\varepsilon = 23°795$
$P = -0·0839$	$\Delta Q = +0·0011$	$g+\omega = 177°375$

und für die Berechnung der näheren Umstände der Finsternis hat man:

$\log\gamma = 9{\cdot}4929$	$\log\beta = 9{\cdot}6510$		
$\gamma_1 = 61°17'6$	$\log\alpha_1 = 7{\cdot}2515$		
$G = 87°15'5$	$\log\beta_1 = 7{\cdot}6275$	äussere Berührung	
$\log g = 9{\cdot}5903$	$u' = +0{\cdot}5356$		
$K = 89°35'1$	$\log\alpha_1 = 7_n2493$		
$\log k = 9{\cdot}9999$	$\log\beta_1 = 7_n6253$	innere Berührung	
$\log\alpha = 9{\cdot}9628$	$u' = +0{\cdot}0117$		

Die Totalitätszone durchzieht nach diesen Elementen in der That die nördlichen Theile des assyrischen Reiches und wird, da Ninive nicht weit entfernt von der Südgrenze der etwa 1° breiten Zone der Totalität liegt, für diesen Ort sehr bedeutend. Einige Punkte der Centrallinie sind:

Stundenwinkel	λ	φ
—25°	44°7	+39°2
—30°	41°4	+38°3
—35°	38°1	+37°4

Die vorstehenden 3 Finsternisse zeigen, dass die Hansen-schen Mondtafeln selbst für sehr entfernte Epochen wohl eine ausreichende Sicherheit bieten, um die näheren Umstände einer Sonnenfinsterniss mit einem ziemlichen Grade von Vertrauenswürdigkeit anzugeben.

Ich benutze schliesslich die Gelegenheit dieser Publication, um die Elemente jener Finsterniss, die von Gumpach in seinem oben citirten Werke auf die Überlieferung der Mahâbhârata bezieht und die nach der Eroberung Taxaçilâ's durch G'anamêg'aja stattgefunden haben soll, hier nach meinen ekliptischen Tafeln anzusetzen. Die hier gegebenen Elemente bestätigen im Allgemeinen die Angaben von Gumpach's.

Finsterniss —1409 (—1410 der Historiker) März 31, 17^h.

$T =$ März $31{\cdot}6708$	$Q = +4{\cdot}9321$	$u' = +0{\cdot}5335$
$L = 357°580$	$\Delta L = +0{\cdot}5774$	$f' = +0{\cdot}004626$
$m.\odot AR = 356°030$	$\Delta P = +0{\cdot}0572$	$\varepsilon = 23°875$
$P = +0{\cdot}1480$	$\Delta Q = -0{\cdot}0015$	$g+w = 179°147$

Darauf legte Hr. du Bois-Reymond eine Mittheilung von Hrn. Prof. J. Bernstein in Halle vor:

Über den zeitlichen Verlauf der elektrotonischen Ströme des Nerven.

Die von E. du Bois-Reymond entdeckten elektrotonischen Ströme des Nerven, welche in demselben entstehen, sobald eine Strecke desselben von einem constanten Strome durchflossen wird, stehen in der mannigfachsten Beziehung zu der Thätigkeitsäusserung dieser Organe. Es schien mir daher von besonderem Interesse zu untersuchen, mit welcher Geschwindigkeit diese Ströme in den Nerven anheben, sich entwickeln und wieder verschwinden, und welches Verhältniss sie zur negativen Schwankung des Nervenstromes einnehmen.

Während ich mit dieser Untersuchung beschäftigt war, erhielt ich als Separatabdruck[1]) eine Arbeit von Hrn. S. Tschirjew, in welcher gezeigt wird, „dass die Geschwindigkeit der elektrotonischen Stromschwankung im Nerven, obschon sie in gewissen Fällen derjenigen des Erregungsprocesses sehr nahe tritt, doch im Allgemeinen kleiner ist als diese.“ Es ist mir im höchsten Grade erfreulich daraus zu entnehmen, dass seine Versuche in Bezug auf die erwähnte Geschwindigkeit zu einem ähnlichen Resultate geführt haben wie die meinigen. Da indess Hr. Tschirjew sich darauf beschränkt hat, den Beginn der Ströme zu beobachten, meine Versuche sich aber auf den ganzen zeitlichen Ablauf des Vorganges erstrecken und namentlich das Verhalten desselben zur gleichzeitig auftretenden negativen Schwankung berücksichtigen, so sei es mir gestattet, einige meiner Resultate hier mitzutheilen. Das Ausführliche derselben soll in einer längeren Untersuchung über die Erregungsprocesse im Nerven und Muskel, auf die ich noch einige Zeit verwenden muss, veröffentlicht werden.

Meine Versuche wurden mit Hülfe des von mir angegebenen Differential-Rheotoms im Wesentlichen nach demselben Principe ausgeführt wie die früheren Versuche über die negative Schwankung. Es wurde der Strom von vier Daniell'schen Elementen *K* (Fig. 1) dem Nerven in *pp* zugeführt und durch das rotirende

---

[1]) Über die Fortpflanzungsgeschwindigkeit der elektrotonischen Vorgänge im Nerven. E. du Bois-Reymond's Archiv für Physiologie, 1879. S. 525.

Fig. 1.

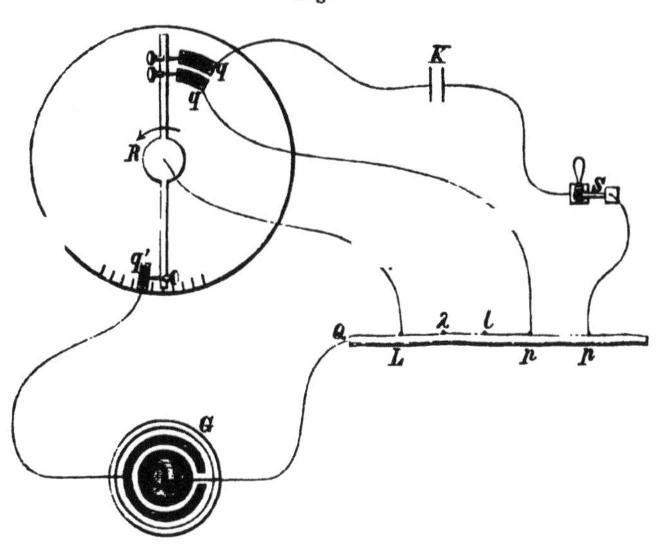

Rheotom R intermittirend in den Quecksilbergefässen qq geschlossen. Zugleich wurde entweder von zwei Punkten des Längsschnitts am Nerven $l\lambda$ stromlos abgeleitet oder der Nervenstrom von Längsschnitt in Querschnitt LQ, und dieser Kreis wurde durch den Contact q' intermittirend geschlossen, welcher als kleine Quecksilberrinne auf dem beweglichen Schieber des Rheotoms angebracht war[1]). Der Contact q' wurde zuerst so eingestellt, dass die Öffnung daselbst in demselben Moment erfolgte als die Schliessung in qq, und von diesem Nullpunkte aus in der Richtung der Rotation des Rheotoms verschoben, während beobachtet wurde, welche Wirkung bei Schliessung der polarisirenden Kette in S auf das Galvanometer eintrat. Die Schliessungszeit des Nervenkreises in q' betrug immer nur einen kleinen Bruchtheil von der des polarisirenden Stromes in qq und wurde in einigen Versuchen möglichst klein, etwa gleich $\frac{3}{10000}$ Sec. genommen.

[1]) Die Anordnung am Rheotom stimmt mit derjenigen überein, welche ich zur Messung des zeitlichen Verlaufes des Polarisationsstroms verwendet habe (s. Poggendorff's Annalen u. s. w., 1875. Bd. CLV. S. 177). Hr. Tschirjew hat sich derselben Anordnung bedient.

Es war sehr instructiv, die Versuche zuerst unter Ableitung des Nervenstromes von Längsschnitt und Querschnitt vorzunehmen, während der Nerv in einiger Entfernung davon polarisirt wurde. In allen Versuchen war die Wirkung Null, so lange die Schliessungszeit sich in der Nähe des Nullpunktes befand, und blieb Null, bis diese eine gewisse Strecke über den Nullpunkt hinausgeschoben war, selbst wenn sie ganz in die Schliessung der Kette hineinfiel. Es geht also daraus hervor, dass eine messbare Zeit vergeht, bis nach der Schliessung des polarisirenden Stroms im Nerven der elektrotonische Strom sich in der abgeleiteten Strecke entwickelt.

Von besonderem Interesse ist es zu beobachten, dass dem elektrotonischen Strome immer erst die Welle der negativen Schwankung voranschreitet. Dies ist bei beiden Stromesrichtungen der Fall, welche ich kurz die kathodische nennen will, wenn die Kathode der abgeleiteten Strecke am nächsten liegt, und im umgekehrten Falle die anodische. Beim Schliessen des kathodischen Stromes entsteht eine starke negative Schwankungswelle, welche dem katelektrotonischen Strome voraneilt. Dies ist durch die Curve *ngs* in Fig. 2 angegeben, in welcher der Nervenstrom *Sy* auf der Zeitabscisse *SOe* verzeichnet ist und der Moment *S* der Schliessung, *Oe* der Öffnung des polarisirenden Stromes entspricht. Diese Schwankung, welche die „katelektrotonische Schliessungswelle“ heissen möge, ist bei Anwendung von vier Daniell bereits so stark, dass sie die Höhe des Nervenstromes um Vieles übertrifft, also einen beträchtlichen alsolut negativen Werth besitzt. Nach Ablauf dieses Vorgangs erhebt sich der katelektrotonische Strom und wächst ziemlich schnell zu einem Maximum an, welches jedoch kleiner ist als das der vorangegangenen Schliessungswelle. Im Momente der Öffnung des polarisirenden Stromes hört der katelektrotonische Strom nicht sofort auf, sondern überdauert jenen um einen kleinen Zeitraum, um dann von hier ab erst schnell und dann langsamer zu verschwinden. Die Curve *kte* in Fig. 2 giebt von diesem Vorgange ein entsprechendes Bild.

Die Schliessung des anodischen Stromes erzeugt unter den erwähnten Versuchsbedingungen auch zuerst eine negative Schwankung, die aber viel kleiner ist als die katelektrotonische Schliessungswelle. Unter Umständen kann sie ganz unmerklich sein. Viel später folgt dann der anelektrotonische Strom, der wie die

Fig. 2.

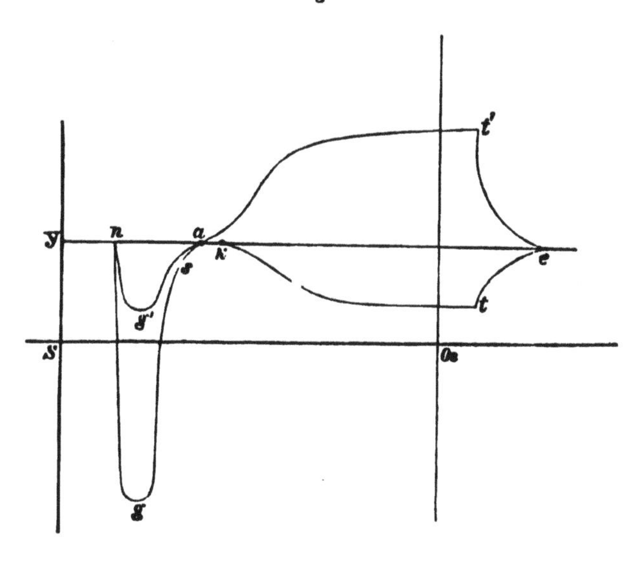

andere Phase ziemlich schnell zum Maximum aufsteigt und in ähnlicher Weise wie diese nach der Öffnung wieder auf Null abfällt. Die Curve *at'e* zeigt den Verlauf dieses Stromes an.

Die Versuche ergaben also, dass die elektrotonischen Ströme erst eine messbare Zeit nach den bei den Schliessungen erzeugten negativen Schwankungen auftreten. Doch könnte man annehmen, dass sie schon früher, aber in unmerklichem Grade begonnen hätten und erst später für unsere Beobachtungsmittel zum Vorschein kämen. Dagegen dürfen wir mit Bestimmtheit behaupten, dass die katelektrotonische Schliessungswelle nicht etwa durch den katelektrotonischen Strom ihre so bedeutende Intensität empfängt, weil bei mässigen Stromstärken zwischen ihr und dem letzteren ein Zeitraum ohne merkliche Ablenkung liegt. Aus diesem Grunde wird es auch unwahrscheinlich, dass der Anfang des anelektrotonischen Stromes durch die vorausgehende negative Schwankung verdeckt werde.

Es wurden nun ferner Versuche vorgenommen, in welchen der Nerv an zwei Punkten des Längsschnittes möglichst stromlos abgeleitet war[1]). Dies geschah unter der Voraussetzung, dass hierbei die Ablenkungen durch die negative Schwankung fortfallen würden. Dies ist nun auch in der That der Fall, wenn man sich eines stärkeren anodischen Stromes bedient. Man sieht in solchen Versuchen den anelektrotonischen Strom zu derselben Zeit eintreten wie bei der Ableitung von Längs- und Querschnitt und denselben Verlauf nehmen. Die Curve *at′e* in Fig. 2 giebt hiervon ein Bild unter Fortlassung der Schwankung *ng′s*, wenn man die Linie *ye* als die Abscisse betrachtet.

Die Zeit von der Schliessung des polarisirenden Stromes bis zum Beginn der anelektrotonischen Ablenkungen führt in diesen und den vorangegangenen Versuchen zu ähnlichen Werthen, aus welchen sich für den Anelektrotonus eine Geschwindigkeit von 6—9,5 M. in der Secunde ergeben würde. Die Entfernungen von der Anode bis zur abgeleiteten Stelle betrugen in diesen Versuchen 9—15^{mm}.

Die Überlegung indess, dass man die Anfänge der zu beobachtenden Ströme nicht mit genügender Schärfe bestimmen kann, führt zu dem Schluss, dass die so gefundenen Geschwindigkeiten zu klein ausfallen müssen. Es wurden daher die Versuche in ähnlicher Weise variirt, wie die früheren über die Fortpflanzung der negativen Schwankung[2]), indem die Polarisation des Nerven in demselben Versuche an zwei Stellen vorgenommen wurde, von denen die eine der abgeleiteten näher, die andere ihr entfernter war.

Nach solchen Versuchen besitzt der Anelektrotonus eine Geschwindigkeit von 8—9 M. in der Secunde[3]). Die Versuche über die Fortpflanzung des Katelektrotonus bei Ableitung von zwei Punkten des Längsschnittes fallen nicht so einfach aus wie die vorangegangenen. Selbst wenn diese Punkte einander sehr nahe liegen, sind bei Anwendung des Rheotoms die Ströme der negati-

---

[1]) Unter dieser Bedingung sind auch die Versuche des Hrn. Tschirjew angestellt.

[2]) s. Untersuchungen über den Erregungsvorgang, S. 22. — Auch wegen einer etwaigen Latenz müssen die Versuche in solcher Weise vorgenommen werden.

[3]) Diese Werthe sind kleiner als die von Hrn. Tschirjew gefundenen, zum Theil vielleicht deshalb, weil die Geschwindigkeit mit der Entfernung möglicherweise abnimmt.

ven Schwankung zu beobachten, die erst in negativer, dann in positiver Richtung als zwei einander entgegengesetzte Phasen zum Vorschein kommen. Erst nach Ablauf der beiden Schwankungen entwickelt sich der katelektrotonische Strom in derselben Weise, wie er bei Ableitung von Längs- und Querschnitt wahrgenommen wird[1]).

Die Messungen über die Geschwindigkeit des Katelektrotonus haben zu ähnlichen Werthen geführt wie die des Anelektrotonus.

Die Versuche führen zunächst zu dem Resultat, dass die elektrotonischen Ströme sich im Nerven mit sehr viel geringerer Geschwindigkeit ausbreiten als die des elektrischen Stromes ist. Es kann daher nicht im Entferntesten daran gedacht werden, diese Ströme von Stromzweigen abzuleiten, welche durch irgend welche Bedingungen der Leitung in die extrapolaren Nervenstrecken einbrechen. Sie besitzen sogar eine beträchtlich kleinere Geschwindigkeit als die negative Schwankung und der Erregungsprocess. Die Resultate lassen ferner einen Vergleich mit einigen Erscheinungen des Zuckungsgesetzes zu. Während die Schliessung des kathodischen Stromes eine negative Schwankungswelle von bedeutender Intensität erzeugt, hat die Schliessung des anodischen Stromes eine nur geringe, bei starkem Strome auch gar keine Schwankung zur Folge. Die „katelektrotonische Schliessungswelle" bedeutet daher die Schliessungszuckung des absteigenden Stromes, das Ausbleiben der Schwankung beim anodischen Strome die Ruhe des Muskels beim Schliessen des aufsteigenden Stromes im Nerven.

Von besonderem Interesse ist es ausserdem, dass die katelektrotonische Schwankungswelle einen sehr bedeutenden, absolut negativen Werth annehmen kann, d. h. den Nervenstrom umkehrt. Meine früheren Versuche über die negative Schwankung hatten ergeben, dass dieselbe bei Reizung mit abwechselnd gerichteten Inductionsströmen sehr deutlich absolut negativ ausfallen kann im Gegensatze zur negativen Schwankung des Muskels, die in maximo nur bis zur Abcisse sinkt. Ich hatte es aber fraglich gelassen, ob

---

[1]) Die ersten negativen Ablenkungen, welche man in diesen Versuchen vorfindet und die Hr. Tschirjew beobachtet hat, gehören also der negativen Phase der Reizwelle an, nicht dem Katelektrotonus. Positive Richtung von λ nach l (Fig. 2).

dies nicht eine Erscheinung sei, welche nur dem kathodischen Strome zukäme.

Aus diesem Grunde wurden ferner Versuche gemacht, in denen der Nerv mit sehr kurz dauernden constanten Strömen erregt wurde, um zu ermitteln, ob eine Erregung mit anodisch gerichtetem Strome nicht auch bei genügender Stärke zu einer absolut negativen Schwankung führen könne. Zu diesem Zwecke wurde der erregende Strom am Rheotom zwischen dem Draht des Schiebers und der entsprechenden Contactspitze während der Rotation geschlossen, und hierdurch Ströme von etwa $\frac{1}{10000}$ Sec. Dauer erzeugt, die in ihrer Wirkung sich den Inductionsströmen ähnlich verhalten müssen. Man findet, dass bei dieser Art der Erregung nicht bloss der kathodische, sondern auch der anodische Strom eine deutlich absolut negative Schwankung hervorzubringen vermag. Da nun beim anodischen Strome eine Einmischung des Elektrotonus nur den entgegengesetzten Erfolg haben kann, so ist das bei dieser Stromesrichtung erhaltene Resultat a fortiori beweisend.

Es kann daher mit Sicherheit der Satz aufgestellt werden: **Bei elektrischer Reizung vermag die negative Schwankung des Nerven einen absolut negativen Werth anzunehmen.**

Einer weiteren Untersuchung muss es vorbehalten bleiben zu ermitteln, ob eine Reizung anderer Art als die elektrische eine absolut negative Schwankung hervorzubringen vermag.

Hr. Helmholtz legte folgende Mittheilung des Hrn. Dr. H. W. Vogel [Berlin] vor:

Über die neuen Wasserstofflinien, die Spectra der weissen Fixsterne und die Dissociation des Calciums.

Nach der bisher geltenden Anschauung soll das Spectrum des Wasserstoffs nur aus 4 Hauptlinien bestehen. Bei meinen im Februar und Juli 1879 publicirten[1]) photographischen Aufnahmen

[1]) Monatsberichte der Berliner Akademie 1879, p. 116 und 558.

wasserstoffhaltiger Geisslerröhren erhielt ich jedoch neben diesen bekannten Linien mehrere neue im Violett und Ultraviolett, die den Hauptwasserstofflinien an Intensität und Schärfe nahe kamen und deren Charakter und Wellenlänge ich a. a. O. angegeben habe.

Dass diese Linien der grossen Mehrzahl nach wirklich Wasserstofflinien sind, wies ich neuerdings nach durch Untersuchung einer Geisslerröhre, die unter den grössten Vorsichtsmassregeln mit chemisch reinem, elektrolytisch entwickeltem Wasserstoff gefüllt wurde.

Unter diesen neuen Linien fällt vor Allem eine durch ihre ausserordentliche Intensität und durch ihr Zusammenfallen mit der Linie H_1 Fraunhofer auf, dieselbe findet sich auf allen meinen Wasserstoffspectralaufnahmen; ihre Wellenlänge gab ich früher a. a. O. auf 3968 an; sie ist jedoch nach neueren Aufnahmen, auf welchen Sonnenspectrum und Wasserstoffspectrum neben einander auf derselben Platte photographirt wurden, etwas grösser, annähernd 3969.

Die Existenz dieser Linie, welche ich als Hd_ε[1]) bezeichne, veranlasst mich zu einigen, wie ich glaube, nicht uninteressanten Folgerungen.

Lockyer hat auf Grund der Thatsache, dass das Spectrum des Calciums in hoher Temperatur sich ändert, die Vermuthung ausgesprochen, dass dasselbe dissociirt werde und in zwei Körper X und Y zerfalle, von denen der eine die erste H-Linie (Fraunhofer) der andere die zweite liefern soll. Es ist ihm jedoch nicht gelungen, diese Dissociation des Calciums mit irdischen Wärmequellen nachzuweisen[2]). Dagegen glaubt er, dass die Dissociation in der hohen Temperatur der „weissen" Sterne erfolge, auf Grund der Photographien der Spectra der Vega und des Sirius von Huggins, in welchen die erste H (Fraunhofer)-Linie „ebenso dick ist, wie die von Secchi verzeichnete vierte Wasserstofflinie," während die zweite entweder gänzlich fehlt oder kaum sichtbar ist.

Ich deute diese Thatsache in anderer Weise, indem ich die in

---

[1]) Im Anschluss an $Hd_{\alpha,\,\beta,\,\gamma\text{ u. }\delta}$. Ich bezeichne Wasserstoff hier mit Hd, um die nahe liegende Verwechslung mit H_1 Fraunhofer zu vermeiden.

[2]) Proc. Royal Society XXVIII. 157.

den Fixsternspectren isolirt erscheinende H_1-Linie als die damit zusammenfallende fünfte Wasserstofflinie ansehe.

Ich glaube dazu um so mehr berechtigt zu sein, als bekanntlich die Wasserstofflinien in den Spectren gedachter Sterne in ausgezeichneter Weise entwickelt sind und breiter und intensiver erscheinen, als die Wasserstofflinien im Sonnenspectrum.

Eine noch grössere Stütze gewinnt aber, wie ich glaube, meine Ansicht durch die neueste Publication Huggins' über seine Photographien der Spectren der weissen Sterne[1]).

Er giebt darin die Lage der von ihm im Violett und Ultraviolett erhaltenen Linien an. Zwei derselben entsprechen den bekannten Wasserstofflinien Hd_γ und Hd_δ; die vier folgenden aber stimmen in so auffälliger Weise mit den von mir publicirten (a. a. O. p. 591) Wellenlängen der Wasserstofflinien überein, dass sie zweifellos diesem Körper zugerechnet werden müssen.

Ich gebe hier das Verzeichniss:

Huggins Sternlinien:	Meine Wasserstofflinien[2]):
3968	3968 Hd_ϵ
3888,5	3887 Hd_ζ
3834	3834 Hd_η
3795	3795 Hd_ϑ

Huggins giebt noch ausserdem sechs Linien. Mein Spectrum reicht jedoch nicht so weit ins Ultraviolett als das seinige, da ich mit Glasprismen, er mit Quarzprismen arbeitete. In einem in der „Nature" vom 22. Januar d. J. enthaltenen Auszug seiner Arbeit ist gesagt: It is at once suggested that — (the lines) — are connected with each other and represent probably one substance and two at least belong to hydrogen.

Ich glaube auf Grund der oben angegebenen Zahlen die Behauptung aufstellen zu dürfen, dass die gegebenen Stern-Linien (und wahrscheinlich alle übrigen ultravioletten) dem Wasserstoff angehören.

Es bedarf noch genauerer Untersuchungen, um festzustellen,

---

[1]) Comptes rend. Heft 2. 1880.

[2]) Ich führe hier die Zahlen an, wie ich sie Juli v. J. in den Monatsberichten der Berliner Akademie p. 591 publicirt habe. Neuerdings erhielt ich noch eine weitere Wasserstofflinie, deren Wellenlänge sich zu 3769 ergab. Diese entspricht sehr nahe der Huggins'schen Sternlinie 3767,5.

ob diese ultravioletten Wasserstofflinien sich auch im Sonnenspectrum finden. Die Anwesenheit der fünften Wasserstofflinie wird sich schwer feststellen lassen, da sie durch die anliegende breite Calciumlinie verdeckt ist. Dagegen glaube ich, dass sie schon umgekehrt in der Chromosphäre gesehen worden ist[1]).

Lockyer weist (a. a. O.) auf die Beobachtungen Young's hin, nach welcher die H_1-Linie 25 Mal, die H_2-Linie (die Lockyer K nennt) nur 50 Mal in die Chromosphäre injicirt gesehen wurde, und erklärt Lockyer dieses selbstständige Auftreten der H_1-Linie (ohne H_2) aus der von ihm vorausgesetzten Dissociation des Calciums. Ich dagegen glaube, dass die in den vorliegenden Fällen einzeln gesehene umgekehrte angebliche H_1-Linie die fünfte Wasserstofflinie ist.

Von vorstehenden Resultaten setzte ich Hrn. Huggins in London brieflich in Kenntniss, und antwortete er mir, meine Schlussfolgerungen anerkennend: I think, there is little doubt, that all the strong lines in the spectrum of α Lyrae are due to hydrogen. After Mr. Lockyer had seen my star lines, he took some photographs of H and sent a short paper to the R. S. in December last, stating that a line of H agrees with H_1 (Fraunhofer), but of course, your paper has a prior date[2]).

In einem jüngst in dem Photographic Journal vom 20. Febr. erschienenen Artikel theilt Mr. Huggins mit, dass auch er Spectra vom Wasserstoff aufgenommen habe. Auch ihm ist die mit H_1 coincidirende Linie aufgefallen, und rechnet er diese dem Wasserstoff zu.

Das neue Spectrum des Wasserstoffs, welches ich nunmehr erhalten habe, zeichnet sich vor den früher publicirten vor Allem durch seine Freiheit von fremden Linien aus. Es fehlen die auf Taf. I meiner Abhandlung p. 582 der Monatsberichte 1879 erkannten Quecksilberlinien Nr. 10, 12, 20 und 21 (s. p. 592. 593 und 589 a. a. O.), ferner die mir damals räthselhaften Linien Nr. 6 und 22, die jetzt von Paalzow und mir als Sauerstofflinien erkannt

---

[1]) Neuerdings habe ich die fünfte Wasserstofflinie in einer besonders hell leuchtenden Wasserstoffröhre mit blossem Auge beobachtet.

[2]) Ich habe inzwischen von Hrn. Lockyer selbst einen Separatabzug dieser Publication erhalten, aus welcher hervorgeht, dass er meine älteren Arbeiten in den Monatsberichten der Akademie nicht kannte.

sind. Ferner fehlt Nr. 13 nahe *h*, die ich dem Kohlenoxydgas zurechne. Dagegen sind die übrigen Linien, welche ich damals dem Kohlenoxydgas zurechnete, No. 23, 24 und 27 wieder vorhanden. Die grössere Schärfe der neuen Photographie lässt aber bestimmt erkennen, dass diese Linien in ihrem ganzen Charakter von den Kohlenoxydbanden gleicher Lage durchaus abweichen, und sehe ich sie jetzt als Wasserstofflinien an. Wäre wirklich Kohlenoxydgas vorhanden, so müsste sich dieses durch die Linie CO_r (bei *h*), der stärksten von allen, kundgeben. Diese aber fehlt gänzlich.

Ferner ist auffällig, dass statt der Quecksilberlinien 10 und 12, welche hier fehlen, einige neue feine Wasserstofflinien, die fast mit ihnen zusammenfallen, erscheinen.

Aus dem Vorhergehenden geht bereits hervor, dass ich die sämmtlichen in dem neuen Spectrum enthaltenen Linien, auch die feinen, dem Wasserstoff zurechne.

Der Umstand, dass dieselben im Sonnenspectrum sich nicht finden, ist kein Einwand. Bekanntlich werden nicht alle Linien der Körper, deren Gegenwart man in der Sonne vermuthet, umgekehrt gesehen.

Indem ich mir Publication der Photographie des neuen Wasserstoff-Spectrums und speciellere Beschreibung vorbehalte, beschränke ich mich vorläufig auf Anführung des ultravioletten Theils des gedachten neuen Spectrums.

Die Wellenlängen wurden zunächst durch Vergleichung mit Draper's Linien des ultravioletten Spectrums bestimmt[1]) und dann (mit Rücksicht auf den von mir a. a. O. p. 591 bemerkten Fehler in Draper's Tafel) nach Cornu's Tafel corrigirt:

---

[1]) Die Vergleichung mit Draper's photographischem Spectrum führte rascher zum Ziel, da in diesem die Linien sich genau in denselben Intensitätsverhältnissen zeigen, wie man sie in Spectralphotographieen erhält. In Cornu's Spectrum sind manche Linien schwach, die in der Photographie stark erscheinen und umgekehrt, daher die directe Vergleichung oft schwierig.

			----	Bemerkungen
Hd_λ	1	3769	schwache Linie, ziemlich scharf	coincidirt nahe mit Huggins' Sternlinie 3767,5
Hd_ϑ	2	3795	schwache Linie, ziemlich scharf	coinc. mit Huggins' Sternlinie 3795
Hd_η	3	3801	ziemlich schwache Linie, unscharf	
	4	3834	ziemlich starke Linie, scharf	coinc. mit Huggins' Sternlinie 3834
	5	3849	mittlere, unscharfe Linie	die in früheren Spectren erhaltene Bande 3841 (a. a. O. p. 591) ist in den neuen Spectren nicht sichtbar
	6	3856—62	Bande aus drei mittleren, unscharfen Linien bestehend	
	6a	3867	schwache Linie, unscharf	
	7	3870—2	mittlere, unscharfe Bande	so hell wie Hd_η
	8	3877	sehr schwache, unscharfe Linie	
	8a	3881	schwache, unscharfe Linie	

	Nr.	Wellenlänge	Charakter	Bemerkungen
Hd_ζ	9	3887	sehr starke Linie, scharf	coinc. mit Huggins' Sternlinie 3887,5
	10	{3889, 3904}	sehr schwache, unscharfe Linien	
	11	{3924, 3928}	sehr schwache, unscharfe Linien	
	12	{3944	schwache Linie, unscharf	mit Al coincidirend
		3950	schwache Linie	
		3960}	sehr schwache Linie, unscharf	
		3962	mittlere Linie, unscharf	
Hd_ε	13	3969	sehr starke Linie, scharf	coinc. nahe mit H_1 der Sonne

Berlin, den 2. Februar 1880.

16. Februar. Sitzung der philosophisch-historischen Klasse.

Hr. Kiepert las: **Beiträge zur antiken Topographie Makedoniens nach den Ergebnissen der neuesten Localuntersuchungen, vorzüglich der österreichischen Ingenieure.**

19. Februar. Gesammtsitzung der Akademie.

Hr. Kronecker las: Zur Theorie der quadratischen Formen und der singulären Moduln der elliptischen Functionen.

Hr. G. Kirchhoff legte folgende Abhandlung des correspondirenden Mitgliedes Hrn. Quincke in Heidelberg vor:

Über elektrische Ausdehnung.

Eine längere Untersuchung über die Einwirkung elektrischer Kräfte auf schlechte Leiter der Elektricität hat folgende Resultate ergeben:

1. Feste und tropfbar flüssige Körper ändern ihr Volumen, wenn man sie in ähnlicher Weise, wie das Glas einer Leydener Flasche elektrischen Kräften aussetzt.

2. Diese Volumenänderung rührt nicht von Erwärmung her und ist meist eine Ausdehnung. Doch kann sie auch in einer Contraction bestehen, wie dies z. B. bei den fetten Ölen der Fall ist.

3. Bei Luft habe ich keine Volumenänderung durch elektrische Kräfte beobachten können. Wenn eine solche vorhanden ist, so muss sie kleiner als $\frac{1}{3\,000\,000\,000}$ des ursprünglichen Volumens sein.

Elektrische Volumenänderung.

4. Am bequemsten lässt sich die elektrische Ausdehnung bei Glas mit der von Fontana[1]) und den Hrn. Govi[2]) und Duter[3]) benutzten Methode an einem gewöhnlichen Thermometer zeigen. Das Thermometer stand in einem Metallbecher mit Eiswasser. Die Flüssigkeit im Innern des Thermometers (Wasser, Quecksilber, Salzlösung) bildete die innere, das Eiswasser die äussere Belegung einer Leydener Flasche.

Werden die beiden Belegungen eines solchen Thermometer-Condensators mit einer Elektrisirmaschine bis zu einer bestimm-

---

1) Lettere inedite di Alessandro Volta. Pesaro 1834. p. 15.

2) N. Cim. XXI—XXII. p. 18. 1865—66. C. R. 87. 1878. p. 857.

3) C. R. 87. 1878. p. 828.

ten Schlagweite geladen, oder mit den Belegungen einer grösseren geladenen Leydener Batterie leitend verbunden, so sinkt die Flüssigkeit im Capillarrohr des Thermometer-Condensators.

Die Flüssigkeitskuppe im Capillarrohr wurde dabei mit einem horizontalen Mikroskop und Ocular-Mikrometer beobachtet und die Dimensionen der Apparate so gewählt, dass noch eine Volumenänderung von $\frac{1}{100\,000\,000}$ des ursprünglichen Volumens bestimmt werden konnte.

Die Volumenänderung Δv ist um so grösser, je grösser der Hohlraum v der Thermometerkugel ist. Die Volumenänderung erfolgt momentan bei Flintglas, in längerer Zeit bei dem die Elektricität besser leitenden Thüringer Glas. Bei Entladung der Belegungen geht die Flüssigkeit nahezu in die ursprüngliche Lage zurück; momentan bei Flintglas, langsamer bei Thüringer Glas.

5. Nach der Entladung bleibt ein Rückstand im Sinne der ursprünglichen Verschiebung zurück, der bei Flintglas sehr klein, bei Thüringer Glas grösser ist und mit der elektrischen Polarisation der Glasmasse zusammenzuhängen scheint.

6. Die Volumenänderung ist bei übrigens gleichen Verhältnissen nur unbedeutend grösser, wenn die Thermometerkugel mit Wasser, als wenn sie mit Quecksilber gefüllt ist.

7. Inneres und äusseres Volumen der Thermometerkugel nehmen gleichzeitig um dieselbe Grösse zu.

8. Belegt man die äussere Fläche der Thermometerkugel mit einer dünnen Silberschicht, so ist die von den elektrischen Kräften hervorgerufene Volumenänderung dieselbe, mag die Kugel von Luft oder von Wasser umgeben sein.

9. Diese Volumenänderung ist nahezu unabhängig vom hydrostatischen Druck der Flüssigkeit auf die Glaswand der Thermometerkugel.

10. Je nachdem das Glas längere oder kürzere Zeit unelektrisch war, findet man die Volumenänderung an demselben Apparat unter scheinbar denselben Verhältnissen bald grösser, bald kleiner.

11. Die Volumendilatation $\frac{\Delta v}{v}$ ist nahezu, aber nicht genau, proportional dem Quadrate des elektrischen Spannungsunterschiedes auf den beiden Belegungen des Thermometer-Condensators und um-

gekehrt proportional dem Quadrat der Wanddicke der Thermometerkugel.

Für Englisches Flintglas und eine Wanddicke zwischen 0,142mm und 0,591mm betrug die Volumenänderung zwischen 10,67 und 0,19 Milliontel des ursprünglichen Volumens bei einer Schlagweite von 2mm zwischen Messingkugeln von 20mm Durchmesser.

Bei gleicher Schlagweite war für Thüringer Glas die Volumenänderung 4,61 bis 0,36 Milliontel des ursprünglichen Volumens bei Wanddicken zwischen 0,238mm und 0,700mm.

Bei grösseren Volumenänderungen als 10 bis 12 Milliontel des ursprünglichen Volumens wird gewöhnlich die Glaswand durchgeschlagen und der Apparat zertrümmert. Nur bei einer Sorte Deutschen Glases konnte ich ohne Schaden bis 68 Milliontel Volumenänderung beobachten.

12. Ähnliche Volumenänderungen zeigen beim Elektrisiren Thermometer-Condensatoren mit Gefässen aus Glimmer, Quarz und Kautschuck, deren innere Belegung von Wasser gebildet wird.

Bei manchen Glimmersorten und Kautschuck, der längere Zeit mit Wasser in Berührung war, ist die Volumenänderung unter sonst gleichen Verhältnissen etwa von derselben Ordnung, wie bei Glas; bei frischem Kautschuck etwa 10 Mal grösser.

13. Die Senkung der Flüssigkeitskuppe im Capillarrohr ist bei Kautschuck nicht unabhängig vom Vorzeichen der Elektricität wie bei den anderen Substanzen, da gleichzeitig mit der Volumenänderung des Kautschucks eine elektrische Fortführung des Wassers durch die Poren des Kautschucks stattfindet.

Elektrische Längenänderung.

14. Hohle Glasfäden von 1000 bis 1200mm Länge wurden innen und aussen mit 2 dünnen Silberbelegungen versehen, die von einander isolirt waren und wie die Belegungen einer Leydener Flasche geladen werden konnten.

Bei dem Elektrisiren der beiden Belegungen eines solchen Glasfaden-Condensators tritt eine Verlängerung ein, die bei der Entladung der Belegungen zum grössten Theile wieder verschwindet.

Die Verlängerung wurde mit einem Oertling'schen Fühlhebel gemessen, der direct 0,004mm, durch Schätzung noch Zehntel dieser Grösse mit Sicherheit zu messen erlaubte.

Die elektrische Verlängerung Δl der Glasfäden, welche übrigens auch von Hrn. Righi[1]) untersucht worden ist, folgt im wesentlichen denselben Gesetzen, wie die Volumenänderung der Thermometer-Condensatoren. Sie ist um so grösser, je grösser die Länge l des belegten hohlen Glasfadens ist.

Die elektrische Längendilatation $\frac{\Delta l}{l}$ ist nahezu, aber nicht genau, proportional dem Quadrate des elektrischen Spannungsunterschiedes auf beiden Belegungen des Glasfaden-Condensators und umgekehrt proportional dem Quadrate der Dicke der Glaswand.

Für einen Spannungsunterschied der Belegungen, welcher einer Schlagweite von 2^{mm} zwischen Messingkugeln von 20^{mm} Durchmesser entsprach, betrug bei Glasfäden aus Englischem Flintglas die von elektrischen Kräften herbeigeführte Verlängerung 2,26 bis 0,72 Milliontel der ursprünglichen Länge für eine Wanddicke von $0{,}097^{mm}$ bis $0{,}186^{mm}$.

15. Die elektrische Verlängerung war dieselbe unter sonst gleichen Umständen und erreichte in derselben Zeit ihren Maximalwerth, mochten die geraden Glasfäden von Luft oder Wasser umgeben sein.

16. Bei demselben elektrischen Spannungsunterschied der Belegungen ist für gleiche Wanddicken und dieselbe Glassorte die Volumendilatation $\frac{\Delta v}{v}$ etwa 3 Mal grösser als die Längendilatation $\frac{\Delta l}{l}$.

17. Dasselbe Resultat ergiebt sich, wenn an demselben Thermometer-Condensator mit langem Gefäss, statt einer Kugel, gleichzeitig die elektrische Volumen- und Längendilatation gemessen werden.

Die Gefässe der Thermometer-Condensatoren waren sehr gleichmässige Flintglasröhren von 800^{mm} bis 1900^{mm} Länge und $0{,}362^{mm}$ bis $0{,}621^{mm}$ Wanddicke. Die Libellenblase des Fühlhebels wurde dabei mit einem Mikroskop und Ocular-Mikrometer beobachtet, so dass noch eine Verlängerung von $0{,}000008^{mm}$ durch Schätzung zu bestimmen war.

---

[1]) Compt. rend. 88. 1879. p. 1263.

18. Diese Beziehung $\frac{\Delta v}{v} = 3\frac{\Delta l}{l}$ ist nicht vereinbar mit der Annahme, dass durch die Anziehung der entgegengesetzten Elektricitäten auf beiden Condensatorbelegungen die Glasdicke verkleinert, und durch diese „elektrische Compression“ indirect das Volumen der Thermometergefässe vergrössert worden wäre.

19. Die elektrische Ausdehnung erfolgt nach allen Richtungen gleichmässig, wie durch Erwärmung.

Die Annahme, dass die elektrische Ausdehnung herrühre von einer Erwärmung durch die schwachen elektrischen Ströme im Innern der Glaswand zwischen beiden Condensatorbelegungen, wird durch die unter 6. 8. und 15. mitgetheilten Thatsachen widerlegt.

20. Am einfachsten lässt sich die von elektrischen Kräften bewirkte Verlängerung des Glases an hohlen Glasfäden mit excentrischem Hohlraume nachweisen. Ein solcher Glasfaden ist nach dem Erkalten gekrümmt und hat die dünnere Wand auf der convexen Seite, da die dickere Wandung sich länger abkühlt und stärker verkürzt, als die dünnere Wandung.

Ein solcher Glasfaden wird voll Wasser gesogen, unten zugeschmolzen und mit seinem unteren Theile in ein hohes Gefäss mit Wasser gesenkt. Das Wasser innerhalb und ausserhalb des Glasfadens bildet die beiden Belegungen eines Glasfaden-Elektrometers.

Werden diese Belegungen wie die Belegungen einer Leydener Flasche elektrisirt, so krümmt sich der Glasfaden noch stärker, da die dünnere Wand stärker durch die elektrischen Kräfte verlängert wird als die dickere Wand. Die Verschiebung des unteren Fadenendes oder der Ausschlag des Glasfaden-Elektrometers kann mehrere Millimeter betragen und lässt sich bequem mit einem horizontalen Mikroskop mit Ocular-Mikrometer messen.

Bei Entladung der Belegungen geht das untere Ende des gekrümmten Glasfadens nach seiner ursprünglichen Lage zurück; momentan bei Flintglas, langsamer bei Thüringer Glas. Dabei bleibt, wie bei den Volumenänderungen der Thermometer-Condensatoren, eine Verschiebugg im Sinne des ursprünglichen Ausschlags zurück, die erst sehr allmählig verschwindet.

21. Bei demselben Glasfaden-Elektrometer ist der Ausschlag nahezu proportional dem Quadrate des elektrischen Spannungsunterschiedes auf beiden Belegungen.

22. Der Ausschlags-Rückstand nimmt zu mit dem elektrischen Spannungsunterschiede der Belegungen und mit der Leitungsfähigkeit des Glases; scheint also wie bei den Thermometer-Condensatoren von der elektrischen Polarisation der Glasmasse abzuhängen.

23. Durch eine passende Wippe konnten die Belegungen eines Thermometer-Condensators bald mit den Polen einer 44-gliedrigen Chromsäurekette, bald mit den Enden eines empfindlichen Spiegelmultiplicators verbunden werden.

Der Ausschlag der Multiplicatornadel war dann proportional der elektrischen Capacität des Thermometer-Condensators.

Durch Erhöhung der Temperatur nehmen für denselben Thermometer-Condensator die elektrische Capacität und die einem bestimmten Spannungsunterschied der Belegungen entsprechenden elektrischen Volumenänderungen in demselben Verhältniss zu.

24. In ähnlicher Weise nehmen die Ausschläge eines Glasfaden-Elektrometers aus demselben Glase wie ein Thermometer-Condensator mit steigender Temperatur zu, wie die elektrische Capacität des Condensators.

Einer Temperaturzunahme von 1° C. entspricht etwa eine Zunahme des Ausschlags oder der Capacität um 0,003 des ursprünglichen Werthes bei Flintglas; um 0,012 bei Thüringer Glas.

25. Die Ausschläge des Glasfaden-Elektrometers treten um so schneller ein, je grösser der elektrische Spannungsunterschied der Belegungen und die Temperatur des Glases sind. Bei Flintglas langsamer als bei Thüringer Glas.

Änderung der Elasticität durch elektrische Kräfte.

26. Durch elektrische Kräfte wird die Elasticität von Flintglas, Thüringer Glas und Kautschuck verkleinert; von Glimmer und Guttapercha vergrössert.

27. Ein Magnetstab wurde am unteren Ende eines innen und aussen versilberten hohlen Glasfadens aufgehangen, so dass die magnetische Axe nahezu senkrecht zum magnetischen Meridian stand. Das Drehungsmoment der magnetischen Kräfte war dann gleich und entgegengesetzt dem Torsionsmoment des Glasfadens, dessen Enden um den Winkel ϕ gegeneinander gedreht waren.

An dem Magnetstabe und dem unteren Ende des Glasfadens

war ein verticaler Planspiegel befestigt, dessen Lage mit Fernrohr und Scala beobachtet wurde.

Werden die beiden Belegungen des Glasfadens mit den Belegungen einer grösseren geladenen Leydener Batterie verbunden, so wird der Torsionswinkel ϕ um die Grösse $\Delta\phi$ grösser, während das Drehungsmoment der magnetischen Kräfte nahezu ungeändert bleibt. Der Vergrösserung des Winkels ϕ entspricht also eine Verkleinerung der Torsionskraft des Aufhängefadens. $\frac{\Delta\phi}{\phi}$ ist ein Maass für die Änderung der Torsionskraft oder der Elasticität des Aufhängefadens.

Nach der Entladung der beiden Belegungen nehmen Magnet und Aufhängefaden wieder die ursprüngliche Lage an.

Die Abnahme der Torsionskraft ist etwa proportional dem Quadrate des elektrischen Spannungsunterschiedes der beiden Belegungen und um so grösser, je geringer die Wandstärke des hohlen Glasfadens ist.

Bei der Elektricitätsmenge 20 in der benutzten Leydener Batterie von 6 Flaschen und einer Wandstärke von $0{,}1^{mm}$ des hohlen Aufhängefadens war

$$\frac{\Delta\phi}{\phi} = 0{,}00055 \text{ für Flintglas}$$
$$= 0{,}002 \text{ für Thüringer Glas.}$$

Eine aussen vergoldete, innen mit Wasser gefüllte Kautschuckröhre von 1^{mm} Wandstärke zeigte mit derselben Leydener Batterie verbunden etwa dieselbe Änderung $\frac{\Delta\phi}{\phi}$, wie der weit dünnere Faden aus Thüringer Glas.

28. Ein einseitig mit Goldblatt belegtes Glimmerband von 840^{mm} Länge, 30^{mm} Breite und $0{,}04^{mm}$ Dicke, in ähnlicher Weise untersucht, gab eine Zunahme der Torsionskraft um $\frac{1}{13}$ des ursprünglichen Werthes, wenn die belegte Seite zur Erde abgeleitet und die unbelegte Seite durch einen vorbeigeführten Spitzenkamm elektrisirt wurde, der mit einer Holtz'schen Maschine verbunden war.

Ein Guttaperchaband von ähnlichen Dimensionen, wie das Glimmerband zeigte unter denselben Verhältnissen eine Zunahme der Torsionskraft um 0,00316 des ursprünglichen Werthes.

29. Versuche, bei denen die Torsionskraft der elektrischen Glasfäden mit der Torsionskraft tordirter Metalldrähte, anstatt mit magnetischen Kräften, verglichen wurde, ergaben ähnliche Resultate.

Elektrische Ausdehnung bei Flüssigkeiten.

30. Die von elektrischen Kräften hervorgerufene Ausdehnung lässt sich nicht bloss bei festen Körpern, sondern auch bei Flüssigkeiten nachweisen, wenn diese in ein Voltameter mit Platinelektroden gebracht werden, dessen Gasleitungsrohr durch eine verticale Capillarröhre ersetzt ist.

Der Apparat wird durch schmelzenden Schnee auf constanter Temperatur gehalten.

Verbindet man die Platinelektroden mit den beiden Belegungen einer geladenen Leydener Batterie, so beobachtet man eine Volumenvermehrung der Flüssigkeit. Nach der Entladung der Batterie geht die Flüssigkeit auf die frühere Stellung in der Capillarröhre zurück.

Bei gut isolirenden Flüssigkeiten, wie Schwefelkohlenstoff und ätherischen Ölen bleibt die Leydener Batterie minutenlang geladen und die Volumenvergrösserung ebenso lange bestehen. Die Volumenänderung tritt aber allmählig auf und verschwindet allmählig.

Bei den besser leitenden Flüssigkeiten, wie Glycerin, Alkohol und Wasser steigt die Flüssigkeitskuppe fast momentan. Die Leydener Batterie ist aber auch sofort entladen.

Dieselbe Menge positiver oder negativer Elektricität in der Leydener Batterie giebt nahezu dieselbe Volumenänderung der Flüssigkeit. Die Volumenänderung ist nahezu proportional mit $\frac{q^2}{s}$, wenn q die Elektricitätsmenge, s die Oberfläche der Leydener Batterie bedeuten.

31. Bei gut isolirenden Flüssigkeiten kann man die Platinelektroden statt mit den Belegungen einer Leydener Batterie direct mit den Elektroden einer Holtz'schen Elektrophormaschine verbinden.

32. Bei den gut isolirenden fetten Ölen tritt durch das Elektrisiren eine Verminderung des Volumens ein statt der sonst gewöhnlichen Volumenzunahme.

33. Bei zu grossen elektrischen Kräften springt ein Funken zwischen den Platinelektroden im Innern der Flüssigkeit des Voltameters über und der Apparat wird zertrümmert. Es konnten daher bis jetzt die verschiedenen Flüssigkeiten nicht in demselben Apparate untersucht werden.

Eine angenäherte Vergleichung auch mit der thermischen Ausdehnung gestattet die folgende Zusammenstellung, in welcher die mit 1 Million multiplicirte Volumendilatation angegeben ist. Die elektrischen Dilatationen beziehen sich auf Schichten der elektrisirten Substanz von etwa 12mm Dicke.

	Volumendilatation $\frac{\Delta v}{v} 10^6$		
	durch Temperaturerhöhung von 0° bis 1° C.	durch die Elektricitätsmenge	
		± 20	± 40
Schwefelkohlenstoff	1141	5,23	22,43
Alkohol	1042	6,80	35,50
Steinöl	1017	5,66	
Terpentinöl	902	1,70	42,45
Glycerin	512	0,59	3,19
Destillirtes Wasser bei 8°	92	0,07	0,23
Wasser + Spur Salzsäure bei 10°	"	0,13	0,42
Wasser mit 0,124 Proc. Salzsäure bei 13°	"	0,07	0,56
Destillirtes Wasser bei 0°	—20	—0,03	—0,09
Wasser + Spur Salzsäure bei 0°	"	—0,06	—0,30
Wasser mit 0,124 Proc. Salzsäure bei 0°	"	—0,03	—0,36
Thüringer Glas	32	0,003	0,010
Flintglas	26	0,002	0,009
Rüböl	773	—18,24	
Mandelöl	775	— 6,85	

Auffallend ist die ähnliche Reihenfolge der Substanzen, mögen sie nach der thermischen oder elektrischen Ausdehnung geordnet werden, unabhängig von ihrem elektrischen Leitungsvermögen.

34. Temperaturänderungen von einigen Hundertel Grad würden genügen bei der ersten Gruppe von Körpern, der auch das Wasser angehört, um die von der Elektricität bewirkte Volumenänderung herbeizuführen.

Gegen die Annahme einer indirecten Ausdehnung durch Erwärmung der Flüssigkeit durch den schwachen elektrischen Strom zwischen den Platinelektroden spricht aber die lange Dauer der Volumenänderung bei isolirenden Flüssigkeiten; die geringe Vermehrung der Volumenänderung, wenn das elektrische Leitungsvermögen des Wassers durch Zusatz von Salzsäure um mehr als das Tausendfache wächst; endlich die von den elektrischen Kräften herbeigeführte Volumenabnahme bei den fetten Ölen, welche auch bei 0° durch Temperaturerhöhung ihr Volumen vergrössern.

Elektrische Durchbohrung von Glas.

35. Elektrische Kräfte wirken also ähnlich, aber in anderer Weise, wie die Zufuhr von Wärme. Im Allgemeinen werden die Stoffe dadurch ausgedehnt.

Wie man durch ungleiche Zufuhr von Wärme an den verschiedenen Stellen eines Körpers denselben zersprengen kann, so kann man dies auch durch ungleiche Einwirkung elektrischer Kräfte.

Gleichmässige Ausdehnung durch Erwärmung oder gleichmässige Ausdehnung durch elektrische Kräfte zersprengen Glas nicht, wohl aber ungleiche thermische oder elektrische Ausdehnung; und zwar um so eher, je grösser die dadurch im Innern des Glases hervorgerufenen elastischen Spannungen sind.

Was von Glas gilt, gilt auch von anderen Substanzen. Dicke Massen und solche, welche Wärme oder Elektricität schlecht leiten, müssen eher zersprengt werden als dünne Massen und solche, welche Wärme oder Elektricität gut leiten. Damit steht die Erfahrung in Übereinstimmung.

Elektrische Doppelbrechung.

36. Durch ungleiche Zuführung von Wärme können bekanntlich feste durchsichtige Substanzen ungleich dilatirt und optisch doppelbrechend werden.

In analoger Weise können durch ungleiche elektrische Ausdehnung Substanzen ungleichförmig dilatirt und optisch doppelbrechend werden.

Dies erklärt die von Hrn. Kerr[1]) beschriebene Doppelbrechung, welche Glas, Quarz, Harz und isolirende Flüssigkeiten unter dem Einfluss elektrischer Kräfte zeigen, und den scheinbaren Widerspruch dieser Angaben mit anderen Beobachtern.

Werden lange dünne Glasplatten mit Stanniol belegt und stark elektrisirt, wie eine Franklin'sche Tafel, so zeigt sich keine Doppelbrechung, wie mir aus früheren Versuchen bekannt war, und wie es auch die Hrn. Gordon[2]) und Mackenzie[3]) gefunden haben. Das Glas ist an allen Stellen nahezu gleichen elektrischen Kräften ausgesetzt und gleichmässig dilatirt. Es ist ebenso wenig doppelbrechend, wie gleichmässig erwärmtes Glas.

Ersetzt man aber die eine Stanniolbelegung durch Quecksilber in einer Glasröhre von 30^{mm} äusserem und 14^{mm} innerem Durchmesser, deren abgeschliffenes Ende sorgfältig auf die Glasplatte aufgekittet ist, so wird nur das Glas unter dem Quecksilber elektrisch ausgedehnt. Das seitlich gelegene Glas kann wegen der aufgekitteten Glasröhre nicht ausweichen und wird durch die ungleiche elektrische Spannung optisch doppelbrechend.

37. Wird einer Flüssigkeit von einem eingetauchten heissen Metall schneller Wärme an einzelnen Stellen zugeführt, als durch Leitung und Bewegung der Flüssigkeitstheilchen seitlich abfliessen kann, so wird dieselbe optisch doppelbrechend, wie ungleich erwärmtes Glas.

Analog wird eine Flüssigkeit zwischen 2 Metallelektroden doppelbrechend, wenn dieselben auf ungleicher elektrischer Spannung erhalten werden. Die ungleiche elektrische Dilatation hängt

---

[1]) Phil. Mag. (4) L. p. 337—348, 446—558, 1875; ib. (5) VIII. p. 85—102, 229—245. 1879.

[2]) Phil. Mag. (5) II. p. 203. 1876.

[3]) Wiedem. Ann. 2. p. 356. 1877.

ab von der Geschwindigkeit, mit der sich die Elektricität oder die elektrischen Kräfte in der Flüssigkeit verbreiten und die elektrische Ausdehnung hervorrufen.

Die Ausdehnung ist nahezu proportional dem Quadrate der an der betreffenden Stelle des Isolators wirkenden elektrischen Kraft. Die Ausdehnung muss also auf der kürzesten elektrischen Kraftlinie zwischen den Metallelektroden am grössten sein.

Stoffe, deren Brechungsexponent bei thermischer Ausdehnung zunimmt, wie Glas und solche, deren Brechungsexponent durch thermische Ausdehnung abnimmt, wie Schwefelkohlenstoff, werden sich verschieden verhalten, wenn sie beide durch elektrische Kräfte ausgedehnt werden, und wenn thermische und elektrische Ausdehnung in gleicher Weise die optischen Eigenschaften verändern.

In der That zeigen Glas und Schwefelkohlenstoff nach den Beobachtungen von Hrn. Kerr, die ich bei meinen Versuchen bestätigt fand, entgegengesetzte elektrische Doppelbrechung.

Wenn ferner Substanzen sich gegen elektrische Kräfte entgegengesetzt verhalten, wie Schwefelkohlenstoff und Rüböl, durch thermische Ausdehnung aber beide den Brechungsexponenten verkleinern, so müssen sie auch entgegengesetzte elektrische Doppelbrechung zeigen.

Auch dies ist in Übereinstimmung mit der Erfahrung.

38. Erwärmt man eine Stanniolplatte zwischen 2 homogenen Glaswürfeln durch Durchleiten eines elektrischen Stromes, so wird das Glas optisch doppelbrechend, als ob es $\perp$ zur Stanniolplatte dilatirt und $\ddagger$ der Stanniolplatte comprimirt wäre. Das Glas verhält sich wie ein negativer Krystall[1]) (Kalkspath) mit optischer Axe parallel der erwärmten Stanniolplatte.

Der Linie grösster Erwärmung $\ddagger$ der Stanniolplatte oder der optischen Axe eines negativen Krystalls muss bei der elektrischen Doppelbrechung die kürzeste elektrische Kraftlinie im Glase zwischen den Metallelektroden entsprechen, wie es in der That Hr. Kerr[2]) angegeben hat und ich bestätigt gefunden habe.

Überhaupt müssen sich die Stellen des Isolators in der Nähe der kürzesten elektrischen Kraftlinie für die von Hrn. Kerr als

---

[1]) vergl. F. E. Neumann, Abh. Berl. Ak. 1841. II. pag. 6.

[2]) Phil. Mag. 4. L. p. 337. 1875.

„negativ“ bezeichneten Substanzen (Glas, fette Öle u. s. w.) verhalten wie ein optisch negativer Krystall mit optischer Axe ⫩ der kürzesten elektrischen Kraftlinie; die als „positiv“ bezeichneten Substanzen (Schwefelkohlenstoff u. s. w.) wie ein optisch positiver Krystall mit der optischen Axe ⫩ der kürzesten elektrischen Kraftlinie.

Genauer betrachtet hätte man aber die festen und flüssigen Isolatoren zwischen den Metallelektroden als ungleichförmig dilatirte Körper aufzufassen, die optisch wirken, wie ein Aggregat von sehr vielen kleinen Krystallindividuen.

Das von Hrn. Kerr mit clear amber resin bezeichnete Harz (Colophonium?) verhält sich bei elektrischer Doppelbrechung umgekehrt wie Glas und wird voraussichtlich unter dem Einfluss elektrischer Kräfte sein Volumen verkleinern, wie die fetten Öle.

39. Die optischen Erscheinungen bestätigen vollständig die auch mit anderen Methoden nachweisbare Volumenänderung (Ausdehnung und Contraction), welche unter dem Einfluss elektrischer Kräfte schlecht leitende Stoffe zeigen.

40. Den Grund der elektrischen Ausdehnung und die Änderung der Elasticität durch elektrische Kräfte möchte ich in einer Drehung und Verschiebung der Molekeln des Isolators suchen, welche sich, damit ihr elektrisches Moment ein Maximum wird, mit der grössten Länge in die Richtung der Resultante der wirkenden elektrischen Kräfte stellen.

Dass kleine in schlecht leitenden Flüssigkeiten suspendirte Theilchen von Glas und anderen Isolatoren in der That eine solche Lage annehmen, ist von Hrn. Th. Weyl[1]) nachgewiesen worden. Sind die Theilchen statt in einer Flüssigkeit in einer nicht vollkommen starren Masse vertheilt, so müssen ähnliche Änderungen der Lage, nur langsamer, eintreten.

---

[1]) Reichert und du Bois Arch. 1876. pag. 721.

Hr. Virchow legte einen Bericht des Hrn. J. M. Hildebrandt d. d. Hellville auf Nosi-Bé, 19. Dec. 1879, vor, betreffend die

Berginsel Nosi-Kómba und das Flussgebiet des Semberáno auf Madagascar.

Um die Zeit bis zum Eintreffen der mir von der Königl. Akademie gewährten Reisemittel möglichst nützlich zu verbringen, unternehme ich, so gut es die nunmehr eingetretenen Regen zulassen, kleinere oder grössere Ausflüge. Soeben bin ich von einem solchen zurückgekehrt, der mich zu der Berg-Insel Nosi-Kómba, in das Gebiet von Ankífi und den Fluss Semberáno aufwärts brachte.

Nosi-Kómba (Insel der Halbaffen) liegt zwischen Nosi-Bé und dem Festlande von Madagascar. Sie wird von einem Granitberge eingenommen, welcher seine einfache Kuppel bis ca. 540m[1]) aus dem Meeresspiegel erhebt. Seine steilen Abhänge waren früher ganz mit dichtestem Hochwalde bedeckt, welcher jedoch jetzt zum grössten Theile niedergebrannt ist, um einige spärliche Reisernten zu erlangen. Wenige Regen reichen hin, den einmal entblössten Waldboden in die Tiefe zn spülen.

Ich besuchte hier eine Gräberstätte der Sakalava, welche sich in den höhlenartigen Zwischenräumen der Strandfelsblöcke dicht oberhalb der Brandung an möglichst unzugänglicher Stelle befindet. Solche Plätze werden von den hiesigen Sakalava allgemein benutzt. Sie sind für den Fremden „fadi“ (tabu)[2]), während die Sakalava zu gewissen Zeiten die Reliquien ihrer Ahnen besuchen und bei denselben opfern. So fand ich Räucherschalen (Nr. 58 der ethnogr. Samml.), mit Rum gefüllte Weinflaschen u. dgl. vor.

Die Leichen (an dem besuchten Orte etwa 20) sind grösstentheils eingesargt, und zwar hat man zu ihrer Aufnahme meistens die Hälfte einer Lakka (Baumkahn) verwendet, welche übergedeckt wird. Sie ist am Halbirungsabschnitte mit einem hölzernen Schieber als Verschluss versehen. Da dieser Schieber eine Handhabe

---

[1]) Genauer wird sich die Höhe aus beiliegenden Observationen ergeben; um deren Berechnung ich Hrn. Dr. O. Kersten bitte.

[2]) Man erzählt sogar, dass ein hiesiger Pflanzer kurz nach Besichtigung einer solchen Grabstätte durch Giftmord starb.

Kochpunct Therm. Lenoir Nr. 8: 98,33° C.
" " " „frühere“: 98,42° C.
" " " N. 8: 98,33° C.
" " " „frühere“: 98,40° C.

Seestrand (zurück) 5 Uhr Nachmittags:

Barom. aner. Goldschmidt: 761,6^mm^
Temp. d. Bar. " 28° C.
Lufttemperatur . . . . 27° C.
Kochpunct Lenoir Nr.: 100,08° C.
" " „frühere“: 100,01° C.

Hr. Dr. O. Kersten hat die Güte gehabt, darnach die folgende Berechnung zu veranstalten:

Beobachtet wurden ein *Aneroid* (Goldschmidt) und zwei *Siedethermometer* (Lenoir 8 und ein früher von H. gebrauchter Lenoir ohne Nummer), und zwar am Meeresstrande früh und Nachm. 5 Uhr, auf dem Gipfel des Berges aber früh gegen 8 Uhr.

Beobachtet wurde:

am Strande	*Aneroid*	*Lenoir 8*		*Lenoir 0*
5^h Vorm.	762,8	766,28	(red. auf Quecksilberdruck)	766,01
5^h Nachm.	761,6	762,18		762,7
	+1,0	+1,0		+1,0

Temperatur am Strande reducirt auf 8^h Vorm. = 25°,4 C.

Die Vormittagsmessung kann als dem mittleren Barometerstand des Tages entsprechend angesehen werden, die Nachmittagsmessung muss um $1,0^{mm}$ vergrössert werden, um diesem Mittel gleichzukommen. Hiernach würde, dem Aneroid zufolge, der Luftdruck nahezu gleichgeblieben, dem Siedethermometer nach indessen gefallen sein, und zwar um ziemlich 3 Millimeter. Letzteres ist nicht recht wahrscheinlich; daher ist anzunehmen, dass bei der letzten Siedepunct-Bestimmung nicht genügend oder unter ungünstigen Umständen gekocht wurde, so dass nicht die ganze, dem herrschenden Luftdrucke entsprechende Siedehitze erreicht wurde. Ich benutze daher nur die am Vormittag gemessenen Barometerstände zur Vergleichung, zumal diese sich auch zeitlich sehr nahe liegen.

Beob. auf dem Bergesgipfel, gegen 8 Uhr Vormitt (Temp. 25°,0 C.):

	Aneroid		*Lenoir 8*		*Lenoir 0*	
(Mittel aus 2 Obs.)	712,3		715,75	(red. auf Quecksilberdruck)	717,8	
	—0,8		—0,8		—0,8	zur Reduction auf das Tagesmittel
Berg, corrigirt	**711,5**		**715,0**		**717,0**	
Strand	**762,8**	(corrigirt) Mittel s. oben	**766,3**	(1. Obs.)	**766,0**	(1. Obs.) bei 25°,4 C.
Barom.-Differenz	51,3 Mm.		51,3 Mm.		49,0 Mm.	
Höhen über dem Meer	609 Meter	1998 engl. Fuss	606 Meter	1988 engl. F.	578 Meter	1897 engl. F.

im Mittel **598** Meter = **1961** engl. Fuss.

Hr. W. Peters machte eine Mittheilung über neue oder weniger bekannte Amphibien des Berliner Zoologischen Museums (*Leposoma dispar, Monopeltis (Phractogonus) jugularis, Typhlops depressus, Leptocalamus trilineatus, Xenodon punctatus, Elapomorphus erythronotus, Hylomantis fallax*).

PHOLIDOTA (REPTILIA s. s.).

LACERTILIA.

1. *Leposoma dispar* n. sp.[1])

L. supra fuscum nigropunctatum, bilineatum, subtus albidum; squamis ventralibus subquadrangularibus.

Habitatio: Caceres (Nova Granada).

---

[1]) Die erste Bildung *Leposoma* Spix ist von Wagler als incorrect in *Lepidosoma* umgeändert worden. Da aber neben λεπίς auch die Form λέπος vorkommt, kann der Spix'sche Name nicht verworfen werden.

In der Gestalt ähnlich dem *L. scincoides* Spix und obere Kopfschilder ebenfalls mit länglichen Rauhigkeiten versehen. Internasale breiter als lang, hinten stumpfwinkelig und nicht concav an die beiden Präfrontalia stossend. Frontale hexagonal, an den Seiten concav, jederseits an die zwei vorderen der drei Supraorbitalia, hinten an die pentagonalen Frontoparietalia stossend; Interparietale kürzer als bei jener Art, heptagonal. Nasale deutlich pentagoral, hinten und oben mehr abgeschnitten wegen des oberen Frenoorbitale, welches merklich grösser ist als bei jener Art. Jederseits 6 Supra- und 6 Infralabialia, von denen das letzte klein ist. Hinter dem einfachen Submentale, anstatt drei, vier Paar Submentalia. Keine Jugularfalte, aber eine vollständige, nicht wie bei jener Art unterbrochene Querreihe kleiner Schuppen von einer Ohröffnung zur anderen. Unteres Augenlid beschuppt. Schläfenschuppen gekielt, rhomboidal oder hexagonal, ähnlich wie bei jener Art, während die Schuppen des Seitenhalses hinter der mässig grossen Ohröffnung nicht kleiner und granulirt, sondern grösser und ebenfalls gekielt sind. Die Zähne und Zunge sind, wie ich sie von jener Art beschrieben habe (cf. Abh. phys. Cl. Kgl. Akad. d. Wissensch. Berlin. 1862. p. 192); die vorderen der ersteren sind ein-, die hinteren zwei- bis dreispitzig, und die Zunge hat eine feine doppelte Spitze.

Die Körperschuppen sind sämmtlich gekielt, aber merklich breiter und daher weniger lanzettförmig als bei *L. scincoides*; die an der Kehle sind am kleinsten und ebenso wie die des Rückens, der Körperseite und der Analdecke hinten zugespitzt, während die der Brust und des Bauches den hinteren Rand abgerundet oder abgestutzt zeigen, der von einer Spitze, der Verlängerung des Kiels, überragt wird. Die Kiele der Seitenschuppen steigen nach hinten und oben in die Höhe. Wie bei jener Art bilden die Schuppen von den Submentalschildern bis zum After 33 Querreihen, die der Körpermitte 23 bis 24 Längsreihen.

Der Schwanz ist mehr als doppelt so lang wie der Körper. Seine Schuppen sind oben und unten gekielt, aber weniger lanzettförmig, mehr länglich hexagonal.

Die vordere Extremität reicht bis an das Auge; die Länge der Finger nimmt von dem 1. bis 3. rasch zu, der 4. ist der längste und der 5. etwas kürzer als der 3. Die hintere Extremität ragt nicht bis zu der vorderen; die Zehen nehmen schnell von der

1. bis 3. an Länge zu, während die 4. nicht so schnell zunimmt, aber doch noch die 3. merklich überragt; die 5. steht an Länge zwischen der 2. und 3. Die Krallen sind spitz und die Schuppen allenthalben gekielt.

Oben dunkelbraun, schwarz punctirt, jederseits am Rücken eine helle von der Supraorbitalgegend entspringende Linie, während weiter hinten am Schwanze eine noch deutlichere weisse Linie von der hinteren Seite des Oberschenkels ausläuft. Die Seiten des Kopfes unter dem Auge und dem Trommelfell mit schräg nach hinten und unten herabsteigenden schwarzen Linien. Unterseite gelblichweiss.

Länge bis Schwanzbasis 37^{mm}; Schwanz 71^{mm}; vordere Extremität 12^{mm}; hintere Extremität 17^{mm}.

Zwei, leider nur mässig erhaltene Exemplare aus Caceres am Cauca, Neu-Granada, durch Hrn. Th. Grosskopf.

2. *Monopeltis (Phractogonus) jugularis* n. sp. (Fig. 1.)

M. oculo distincto, segmentis dorsalibus transversis 206, longitudinalibus 16 ad 19, ventralibus 14 ad 16, praeanalibus sex; segmentis pectoralibus utrinque 18.

Habitatio: Africa occidentalis.

Das Frontalschild ist kürzer und schmäler als das sehr scharfrandige, oben der Länge nach concave Rostrale. Jederseits in einem Winkel zwischen beiden ein trapezoidales Oculare mit dem deutlich durchscheinenden blauen Auge. Ein mittleres Supralabiale zwischen den beiden langen Nasalia; jederseits zwei lange niedrige Supralabialia und ein drittes viel höheres, an das Oculare stossendes. Mentale rundlich, hinten sich in den Ausschnitt eines herzförmigen Submentale hineinlegend; jederseits drei Infralabialia, von denen das dritte sehr gross ist. Sechs und dreissig jugulare (oder pectorale) Segmente, welche durch eine mittlere Längsfurche, eine quere vordere und zwei hintere, mit ihrer Convexität nach hinten gerichtete bogenförmige Furchen getrennt werden. 16 bis 19 Längsreihen von Segmenten in der dorsalen, 14 bis 16 in der ventralen Körperhälfte; die der beiden mittelsten Reihen der letzteren sind die breitesten. Sechs Segmente in der Präanalklappe; keine Präanalporen. Von dem Nacken an 206 Körperringe; am Schwanze 13 Ringel.

In Weingeist gelblich, jedes Segment mit einem bräunlichen

Fleck, der an den Segmenten des Rückens kleiner und dunkler als an den Bauchsegmenten ist.

Totallänge 51^{cm}; Kopf 23^{mm}; Schwanz 29^{mm}; Körperdicke 22^{mm}.

Bemerkenswerth ist, dass diese afrikanische Gattung durch eine Knochenlücke zwischen der Mitte des Occipitale und Parietale, wie bei den *Lacertilia*, ausgezeichnet ist, während dieselbe bei *Amphisbaena* und *Lepidosternon* fehlt.

Ein einziges Exemplar aus Westafrika, ohne genauere Angabe des Fundorts; gekauft (M. B. Nr. 9636).

Serpentes.

3. *Typhlops depressus* n. sp.

T. capite depresso, collo latiore, margine rostrali rotundato, naribus inferioribus; rostrali supra elliptico, subtus angustiore; nasali subtus nasofrontali duplo latiore; cauda conica elongata; squamis corporis 22 seriatis; supra fuscus, subtus flavidus.

Habitatio: Insula Papuana Duke of York.

Kopf abgeplattet, breiter als die Halsgegend, am Rande abgerundet; Nasenlöcher unmittelbar unter dem letzteren liegend, von oben nicht sichtbar. Rostrale oben länglich elliptisch, unten verschmälert. Nasale unter dem Nasloch fast doppelt so breit wie das Nasofrontale; die Trennungslinie oberhalb des Nasloches nach oben und vorn steigend. Praeoculare hinten oben eingebuchtet, Oculare breiter mit deutlichem blauen Auge. Obere Kopfschuppen ziemlich gleich gross, die Postocularia etwas grösser. Nasale, Frontonasale und Praeorbitale stossen an das 2. Supralabiale, das Praeorbitale auch an das 3., welches mit dem grössten 4. das Oculare von unten begrenzt.

Körper merklich breiter als hoch, überall mit zwei und zwanzig Schuppen-Längsreihen. Der Schwanz ist verlängert, allmählich conisch zugespitzt.

Oben dunkelbraun, die einzelnen Schuppen an der Basis mit einem helleren bläulichen Querstrich; unten schmutzig gelb, Lippen- und Submentalgegend weisslich. Kopfschilder mit einer submarginalen hellgelblichen Einfassung.

Totallänge 23,5^{cm}; Kopf 6,5^{mm}; Schwanz 9^{mm}; Körperbreite 4^{mm}; Körperhöhe 2,5^{mm}.

Ein Exemplar von der papuanischen Insel Duke of York, aus dem Museum Godeffroy.

4. *Leptocalamus trilineatus* n. sp. (Fig. 2.)

L. squamis 15-seriatis; supra olivaceus, lineis tribus flavidis.
Habitatio: Brasilia.

Kopf abgeflacht. Rostrale nach oben mit einem stumpfen Winkel vorspringend; Internasalia doppelt so breit wie lang und halb so lang wie die Praefrontalia. Frontale länglich dreieckig, an den Seiten convex. Parietalia sehr gross, hinten zugespitzt. Vorderes Nasale höher als das hintere, welches mit einer stumpfen Spitze an das einfache Anteorbitale stösst. Zwei Postorbitalia und zwei lange Temporalia. 7 Supralabialia, von denen das 3. und 4. an das Auge stossen. Das Mentale stösst an das erste Paar Submentalia, welche doppelt so lang sind wie die des zweiten Paars; 6 Infralabialia, von denen das 4. sehr gross ist. Hinterste Oberkieferzähne länger und stärker als die vorhergehenden, ungefurcht.

Körperschuppen spiegelglatt, ohne Endgrube, in 15 Längsreihen. 145 Ventralia, ein getheiltes Anale, 41 Paar Subcaudalschuppen.

Oben olivenbraun, die Schnauze heller, das 5. Supralabiale und die aneinander stossenden Theile des unteren Postorbitale und des ersten Temporale so wie eine breite, das hintere Ende der Parietalia mit einfassende Querbinde des Halses hellgelb. Drei gelbe dunkel eingefasste Längslinien, die mittlere längst dem Rückgrat, jede seitliche auf der drittletzten Schuppenreihe verlaufend. Die ganze Unterseite gelblich weiss.

Totallänge 23^{cm}, Kopf 8^{mm}, Schwanz 44^{mm}.

Von *Leptocalamus torquatus* Günther (Ann. Mag. Nat. Hist. 1872. 4. ser. IX. p. 17) durch 15 statt 17 Schuppenreihen, durch das nicht zusammenstossende erste Paar der Infralabialia und verschiedene Zeichnung, drei helle Längslinien statt einer dunklen Rückenlinie, verschieden.

Ein Exemplar aus Brasilien.

5. *Xenodon punctatus* n. sp. (Fig. 3.)

X. supralabialibus 8, 3. 4. et 5. sub oculo; squamis 17-seriatis, anali diviso. Supra fuscus, nigrolineatus; capite albopunctato, linea supralabiali alba; subtus albus, nigromarginatus.
Habitatio: Brasilia.

Kopf convex. Rostrale nicht nach oben umgekrümmt. Internasalia so lang, aber schmäler als die Praefrontalia. Frontale pentagonal, wenig länger als breit. Parietalia um die Hälfte länger als das Frontale. Vorderes Nasale merklich länger als das hintere; Frenale trapezoidal, viel niedriger als das einfache hohe Anteorbitale. 2 Postorbitalia. Temporalia: zuerst ein sehr langes, dahinter ein kurzes unteres und ein langes oberes. 8 Supralabialia, von denen das 3. 4. und 5. ans Auge stossen. 7 Infralabialia, von denen das 1. mit dem der anderen Seite zusammenstösst und vier an die beiden Paare langer Submentalia stossen.

Körperschuppen glatt, ohne Endporen, in 17 Längsreihen. 162 Ventralia, 1 getheiltes Anale, 42 Paar Subcaudalschilder.

Oben dunkelbraun mit schwarzen Punktlinien; Kopf weiss punktirt; eine weisse Linie, von dem 1. Nasale beginnend, längs den Supralabialia. Unterseite weiss, Abdominalia an den Seiten schwarz und einzelne mit einem mittleren schwarzen Fleck.

Totallänge 17^cm; Kopf 9^mm; Schwanz 26^mm.

Ein einziges junges Exemplar aus Brasilien.

6. *Elapomorphus erythronotus* n. sp.

E. praefrontalibus cum internasalibus coalitis, anteorbitali nasale attingente, temporali nullo, supralabialibus utrinque senis. Supra testaceus, lateribus subtusque nigromaculatus, capite supra caudaeque apice atris.

Habitatio: San Paulo (Brasilia).

Praefrontalia mit den Internasalia vereinigt; Anteorbitale stösst mit dem langen Nasale zusammen; ein Postorbitale; sechs Supralabialia, das 1. mit dem Nasale, das 2. mit dem Nasale. Anteorbitale und dem Auge, das 3. mit dem Auge und Postorbitale, das 4. mit dem Postorbitale, das 5. und 6. mit dem Parietale in Verbindung stehend, da kein Temporale vorhanden ist. Ein spitzdreieckiges Mentale; jederseits 7 Infralabialia, von denen das 5. das grösste ist, das 1. mit dem der anderen Seite hinter dem Mentale zusammenstösst; 5 Infralabialia stehen mit den beiden langen Submentalia jederseits in Verbindung.

15 Längsreihen spiegelglatter Körperschuppen ohne Endporen. 244 Ventralia, $\frac{1}{1}$ Anale, 28 Paar Subcaudalia.

Oberseite des Kopfes schwarz mit einem Nackenhalsband zusammenhängend. Rückseite (5 und 2 halbe Schuppenreihen) ziegelroth. Schuppen der Körperseiten schwarz mit blassen Rändern. Ventralia am Halse gelb, weiterhin mit zwei schwarzen Querflecken; letztes Viertel des Schwanzes schwarz, an der äussersten Spitze weiss; Submentalia mit einem blassen schwarzen Fleck.

Totallänge 40^{cm}; Kopf 9^{mm}; Schwanz 23^{mm}; Körperdicke 5^{mm}.

Ein Exemplar aus S. Paulo (Brasilien).

Diese Art steht dem *E. Orbignyi* Dum. Bibr. aus Chili am nächsten. Sie unterscheidet sich durch das grössere mit dem Nasale zusammenstossende Anteorbitale, 5 und nicht 4 mit den Submentalia zusammenstossende Infralabialia und durch die verschiedene Färbung, indem *E. Orbignyi* oben und an den Seiten roth ist, ein Halsband und die Bauchseite gelb hat.

7. *Labionaris Filholi* Brocchi, Bullet. Soc. Philom. Paris 1876 p. 94, ist nach Untersuchung des Originalexemplars durch Hrn. A. Strauch gleich *Ogmodon vitianus* Ptrs. Monatsb. K. Akad. Wiss. 1864. p. 274. Taf. 1. Fig. 4—4e.

Batrachia.

Caeciliae.

8. *Dermophis brevirostris* Ptrs., Monatsber. Berl. Akad. 1874. p. 617. Taf. 1. Fig. 2; ib. 1879. p. 937 gleich *Siphonops thomensis* Bocage, Jorn. Sc. math. e nat. Lisboa. 1873. p. 224.

Durch die Güte des Hrn. Barboza du Bocage habe ich eins seiner Exemplare von *S. thomensis* im Austausch erhalten und mich von der Identität beider Arten überzeugen können. Reste einer gelben Färbung an der rechten Seite des Kopfes lassen mich vermuthen, dass auch das von mir beschriebene Exemplar im frischen Zustande gelb gewesen ist.

Anura.

Hylomantis nov. gen.

Maxillarzähne, aber keine Zähne am Gaumen, sonst wie *Hyla*. Zunge herzförmig, Trommelfell deutlich; Tuben sehr eng. Keine Parotoiden. Finger und Zehen mit deutlichen Haftscheiben, letztere mit sehr entwickelten Schwimmhäuten. Querfortsätze der Sacralwirbel sehr verbreitert. Sternalapparat wie bei *Hyla*: Episternum wohl entwickelt, scheibenförmig, Sternum plattenförmig verbreitert, Epicoricoidalknochen am innern Ende verbreitert, so wie die schmalen Claviculae durch einen Mittelknorpel mit einander vereinigt.

9. *Hylomantis fallax* n. sp. (Fig. 4.)

H. supra caerulea vel caeruleogrisea, concolor vel nigromaculata; utrinque linea supralabiali ad axillam extensa; subtus flavida.

Habitatio: Australia orientalis.

Schnauze zugespitzt, über das Maul vorspringend; Canthi rostrales abgerundet. Naslöcher fast doppelt so weit von den Augen wie von der Schnauzenspitze entfernt. Zunge hinten wenig eingebuchtet. Choanen ganz an der Seite liegend, viel grösser als die kleinen Tubenöffnungen; Trommelfell frei, halb so gross wie das Auge, dessen Pupille horizontal gespalten ist. Schallblase des Männchens einfach, wie bei *Hyla arborea.*

Brust glatt, mit vorspringender Querfalte, Bauch und Unterschenkel granulirt.

Finger frei, Haftscheiben klein, an dem ersten Finger fehlend; 4. Zehe merklich kürzer, aber viel länger als der 2. Finger. Die hintere Extremität ragt mit dem ganzen Fuss über die Schnauze hinaus.

Schwimmhäute der Zehen sehr entwickelt, nur das letzte Glied der 4. Zehe freilassend.

Oben blau oder graublau, einfarbig oder schwarz gefleckt. Jederseits eine weisse Linie unter dem Auge beginnend, unter dem Trommelfell durchgehend, bis zu der vorderen Extremität gehend. Unterseite gelblich, Kehle schwarz punktirt.

Totallänge 24^{mm}; Kopf 8^{mm}; Kopfbreite 8^{mm}; vordere Extremität 14^{mm}; Hand 6^{mm}; hintere Extremität 39^{mm}; Fuss 16^{mm}.

Aus Port Bowen, Mackay und Rockhampton.

Erklärung der Abbildungen.

Fig. 1. *Monopeltis (Phractogonus) jugularis* Ptrs. In natürl. Grösse.

„ 2. *Leptocalamus trilineatus* Ptrs. 4mal vergrössert.

„ 3. *Xenodon punctatus* Ptrs. 3mal vergrössert.

„ 4. *Hylomantis fallax* Ptrs. In natürl. Grösse. 4a. Maul aufgesperrt, 4b. rechter Hinterfuss von unten; 4c. Sacralwirbel, in doppelter Grösse.

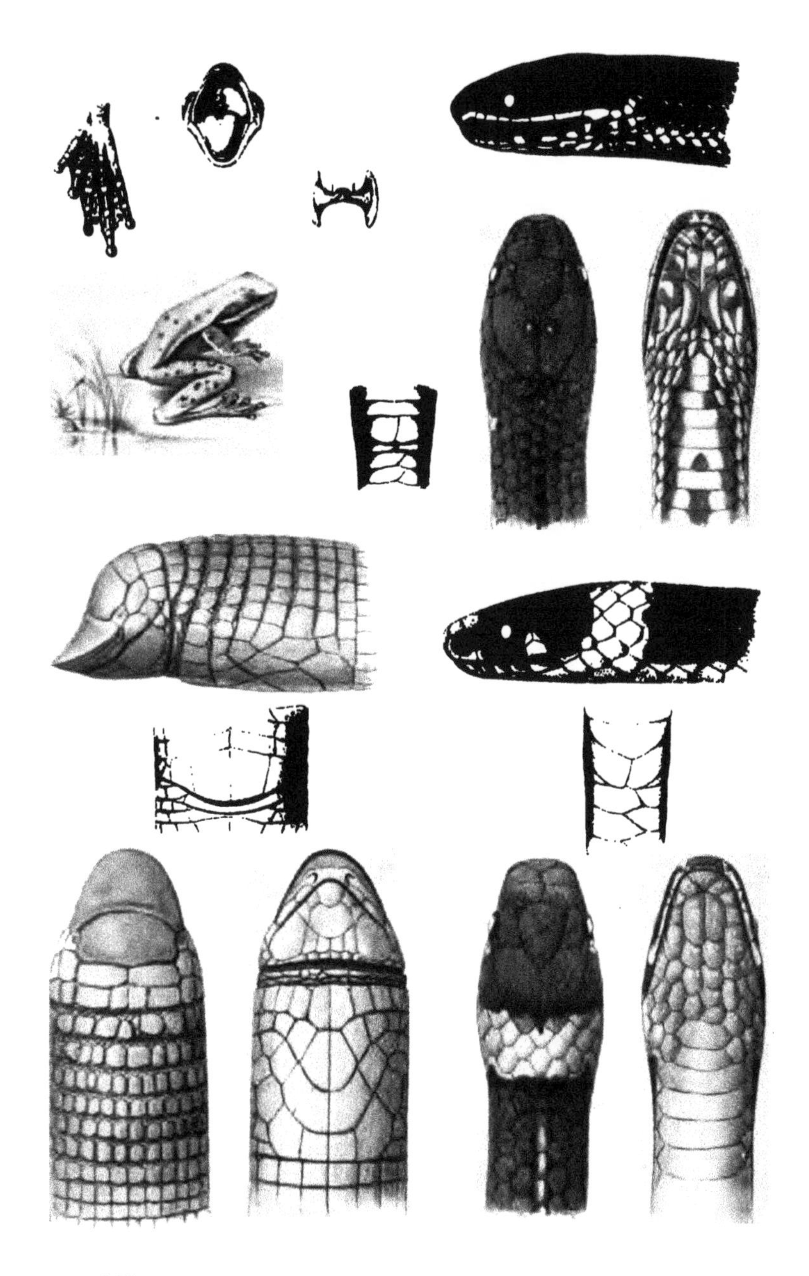

1 Monopeltis (Phractogonus) jugularis Ptrs 2 Leptocalamus trilineatus Ptrs
3 Xenodon punctatus Ptrs · 4 Hylomantis fallax Ptrs

26. Februar. Gesammtsitzung der Akademie.

Hr. Rammelsberg las:

Über molekulare Erscheinungen am Zinn und Zink.

Berzelius hat in seiner bekannten Abhandlung über die Allotropie einfacher Körper[1]) auch des Zinns gedacht, ohne verschiedene Zustände dieses Metalls bezeichnen zu können, wiewohl Er ja gerade in der Zinnsäure das erste Beispiel von Isomerie nachgewiesen hat.

Die Krystallform des gewöhnlichen durch Schmelzen und Erstarren erhaltenen Zinns kennen wir noch nicht, denn die Angaben von Brooke und von Pajot, welche achtseitige und rhombische Prismen beobachtet haben wollen, sind allzu unsicher.

Bekanntlich scheidet sich das Zinn in krystallisirter Form aus einer Lösung des Chlorürs aus, wenn dieselbe reducirt wird. Frankenheim beschrieb[2]) solche Zinndendriten, die sich unter 90°45′ und einigen anderen Winkeln kreuzen und an den Enden oft zu schönen Quadraten ausgebildet sind. Danach hält er es für unzweifelhaft, dass das Zinn gleich Gold, Silber, Kupfer, Blei u. s. w. regulär krystallisire.

Aber erst W. H. Miller hat die Form des aus Zinnchlorür durch einen galvanischen Strom reducirten Zinns genauer bestimmt[3]).

Danach ist es viergliedrig, und zwar herrschen das erste und zweite quadratische Prisma vor, während die Endigung durch zwei Oktaeder gleicher Ordnung gebildet wird, deren Endkanten durch die Flächen der entsprechenden Oktaeder zweiter Ordnung abgestumpft sind. Dabei stehen je zwei derselben in dem Verhältniss, dass ihre Hauptaxen sich = 1 : 3 verhalten. Zwillinge sind sehr häufig. Miller liess es unentschieden, ob die von Frankenheim beobachteten Formen den seinen gleich oder regulär seien.

Aber auch die von Brooke beschriebenen achtseitigen Prismen, die er selbst untersuchte, und welche angeblich von geschmolzenem

---

[1]) Pogg. Ann. 61, 1 (1844).

[2]) A. a. O. 40, 456 (1837).

[3]) Phil. Mag. III S. 62, 263. (Pogg. Ann. 58, 660.) 1843.

Zinn stammten, sind nach Miller wahrscheinlich dieselben, wie die der galvanischen Fällung. Und doch hat er selbst eine sehr wesentliche Verschiedenheit im V. G. gefunden, denn das galvanisch gefällte ist nach ihm = 7,178, das durch Schmelzen und Erstarren daraus erhaltene = 7,293.

Im J. 1869 beschrieb J. Fritzsche in Petersburg eine eigenthümliche und merkwürdige Veränderung, welche Blöcke von Bankazinn in der strengen Kälte des russischen Winters erlitten hatten. Sie waren aufgebläht, blasig, und das Metall theils in eine stängliche Masse verwandelt, theils zu Pulver zerfallen. Dabei war die Farbe des Zinns eine graue geworden[1]).

In einer am 10. März 1870 in der Petersburger Akademie gelesenen Abhandlung „über einen eigenthümlichen Molekularzustand des Zinns“[2]) fasst Fritzsche seine Beobachtungen zusammen und sagt, er habe Zinn während eines Winters der bis — 14° reichenden Kälte ohne Veränderung ausgesetzt; allein dieselbe sei ihm dann bei einer T. unter — 39° gelungen. Zugleich fand er aber, dass manches Bankazinn diese Veränderung schon bei — 14° erfährt. Als das zerfallene graue Zinn in heisses Wasser gebracht wurde, nahm es eine hellere Farbe an, und sein Volum verminderte sich; durch starke Kälte kehrte es in den früheren Zustand zurück. Wurde es geschmolzen, so hatte die Kälte denselben Effekt wie früher.

Auch von anderer Seite ist das zerfallene graue Zinn beobachtet worden, so von Oudemans[3]) und in den Spandauer Artilleriewerkstätten[4]).

In Folge der Mittheilung einer Probe des zerfallenen Zinns durch Fritzsche gab ich eine kurze Notiz über das V. G. des Zinns[5]).

Ich hatte gefunden:

das graue Zinn	= 7,195
„ galvanisch gefällte	= 7,166
„ zuvor geschmolzene	= 7,310.

1) Ber. d. d. chem. Ges. 2, 112 u. 540 (1869).
2) Mém. de l'Acad. d. St. Pétersb. VIII Sér. T. XV.
3) Institut 1872, 142.
4) Wiedemann in s. Ann. d. Phys. u. Chem. 2, 304.
5) Ber. d. d. chem. Ges. 3, 724 (1870).

Ich hielt danach die beiden ersten für gleich und schloss auf eine Dimorphie des Zinns.

In letzter Zeit beschrieb A. Schertel Zinn, welches in Form von Ringen in einem vermauerten Raum des Freiberger Doms 3—400 Jahre gelegen hatte, röthlichgrau, im Bruch stänglich und sehr brüchig geworden war. Er fand das V. G. weit niedriger, nämlich 5,781 bis 5,809. Aber auch eine Probe des von Fritzsche stammenden Zinns war nur wenig schwerer, nämlich 5,93 bis 6,02. Beide Arten nahmen in heissem Wasser eine helle Farbe an, ihre Dichte nahm zu, und wurde die des gewöhnlichen Zinns, d. h. nahe 7,30. Hiernach vermuthet Schertel, dass das von mir geprüfte graue Zinn (7,195) schon theilweise zurückverwandelt gewesen sei.

Diese Vermuthung ist vollkommen begründet, weil ich, den Einfluss des heissen Wassers nicht beobachtend, das Zinn zur Entfernung eingeschlossener Luft vor der Wägung mit Wasser erhitzt hatte. Da Hr. Schertel die Güte gehabt, mir eine Probe seines Zinns mitzutheilen, habe ich die Untersuchung der Zinnmodifikationen jetzt in grösserer Ausdehnung wiederholt.

A. Zinn von Fritzsche. — Verschiedene Wägungen des noch vorhandenen Restes gaben 6,8 bis 7,2, wobei ich bemerke, dass diese und alle folgenden Bestimmungen mittelst Pyknometern bei einer T. von 16° gemacht sind.

Es wurde in einer Kältemischung 24 Stunden erhalten, wobei das Minimum — 24° war. Sein V. G. war nun 5,826 und 5,868, also im Mittel 5,847; es hatte mithin wieder den früheren Zustand angenommen. Wenn bei einem anderen Versuch und einer ähnlichen Kältemischung das Zinn noch dunkler erschien, und sogar nur 5,604 wog, so möchte ich dies einer Bildung von Zinnoxydul zuschreiben, insofern solches Zinn beim Schmelzen in Wasserstoff Wasser und einen Gewichtsverlust, entsprechend 2,9 p. C. Zinnoxydul, ergab.

Das so durch Abkühlen auf 5,8 gebrachte Zinn wurde im Luftbade auf 100°, später auf 200° erwärmt. Es wog nun 6,80 und 6,834, während das nicht abgekühlte, früher 6,8 bis 7,2 gefundene, den Werth 6,827 gab.

Hieraus sieht man, dass die Dichte des Fritzsche'schen Zinns von Schertel und von mir nahe übereinstimmend gefunden ist. Nicht aber das Verhalten in der Wärme, insofern der Erstere angiebt, es habe schon in Ätherdampf (35°) nach anderthalb Stunden fast die Dichte des gewöhnlichen Zinns, nämlich 7,23 erlangt.

B. Blockzinn in den Artilleriewerkstätten in Spandau in ähnlicher Art, wie das von Fritzsche beobachtete, umgeändert. Nach einer Mittheilung des Herrn Dr. Petri, dem ich das Material verdanke, lag dieses Zinn vor seiner Veränderung jahrelang im Magazin, und Kälte kann nicht die Ursache jener sein, da die Winter milde waren.

Die Farbe ist grau, die äussere Beschaffenheit ist überhaupt dieselbe wie bei A. Die Bestimmung des V. G. erfordert die Anwendung der Luftpumpe, wobei eine reichliche Entwicklung von Luft aus dem groben Pulver stattfindet. Auf diese Art wurde 6,264 und 5,957 erhalten, wovon die letzte Zahl als sicherer gelten darf.

Dieses Zinn wurde eine halbe Stunde in einer T. von 165° erhalten; sein V. G. war nun auf 6,683 gestiegen. Als es dann eine Stunde lang auf 190° erwärmt worden war, ergab sich das V. G. = 7,23, d. h. genau so, wie es Schertel bei dem vorigen, freilich schon in weit niederer T. gefunden hat.

C. Freiberger Zinn. — Meine Wägungen gaben 5,770 — 5,809 — 5,821, im Mittel 5,80, während Schertel 5,78 — 5,81 gefunden hat.

Auch dieses Zinn wurde nach längerem Erwärmen auf 200° gewogen. Es war weit heller geworden; sein V. G. fand sich 6,874 — 6,886 — 6,968, im Mittel = 6,91. Als dann das so behandelte Metall einige Zeit in der Kältemischung gelegen hatte, war es bezüglich seiner Dichte unverändert geblieben.

Während ich bei diesem Zinn bis zu 200° nur den Werth 7 erhalten konnte, beobachtete Schertel am gleichen Material schon bei 59° in Acetondampf die Dichte des gewöhnlichen Zinns, nämlich 7,279.

D. Galvanisch gefälltes krystallisirtes Zinn. — Zehn Wägungen gaben:

6,839	6,984
6,850	6,988
6,930	6,998
6,947	7,090
6,973	7,090

oder im Mittel 6,969.

Ich habe früher 7,166 gefunden, Miller giebt 7,178, Trechmann 7,136 an.

Dieses Zinn wird weder durch Erwärmen auf 200° noch durch Abkühlung in seiner Dichte und seinem Ansehen verändert. Im ersten Fall wurden Werthe von 6,83 bis 6,91 erhalten.

E. Gewöhnliches Zinn. — Die Bestimmungen sind an dem vorigen nach seinem Einschmelzen gemacht.

7,243 7,306
7,260 7,309

im Mittel 7,2795, während gefunden ist

7,293 Miller,
7,291 Brisson, Kupffer,
7,290 Karsten.

Fritzsche beobachtete an englischem Stangenzinn in der Kälte keine Veränderung, und dasselbe kann ich vom Stanniol sagen.

Ausser der Dichte müssen auch andere Eigenschaften bei den Zinnmodifikationen verschieden sein. Bezüglich des Schmelzpunkts wird es schwer sein, zu einem Resultat zu gelangen, weil, wie ich fand, das galvanisch gefällte sich mit einer dünnen oxydirten Schicht bedeckt, welche die Beobachtung unmöglich macht.

Anscheinend besser lässt sich die Einwirkung von Chlorwasserstoffsäure vergleichen. Gewöhnliches Zinn in sehr feinen Körnern und galvanisch gefälltes wurden unter sonst gleichen Bedingungen mit der Säure behandelt, wobei sich fand, dass in gleichen Zeiten von jenem 4 p. C., von diesem 47 p. C. aufgelöst waren. Allerdings kommt dabei die nicht gleiche Oberflächengrösse beider in Betracht.

Nach dem angeführten müssen drei Modifikationen des Zinns unterschieden werden:

1) Graues = 5,8
2) Viergliedrig krystall. = 7,0
3) Zuvor geschmolzenes = 7,3.

Die erste geht beim Erwärmen unterhalb des Schmelzpunkts in die zweite und unter Umständen in die dritte über. Die zweite wird weder durch Wärme noch durch Kälte verändert.

Aber auch die dritte Modifikation verhält sich verschieden. Denn nicht jedes Zinn wird durch Kälte verändert, und Schertel fand neben den grauen Ringen auch 5 unveränderte.

Die Ursache des Zerfallens und Grauwerdens kann auch nicht, wie schon bei B. bemerkt, ausschliesslich in hohen Kältegraden gesucht werden; denn was auch der Grund bei dem Freiberger Zinn gewesen sein mag, grosse Kälte war es gewiss nicht.

Schon vor 30 Jahren machte O. Erdmann auf eine ganz ähnliche Veränderung alter Orgelpfeifen aufmerksam[1]), welche 4 p. C. Blei enthielten, und äusserte die Vermuthung, dass die vielfachen Schwingungen, denen das Metall im Laufe der Zeit unterworfen, die Ursache sein könnte, indem er dabei an analoge Änderungen in der Struktur des Schmiedeeisens erinnerte.

Ich fand das V. G. einer solchen Legirung = 7,355 und, nachdem sie in einer Kältemischung gelegen, 7,388, also unverändert.

Vor kurzem beschrieb Trechmann Krystalle von den Cornwaller Zinnhütten[2]), welche ein V. G. = 6,5 haben und zweigliedrig sind. Er hält sie für eine neue Form des Zinns und behauptet, sie beständen aus fast reinem Zinn. Allein ihr Verhalten in der Hitze und vor dem Löthrohr sprechen dagegen und lassen der Vermuthung Raum, dass sie eine Wolframlegirung seien.

Zink.

Das Zink ist weder spröde, wie Antimon und Wismuth, noch geschmeidig, wie Zinn und Blei, und der Grund ist wohl seine in der Regel deutlich entwickelte blättrige Krystallstruktur. Aber es ist besonders dadurch merkwürdig, dass es bei T. zwischen 100° und 150° viel geschmeidiger ist, weshalb beim Walzen von Zinkblech solche höhere T. zur Anwendung kommt.

Abgesehen hiervon ist aber die Art des Schmelzens und der Abkühlung von merklichem Einfluss auf die Geschmeidigkeit und andere Eigenschaften des Zinks.

Mentzel beobachtete, dass Zink, in starker Hitze geschmolzen, immer spröde ist, dass aber wenn man dem flüssigen vor dem Ausgiessen festes hinzufügt, die T. also auf 400—430° erniedrigt, das Metall dehnbar und weicher ist.

---

[1]) J. f. pr. Chem. 52, 428 (1851).

[2]) The Min. Mag. Decbr. 1879. 186.

Dieser Gegenstand ist schon vor längerer Zeit von Bolley einer Prüfung unterzogen worden[1]). Er schmolz Zink bei verschiedenen Hitzgraden und liess es in verschiedener Art erstarren.

A. Nahe dem Schmelzpunkt ausgegossen; a) langsam, b) rasch abgekühlt.

B. Nahe der Glühhitze ausgegossen; a) langsam, b) rasch abgekühlt.

Zunächst bestimmte er das V. G.:

	Minim.	Maxim.	Mittel
A. a)	7,061	7,191	7,145
b)	7,151	7,201	7,172
B. a)	7,030	7,171	7,120
b)	7,030	7,179	7,109.

Bolley glaubte, dass die Werthe von A wirklich grösser seien als die von B., d. h. dass das bei gelinder Hitze geschmolzene Metall ein grösseres V. G. habe.

Indessen glaube ich nicht, dass dieser Schluss aus Bolley's Versuchen zu ziehen ist, denn die Differenz der Minima ist 0,125, die der Maxima 0,030 und die der Mittel 0,069, also sehr gering, und die Abweichungen treffen überhaupt erst die zweite Decimale, deren Sicherheit wohl nicht zu verbürgen ist.

Sodann untersuchte Bolley die Geschmeidigkeit des Zinks und fand, dass A. (das in schwacher Hitze geschmolzene) sich ziemlich gut walzen liess, während B. (das glühend ausgegossene) nach allen Richtungen zerriss.

Nach De la Rive löst sich eisenhaltiges Zink in Säuren leichter auf als reines. Bolley fand, dass auch reines Zink je nach den Umständen sich in dieser Hinsicht verschieden verhält. Er behandelte gleiche Mengen unter gleichen Umständen mit verdünnter Schwefelsäure und fand, dass von 100 Th. aufgelöst wurden:

von A. a) 42,5
„ A. b) 13
„ B. b) 85,5.

Nach Bolley ist also das Zink A. dasjenige, welches körnigen Bruch, grössere Dehnbarkeit und geringere Löslichkeit (nach ihm wahrscheinlich auch ein grösseres V. G.) besitzt.

---

[1]) Ann. d. Chem. u. Pharm. 95, 294 (1855).

Schon vor Jahren habe ich Bolley's Versuche in dem Laboratorio der Gewerbeakademie wiederholen lassen, und die Resultate ganz kurz mitgetheilt[1]). Die damals erhaltenen Zahlen für die V. G.

A. a)	= 7,128	B. a)	= 7,101
b)	= 7,147	b)	= 7,037,

welche sich in den Grenzen der von Bolley gefundenen bewegen, berechtigten nicht, constante Verschiedenheiten anzunehmen.

Bei der Einwirkung von verdünnter Schwefelsäure betrug die aufgelöste Menge:

A. a)	74,1	B. a)	69,1
b)	0,9	b)	9,5.

Hieraus musste ich schliessen, dass nicht die T. beim Schmelzen und Ausgiessen, wie Bolley meint, sondern die Art der Erkaltung die Verschiedenheit bedinge. Rasch abgekühltes Zink löst sich langsamer auf.

Diese Versuche sind später mit weit grösseren Mengen (zu jedem Versuch mindestens 10 Kilo Zink) wiederholt worden. Das Metall war käufliches schlesisches Zink, welches nur sehr geringe Mengen Blei und Eisen enthält.

Auch jetzt wurde wie früher das Metall entweder nur wenig über seinen Schmelzpunkt hinaus erhitzt (A.) oder zu lebhafter Rothgluth gebracht (B.) und dann im einen wie im anderen Falle entweder sehr langsam (a) oder sehr schnell (b) abgekühlt.

Was zuvörderst das V. G. dieser vier Proben betrifft, so ergab sich:

	Minim.	Maxim.	Mittel
A. a)	= 7,130	7,194	7,159
b)	= 7,111	7,158	7,133
B. a)	= 7,127	7,170	7,155
b)	= 7,070	7,150	7,119.

Man sieht, dass auch hier die Differenzen der Mittel erst in der zweiten Decimale sich zeigen wie bei meinen früheren und bei Bolley's Versuchen. Man darf also wohl sagen: die Dichte des erstarrten Zinks ist weder von der Art des Schmelzens noch des Abkühlens abhängig.

---

[1]) Lehrb. d. chem. Metallurgie. Zweite Aufl. S. 202 (1865).

Dabei mag erwähnt sein, dass die früheren Werthe: 6,915 Karsten, oder 6,86 Brisson wohl deshalb zu klein sind, weil man die Hohlräume des erstarrten Metalls unbeachtet liess, denn auch Matthiessen hat die Dichte des Zinks bei 14—15°,5 = 7,14 bis 7,15 gefunden, und ich selbst habe früher 6,8—6,9 erhalten, wenn grössere Fragmente angewendet und sie nicht durch Auskochen mit Wasser von Luft befreit waren.

Bei diesen letzten Versuchen wurde ferner das Verhalten der vier Proben beim Walzen untersucht; die a (langsam abgekühlt) gaben bei gewöhnlicher T. ziemlich gute Resultate, während die b im hohen Grade spröde und rissige Bleche lieferten, genau so wie ich früher gefunden hatte.

Rasch abgekühltes und erstarrtes Zink ist also weit spröder als langsam gekühltes, während Bolley dieselbe Verschiedenheit aus der T. des flüssigen Zinks herleitet.

Endlich wurden die vier Proben unter ganz gleichen Umständen mit verdünnter Chlorwasserstoffsäure behandelt. Dabei lösten sich von 100 Th.

A. a)	14,8	B. a)	14,0
b)	2,9	b)	8,6

auf. Wiederum zeigt sich in Uebereinstimmung mit den früheren Versuchen, aber entgegen den Angaben Bolley's, dass das rasch erstarrte Zink sich in Säuren weit schwerer löst.

Nach dem Gesagten handelt es sich hier nicht um molekulare Modifikationen. Wir finden nur, dass der schnelle Übergang aus dem flüssigen in den festen Zustand die Sprödigkeit des Metalls erhöht und demselben eine gewisse Passivität ertheilt.

Im Februar 1880 hat die Akademie die folgenden correspondirenden Mitglieder ihrer physikalisch-mathematischen Classe durch den Tod verloren:

Hrn. A.-J. Morin in Paris, gestorben am 7. Februar, und

Hrn. Ludwig Moser in Königsberg, gestorben am 22. Februar.

Verzeichniss der im Monat Februar 1880 eingegangenen Schriften.

Verhandlungen der K. Leopoldinisch-Carolinischen Akademie der Naturforscher. Bd. XIV. Halle 1878. 4.

Leopoldina. Herausgegeben von C. H. Knoblauch. Heft XVI. N. 1. 2. Halle 1880. 4.

Abhandlungen der math.-phys. Classe der K. Sächsischen Gesellschaft der Wissenschaften. Bd. XII. N. II. III. Leipzig 1879. 8.

Sitzungsberichte der mathematisch-physikalischen Classe der k. b. Akademie der Wissenschaften zu München. 1879. Heft IV. München 1879. 8.

Schriften des naturwissenschaftlichen Vereins für Schleswig-Holstein. Bd. III. Heft 2. Kiel 1880. 8.

Sitzungsberichte der physikalisch-medicinischen Societät zu Erlangen. Heft 11. Erlangen 1879. 8.

Verhandlungen der physikalisch-medicinischen Gesellschaft in Würzburg. Neue Folge. Bd. XIV. Heft 1. 2. Würzburg 1880. 8.

Württembergische Vierteljahrshefte für Landesgeschichte. Jahrgang II. 1879. Heft I—IV. Stuttgart 1879. 4.

Bericht der Wetterauischen Gesellschaft für die gesammte Naturkunde zu Hanau über den Zeitraum vom 13. December 1873 bis 25. Januar 1879. Hanau 1879. 8.

Landwirthschaftliche Jahrbücher. Bd. IX (1880). Heft 1. Berlin 1880. 8.

Zeitschrift für das Berg-, Hütten- und Salinen-Wesen im Preussischen Staate. Bd. XXVII. 2. Statist. Heft. Berlin 1879. 4.

Ergebnisse der Beobachtungsstationen an den Deutschen Küsten über die physikalischen Eigenschaften der Ostsee und Nordsee und die Fischerei. Jahrg. 1879. Heft VIII. IX. Aug. & Sept. Berlin 1879. 4.

Königliche Museen zu Berlin. — Verzeichniss der Aegyptischen Alterthümer und Gipsabgüsse von R. Lepsius. — Beschreibung der Wandgemälde in der Aegyptischen Abtheilung von R. Lepsius. — Verzeichniss der Gipsabgüsse. Kleine Ausgabe. Berlin 1879. 1880. 8.

W. Pertsch, *Die Arabischen Handschriften der Herzogl. Bibliothek zu Gotha.* Bd. II. Heft 2. Gotha 1880. 8.

Bericht über die im Jahre 1879 den Herzoglichen Sammlungen zugegangenen Geschenke. Gotha 1880. 4.

Geologische Specialkarte von Ost- und Westpreussen. Bl. 14. Heiligenbeil. 1 Bl. fol.

A. Hillebrandt, *Das Altindische Neu- und Vollmondsopfer in seiner einfachsten Form.* Jena 1879. 8.

J. M. Hildebrandt, *Von Mombassa nach Kitui.* Sep.-Abdr. 8.

Th. Ritter von Oppolzer, *Über die Berechnung der wahren Anomalie in nahezu parabolischen Bahnen.* München 1879. 4. Sep.-Abdr.

Sitzungsberichte der math.-naturw. Classe der K. Akademie der Wissenschaften in Wien. Jahrg. 1880. N. II. III. IV. Wien. 8.

Archiv für vaterländische Geschichte und Topografie. Jahrg. XIV. Klagenfurt 1878. 8.

Carinthia. Zeitschrift für Vaterlandskunde. Jahrg. 69. Klagenfurt 1879. 8.

G. Ritter von Wex, *Zweite Abhandlung über die Wasserabnahme in den Quellen, Flüssen und Strömen.* Wien 1879. 4. Sep.-Abdr.

Übersicht der Akademischen Behörden etc. an der K. K. Universität zu Wien für das Studien-Jahr 1879/80. Wien 1879. 4.

Die feierliche Installation des Rectors der Wiener Universität für das Studienjahr 1879/80 am 11. Oct. 1879. Wien 1879. 8.

Erdélyi Muzeum. 2 sz. VII. évtolyam. 1880. Budapest. 8.

Monthly Notices of the R. Astronomical Society. Vol. XL. N. 3. January 1880. London. 8.

Report of the forty-ninth Meeting of the British Association for the Advancement of Science; held at Sheffield in August 1879. London 1879. 8.

Journal of the R. Microscopical Society. Vol. III. N. 1. February 1880. London. 8.

Journal of the Chemical Society. N. CCVII. February 1880. London. 8.

Proceedings of the R. Geographical Society and Monthly Record of Geography. February, 1880. Vol. II. N. 2. London. 8.

The Quarterly Journal of the Geological Society. Vol. XXXV. P. 4. N. 140. London 1879. 8.

List of the Geological Society of London. Novbr. 1st., 1879. 8.

Report of the Kew Committee for the year ending October 31, 1879. London 1879. 8. Extr.

G. M. Whipple, *2 Extr. des Quarterly Journal of the Meteorological Society.* 1879. 8.

O. Stone, *On the Dynamics of a „Curved Ball“.* Extr. 1879. 4.

G. A. Gibson, *Extr. from the Journal of Anatomy and Physiology.* Vol. XIV. 8.

1879. Victoria. — Reports of the Mining Surveyors and Registrars. — Quarter ended 30th. September 1879. Melbourne 1879. fol.

Comptes rendus hebdomadaires des Séances de l'Académie des Sciences. 1880. Semestre I. T. XC. N. 4. 5. 6. Paris 1880. 4.

Bulletin de la Société de Géographie commerciale de Bordeaux. Sér. 2. Année 3. N. 3. 4. Bordeaux 1880. 8.

Bulletin de la Société Géologique de France. Fév. 3. T. VII. Feuilles 13-17. Paris 1880. 8.

Bulletin de l'Académie de Médecine. Sér. II. T. IX. N. I. 6. 7. Paris 1880. 8.

Annales de Chimie et de Physique. Série V. T. XVIII, Dec. 1879. T. XIX, Janvier 1880. Paris 1879/80. 8.

Annales des Ponts et Chaussées. Série V. Cah. 12. 1879. Décembre. Paris. 8.

Mémoires de l'Académie des Sciences, Arts et Belles-Lettres de Dijon. Sér. 3. T. IV. V. Année 1877. 1878—79. Dijon 1877. 1879. 8.

Revue scientifique de la France et de l'étranger. N. 31. 32. 33. 34. Paris 1880. 4.

Polybiblion. — Part. litt. — Sér. II. T. V. Livr. 2. Paris 1880. 8.

Atti della R. Accademia dei Lincei. Anno CCLXXVI. CCLXXVII. 1879—80. Transunti Vol. IV. Fasc. 1. Roma 1880. 4.

Accademia Pontificia de' Nuovi Lincei. Anno XXXIII (1879-80). Sess. I. II. Roma. 8.

Atti della Società Veneto-Trentina di Scienze naturali residente in Padova. Anno 1879. Vol. VI. Fasc. II. Padova 1880. 8.

Atti della Società Toscana di Scienze naturali. — Processi verbali. 11 gennaio 1880. 8.

Annuario della Società dei Naturalisti in Modena. Anno XIII. Ser. III. Disp. 3. 4. Modena 1879. 8.

B. Boncompagni, *Bullettino.* T. XI, Indici degli articoli e dei nomi. Roma 1878. 4. T. XIII. Settembre 1879. Roma 1879. 4.

J. B. de Rossi, *Bullettino di Archeologia cristiana.* Ser. 3. Anno IV. N. 3. Roma 1879. 8.

H. R. Goeppert, *Sull' Ambra di Sicilia e sugli oggetti in essa rinchiusi.* Roma 1879. 4. Extr.

Mémoires de l'Académie Impér. des Sciences de St. Pétersbourg. Sér. VII. T. XXVI. N. 12. 13. 14 et dernier. T. XXVII, N. 1. St. Pétersbourg 1879. 4.

Mélanges physiques et chimiques. T. XI, Livr. 1. St. Pétersbourg 1879. 8.

——— *mathématiques et physiques.* T. V. Livr. 5. St. Pétersbourg 1879. 8.

——— *biologiques.* T. X. Livr. 2. St. Pétersbourg 1879. 8.

——— *asiatiques.* T. VIII. Livr. 3. 4. St. Pétersbourg 1879. 8.

Bulletin de la Société Impér. des Naturalistes de Moscou. Année 1872. N. 9. Moscou 1879. 8.

Bulletin de la Société Ouralienne d'amateurs des Sciences naturelles. T. V. Livr. 2. Ekathérinbourg 1879. 4.

Annales de l'Observatoire de Moscou. Publ. par le Prof. Dr. Th. Bredichin. Vol. VI. Livr. 1. Moscou 1879. 4.

Öfversigt af K. Vetenskaps Akademiens Förhandlingar. 1879. 36. Årg. N. 7. 8. Stockholm 1879. 8.

Akademiens Handlingar. Del 27. Stockholm 1876. 8.

Antiquarisk Tidskrift för Sverige. Del III, 3. 4. IV, 2. V, 1—3. Stockholm 1873—78. 8.

K. *Vitterhets Historie och Antiquitets Akademiens Månadsblad.* Årg. 1873—1879. Okt. Stockholm 1874—79. 8.

Samlingar utgifna af Svenska Fornskrift-Sällskapet. Häften 57—74. Stockholm 1871—78. 8.

B. E. Hildebrand, *Minnespenningar öfver enskilda svenska män och quinnor.* Stockholm 1860. 8.

— — —, *Sveriges och Svenska Konungahusets minnespenningar praktmynt och belöningsmedaljer.* Del 1. 2. Stockholm 1874. 1875. 8.

— — —, *Teckningar ur Svenska Statens Historiska Museum.* Häften 1. 2. Stockholm 1873. 1878. fol.

Archives Néerlandaises des sciences exactes et naturelles. T. XIV. Livr. 3—5. Harlem 1879. 8.

Verhandelingen rakende den natuurlijken en geopenbaarden Godsdienst, uitgegeven door Teylers godgel. Genootschap. Nieuwe Serie. Deel 7. Harlem 1879. 8.

Natuurkundig Tijdschrift voor Nederlandsch Indie. Deel XXXVIII. Ser. VII. Deel 8. Batavia 1879. 8.

Jan Kops & F. W. van Eeden, *Flora Batava.* Afl. 247. 248. Leyden. 4.

Bulletin de l'Académie R. des Sciences de Belgique. 44. Année. 2. Série. T. 48. N. 12. Bruxelles 1879. 8.

Ph. Plantamour, *Des mouvements périodiques du sol.* Bruxelles 1879. 8. Extr.

J. Plateau, *Sur la viscosité superficielle des liquides.* Bruxelles 1879. 8. Extr.

— — —, *Un mot sur l'irradiation.* Bruxelles 1879. 8. Extr.

Schweizerische Meteorologische Beobachtungen. 16. Jahrg. 1879. Lief. 2. 3. Supplementband: Lief. 5. Bern. 4.

Materiali per la Carta geologica della Svizzera. (Bl. 24. Tessin.) Berna 1880. 4.

The American Journal of Science and Arts. Vol. XIX. N. 110. New Haven 1880. 8.

Bulletin of the Museum of Comparative Zoology at Harvard College in Cambridge. Vol. V. N. 15. 16. Vol. VI. N. 1. 2. Cambridge 1879. 8. & *Annual Report for 1878—1879.* Cambridge 1879. 8.

The American Journal of Otology. Vol. II. N. 1. January 1880. New York. 8.

National Board of Health Bulletin. Vol. I. N. 28. Washington 1880. 4.

Boletin de la Academia Nacional de Ciencias de la República Argentina. Tomo III. Entrega I. Córdoba 1879. 8.

Uranometria Argentina. — Brightness and position of every fixed Star, down to the seventh magnitude, within one hundred degrees of the South Pole, by B. A. Gould. Buenos Aires 1879. 4. Mit Atlas in fol.

Boletin de la Sociedad de Geografia y Estadistica de la República Mexicana. 3a. Época. T. IV. Num. 6 y 7. Mexico 1879. 8.

# MONATSBERICHT

DER

KÖNIGLICH PREUSSISCHEN

AKADEMIE DER WISSENSCHAFTEN

ZU BERLIN.

März 1880.

Vorsitzender Secretar: Hr. Mommsen.

1. März. Sitzung der physikalisch-mathematischen Klasse.

Hr. Websky las:

Über die Berechnung der Elemente einer monoklinischen Krystall-Gattung.

Die Berechnung der krystallographischen Elemente für eine bestimmte monoklinische Krystallgattung bietet im einzelnen Falle keine besonderen Schwierigkeiten dar; aus diesem Grunde scheint die allgemeine Beantwortung der Frage, unter welchen Umständen diese Aufgabe zur Lösung gelangt, noch nicht ins Auge gefasst zu sein.

Da die Elemente für ein monoklinisches Krystallisations-System in drei singulären Dimensionen bestehen, nämlich in dem Verhältniss der Axeneinheiten $a:c$, $b:c$ und dem Axenwinkel $\beta \lesseqgtr 90°$, so müssen, behufs Berechnung der Elemente, drei gemessene, von einander unabhängige Neigungen als Fundamental-Bögen zwischen symbolisirten Flächen in Rechnung gestellt werden.

Gegenüber der analogen Aufgabe im triklinischen System (Mon. Ber. 1879. S. 350), welche die Combination von fünf Normalen-Bögen fordert, wird im monoklinischen System der Raum von drei Normalen-Bögen dadurch beherrscht, dass der Begriff des letzteren Systems das Vorhandensein einer bestimmten, ausgebildeten oder möglichen Fläche voraussetzt, welche auf einer Zonenaxe senkrecht steht, und daher neben den drei singulären Bogenwerthen mindestens noch zwei Normalen-Bögen von 90° aufkommen, welche die Zahl fünf wieder vollständig machen. Diese so vorausgesetzte Fläche erhält, um die Symmetrie des Systems durch isoparametrische Symbole an symmetrisch liegenden Flächen zum Ausdruck zu bringen, ein Hexaïd-Symbol und zwar conventionell das von $b = [\infty a : b : \infty c]$, so dass die auf b senkrechten Flächen mit Symbolen von der Form $e_x = \frac{a}{\mu_x} : \infty b : c$ zu belegen, aus ihnen auch die beiden anderen Hexaïd-Flächen $a = [a : \infty b : \infty c]$, $c = [\infty a : \infty b : c]$ zu wählen sind; für die übrigen Flächen ausserhalb der Zone $[aec]$ und der Position b verbleiben Symbole von der Form $= \frac{a}{\mu} : \frac{b}{\nu} : c$, $= \infty a : \frac{b}{\nu} : c$, $= \frac{a}{\mu} : \frac{b}{\nu} : \infty c$.

Die drei erforderlichen Fundamental-Bögen können entweder zwischen drei Flächen in drei Zonen oder zwischen vier Flächen, in zwei Zonen aneinander anschliessend, gefunden werden; man ist aber, wie sich in der Folge herausstellen wird, nur im Stande, für zwei dieser Flächen innerhalb der bereits limitirten Grenzen willkürlich Symbole zu wählen; um den Complex der Fundamental-Bögen vollzumachen, kann man zur dritten und vierten Fläche nur solche wählen, deren Symbole durch die gewählten zwei und durch die Beziehungen zur Fläche b und die Zone $[aec]$ ganz oder theilweise bedingt sind.

Weil aber die besagten drei Fundamental-Bögen immer unter Bezugnahme auf zwei (und mehr) ausserdem vorhandene rechte Winkel verwerthet werden, kann man auch Combinationen von vier und fünf Bögen aufstellen, welche zu den Elementen führen.

Bevor man an die Berechnung der Elemente einer monoklinischen Krystallgattung gehen kann, muss am concreten Krystall die Existenz der Fläche b oder die Möglichkeit ihrer Lage als grade Abstumpfung einer Kante zwischen gleichartigen Flächen, oder als Fläche senkrecht auf alle Flächen einer Zone, die dadurch den Character $[aec]$ erhält, nachgewiesen und damit die Auffassung der Krystallgattung als eine monoklinische motivirt sein.

Es geschieht dies allemal durch die goniometrische Aufnahme der zunächst unbestimmt — etwa durch Nummern — bezeichneten

Flächen des concreten Krystalls nach Zonen. Aus dem lediglich empirisch zu findenden Umstande, dass in gewissen, zum vollen Kreise complettirten Zonen aus aneinander liegenden Normalen-Bögen oder deren Hälften vier rechte Winkel zusammengelegt werden können, an deren Positionen sich die Normal-Bögen der Zone symmetrisch anlehnen, erkennt man die Zone als eine symmetrische und kann die Flächen oder möglichen Flächenpositionen, in deren Normalen die rechten Winkel aneinander stossen, als Symmetrie-Ebnen der betreffenden Zone bezeichnen. Die mindestens zwei oder einer unbegrenzten Anzahl als symmetrisch erkannten Zonen gemeinschaftliche Symmetrie-Ebne ist dann Symmetrie-Ebne des Krystalls, und wenn am concreten Krystall nur eine einzige Flächenrichtung dieser Qualität aufzufinden ist, der Krystall ein solcher des monosymmetrischen oder monoklinischen Systems; diese Fläche erhält dann die conventionelle Bezeichnung $b = [\infty a : b : \infty c]$, die anderen, nicht in eine Richtung zusammenfallenden Symmetrie-Ebnen der einzelnen Zonen bilden die Hexaïd-Zone $[aec]$, welche eine singuläre Stellung einnimmt; von den übrigen Zonen haben noch die symmetrischen, in welchen allemal die Fläche b belegen ist, besondere Eigenschaften.

In Zone $[aec]$ können, so lange Symbolisirungen nicht stattgefunden haben, zwei Flächen mit Symbolen von der Form $= \frac{a}{\mu_x} : \infty b : c$ willkürlich, eine dritte nur unter Berücksichtigung der concreten Reihenfolge (Mon. Ber. 1879. p. 351) belegt werden; diese Zahl vermindert sich aber in dem Maasse, als durch andere Symbolisirungen gewissen Positionen der Zone $[aec]$ bestimmte Symbole erwachsen. Es wird nämlich durch die Wahl eines Symbols für eine nicht in Position b und der Zone $[aec]$ belegene Fläche $g = \frac{a}{\mu_1} : \frac{b}{\nu_1} : c$ die symmetrische durch b gehende Zone $[bg]$ karacterisirt und damit die im Durchschnitt dieser mit der Zone $[aec]$ belegene Position e_1 als $= \frac{a}{\mu_1} : \infty b : c$ bestimmt.

In den symmetrischen durch b gehenden Zonen kann vor Eintritt anderer Symbolisirungen nur eine nicht in b und nicht im Durchschnitt mit der Zone $[aec]$ belegene Fläche unter Ausschluss der Bezeichnung als $= \frac{a}{\mu_x} : \infty b : c$ und $= \infty a : b : \infty c$, sonst willkürlich symbolisirt werden, nicht aber eine zweite, weil mit Annahme des Symbols für eine Fläche $g = \frac{a}{\mu_1} : \frac{b}{\nu_1} : c$ in der Zone $[bg]$ drei Flächen b, g und $e_1 = \frac{a}{\mu_1} : \infty b : c$ symbolisirt sind. Ist in Zone $[aec]$ bereits eine Fläche $e_5 = \frac{a}{\mu_5} : \infty b : c$ willkürlich symbolisirt, so kann in der Zone $[be_5]$ eine Fläche $k = \frac{a}{\mu_5} : \frac{b}{\nu_5} : c$ nur im Schnitt $\frac{b}{\nu_5}$ willkürlich symbolisirt werden; in jeder anderen symmetrischen Zone steht es aber unter gleichen Umständen frei, für beide Axenschnitte in Axe OA und OB die Coëfficienten willkürlich zu wählen. Sobald aber in Zone $[aec]$ zwei Positionen e_5, e_6 Symbole erhalten haben, kann in einer symmetrischen nicht durch e_5 oder e_6 gehenden Zone eine Fläche $g = \frac{a}{\mu_1} : \frac{b}{\nu_1} : c$ willkürlich nur im Schnitt $\frac{b}{\nu_1}$, dagegen im Schnitt $\frac{a}{\mu_1}$ nur im Sinne der concreten Reihenfolge von e_5, e_6, e_1 symbolisirt werden. Haben in Zone $[aec]$ drei Positionen feste Symbole, dann ist der Coëfficient μ_1 abhängig von diesen und nur $\frac{b}{\nu_1}$ willkürlich wählbar.

Weil in der Zone $[bge_1]$ der Bogen $be_1 = 90°$ ist und b die Eigenschaft einer Säulenfläche der Zone besitzt, geht (Mon. Ber. 1876. S. 10) die bei Rechnung der Bögen ab b

$$\cot\eta_3 = \frac{\nu_2 - \nu_3}{\nu_2 - \nu_1}\cot\eta_1 - \frac{\nu_1 - \nu_3}{\nu_2 - \nu_1}\cot\eta_2$$

lautende Zonengleichung, wenn für η_2 der Bogen $be_1 = 90°$ und dem entsprechend $\nu_2 = o$ gesetzt wird, über in die Form der Gleichung für eine symmetrische Zone

$$\cot\eta_3 = \frac{\nu_3 \cot\eta_1}{\nu_1};$$

diese besagt, dass die Beziehung zwischen den variablen Axenschnitten $\frac{b}{\nu_3}$ und den Bogenabständen ab b durch die Angabe eines einzigen Bogenabstandes von b aus gemessen, gegeben ist, mit der Symbolisirung einer Fläche also die Symbole aller übrigen Flächen der Zone von ihren Bogenabständen abhängig gemacht sind. Wird für die Fläche $g = \frac{a}{\mu_1} : \frac{b}{\nu_1} : c$ ein Symbol gewählt, so ist im Anschluss an dasselbe in der Zone $[bge_1]$ nur eben der Bogen bg, der auch in der Form $e_1g = 90° - bg$ oder $g\bar{g} = 2\,(90° - bg)$, wo $\bar{g} = \frac{a}{\mu_1} : \frac{b}{-\nu_1} : c$ bedeutet, gefunden werden kann, als Fundamental-Bogen verwerthbar; kein anderer Bogen der Zone, beispielsweise der Bogen zwischen $g = \frac{a}{\mu_1} : \frac{b}{\nu_1} : c$ und $f = \frac{a}{\mu_1} : \frac{b}{\nu_2} : c$, kann wegen der Abhängigkeit des Werthes ν_2 von dem Verhältniss der Bögen bg, bf zur Bildung einer Zonengleichung an sich benutzt werden.

Wohl aber kann man, wenn neben dem Bogen fg ein Bogen bg resp. e_1g, $g\bar{g}$ approximativ gemessen und aus diesem und dem gewählten Coëfficienten ν_1 der Werth ν_2 empirisch bestimmt und im Sinne der Rationalität der Axenschnitte verbessert ist, nunmehr den Bogen gb in einer dem gemessenen Bogenstück fg genau entsprechenden Grösse angeben, so dass indirect das gefundene Bogenmaass fg als Fundamental-Bogen verwendbar ist.

Kann wegen mangelnder Ausbildung von b, e_1, $\bar{g}$ resp. $\bar{f}$ der Bogen bg resp. bf zu diesem Behuf nicht herbeigezogen werden, so genügt auch das Maass der von g und f nach einer in Zone $[aec]$ belegenen, sonst unbekannten Fläche e_3 gehenden Bögen ge_3, fe_3, um durch Auflösung der Dreiecke fge_3, ge_1e_3 resp. fe_1e_3 genäherte Werthe für e_1g resp. e_1f zu finden.

Die Zonenkreise aller symmetrischen Zonen schneiden den Kreis der Zone $[aec]$ rechtwinklig.

Alle anderen Zonen gehen durch je zwei Flächen, deren Symbole die Form $g = \frac{a}{\mu_1} : \frac{b}{\nu_1} : c$, $h = \frac{a}{\mu_2} : \frac{b}{\nu_2} : c$ haben, so zwar, dass ν_1, $\nu_2 > 0$ und $< \infty$ gemeint ist. Durch eine gleichzeitige willkürliche Wahl zweier solcher Symbole werden sechs weitere Positionen mit Symbolen belegt, nämlich, Fig. 1, je zwei in jeder durch sie gehenden symmetrischen Zone,

Fig. 1.

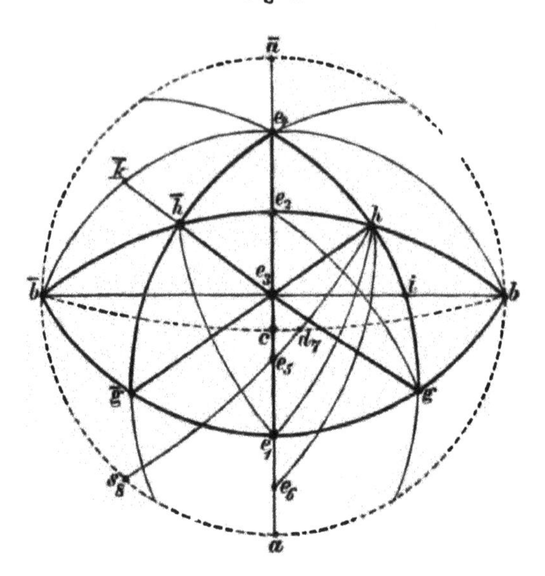

$$e_1 = \frac{a}{\mu_1} : \infty b : c$$

$$\bar{g} = \frac{a}{\mu_1} : \frac{b}{-\nu_1} : c$$

$$e_2 = \frac{a}{\mu_2} : \infty b : c$$

$$\bar{h} = \frac{a}{\mu_2} : \frac{b}{-\nu_2} : c$$

und zwei im Durchschnitt der Zonen

$$[g\bar{h}]\,[h\bar{g}]\,[aec] \text{ und}$$

$$[gh]\,[\bar{h}\bar{g}]\,[aec],$$

nämlich

$$e_3 = \frac{a}{\mu_3} : \infty b : c = \frac{\nu_2 + \nu_1}{\nu_2\mu_1 + \nu_1\mu_2} \cdot a : \infty b : c$$

$$e_4 = \frac{a}{\mu_4} : \infty b : c = \frac{\nu_2 - \nu_1}{\nu_2\mu_1 - \nu_1\mu_2} \cdot a : \infty b : c.$$

Da auf diese Weise in Zone [*aec*] vier Positionen e_1, e_2, e_3, e_4 gleichzeitig Symbole erhalten, im Allgemeinen aber in einer Zone nur drei Flächen willkürlich symbolisirt werden dürfen, so wird, wenn eine willkürliche Wahl der Symbole für g und h als statthaft erkannt werden soll, der Nachweis zu führen sein, dass in dem vorliegenden Falle aus dem gleichzeitigen Auftreten von vier Symbolen in Zone [*aec*] kein Widerspruch gegen die Gesetze des allgemeinen Zonenverbandes erwächst, oder mit anderen Worten, dass aus zwei der zwischen ihnen aufkommenden Bögen der dritte ohne Bezugnahme auf die Symbole ableitbar ist.

Zunächst ist ersichtlich, dass die Position e_3 immer in der Reihenfolge e_1, e_3, e_2 auftreten wird; mit Bezug hierauf kann man in die allgemeine Gleichung für die Bogendistanzen zwischen vier symbolisirten Flächen einer Zone — erhalten aus (4), Mon.-Ber. 1876 p. 9).

$$(\mu_2-\mu_3)(\mu_1-\mu)\cot\eta_1-(\mu_1-\mu_3)(\mu_2-\mu)\cot\eta_2-(\mu_3-\mu)(\mu_2-\mu_1)\cot\eta_3=0$$

einsetzen den Bogen

e_1e_3 für η_1

e_1e_2 für η_2

e_1e_4 für η_3 und

μ_1 dieses Textes für μ der Formel

$\frac{\nu_2\mu_1+\nu_1\mu_2}{\nu_2+\nu_1}$ desgl. μ_1 desgl.

μ_2 desgl. μ_2 desgl.

$\frac{\nu_2\mu_1-\nu_1\mu_2}{\nu_2-\nu_1}$ desgl. μ_3 desgl.

und erhält dann nach Unterdrückung des gemeinschaftlichen Factors

$$\frac{\nu_1\nu_2(\mu_2-\mu_1)^2}{(\nu_2-\nu_1)(\nu_2+\nu_1)}$$

den Ausdruck $\cot e_1e_3 - 2\cot e_1e_2 + \cot e_1e_4 = 0$, so dass von den drei Bogenabständen jeder von zweien ableitbar ist, ohne Bezugnahme auf die Werthe der Coëfficienten der Symbole von g und h. Selbstredend findet die auf diese Weise als zulässig nachgewiesene Willkür in der Wahl derselben nur statt, wenn in Zone [*aec*] weder direct noch indirect Positionen bereits Symbole erhalten haben.

Hiermit ist aber die Frage, ob der Schnitt $\frac{b}{\nu_2}$ der zweiten Fläche dasselbe Vorzeichen, wie der Schnitt $\frac{b}{\nu_1}$ der zuerst symbolisirten Fläche zu erhalten habe, oder das entgegengesetzte noch nicht erledigt; dieselbe muss ihrer Natur nach empirisch entschieden werden, und zwar durch die unmittelbare Anschauung des Kantenverlaufs; subsidiär kann man indessen Neigungsverhältnisse hierzu verwerthen.

Wenn die Bögen gb und hb von ein und derselben Fläche b aus gemessen sind und beide entweder kleiner oder grösser als 90° ausfallen, so erhalten die Schnitte $\frac{b}{\nu_1}$ und $\frac{b}{\nu_2}$ dasselbe Vorzeichen.

Ist neben g und h eine der isoparametrischen Flächen, z. B. $\bar{g} = \frac{a}{\mu_1} : \frac{b}{-\nu_1} : c$ zugänglich, dann wird die Frage durch die Grösse der immer ungleichen, im Dreieck $gh\bar{g}$ aus $g\bar{g}$, gh, $\bar{g}h$ zu berechnenden Winkel $hg\bar{g}$ und $h\bar{g}g$ entschieden; ist $hg\bar{g} > h\bar{g}g$, so liegt h auf derselben Seite vom Zonenbogen $[aec]$ und erhält $\frac{b}{\nu_2}$ dasselbe Vorzeichen wie $\frac{b}{\nu_1}$, im anderen Falle das entgegengesetzte. Sind in Zone $[aec]$ irgend zwei, nicht in Zone $[gb]$, $[hb]$ belegene, sonst unbekannte Flächen e_5, e_6 vorhanden, dann entscheidet das Grössenverhältniss der aus e_5e_6, e_5g, e_5h, e_6g, e_6h ableitbaren Werthe von gh und $g\bar{h}$ zu dem gemessenen Bogen gh, welches Vorzeichen der Schnitt $\frac{b}{\nu_2}$ der im concreten Falle ins Auge gefassten zweiten Fläche zu erhalten hat.

Aus dem Umstande, dass durch die Wahl der Symbole für zwei ausserhalb der Zone $[aec]$ und der Position b belegene Flächen $g = \frac{a}{\mu_1} : \frac{b}{\nu_1} : c$ und $h = \frac{a}{\mu_2} : \frac{b}{\nu_2} : c$ in Zone $[aec]$ so viel Positionen, als überhaupt zulässig, feste Symbole erhalten, folgt zunächst:

dass alsdann weder in Zone $[aec]$ noch ausserhalb derselben weitere Positionen mit Symbolen willkürlich belegt werden dürfen;

dies gilt auch für Flächen, welche im weiteren Verlauf der Zonen $[gh]$ oder $[g\bar{h}]$, $[h\bar{g}]$, $[\bar{g}\bar{h}]$ belegen sind, weil auch in diesen drei Flächen g, h, e_4 resp. $g, e_3, \bar{h}$ etc. feste Symbole nach Annahme solcher für g und h besitzen;

dass man also — abgesehen von den durch b gehenden Zonen, in denen nur **ein** Symbol, und von der Zone $[aec]$, in der das dritte Symbol limitirt in erster Wahl angenommen werden darf — in irgend einer andern Zone drei Symbole nur dadurch behufs Berechnung der Elemente verwerthen kann, dass man als die dritte Fläche eine gleichzeitig mitsymbolisirte zu g und h hinzunimmt, und dass man somit auf die Combinationen

$$g, h, e_4 \text{ oder } \bar{g}\bar{h}e_4$$
$$g_1\, e_3\, \bar{h} \text{ oder } \bar{g}\, e_3 h$$

vorerst angewiesen ist.

Man darf ferner, nachdem willkürlich **eine** Fläche $e_5 = \frac{a}{\mu_5} : \infty b : c$ in Zone $[aec]$ symbolirt ist, ausserhalb der letzteren nur noch **eine** Fläche, in so fern sie nicht in Zone $[e_5 b]$ belegen ist, willkürlich symbolisiren; durch die Annahme eines Symbols für $g = \frac{a}{\mu_1} : \frac{b}{\nu_1} : c$ erhält die Position $e_1 = \frac{a}{\mu_1} : \infty b : c$ in Zone $[aec]$ eine feste Bezeichnung und verbleibt dann noch die Freiheit in Zone $[aec]$ eine dritte Position $e_6 = \frac{a}{\mu_6} : \infty b : c$ nach Maassgabe der concreten Reihenfolge e_5, e_1, e_6 zu wählen. In Ermanglung der Ausbildung der Fläche e_1 ergiebt sich die concrete Reihenfolge aus den Bögen $e_5 e_6$, $e_5 g$, $e_6 g$, diese geben, in Werthen unter 180° ausgedrückt, im Dreieck $e_5 e_6 g$ die Winkel $e_6 e_5 g$, $e_5 e_6 g$; sind beide kleiner als 90°, dann fällt e_1 zwischen $e_5 e_6$; ist der eine Winkel grösser als 90°, dann fällt e_1 ausserhalb $e_5 e_6$ und zwar in einem Abstande kleiner als 180° von derjenigen Position e_5 oder e_6, bei welcher der grössere Winkel liegt.

Wenn man nach Symbolisirung von e_5 in Zone $[aec]$ eine in Zone $[e_5 b]$ belegene Fläche k mit einem Symbol belegen will, so muss dasselbe $= \frac{a}{\mu_5} : \frac{b}{\nu_5} : c$ lauten, worin nur der Schnitt $\frac{b}{\nu_5}$ einen willkürlichen Coëfficienten erhalten darf; alsdann kann man aber in Zone $[aec]$ noch zwei Positionen mit Symbolen belegen, die eine noch willkürlich, die andere im Sinne der concreten Reihenfolge.

Hat man in Zone $[aec]$ vorerst zwei Positionen e_5 und e_6 willkürlich symbolisirt, so kann man einer ausserhalb derselben belegenen Fläche g ein Symbol $= \frac{a}{\mu_1} : \frac{b}{\nu_1} : c$ nur im Schnitt $\frac{b}{\nu_1}$ willkürlich beilegen, der Coëfficienten-Werth im Schnitt $\frac{a}{\mu_1}$ ist limitirt, im Sinne der concreten Reihenfolge $e_5, e_6, e_1 = \frac{a}{\mu_1} : \infty b : c$; die Limite ergiebt sich aus den Bögen $e_5 e_6$, $e_5 g$, $e_6 g$ wie oben.

Hiernach gelingt die Berechnung der Elemente aus folgenden Combinationen.

Situation A. Zwei Fundamental-Bögen liegen in einer Zone, die dritte führt auf eine Fläche ausserhalb derselben.

1. Zwei Fundamental-Bögen $e_2 e_5$, $e_2 e_6$ liegen in Zone $[aec]$ zwischen den willkürlich symbolisirten Flächen $e_5 = \frac{a}{\mu_5} : \infty b : c$ und $e_6 = \frac{a}{\mu_6} : \infty b : c$, so wie der nach Maassgabe der concreten Reihenfolge symbolisirten $e_2 = \frac{a}{\mu_2} : \infty b : c$; der dritte Bogen geht von e_2, e_5 oder e_6 nach einer Octaïdfläche der Zonen $[e_2 b]$, $[e_5 b]$ oder $[e_6 b]$, im Schnitt $\frac{b}{\nu_x}$ willkürlich symbolisirt und ist entweder

a) in dieser Zone selbst gemessen, z. B. als $e_2 h$ nach $h = \frac{a}{\mu_2} : \frac{b}{\nu_2} : c$ oder

b) in einer anderen der gegebenen Zonen als $e_5 h$ oder $e_6 h$; der Fall ad b) reducirt sich leicht auf den Fall ad a), da das Dreieck $e_2 e_5 h$ aus $e_5 e_2 h = 90°$, $e_5 e_2$ und $e_5 h$ den Bogen $e_2 h$ giebt.

Der Fall ad a) ist derjenige, in welchem direct die Grundlagen der allemal platzgreifenden Schlussrechnung enthalten sind. In Zone $[aec]$ geben die Bögen $e_6 e_5$, $e_6 e_2$ und ihre Symbole eine Zonengleichung (Mon. Ber. 1876. S. 9) aus der der Bogen $e_6 \bar{a}$ nach $\bar{a} = a' : \infty b : \infty c$ hervorgeht; die sodann auf die Bögen $a e_6$, $a e_2$ gegründete Zonengleichung liefert dann den Bogen $ac = 180° - \beta$;

wird die Einheit c der Axe $OC = 1$ gesetzt, so ist die Einheit a der Axe OA durch den Ausdruck

$$a = \frac{\mu_2}{\sin\beta(\cot a e_2 + \cot\beta)}$$

zu finden.

Die Berechnung der Axeneinheit b der Axe OB erfolgt aus dem Bogenabstand der Fläche $b = \infty a : b : \infty c$ von einer Dodecaïdfläche $d_7 = \infty a : \frac{b}{\nu_7} : c$ in Zone $[bdc]$ oder $s_8 = \frac{a}{\mu_8} : \frac{b}{-\nu_8} : \infty c$ in der Zone $[bsa]$; hierzu dienen die im Durchschnitt irgend welcher unsymmetrischer Zonen (— ausgenommen Zone $[aec]$ —), hier der Zonen $[e_5 h]$ oder $[e_6 h]$ mit der Hexaïdzone $[bdc]$ oder $[bsa]$ belegenen Flächen

$$d_7 = \infty a : \frac{b}{\nu_7} : c = \infty a : \frac{\mu_5 - \mu_2}{\nu_2\mu_5} b : c$$

$$\left(\text{mut. mut. } d_9 = \infty a : \frac{\mu_6 - \mu_2}{\nu_2\mu_6} b : c\right)$$

oder

$$s_8 = \frac{a}{\mu_8} : \frac{b}{-\nu_8} : \infty c = \frac{a}{\mu_5} : \frac{\mu_5 - \mu_2}{-\nu_2\mu_5} b : \infty c = \frac{a}{\mu_5 - \mu_2} : \frac{b}{-\nu_2} : \infty c$$

$$\left(\text{mut. mut. } s_{10} = \frac{a}{\mu_6 - \mu_2} : \frac{b}{-\nu_2} : \infty c\right).$$

Der Bogen bd_7 wird als $cd_7 = 90° - bd_7$ im Dreieck he_2e_5 und ce_5d_7 (mut. mut. he_2e_6 und ce_6d_9), der Bogen bs_8 als $as_8 = bs_8 - 90°$ im Dreieck he_2e_5 und ae_5s_8 (mut. mut. he_2e_6 und ae_6s_{10}) gefunden; es ist dann

$$b = \nu_7 \sin\beta \operatorname{tg} bd_7 \text{ und } = \frac{-\nu_8}{\mu_8} \cdot a . \sin\beta \operatorname{tg} bs_8 .$$

2. Zwei Fundamentalbögen gh, he_4 liegen in Zone $[gh]$, in welcher $g = \frac{a}{\mu_1} : \frac{b}{\nu_1} : c$, $h = \frac{a}{\mu_2} : \frac{b}{\nu_2} : c$ willkürlich symbolisirt sind, der dritte Bogen geht nach einer der gleichzeitig mit symbolisirten Positionen.

a) Gemessen: gh, he_4, ge_1, der letzte Bogen auch als $gb = 90° - ge_1$ oder $g\bar{g} = 2.ge_1$ zu finden.

Dreieck ge_1e_4 giebt Winkel ge_4e_1 und Bogen e_1e_4, darauf Dreieck he_2e_4 den Bogen e_2e_4.

b) Gemessen $gh, he_4, g\bar{h}$.
Dreieck $g\bar{h}e_4$ giebt, da $\bar{h}e_4 = he_4$, den Winkel $\bar{h}e_4g = 2.ge_4e_1$,
Dreieck ge_4e_1 dann ge_1, e_1e_4 und
Dreieck he_3e_4 den Bogen e_3e_4.

c) Gemessen: gh, he_4, e_4e_1.
Dreieck ge_4e_1 giebt den Winkel ge_4e_1 und Bogen ge_1, dann
Dreieck he_3e_4 den Bogen e_3e_4.

d) Gemessen: gh, he_4, e_4e_3.

Man construirt die Position $i = \frac{\nu_3 + \nu_1}{\nu_3\mu_1 + \nu_1\mu_3}a : \frac{\nu_3 + \nu_1}{2\nu\nu_1}b : c$ im Durchschnitt der Zone $[e_3b]$ und $[gh]$; weil

$$\cot ge_4 = \cot e_1e_4 . \cos ge_4e_1 \ , \ \cot ie_4 = \cot e_3e_4 . \cos ge_4e_1 \ ,$$
$$\cot he_4 = \cot e_3e_4 . \cos ge_4e_1$$

ist und

$$\cot e_1e_3 - 2\cot e_1e_3 + \cot e_1e_4 = 0$$

auch

$$\cot(e_1e_4 - e_3e_4) - 2\cot(e_1e_4 - e_3e_4) + \cot e_1e_4 = 0$$

und

$$\cot e_3e_4 - 2\cot e_3e_4 + \cot e_1e_4 = 0$$

geschrieben werden kann, so hat man auch

$$\cot he_4 - 2\cot ie_4 + \cot ge_4 = 0$$
$$\cot ie_4 = \tfrac{1}{2}(\cot(gh + he_4) + \cot he_4) \ ,$$

so dass nunmehr die Symbole aus den Bogen

$$hi \ , \ ie_4 \ , \ e_4e_3$$

wie ad c) folgen.

e) Gemessen: gh, he_4, ge_3, $ge_3 < ge_4$ und $ge_3 > gh$; es ist in Dreieck ge_4e_3

$$\cos ge_4e_3 = \frac{\cos ge_3 - \cos ge_4 \cos e_3e_4}{\sin ge_4 \sin e_3e_4}$$

$$= \cos he_4e_3 = \operatorname{tg} e_3e_4 . \cot he_4 = \frac{\sin e_3e_4 \cos he_4}{\cos e_3e_4 \sin he_4} \text{ in Dreieck } he_4e_3 .$$

Daraus

$$\cos ge_3 \cos e_3e_4 \sin he_4 - \cos^2 e_3e_4 \cos ge_4 \sin he_4 = \sin^2 e_3e_4 \cos he_4 \sin ge_4$$
$$= \cos he_4 \sin ge_4 - \cos^2 e_3e_4 \cos he_4 \sin ge_4 \ ,$$

$$\cos^2 e_3e_4 \sin gh + \cos e_3e_4 . \cos ge_3 \sin he_4 = \cos he_4 \sin ge_4$$

und

$$\cos e_2 e_4 = -\frac{\cos g e_2 \sin h e_4}{2 \sin g h} \pm \sqrt{\frac{\cos h e_4 \sin g e_4}{\sin g h} + \frac{\cos^2 g e_2 \sin^2 h e_4}{4 \sin^2 g h}}$$

und dann weiter nach Analogie ad 2. c); von den beiden Wurzelwerthen ist derjenige zu wählen, welcher für den Bogen $e_2 e_4$ weder einen imaginären Werth noch einen solchen, der grösser als Bogen $h e_4$ giebt.

Gemessen: gh, he_4, he_1; der Ansatz

$$\cos g e_4 e_1 = \frac{\cos h e_1 - \cos h e_4 \cos e_1 e_4}{\sin h e_4 \sin e_1 e_4} = \frac{\sin e_1 e_4 \cos g e_4}{\cos e_1 e_4 \sin g e_4}$$

führt auf

$$\cos e_1 e_4 = +\frac{\cos h e_1 \sin g e_4}{2 \sin g h} \pm \sqrt{-\frac{\cos g e_4 \sin h e_4}{\sin g h} + \frac{\cos^2 h e_1 \sin^2 g e_4}{4 \sin^2 g h}}$$

und dann weiter wie ad 2. c); es gilt derjenige reelle Werth von $e_1 e_4$, der kleiner als $g e_4$ ausfällt.

Die Combinationen, gemessen: gh, he_4, ge_3 und gh, he_4, he_3 sind in ähnlicher Weise unter Benutzung der Position i an Stelle von h zu behandeln.

3. Zwei Fundamentalbögen ge_3, $e_3\bar{h}$ liegen in der Zone $[g\bar{h}]$, in welcher $g = \frac{a}{\mu_1} : \frac{b}{\nu_1} : c$, $\bar{h} = \frac{a}{\mu_2} : \frac{b}{-\nu_2} : c$ willkürlich symbolisirt sind; der dritte Bogen geht nach einer gleichzeitig mitsymbolisirten Position.

a) Gemessen: ge_3, $e_3\bar{h}$, ge_1; der letzte Bogen ist auch zu finden als $gb = 90° - ge_1$ oder als $g\bar{g} = 2 \cdot ge_1$.

Dreieck ge_3e_1 giebt Bogen e_1e_3 und Winkel $ge_3e_1 = e_1e_3\bar{h}$, und dann Dreieck $e_1e_3\bar{h}$ den Bogen e_1e_3.

b) Gemessen: ge_3, $e_3\bar{h}$, gh; da der Bogen $e_3\bar{h} = e_3h$, giebt Dreieck ge_3h den Winkel $ge_3h = 180° - 2 \cdot he_3e_2 = 180° - 2 \cdot ge_3e_1$ dann die Dreiecke he_3e_2 und ge_3e_1 die Bögen e_2e_3, e_1e_3, e_2h.

c) Gemessen: ge_3, $e_3\bar{h}$, e_1e_3; Dreieck ge_3e_1 giebt Winkel $ge_3e_1 = e_2e_3\bar{h}$, dann Dreieck $e_2e_3\bar{h}$ den Bogen e_2e_3 und $e_2\bar{h} = e_2h$.

d) Gemessen: ge_3, $e_3\bar{h}$, e_2e_4.

Man construirt die Position $\bar{k} = \frac{\nu_2 - \nu_1}{\nu_2\mu_1 - \nu_1\mu_2} a : \frac{\nu_1 - \nu_2}{-2\nu_1\nu_2} b : c$ im **Durchschnitt der Zonen** $[e_4 b]$ und $[g\bar{h}]$; weil

$\cot g e_3 = \cot e_1 e_3 . \cos g e_3 e_1$, $\cot \bar{h} e_3 = \cot e_2 e_3 \cos \bar{h} e_3 e_2 = \cot e_2 e_3 . \cos g e_3 e_1$

und

$$\cot \bar{k} e_3 = \cot e_3 e_4 \cos \bar{k} e_3 e_4 = \cot e_3 e_4 . \cos g e_3 e_1$$

ist und der ad 2. d) entwickelte Ausdruck

$$\cot e_2 e_4 - 2 \cot e_3 e_4 + \cot e_1 e_4 = 0$$

auch

$$\cot (e_3 e_4 - e_2 e_3) - 2 \cot e_3 e_4 + \cot (e_3 e_4 + e_1 e_3) = 0$$

und

$$2 \cot e_3 e_4 - \cot e_2 e_3 + \cot e_1 e_3 = 0$$

geschrieben werden kann, so hat man auch

$$2 \cot \bar{k} e_3 - \cot \bar{h} e_3 + \cot g e_3 = 0$$

und

$$\cot \bar{k} e_3 = \tfrac{1}{2} (\cot \bar{h} e_3 - \cot g e_3) ;$$

Dreieck $\bar{k} e_3 e_4$ giebt den Winkel $\bar{k} e_3 e_4 = g e_3 e_1$ und Dreieck $g e_3 e_1$ die Bogen $g e_1$ und $e_1 e_3$.

e) Gemessen: $g e_3 , e_3 \bar{h} , g e_2$; $g e_3 > g e_2$ und $< g e_3 + e_3 \bar{h} , g e_3 > e_3 \bar{h}$.

Im Dreieck $g \bar{h} e_2$ ist $\cos g \bar{h} e_2 = \dfrac{\cos g e_2 - \cos g \bar{h} \cos \bar{h} e_2}{\sin g \bar{h} \sin \bar{h} e_2}$,

und im Dreieck $e_3 \bar{h} e_2$:

$$\cos e_3 \bar{h} e_2 = \operatorname{tg} \bar{h} e_2 \cot \bar{h} e_3 = \frac{\sin \bar{h} e_2 \cos e_3 \bar{h}}{\cos \bar{h} e_2 \sin e_3 \bar{h}},$$

daraus:

$$\cos^2 \bar{h} e_2 \sin g e_3 + \cos \bar{h} e_2 . \cos g e_2 \sin e_3 \bar{h} = \cos e_3 \bar{h} \sin g \bar{h} ,$$

$$\cos \bar{h} e_2 = - \frac{\cos g e_2 \sin e_3 \bar{h}}{2 \sin g e_3} \pm \sqrt{\frac{\cos e_3 \bar{h} \sin g \bar{h}}{\sin g e_3} + \frac{\cos^2 g e_2 \sin^2 e_3 \bar{h}}{4 \sin^2 g e_3}}$$

und dann weiter nach Analogie ad 3. a); es gilt derjenige reelle Werth von $\bar{h} e_2$, welcher kleiner als $e_3 \bar{h}$ ausfällt.

Die Combination $g e_3 , e_3 \bar{h} , \bar{h} e_1$ wird auf demselben Wege behandelt, die Combinationen $g e_3 , e_3 \bar{h} , g e_4$ und $g e_3 , e_3 \bar{h} , \bar{h} i_4$ erfordern hierzu die Entwicklung der Position $\bar{k}$.

Situation B. Die Fundamental-Bögen liegen in drei Zonen zwischen drei Flächen.

1. Ein Fundamental-Bogen liegt in Zone $[a e c]$ zwischen

willkürlich symbolisirten Flächen $e_1 = \frac{a}{\mu_1} : \infty b : c$, $e_5 = \frac{a}{\mu_5} : \infty b : c$; angeschlossen ist durch die Bögen $e_1 h$, $e_5 h$ eine ausserhalb der Zonen $[aec]$ $[e_1 b]$ $[e_5 b]$ belegene Fläche $h = \frac{a}{\mu_2} : \frac{b}{\nu_2} : c$, in deren Symbol der Coëfficient ν willkürlich, der Coëfficient μ nach Maassgabe der angularen Dimensionen limitirt gewählt ist. Dreieck $e_5 e_1 h$ giebt den Winkel $e_5 e_1 h = e_2 e_1 h$, und dann Dreieck $e_2 e_1 h$ die Bögen $e_1 e_2$, $e_2 h$.

2. Ein Fundamental-Bogen liegt in Zone $[gh]$ zwischen willkürlich so symbolisirten Flächen $g = \frac{a}{\mu_1} : \frac{b}{\nu_1} : c$, $h = \frac{a}{\mu_2} : \frac{b}{\nu_2} : c$, dass g, h, e_4 auf einander folgen; der zweite und dritte Bogen verbinden eine der gleichzeitig mit g und h symbolisirten Flächen.

a) Gemessen: gh, he_1, ge_1; Dreieck ghe_1 giebt die Winkel $hge_1 = e_4 ge_1$ und $ge_1 h = 90° - e_2 e_1 h$, dann Dreieck $e_1 e_2 h$ den Bogen $e_1 e_2$, und Dreieck $e_4 g e_1$ den Bogen $e_1 e_4$.

b) Gemessen: gh, he_2, ge_2; Dreieck ghe_2 giebt den Winkel $ghe_2 = 180° - e_2 he_4$, dann Dreieck $e_2 h e_4$ die Bögen he_4, $e_2 e_4$ und den Winkel $he_4 e_2 = ge_4 e_1$, so dass Dreieck $ge_4 e_1$ den Bogen $e_1 e_4$ liefert.

c) Gemessen: gh, he_3, ge_3; Dreieck ghe_3 giebt den Winkel $he_3 g = 180° - 2 . he_3 e_2 = 180° - 2 . ge_3 e_1$; dann giebt Dreieck $he_3 e_2$ den Bogen $e_2 e_3$ und Dreieck $ge_3 e_1$ die Bögen $e_1 e_3$, $e_1 g$.

d) Gemessen: gh, $h\bar{h}$, $g\bar{h}$; Dreieck $h\bar{h}g$ giebt den Winkel $gh\bar{h} = 180° - e_2 he_4$, und, da $e_2 h = \frac{1}{2} h\bar{h}$ ist, Dreieck $he_2 e_4$ die Bögen $e_2 e_4$ und he_4, so wie den Winkel $he_4 e_2 = ge_4 e_1$, so dass Dreieck $ge_4 e_1$ den Bogen $e_1 e_4$ liefert.

e) Gemessen: gh, $g\bar{g}$, $h\bar{g}$; Dreieck $gh\bar{g}$ giebt Winkel $hg\bar{g} = e_4 ge_1$ und $h\bar{g}g = e_3 \bar{g} e_1$; da nun $ge_1 = e_1 \bar{g} = \frac{1}{2} g\bar{g}$, so giebt Dreieck $ge_1 e_4$ den Bogen $e_1 e_4$ und Dreieck $\bar{g} e_1 e_3$ den Bogen $e_1 e_3$.

3. Ein Fundamental-Bogen liegt in Zone $[g\bar{h}]$, zwischen den willkürlich so symbolisirten Flächen $g = \frac{a}{\mu_1} : \frac{b}{\nu_1} : c$ und $\bar{h} = \frac{a}{\mu_2} : \frac{b}{-\nu_2} : c$, dass g, $h = \frac{a}{\mu_2} : \frac{b}{\nu_2} : c$, e_4 auf einander folgen; der zweite und dritte Bogen verbindet eine gleichzeitig mit g und $\bar{h}$ symbolisirte Position.

a) Gemessen: $g\bar{h}, ge_1, \bar{h}e_1$; Dreieck $g\bar{h}e_1$ giebt Winkel $g\bar{h}e_1$ und $ge_1\bar{h} = 90° + \bar{h}e_1e_2$, ferner Dreieck $\bar{h}e_2e_1$ die Bögen $e_1e_2, \bar{h}e_2$ und Winkel $e_1\bar{h}e_2$; da nun Winkel $e_1\bar{h}e_2 - g\bar{h}e_1 = e_3\bar{h}e_2$, so findet man im Dreieck $e_3\bar{h}e_2$ den Bogen e_2e_3.

b) Gemessen: $g\bar{h}, ge_2, \bar{h}e_2$; Dreieck $g\bar{h}e_2$ giebt Winkel $g\bar{h}e_2 = e_3\bar{h}e_2$ und Winkel $ge_2\bar{h} = 90° + ge_2e_1$, sodann Dreieck $e_3\bar{h}e_2$ den Bogen e_2e_3 und Dreieck ge_2e_1 den Bogen e_1e_2.

c) Gemessen: $g\bar{h}, ge_4, \bar{h}e_4$; Dreieck $g\bar{h}e_4$ giebt den Winkel $ge_4\bar{h} = 2.e_2e_4\bar{h} = 2.ge_4e_1$, sodann Dreieck $\bar{h}e_4e_2$ den Bogen e_2e_4 und Dreieck ge_4e_1 die Bögen e_1e_4 und ge_1 (da $\bar{h}e_4 = he_4$, auch identisch mit A. 2. b).

d) Gemessen: $g\bar{h}, \bar{h}\bar{g}, g\bar{g}$, identisch mit $gh, h\bar{g}, g\bar{g}$ in B. 2. e.

e) Gemessen: $g\bar{h}, h\bar{h}, gh$, identisch mit B. 2. d.

Situation C. Vier-Bogen-Varianten.

Wenn man zwei Fundamental-Bögen in einer Zone, die nicht $[aec]$ oder eine symmetrische ist, wählt, also von den willkürlich symbolisirten Flächen g, h (resp. $\bar{h}$) ausgeht, so kann man an Stelle der dritten, deducirten Fläche dieser Zone, e_4 (resp. e_3), eine andere in besagter Zone liegende, nur der Reihenfolge nach, sonst nicht bekannte Fläche u (resp. $\bar{v}$) wählen, wenn man neben den Bögen gh, hu (resp. $g\bar{v}, \bar{v}\bar{h}$ etc.) die vierte ausserhalb jener Zone liegende Fundamental-Fläche, welche auch eine deducirte ist und bleiben muss, sowohl mit der nur theilweise bekannten Fläche u (resp. $\bar{v}$), als auch mit einer der willkürlich symbolisirten g, h (resp. $\bar{h}$) durch Bögen verbindet. Es wird dann für den einen der unbekannten Coëfficienten im Symbol von u (resp. $\bar{v}$), welcher in Verbindung mit der vorausgesetzten Lage in bekannter Zone genügen würde, das Symbol zu geben, ein gemessener Bogenwerth substituirt.

Von den so in Verbindung gesetzten vier Bögen werden die beiden an u (resp. $\bar{v}$) anschliessenden auf dem Wege der Rechnung eliminirt und dabei entweder der Bogen ge_4 (resp. ge_3) oder ein dritter Bogen gefunden, der mit den nicht eliminirten ein Dreieck bildet, so dass schliesslich die Elemente aus drei Bögen resultiren.

1. Die nur theilweis bekannte Fläche u liegt in Zone $[g\bar{h}]$ — s. Fig. 2.

Fig. 2.

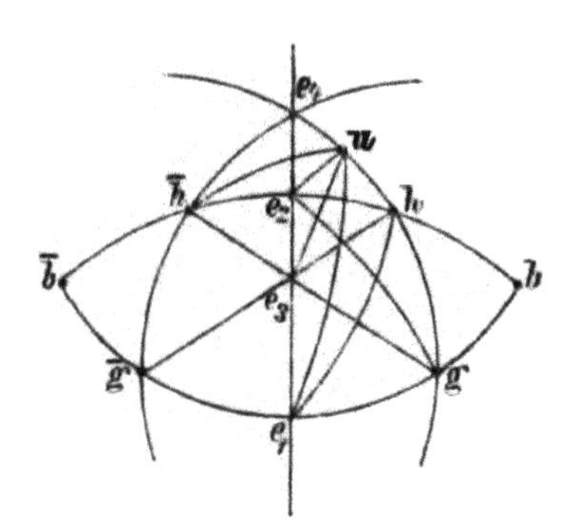

a) Gemessen: gh, hu, ue_1, ge_1; Dreieck ue_1g giebt Winkel $uge_1 = e_4ge_1$, dann Dreieck e_4ge_1 den Bogen ge_4; die Elemente folgen aus gh, ge_4, ge_1 (A. 2. a).

b) Gemessen: gh, hu, ue_1, he_1; Dreieck uhe_1 giebt Winkel $uhe_1 = 180° - ghe_1$, dann Dreieck ghe_1 den Bogen ge_1; die Elemente folgen aus gh, he_1, ge_1 (B. 2. a).

c) Gemessen: gh, hu, $u\bar{h}$, $g\bar{h}$; Dreieck $ug\bar{h}$ giebt Winkel $ug\bar{h} = hg\bar{h}$, dann Dreieck $hg\bar{h}$ den Bogen $h\bar{h}$; die Elemente folgen aus gh, $g\bar{h}$, $h\bar{h}$ (B. 2. d).

d) Gemessen: gh, hu, ue_3, ge_3; Dreieck uge_3 giebt Winkel $uge_3 = hge_3$, und dann Dreieck hge_3 den Bogen he_3; die Elemente folgen aus gh, ge_3, he_3 (B. 2. c).

e) Gemessen: gh, hu, ue_3, he_3; Dreieck uhe_3 giebt Winkel $uhe_3 = 180° - ghe_3$, dann Dreieck hge_3 den Bogen ge_3; die Elemente folgen aus gh, ge_3, he_3 (B. 2. c).

f) Gemessen: gh, hu, ue_2, ge_2; Dreieck uge_2 giebt Winkel $uge_2 = hge_2$, dann Dreieck hge_2 den Bogen he_2; die Elemente folgen aus gh, ge_2, he_2 (B. 2. b).

g) Gemessen: gh, hu, ue_2, he_2; Dreieck uhe_2 giebt den Winkel $uhe_2 = e_4he_2$ und Dreieck e_4he_2 den Bogen he_4; die Elemente folgen aus gh, he_4, he_2 (analog A. 2. a).

2. Die nur theilweise bekannte Fläche $\bar{v}$ liegt in Zone $[g\bar{h}]$ — Fig. 3.

a) Gemessen: $g\bar{v}$, $\bar{v}\bar{h}$, $\bar{v}e_1$, ge_1; Dreieck $g\bar{v}e_1$ giebt Winkel $e_1g\bar{v} = \bar{g}g\bar{h}$, und, da $g\bar{g} = 2.ge_1$ ist, Dreieck $g\bar{g}\bar{h}$ den Bogen $\bar{h}\bar{g}$; die Elemente folgen aus $g\bar{h}$, $\bar{h}\bar{g}$, $g\bar{g}$ (B. 3. d).

Fig. 3.

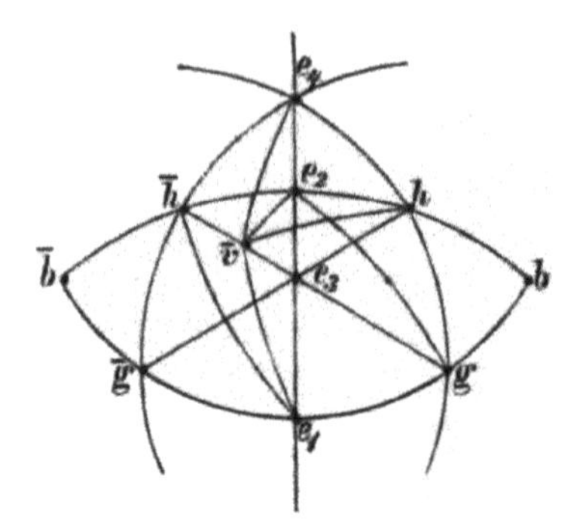

b) Gemessen: $g\bar v$, $\bar v\bar h$, $\bar v e_1$, $\bar h e_1$; Dreieck $\bar v\bar h e_1$ giebt den Winkel $\bar v\bar h e_1 = g\bar h e_1$ und Dreieck $g\bar h e_1$ den Bogen ge_1; die Elemente folgen aus $g\bar h$, ge_1, $\bar h e_1$ (B. 3. a).

c) Gemessen: $g\bar v$, $\bar v\bar h$, $\bar v h$, gh; Dreieck $g\bar v h$ giebt den Winkel $hg\bar v = hg\bar h$ und Dreieck $hg\bar h$ den Bogen $h\bar h$; die Elemente folgen aus gh, $h\bar h$, $g\bar h$ (B. 2. d).

d) Gemessen: $g\bar v$, $\bar v\bar h$, $\bar v e_2$, ge_2; Dreieck $g\bar v e_2$ giebt Winkel $\bar v g e_2 = \bar h g e_2$ und dann Dreieck $\bar h g e_2$ den Bogen $\bar h e_2$; die Elemente folgen aus $g\bar h$, ge_2, $\bar h e_2$ (B. 3. b).

e) Gemessen: $g\bar v$, $\bar v\bar h$, $\bar v e_2$, $\bar h e_2$; Dreieck $\bar h\bar v e_2$ giebt Winkel $\bar v\bar h e_2 = g\bar h e_2$, so dass im Dreieck $g\bar h e_2$ der Bogen ge_2 gefunden wird; die Elemente folgen aus $g\bar h$, ge_2, $\bar h e_2$ (B. 3. b).

f) Gemessen: $g\bar v$, $\bar v\bar h$, $\bar v e_4$, ge_4; Dreieck $g\bar v e_4$ giebt Winkel $\bar v g e_4 = \bar h g e_4$, dann Dreieck $\bar h g e_4$ den Bogen $\bar h e_4$; die Elemente folgen aus $g\bar h$, ge_4, $\bar h e_4$ (B. 3. c).

g) Gemessen: $g\bar v$, $\bar v\bar h$, $\bar v e_4$, $\bar h e_4$; Dreieck $\bar h\bar v e_4$ giebt Winkel $\bar v\bar h e_4 = g\bar h e_4$, dann Dreieck $g\bar h e_4$ den Bogen ge_4; die Elemente folgen aus $g\bar h$, ge_4, $\bar h e_4$ (B. 3. c).

Situation D. Fünf-Bogen-Varianten.

Wenn man neben dem Bogen zwischen zwei willkürlich symbolisirten Flächen g, h (resp. $\bar h$) die Abstände der Flächen g, h (resp. $\bar h$) von zwei in Zone $[aec]$ belegenen, sonst unbekannten Flächen e_5 und e_6 misst, so kann man aus diesen fünf Bögen die Elemente ableiten. Sei in Fig. 4 gemessen gh, ge_5, he_5, ge_6, he_6; Dreieck ghe_5 giebt den Winkel ghe_5, Dreieck ghe_6 die Winkel ghe_6, hge_6, he_6g. Im Dreieck e_5he_6 folgt aus he_5, he_6 und $e_5he_6 =$

Fig. 4.

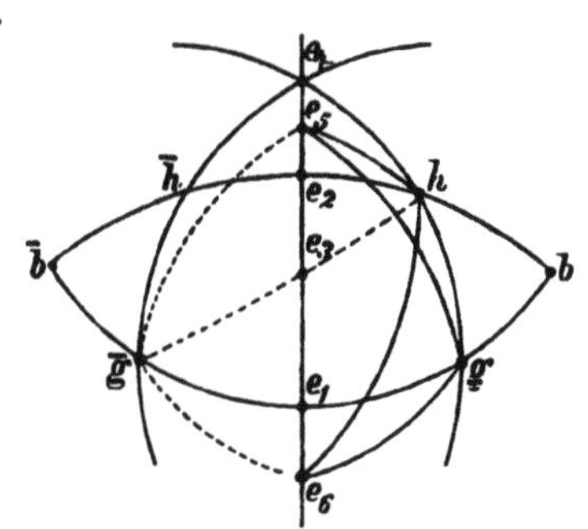

$= ghe_5 - ghe_6$ der Bogen e_5e_6 und die Winkel $he_5e_6 = he_5e_3$ und $he_6e_5 = ge_6e_1 - he_6g$.

Ist $he_5e_3 < 90°$, (wie hier), dann liegt e_3 zwischen e_5 und e_6, ist $he_5e_3 > 90°$, so fällt e_3 ausserhalb des Bogens e_5e_6; ist $he_5e_6 = 90°$, dann ist e_5 identisch mit e_3, die Aufgabe aus gh, he_3, ge_3 (B. 2. b) ohne Bezug auf die Bögen he_6, ge_6 zu lösen; ebenso fällt, wenn $ge_6e_1 < 90°$ ist, e_1 zwischen e_5 und e_6, wenn $ge_6e_1 > 90°$ ist, ausserhalb des Bogens e_5e_6; ist $ge_6e_5 = 90°$, dann ist e_1 identisch mit e_6 und nach Analogie zu verfahren.

Dreieck he_5e_3 giebt e_5e_3, ferner Dreieck ge_6e_1 die Bögen e_1e_6 und ge_1 sowie den Winkel $e_1ge_6 = hge_6 - e_1ge_4$ (mut. mut. $= e_1ge_4 - hge_6$), schliesslich das Dreieck e_1ge_4 den Bogen e_1e_4; e_1e_3 ist $= e_5e_6 \pm e_1e_6 \pm e_3e_5$; die Elemente folgen aus e_1e_3, e_1e_4, ge_1 (A. 1).

Sei gemessen: $\bar{g}h$, $\bar{g}e_5$, he_5, $\bar{g}e_6$, he_6 und durch weiter nicht in Betracht kommende Messung des Bogens e_5e_6 festgestellt, ob e_3 zwischen e_5 und e_6 (wie hier) oder ausserhalb e_5e_6 falle; Dreieck $h\bar{g}e_5$ giebt den Winkel $\bar{g}he_5$, und Dreieck $h\bar{g}e_6$ die Winkel $h\bar{g}e_6$, $\bar{g}he_6$, $\bar{g}e_6h$. Man findet sodann im Dreieck he_5e_6 aus he_5, he_6, $e_5he_6 = \bar{g}he_6 + \bar{g}he_5$ (mut. mut. $= \bar{g}he_5 - \bar{g}he_6$) den Bogen e_5e_6 und die Winkel $he_5e_6 = he_5e_3$ und $he_6e_5 = \bar{g}e_6h - \bar{g}e_6e_1$ (mut. mut. $= 180° - \bar{g}e_6h + \bar{g}e_6e_1$). Die Reihenfolge der Positionen e_1, e_2, e_5, e_6 ergeben die Winkel. Im Dreieck he_5e_3 folgt Bogen e_3e_5 und im Dreieck $\bar{g}e_6e_1$ die Bögen $\bar{g}e_1$ und e_1e_6, sowie der Winkel $e_1\bar{g}e_6 = h\bar{g}e_6 - e_1\bar{g}e_3$ (mut. mut. $= h\bar{g}e_6 + e_1\bar{g}e_3$), schliesslich im Dreieck $e_1\bar{g}e_3$ der Bogen e_1e_3; e_1e_3 ist $= e_5e_6 \pm e_1e_6 \pm e_3e_5$; die Elemente folgen aus e_1e_3, e_1e_3, $\bar{g}e_1$ (analog A. 1).

Hr. W. Peters machte eine Mittheilung über neue Flederthiere *(Vesperus, Vampyrops)*.

Unter verschiedenen, in Weingeist erhaltenen Gegenständen, welche aus Peking herstammen, befindet sich eine zu der Gattung *Vesperus* gehörige Art, die von allen bisher beschriebenen verschieden ist und von der ich mir erlaube, eine Mittheilung vorzulegen.

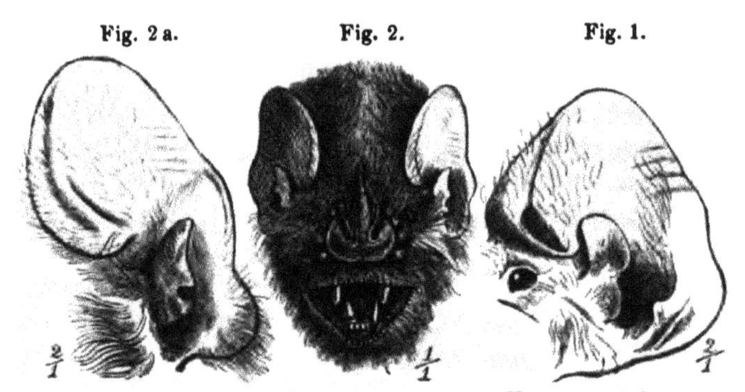

Fig. 1 linkes Ohr von *Vesp. sinensis*. Fig. 2 *Vampyrops infuscus*.
Fig. 2a linkes Ohr desselben.

Vesperus sinensis n. sp. (Fig. 1.)

V. auriculis capite brevioribus, trago abbreviato securiformi; apice caudae libero; dente incisivo superiore externo brevissimo, unicuspidato. Long. antibrachii cm. 5.

Habitatio: Peking (China).

Durch die Form der Ohren hat diese Art Ähnlichkeit mit *Vesperugo noctula*, indem sie eine viereckig abgerundete Gestalt haben. Sie sind jedoch dünnhäutiger und haben die Vorsprünge an der inneren Seite des unteren Theils der Ohrmuschel äusserst wenig entwickelt und den vorderen Rand der beilförmigen Ohrklappe etwas weniger concav. Die Schnauze ist breit und abgeplattet. Der erste Schneidezahn ist hoch und zweispitzig, während der äussere sehr kurze nur wenig das Cingulum von jenem überragt. Die Behaarung des Körpers ist fein und mässig lang. Der Schwanz ragt mit seiner knorpeligen Spitze frei aus der Schenkelflughaut hervor. Die Flughäute sind dünn und nackt mit Ausnahme der den Körper umgebenden Theile und sind bis zur Basis der Zehen angewachsen. Der Sporn ist knorpelig und von der Länge der Tibia, der Spornlappen wenig vorspringend.

Oben braun; die einzelnen Haare dunkelbraun, an der Spitze heller. Die Bauchseite ist blassbraun.

Von der Schnauze bis zur Schwanzbasis 70cm; Kopf 2cm; Ohrhöhe 19mm; Ohrbreite 15mm; vord. Ohrrand 13mm. Schwanz 45mm; Antibrachium 49mm; Tibia 18mm; Fuss 11mm.

Ein Weibchen aus Peking (China) M. B. No. 5624.

Eine andere neue Art von Flederthieren aus Peru, welche den frugiveren Blattnasen und zwar der Gattung *Vampyrops* angehört, ist mir von Hrn. L. Taczanowski in Warschau zur Untersuchung mitgetheilt worden.

Vampyrops infuscus n. sp. (Fig. 2. 2a.)

V. fuscus, striis facialibus duabus obsoletis. Long. antibr. 52mm. Habitatio: Peru.

Diese Art schliesst sich durch die ganze Form, insbesondre auch des am vorderen Rande freieren Nasenbesatzes an *V. lineatus* an, ist aber grösser, indem sie in der Mitte zwischen diesem und *V. vittatus* steht und unterscheidet sich ausserdem durch den gänzlichen Mangel einer Rückenlinie und den Mangel deutlicher Gesichtsbinden, von denen nur eine Spur der mittleren vorhanden ist. Die Behaarung der Flughäute ist so weit ausgedehnt, wie bei *V. vittatus* und geht bis zu einer Linie von dem Ellbogen bis zu der Mitte des Oberschenkels.

Totallänge (ohne Schenkelflughaut) 76mm; Kopf 24mm; Ohrhöhe 20mm; Nasenbesatz 7mm; Antibrachium 52mm; Tibia 20mm; Fuss 15mm; Sporn 6mm.

Ein ausgewachsenes Weibchen aus der Grotte von Ninabamba, welche von *Steatornis caripensis* bewohnt wird. Befindet sich in Warschau.

H. W. Peters legte vor:

Beschreibungen neuer, auf seiner, von der Akademie unterstützten Reise in Ostafrika, vorzüglich in den Districten von Taita und Ukamba auf einer Tour von Mombassa nach dem Kenia, von Hrn. J. M. Hildebrandt gesammelter Coleopteren, bearbeitet von Hrn. Fhrn. von Harold.

1. *Calosoma procerum* (n. sp.): Magnum, omnino nigrum, thorace transverso, ruguloso, ad latera valde arcuato-dilatato, angulis posticis acutis, elytris interstitiis imparibus latioribus et altioribus, transverse squamatis, paribus serie granulorum simplici, absque foveolis metallicis, tibiis intermediis in ♂ curvatis. — Long. 33—35 mill. Species *C. senegalensi* et *mosambicensi* affinis, magnitudine, thorace latiore elytrisque omnino nigris, non foveolatis distinguenda.

2. *Polyhirma chalcodera* (n. sp.): Nigra, thorace nigro-viridi, elytris apice profunde arcuatim emarginatis, utrinque macula transversa media alteraque ante apicem, ad suturam interrupta, albopilosis; corpus supra parce, elytris vix setosis, his latius ovalibus. — Long. 17 mill. Omnino affinis *P. (Eccoptoptera) cupricolli* Chaud., quam etiam collegit D. Hildebrandt, at corpore brevius et multo parcius hirsuto, capite nigro pone oculos latius tumido, elytris multo latioribus, postice adhuc profundius emarginatis sicut et fascia alba apicali ad suturam interrupta praecipue dignoscenda.

3. *Polyhirma hamifera* (n. sp.): Atra, fronte, thoracis margine laterali sulcoque longitudinali medio, elytrorum sutura ultra medium margineque laterali, postice acute angulatim dilatato albopilosis, elytris acute costatis, inter costas foveolatis, costis postice evanescentibus. — Long. 30 mill. Intermedia inter *P. bihamatam* et *spathulatam* Gerst., ab hac sutura alba breviore limboque albopiloso postice angulatim dilatato, ab illa sutura alba ultra medium producta diversa.

4. *Hypolithus lugubris* (n. sp.): Niger, vix nitidus, capite thoraceque fere glabris, elytris dense breviter aureo-pubescentibus, thorace dense, basi rugulose punctato, elytris profunde striatopunctatis, interstitiis leviter subconvexis, 3, 5 et 7 evidenter seriatopunctatis, palpis piceo-rufis, antennis piceis, articulis ultimis apiceque basalium piceo-rufis. — Long. 14 mill. Affinis certe *H. moesto*

Putz., at major et antennarum articulo primo non brunneo, sed apice rufo excepto omnino nigro-piceo diversus.

5. *Chlaenius scutellaris* (n. sp.): Capite, thorace scutelloque aurato-viridibus, elytris subnitidis, virescente-nigris, longius pubescentibus, limbo flavo, interstitiis leviter convexis, juxta strias irregulariter bi-vel triseriatim punctulatis, praeterea, praecipue internis, punctis nonnullis majoribus, corpore subtus nigro, pedibus testaceis, femoribus anticis in ♂ basi dentatis, antennis articulis 3 basalibus testaceis, reliquis fusco-testaceis. — Long. 21—22 mill. Proximus illi *Chl. subsulcatus*, qui autem differt elytrorum interstitiis margine tantum uniseriatim punctatis antennisque omnino flavis. *Chl. cinctus* differt thorace multo breviore, lateribus postice subsinuatis scutelloque fusco.

6. *Chlaenius improbus* (n. sp.): Capite, thorace, scutello elytrorumque basi summa interdum juxta humeros tantum, viridi-aeneis, elytris fusco-aeneis, latera versus virescentibus, limbo flavo, interstitio 8 septimo multo latiore, abdomine piceo, flavolimbato, antennis pedibusque testaceis, tarsis plerumque leviter infuscatis. — Long. 15—16 mill. Sansibar, Quinca, Senegal. Illi *Chl. sellatus* maxime affinis, elytris minus profunde striatis sicut et limbo flavo multo latiore discedit. *Chl. cylindricollis* persimilis etiam, at elytris angustioribus, opacis, interstitiis 7—9 aequilatis et statura minore diversus. *Chl. prolixus*, etiam valde affinis, sulcis thoracis brevioribus certe dignoscendus.

7. *Chlaenius Hildebrandti* (n. sp.): Capite thoraceque viridi-aeneis, elytris aeneo-nigris, utrinque macula ante apicem dentata flava, pedibus testaceis, femoribus anticis in ♂ basi breviter dentatis, antennis medio vix dilatatis, articulis 1—3, hoc apice piceo excepto rufotestaceis, palpis articulis apicalibus non dilatatis, rufopiceis, articulo ultimo apice tantum rufo. — Long. 13 mill. Proximi accedunt *Chl. coecus* et *Boisduvali*, ambo antennarum articulo tertio et palpis omnino testaceis discedunt, hic praeterea thorace breviore lateribus fortius rotundatis et antennarum articulis 4—5 omnino non crassioribus, ille articulis his evidenter latioribus et palporum maxillarium articulo ultimo apice latiore. *Chl. nepos*, palpis eodem modo infuscatis, articulo apicali illorum triangulari omnino diversus.

8. *Chlaenius Maximiliani* (n. sp.): Parum convexus, nitidus, glaber, obscure aeneo-viridis, elytris plerumque viridicyaneis, vel

immaculatis vel macula utrinque apicali rufa, apicem versus producta, pedibus antennisque testaceo-rufis. Thorax lateribus arcuatis antice tantum angustatis, longitudine tertio latior, parce et subtiliter, basi et utrinque in foveolis fortius punctatus. Elytra profunde striata, striis crenato-punctatis, interstitiis leviter convexis, laevibus, externis duobus tantum punctatis. Thoracis episterna laevia, metathoracis extus sulcata, intus punctis nonnullis magnis. — Long. 17 mill. Insignis haec species D. Chaudoir dedicata, optime de cognitione hujus generis merito. Primo intuitu *Chl. glabratum* similat, qui autem elytrorum margine baseo-humerali angulato sicut et thorace quadrato, non transverso omnino discedit.

Obs. Reliquae a D. Hildebrandt ex Sansibar allatae species sunt *Chl. Dohrni, lugens, assecla, circumscriptus* et *sulcatulus*. Iste a *sulcipenni*, cujus varietatem D. Chaudoir profert, elytris latioribus apice flavosignatis differre videtur.

9. *Xantholinus ferox* (n. sp.): Nitidus, niger, palpis, tarsis et abdominis apice rufo-piceis, capite lateribus sat dense punctatis, subtus carinatis, fronte antice inter oculos truncata, thorace postice angustato, omnino laevi, foveola tantum utrinque pone angulos anticos notato, elytris thorace aequilongis, disco utrinque stria obsoleta vix distincte punctata, abdomine parce punctato; antennis piceis, articulis 4—10 transversis. — Long. 15 mill. Proximus illi *X. ater*, qui autem major et capitis lateribus laevibus, pone oculos tantum vage punctatis, diversus.

10. *Philonthus calidus* (n. sp.): Seriebus dorsalibus thoracis 4-punctatis. Obscure rufo-piceus, capite lato, fronte pone antennarum basin et juxta oculorum marginem unipunctata, punctis praeterea pluribus ad tempora, his oculis multo brevioribus, thorace latitudine vix longiore, scutello fusco-velutino, elytris thorace aequilongis, rufo-badiis, minus dense punctatis, flavo-pilosis, abdomine piceo, irino, flavopiloso, parce punctato, segmentis ferrugineo-marginatis, pedibus antennisque obscure ferrugineis, his articulo 3 leviter infuscato, 6—11 quadratis. — Long. 11 lin. Species propter abdomen irinum *Quediis* similis.

11. *Passalus sansibaricus* (n. sp.): Sat depressus, clypeo quinquedendato, vertice tuberculo transverso parum elevato tridentato, dente medio evidentiore, thorace sulcato-lineato, dorso laevi, lateribus valde punctatis, elytrorum striis internis 1—5 minus fortiter, externis valde punctatis, punctis transversis, interstitiis 6—9 costa-

tis, antennarum clava trifoliata. — Long. 25—26 mill. Ad divisionem *Leptaulax* Kaup pertinens. Affinis *P. approximato*, dentibus 5 clypei aequalibus, punctis in striis externis elytrorum multo latioribus, interstitiis angustatis, metasterno non tantum in angulis posticis sed etiam lateribus punctato valde distinctus.

12. *Sisyphus penicillatus* (n. sp.): Lurido-testaceus, parce setosus, clypeo antice late emarginato, lateribus ante genas iterum angulato, thorace vage obsolete punctato, breviter setoso, ad latera declivi, supra foveam lateralem longius penicillato, basi scutellum versus distincte angulata, elytris obsolete striatis, vix costatis, pygidio fusco-sericeo opaco, corpore subtus piceo-fusco, pedibus interdum subaeneis, trochanteribus posticis simplicibus. — Long. 14 mill. Species magna, affinis *S. Hessi*, thorace antice utrinque penicillato, basi minus rotundata pedibusque simplicibus diversa.

13. *Catharsius Brutus* (n. sp.): Piceus, elytris nitidulis, clypeo medio evidenter bidentato, fronte media in ♂ cornu erecto brevi triangulari, thorac eantice abrupto, insuper medio leviter emarginato et utrinque breviter dentato, dorso laevi, tunc subtilissime punctulato, latera versus dense subtiliter granulato, elytris leviter punctato-striatis, interstitiis planis. — Long. 23 mill. Proximus illi accedit *C. Pandion*, qui differt thorace fere omnino dense granulato, metasterno laevi non punctato, femoribus posticis punctis magnis et minutis sat dense adspersis.

14. *Adoretus senatorius* (n. sp.): Oblongo elongatus, piceus, sat dense brevissime appresso-pilosus, elytris praeterea seriebus minus distinctis 4—6 setarum longiorum, thorace quam longo plus duplo latiore, capite breviore. — Long. 13 mill. Affinis *hirtello*, angustior, minus dense pilosus, thorace breviore diversus. *A. punctipennis* Boh. etiam simillimus, at major, latior, thorace subtilius densius punctato brevius piloso dignoscendus.

15. *Pycnoschema scrofa* (n. sp.): Rufo-picea, subtus ochraceo-villosa, capitis clypeo acute producto et inter mandibulas latas extus rotundatas porrecto, thorace parum convexo, fortiter punctato, antice crista transversa leviter quadridentata, elytris striis punctorum subgeminatis et praeterea subrugatis, tibiis anticis tridentatis, margine superiore integro. — Long. 15 mill. Frons carina elevata medio bidentata instructa. Genus ambiguum, at propter palporum labialium basin sub menti margine absconditam potius Phileuris adnumerandum et generi *Syrichthus* proximum.

16. *Systates vulgaris* (n. sp.): Piceus, nitidus, rostro medio et lateribus carinato, thorace dense granulato, granulis non acutis, depressis, elytris macula utrinque parva albopilosa basali, ad latera parce breviter squamulato-pilosis, apicem versus parce setosis, profunde punctato-striatis, interstitiis juxta strias distincte transversim rugatis, apice sensim fortius et acutius tuberculatis. Differt mas elytris angustioribus et segmento abdominis ultimo apice impresso. — Long. 9—11 mill. A *S. pollinoso*, cui proximus, differt elytris omnino nitidioribus, multo fortius punctato-striatis, interstitiis laevibus at multo evidentius transversim plicatis; *S. seminudus* discedit elytris postice dense pilosis, interstitiis simplicibus, apicem versus non tuberculatis.

17. *Systates aeneolus* (n. sp.): Piceus, nitidus, elytris obscure aeneis, minus fortiter striato-punctatis, interstitiis, praecipue apicem versus tuberculis sensim acutioribus at inter se distantibus obsitis; pedibus piceis, femoribus medio rufis. — Long. 10 mill. Statura praecedentis, pedum elytrorumque colore et tuberculis valde diversus.

18. *Embrithes suturalis* (n. sp.): Capite thoraceque fusco ferrugineis, hoc transverso, lateribus leviter rotundatis, elytris ovalibus, fortiter striatis, interstitiis convexis, secundo utrinque basi tuberculo nigro subnitido notato, fusco-squamosis, sutura usque pone medium, stria basali in interstitio tertio lateribusque cum illis prothoracis albidis. — Long. 10 mill. Affinis *E. muscoso* Gerst., aliter coloratus et thorace postice angustato facile dignoscendus.

Ceratocrates (n. g. Curculionid., Episomini): Antennae robustae, articulo primo reliquis simul sumtis fere aequilongo, funiculi articulo septimo praecedenti majore et potius ad clavam pertinente, hac articulis brevibus tribus, apicem versus sensim acuminata. Scutellum nullum. Elytra basi summa constricta et recte truncata, insuper visa juxta thoracis angulos posticos breviter dentata. Unguiculi breves, tarsorum articulum tertium paullo tantum superantes. Generi *Episomus* proximum, funiculi articulo secundo primo non longiore, scutello nullo, elytris basi non arcuatis sicut et unguiculis brevioribus diversum.

19. *Ceratocrates Hildebrandti* (n. sp.): Fuscus, densissime albido-squamulosus, elytris plaga basali media posterius dilatata, fascia pone medium alteraque ante apicem fusco-badiis; thorace latitudine aequilongo, medio ad latera leviter transversim rugatus;

elytra valde convexa, pone humeros ad latera bituberculata, fortiter punctato-striato, sutura et interstitiis 3, 5 et 7 nonnihil altioribus; antennis, clava et articulo octo exceptis, setaceis. — Long. 15 mill.

20. *Ceratocrates dubius* (n. sp.): Praecedenti omnino simillimus et forsan alter tantum sexus. Differt elytris minus globosis, antennis minus robustis, thorace quam lato evidenter longiore, etiam disco evidenter transversim rugato. — Long. 15 mill.

21. *Alcides humerosus* (n. sp.): Fusco-piceus, thorace albido, granulis nitidis piceis sat dense, praecipue juxta lineam mediam longitudinalem impressam obsito, elytris pone humeros acute dentatis, albido-bivittatis striolaque brevi alba supra dentem humeralem, corpore subtus cum pedibus posticis albido. — Long. 10 mill. Simillimus omnino *A. dentipedi,* thorace evidentius sulcato, granulis majoribus obsito, elytris spina humerali multo acutiore, interstitiis elevatis acutius carinatis diversus.

22. *Microcerus annuliger* (n. sp.): Supra cinereo- et ochraceo-squamosus, elytris utrinque basi et subtus ad latera plerumque albidis, medio ad suturam macula utrinque triangulari nigro-fusca; rostro sulco medio lato et laterali utrinque angusto; thorace pone marginem anticum constricto; elytris subseriatim leviter, ad marginem fortius tuberculatis, ante apicem tuberculo comuni suturali alterisque duobus oblique anterius positis majoribus; femoribus posticis fuscis, annulo ante apicem albido-ochraceo. — Long. 15—18 mill. *M. latipennis* Fahr. mihi ignotus, elytris latitudine vix, in specie nostra multo longioribus discrepare videtur. *M. Besckei* etiam valde affinis, at elytris latioribus, postice magis acuminatis, fronte inter oculos magis prominentes fortius tuberculata bene dignoscendus.

23. *Sphadasmus depressus* (n. sp.): Rostro piceo, basi squamulato, thorace dorso deplanato et ferrugineo- vel fuscoferrugineo squamoso, parte deplanata plerumque anguste albido-cincta, vitta laterali fusca, elytris dorso antice planis, fusco-, albido- et ochraceo-squamulatis, circa scutellum plerumque macula suffusa majore albida, interstitiis 3 et 5 leviter elevatis, corpore subtus cum pedibus dense griseo-squamoso. — Long. 6—7 mill. Species thoracis dorso deplanato, medio vestigio tantum lineae elevatae, bene distincta.

24. *Helymaeus albilateris* (n. sp.): Niger, thorace lateribus argenteo-vittatis, leviter rotundatis, non angulatis, elytris cyaneis vel

obscure viridibus, dense rugose punctatis, subtus niger, prosterni lateribus mesothoracis et metathoracis episternis cum epimero, abdominisque lateribus argenteo-pilosis, metasterno itidem annulo marginali albo; pedibus nigris, femoribus anticis et intermediis rufis, antennis nigris, articulo tertio distincte sulcato. — Long. 11—15 mill. Variat pedibus omnino nigris.

25. *Hypocrites limbalis* (n. sp.): Elongatus, angustatus, viridiaeneus, elytris limbum versus lateralem plus minusve aurato-cupreis, sutura interdum cyanescentibus, antennis in utroque sexu 11-articulatis, articulis ultimis brevioribus et latioribus. — Long. 12—15 mill. Affinis *H. viridi* Pasc., praeter colorem elytris minus dense at multo fortius rugose punctatis diversus. Huic generi *Promeces suturalis* Harold etiam adnumerandus.

26. *Hypocrites longicollis* (n. sp.): Elongatus, gracilis, nitidulus, nigroviridis, antennis pedibusque nigris, femoribus obscure violaceis, mesosterno albido-pubescente; thorace subcylindrico, latitudine fere duplo longiore, dense fortiter punctato, linea irregulari media laevi, elytris coriaceis et praeterea sat distincte, praecipue ad basin laeviorem punctatis. — Long. 11 mill. Species thorace elongato elytrorumque sculptura notabilis.

27. *Hypocrites geniculatus* (n. sp.): Obscure viridis vel cyaneoviridis, capite thoraceque sat nitidis, hoc longitudine vix latiore, subrugose punctato, punctis medio rarioribus, elytris opacis, dense subtiliter rugulosis, lineis duabus elevatis obsoletis, pedibus rufis, posticis, tibiis tarsisque sicut et parte tertia apicali femorum nigrocyaneis, metatarso basi rufo. — Long. 17—20 mill. Proximi accedunt *H. fulvipes* et *manicatus*, hic femoribus anticis apice nigrocyaneis, ille pedibus posticis omnino violaceis discedens.

28. *Clytus Thomsoni* (n. sp.): Capite nigro, albido-villoso, thorace sanguineo, rugose punctato, quadrato, lateribus rotundatis, elytris nigris et leviter subviolaceis, fascia angusta ante medium, macula communi transversa post medium, extus angulata, apiceque testaceis, corpore subtus, pedibus antennisque nigris, abdominis segmentis 1 et 2 albomarginatis. — Long. 13,5 mill. Affinis *C. amoeno*, thorace multo breviore et elytris aliter coloratis omnino diversus. Speciem hanc Dom. H. Thomson, optime de cognitione Cerambycidarum merito, dedicatam voluimus.

29. *Cochliopalpus suturalis* (n. sp.): Cylindricus, niger, dense breviter pubescens, fronte, margine oculari, thoracis margine antico

et postico vittaque laterali, sutura limboque elytrorum rufis, his fortiter at parum profunde punctatis, obsolete subcostatis, maculis numerosis confluentibus rufotestaceis et praeterea setulis albidis adspersis, corpore subtus, femoribus basi tibiisque apicem versus rubro-pubescentibus. — Long. 28 mill. *C. Catherinae* minor, angustior, elytris subcostatis et leviter subrugatis, sutura limboque rufopubescentibus omnino diversus.

30. *Nupserha globiceps* (n. sp.): Rufotestacea, fronte globosa, macula parva intra oculos alteraque longitudinali postica, una utrinque ad medium disci thoracis dimidioque elytrorum postico nigris, his apice bidentatis; corpore subtus, cum vitta laterali prosterni, pedibus, anticis exceptis, antennisque nigris, his articulo quarto medio fusco-rufescente. — Long. 9 mill. Affinis *bidentatae*, abdomine nigro thoraceque ad latera minus nodoso diversa, praeterea a congeneribus vicinis fronte globosa elytrisque jam a medio fere nigris discedens.

31. *Oberea sansibarica* (n. sp.): Angustata, testaceo-rufa, elytris rufescente-fuscis, basi utrinque macula testacea postice acuminata flava, subtus cum pedibus omnino rufo-testacea, antennis nigris. — Long. 13 mill. Similis *pupillatae*, capite rufo staturaque angustiore diversa, macula triangulari flava baseos insignis.

32. *Oberea pagana* (n. sp.): Angusta, testaceo-rufa, elytris fuscis, parte quarta basali, ad latera angulatim producta, rufotestacea, antennis nigris; thorace latitudine fere duplo longiore, ante medium fortius, pone medium obsoletius transversim impresso, disco medio leviter convexo. — Long. 10 mill. Species thorace elongato bene distincta.

33. *Poecilomorpha sobrina* (n. sp.): Statura *P. afrae*, capite nigro, macula transversa frontali rufo-testacea, thorace omnino aequaliter parce punctulato, rufo-testaceo, maculis duabus magnis dorsalibus basi confluentibus nigris, elytris flavis, callo humerali nigronotato, corpore subtus cum pedibus nigro, antennis rufis. — Long. 8,5 mill. Omnino affinis *P. afrae* et forsan ejus varietas, at thorace basi minus angustato punctisque disci non ut in illa utrinque densioribus differre videtur.

34. *Melitonoma Hildebrandti* (n. sp.): Capite nigro, thorace rufotestaceo, macula baseos utrinque biloba nigra, elytris testaceo-rufis, utriusque macula humerali, apice ipso fasciisque duabus transversis nigris, pedibus nigro-piceis, tibiis omnibus usque ante apicem fla-

vis. — Long. 7 mill. *M. sobrinae* et *maculigerae* affinis, macula nigra in apice ipso elytrorum sicut et tibiis flavis apice piceis diversa. *M. confusa* Gerst. itidem similis, at pedibus omnino nigris dignoscenda.

35. *Melitonoma inconspicua* (n. sp.): Capite nigro, thorace elytrisque rufotestaceis, his utriusque maculis 5 nigris, 1 humerali, 2 et 3 mediis, 4 et 5 posticis, externis distincte post internas positis, corpore subtus cum femoribus nigris, tibiis tarsisque rufotestaceis. — Long. 4 mill. Valde affinis *M. litigiosae*, at multo minor maculis elytrorum oblique positis diversa.

36. *Miochira impressa* (n. sp.): Postice attenuata, glabra, capite nigro, fronte plana, rugosa, thorace rufo-testaceo, macula utrinque irregulari nigra, sulculo utrinque obliquo, scutello nigro, elytris vage fortiter punctatis, testaceis, callo humerali maculaque postica oblonga juxta suturam nigris; corpore subtus nigro, argenteo-pubescente, pedibus robustis, brevibus, testaceis, femoribus, tibiis anticis basi articulisque duobus primis tarsorum anticorum nigris, tibiis praecipue anticis, latis; elytris lobo pleurali valido, fere angulato. — Long. 7 mill. Species omnino notabilis.

37. *Gynandrophthalma ochropus* (n. sp.): Elongata, cylindrica, obscure coerulea, thorace antice angustato, disco laevi, ad latera parum dense punctato, basi media transversim impressa, elytris dense sat fortiter punctatis, pedibus laete ferrugineis, antennis nigris, articulis 1—2 et tertio basi rufis. Long. 6 mill.

38. *Cryptocephalus sansibaricus* (n. sp.): Capite nigro, fronte rugulosa, margine juxta oculos clypeoque rufotestaceis, thorace rufotestaceo, macula utrinque nigra subquadrata basi connexa, elytris striato-punctatis, rufotestaceis, macula humerali, altera fere media, fasciaque e maculis tribus confluentibus orta ante apicem nigris, corpore subtus nigro, abdominis basi media pedibusque rufo-testaceis, tarsis, tibiarum apice femorumque posticorum margine antico infuscatis. — Long. 7 mill. Discedunt: *Cr. pustulatus* tarsis rufis elytrisque subtilius striato-punctatis; *Cr. vinculatus* fronte macula magna transversa rufa pedibusque nigris; *Cr. senegalensis* capite rufo calloque humerali intus profunde sulcato; *Cr. apertus* Gerst. capite pedibusque omnino nigris.

39. *Cryptocephalus Hildebrandti* (n. sp.): Capite nigro, fronte media flavonotata, thorace flavo, lobis nigris quatuor basi connexis, mediis longioribus et medio confluentibus, elytris flavis, sutura,

macula humerali et disci utriusqne duabus, ramulo transverso inter se connexis, nigris; corpore subtus cum pedibus nigro. — Long. 3 mill. Valde affinis *Cr. maculicolli*, multo minor, pedibus nigris et macula humerali non ad basin producta diversus.

40. *Chrysomela sansibarica* (n. sp.): Nitida, rotundato-ovata, elytris valde convexis, maxima latitudine post medium, omnino piceo-aenea, elytris interdum subrufescentibus, vage sat fortiter punctatis, immixtis punctulis minimis, epipleuris antice latissimis sensim apicem versus angustatis. — Long. 9—10 mill. Omnino similis *Ch. ponderosae*, differt autem corpore minus oblongo, elytris latius rotundatis et magis convexis, immixtis, praecipue ad latera, punctulis minutis, epipleuris multo latioribus, prosterno postice acutius emarginato, virga maris antice rotundata, non obtuse angulata.

41. *Malacosoma unipunctata* (n. sp.): Ferruginea, elytris rufotestaceis, utriusque macula media transversa, corpore subtus cum pedibus nigro, abdomine rufo-testaceo, antennis nigris, articulo secundo breviore, reliquis fere aequilongis. Differt mas abdominis segmento quinto medio inciso, antennarum articulis 7 et 8 crassioribus, hoc subtus late obtuse dentato. — Long. 9—11 mill. Occurrit etiam ad Portum Natalensem et nomine *M. unipunctata* Chevrol. i. l. in musaeis vulgata. A *lusitanica* statura angustiore, thorace vix transverso, angulis anticis acutis et palpis tenuioribus discedit.

Obs. 1. *Gastrida abdominalis* Chap. etiam in terra sansibarica a Dom. Hildebrandt capta. Unguiculi nobis potius appendiculati quam fissi visi, genus igitur prope *Agelastica* melius situm. Mas species hujus notabilis differt a femina abdomine, praecipue basi inter femora, longe flavo-villoso.

Obs. 2. *Asbecesta cyanipennis* Harold (1877) etiam a Dom. Hildebrandt capta. Huc referendae *Aulacophora aeneipennis* Baly (1878) et *Malacosoma viridipennis* Chap. (1879).

Obs. 3. *Monolepta flaveola* Gerst., itidem a Dom. Hildebrandt lecta, ad genus *Candezea* Chap. referenda, quod genus a *Monolepta* antennarum articulo tertio praecedenti longiore tantum differt.

42. *Candezea basalis* (n. sp.): Capite ore nigro excepo, thoraceque rufotestaceis, elytris ferrugineis, scutello basique nigris, corpore subtus cum pedibus antennisque nigro, his articulo primo basi testaceo, 3 secundo tertio longiore, 4 praecedentibus duobus simul sumtis fere aequilongo. — Long. 5—6 mill. Habitû *Diacanthae*

duplicatae Gerst. valde similis, at corpore cum pedibus nigro et thorace non sulcato omnino diversa.

43. *Galerucella geniculata* (n. sp.): Oblonga, parum convexa, lurido-testacea, dense griseo-pubescens, capite tuberculis frontalibus maculaque triangulari ad marginem posticum nigris, thorace transverso, parvo, margine laterali medio angulato, dorso nigrofasciato, elytris dense distincte punctatis, non costulatis, pedibus testaceis, femorum medio, tibiis post basin tarsisque piceis, antennis nigris, articulis 1—3 testaceis dorso infuscatis, tertio sequenti nonnihil breviore. Mas articulo septimo apice hamato. — Long. 10 mill. *G. triloba*, *obscura* et *parvicollis* valde similes at discedunt: *triloba* elytris nitidioribus et subcostatis, thorace ad latera medio rotundato-prominulo, *obscura* thorace breviore, scutello latiore elytrisque minus confluenter fortius punctatis, *parvicollis* angulis posticis thoracis oblique truncatis, angulo marginali longe ante medium posito, elytris minus distincte punctulatis.

Gesammtsitzung der Akademie.

chrader las:

Lautwerth der Zeichen und im Assyrischen.

n und lautlicher Werth der beiden Schriftzeichen
(babylonisch) d. i. des durch Wiederholung des
und des anderen durch die Verbindung dieses selben
vorgefügten ( ) gebildeten Zeichens schienen längst
:. Seit der Zusammenstellung und Veröffentlichung as-
Syllabare durch Hincks und Rawlinson hat man sich
das erste Zeichen *ai*, das andere *ja* zu lesen. Und was
re Zeichen betrifft, konnte man sich für seine Lesung
i in einem Falle direkt auf die trilinguen Achämeniden-
berufen, wird hier doch das persische *Jauna(â)* (Behi-
., Inschr. von Naksch-i-Rustam) durch das assyrische
) d. i. *Ja-(a)-va-nu* wiedergegeben! Bestätigen
ten liess sich diese Lesung dazu durch den Hinweis auf
and, dass das betr. Zeichen in denselben trilinguen In-
sonst sehr gewöhnlich hinter einer Sylbe mit dem Vokale
t wie z. B. *Kambuzi-* ; *Dari-* *-vuš*; *Barzi-*
farti- ; *Artavarzi-* u. a. m. Und wenn der
: Name *Ar-* *-ramna'* gemäss Behist. 2, 2 das Äqui-
i pers. *Arijârâmna* ist, so war wiederum klar, dass das
( ) gerade nach einem vorhergehenden *i*-Vo-
Anwendung gebracht wurde. Weniger einfach lag die
dem Zeichen . Für dieses boten die Eigennamen
guen Inschriften kein direktes Äquivalent. Es war viel-
glich eine linguistische Combination, welche den Altmei-
Assyriologie, Sir Henry Rawlinson, dazu führte das
hen als *ai* zu lesen, nachdem er früher eine lautliche
elung (phonetic confusion) zwischen den Vokalen (? —)
angenommen hatte (Journal of Roy. Asiat. Soc. XIV, a
emoir p. 8 ann. 2).[1]) Und diese Combination stützte sich

,ongpérier R. A. IV, 2 p. 505; VII, 2 p. 444. 449 und
1849) auch Hincks lasen das Zeichen *i* bezw. *ia* und *yi*.
tere adoptirte später (1852) die Ansicht H. Rawlinson's.

augenscheinlich einfach auf die Erwägung, dass die assyrischen Beziehungsadjektive, welche den hebräischen und arabischen auf *î* (עִבְרִי etc.), sowie den aramäischen auf *âi* (פַּרְסַי, פַּרְסָיָא), auch den äthiopischen auf *âi* [*âvî*] entsprechen, die assyrischen in der Schrift auf die Endung 𒀀𒀀 ausgingen, welcher graphischen Endung selber demgemäss der Lautwerth *ai* zu eignen schien (s. noch Ménant, le Syllabaire Assyrien I (1869) p. 256 ss.), eine Combination, welche dazu durch den Wechsel dieses 𒀀𒀀 = *ai* mit 𒀀 𒅀 = *a-ja* in Varianten ihre Bestätigung und äusserlich graphische Rechtfertigung zu erhalten schien (siehe Henry Rawlinson a. a. O.). Auf Grund dieser Erwägungen hatte man nun bislang den in Rede stehenden Zeichen die Lautwerthe resp. *ja* und *ai* vindicirt. Inzwischen sind nun aber von einem scharfsinnigen jüngeren Gelehrten gegen diese Aufstellungen und Schlussfolgerungen erhebliche Zweifel und beachtenswerthe Einwände geltend gemacht worden. In seiner an feinen Beobachtungen und treffenden Bemerkungen reichen Schrift über „die sumerischen Familiengesetze“ (Lpz. 1879) sucht P. Haupt Seite 63 ff. die Unzulänglichkeit der bisherigen Aufstellungen zu erweisen und spricht sich schliesslich dahin aus (S. 65), dass 1) 𒀀𒀀 niemals, weder im Sumerischen, noch im Assyrischen den Lautwerth *ai* habe; 2) dass dasselbe 𒀀𒀀 im Inlaute im Assyrischen stets den Lautwerth *â* aufweise; 3) dass 𒅀 in gewissen Fällen, besonders in fremden Eigennamen und im Pronomen suffix. der ersten Person in seine Bestandtheile 𒄿 (*i*) und 𒀀 (*ja*) zu zerlegen und *iâ* zu lesen, also nicht etwa *Ja-hu-a*, *Ja-hu-da-ai*, sondern *'Ja'û'a*, *'Ja'udâ'a* (d. i. hebr. יָהוּא, chald. יְהוּדָי), ebenso nicht *a-bi-ja* „mein Vater“, *a-ḫi-ja* „mein Bruder“, sondern *abî'a*, *aḫî'a* u. s. w. zu sprechen sei; 4) endlich 𒀀𒀀 und 𒅀 im Anlaut den Lautwerth *i* zu haben schienen. Dass 𒅀 die Sylbe *i* bezeichne, sei dazu nicht befremdlich, so wenig wie es anderseits auffallen könne, dass 𒀀𒀀, also *a* + *a* = *i* sei: auch im Ägyptischen sei ja 𓇋 *a*, 𓇌 dagegen *i*, bzw. *î*. — Eine weitere Untersuchung der Frage scheint hiernach geboten. Wir stellen dieselbe im Folgenden an.

Will man über einen wie hier vorliegenden Einzelfall eine begründete Ansicht sich bilden, so wird man vorab auf das Wesen des Ganzen, in diesem Fall auf die generelle Beschaffenheit der assyrischen Schrift sein Augenmerk zu richten haben. Dieser ist nun anerkanntermaassen die Übung eigen, die Länge der Vokale dadurch anzudeuten, dass dem betreffenden Sylbenzeichen das Zeichen des in Betracht kommenden Vokals noch besonders und zwar einmal angefügt wird: *nĭ* wird ausgedrückt durch das einfache d. i. *ni*; lang *nī* dagegen durch d. i. *ni-i*; ebenso schreibt man *lŭ* lediglich d. i. *lu*; *lū* dagegen bzw. d. i. *lu-u*. Niemals und nirgends findet sich *nī* als und *lū* als als d. h. mit wiederholtem einfachen Vokalzeichen oder () geschrieben, wie das bei , wenn in Wirklichkeit lautlich $a + a = \hat{a}$, zu erwarten wäre. Im Gegentheil, wo sich für das eine dieser beiden Zeichen, für $= u$, eine solche Wiederholung desselben Vokalzeichens für das Auge in den Inschriften bietet, ist dieses ein zuverlässiger Fingerzeig, dass das eine der beiden identischen Sylbenzeichen in dem betreffenden Fall einen andern Werth als den des namhaft gemachten Vokals hatte! Wenn man z. B. in den Inschriften einem = *u-u-ḳi-tu* begegnet, so weiss man, dass man in diesem Falle eben nicht *u-u-ḳi-tu*, sondern *u-šam(šan)-ḳi-tu* zu lesen hat, worüber nachträglich die Varianten ohnehin keinen Zweifel lassen (I R. 9, 45). Der Ausdruck der Länge der mit dem Vokal *a* gebildeten Sylben durch gesonderte (zweimalige) Wiederholung des Sylbenzeichens für *a* als $+ = a + a$ wäre somit jedenfalls gegen die sonstige, sicher verbürgte Analogie innerhalb der assyr. Schrift. Und dass in der That in der weit überwiegenden Zahl von Fällen die Assyrer sich begnügen die Länge des Vokals auch bei den *a*-Sylben durch die einfache Beifügung eines einfachen, einzelnen besonderen *a*-Zeichens anzudeuten, ist unzweifelhaft. Wie sie, wenn sie bei dem Namen des Gebirges *Amānus* die Länge des mittleren Vocals überhaupt andeuten wollen, dieses durch einfache Beifügung des Zeichens *a* bewerkstelligen und also = *šad Ḥa-ma-a-ni* schrieben; vgl. *i'r Ḥa-u-ra-a-ni* = *Ḥaurâni* „Haurân" حوران; ebenso *i'r Ta-am-na-a*

= „*Tamnâ*“ d. i. תַּמְנָה u. a. m.[1]), so ist auch die Pleneschreibung der pluralischen Endungen *âni* und *âti* immer nur eine solche mit einfachem, besonderem [cuneiform] = [cuneiform] [cuneiform] und [cuneiform] [cuneiform]; niemals finde ich hier [cuneiform] [cuneiform] [cuneiform] oder [cuneiform] [cuneiform] [cuneiform] geschrieben. Dasselbe gilt von der Schreibung der nach äthiopischer Art gebildeten Numeralien der Zehner: [cuneiform] [cuneiform] [cuneiform] *i's-ra-a* = *i's-râ*; [cuneiform] [cuneiform] [cuneiform] [cuneiform] *ši'-la-ša-a* = *ši'lašâ*; [cuneiform] [cuneiform] [cuneiform] *ir-ba-a* = *irbâ* (die Var. [cuneiform] [cuneiform] [cuneiform] [cuneiform] steht vereinzelt); [cuneiform] [cuneiform] [cuneiform] [cuneiform] *ḥa-an-ša-a* = *ḥanšâ* (II Rawl. 62, 48—45 g. h. (vgl. ABK. 236)): auch hier wird die Länge des (auslautenden) *a*-Vokals lediglich durch ein dem Zeichen der auf den *a*-Vokal ausgehenden Sylbe nachgesetztes einfaches Zeichen für *a* = [cuneiform] ausgedrückt: niemals findet sich das Doppelzeichen [cuneiform]. Gleichzeitig erhellt, dass wenigstens in den aufgeführten Fällen es keinerlei Unterschied macht, ob der betreffende gedehnte Vokal in der Mitte oder ob er am Ende (oder Anfang) des Wortes sich findet. Auch die Schreibung des Duals *uznâ*, bezw. *uzunâ* „die beiden Ohren“ als [cuneiform] [cuneiform] [cuneiform] an Stellen wie I Rawl. 29, 33; 51 col. I, 5 (Borsippa) lässt sich hierfür anführen. In allen diesen Fällen, in denen auch durch die Bildung selber die Aussprache *â* verbürgt ist, wird immer nur ein einfaches [cuneiform] = *a* als Dehnungszeichen in Anwendung gebracht, niemals ein doppeltgesetztes.

Ebenso sicher lässt sich nun aber anderseits zeigen, dass dem Zeichen mit wiederholtem [cuneiform] = [cuneiform] wenigstens in einer Reihe von Fällen nicht der Lautwerth lang *â*, denn vielmehr der andere *ai* eignet. Es erhellt dieses ebensowohl aus der Wiedergabe

---

[1]) Vgl. auch aus den trilinguen Inschriften: [cuneiform] [cuneiform] [cuneiform] -*ri*-*ja-vuš* d. i. *Da-a-ri-ja-vuš* = pers. *Dârajavus* (Beh.; Nakṣch-i-R. u. sonst); [cuneiform] *Gu*- [cuneiform] [cuneiform] -*tuv* d. i. *Gu-ma-a-tuv* = pers. *Gaumâta* (Beh.); — [cuneiform] *U-vi-iz*- [cuneiform] [cuneiform] -*tav* d. i. *Uviz-da-a-tav* = pers. *Vahjazdâta* u. a. m. In einigen Fällen wird die Länge desselben auch wohl durch einen nachgesetzten Spiritus = [cuneiform] angedeutet (s. darüber unten); in wieder andern wird sie überhaupt nicht besonders ausgedrückt. Nie und nirgends aber dient zur Bezeichnung des langen *â* in den Eigennamen der trilinguen Inschriften das fragliche Zeichen [cuneiform]. Dieser Umstand könnte vielleicht allein schon als entscheidend betrachtet werden.

assyrischer Namen bei fremden Nationen, als auch aus derjenigen von fremdsprachlichen Namen seitens der Assyrer. In ersterer Beziehung sei hingewiesen auf = *Mada-* „Medien", welches an Stellen wie 1 Rawl. 35 I, 7 u. s. w. unzweifelhaft nur und ausschliesslich das Land (nicht die Bewohner!) bezeichnet und das von den Hebräern statt durch *Madâ* vielmehr durch *Madai* (מָדַי) wiedergegeben wird, was um so beachtenswerther, als die indogermanische, wahrscheinlich mit der alten heimischen sich deckende Aussprache *Mâda* war (Behistuninschrift u. s. w.); das auslautende *ai* der Hebräer hat eben darin seinen Grund, dass die Hebräer den Namen durch Vermittelung der Assyrer erhielten, welche den Namen *Ma-da-ai* = *Madai* sprachen. Ein zweites sicheres Beispiel liefert der Name = *Da-* *-uk-ku*, verglichen mit der griechischen Wiedergabe durch Δηιόκης, welche Wiedergabe für die Urform nothwendig in der Mitte einen *a-i*-Laut postulirt, der nur in dem inschriftlichen stecken kann. Ein drittes Beispiel repräsentirt der Gottesname Kaivân hebr. כִּיּוּן, syr. ܟܐܘܢ, arab. كَيْوان (für das hebr. כִּיּוּן, wie statt כִּיּוּן Amos 5, 26 zu lesen, s. uns. Bemerk. in Theol. Studd. u. Kritt. 1874 S. 827). Denn dieses ist das assyrische (II Rawl. 32, 25 s. Oppert im Journ. Asiat. 1871 p. 445). Ein viertes Beispiel liefert der Flussname Eulāus, bei den Griechen Εὔλαιος, auch Εὐλαῖος, inschriftlich (III Rawl. 19, col. III, 95). Ein weiteres bietet der jüdische Monatsname אִיָּר, ܐܝܪ bei den Armäern, identisch mit dem mesopotamischen *-ru* = *Ai-ru* (s. Monatsliste bei Norris I, 50; Fr. Del. Lesest. 2. A. S. 70). Ein sechstes solches liegt in dem Namen des babylonischen Königs Ἰλούλαιος (Ἰλουλαῖος? — vgl. des Josephus Ἐλουλαῖος) vor; denn dieser Name kann nur das babylonische *Ulul-ai* „Der vom Monat Elul" sein (Keilinschriften und Geschichtsforschung, Giess. 1878 S. 336 Anm.); das zu postulirende *ai* des assyrischen Beziehungsadjectivs aber wird im Assyrischen consequent geschrieben[1]). Der Wechsel dazu von dem von

---

[1]) Kanaanitisches אלולי wird dagegen folgerecht durch *Lu-li-i* wiedergegeben (vgl. Sanherib, Tayl. Cyl. II, 35; Stierinschrift III R. 12, 18; I Rawl. 43, 13).

diesem *ai* abgeleiteten *ait* mit *it* (s. darüber ABK. 214 sub no. 4) spricht wenigstens nicht für eine Aussprache *â* bzw. *ât* des oder der betreffenden assyrischen Sylbenzeichen. Wenn in andern Fällen, z. B. bei dem persischen Namen *Tschaišpiš* (*Caispis*) = assyrisch *Šišpiš*, der Vokal *ai* durch *i* wiedergegeben erscheint (Behist. babylon. Text I, 2. 31), so beweist bei demselben der sogenannte scythische Text, der *Šišpiš* (*Cispis*) bietet, dass die Incongruenz hier ihre besonderen Ursachen hatte; vergleiche auch Herodot's Τεΐσπης (mit ε und gesondertem ι) gegenüber desselben Δηιόκης (mit η + ι). Ohnehin folgt hieraus noch nichts für die Aussprache des assyrischen Zeichens [Keilschrift], das in diesem Namen nicht vorkommt. — Dass nicht minder aber umgekehrt assyrisches [Keilschrift] fremdsprachlichem *ai*, bzw. dem Mischlaute *e* entspricht, erhellt aus [Keilschrift], [Keilschrift] d. i. *mat Na-ba-*[Keilschrift]*-ti* „Nabatäa“, *mat Na-ba-*[Keilschrift]*-ta-*[Keilschrift] „der Nabatäer“ in den Inschriften Asurbanipals (s. die Stellen bei mir Keilinschriften und Geschichtsforschung S. 104 Anm. 1), vgl. hebr. נְבָיֹת. Zu beachten ist beiläufig hierbei auch noch der Wechsel von *Nabaiti* mit *Napiati'* (a. a. O. 104 ob., wo auch über die incongruente Aussprache *Niba'ati* nachzusehen ist). Analog wird das hebr. בְּנֵי־בְרַק Jos. 19, 45 durch *Ba-na-*[Keilschrift] *bar-ka* wiedergegeben (Sanh. Tayl. Cyl. II, 66). *Ur-sa-lim-mu* = hebr. ירושלים kann dagegen nicht angeführt werden; denn die assyrische Transcription dieses Namens geht sicher auf ein aramäisches אוּרִשְׁלֵם, יְרוּשְׁלֵם mit verkürztem Vokal in der letzten Sylbe zurück. Dagegen wieder gehört vielleicht noch hierher der arabische Königsname *La-*[Keilschrift]*-li-i'* = *Laili* (Asarh. Cyl. III, 40), falls derselbe mit arab. لُيَيْلِى zusammenzustellen ist; möglicherweise auch der andere *U-*[Keilschrift]*-ti'-'* (beachte die Var. [Keilschrift] *-u-ta-'*!) bei Asurbanipal Sm. 260, 9 u. ö., falls wir in einem solchen *Uaiti'* die arabische Deminutivbildung sehen dürfen.

Wir wenden uns nun zur Constatirung des lautlichen Thatbestandes für das Zeichen [Keilschrift]. Hier steht uns ein weit reicheres Material zu Gebote. Wie die Hebräer die im Assyrischen mit dem Zeichen [Keilschrift] geschriebenen griechischen Namen: [Keilschrift] = *Ja-ru-'* „Nil“ und [Keilschrift] = *Ja-a-va-nu* „Jonien“, „Griechenland“, durch ־יָ־, kopt. ιαρο, und יָוָן, das ist mit anlautendem *j*, wiedergeben (s. Asurb. Sm. 41, 31. 32; Achämenideninschrr. passim)[1]), so schrieben die Assyrer die hebräischen, kanaanäischen, persischen, mit einem consonantischen *j* sei es im Beginne sei es in der Mitte gesprochenen Namen ihrerseits mit 𒅀, das somit selber nur *j(a)* oder *j(e)* gelautet haben kann. Man vgl. יֵהוּא „Jehu", assyr. 𒁹 𒅀 *-u-a*; יְהוֹאָחָז „Joachaz", ass. 𒁹 𒅀 *-u-ḫa-zi*; חִזְקִיָּהוּ „Hizkia" *Ḫa-za-ḳi-* 𒅀 *-u* (Var. *Ḫa-za-ḳi-* 𒀀 *-u* s. darüber unten); kanaan. 𒁹 𒅀 *-ki-in-lu-u* „Jakinlû" (Asurb. Sm. 69, 64 u. ö.) vgl. יְכָנְיָהוּ; pers. *Arijârâmna*, babyl. *Ar-* 𒅀 *-ra-am-na-'*; persisch *Kambujija* babyl. *Kam-bu-zi-* 𒅀; pers. *Dârajavus* babyl. *Da-ri-* 𒅀 *-vuš*; pers. *Bardija* babyl. *Bar-zi-* 𒅀; des Ferneren: kanaan. יָפוֹ „Joppe" assyr. (𒌷) 𒅀 *-ap-pu-u*; יְהוּדָה „Juda" ass. (𒆳) 𒅀 *-u-di* u. a. m. In allen diesen Namen entspricht das assyrische Zeichen 𒅀 einer mit *j* anhebenden Sylbe, kann selber also nur einen mit *j* anhebenden Sylbenlaut ausgedrückt haben. Wenn bei einigen der angeführten Namen z. B. bei *Ḫazaḳijahu* (s. vorhin), aber auch sonst, z. B. ganz gewöhnlich bei dem Pronomen suffixum der ersten Person Sing. des Nomens, mit dem Zeichen 𒅀 das andere 𒀀 = *a* wechselt, so lehrt eine nähere Betrachtung, dass dieses — von dem Vorhergehen eines *u*, womit es eine besondere Bewandniss hat, abgesehen — dann der Fall ist, wenn bereits, wie bei den angeführten Eigennamen, die vorhergehende Sylbe (in dem betreffenden Falle die Sylbe *ḳi*) den *i*-Vokal in sich schliesst. Ebenso wechselt mit *mati-* 𒅀 „mein Land" ganz gewöhnlich *mati-* 𒀀 u. s. w. — Mit dem Ausgeführten stimmt übrigens auch das betr. Zeichen 𒅀 selber nach seinem graphischen Ursprunge, sofern dasselbe augenscheinlich aus den beiden Zeichen 𒄿 = *i* und 𒀀 = *a* äusserlich zusammengesetzt ist. Es gilt dieses insbesondere auch von den von Haupt für die gegentheilige Meinung angezogenen Beispielen:

---

[1]) Das Gentile zu dem Namen lautet *Ja-am(av)-na-ai* (Botta 36, 22; Sargon's Cylinderinschr. 21 u. ö.) s. Keilinschrr. u. Geschichtsforsch. S. 238. An יַבְנֶה, griech. Ἰαμνάι, Ἰάμνεια, Ἰάμνια (Ménant u. A.) ist bei letzterem nicht zu denken.

𒁹 𒅀-*u-a* „Jehu“ und 𒆳 𒅀-*u-di*, wie man sich durch einen Blick auf die Photographien und Originalabgüsse der betr. Inschriften leicht überzeugen kann: die betr. Zeichen bilden dermalen in der That nur ein Zeichen: die Schreiber lassen hierüber nicht den geringsten Zweifel.[1])

Als Resultat hätte sich bis jetzt herausgestellt, dass, soweit wir sehen können, in den Eigennamen und zwar den fremden ebensowohl wie den heimischen den betreffenden Zeichen 𒀀𒀀 und 𒅀 je die Lautwerthe *ai*, bezw. *ja* eignen, was bei dem Zeichen für *ja* auch mit der äusseren, graphischen Form des Zeichens in Harmonie ist: das betreffende Zeichen (𒅀) ist eben aus den beiden besonderen Zeichen 𒄿 und 𒀀 lediglich zusammengesetzt. Dass anderseits das durch Wiederholung des einfachen 𒀀 = *a* gebildete Doppelzeichen 𒀀𒀀 mit dem Lautwerthe *ai* ausgestattet erscheint, verliert sein Auffälliges durch die bereits von Haupt selber beigebrachte Analogie der ägyptischen Schrift, in welcher dem einfachen 𓇋 der Lautwerth *a* (nach Lepsius ist es genauer der Spiritus lenis), dem gedoppelten 𓇌 dagegen das grundverschiedene *i* eignet (s. o.[2])). Für das Assyrische selber steht z. B. auf 𒎙 d. i. rein äusserlich 𒌋 + 𒌋 *u* + *u* zu verweisen, dem aber dieser seiner graphischen Gestalt wegen nicht etwa der Lautwerth lang *û* eignet, denn vielmehr der grundverschiedene *man*, bezw. *niš*.

Wenn nun aber das Ausgeführte, so wie dargelegt, in Bezug auf den Lautwerth der betreffenden Zeichen bei den Namen gilt,

---

[1]) Jener Satz wird auch durch den Hinweis auf die neben der Schreibung 𒆳 𒅀-*at-na-na* „Land Jatnan“ auf den Stierinschriften Sargons sich findende weitere 𒆳 𒀜 -*na-na* = *Atnana* (s. darüber Keilinschrr. u. Geschichtsforsch. S. 242 Anm.**) nicht entkräftet werden können. Abgesehen davon, dass wir gar nicht wissen, welchem fremdländischen Namen der betreffende in Wirklichkeit entspricht, sind die Stierinschriften den anderen Sargonsinschriften gegenüber auch sonst durch graphische Eigenthümlichkeiten und Absonderlichkeiten ausgezeichnet. Zudem würde dieses Beispiel für 𒅀 gar auf eine Aussprache *a* führen, die doch ganz sicherlich nicht in Frage kommen kann; Haupt selber vermuthet für das betr. Zeichen, wenn es, wie hier, im Anlaut steht, den Lautwerth *i* (?).

[2]) Vgl. hierfür bereits Longpérier in Rev. Arch. VII, 2 p. 444.

so wird Jedermann wohl von vornherein zugeben, dass es dann zum Mindesten höchst seltsam, wenn nicht unerhört und einfach unglaublich sein würde, wenn bei Appellativen sich die Sache anders verhalten und hier dem betreffenden Zeichen ganz andere Lautwerthe zukommen sollten. Dieses aber würde der Fall sein, wenn es mit den weiteren Sätzen seine Richtigkeit hätte, dass nämlich sowohl dem Zeichen 𒀀, dem, entgegen der Behauptung des Genannten, zweifellos wenigstens bei den Eigennamen der Lautwerth *ai* zukommt, einmal, im Inlaute, der Lautwerth *a*, und dazu im Anlaute, zugleich mit dem Zeichen 𒅀, wahrscheinlich der andere *i* eigne (Haupt s. o.). Schon an sich würde eine solche lautwerthige Hypertrophie im höchsten Maasse befremdlich sein. Es ist richtig, dass wir für *u* durchweg zwei ganz gleichwerthige Zeichen im Gebrauch sehen (𒌑 und 𒌋). Aber beide Zeichen drücken ein jedes immer nur einen Vokal (*u*) aus, nicht daneben zugleich sei es ein *a*, sei es ein *u*, und das ist eben in der Natur der Sache begründet. Hier dagegen würden wir, durch ein und dasselbe Zeichen ausgedrückt, dreien ganz verschiedenen vokalischen Werthen *ai*, *â* und in gewissen Fällen sogar *i* begegnen, und bei dem Zeichen 𒅀 würden wenigstens 2 derartige Werthe (*ja* und *i*) im Gebrauch erscheinen. Man verlangt zum Mindesten bestimmte Gesetze, durch welche der verschiedene Gebrauch der betr. Zeichen in gewissen Fällen geregelt würde. Haupt glaubt nun allerdings auch solche gefunden zu haben. Nach ihm eignet ja (s. o.) dem Zeichen 𒀀 der Lautwerth *â* im Inlaute, im Anlaute dagegen schiene demselben der Lautwerth *i* zuzukommen. Ebenso habe das Zeichen 𒅀 den Lautwerth *ja* als *i-a* zwar in Fremdwörtern und im Pron. suffixum der ersten Person, sonst aber im Anlaute ebenfalls den Lautwerth *i*. Schon an sich müsste eine solche Reservirung gewisser Lautwerthe eines Zeichens für eine gewisse Stelle der Wörter (sei es Anfang, Mitte oder Ende) im höchsten Maasse überraschen, jedenfalls wäre auf dem Gebiete der assyrischen Schrift eine Ausstattung der Zeichen mit verschiedenen bestimmten einfachen vokalischen Lautwerthen und in dieser Weise unerhört[1]). Nun aber haben wir bereits gesehen, dass jener Doppel-

---

[1]) Ein Satz, der beiläufig auch nicht durch Schreibweisen umgestossen wird, bei denen ein sonst andersartig, z. B. vokalisch, aber auch consonantisch gebrauchtes Zeichen lediglich dem formalen Zwecke

satz in beiden Fällen wenigstens durch die Schreibung der Eigennamen durchbrochen wird. Wie denn ist er sonst begründet?

Dass zuvörderst das Zeichen im Inlaute und zwar nach einer mit *a* auslautenden Sylbe in gewissen Fällen wie bei den Eigennamen den Lautwerth *ai* hat, ergiebt sich mit Sicherheit aus der doppelten Erscheinung, einmal dass bei den Nominibus *ta-* *-ar-tu* „Rückkehr“ und *ka-* *-nu* „fest“ in Varianten je *ta-* *-ar-tu* und *ka-* *-nu* geschrieben wird (Asurn. I, 24; II, 15), und anderseits aus demselben ganz gewöhnlichen Wechsel bei der Endung der Nomina gentilicia wie *Muš-ka-a-* Tigl. Pil. I col. I, 63 neben *Mus-ka-* (Khors. 151); *Ku-mu-ḫa-a-* neben *Ku-mu-ḫa-* Asurn. III, 96 (s. KG. 156). Vgl. ferner die Variante zu in den Gentilicien Asurn. I, 55 (zweimal); 57 [vgl. auch KG. 145]; 96; II, 22; III, 59[1]); ferner Asurb. Cyl. B VI, 62 (III R 33): *Habla-* neben *Habla-*, u. a. m. Da nun in dem die Variante bildenden Zeichen unter allen Umständen, es mag nun hier *i-a* oder (Haupt) bloss *ī* gesprochen sein, irgendwie der *i*-Vokal steckt, so leuchtet ein, dass auch in dem parallelen Zeichen ein solcher *i*-Vokal enthalten ist und dasselbe nicht das Zeichen für ein reines (langes) *â* (Haupt) gewesen sein kann: die Substitution des langen *â*-Vokals durch ein *ia* oder einfaches *i* erscheint in diesen Fällen undenkbar (dass das *Til-abna-* statt *Til-abna-* Asurn. III, 55 lediglich auf einem Versehen

. . . .

der Dehnung eines Vokales dient, wie wenn z. B. statt *Ḫumrî* theils *Ḫu-um-ri-i*, theils *Ḫu-um-ri-a*, statt *u-ṣî* theils *u-ṣi*, theils *u-ṣi-a* (Monolith Salmanassars II, 66); statt *Sapî* theils *Sa-pi-i'*, theils *Sa-pi-ja* (Tigl. Pil. in II Rawl. 67, 23 vgl. mit 27) geschrieben wird, oder aber wie wenn die trilinguen Inschriften das auslautende lange *u* in den pluralischen Verbalformen statt mit *u* mit *u-'* (mit) schreiben z. B. *it-ti-ik-ru-'* Beh. 1, 16, *it-tal-ku-'* ebend. u. ö. Es wird denn doch Niemandem in den Sinn kommen, wegen dieser Verwendung der Zeichen und denselben die resp. Lautwerthe *i* und *u* beizulegen oder aber etwa umgekehrt, weil I R. 17, 21 und sonst mit *na-* *-du* = *na'du* auch *na-* *-du* = *nâdu* wechselt, nun dem Hauchzeichen geradezu den Vokalwerth des Zeichens zu vindiciren! —

[1]) S. hierzu bereits H. Rawlinson in JRAS. XIV. Mem. 8. Ihn hatte wohl auch Oppert GGA. 1879 S. 1621**) im Auge.

des Tafelschreibers (oder aber des Herausgebers?) beruht, beweist das nur acht Zeilen weiter (Z. 63) sich findende correcte *Til-abna-*). Dass man mir gar vollends nicht das gut verbürgte () *Kam-ma-nu-u-* „der Chammanäer" bei Sargon, Stierinschrr. Botta 26, 19; 28, 27; 32, 24; 36, 23; 41, 34; 44, 26 (hier kurzes *u*!-); 54, 30; 62, 26 entgegenhalten wird, darf ich ja wohl nicht besorgen: der Übergang des sonst als Endung der Gentilicia erscheinenden (= *ai*) in = *a* ist nach dem Übergange des parallelen (= *ja*) in *a* in Fällen wie *ḳa-tu-u-a* = *ḳati-ja* (s. die Var. Assurb. IV, 126 in III Rawl. pl. 20 und vgl. die babylonischen Inschriften mit ihrem *ga-tu-(u)-a*) zu beurtheilen d. h. aus dem Einflusse des dem *ja* vorhergehenden *û* zu erklären (ABK. S. 246 Text und Anm. 2), wie denn ohnehin zum Überflusse in der Parallelstelle Porte *k*, Taureau 2 p. 48, 26 einmal auch geradezu *Kam-ma-nu-* d. i. *Kammanuai* geschrieben ist [1]).

---

[1]) Wenn neuerdings J. Oppert in den Gött. gel. Anzz. 1879 S. 807 das beregte *Kammanûa* statt für das Beziehungsadjectiv, welches es ist, für den Landesnamen selber erklärt, der nämlich *Khammanûa*, nicht *Kammanu* gewesen sei, wie wir Anderen auf Grund von Botta 81, 10. 13; 148, 10 bisher gemeint und gelehrt haben, so ist dieser arge Missgriff wohl nur aus dem Eifer polemischer Art zu erklären, in welchen der Betreffende sich allmählich hineingeredet hat, — spricht doch er selbst da, wo Polemik nicht ins Spiel kommt, ganz unbefangen und richtig von einem *mat Kammanu* und einem „Lande Khamman" (Khorsabadinsch. Z. 82; Records of the Past VII, 38), dazu von *Ḥammanûa* als dem „Chammanäer" (Inscriptions de Dour-Sark. 4, 34)! — — Übrigens statt *Kammanu* nun wieder mit Rücksicht auf das Griechische Χαμμανηνή *Ḥammanu* zu transcribiren, liegt kein Grund vor, da die Wiedergabe des bei den Semiten durch *k* bezeichneten Lautes durch ein griechisches χ ganz gewöhnlich ist (vgl. statt aller sonstigen Beispiele assyr. *Kaldi(ai)* mit hebr. *Kasdim*, griech. Χαλδαῖοι), und da der Lautwerth *ḥam* dem betreffenden Zeichen jedenfalls erheblich seltener eignet, als der andere *kam*. Assyrisches oder von den Assyrern so wiedergegebenes *ḥ* anderseits wird von den Griechen im Anlaut sonst gern entweder als ganz weicher Hauchlaut aufgefasst und demgemäss durch Spiritus lenis angedeutet vgl. assyr. *Ḥamanu* „Amanus" = griech. Ἀμανός; *Ḥabur* = Ἀβόῤῥας (neben Χαβώρας), oder aber zu *k* erhärtet, wie in Κάῤῥαι = hebr. חָרָן, assyr. *Ḥarranu*; Κιλικία = חֵלֵךְ, assyr. *Ḥilakku* u. a. m. Für Letzteres s. H. Gelzer in Ägypt. Ztschr. 1875 S. 17.

Steht nun hiernach fest, 1) dass das Zeichen [Keilschriftzeichen] in Eigennamen durchweg den Lautwerth *ai* hat; 2) demselben bei Appellativen jedenfalls nicht der Lautwerth *á* eignet, da ja das Zeichen mit *ja* wechselt, so wird jeder Unbefangene sich fragen, warum denn bei den Appellativen dem betreffenden Zeichen nicht auch jener sonst constatirte Werth *ai* und zwar im Inlaute, wie im Anlaute zukommen solle? — Dass dieses wenigstens das sei, was von vornherein zu erwarten, wird man mir zugeben. Untersuchen wir das Einzelne. Wie steht es zunächst mit der Aussprache des Zeichens [Keilschriftzeichen] für den Anlaut? Haupt ist geneigt, in diesem Falle dem Zeichen [Keilschriftzeichen] (wie auch dem andern [Keilschriftzeichen]) den Werth *i* zu vindiciren. Nun aber haben wir gesehen, dass zwar das Zeichen [Keilschriftzeichen] freilich mit dem andern [Keilschriftzeichen] im Inlaut wechselt, aber dieses so, dass dadurch für das erstere zunächst der Lautwerth *á*, nicht minder aber auch der Lautwerth *i* kategorisch ausgeschlossen ist: ein *tir-ti* konnte nie und nimmer *ta-a-* [Keilschriftzeichen] *-ar-ti* oder *ta-* [Keilschriftzeichen] *-ar-ti* (s. o.) assyrisch geschrieben werden und *tairti* wäre gerade nach Haupt selber eine unmögliche Bildung. Es folgt daraus, dass, wie die Lautwerthe *ai* und *ja* je den Zeichen [Keilschriftzeichen] und [Keilschriftzeichen] sicher eignen, so anderseits der Lautwerth *i* denselben zunächst nicht im Inlaute, dann aber weiter vermuthlich auch nicht im Anlaute eignen werde. Diese letztere Annahme hat um so weniger Wahrscheinlichkeit, als ja für den Lautwerth *i* bereits ein anderes Zeichen im Gebrauch ist, ein Wechsel aber zwischen jenen beiden Zeichen einerseits, dem Zeichen [Keilschriftzeichen] anderseits, wie ein solcher nach der Analogie des Wechsels von [Keilschriftzeichen] und [Keilschriftzeichen] zu erwarten wäre, in den Texten mit Nichten vorliegt. Niemals wechselt mit [Keilschriftzeichen] *-bu* „Feind", [Keilschriftzeichen] *-lu* „Widder", [Keilschriftzeichen] *-umma* „irgendwer" u. s. w., ein [Keilschriftzeichen] *-bu* = *i-bu*, [Keilschriftzeichen] *-lu* = *i-lu*, [Keilschriftzeichen] *-umma* = *i-um-ma* u. s. w., während wir doch einem [Keilschriftzeichen] *-bu* = *ja-bu*, [Keilschriftzeichen] *-umma* = *ja-umma* etc. begegnen? — Allerdings verweist F. Delitzsch bei Haupt S. 75 für die Aussprache *î* (*é*) des Zeichens [Keilschriftzeichen], wenn es Prohibitivpartikel ist, auf zwei Stellen der mythologischen Tafeln, nämlich auf eine mir nicht zugängliche der Izṭubarlegenden und auf die Stelle Rev. 19 der „Höllenfahrt des Istar". Allein abgesehen davon, dass das gefärbte *i'* noch immer nicht das einfache *i* ist, dass weiter auch, selbst wenn man die Erklärung Delitzsch's (*i' bi-i'l-ti* „nicht, o Herrin!") adoptirt, der Sinn des betreffenden Verses doch noch recht dunkel bleibt, so fragt es sich dazu noch, ob jenes exclamative *i'* mit jener Prohibitivpartikel (*ai*) überhaupt zu identificiren ist. Ob aber das äthiopische ኢ zur Erläuterung herangezogen werden kann, seinen Zusammenhang mit assyr. 𒅀 zugegeben, lassen wir dazu dahingestellt. In dem Assyrischen mit seiner starken Degenerirung der diphthongischen Laute sollte sich die Spur des Mischlautes in der Schreibung mit dem gefärbten *i'* = 𒄿 erhalten haben, im Äthiopischen ኢ = *'i* dagegen nicht?

Dass nun aber das Ausgeführte für das Zeichen 𒅀, auch was den Inlaut anbetrifft, gilt, folgt für mich mit Sicherheit aus dem bereits S. 280 von mir aufgezeigten Wechsel der Beziehungsadjective auf 𒅀 mit solchen auf 𒉿 (vgl. auch *ta-* 𒅀 *-ar-tu* und *ka-* 𒅀 *-va-nu* in ihrer Schreibung mit 𒉿 an den betr. Orten).

Aus dem Vorstehenden dürfte klar sein, dass die graphischen Instanzen entschieden für die bisherige Ansicht von den lautlichen Werthen der in Rede stehenden Zeichen sprechen. So erübrigt lediglich noch die Erörterung der im engeren Sinne linguistischen Gründe, welche für die gegentheilige Ansicht geltend gemacht werden.

An die Spitze seiner Argumentation stellt Haupt den Satz, dass das Assyrische jeden Diphthong in einen einfachen Laut verwandle, demnach jedes *ai* nach assyrischem Lautgesetze in *i'* = 𒄿 übergehen müsse, so dass weder für ein Zeichen *ai* noch für ein Zeichen *ja* unter den assyrischen Lautwerthzeichen Platz sei. Nun ist es zweifellos ein grosses Verdienst Haupt's, dieses Gesetz der Monophthongisirung der semitischen Diphthonge für gewisse Fälle im Assyrischen aufgezeigt zu haben. In der ausschliessenden Anwendung dieses Gesetzes aber vermögen wir ihm nicht zu folgen. Der oben S. 280 aufgezeigte Wechsel von 𒅀 und 𒉿 auch im Inlaut nöthigt selbst bei Haupt's eigenen Annahmen betreffs der Lautwerthe dieser Zeichen zu der Statuirung diphthongischer Laute. Anderseits kann darüber kein Zweifel sein, dass in der Mitte der Worte und nach einer auf den Vocal *a* auslautenden Sylbe zuweilen statt des gedoppelten 𒀀 = 𒅀 vielmehr ein einfaches 𒀀 auftritt und mit jenem wechselt; ja unter Umständen begegnet uns lediglich das Zeichen, das entsprechend dem Zeichen für die mit *a* beginnende Sylbe eine mit *a* anhebende Sylbe ausdrückt. Zu den von Haupt beigebrachten Beispielen *u-ka-* 𒀀 *-an* (und *u-kan*) neben *u-ka-* 𒀀𒀀 *-an*, *ta-* 𒀀 *-rat* neben *ta-* 𒀀𒀀 *rat*, *da-* 𒀀 *-an* neben *da-* 𒀀𒀀 *-an* (*nur*) füge ich aus einem Syllabar (s. II Rawl. 12 Rev. 29 b) noch hinzu: *utta-ar* d. i. *uttar*, das sich zu *u-ti'-ir* = *uti'r* wie *u-na-ak-kar* = *unakkar* zu *u-na-ki-ir* = *unakir* (II Rawl. 11, 58. 62 h) einerseits, *u-ka-* 𒀀 *-an* II R. 11, 68 h zu *u-ki-in* (66) anderseits verhält, wofür im letzteren Falle die Schreibung der pluralischen Person *u-ka-an-nu-u* d. i. *ukannû* 69 h (geg. ABK. 23) noch die hier besonders erwünschte urkundliche Gewähr übernimmt. Den auf das Vorstehende gegründeten Schluss Haupt's nun aber, dass demgemäss jene Schreibungen dieselbe Aussprache voraussetzten und dass insbesondere auch *u-ka-* 𒀀𒀀 *-an*, *ta-* 𒀀𒀀 *-rat*, *da-* 𒀀𒀀 *-nu* u. s. f. *ukân*, *târat*, *dânu* zu sprechen wären, müssen wir ablehnen. Bei einer solchen Annahme sind die oben aufgezeigten Varianten *tajartu* und *kajanu* schlechterdings nicht zu erklären und zu begreifen. Folgerichtig und sachlich zulässig scheint mir vielmehr einzig die Annahme, dass eben zwei Aussprachen derartiger Wörter (soviel ich sehe, findet sich die Erscheinung nur bei Bildungen von mittelvokaligen Wurzeln) neben einander bestanden, bezw. im Laufe der Zeit sich herausgebildet hatten. Vielleicht ging in gewissen Fällen ursprüngliches langes *â* (das in der Schrift unter Umständen auch als *ă* bezeichnet werden und zum Ausdruck gelangen konnte) in den Mischlaut *ē* über, ein Laut, der dann aber, da die assyrische Schrift besondere Zeichen für Mischlaute überhaupt nicht besitzt, durch das für den Diphthong *ai* gebräuchliche Zeichen, also 𒀀𒀀 angedeutet worden wäre. Wie immer man sich aber auch linguistisch jenen Wechsel von *â* und *ai* zurechtlegen möge, an der Anerkennung der, wie wir gezeigt zu haben glauben, unzweifelhaften Thatsache der Existenz von Zeichen für die Laute *ai* und *ja* in der assyrischen Schrift und der Verwendung der Zeichen 𒀀𒀀 und 𒄿𒀀 je für den betreffenden kann uns dieser Wechsel nicht irre machen.

11. März. Gesammtsitzung der Akademie.

Hr. v. Sybel las über die Schenkung von Kiersey.

Hr. Helmholtz las:

Über Bewegungsströme am polarisirten Platina.

Meine unter dem 7. Februar 1879 der Akademie mitgetheilten Betrachtungen über die capillar-elektrischen Phänomene veranlassten mich zu untersuchen, in wie weit ähnliche Vorgänge bei den Bewegungen einer elektrolytischen Flüssigkeit längs polarisirter Platinplatten Statt fänden. Dass bei solchen Bewegungen starke Veränderungen der Stromstärke vorkommen, war seit alter Zeit bekannt. Ich habe der Akademie schon am 26. Nov. v. J. über diese Versuche berichtet.

Dabei mischten sich aber verschiedene, bisher noch nicht eingehend untersuchte Einflüsse ein, die, wie mir scheint, hauptsächlich durch Eintritt und Ausscheiden occludirten Wasserstoffs in das Platina bedingt sind, zum Theil auch durch die Widerstandsänderungen, welche die Fortführung der Jonen in der Flüssigkeit hervorbringt. Diese Vorgänge erforderten noch eine besondere Untersuchung, ehe die ziemlich verwickelten Wirkungen der Flüssigkeitsströmung unter einheitliche Gesichtspunkte gebracht werden konnten. Im Folgenden gebe ich eine Zusammenfassung der von mir gefundenen Ergebnisse.

Methoden der Beobachtung.

Es handelte sich darum die Wirkungen, welche die Polarisation jeder einzelnen Elektrode hervorbringt, unabhängig von der gleichzeitigen Polarisation der andern Elektrode zu untersuchen. Dabei mussten Verunreinigungen der elektrolytischen Flüssigkeit auch mit den minimalsten Mengen solcher Metalle, die durch Wasserstoff reducirt oder durch Sauerstoff als Superoxyde niedergeschlagen werden können, vermieden werden.

Die folgenden Versuche sind angestellt an Elektroden von Platindraht (0,5^{mm} dick, 60^{mm} lang, in Glas eingeschmolzen, wo sie die Flüssigkeitsoberfläche schnitten), welche in Wasser, das mit Schwefelsäure ein wenig säuerlich gemacht war, tauchten. Die einem solchen Drahte entgegengestellte zweite Elektrode bestand in einzelnen Versuchsreihen, wo der Platindraht hauptsächlich als Kathode gebraucht wurde, aus Zinkamalgam, welches unter diesen Umständen keine Polarisation annimmt, und bei den schwachen Strömen, die gebraucht wurden, nur sehr langsam Zink an die Flüssigkeit abgiebt. In vielen andern Versuchsreihen wurde dagegen statt einer einfachen zweiten Elektrode ein Paar von Platinplatten gebraucht, zwischen denen dauernd durch zwei Daniells ein schwacher, Wasser zersetzender Strom unterhalten wurde. Diese beiden Elemente ohne Thonzelle waren so eingerichtet, dass man durch tägliches Zugiessen von etwas mit Schwefelsäure angesäuertem Wasser die Schicht entfernen konnte, in der die unten stehende schwere Kupfervitriollösung in das darüber stehende saure Wasser diffundirte. So war es möglich die beiden Elemente viele Monate lang fortdauernd wirken zu lassen und in unverändertem Zustande zu erhalten. Die Batterie war ausser durch die beiden Platinplatten in der Flüssigkeit, auch noch durch einen Widerstand von 2000 Quecksilbereinheiten (Siemens'sche Widerstandsscalen) geschlossen, und von einer beliebig veränderlichen Stelle dieser Nebenleitung eine metallische Leitung durch ein kleines, schnell bewegliches und schnell gedämpftes Thomson'sches Galvanometer zu der drahtförmigen Platinelektrode geführt. Da durch die fortdauernd, wenn auch unsichtbar, vorgehende Wasserzersetzung jede Spur einer hinzukommenden andern Polarisation der grossen Platinplatten bald ausgeglichen wird, und die Drahtelektrode ausserdem wegen ihrer kleinen Oberfläche eine erhebliche Polarisation annehmen kann, ehe diese auf der etwa 50 Mal grösseren Oberfläche der wasserzersetzenden Platten merklich wird: so verhielt sich in der That diese Combination so, als wäre das Paar der Platinplatten eine unpolarisirbare Elektrode, welche frei von dem Nachtheile war die Zusammensetzung der Flüssigkeit durch Auflösung oder Niederschlag zu verändern. Nur muss vermieden werden in der Umgebung der Wasserstoffplatte Wasserströme zu erregen. Die hier in Betracht kommenden Versuche, mit dieser Combination ausgeführt, gaben ganz die gleichen Resultate, wie die mit dem als Anode unpolarisirbaren Zinkamalgam. Mittels der genannten Nebenschliessung konnte man jeden beliebigen Werth elektromotorischer Kraft zwischen jenen beiden Platinplatten und dem Elektrodendrahte wirken lassen. Gewöhnlich wurde noch ein zweiter gleicher Elektrodendraht *B* angewendet, und fortdauernd ähnlichen elektromotorischen Kräften wie *A* ausgesetzt, theils um beide Elektroden auch gegen einander gesetzt durch das Galvanometer zu verbinden und die Ströme bei Erschütterung der einen oder andern im stromlosen Zustande zu beobachten, theils um die eine von ihnen etwas geänderten Bedingungen auszusetzen, während die andre in unverändertem Zustande blieb, und dadurch den Einfluss solcher Veränderungen unabhängig von sonstigen Störungen festzustellen. Das Schema der Leitungen war also das beistehende:

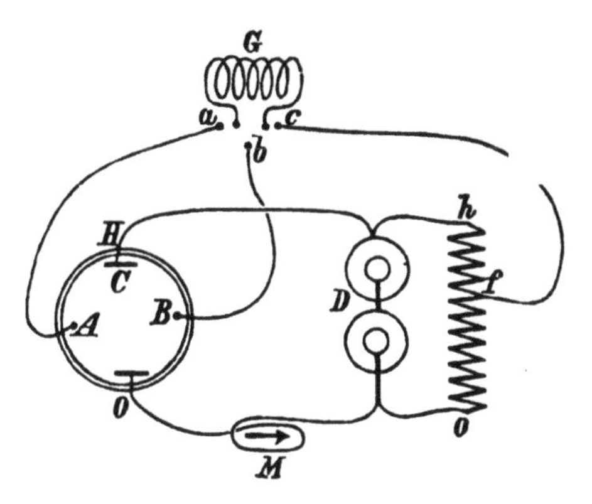

C ist ein grosses rundes Glasgefäss mit dem sauren Wasser gefüllt, *H* und *O* sind die beiden Wasser zersetzenden Platinplatten, *A* und *B* die beiden Drähte, *D* die beiden Daniells, *oh* die Scala von 2000 Widerstandseinheiten, *Aa*, *Bb*, *fc* die zum Galvanometer *G* führenden Drähte. Je nach der gewählten Verbindung konnte gleichzeitig *A* und *B* über *c* und *f* mit der Batterie verbunden werden, wobei das Galvanometer entweder in *Aac* oder in *Bbc* lag, oder die Leitung war *AaGbB*, wobei die etwa bestehenden Differenzen des Zustands von *A* und *B* sich geltend machen. Zur Controlle der Stromstärke des Wasser zersetzenden Stroms war noch ein Multiplicator in den Zweig *OD* eingeschaltet. Der Widerstand der beiden Daniells mit den Verbindungsdrähten zur Scala *oh* betrug im Mittel 72 *S.* Der Strom durch die Flüssigkeit war theils wegen der Polarisation der Platten *H* und *O*, theils wegen des grossen Widerstands der Flüssigkeit so geschwächt, dass die Unterbrechung desselben die Stromstärke im Zweige *oh* kaum beeinflusste. Nimmt man den Mittelpunkt der Scala als Nullpunkt für die in den Zweigen *Af* und *Bf* wirkenden elektromotorischen Kräfte 𝔈 und charakterisirt diese durch die Angabe der Widerstandseinheiten *S*, die entweder nach der positiven Seite (Zinkpol) oder nach der negativen (Kupferpol) zwischen *f* und der Mitte liegen, so ist die Grösse von 𝔈 auf Daniells zurückzuführen, wenn man mit 1036 dividirt. Die hier gebrauchten Daniells enthalten Kupfer in concentrirter Kupfervitriollösung und amalgamirtes Zink in schwach angesäuertem Wasser.

In den mit amagalmirtem Zink als zweiter Elektrode construirten Ketten wurde die Platte *O* weggenommen und statt *H* das flüssige Zinkamalgam in einem Porcellanschälchen eingesetzt. Ein in das Amalgam eintauchender, von Glas umgebener Platindraht leitete hinaus nach *D* hin. Der dem früheren Nullpunkt sich ähnlich verhaltende Punkt der Scala lag dann aber um 450 *S* mehr nach der negativen Seite der Scala hin.

Die Phänomene der eintretenden und verschwindenden Wasserstoff-Occlusion.

Wenn man *f* mit *o* verbindet, also 𝔈 = — 1000 macht, dann diese Verbindung 4 bis 8 Tage wirken lässt, um allen occludirten Wasserstoff aus den Drähten *A* und *B* durch Sauerstoffentwickelung an ihrer Oberfläche zu entfernen, und abwartet, bis der anfangs stärkere Strom durch die Drähte nicht weiter sinkt: so entspricht der Draht beim Übergange zu Werthen von 𝔈, die zwischen — 900 und 0 liegen, ziemlich gut der von Sir W. Thomson ausgegangenen Auffassung, wonach bei einer zur Wasserzersetzung unzureichenden elektromotorischen Kraft die Oberfläche einer Elektrode sich wie ein Condensator von äusserst geringer Dicke des isolirenden Mediums verhält. Das heisst: bei jeder Verringerung der elektromotorischen Kraft zwischen diesen Grenzen erfolgt eine kurz dauernde negative Schwankung der Stromstärke, bei jeder Verstärkung eine ebenso kurz dauernde positive Schwankung, die schon nach 2 bis 3 Minuten fast vollständig wieder verschwunden ist. Allerdings bleibt ein sehr geringer negativer (anodischer) Strom dauernd bestehen, der wohl als ein von den im Wasser aufgelösten Gasen (unter denen auch Wasserstoff von der Platte *H* ist) herrührender Convectionsstrom zu deuten ist.

Der Vorgang ändert sich, wenn man die Grenze $\mathfrak{E} = 0$ überschreitet und zu positiven Werthen übergeht. Es treten positive Ströme auf, die schon bei $\mathfrak{E} = 200$ eine viel bedeutendere Intensität erlangen als alle bisher erwähnten Ströme, und nicht mehr schnell verschwinden, sondern Stunden lang anhalten unter langsamer Abnahme ihrer Stärke. Während also vorher von $\mathfrak{E} = -800$ bis $\mathfrak{E} = +100$ die Grenzen -10 und $+10$ an der Scala des Galvanometers bei den 100 S betragenden Verschiebungen in der Lage des Abzweigungspunktes f an der Scala oh rückwärts und vorwärts kaum für einige Minuten überschritten waren, tritt nun eine Ablenkung von $+120$ ein, die nach 4 Stunden erst auf $+30$ gesunken ist. Nach 24 Stunden ist aber auch dieser Strom wieder auf etwa $+10$ zurückgegangen und sinkt langsam noch weiter. Da anderthalb Daniells zur schwächsten dauernden Wasserzersetzung nöthig sind, so kann eine Ausscheidung freien Wasserstoffs an dem Platindraht bei den hier angewendeten elektromotorischen Kräften noch nicht stattfinden, und ich schliesse deshalb, dass die starke Steigerung des Stroms von der Aufnahme und Occlusion des Wasserstoffs in das Platina herrührt. Wenn H von O sich scheidend in enge Verbindung mit dem stark negativen Pt tritt, wird für diese Scheidung keine so grosse Arbeit nöthig sein, als um unverbundenes H von O zu scheiden. In der That ist das Quantum Wasserstoff, welches hierbei dem Platina zugeführt wird, nicht unbeträchtlich. Ein Strom, der an dem von mir gebrauchten Galvanometer 100° Ablenkung giebt, liefert in der Stunde 16,4 cb. mm. Wasserstoff. Graham's Angaben über die Menge H, welche vom Platina aufgenommen werden können, sind wohl zu niedrig ausgefallen, da man, wie ich gefunden, Tage lang warten muss, ehe die Sättigung vollständig ist. Die von ihm angegebene Grösse der Occlusion würde in der That ein Strom von 72° meines Galvanometers in einer Stunde liefern können.

Nachdem der erste starke Strom der beginnenden Wasserstoffbeladung des Platina nachgelassen hat, tritt eine eigenthümliche, von dem bisher beobachteten Verhalten galvanisch polarisirter Metalle abweichende Erscheinung ein, wenn man vorübergehend grössere elektromotorische Kräfte einwirken lässt. Bei der Rückkehr auf die früher gebrauchte Kraft, $\mathfrak{E} = +200$, tritt nämlich nun nicht eine Schwächung des früheren Stromes, sondern nach einem schnell vorübergehenden negativen Ausschlage im Gegentheil eine sehr erhebliche Steigerung bis zu 70 oder 90 Scalentheilen ein, die aber schneller verschwindet als der frühere Strom von 120°. Neue Verstärkung lässt sich durch neue vorübergehende Einführung einer grösseren elektromotorischen Kraft erzielen, doch werden die Nachwirkungen immer kleiner und weniger dauernd, je öfter man den Versuch wiederholt. Es genügt schon eine Steigerung des Werthes 𝔈 um 200 unserer Widerstandsscala auf 2 Minuten, um die Erscheinung sichtbar zu machen; stärkere und längere Steigerungen machen sie stärker. Sie zeigt sich in ähnlicher Weise, nur weniger ausgesprochen, wenn man, ohne sich zu lange bei 𝔈 = + 200 aufzuhalten, zu stärkeren Kräften bis 𝔈 = 500 übergeht, wo die dauernde Wasserzersetzung beginnt; in schwachem Maasse und zögernd tritt sie auch noch bis 𝔈 = 800 ein, nachdem man auf kurze Zeit 𝔈 = 900 oder 𝔈 = 1000 geschlossen hatte. Sie fällt aber fort, wenn man starke kathodische Kräfte so lange hat wirken lassen, bis der Strom sich nicht weiter verändert, was erst eintreten kann, wenn das Platina mit Wasserstoff gesättigt ist. Ich habe in einem Falle die Kraft 𝔈 = 1000 vierzehn Tage dauernd auf den Draht wirken lassen, um dieses Ziel möglichst vollständig zu erreichen. Der Strom fiel allmälig auf weniger als die Hälfte der Stärke, die er in den ersten Stunden hatte. Als ich dann in kleinen Stufen von je 100 *S* in den elektromotorischen Kräften abwärts oder dazwischen gelegentlich auch wieder aufwärts ging, traten bei jedem Schritt abwärts vorübergehende negative, bei jedem Schritt aufwärts vorübergehende positive Ausschläge von mässiger Stärke und etwa 2 Minuten Dauer auf, nach denen der Strom bald in eine für jeden Werth von 𝔈 constante Intensität überging. Nur als ich die Grenze der Wasserzersetzung abwärts schreitend erreichte, bei 𝔈 = 500, trat ein starker negativer Ausschlag bis über — 100° auf, der 5 Minuten negativ blieb, und erst nach etwa 10 Minuten die Gleichgewichtslage von + 25 erreichte, auf der er blieb. Von da ab abwärts bis 𝔈 = — 100 stellte sich der Magnet dauernd ganz in die Nähe des Nullpunkts, schwachen Convectionsströmen durch aufgelösten Sauerstoff entsprechend.

Beim weiteren Rückschreiten zu negativen elektromotorischen Kräften treten nun ziemlich anhaltende Ströme auf, welche viel höhere Intensität haben, als die im Anfang erwähnten, die bei denselben Kräften entstehen, wenn das Platin lange mit Sauerstoff beladen gewesen ist. Die Ursache dieser Ströme ist zweifellos in dem Umstande zu suchen, dass occludirtes H allmälig zur Oberfläche des Platin dringt und sich mit dem von der elektromotorischen Kraft herangedrängten O des Elektrolyten vereinigt. Damit scheint mir auch die charakteristische Weise zusammenzuhängen, wie unter diesen Umständen sich der Strom bei Einschaltung eines grossen Widerstands verhält. Wenn nämlich die Menge der möglichen elektrolytischen Zersetzung wesentlich abhängt von einem langsam vor sich gehenden Diffusionsprocess, dessen Schnelligkeit von der Stromstärke unabhängig ist, so wird auch die Stromstärke, ganz unabhängig von dem eingeschalteten Widerstande, nur so weit steigen können, als die Menge der elektrolytisch fortzuschaffenden Producte erlaubt, vorausgesetzt, dass die Stromstärke noch gross genug bleibt, um keine Ansammlung dieser Producte zu gestatten.

In der That zeigte sich bei den zuletzt beschriebenen Strömen (z. B. $\mathfrak{E} = -500$, $J = -10$), dass bei plötzlicher Einschaltung eines Widerstands von 10000 $S.$ in AGf der Magnet nur einen momentanen Ruck nach abwärts macht und dann wieder auf derselben Stelle steht, wie vorher, als wenn der Widerstand der Stromleitung unendlich gross gegen den eingeschalteten Widerstand wäre. Der kurze Ruck zeigt nur die Änderung der condensatorischen Ladung der Oberfläche an, da die der Stromstärke entsprechende Potentialdifferenz in dem Zweige Af durch die Erhöhung seines Widerstands bei gleichbleibender Stromstärke wachsen muss.

Dagegen kann man ziemlich gute Widerstandsbestimmungen an dem mit O beladenen Draht, wie an einem constanten Batterieelement machen, wenn man Wasser zersetzende Stromkräfte ($\mathfrak{E} = -1000$) braucht, und abwartet, bis alle Wasserstoffreste im Drahte verschwunden sind. Ich erhielt für den Widerstand des durch $AaGcf$ gehenden Stromes dann Zahlen, die bis zu 1400 S sanken.

Andrerseits wird auch bei möglichst vollständiger Wasserstoffbeladung und Wasser zersetzenden Stromkräften der Zustand des Drahtes constant genug, dass man Zeit hat mit dem sehr beweglichen Thomson'schen Galvanometer die Ablesung bei Einschaltung eines Widerstandes zu machen, ohne nachher bei Ausschaltung desselben den früheren Zustand verändert zu finden. Dabei ergaben sich aber für denselben mit H beladenen Platindraht Widerstände, die bis zu 10000 *S* stiegen. Dieser Unterschied wird darauf zurückzuführen sein, dass bei anodischen Strömen sich Säure um den Draht sammelt und das Leitungsvermögen der Flüssigkeit verbessert, bei kathodischen Strömen dagegen die Flüssigkeit um den Draht säurefrei und schlecht leitend werden muss. Da der Hauptwiderstand der Flüssigkeit in der nächsten Nachbarschaft des dünnen Drahtes liegt, so muss die Beschaffenheit dieser Flüssigkeitsschichten einen sehr erheblichen Einfluss auf den gesammten Widerstand haben.

Einfluss der Strömung des Wassers längs polarisirter Platinflächen.

Die hierher gehörigen Versuche sind meist an den dünnen Platindrähten angestellt worden, die oben als Elektroden beschrieben wurden, indem ich sie durch leichtes Klopfen mit einem Glasröhrchen erschütterte. Die Erfolge sind regelmässiger als man vielleicht nach der dabei nicht zu vermeidenden Unregelmässigkeit der mechanischen Bewegung erwarten sollte. Die elektrische Wirkung nähert sich nämlich schnell einer Grenze, über die sie durch stärkere Bewegung nicht mehr hinausgetrieben wird. Um länger dauernde Wirkungen zu erzielen, habe ich die Elektroden auch in einzelnen Versuchsreihen an einem elektromagnetisch bewegten Neef'schen Hammer befestigt, dessen Bewegungen sie mitmachten. In anderen Versuchen habe ich die Flüssigkeit aus engen Röhren in das weitere Gefäss strömen lassen und die Elektrode in die Mündung des Rohres eingelegt. Die Ergebnisse wurden dadurch nicht wesentlich geändert.

Wir haben zu unterscheiden den primären Strom, welcher vorhanden ist, ehe die Elektroden erschüttert werden, und den Erschütterungsstrom, welcher hinzukommt, wenn die Elektroden in Bewegung gesetzt werden.

Die Richtung dieser Ströme bezeichne ich immer in Beziehung auf den erschütterten Draht. Je nachdem dieser Kathode oder Anode des Erschütterungsstroms ist, nenne ich letzteren kathodisch oder anodisch.

Die von mir über die Erschütterungsströme gewonnenen Ergebnisse lassen sich nunmehr in folgende Regeln zusammenfassen:

1) Beim Bestehen eines starken kathodischen primä-

ren Stroms sind die Erschütterungsströme immer von derselben Richtung und verstärken den schon bestehenden Strom.

2) Bei bestehenden anodischen oder schwach kathodischen Strömen sind die Erschütterungsströme anodisch mit einer sub 4) erwähnten Ausnahme.

3) Wasserstoffbeladung der oberflächlichen Schichten des Platina begünstigt in der Regel das Auftreten anodischer Erschütterungsströme. Diese sind am stärksten, wenn man stark mit Wasserstoff beladenes Platina unter Einwirkung anodischer elektromotorischer Kräfte bringt. Die Grenze zwischen Stromstärken, welche anodische und kathodische Erschütterungsströme geben liegt für wasserstoffarmes Platina bei schwächeren kathodischen Strömen, als für wasserstoffreiches.

4) Wenn man den primären Strom aufhören macht, was am zweckmässigsten dadurch erreicht wird, dass man zwei gleiche und gleichartig behandelte Elektroden durch den Multiplicator verbindet, so erhält man der Regel nach anodische Erschütterungsströme, die um so stärker ausfallen, je stärker die Elektroden mit Wasserstoff beladen sind. Wasserstoffarme Elektroden geben nur bei starker Sauerstoffpolarisation deutliche anodische Erschütterungsströme, wasserstoffreiche dagegen sehr starke, selbst wenn sie unmittelbar vorher, während der Strom noch dauerte, starke kathodische gaben. Doch beobachtet man bei den stärksten Graden der Wasserstoffbeladung auch das Gegentheil: dass nämlich zuerst unmittelbar nach dem Aufhören des primären Stroms die ersten Erschütterungen noch kathodische Ströme geben, denen dann bei folgenden Erschütterungen anodische folgen; und dass endlich nach sehr lange fortgesetzter starker Wasserstoffbeladung dauernd nur kathodische Erschütterungsströme zu Stande kommen. Die erst erwähnten vorübergehenden kathodischen Ströme werden als herrührend von starker Wasserstoffbeladung der oberflächlichen Schichten des Platina aufgefasst werden können, welche, wenn die tieferen Lagen noch nicht mit Wasserstoff gesättigt sind, schnell abnimmt durch Wanderung des Wasserstoffs in grössere Tiefe.

Ein durch Erschütterung hervorgerufener Strom giebt selbst nach längerer Dauer keinen Rückschlag in die entgegengesetzte Ablenkung, wie es die durch die Änderung des Widerstandes oder der elektromotorischen Kraft bei polarisirten Platten hervorgerufenen Änderungen der Stromintensität in der Regel thun. Für die Erklärung der Ursachen dieser Ströme ergiebt sich daraus die wichtige Folgerung, dass sie nicht zu Stande kommen durch beschleunigtes Eintreten irgend einer der Veränderungen, die der polarisirende Strom auch in der Ruhe hervorgebracht hätte. Nur eine Ausnahme von der genannten Regel habe ich gefunden. Nämlich an der oben besprochenen Grenze zwischen anodischen und kathodischen Erschütterungsströmen bei mässigen kathodischen Stromstärken sieht man, dass während des Schüttelns selbst eine kleine anodische Abweichung, nachher eine kleine kathodische eintritt.

Die mässig stark mit Wasserstoff beladenen Platten zeigen also ein verschiedenes Verhalten, je nachdem ein primärer Strom in sie eintritt oder nicht. Dieser Unterschied lässt sich dadurch erklären, dass ein starker kathodischer Strom die Säure aus der Nähe der Elektrode wegführt und schlecht leitende Schichten bildet. Werden diese weggespült, so muss erhöhte Stromintensität eintreten. Diese bildet den kathodischen Erschütterungsstrom.

Bei den anodischen Strömen finden wir nichts entsprechendes; in der That wird die Vertauschung eines kleinen Theils des Widerstandes (nämlich der stärker sauren Flüssigkeit um die Elektrode) mit einem etwas grösseren Widerstande nicht so viel wirken, als der entgegengesetzte Fall.

Sehen wir von dieser Complication ab, so finden wir, dass wasserstoffreichste Drähte kathodische Erschütterungsströme geben, mässig mit Wasserstoff beladene stark anodische, wasserstoffarme schwach anodische.

Bei einer gewissen Stärke der kathodischen Ströme kämpft gleichsam derjenige Einfluss, welcher in der Ruhe anodischen Strom erregt, gegen die Verminderung des Widerstandes, welche kathodischen Strom giebt. Die letztere Änderung wird langsamer ausgeglichen, die erstere schneller, was sich durch den Verlauf dieser Ströme in der beschriebenen Weise zu erkennen giebt.

Theoretische Betrachtungen.

Um die hier beschriebene verwickelte Reihe von Erscheinungen unter zusammenfassende Gesichtspunkte zu ordnen, erlaube ich mir eine Hypothese über die Vorgänge bei der Elektrolyse vorzutragen, die sich an meine früher schon aufgestellte Hypothese[1]) über die

[1]) Die Erhaltung der Kraft. Berlin 1847. S. 43 ff.

Natur der galvanischen Kraft anschliesst. Ich habe dieselbe seit 1871 in meinen Vorlesungen über Physik wenigstens nach ihren wesentlichen Grundzügen vorgetragen, bisher aber keine Veranlassung gehabt in meinen wissenschaftlichen Abhandlungen weiter darauf einzugehen, da ich es für ein wesentliches Erforderniss der wissenschaftlichen Methodik halte, dass man die theoretischen Voraussetzungen nicht weiter specialisirt, als es der vorliegende Gegenstand fordert. In meinen bisherigen Arbeiten über galvanische Polarisation genügte aber das Gesetz von der Constanz der Energie. Dieses Verfahren hat Missverständnisse hervorgerufen, und theils deshalb, theils des vorliegenden Gegenstandes wegen, der eine weitere Specialisirung der theoretischen Hypothesen verlangt, gehe ich auf diese letztere ein.

Ich gehe aus von der l. c. gemachten Voraussetzung über die Ursache der Elektricitätsvertheilung in metallischen Leitern, wonach jeder Substanz, welche metallisch leiten kann, ein verschiedener Grad von Anziehung gegen die beiden Elektricitäten zukommt. Ich halte dabei die Voraussetzung fest, dass wo $+E$ austritt, ein gleich grosses Quantum $-E$ eintritt, und umgekehrt. Dann ist nur nöthig von der auf $+E$ wirkenden Kraft zu sprechen. Ist die Arbeit, welche durch diese Anziehungskräfte geleistet wird, beim Übergange der elektrostatischen Einheit positiver Elektricität aus irgend einem als Norm dienenden Metall vom Potential Null in das Innere des Metalls M gleich G_m zu setzen, so ist zwischen zwei Metallen, die wir durch die Indices z und c unterscheiden wollen, elektrisches Gleichgewicht, wenn

$$\varphi_z - G_z = \varphi_c - G_c.$$

Die Constanten G bestimmen also die Ordnung und Entfernung der Metalle in der Volta'schen Spannungsreihe. Sie wachsen, wenn man von den edlen zu den leicht oxydirbaren Metallen fortgeht, und da wir für dieselben einen Namen brauchen, schlage ich vor sie als die Galvanischen Werthe der Metalle zu bezeichnen. Den Nullpunkt ihrer Scala können wir beliebig wählen. Wir wollen vorläufig diesen dem Metall im Elektrometer beilegen, welches die Elektricität der zu untersuchenden Körper aufzunehmen hat, und anziehend oder abstossend auf die Theile von unveränderlicher Ladung wirkt (Metall der Quadranten im Quadrantelektrometer). Dann sind die Grössen $\varphi_z - G_z$ und $\varphi_c - G_c$ gleichzeitig die Potentialwerthe, welche die beiden Metalle durch metallische Leitung den betreffenden Theilen des Elektrometers mittheilen.

Um Faraday's elektrolytisches Gesetz zu erklären, nehme ich an, dass in jeder elektrolytisch zerlegbaren Verbindung jeder Valenzwerth des Kation mit einem Äquivalent positiver Elektricität, und jeder Valenzwerth des Anion mit einem Äquivalent negativer Elektricität verbunden sei. Jede Bewegung von Elektricität in der Flüssigkeit geschieht nur in der Weise, dass die Elektricitäten haftend an ihren Jonen sich fortbewegen. Da die schwächsten vertheilenden elektrischen Anziehungskräfte ebenso vollständiges Gleichgewicht der Elektricität im Innern von elektrolytischen Flüssigkeiten erzeugen, wie in metallischen Leitern, so ist anzunehmen, dass der freien Bewegung der positiv und negativ geladenen Jonen keine andern (chemischen) Kräfte entgegenstehen, als allein ihre elektrischen Anziehungs- und Abstossungskräfte. Mit $+E$ beladene H-Atome, die sich an einer Seite der Flüssigkeit gesammelt haben, der ein negativ geladener elektrischer Leiter genähert ist, sind also nicht als „freier Wasserstoff“ aufzufassen, sondern noch als chemisch gebundener. In der That werden sie, so wie der negative Leiter entfernt wird, sich ohne in Betracht kommende Arbeitsleistung wieder mit den Sauerstoffatomen, die die Träger der entsprechenden Äquivalente negativer Elektricität sind, vereinigen.

Damit eine Anzahl positiver Jonen elektrisch neutral und chemisch unverbunden ausscheide, muss die Hälfte davon ihre Äquivalente $+E$ abgeben und dafür die entsprechenden $-E$ aufnehmen. Dieser Vorgang ist mit grossem Arbeitsaufwand verbunden, und constituirt die definitive Trennung der vorher bestandenen chemischen Verbindung.

In der That ist bekanntlich der durch die Verbindungswärme gemessene Betrag dieser Arbeit wenigstens bei stark verdünnten Lösungen, in denen keine Nebenprocesse in Betracht kommen, für jedes basische Atom charakteristisch und unabhängig von der Art der gleichzeitig in der Flüssigkeit vorhandenen sauren Molekeln. Das gleiche gilt für die letztern unabhängig von den ersteren. Säurehydrate sind dabei als Wasserstoffsalze zu behandeln. In reinem Wasser und in Lösungen von Alkalihydraten scheint $(+H)$ $(-O-)$ das Anion zu sein, welches neutralisirt, etwa in der

Form $(+H)(-O-)(+O-)(+H)$, als Wasserstoffsuperoxyd ausscheidet, oder basische Superoxyde bildet.

Ist die elektrolytische Flüssigkeit in Berührung mit zwei Elektroden von ungleichem elektrischem Potential, so tritt zunächst Ansammlung von Atomen des positiven Jon an der negativen Platte, des negativen an der positiven ein, bis im Innern der Flüssigkeit die Potentialfunction einen constanten Werth erreicht hat. Wenn sich positiv beladene Atome längs der äusseren Seite der Elektrodenfläche sammeln, werden an deren inneren Seite die entsprechenden Quanta negativer Elektricität herangezogen, und es wird sich eine elektrische Doppelschicht ausbilden müssen, deren Moment so lange zunimmt, bis die an den beiden Elektroden gebildeten Doppelschichten ausreichen, den zwischen ihnen durch die elektromotorische Kraft der Kette gesetzten Sprung des Potentialwerthes hervorzubringen. Ich habe schon in meiner Mittheilung vom 27. Februar 1879[1]) im Anschluss an die von Sir W. Thomson dafür gegebenen Beweise hervorgehoben, dass hierbei Molekularkräfte von sehr kleinem, aber endlichem Wirkungsbereich eingreifen müssen, weil sonst die Entfernung der beiden Schichten von einander unendlich klein und die der Ansammlung entsprechende Arbeit der elektrischen Fernkräfte unendlich gross werden würde. Im vorliegenden Falle ist mindestens die eine Schicht an ponderable Atome gekettet, und die Doppelschicht wird deshalb endliches Moment behalten, und einen Condensator von ausserordentlich grosser Capacität darstellen. So lange keinerlei chemische Processe die Menge der angesammelten Elektricitäten verändern, ist in einem solchen Falle das Potential der Flüssigkeit zwischen den beiden Elektroden dadurch bestimmt, dass die gleichen Mengen von $+E$ und $-E$, gebunden an ihre Jonen, sich an den beiden Elektroden angesammelt haben und dadurch die relative Dicke der beiden entsprechenden Hälften der Doppelschichten bestimmt ist. Bezeichnen wir mit E die Menge der angesammelten Elektricität, mit F_1 und F_2 die Oberflächen der beiden Elektroden, mit C_1 und C_2 die Capacitäten der Flächeneinheiten, (welche möglicher Weise Functionen der Dicke der Schicht sind) mit φ_1, φ_2 und φ_0 die Potentialwerthe der beiden Metallplatten und der Flüssigkeit, so wird Gleichgewicht sein, wenn

---

[1]) Wiedemann's Annalen Bd. VII S. 338.

$$\left.\begin{aligned} E &= F_1 \,.\, C_1 \,.\, (\varphi_1 - \varphi_0) \,\ldots\ldots\ldots \\ E &= F_2 \,.\, C_2 \,.\, (\varphi_0 - \varphi_2) \,\ldots\ldots\ldots \end{aligned}\right\} 1$$

$$\varphi_1 - G_1 - \varphi_2 + G_2 = A \ldots\ldots\ldots \Big\} 1_a$$

wo mit A die elektromotorische Kraft der Kette bezeichnet ist. Daraus ergiebt sich

$$\left.\begin{aligned} E\left\{\frac{1}{F_1 C_1} + \frac{1}{F_2 C_2}\right\} &= A + G_1 - G_2 \\ \varphi_1 - \varphi_0 &= (A + G_1 - G_2)\,\frac{F_2 C_2}{F_2 C_2 + F_1 C_1} \\ \varphi_0 - \varphi_2 &= (A + G_1 - G_2)\,\frac{F_1 C_1}{F_1 C_1 + F_2 C_2} \end{aligned}\right\} 1_b$$

Zu den Processen nun, welche einen Theil der Elektricität der Grenzschichten beseitigen, gehören:

1) Elektrolytische Abscheidung der Jonen aus der Flüssigkeit, wobei sie elektrisch neutral werden, indem die Hälfte derselben ihr Äquivalent E abgiebt, und dafür das entgegengesetzte aufnimmt. Dabei kommt theils elektrische, theils molekulare Arbeit in Betracht. Die erstere besteht an der Kathode darin, dass eine Menge $-E$ aus dem Potential der Kathode in das der Flüssigkeit übertragen wird, die molekulare hauptsächlich darin, dass die an das Kation gebundenen Äquivalente $+E$ losgelöst und dafür Äquivalente $-E$ eingeführt werden, wobei dann noch die schwächeren durch die Auflösung und die Änderung des Aggregatzustandes gesetzten Arbeitsleistungen zu thun sind. Bezeichnen wir diese gesammte molekulare Arbeit für die Einheit $+E$ mit K_1, so ist die zu leistende Arbeit für die Einheit an die Kathode übergehender $+E$

$$\varphi_1 - G_1 + K_1 - \varphi_{0.1}.$$

Mit $\varphi_{0.1}$ ist der Werth des Potentials in der Flüssigkeit bezeichnet, dicht an der Aussenseite der elektrischen Doppelschicht.

So lange diese Grösse positiv ist, wird der Übergang nicht erfolgen, wohl aber, wenn sie negativ zu werden anfängt.

Der grösste Werth der Potentialdifferenz, der an einer Kathodenfläche eintreten kann, ist also

$$\varphi_1 - \varphi_{0.1} = G_1 - K_1 \ldots\ldots\ldots \Big\} 2$$

Ähnliche Betrachtungen gelten für die Anode.

Die Art des Vorgangs, dessen Arbeit durch die Grösse K gemessen wird, kann übrigens verschieden sein, je nachdem das betreffende Kation sich einfach ausscheidet, entweder wie ein galvanoplastisch niedergeschlagenes Metall, oder in der Flüssigkeit gelöst bleibt, aber nicht mehr als positiver Bestandtheil eines Salzes, sondern als elektrisch neutrale freie Verbindung. So namentlich der Wasserstoff aus den gewässerten Säuren, der bei langsamer Entwicklung sich in der Flüssigkeit löst und durch Diffusion verbreitet, und wohl erst bei beginnender Übersättigung der Flüssigkeit sich als Gas entwickelt. In andern Fällen ist es nicht das Kation direct, welches neutralisirt und ausgeschieden wird; sondern dieses kann auch ein andres, seine $+E$ leichter abgebendes Atom aus einer dort bestehenden Verbindung drängen, z. B. Kalium den Wasserstoff des Wassers.

Von den hierbei gebildeten Verbindungen kommen jedenfalls diejenigen, bei deren Bildung am wenigsten Wärme frei wird, in Betracht, als direct durch die Elektrolyse gebildet, und die bei ihrer Bildung verwendbar gewordene Arbeit ist bei Bestimmung der elektromotorischen Kraft zu berücksichtigen. Dagegen könnten auch eigentlich secundäre Zersetzungen vorkommen, die ohne Zuthun der elektrischen Kräfte und ohne Rückwirkung auf diese ablaufen, wie z. B. Zerfall des ausgeschiedenen Wasserstoffsuperoxyds in Sauerstoff und Wasser, oder des Stickstoffperoxyd N_2O_4 aus der Salpetersäure in salpetrige und Salpetersäure, und der ersteren wieder in Salpetersäure und Stickoxyd. Welche unter diesen neugebildeten Verbindungen noch einen erleichternden Einfluss auf die Elektrolyse haben, wird durch Specialuntersuchungen über die einzelnen Fälle zu entscheiden sein.

In denjenigen Fällen, wo schon vor der Schliessung des Stroms die für beide Stromrichtungen in Betracht kommenden Jonen in reichlicher Menge und in gut leitendem Zustande vorhanden sind, wird die Gleichung

$$\varphi - G - \varphi_{0,1} = -K$$

schon vor der Schliessung des Kreises erfüllt sein, und der Eintritt des Stroms hieran nichts ändern; es wird also nach dessen Schliessung keine neue condensatorische Ladung erst gebildet zu werden brauchen. Dies ist der Fall bei den sogenannten constanten Ketten, also wenn ein Metall mit einer dasselbe Metall enthaltenden Lösung in Berührung ist, aus der es als Kation ausscheidet, oder als Anion eintritt. Oder auch, wenn Platin oder Kohle in salpetriger Salpetersäure stehen. Wenn eins von beiden in reiner Salpetersäure steht, wird es wenigstens nicht negativer bei ungeschlossener Kette sein können, als bei geschlossener. Wohl aber würde es möglicher Weise positiver sein d. h. eine Sauerstoffpolarisation haben können. Ebenso wird Kupfer in verdünnter Schwefelsäure vor der Stromschliessung negativ geladen worden sein können und Wasserstoffpolarisation haben, aber positivere Ladung als dem Gleichgewichtszustande entspricht, würde sich nicht halten können. Hier ist das Kation Wasserstoff, als Anion aber tritt Kupfer ein. Beide sind verschieden, und es kann deshalb die Differenz des elektrischen Potentials und der condensatorischen Ladung eintreten, die dem Unterschiede dieser beiden Jonen entspricht. Somit wird Kupfer in verdünnter Schwefelsäure als Kathode auch zuerst einen condensatorischen Ladungsstrom zeigen, dessen Stärke schnell schwindet, während derselbe wegfällt, wenn es in einer Lösung von Kupfervitriol steht.

Von dem Zeitpunkt ab, wo an einer der Elektroden die Dicke der elektrischen Schicht so weit gewachsen ist, dass das dortige Jon sich neutralelektrisch auszuscheiden beginnt, wird an dieser das Moment der elektrischen Doppelschicht und daher auch die Potentialdifferenz nicht mehr wachsen können, sondern nur noch an der andern Elektrode, bis auch an dieser die Grenze der Zersetzung erreicht ist. Damit dies geschehe, wird nach Gleichungen 2 und 1_a

$$\varphi_1 - G_1 - \varphi_2 + G_2 = A > K_2 - K_1$$

werden müssen.

Dieselben Betrachtungen bestimmen dann auch unmittelbar das Gesetz der Stromstärke in den sogenannten constanten Ketten. Zu den letztern gehören alle solche, in denen sich schon vor der Schliessung des Stroms das während der Elektrolyse bestehende elektrische Gleichgewicht zwischen Metallplatte und Flüssigkeit hat herstellen können.

Dann wird, wenn J die Intensität des Stromes, W den Widerstand in der metallischen, w den in der flüssigen Leitung bezeichnet, nach Ohm's Gesetz sein:

$$\varphi_1 - \varphi_2 - G_1 + G_2 - A = -JW$$

$$\varphi_{0,1} - \varphi_{0,2} = +Jw$$

Da nach Gleichung 2

$$\varphi_1 - \varphi_{0,1} - G_1 = -K_1$$

$$\varphi_2 - \varphi_{0,2} - G_2 = -K_2$$

ergiebt sich

$$K_2 - K_1 - A = -J(W + w)$$

d. h. die sonst etwa noch vorhandene elektromotorische Kraft A wird um $K_2 - K_1$ verringert. Wenn $A = 0$, ist $K_1 - K_2$ die elektromotorische Kraft im Kreise. Diese hängt also nur von der molekularen Arbeit der elektrolytischen Zersetzung, die durch die Constanten K gemessen wird, nicht von den galvanischen Werthen G der Elektroden ab.

Auf die Erörterung der etwa in der Flüssigkeit vorhandenen elektromotorischen Kräfte will ich hier nicht näher eingehen, sondern verweise auf meine frühere Abhandlung vom 26. Nov. 1877.

Ist neutraler Sauerstoff in der Flüssigkeit aufgelöst, so wird die Kathode ihre negative Elektricität mit den Äquivalenten $(+E)$ dieses Elements austauschen können, während der negativ gemachte O sich mit dem herangeführten $+H$ verbindet. Da O jedenfalls geringere Anziehungskraft zum $+E$ hat als H, so wird dadurch die Potentialdifferenz an der Kathode erheblich herabgesetzt, und es wird eine viel schwächere elektromotorische Kraft genügen in diesem Falle einen dauernden, aber in seiner Intensität durchaus von der Diffusionsgeschwindigkeit des Sauerstoffs abhängigen Strom zu unterhalten. In der That geschieht dann an der Kathode die Vereinigung von freiem $\pm O$ mit $+H_2$, während an der Anode $\pm O$ aus der Verbindung SO_4H_2 ausscheidet. Dies ergiebt die von mir als Convectionsströme bezeichneten Ströme, über welche ich der Akademie am 31. Juli 1873 berichtet habe.

In dieselbe Kategorie gehören eine Menge andrer Fälle, in denen ein das Freiwerden einer der Elektricitäten erleichternder Bestandtheil in sehr geringer Menge in der Lösung vorkommt, und erst allmälig durch Diffusion herangeschafft wird.

2) Ein zweiter Process, der eine positiv elektrische Grenzschicht beseitigt, ist die Occlusion des Wasserstoffs in das Metall der Kathode. Am reichlichsten und schnellsten geschieht dies nach Graham's Entdeckung am Palladium, deutlich nachweisbar aber auch am Platin. Dass der Wasserstoff auch in

dieses Metall tief eindringe, ist von Hrn. E. Root[1]) nachgewiesen worden.

Die von mir oben beschriebenen Versuche lehren, dass Wasserstoff bei Kräften, welche noch nicht zur Wasserzersetzung ausreichen, zur Occlusion kommen kann. Es war dazu eine Potentialdifferenz von etwa ein Daniell gegen die Sauerstoff entwickelnde Anode nöthig.

Nehmen wir an, dass $(+H)$ eintreten kann in das Pt, welches um jedes occludirte Wasserstoffatom $-E$ ansammelt, so würde bei der Elektrolyse Pt in die Verbindung mit dem H_2 einrücken, aus welcher das SO_4 verdrängt wird, und dadurch die chemische Arbeit der Elektrolyse vermindert werden. Die Verbindung, in welche hierbei das Platin mit dem Wasserstoff tritt, würde nicht nothwendig als eine chemische nach festen Massenverhältnissen geschlossene zu betrachten sein. Die oben beschriebenen Versuche zeigen aber, dass erst nach Überschreitung einer gewissen Grösse der elektromotorischen Kraft Wasserstoff in das Platin einzutreten beginnt, dann aber auch gleich in relativ grosser Menge in lang dauerndem und anfangs auch starkem Strom. Hat man diese Beladung, wie sie unter Wirkung der oben mit $\mathfrak{E} = 200$ bezeichneten elektromotorischen Kraft eintritt, abgewartet, so tritt bei Steigerung der elektromotorischen Kraft bis $\mathfrak{E} = 500$ kein Strom mehr ein, der den Eintritt erheblicher Mengen von Wasserstoff in das Platin anzeigte. Erst wenn man diese Grenze, wo Wasserzersetzung beginnt, überschritten hat, scheinen neue Mengen Wasserstoff einzutreten. Darauf lässt der Umstand schliessen, dass nach langer Einwirkung solcher stärkeren Ströme die geänderte Richtung der Erschütterungsströme bei aufgehobenem primären Strome eine Änderung im Zustande des Metalls anzeigt, und dass beim Abwärtsgehen über die genannte Grenze ($\mathfrak{E} = 500$) sich ein sehr starker und anhaltender anodischer Strom entwickelt, der eine ziemlich erhebliche Menge locker gebundenen Wasserstoffs beseitigen muss. Beim Palladium sieht man unter entsprechenden Umständen eine Wasserstoffentwicklung in Bläschen vor sich gehen[2]). Der bei $\mathfrak{E} = 200$ aufgenommene Wasserstoff entweicht dagegen erst bei schwach negativen elektromotorischen Kräften $\mathfrak{E} = -200$,

---

[1]) Monatsberichte d. Akademie 16. März 1876. — Poggendorff Ann. Bd. 159. S. 416. [2]) Beobachtung von Herrn J. Moser.

wie man an den dann eintretenden stärkeren und dauernden anodischen Strömen erkennt.

Das Eindringen des Wasserstoffs in das Innere des Metalls müssen wir uns als einen sehr langsam vorschreitenden Process, der im Ganzen wohl der Leitung der Wärme in sehr schlechten Wärmeleitern ähnlich ist, vorstellen. Selbst bei den Drähten von $0{,}5^{mm}$ Durchmesser, die ich angewendet habe, sind mindestens 8 Tage nöthig, um annähernd vollständige Sättigung mit Wasserstoff, oder annähernd vollständige Reinigung davon zu bewerkstelligen.

Solches mit H beladenes Palladium oder Platina verhält sich dem unveränderten Metall gegenüber im galvanischen Kreise wie ein positives Metall. In Gleichung 2 haben wir gefunden, dass

$$\varphi_1 - \varphi_{0,1} = G - K = -4\pi\mu,$$

wo μ das Moment der elektrischen Doppelschicht an der Grenzfläche bezeichnet, in seinem Vorzeichen entsprechend der in der Flüssigkeit liegenden elektrischen Grenzschicht.

Die Constante K des Platin, bezogen auf Wasserstoffeintritt, wird jedenfalls wachsen müssen, je mehr Wasserstoff eintritt; im Anfang scheint diese Steigerung aber sehr langsam zu geschehn, da eine grosse Menge eintritt, wenn überhaupt die Grenze der dazu nothwendigen elektromotorischen Kraft überschritten ist. Wenn wir dagegen annehmen, dass die Constante G mit steigender Wasserstoff-Occlusion anfangs schnell wächst, so wird auch die Doppelschicht längs der Oberfläche geändert werden, so dass unter gleichen Umständen ihr in der Flüssigkeit liegender Theil schwächer positiv oder stärker negativ wird. Aus dieser Annahme würde sich zunächst die eigenthümliche Nachwirkung vorausgegangener starker Ströme während des Processes der Beladung mit Wasserstoff erklären. Eine zeitweilig einwirkende stärkere elektromotorische Kraft wird H kräftig herandrängen und zunächst eine dünne oberflächliche Schicht des Platina stark damit beladen. Dem entsprechend wird sich an der Aussenseite der Elektrodenfläche eine stärker negative Grenzschicht ausbilden. Hört nun bei einer Rückkehr zu einer schwächern elektromotorischen Kraft die starke Zufuhr von H auf, so wird dasselbe aus der äusseren Schicht des Metalls in die tiefer gelegenen wasserstoffärmeren hinüber wandern. In dem Maasse, als die äussere Schicht sich des Wasserstoffs entledigt, wird ihre äussere Belegungsschicht auch wieder neue positive Bestandtheile aufnehmen müssen, und deren Heranfliessen kann sich in der Verstärkung des Stroms ausdrücken. Wesentliche Bedingung für diesen Erfolg wird also sein, dass schneller Abfall der Wasserstoffbeladung gegen das Innere des Metalls stattfinde, so dass das Abfliessen nach der Tiefe schnell genug vor sich gehe. Die Wasserstoffsättigung des Metalls wird also noch neu und unvollständig sein müssen. Ausserdem wird die elektromotorische Kraft zureichen müssen den Rücktritt der höheren Beladung aus der Oberfläche des Metalls an das Wasser zu verhindern.

Was die Wirkungen des Flüssigkeitsstroms längs der Oberfläche der Elektrode betrifft, so können hier zunächst, wie ich schon oben bemerkt habe, Widerstandsänderungen in Betracht kommen, die durch Wegspülung schlecht leitender Schichten verursacht sind. Als solche betrachte ich die kathodischen Erschütterungsströme, die bei hinreichend intensivem primärem kathodischen Strome auftreten, und unmittelbar nach dem Aufhören des letzteren in die gegentheilige Richtung umschlagen.

Auf die übrigen Erschütterungsströme, welche bei anodischem, schwach kathodischem oder ganz fehlendem primären Strome eintreten, kann man dieselbe Erklärung anwenden, die ich auf die elektrocapillaren und capillarelektrischen Erscheinungen bei der Berührung von Glas und Wasser angewendet habe. Der Wasserstrom verschiebt die der Elektrode anliegenden Wasserschichten, in denen das entsprechende Jon mit seinen elektrischen Äquivalenten aufgehäuft ist. Dieser bewegliche Theil der elektrischen Grenzschicht wird stromabwärts zusammengedrängt, und wo er eine hinreichende Dicke gewinnt, wird das Jon unter elektrischer Neutralisation frei werden. Ist das Jon das Anion der Flüssigkeit (O), so wird die Entwicklung desselben $+E$ aus der Elektrode austreten machen, unmittelbar nachher wird neues $(-O-)$ von der Flüssigkeit her zuströmen und die Doppelschicht wiederherstellen. Beides giebt einen anodischen Strom. Dagegen würde eine Schicht des Kation bei Wasserströmung einen kathodischen Strom geben müssen. Die Erschütterungsströme werden um so stärker werden, je mehr von dem betreffenden Jon angesammelt und je näher es der Grenze des Freiwerdens ist; also 1) bei elektromotorischen Kräften, die zur dauernden Zersetzung genügen oder beinahe genügen, 2) bei grösserem positiven Werth der galvanischen Constante $(G-K)$ für die anodischen Ströme, bei grösserem negativen für die kathodischen Ströme.

Die am Platina beobachteten Erscheinungen entsprechen diesen Voraussetzungen, wenn wir annehmen, dass wasserstofffreies Platina sehr schwach positiv gegen die von mir als Elektrolyt gebrauchte sehr verdünnte Schwefelsäure ist, dass das im mässigen Grade mit Wasserstoff beladene Platina einen grösseren positiven Werth von $(G - K)$ hat, und eine stärkere negative Beladungsschicht in der Flüssigkeit bildet, dass dagegen bei starker Beladung mit Wasserstoff die Constante G ein Maximum erreicht, K dagegen, welches die molekulare Arbeit der eintretenden Beladung misst, schnell steigt, und das Metall daher eine positive äussere Grenzschicht von $(+H)$ ausbildet. Im letzteren Falle würde es sich ähnlich verhalten, wie die positiven Metalle bei Condensatorversuchen gegen ihnen gegenübergestellte Flüssigkeitsflächen thun.

Nach den hier gemachten Voraussetzungen würden wir durch die Erschütterungsströme, wenigstens bei mangelndem primärem Strome, immer den Sinn der Potentialdifferenz zwischen Flüssigkeit und Metallplatte angezeigt erhalten.

Hr. W. Peters las über die von Hrn. Gerhard Rohlfs und Dr. A. Stecker auf der Reise nach der Oase Kufra gesammelten Amphibien.

Von der deutschen africanischen Gesellschaft ist mir eine von Hrn. G. Rohlfs und Dr. A. Stecker während ihrer letzten tripolitanischen Reise gemachte Sammlung verschiedener Thiere übergeben worden, welche vorzüglich zu den Amphibien und Arachniden gehören. Von den ersteren erlaube ich mir hier eine Übersicht vorzulegen, während der Assistent bei dem zoologischen Museum, Hr. Dr. Karsch, über die Arachniden anderswo eine Mittheilung machen wird.

Chelonii.

1. *Testudo graeca* Linné. — Ein junges Exemplar in Uadi Tessiua, Januar 1879.

2. *Testudo campanulata* Walbaum (*Testudo marginata* Schoepf). — Eine junge Schale bei Bir-Milrha; Ende Decem-

LACERTILIA.

3. *Chamaeleon vulgaris.* — Sokna; Djebel Tarrhuna (Bir-Milrha). Worin die Ähnlichkeit der Exemplare von dem Djebel Tarrhuna mit *Ch. bifidus* bestehen soll (cf. Hr. Dr. Stecker Mittheil. afric. Gesellsch. Deutschl. 1879. II. Heft. S. 86), weiss ich nicht.

4. *Tarentola mauritanica* (Linné). — Djebel Tarrhuna (Bir-Milrha).

5. *Stenodactylus guttatus* Cuv. var. *mauritanica* Guichenot. — Bondjem, Mitte Januar 1879. Die beiden Exemplare stimmen mit der kurzbeinigeren Varietät (Weibchen?) von Guichenot überein, die sich übrigens auch in Ägypten findet.

Tropiocolotes nov. gen.[1])

Squamae carinatae imbricatae; digiti compressi, omnes unguiculati, hypodactyliis carinatis.

Diese neue Gattung der Geckonen unterscheidet sich von allen anderen durch die Beschuppung. Der Körper und die Gliedmassen sind allenthalben mit dachziegelförmig sich deckenden, stark gekielten Schuppen bekleidet, welche am conisch abgerundeten Schwanze grösser sind als am Körper. Sämmtliche Finger und Zehen sind verschmälert, mit wohlentwickelten Krallen versehen und an der Sohle gekielt. Das obere Augenlid ist deutlich vorhanden, wie bei *Gecko* und die Pupille senkrecht.

6. *Tropiocolotes tripolitanus* n. sp. (Taf. Fig. 1.)

T. supra brunneus, fuscomaculatus. taenia capitis collique utrinque nigrofusca, cauda nigrofasciata; subtus albidus.

Habitatio: Uadi M'bellem.

Von dem Ansehen einer kleinen schlanken *Lacerta* mit etwas abgeplattetem Kopfe. Die Oberseite des Kopfes ist mit convexen polygonalen Schuppen bedeckt, welche etwas grösser als die gekielten des Nackens, merklich grösser als die der Frenalgegend sind. Der Canthus rostralis ist abgerundet, die Frenalgegend längs der Mitte vertieft. Das Rostrale ist gross und oben in der Mitte ausgeschnitten. Jederseits 7 Supralabialia, von denen das letzte das kleinste ist. Die kleinen Naslöcher liegen zwischen dem Rostrale,

---

[1]) τρόπις (ιος), κωλώτης.

dem ersten Supralabiale und zwei Postnasalschuppen, welche merklich grösser als die dahinterliegenden sind. Das Mentale ist gross pentagonal - dreieckig, hinten an zwei grössere pentagonale Submentalschilder stossend, auf welche zwei kleinere folgen, während die Submentalgegend von sehr kleinen gekielten Schuppen bekleidet ist. Sechs Infralabialia an jeder Seite. Ohröffnungen klein, rundlich oder senkrecht oval. Der ganze Körper, der Schwanz und die Gliedmassen sind mit gekielten, dachziegelförmig geordneten Schuppen bekleidet, welche auf dem Rücken etwas grösser als am Bauche erscheinen, während die des Schwanzes wieder grösser als die des Rückens sind. In der Körpermitte bilden die Schuppen 42 bis 44 Längsreihen. Das Schwanzende ist allmählig zugespitzt und merklich länger als Kopf und Körper zusammengenommen.

Die vorderen Gliedmassen reichen bis zu der Frenalgegend; die Finger sind schlank, sämmtlich mit spitzen vorspringenden Krallen versehen; die Unterseite ist mit Schuppen bekleidet, welche mit drei Längskielen versehen sind; der dritte Finger überragt den zweiten um eben so viel, wie dieser den vierten. Die hintere Gliedmasse ragt, nach vorn gelegt, bis in die Axelgrube; die dritte Zehe ist wenig kürzer als die zweite, welche die vierte merklich an Länge übertrifft. Unterseite und Krallen wie an der Vorderextremität.

Oben hellbraun mit kleinen dunkelbraunen zerstreuten Flecken und seltneren weissen Punkten. Eine schwarzbraune Seitenbinde auf der Schnauze beginnend, durch das Auge und über der Ohröffnung verlaufend, verliert sich an der Körperseite hinter der Schulter. Lippen und Umgebung der Augen weiss gefleckt. Aussenseite der Gliedmassen hellbraun, schwarz punctirt. Oberseite des Schwanzes schwarz gebändert. Bauchseite von dem Kinn bis zum After gelbweiss. Unterseite des Schwanzes braungelb, dunkelbraun punctirt.

Totallänge 66^{mm}; Kopf 8^{mm}; Kopfbreite 5^{mm}; Schnauze bis After 28^{mm}; Schwanz 38^{mm}; vord. Extr. 9,5^{mm}; Hand 3,5^{mm}; hint. Extr. 14^{mm}; Fuss 5^{mm}.

Zwei gleich grosse Exemplare aus dem Uadi M'bellem.

7. *Uromastix spinipes* (Daudin). — Ein junges Exemplar in Sokna, Februar 1879.

8. *Agama ruderata* Olivier. — Uadi Bu-Naadscha, 19. Januar 1879; Uadi el Talha, Ende Januar 1879; auf dem

Wege zwischen Audjila und Bengasi, Mai 1879; Kufra, October 1879.

9. *Acanthodactylus scutellatus* Audouin (*L. marmorata* Licht). — Palmgarten bei Sokna, im Januar 1879; Kufra, October 1879.

10. *Acanthodactylus boskianus* (Daudin). — Sokna.

11. *Eremias guttulata* (et *rubropunctata*) Lichtenstein-Schultze (*E. pardalis* Dum. Bibr.). — Sokna, Februar 1879.

12. *Ophiops elegans* Ménétriés. — Djebel Tarrhuna (Bir-Milrha) 31. December 1878.

13. *Scincus officinalis* Linné. — Djalo, Anfang April 1879. Die beiden dort gefangenen Exemplare haben die Präfrontalia zu einem einzigen Schilde verwachsen, wie sich dieses auch bei einem der beiden Exemplare, welches Hr. Ascherson in Kasi Dachl sammelte (Nr. 8268) und bei einem Exemplare von Bloch aus Ägypten (Nr. 1180) findet.

14. *Gongylus ocellatus* (Forskål). — Djebel Tarrhuna (Bir-Milrha), December 1877; Audjila, Mai 1879.

15. *Sphenops sepsoides* Reuss. — Bir-Milrha, December 1878; Palmgarten bei Sokna, Januar 1879.

SERPENTES.

16. *Zamenis ventrimaculatus* Gray, var. *florulentus* Schlegel. — Sokna, Februar 1879.

17. *Periops parallelus* Wagler. — Uadi Milrha, December 1879.

18. *Rhagerrhis producta* (Gervais). — Kufra, October 1879.

19. *Coelopeltis lacertina* Wagler. — Bir-Milrha, Dec. 1878; Sella, 18. März 1879; auf dem Wege zwischen Audjila und Bengasi. Das Exemplar von der letzten Localität zeichnet sich aus durch die ganz glatten Schuppen, welche keine Spur von Längsvertiefungen zeigen.

20. *Psammophis sibilans* (Linné). — Bir-Milrha, 1878; Kufra, October 1879.

21. *Vipera cerastes* (Hasselquist). — Djebel Tarrhuna (Bir-Milrha), Ende 1878. Ein grosses Weibchen ohne und ein junges Männchen mit einer hornartig verlängerten Supraorbitalschuppe; Kufra, October 1879. Das junge gehörnte Männchen

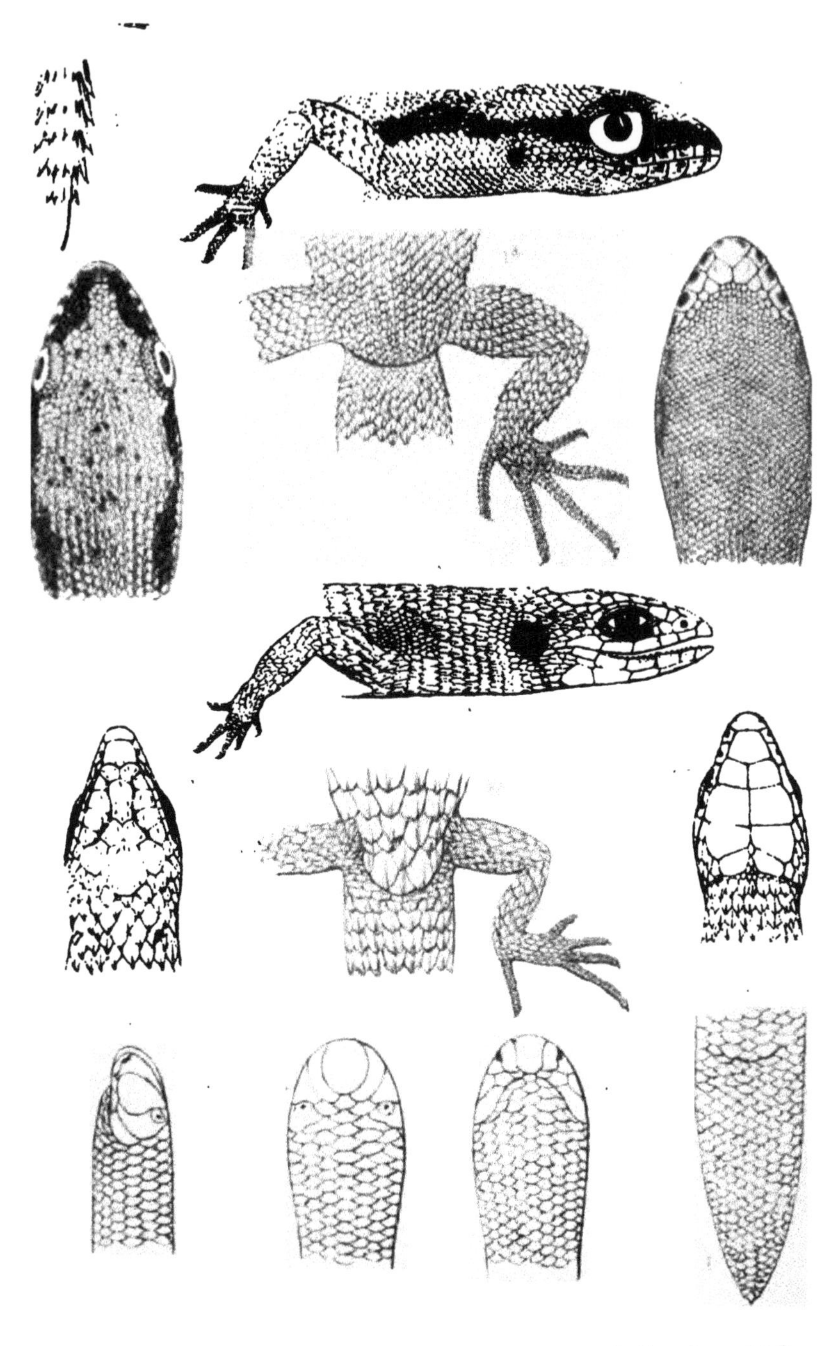

ma dis ar Prs 3 Typhlops depressus Pr

trägt das Etiquet „*Vipera berus*"; es ist daher unzweifelhaft das Exemplar, das Hr. Dr. Stecker (Mittheil. Afric. Gesellsch. Deutschl. Berlin. 1879. II. S. 80) erwähnt. *Vipera berus* kommt in Africa nicht vor.

Batrachia Anura.

22. *Rana esculenta* Linné. — Ain Scherschára, 5. Januar 1879. — Die meisten haben noch eine höckerige Spur des Schwanzes und sind daher noch jung. In der Färbung stimmen die Exemplare ganz mit denen überein, welche wir früher aus Algier erhalten haben. Die wärzchenförmigen Erhabenheiten des Rückens, welche bei den meisten hervortreten, haben wahrscheinlich Hrn. Dr. A. Stecker (l. c.) verleitet, sie als zu *Bombinator* gehörig zu betrachten.

Abbildungen.

Fig. 1. *Tropiocolotes tripolitanus* Ptrs.; 1a. Kopf von der Seite; 1b. derselbe von oben; 1c. derselbe von unten; 1d. Analgegend mit der rechten Hinterextremität; 1e. Spitze der mittleren Zehe von unten.

„ 2. *Leposoma dispar* Ptrs. Kopf von der Seite; 2a. Kopf von oben; 2b. Kopf von unten; 2c. Analgegend. (Monatsber. 1880. S. 217).

„ 3. *Typhlops depressus* Ptrs. Kopf von der Seite; 3a. Kopf von oben; 3b. Kopf von unten; 3c. Analgegend und Schwanz. (Monatsber. 1880. S. 220).

Fig. 1 in natürlicher Grösse, alle übrigen Figuren vergrössert.

Hr. Professor R. Dedekind in Braunschweig wurde zum correspondirenden Mitgliede der physikalisch-mathematischen Klasse gewählt.

15. März Sitzung der philosophisch-historischen Klasse.

Hr. Mommsen las litterarisch-epigraphische Miscellen.

Hr. Conze gab eine Übersicht der bei den Ausgrabungen von Pergamon gefundenen Inschriften, unter denen er als von besonderer Wichtigkeit diejenigen hervorhob, welche zu dem von Plinius nat. hist. XXXIV, 84 erwähnten Schlachtenmonumente gehören. Wenn eine endgültige Publikation bis zur Ankunft der Originale im K. Museum verschoben werden muss, so soll doch ein vorläufiger Bericht mit Abdruck der Hauptinschriften demnächst im Jahrbuche der K. preussischen Kunstsammlungen erscheinen.

18. März. Öffentliche Sitzung zur Vorfeier des Geburtsfestes Sr. Majestät des Kaisers und Königs.

Die Sitzung wurde von dem vorsitzenden Secretar, Hrn. Mommsen, mit folgender Festrede eröffnet:

Zwischen zwei Feste fällt unsere heutige Feier. Vor wenigen Tagen vereinigte der strahlende Frühlingsmorgen des zehnten März wohl die meisten von denen, die heute hier anwesend sind, und andere tausende unserer Mitbürger in dem schönen Garten, der längst durch das Gedächtniss der Königin Luise geweiht ist. Wir sahen dort die holden, auch der späteren Generation so wohlbekannten Züge zum ersten Mal im Schein der Kaisersonne leuchten, ihr Auge blicken auf den Sohn, auf welchem ihr Muttersegen ruht, mit dem Stolze, den die Liebe giebt. Viele unvergleichliche Gestalten weist unsere Geschichte auf, aber keine gleich dieser. Jene Frau, in welcher die heilige Dreieinigkeit der Schönheit, der Tugend und des Leidens ihren ewigen Ausdruck gefunden hat, in welcher es sich wieder offenbart, dass allein das ewig Weibliche auf die volle Höhe des Menschendaseins führt, die in ihrem kurzen Dasein ihrem Volke ein dauerndes Ideal hinterlassen hat, ist wie die reinste so auch wohl die eigenartigste Gestalt der Geschichte unserer Heimath. Nun steht sie für immer in unserer Mitte, das einzige Frauenbild unter all den Helden und Staatsmännern, welche unsere Plätze füllen, eine ewige Erinnerung für das Fürstengeschlecht wie für unser Volk an den nothwendigen endlichen Sieg des Edlen über das Gemeine, eine Erinnerung, deren wir freilich bedürfen.

Die andere Feier, welche uns bevorsteht und welche uns heute vorweg schon in diesem Saale vereinigt, ist die zwanzigste dieser Art, welche die Akademie begeht. Die Geburtstagfeier des Königs und des Kaisers Wilhelm ist mit den Gewohnheiten unsres Thuns ebenso verflochten wie mit den theuersten und stolzesten Erinnerungen, die nicht bloss uns dauernd bleiben, sondern die auf unsere Kinder sich vererben, und deren Nachklang in der Seele des deutschen Volkes fortschwingen wird, so lange es ein solches giebt. Langes Leben, wie es unserem erhabenen Herrscher beschieden ist, ist in diesem Fall ein langer Segen gewesen; die Geschichte wird es schärfer und gewisser hinstellen, als es den Zeitgenossen gestattet und geziemend ist, wie ganz undenkbar die gewaltigen Vorgänge der letzten zwei Decennien gewesen sein würden ohne diese in den Mittelpunkt der Entwickelung gestellte und wie keine andere zum Mittler geeignete Persönlichkeit. Wenn der wesentliche Segen der Monarchie, die Stetigkeit und Festigkeit derjenigen staatlichen Verhältnisse, welche unter allen Umständen durch die Persönlichkeit des Oberhauptes bestimmt werden, nur bei längerer Dauer des Regiments sich in vollem Umfang realisirt, so ist in jenen Krisen, die wir erlebt haben und in denen alles an alles gewagt werden musste und gewagt worden ist, der volle Erfolg ohne Zweifel nur dadurch erreicht worden, dass es einem und demselben Manne beschieden war sein Volk durch dieselben hindurchzuführen. Der Ruf: lange lebe der König! ist das Symbol der Monarchie. Werden die späteren Generationen empfinden, mit welcher Betonung, mit welchem Bangen, mit welchem Hoffen er derjenigen Generation auf den Lippen gelegen hat, welche den Weg vom Königreich zum Kaiserthum, von Preussen zu Deutschland mit Wilhelm, dem König von Preussen, dem Kaiser von Deutschland, gegangen ist?

Freilich, wo viel Licht und Glanz ist, da fehlen auch die dunklen Schatten nicht, und sie werden im Gegensatz um so stärker empfunden. Wir haben viel Herrliches, aber auch viel Entsetzliches erlebt; unserem Volke sind nicht bloss jene Wunden geschlagen worden, die von allen grossen Krisen ein nothwendiger Theil sind und die im Siegesjubel rasch vernarben; auch andere und schwerere, zum Theil fressende und eiternde, haben sich geöffnet. Das gute Einvernehmen unter den führenden Nationen der Welt besteht nicht mehr in dem Umfang, wie es vor einem Menschenalter bestand; und wenn wir stolz darauf sein dürfen und stolz darauf sind, dass dem starken und grossen Volke da Neid und Argwohn entgegen treten, wo das getheilte und geringgeschätzte ein gleichgültiges Wohlwollen fand, so fühlen wir dennoch, wo es hintrifft, das Unbehagen der vielfach gestörten Beziehungen und die Gefahr für die Weltcivilisation, die in dieser stillen Fehde der Geister sich verbirgt. Dies ist ein nothwendiges Übel und hoffentlich ein absehbares; die Zeit wird ja kommen, wenn wir sie auch nicht erleben, wo es sich von selbst versteht, dass unter den führenden Völkern der Welt das deutsche den Anspruch erhebt keinem voran, aber auch hinter keinem zurückzustehen. — Ernster und peinlicher sind die Erscheinungen, welche die geistige Entwickelung unseres eigenen Volkes unter der Sonne des Glücks aufweist. Wie der Soldat leichter den Gefahren und Entsagungen des Krieges widersteht als dem Rausch des Sieges, so stehen auch wir vor und in einer spontanen Recrudescenz alter, einer spontanen Generation neuer moralischer Seuchen, die mit epidemischer Gewalt um sich greifen und an den Grundlagen unsrer Gesellschaft rütteln. Ich will hier nicht reden von Dingen, die jedem, der sein Vaterland liebt, nur zu stetig im Sinn liegen, und die zunächst sich in Kreisen und Zielen bewegen, welche uns nicht unmittelbar berühren. Aber nicht bloss in jenem äussersten Extrem offenbart sich der sittliche Zersetzungsprozess, welcher auf unsere stolzen Errungenschaften unmittelbar gefolgt ist, und dessen Verwindung und Überwindung jetzt die nicht minder grosse und nicht minder schwierige Aufgabe des innerlich gesunden und kräftigen Theils der Nation ist. Alle alten Vorurtheile und Befangenheiten sind wieder erwacht. Wir sehen uns in ernsten Kämpfen mit Mächten, die wir, als wir jung waren, verachteten und verachten durften. Ist das Reich Kaiser Wilhelms wirklich noch das Land Friedrich des Grossen, das Land der Aufklärung und der Toleranz, das Land, in dem nach Charakter und Geist, und nicht nach Confession und Nationalität gefragt wird? Ist es nicht schon beinahe ein gewohntes Unheil geworden, dass die politische Parteibildung, dieses nothwendige Fundament jedes Verfassungsstaates, vergiftet wird durch Hineinziehung des confessionellen Haders? Regt man nicht in den socialen und den wirthschaftlichen Fragen das Element des Egoismus der Interessen wie des nationalen Egoismus in einer Weise auf, dass die Humanität als ein überwundener Standpunct erscheint? Der Kampf des Neides und der Missgunst ist nach allen Seiten hin entbrannt. Wirft man uns doch die Fackel in unsere eigenen Kreise, und der Spalt klafft bereits in dem wissenschaftlichen Adel der Nation.

Ist es unangemessen, bei der heutigen Feier so schwerer Übel, so ernster Gefahren zu gedenken? Ich meine nicht. Wir können uns der Segnungen der bestehenden Ordnung von Staat und Gesellschaft gar nicht bewusst werden, wir können die Dankbarkeit gegen das greise Oberhaupt unsres Staates nicht empfinden, ohne zugleich alles das mitzufühlen und mitzuleiden, was die

Gegenwart bewegt. Die Zeiten sind glücklicher Weise vorüber, wo die sogenannte gelehrte Welt in dem Wahne stand sich von der realen Gegenwart emancipiren zu dürfen, ja zu sollen. Nicht ohne einige Beschämung gedenken wir heute der Erscheinung, dass die genialsten Dichterwerke unsrer Nation in einer Epoche entstanden sind, wo diese selbst schliesslich zusammenzubrechen schien; der Isolirschemel, auf dem jene hohen Männer sassen, erscheint uns als eine der Verkehrtheiten, an denen der so oft durchkreuzte Entwickelungsgang der deutschen Nation nur zu reich ist. Wir wollen es gar nicht verbergen, dass die Festfreude an dem heutigen Tage eine andere geworden ist als in früheren Jahren, dass wir die schweren Schatten, die in diesen Freudentag hineinfallen, aus unseren Gedanken heute nicht bannen können, nicht bannen wollen. Vielleicht ist unser Dank noch herzlicher, vielleicht sind unsere Wünsche noch inniger geworden; aber wer beiden Worte zu leihen hat, wird nicht umhin können auch tiefes Leid und ernste Sorge zugleich zum Ausdruck zu bringen. Das hat man erreicht, dass es den deutschen Bürgern, mögen sie im Festsaal oder auf der Wiese, in der Kirche oder in den Hallen der Wissenschaft sich versammeln, schwer gemacht worden ist, nicht die Feste zu feiern, aber sich der Feste zu erfreuen.

Wir trennen uns aber von unsern Volksgenossen nicht, wenn wir, auch heute unsers besonderen Berufes eingedenk, an diesem Tage zusammenfassen, was in diesem zwanzigjährigen Regiment durch unsere Akademie für die Wissenschaft geschehen ist. Unter dem Kriegslärm, der die Regierung unseres Kaisers grossentheils erfüllt hat, ist dieser Theil der Wirksamkeit desselben vielleicht nicht genügend aufgefasst worden; nicht einmal von den betheiligten gelehrten Kreisen, von denen ja jeder nur einen Bruchtheil jener Gesammtthätigkeit an sich selber erfährt, geschweige denn von dem ferner stehenden Publicum. Der heutige Tag fordert besonders dazu auf. Wenn unsere Statuten vorschreiben, dass am Geburtstag des regierenden Herrschers die Akademie den Jahresbericht über ihre Leistungen erstatten soll, so dürfen wir dies, nach jener alten Art der Hohenzollern im Königthum die Königspflicht zu erkennen, wohl dahin auffassen, dass an diesem Tage bei der Rückschau auf das vergangene Jahr darüber öffentlich Rechenschaft gelegt werden soll, was während dieses Jahres aus öffentlichen Mitteln für diejenige höchste Gattung der Wissenschaftspflege geschehen ist, für welche die Akademie die hohe Ehre und die ernste Verantwortung hat das Organ der öffentlichen Munificenz zu sein. Dann aber wird es auch wohl angemessen sein die Vicennalien Kaiser Wilhelms durch einen Rückblick auf unsere Thätigkeit in dieser Zeit zu begehen. Freilich kann ein solcher Überblick nur ein sehr unvollkommenes Bild geben, theils weil die Fülle von Einzelheiten, die hier sich aufdrängen und von Rechtswegen sämmtlich vorgelegt werden müssten, den Rahmen eines akademischen Vortrages weit überschreiten würde, theils weil kein Einzelner im Stande ist die Bedeutung wie die Individualität der verschiedenartigen hier in Frage kommenden Arbeiten genügend zum Ausdruck zu bringen. Nehmen Sie meine Darstellung in diesem Sinne auf als die eines Akademikers, der zwar für das Individuum sich zu dem Glauben bekennt, dass die rechte Einseitigkeit die wahre Vielseitigkeit ist, aber für die Akademie vielmehr zu dem umgekehrten Credo.

Vor allen Dingen gedenken wir jener grossartigen Erweiterung, welche unmittelbar nach der Beendigung der schweren Kriege unserer Akademie zu Theil ward und den thatsächlichen Beweis lieferte, dass der Nachfolger Friedrich des Grossen die Fürsorge für die Wissenschaft hinter keiner andern zurückstellt als derjenigen um die unmittelbare Sicherheit des Staats. Denn indem der bisher für wissenschaftliche Zwecke der Akademie zur freien Verfügung gestellte Jahresbetrag ungefähr vervierfacht wurde, ward derselben zum ersten Mal die Möglichkeit gegeben nicht bloss einzelne Gelehrte bei ihren Forschungen zu fördern, wie dies bis dahin fast ausschliesslich geschehen war, sondern auch grössere Unternehmungen und Berufungen hervorragender Männer aus eigener Initiative und im Wesentlichen auf eigene Verantwortung herbeizuführen; und eben dies ist die Absicht der Regierung gewesen. Sie hat selbstverständlicher Weise auch ihrerseits nicht auf die Initiative bei wissenschaftlichen Unternehmungen verzichtet und verwendet alljährlich erhebliche Beträge für dergleichen Zwecke, wie denn die Akademie selbst mehrfach in die Lage gekommen ist in ausserordentlichen Fällen, wo ihre Mittel versagten, ausserordentliche Unterstützungen zu erbitten. Aber innerhalb jener weit gezogenen Grenzen verfügt die Akademie im Wesentlichen selbständig, und wenn anderswo die Selbstregierung mehr gehofft als erreicht wird, so haben wir sie in liberalem Sinn und in ausreichendem Maasse empfangen. Jene Etatziffern werden nie herabgemindert werden, so lange es ein preussisches Budget giebt, und sie werden ein dauerndes Denkmal bleiben der Regierung Kaiser Wilhelms.

Hiezu tritt ein zweites allgemeineres Moment. Wenn theils durch Zufälligkeiten, theils durch die auch auf diesem Gebiet sehr fühlbare Einwirkung desjenigen Systems, das man Bundesstaat nannte und das vielmehr Staatenbündel zu heissen verdiente, früher bei der deutschen Nation verschiedene Institutionen sich entwickelt hatten, deren Wirksamkeit wesentlich in den Kreis unsrer Akademie fiel, ohne dass dieser darauf eine Einwirkung zugestanden hätte, so wurden dagegen in dem letzten Decennium zuerst das erweiterte archäologische Institut in Rom und Athen, alsdann die Direction für Herausgabe der deutschen Geschichtsquellen mit unsrer Akademie vereinigt, so dass die Einigung der deutschen Nation in gewissem Sinne auch in diesen Kreisen zur Geltung kam. Die Vereinigung erfolgte, ohne dass die Selbständigkeit beider Institutionen, wie sie deren specielle Zwecke forderten, und ihre freie Bewegung dadurch beeinträchtigt worden wäre. Es wurde damit nur der Weg weiter verfolgt, den eine Reihe von Privatstiftungen bereits gewiesen hatte, vor allem die Humboldtstiftung, deren Entstehung ungefähr mit dem Regierungsantritt Kaiser Wilhelms zusammenfällt, und die von Haus aus jene freie, die Theilnahme von Nichtakademikern an der Leitung der Stiftung nicht ausschliessende, sondern vielmehr fordernde Verknüpfung mit der Akademie der Wissenschaften zu ihrem Ausgangspunkt nahm. Ihr sind später die Boppstiftung, die Savignystiftung, die Charlottenstiftung, ganz kürzlich die Diezstiftung gefolgt. Wenn es diesen Stiftungen, vor allem der erstgenannten, gelang den Ruhm des deutschen Namens in alle Zonen zu tragen und im wissenschaftlichen Internationalverkehr den Deutschen eine Stellung zu sichern, deren freiwillige oder widerwillige Anerkennung unser Stolz ist, so darf dies mit darauf zurückgeführt werden, dass die Regierung wie die betheiligten Kreise, ungeirrt durch die kleinen Velleitäten corporativen Selbständigkeitsdünkels, ungeirrt auch durch die politische Doctorfrage, ob ein Institut des deutschen Reiches der königlich preussischen Akademie angeschlossen werden könne, beharrlich nach allen Seiten hin festhielten an dem Gedanken, dass die deutsche Wissenschaft überhaupt und vornehmlich dem Ausland gegenüber einheitlich vertreten sein müsse. Es hat sich jene Verbindung in ihrer verständigen Beschränkung sowohl für die Akademie wie für die einzelnen Institute niemals lästig und nicht selten förderlich erwiesen. Höher aber als die einzelnen Vortheile, die sie gewährt, werden wir es anschlagen dürfen, dass wir auf unserm Gebiet berechtigt sind uns als Vertreter der deutschen Nation zu fühlen und als solche aufzutreten.

Wenn ich mich, nicht ohne Zagen wegen des zu viel oder zu wenig, zu dem Einzelnen wende, so tritt auf dem mathematischen Arbeitsfeld zunächst das Bestreben der Akademie hervor die Werke der grossen Meister dieser Wissenschaft, welche hier mit einer anderswo unbekannten Pietät von den Nachfahren geehrt werden und länger als anderswo lebendige Wirkung behalten, vollständig und würdig dem immer zahlreicher werdenden Kreise der Fachgenossen vorzulegen. Nicht bloss mit Leibnitz mathematischen Schriften ist dies ausgeführt worden, sondern es ist geschehen und geschieht gleichermaassen für Jacobi, für Steiner, für Dirichlet; ganz kürzlich ist der merkwürdige Briefwechsel zwischen Gauſs und Bessel durch die Akademie erworben und in ihrem Auftrag veröffentlicht worden. Aber auch in fernere Zeiten reicht diese Pflege zurück; die einst von Jacobi beabsichtigte Herausgabe des griechischen Mathematikers Pappus ist von philologischer Seite aufgenommen und durchgeführt worden. Die eigenen Arbeiten der reinen Mathematik sind in der bevorzugten Lage nicht häufig der Staatsunterstützung zu bedürfen. Um so mehr ist dies der Fall bei den auf der Mathematik ruhenden angewandten Wissenschaften, insbesondere der Astronomie; und wenn die umfassenden Aufwendungen, welche für diese Arbeiten von unserer Regierung gemacht worden sind und werden, zum grösseren Theil mit der Akademie nicht im Zusammenhang stehen, so dürfen wir doch daran erinnern, dass an den durch das Phänomen des Venusdurchgangs hervorgerufenen Arbeiten auch sie ihren Antheil hat, insofern eines ihrer Mitglieder in ihrem Auftrag sich in hervorragender Weise an jenen wichtigen Beobachtungen betheiligte. Auch sonst hat es nicht an Gelegenheiten gefehlt in Anschluss an die unter der vorigen Regierung von der Akademie hergestellten Sternkarten geeignete Materialien zu sammeln und Beobachtungen hervorzurufen.

In Betreff der beschreibenden Naturwissenschaften ist zunächst jener zahllosen Specialuntersuchungen und Specialpublicationen zu gedenken, welche die Akademie auf ihre Kosten entweder hat ausführen lassen oder doch veröffentlicht hat. Ein sehr grosser Theil der eigenen akademischen Publicationen ist derartigen botanischen, zoologischen, mineralogischen, paläontologischen Untersuchungen gewidmet; und wenn aus den auf diesem Gebiet in den letzten zwanzig Jahren erschienenen Werken diejenigen verschwänden, welche mehr oder minder durch unsere Beihülfe in die Öffentlichkeit gelangt sind, so würde der Stand dieser Disciplinen ein wesentlich anderer sein. Ich darf erinnern an die Arbeiten unseres Mitglieds Hrn. Roth über den Vesuv, des verstorbenen Boll über den Torpedo; berufenere Stimmen würden leicht zahlreiche weitere Beispiele hinzufügen. Besonders aber hinweisen will ich auf das zoologische Institut in Neapel, das nicht bloss sein Dampfschiff geradezu der Akademie verdankt, sondern auch überhaupt ohne deren Schutz schwerlich zu Stande gekommen sein würde — wieder ein Beispiel mehr, wie die deutsche Wissenschaft, wo sie auf das Ausland sich angewiesen sieht, an unserer Akademie ihren rechten Vertreter sucht und findet.

Dass das Gedeihen der chemischen, physikalischen und physiologischen Studien in Deutschland überhaupt und insbesondere hier in Deutschlands Mittelpunkt eng zusammenhängt mit der Wirksamkeit der Akademie, begnüge ich mich hier anzudeuten, weil es in diesem Falle sich mehr um Personen als um sachliche Fragen handelt und es nicht angemessen erscheint hier auszuführen, wie wesentlich die Akademie dazu beigetragen hat, dass die Universität Berlin die gegenwärtige Stellung einnimmt. Dafür wende ich mich zu derjenigen Seite unserer Thätigkeit, die man wohl im Allgemeinen als Erdkunde bezeichnen möchte, und deren Förderung von ihren verschiedenen Standpunkten aus beiden Klassen gemein ist. Hier ist es vor allem die Humboldtstiftung, deren planmässig ausgeführte Reisen Brasilien durch Hensel und den zu früh hingeschiedenen Sachs, Südafrica durch Buchholz und Hildebrandt, vor allem aber das Nilland durch die glänzenden Leistungen Schweinfurths aufgeklärt haben. Die deutsche Nation wird es nicht vergessen, dass jene wundervolle Erschliessung des Landes der Elephanten und der Pygmäen, nächst dem genialen Reisenden, in zweiter Reihe dieser Stiftung verdankt wird. Daran schliessen sich die Unterstützung der den Resten der alten Cultur jeder Art und jeder Epoche gewidmeten Forschungen: ich nenne die Arbeiten Helbigs über die primitiven Ansiedlungen in der Poebene, die Bereisung Mesopotamiens durch Sachau, die Aufnahme Nordafricas durch den leider schon uns entrissenen Wilmanns, die für Athen und Attica überhaupt durch Curtius und Kaupert unternommenen ausgeführten Pläne und Karten, die Bereisung des südlichen Kleinasien durch G. Hirschfeld, die von Nissen unternommene Chorographie Italiens, die Publication des alten Stadtplans von Rom durch Jordan. Wir haben die Hoffnung nicht aufgegeben, dass der lang ersehnte Atlas der alten Welt diese vereinzelten Leistungen krönen wird; es ist das der Segen unserer Institution, dass, wo der Meister da ist, die Mittel immer bereit sind.

Für die Studien der Archäologie hat das junge deutsche Reich in den ersten morgenfrischen Tagen seines Daseins — dies Reichsinstitut stammt, wie die deutsche Kaiserkrone, aus Versailles — in so ausgiebiger Weise gesorgt, dass die betheiligten Gelehrten einen schweren Stand haben werden, um der ersten Kaiserstiftung Würdiges zu leisten. Indess es ist damit nur das Richtige geschehen, denn vielleicht kein anderes Wissenschaftsgebiet bedarf zu seiner Pflege gleich ausgedehnter Hülfsmittel. Noch ist die neue Einrichtung zu jung, um eigentliche Früchte aufweisen zu können; die Ziele wenigstens hat sie sich hoch genug gesteckt. Die leitenden Männer denken an nichts geringeres als an eine systematische Publication des Gesammtschatzes der Werke der alten Kunst, gegliedert nach Kategorien und innerhalb dieser nach Zeit und Ort; an die Befreiung des einzelnen Forschers von dem jetzigen unerträglichen Zustand, wo es meist vom Zufall abhängt, ob ihm die Gegenstände seiner Forschung in den Büchern oder den Museen zu Gesichte kommen oder nicht, und keiner sicher sein kann mit voller Kunde des Materials zu arbeiten. Dies ist ein Ideal und wird es bleiben; aber es ist schon etwas, wenn Muth und Mittel sich zusammenfinden, um solche hohe Zwecke wenigstens annähernd und theilweise zu verwirklichen. Eben jetzt geht der erste bescheidene Anfang dieser neuen Veröffentlichungen in die Welt, eine Bearbeitung der in Pompeji ausgegrabenen Thonwerke; vielleicht wird die Zeit kommen, wo man diese an sich unscheinbare Publication bezeichnen wird als nicht unwerth der Vicennalien des ersten deutschen Kaisers. Die Akademie wird auch an ihr einen gewissen Antheil sich zuschreiben dürfen und zugleich sich erinnern, dass ihr Mitglied Gerhard es war, welcher zuerst und mit ihrer Hülfe durch seine kritische und vollständige Sammlung der etruskischen Spiegel den neuen Weg gewiesen hat.

Für die Inschriftenkunde hat die Berliner Akademie der Wissenschaften zur Zeit das Privilegium, wenigstens so lange das corpus inscriptionum Semiticarum unserer Schwestergesellschaft noch ein Wechsel ohne Verfalltag bleibt. Wir dürfen hier das Verdienst in Anspruch nehmen, dass wir nicht auf den Lorbeeren einer älteren Generation ruhen, sondern in frischem Schaffen fortfahren, auch wenn wir dabei unser altes Haus selber einreissen müssen. Das Corpus inscriptionum Atticarum giebt dafür den redenden Beweis; auch für die ebenfalls dringend nothwendige Neubearbeitung der Abtheilung Italien und Sicilien sind die Vorarbeiten ihrem Abschluss nahe. Es giebt dies, so wie unser neu geschaffenes athenisches Institut, die Bürgschaft dafür, dass für die anderen Abtheilungen, namentlich für Hellas und Makedonien, das Gleiche geschehen wird, dass wir die bei diesen Sammlungen schlechthin nothwendige Concentration, da wir einmal im Besitz sind, uns nicht entwinden lassen werden, auch wenn, wozu es freilich kaum den Anschein hat, andere Nationen bestrebt sein sollten um diese nur harter Arbeit und festem Entschluss winkende Palme mit uns zu ringen.

Das äusserlich noch viel umfassendere Unternehmen der lateinischen Inschriftensammlung naht sich seinem Abschluss. Wir haben davon den Anlass genommen, bleibende Fürsorge für dessen Fortführung zu treffen; wenn die folgende Generation so, wie wir hoffen, sich die Freudigkeit der entsagenden Arbeit bewahrt, so glauben wir dafür gesorgt zu haben, dass der mit schwerer Noth endlich schiffbar gemachte und jetzt verhältnissmässig leicht im Gang zu haltende Strom nicht abermals versandet.

Neben dem, was für die alte Epigraphik geschieht, nimmt unsere Thätigkeit für die verwandte Münzkunde einen sehr bescheidenen Platz ein. Es sind wohl Privatwerke von uns unterstützt worden, wie v. Sallets Arbeit über die baktrischen Münzen, Dannenbergs deutsches Münzwesen im Mittelalter; aber die grosse zusammenfassende Arbeit, deren es hier bedarf, ist zur Zeit nicht einmal in Aussicht. Und doch ist im ganzen Kreise der Alterthumswissenschaft, nachdem so viele berechtigte Wünsche befriedigt worden sind, jetzt keine Stelle, wo ein solches Zusammenfassen so dringend gefordert würde als hier. Wenn jetzt oder später der geeignete Träger eines solchen Unternehmens auftreten sollte, so werden hoffentlich wir, oder die dann unsere Plätze einnehmen, um die Ausfüllung der Lücke bemüht sein, obgleich die eigenen Mittel der Akademie für ein so colossales Unternehmen sicher nicht ausreichen werden. Talente schaffen können wir nicht, und ebenso wenig mit unbewährten Persönlichkeiten aufs Gerathewohl experimentiren.

Ich eile zum Schluss und deute nur im Kürzesten an, was für die Philologie aller Zeiten und Zonen in diesen zwanzig Jahren geschehen ist. Aristoteles, gewissermaassen der geistige Vater aller akademischen Forschung, steht nach wie vor im Mittelpunkt unserer Thätigkeit. Der akademischen Ausgabe ist in dieser Epoche das unschätzbare Aristoteles-Lexikon unseres Collegen Bonitz gefolgt. Ferner ist die Gesammtpublication der Aristoteles-Commentare, als das erste derartige Unternehmen, bald nach der Erhöhung unserer Dotation von uns beschlossen und sind dafür die sämmtlichen Bibliotheken Europas systematisch durchforscht worden; der Beginn der Publication steht bevor. Daneben darf genannt werden, was für die Quellen des römischen Rechts von akademischer Seite geschehen ist. Gaius Wiederentdeckung ist nicht minder wie die Aristotelesarbeit mit den Traditionen unserer Akademie verwachsen: es ist uns vergönnt gewesen durch Studemunds meisterliche Revision den kritischen Boden hier so weit zu säubern, als Ungeschick und Unglück einer früheren Epoche es irgend gestatteten. Auf Anregung unserer Savignystiftung hat die Justinianische Verordnungensammlung endlich durch Hrn. Krüger eine sichere Textgrundlage erhalten. Noch erwähne ich eine eben jetzt erscheinende akademische Publication der Hrn. Bruns und Sachau, weil hier, wo ein lateinisches Rechtsbuch aus syrischen, arabischen, armenischen Übersetzungen wiederzugewinnen war, die Initiative und die Cooperation, wie sie unserem Institut eigen sind, ihren Nutzen in glänzender Weise bewährt hat. Vieles andere übergehe ich: unsere Versuche die verunglückte Gesammtausgabe der byzantinischen Historiker wenigstens in ihren wichtigsten Theilen durch Besseres zu ersetzen; die zahlreichen Unterstützungen einzelner Ausgaben kritischer Schriftsteller; die von Hrn. Hübner vorbereitete Paläographie der lateinischen Quadratschrift; die Betheiligung an der Herausgabe der arabischen Annalen des Tabari, des armenischen

Eusebius, des Mutanabbi, des Rigveda und einer Reihe anderer orientalischer Werke; die Vorbereitungen für die Publication des ägyptischen Todtenbuchs, der assyrischen Keiltexte, der karthagisch-phönikischen Inschriften. Ich übergehe nicht minder, was zu sagen wäre über die Unterstützung der mittelalterlichen Geschichtsforschung. Sie tritt in der unmittelbaren akademischen Thätigkeit insofern zurück, als durch unsere Filialanstalt der Monumenta Germaniae dafür in anderer und genügender Weise gesorgt ist; doch sind auch durch die Akademie selbst zum Beispiel Hübners Sammlungen der mittelalterlichen Inschriften von Spanien und England und die Fortsetzung der Jafféschen Papstregesten veranlasst oder doch gefördert worden. Nur darauf soll schliesslich hingewiesen werden, dass in dem letzten Decennium die neuere und insbesondere die preussische Geschichte in den Kreis der akademischen Unternehmungen hineingezogen worden ist. Von Holsts Untersuchungen über die Geschichte der Vereinigten Staaten würden ohne die von uns in ausgedehntem Maass gewährte Unterstützung nicht zum Abschluss gedeihen; und die Herausgabe der Staatsschriften Friedrich des Grossen und seiner politischen Correspondenz wurde beschlossen, als die Erweiterung ihrer Mittel der Akademie die Möglichkeit gab auch den Kreis ihrer Bestrebungen weiter und freier zu gestalten.

Dieser unvollständige und unvollkommene Abriss dessen, was die Akademie unter der Regierung Seiner Majestät des Kaisers Wilhelm unternommen und grossentheils ausgeführt hat, ist unser heutiger Festgruss. Wir vergleichen nicht, was in anderen Nationen auf dem gleichen Wege geschaffen worden ist und fragen nicht, wie der Unterschied der Civilisationsentwickelung und des nationalen Reichthums in diesem stolzen Wettkampf der Völker zum Ausdruck gelangt. Das aber dürfen wir sagen, dass wir gewissenhaft bemüht gewesen sind mit den uns anvertrauten reichen Mitteln alles wissenschaftliche Streben zu fördern, ohne Unterschied des Kreises und ohne Ansehn der Person. Gewiss verkennen und vergessen wir nicht, dass nicht alle jene Früchte gereift sind. Auch uns ist es nicht erspart geblieben bald unter Dornen zu säen, bald fröhlich keimende Saat durch Schicksalsschläge vernichtet zu sehen. Die Aufgabe der Akademie bringt es mit sich, dass sie oft gewagte Unternehmungen beginnen muss, und der Einsatz auch wohl verloren geht. Aber sie bringt auch mit sich, dass manches gesäete Korn hundertfältige Frucht trägt. Wir nehmen das eine mit dem andern hin und hoffen, dass unsere Wirksamkeit auch ausserhalb der Akademie in dieser ausgleichenden Weise beurtheilt werden wird. Wir brauchen Geduld, nicht bloss weil manches fehlschlägt, sondern mehr noch, weil unsere Früchte, wie es nun einmal bei diesen Verhältnissen und diesen Personen nicht anders sein kann, im besten Falle langsam reifen. Wir finden aber auch diese Billigkeit und diese Geduld; und wer immer mit der Leitung akademischer Arbeiten beauftragt worden ist, wird sich bekennen zu der tiefen und ernsten Empfindung des Dankes gegen den Staat, der uns die Pflege der Wissenschaft anvertraut, gegen den Kaiser, für den zu arbeiten wir stolz sind. Auch wir sind seine Beauftragten, und wir ehren ihn heute, indem wir zusammenfassend aussprechen, was in den zwanzig gesegneten Jahren seiner Regierung die Akademie der Wissenschaften gethan oder veranlasst hat.

Hr. Mommsen trug alsdann den Bericht über die grösseren wissenschaftlichen Unternehmungen der philosophisch-historischen Klasse für das abgelaufene Jahr vor, in welchem von der Weiterführung der griechischen und lateinischen Inschriften, der Paläographie der römischen Quadratschrift, der Vorarbeiten zu einer Herausgabe der griechischen Kommentatoren des Aristoteles, den Arbeiten des mit der Akademie verbundenen Archäologischen Instituts und der Herausgabe der politischen Correspondenz König Friedrichs des Grossen Rechenschaft gelegt wurde.

Zum Schluss trug Hr. Droysen seine Abhandlung vor: Friedrich's II. Stellung nach dem Dresdener Frieden.

Verzeichniss der im Monat März 1880 eingegangenen Schriften.

Abhandlungen herausgegeben von der Senckenbergischen Naturforschenden Gesellschaft. Bd. XI. Heft 4. Frankfurt a. M. 1879. 4.

Bericht über die Senckenbergische Naturforschende Gesellschaft. 1878—1879. Frankfurt a. M. 8.

Berichte der Deutschen Chemischen Gesellschaft. Jahrg. XIII. N. 3. Berlin 1880. 8.

Neues Archiv der Gesellschaft für ältere Deutsche Geschichtskunde. Band 5. Heft 1. 2. Hannover 1879/80. 8.

Preussische Statistik. Herausgegeben in zwanglosen Heften vom K. Statistischen Büreau. Heft 49. 50. 51. 52. Berlin 1879/80. 4.

Berliner Astronomisches Jahrbuch für 1882. Berlin 1880. 8.

C. Bruhns, *Monatliche Berichte über die Resultate aus den meteorologischen Beobachtungen angestellt an den K. Sächs. Stationen im Jahre 1878.* Leipzig 1879. 4.

G. vom Rath, *Ergebnisse einer erneuten Untersuchung über das Krystallsystem des Cyanit.* Sep.-Abdr. 1879. 8.

Mittheilungen der K. K. Central-Commission zur Erforschung und Erhaltung der Kunst- und histor. Denkmale. Neue Folge. Bd. V. Heft 4 (Schluss). Wien 1879. 4.

Proceedings of the R. Geographical Society. Vol. II. N. 3. March. 1880. London. 8.

Annales des Ponts et Chaussées. Mémoires et Documents. Série V. Cah. 1. 2. 1880. Janv. Févr. Paris. 8.

Bulletin de l'Académie de Médecine. Sér. II. T. IX. N. 8. 9. Paris 1880. 8.

Revue scientifique de la France et de l'étranger. N. 35. 36. Paris 1880. 4.

Polybiblion. — Part. litt. — Sér. II. T. VI. Livr. 1. 2. Paris 1880. 8.

Bulletin de la Société de Géographie. Décembre 1879. Paris 1879. 8.

Bulletin de la Société de Géographie commerciale de Bordeaux. Sér. 2. Année 3. N. 5. Bordeaux 1880. 8.

B. Boncompagni, *Bullettino.* T. XII. Ottobre 1879. Roma 1879. 4.

F. Coppi, *Monografia ed Iconografia della terracimiteriale et terramara di Gorzano ossia Monumenti di pura Archeologia.* Vol. I. II. III. Modena 1871—1876. 4.

— —, *Studj di Paleontologia iconografica del Modenese.* Modena 1872. 4.

A. Crespellani, *Terremare o Marne Modenesi e Monumenti antichi lungo la strada Claudia.* Modena 1870. 4.

— —, *Appendice alle Marne Modenesi. Memoria.* Modena 1871. 4.

K. Vitterhets Historie och Antiquitets Akademiens Månadsblad. Årg. 8. 1879. Stockholm 1879. 8.

H. Gyldén, *Framställning af differentialförhållandena emellan sanna anomalien och radius vector i en elliptisk bana och excentriciteten.* Stockholm 1879. 8. Extr.

— —, *Über die Bahn eines materiellen Punktes, der sich unter dem Einflusse einer Centralkraft von der Form* $\frac{\mu_1}{r^2} + \mu_2 r$ *bewegt.* Stockholm 1879. 4. Extr.

Bulletin de l'Académie R. des Sciences de Belgique. 49. Année. 2. Série. T. 49. N. 1. Bruxelles 1880. 8.

Revista Euskara. Año tercero. Núm. 23. Febrero de 1880. Pamplona 1880. 8.

Proceedings of the American Academy of Arts and Sciences. New Series. Vol. VII. Whole Series Vol. XV, P. 1. Boston 1880. 8.

The Journal of the Cincinnati Society of natural history. Vol. II. N. 3. October 1879. Cincinnati. 8.

Archivos do Museu Nacional do Rio de Janeiro. Vol. II. Trimestres 1—4, 1877. Vol. III. Trimestres 1. 2. 1878. Rio de Janeiro 1877. 1878. 4.

MONATSBERICHT

DER

KÖNIGLICH PREUSSISCHEN

AKADEMIE DER WISSENSCHAFTEN

ZU BERLIN.

April 1880.

Vorsitzender Secretar: Hr. Mommsen.

---

5. April. Sitzung der physikalisch-mathematischen Klasse.

Hr. Schwendener las:

Über Spiralstellungen bei Florideen.

Bekanntlich zeigen die seitlichen Organe einiger Florideen (*Polysiphonia*, *Spyridia* etc.) regelmässige Spiralstellung und zwar mit Divergenzen, welche nach herkömmlicher Bezeichnungsweise den bekannten Reihen $\frac{1}{4}$, $\frac{2}{7}$, $\frac{3}{11}$ ...; $\frac{1}{4}$, $\frac{1}{5}$, $\frac{2}{9}$ ...; $\frac{2}{5}$, $\frac{3}{8}$, $\frac{5}{13}$ ... etc. angehören [1]). Dabei findet die Anlegung dieser Organe am Sprossscheitel zum Theil unter Verhältnissen statt, welche die Beeinflussung des Vorganges durch die Contactwirkung der nächst ältern Organe auszuschliessen scheinen. So sagt z. B. Cramer [2]) in

---

[1]) Wie sich aus meiner Theorie der Blattstellungen ergibt, ist diese Bezeichnungsweise nicht correct. Denn obschon die Stellungsverhältnisse bezüglich ihres Spielraumes am nämlichen Spross durch die Reihen 1, 2, 3, 5 ...; 1, 3, 4, 7 ..., etc. bestimmt sind, besteht zwischen den oben aufgeführten Näherungsbrüchen und den gesetzmässigen Divergenzänderungen keine andere Beziehung, als dass beide nach dem nämlichen Grenzwerth convergiren. Dies gilt sowohl für die Änderungen durch mechanischen Druck, wie für diejenigen, welche das Kleinerwerden der Organe bedingt.

[2]) Physiologisch-systematische Unters. über d. Ceramiaceen, Heft I, pag. 70.

Bezug auf *Spyridia filamentosa* (Harvey): „Die Scheitelzellen von Langtrieben theilen sich continuirlich von unten nach oben fortschreitend durch schwach und im Zusammenhang mit der Verzweigung nach 13 verschiedenen Seiten alternirend geneigte Querwände.“ Hiernach und nach der citirten Abbildung Fig. 9 auf Taf. X wäre also die unerklärte Neigung der Wände nach $\frac{5}{13}$ in diesem Verzweigungsprocess das Primäre und das Auswachsen der einzelnen Gliederzelle an der Stelle, wo sie die grösste Längendimension besitzt, die Folge davon. In ähnlicher Weise schildert Kny [1]) das Scheitelwachsthum von *Chondriopsis tenuissima* (Good. et Woodw.), *Polysiphonia fibrata* (Dillw.), *P. Brodiaei* (Dillw.), *P. sertularioides* (Grat.) u. a. Derselbe bemerkt ausdrücklich, dass „die in der Scheitelzelle auftretenden Querwände nach derjenigen Seite hin aufgerichtet sind, welche einem Blatt den Ursprung zu geben bestimmt ist“. Es mag ferner daran erinnert werden, dass auch die schiefen Wände der Moosrhizoiden (Zweigvorkeime) von H. Müller (Thurgau) in demselben Sinne gedeutet wurden.

Für die Theorie der Stellungsverhältnisse seitlicher Organe sind diese Wachsthumsvorgänge von doppeltem Interesse, einmal mit Rücksicht auf die Frage, welche Fälle regelmässiger Stellungen die Annahme einer Beeinflussung durch den gegenseitigen Contact ebenso unzweifelhaft ausschliessen, wie dies z. B. für die zweizeiligen Strahlen von *Cladophora*, *Ptilota* u. s. w., desgleichen für die Wedel kriechender Farnstämme anzunehmen ist. Mit dieser Frage steht sodann die weitere und allgemeinere im Zusammenhang, ob überhaupt Spiralstellungen ohne die Contactwirkung der jugendlichen Anlagen jemals zu Stande kommen.

Die Beantwortung dieser Fragen setzt natürlich eine genaue Kenntniss der Entwicklungszustände in der Scheitelregion voraus; es kommt auch hier, wie bei den höhern Gewächsen, vor Allem darauf an, die Contactbeziehungen zwischen dem neu auftretenden seitlichen Organ und den unmittelbar vorausgehenden festzustellen. Zu diesem Behufe habe ich die Stammspitzen der hieher gehörigen Florideen meist an kurzen abgeschnittenen Enden, welche unter dem Mikroskop beliebig gedreht werden konnten, untersucht und

---

[1]) Über Axillarknospen bei Florideen, p. 2. Abdruck aus der Festschrift zur Feier des hundertjährigen Bestehens der Ges. naturf. Freunde zu Berlin, 1873.

hierbei namentlich auf die Querschnittsansichten der Scheitelregion mit den jüngsten Blattanlagen mein besonderes Augenmerk gerichtet. Die Resultate, die ich auf diesem Wege erhielt, sollen im Folgenden kurz dargestellt werden [1]).

Ich beginne mit der Gattung *Polysiphonia.* Die untersuchten Arten, *P. sertularioides* Grat., *P. variegata* J. Ag. u. a. verhielten sich im Wesentlichen so übereinstimmend, dass es mir überflüssig erscheint, sie gesondert zu besprechen. Die Anlagen der haarförmigen seitlichen Organe, die man füglich als Blätter bezeichnen kann, entstehen hier immer durch Ausstülpung von Gliederzellen der Scheitelregion, und zwar in streng acropetaler Folge. Häufig genug treten solche Ausstülpungen schon an den jüngsten Gliederzellen auf, also unmittelbar unter der Scheitelzelle; in andern Fällen beginnt ihre Entwicklung im zweiten oder dritten Gliede rückwärts vom Scheitel. Die Theilungs- und Verzweigungsvorgänge, welche mit dem weitern Wachsthum der Blätter verknüpft sind, setze ich hier als bekannt voraus; ich erinnere bloss an den pseudodichotomischen Aufbau derselben, welcher dadurch zu Stande kommt, dass die Gliederzellen des Hauptstrahls abwechselnd nach rechts und links, aber immer in tangentialer Ebene, ihre Seitenzweige bilden (vgl. Fig. 1—4). Die relative Breite der Anlagen beträgt bei den vierzeilig beblätterten Polysiphonien ungefähr $\frac{1}{4}$ des Stammumfanges (Fig. 1 A; 2 A Querschnittsansicht), sinkt aber später in Folge der vorwiegenden Dickenzunahme des Stammes auf einen erheblich kleinern Bruchtheil herunter (Fig. 1—4). Ein ähnliches Verhältniss scheint nach Beobachtungen an *P. Brodiaei* auch bei kleineren Divergenzen obzuwalten. Schon diese an den untersuchten Arten leicht nachzuweisende Beziehung zwischen dem Querdurchmesser der jugendlichen Organe und demjenigen des Mutterorgans spricht zu Gunsten der Contacttheorie.

Von besonderer Bedeutung ist zweitens der Umstand, dass die jungen Blätter sich mit ihrer Innenseite dem Stamm dicht anschmiegen, so dass sie auf Querschnitten, welche oberhalb ihrer Basis geführt wurden, an demselben haften bleiben. Man kann sich von diesem unmittelbaren Contact auch ohne Zuhülfenahme

---

[1]) Das Material zu diesen Untersuchungen verdanke ich meinen verehrten Collegen Strasburger, Kny und Cramer, denen ich hiemit für diese freundliche Unterstützung meinen verbindlichen Dank ausspreche.

von Querschnitten leicht überzeugen, indem man kurze Stammenden unter dem Mikroskop dreht, bis die betreffenden Blätter eine genau seitliche Lage zeigen (Fig. 1, c 3; 2, B 3); sie erscheinen alsdann nur durch eine feine Linie, nie durch einen Zwischenraum vom Stamm abgegrenzt. Dieser unmittelbare Contact bleibt indessen nur kurze Zeit erhalten. Sobald das Blatt aus mehr als 2 bis 3 Zellen besteht, beginnt in der Regel eine allmälige Ablösung von der Oberfläche des Stammes, wobei gewöhnlich die Fiederblättchen, sofern solche bereits vorhanden sind, in Folge ihrer Wachsthumsrichtung den Contact länger beibehalten als der Hauptstrahl. Zuletzt aber rücken auch diese vom Stamme hinweg oder bleiben höchstens mit den inzwischen hervorgetretenen neuen Anlagen stellenweise in Berührung. In der Querschnittsansicht erscheinen dann die jüngsten Blätter von den nächstältern der nämlichen Orthostiche bogenförmig umschlossen (Fig. 3, A).

In dritter Linie ist es eine ausnahmslose Regel, dass die obersten Blätter mit ihren Spitzen mindestens bis zum Niveau der neu entstehenden hinaufragen. Dadurch wird von vorne herein die Vermuthung nahe gelegt, dass die letzteren in ähnlicher Weise unter dem Einfluss der ältern stehen, wie dies für die höhern Gewächse festgestellt ist. Auch spricht der oben erwähnte Contact zwischen den jungen Blättern und dem Stamm eher für als gegen diese Vermuthung; denn die Vorstellung, dass die von Blättern bedeckte Zone des Stammes an der Neubildung von Organen verhindert, die contactfreie dagegen hiezu befähigt sei, drängt sich so zu sagen von selbst auf. Nichtsdestoweniger verlangt diese Auffassung eine genaue Prüfung: es muss Schritt für Schritt untersucht werden, ob die hier obwaltenden, in mancher Hinsicht eigenthümlichen Contactverhältnisse den angenommenen Einfluss thatsächlich besitzen.

Prüfen wir zunächst, ob die Aufhebung des Contactes zwischen Stamm und Blatt in der That das Primäre und das Hervorsprossen neuer Anlagen an der frei gewordenen Stelle eine Folge davon sei, oder ob vielleicht umgekehrt die ältern Blätter erst durch den mechanischen Druck, den die neuen Sprossungen bewirken, nach aussen geschoben werden. Wäre das Letztere der Fall, so müsste nothwendig zwischen den jüngsten eben hervortretenden Blättern und den nächstältern derselben Orthostiche immer eine unmittelbare Berührung stattfinden; die Beobachtung lehrt aber, dass diese Folgerung in manchen Fällen entschieden nicht zutrifft. So hat sich

z. B. in Fig. 3, A das Blatt 2 mit seinem Hauptstrahl bereits vom Stamm abgelöst, während die darüber befindliche Anlage 6 sich eben erst hervorzuwölben beginnt. Damit ist natürlich nicht ausgeschlossen, dass diese Anlage nachträglich, im Verlaufe ihres Wachsthums, den Contact mit dem bezeichneten Blatt vorübergehend herstellt, in ähnlicher Weise etwa, wie dies in Fig. 4, A und B für die Blätter 2 und 6, 3 und 7 dargestellt ist. Es verdient ferner Beachtung, dass an der Ursprungsstelle einer Anlage locale Wirkungen mechanischen Druckes, die man sich als kleine Einbuchtungen oder Krümmungen am untern Blatt zu denken hätte, nie zu Stande kommen, während sie doch sonst überall hervortreten, wo junge Organe den Widerstand älterer zu überwinden haben. Endlich muss ich die Eingangs erwähnte Angabe der Autoren, wonach die Gliederzellen auf der Seite, welche dem Blatt die Entstehung gibt, von Anfang an höher sein sollen als auf der entgegengesetzten, dahin berichtigen, dass die fragliche Ungleichheit erst nach dem Aufhören des Contactes an der Bildungsstätte des anzulegenden Blattes bemerkbar ist. Von einer ursprünglichen Neigung der Wände nach verschiedenen, den Blattzeilen entsprechenden Seiten kann also nicht die Rede sein. An Stämmchen, deren oberste Anlagen und Blattspitzen von 1—2 Gliederzellen überragt werden (was allerdings nicht häufig vorkommt), kann man sich beim Drehen leicht überzeugen, dass diese obersten Glieder noch parallele Endflächen besitzen.

Gestützt auf diese Thatsachen, lässt sich das Zustandekommen der Spiralstellung in folgender Weise erklären. Es sei gegeben das Stadium Fig. 2, A u. B. Die Blätter 1—4 umgeben den Stamm; Blatt 1 ist vierzellig und besitzt die Seitenstrahlen *a* und *b*; 3 und 4 sind noch unverzweigt, das letztere einzellig. Alle 4 Blätter mit Ausnahme von 1 liegen der Oberfläche des Stammes dicht an. Unter diesen Umständen ist leicht einzusehen, dass nur auf der Seite von 1 eine neue Ausstülpung sich bilden kann, und in der That zeigt die Längsansicht bereits Schiefstellung der Querwände und eine schwache Wölbung der Oberfläche. Etwas später wird sich das Blatt 2 ablösen und dadurch die Blattbildung an dieser Stelle ermöglichen. Weitere Querschnittsansichten, welche analoge Stadien darstellen und deshalb keiner besondern Erklärung bedürfen, sind in Fig. 1, A; 3, A u. 4, D abgebildet.

Es kann vorkommen, dass der Contact zwischen Stamm und

Blatt zu spät aufgehoben wird, um schon der nächstfolgenden Gliederzelle Gelegenheit zur Ausstülpung zu geben. Diese Zelle bleibt alsdann blattlos und die Fortsetzung der Spirale kann erst von der nächstfolgenden übernommen werden. Geht auch diese leer aus, so erfolgt die Neubildung eines Blattes in der zweitfolgenden, u. s. w. So erklärt sich das Überspringen einzelner Glieder, wie man es bei *P. sertularioides* hin und wieder beobachtet, wie mir scheint auf befriedigende Weise. Ob freilich diese Erklärung auch für die extremen Fälle, wo die Zahl der sterilen Glieder bis auf 12 steigt[1]), noch zutrifft, muss ich dahingestellt lassen, da ich solche Fälle nie beobachtet habe und in den Mittheilungen Anderer hierüber keinerlei Anhaltspunkte finde.

Warum entsteht nun aber das erste Blatt am seitenständigen Zweig erst am 3. bis 5. Gliede und stets auf derselben Seite? Hierauf ist zunächst zu erwiedern, dass der erste Theil der Frage sich auf Erscheinungen bezieht, welche zur mechanischen Theorie der Blattstellungen in keiner Beziehung stehen. Wir wissen ja überhaupt nicht, an welche Einzelbedingungen die Bildung seitlicher Anlagen geknüpft ist, und können daher auch nicht beurtheilen, warum eine Keimpflanze oder ein Seitenspross von *Polysiphonia*, ohne dass mechanische Hindernisse im Wege stehen, erst am soundsovielten Gliede Blattanlagen erzeugt. Solche Dinge liegen gänzlich ausserhalb der Tragweite meiner Theorie. Dagegen verlangt der zweite Theil der gestellten Frage, welche den Entstehungsort der ersten Anlage betrifft, allerdings etwelche Aufklärung, und dieser Anforderung hoffe ich durch folgende Betrachtung zu genügen. Es ist einleuchtend, dass bei einer Keimpflanze von *Polysiphonia*, wenn wir sie uns in senkrechter Stellung auf horizontaler Unterlage denken, von einer bestimmten Orientirung des ersten Blattes nicht die Rede sein kann, weil alle Punkte der Aussenfläche gleichwerthig sind. Die erste Blattanlage kann also mit gleicher Wahrscheinlichkeit nach Norden, oder nach Süden, oder nach irgend einer andern Himmelsgegend gerichtet sein. Stellen wir uns dagegen vor, unsere Keimpflanze entwickle sich unter Beibehaltung der lothrechten Stellung auf einer stark geneigten Fläche, so sind die verschiedenen Längslinien nicht mehr vollkommen gleichwerthig,

---

[1]) Vgl. Kny, Über Axillarknospen bei Florideen, l. c. p. 9 des Separatabdruckes (p. 105 der Festschrift).

sondern differiren in ähnlicher Weise wie z. B. bei Fichten an steilen Bergabhängen: der Stamm ist auf der Thalseite länger als auf der Bergseite. Da nun die Befähigung zur Blattbildung bei *Polysiphonia* ganz unzweifelhaft in irgend einer Weise von der Länge, bez. von der Zahl der vorhandenen Glieder abhängig ist, so lässt sich erwarten, dass das erste Blatt schief stehender Keimpflanzen der längsten Longitudinale entspreche. Dieselbe Beziehung wird aber auch bei Zweigstrahlen obwalten, welche von einem Mutterstamme ausgehen, und da hier die längste Seite bald dem Tragblatt, bald der Verbindungslinie zwischen Stamm und Tragblatt ungefähr gegenüber liegt[1]), so ist damit die Stellung des ersten Blattes am Zweige vorgezeichnet. In diesem Punkte stimmt die Theorie mit der Wirklichkeit vollständig überein. Nur in den seltenen, an *P. fibrillosa* beobachteten Fällen, wo nach Kny der Zweigstrahl zuweilen genau in die Mediane des Blattes fällt, vermag ich allerdings, da mir eigene Beobachtungen fehlen, den Ausschlag gebenden Factor nicht anzugeben; ich vermuthe jedoch, dass eine genauere Untersuchung solcher Vorkommnisse (woran freilich ohne genügendes Material nicht gedacht werden kann) doch wohl eine kleine Abweichung von der Mediane ergeben würde.

Von den Polysiphonien, deren Blattdivergenz erheblich kleiner ist als $\frac{1}{4}$, lässt sich vom mechanischen Standpunkt aus von vorne herein erwarten, dass auch die Dimensionen der jungen Anlagen entsprechend reducirt sein werden. Diese Schlussfolgerung habe ich an *Polysiphonia Brodiaei* (Dillw.), deren Blätter nach $\frac{1}{7}$ geordnet sind, geprüft und richtig befunden. Ich bemerke aber ausdrücklich, dass die Grössenreduction auf die jüngsten Stadien der Blattanlagen beschränkt ist; sobald die Blätter eine gewisse Länge erreicht haben oder sogar mehrzellig geworden sind, stimmt ihr Querdurchmesser ungefähr mit demjenigen der vierzeilig beblätterten Arten überein oder ist sogar noch etwas grösser. Die Contactbeziehungen, welche die Entwicklungsfolge der Anlagen bestimmen, habe ich leider nicht so genau untersuchen können, wie ich es gewünscht hätte, weil an den mir zu Gebote stehenden fertilen Exemplaren vegetative Stammspitzen (nämlich solche ohne Antheridien) ziemlich selten waren,

---

[1]) Der Zweig wird bekanntlich von der Basalzelle des Blattes angelegt und ist in der Regel mehr oder weniger seitlich gegen dessen Mediane verschoben. Vgl. Magnus, Bot. Zeitg. 1872, pag. 251, und Kny l. c.

so dass ich beim Präpariren nur mit vieler Geduld geeignete Stücke erhielt, die ich drehen und also auch aufrecht stellen konnte. Solche Stücke gewähren in der Scheitelansicht das Bild Fig. 7, B. Man sieht, dass die meisten ältern Blätter (1, 2, 3 ...) sowohl unter sich als mit dem Stamm in unmittelbarer Berührung stehen; nur das älteste in unserer Figur, Blatt 0 nämlich, ebenso das demselben vorausgehende (in der Figur nicht gezeichnete), steht vollständig ausser Contact, und dementsprechend haben die frei gewordenen Stellen des Scheitels hier den nöthigen Spielraum, um neue Ausstülpungen zu bilden. Blatt 6 ist denn auch deutlich als kleiner Höcker vorhanden (vgl. Fig. 7, A); 7 kann folgen oder war vielleicht schon angedeutet, jedoch in den beobachteten Stellungen nicht sichtbar. Das ist die Lücke, die ich unausgefüllt lasse. Etwas später würde sich in gleicher Weise Blatt 1 abgehoben und für eine neue Anlage Raum geschaffen haben.

Von den übrigen Florideen mit spiralig gestellten Blättern ist *Chondriopsis* im Grunde schon aus den Abbildungen von Kny hinlänglich bekannt. Die Blattdivergenz ist hier $\frac{2}{7}$, also nur wenig von $\frac{1}{4}$ verschieden. Die Stammspitze mit ihren jugendlichen Blattanlagen erinnert durch ihre Formverhältnisse so sehr an *Polysiphonia*, dass auch bezüglich der Contactbeziehungen eine wesentliche Abweichung nicht wohl anzunehmen ist. Ich habe mich übrigens an Weingeistexemplaren, die ich Hrn. Prof. Kny verdanke, direct überzeugt, dass die obersten Blätter mindestens bis zum Niveau der jüngsten Blattanlagen hinaufreichen und dass Blatt und Stamm eine Zeit lang in ähnlicher Weise mit einander in Berührung stehen und auf Schnitten an einander haften bleiben, wie bei *Polysiphonia*. Ich glaubte unter diesen Umständen darauf verzichten zu dürfen, die spätere Lostrennung der Blätter und das Hervorsprossen einer neuen Anlage an der frei gewordenen Stelle noch spezieller ins Auge zu fassen. Untersuchungen dieser Art sind nämlich bei *Chondriopsis coerulescens* (Crouan) wegen der kraterförmigen Vertiefung am Scheitel mit fast unübersteiglichen Hindernissen verknüpft, und selbst die günstigste Art der Gattung, *Ch. tenuissima* (Good. et Woodw.), stellt die Geduld des Beobachters sehr auf die Probe.

Ebenso habe ich *Spyridia filamentosa* (Harvey) an Weingeistexemplaren, die mir Hr. Prof. Cramer freundlichst übersandte, genauer untersucht. Die Kurztriebe (Blätter) sind hier nach $\frac{5}{13}$

gestellt und gewähren in der Scheitelregion, abgesehen von der Kleinheit der Dimensionen, auf Querschnittsansichten so ziemlich dasselbe Bild, wie manche Stammspitzen von Phanerogamen. Ihre jüngsten Anlagen bilden nahezu quer zur Stammaxe gerichtete Ausstülpungen, die sich erst im Verlaufe ihrer weitern Entwicklung bogenförmig nach oben krümmen (Fig. 5, A—D, Fig. 6). Da die Gliederzellen sehr kurz sind und jede eine Anlage erzeugt, so liegen die höckerförmigen Hervorragungen dicht übereinander; ihre Dreierzeilen bilden in gewissem Sinne Contactlinien. Unter solchen Verhältnissen kann es kaum noch einem Zweifel unterliegen, dass das Zustandekommen der Spirale den nämlichen Anschlussregeln unterworfen ist, wie bei den höhern Gewächsen. Um indess alle Bedenken zu beseitigen, hebe ich noch ausdrücklich hervor, dass die grössere Höhe der Gliederzellen auf der blatterzeugenden Seite offenbar erst die Folge, nicht die Ursache der beginnenden Hervorwölbung ist. Es kommt allerdings oft genug vor, dass selbst die oberste Gliederzelle, welche unmittelbar an die Scheitelzelle grenzt, geneigte Wände besitzt; dann aber reichen die Blattanlagen bis zu dieser Gliederzelle hinauf und die letztere zeigt zuweilen schon eine deutliche Ausstülpung. Solche Stadien lassen natürlich die hier zu beantwortende Frage unentschieden. Allein es gibt auch schlankere Stammspitzen, bei welchen die Erzeugung von Blattanlagen nicht soweit hinauf reicht und wo die obersten 2 bis 3 Gliederzellen mit den Blättern der Scheitelregion in keinem Contact stehen (Fig. 6). In diesem Falle sind denn auch die Quer wände jener Zellen noch genau parallel, und dieser Parallelismus wird erst gestört, wenn die Hervorwölbung zum Zwecke der Blattbildung ihren Anfang nimmt. Da nun aber die letztere sich nach den Contactverhältnissen richtet, so kann in der That die Neigung der Wände nur die Folge der beginnenden Ausstülpung sein.

Als letztes Beispiel führe ich noch *Acanthophora* an, bei welcher Gattung die Blätter ebenfalls deutlich spiralig gestellt und zunächst der Scheitelregion knospenartig zusammengedrängt sind. Das Aussehen der Stammspitze erinnert geradezu an manche Laubsprosse der Phanerogamen. Eine genauere Untersuchung der Contactverhältnisse konnte ich allerdings hier nicht anstellen, da mir bloss getrocknetes Material zur Verfügung stand, das für solche Fragen zu ungünstig ist; ich trage indessen kein Bedenken, diese Alge vorläufig zu denjenigen zu rechnen, welche der Anschlusstheorie sich fügen.

Anhangsweise mögen endlich noch die Wurzelhaare der Moose erwähnt werden, denen H. Müller (Thurgau)[1]) eine schraubenlinige Orientirung der schiefen Wände zuschreibt. Wäre diese Darstellung richtig, so hätten wir es hier unzweifelhaft mit einer Spiralstellung zu thun, auf welche meine Contacttheorie schlechterdings keine Anwendung finden könnte. Ich habe mich indessen überzeugt, dass die betreffende Angabe Müller's unrichtig ist, was übrigens schon aus seinen eigenen Zeichnungen hervorgeht. Die schiefen Wände sind in der That nicht spiralig, sondern regellos gestellt, und es kann höchstens zufällig einmal vorkommen, dass drei auf einander folgende ungefähr gleiche Divergenzen einhalten; aber ebenso habe ich wiederholt beobachtet, dass 3 bis 4 successive Wände nahezu parallel oder alternirend nach rechts und links geneigt waren. Beides sind Ausnahmsfälle; in der Regel lässt sich eine bestimmte Anordnung nicht erkennen. Als Beispiel, wie in einem concreten Falle diese Wände orientirt waren, mag die Horizontalprojection Fig. 8 dienen, in welcher die Ziffern den höchsten Punkten der Wände am aufrecht gedachten Vorkeim und zugleich der Reihenfolge in acropetaler Richtung entsprechen.

Erklärung der Tafel.

Fig. 1—4. *Polysiphonia sertularioides.*

Fig. 1, A—D. Eine abgeschnittene, unter dem Mikroskop drehbare Stammspitze in 4 verschiedenen Lagen.

A. Querschnittsansicht. Der Stamm mit dem jüngsten Blatt (4) in der Mitte, die Blätter 0, 1, 2, 3 an denselben angelehnt, die letzten zwei noch in unmittelbarem Contact mit der Aussenfläche des Stammes. Wie man an Blatt 1 sieht, bleiben die Seitenstrahlen länger mit dem Stamm in Berührung als der Hauptstrahl.

B. Längsansicht der nämlichen Stammspitze, das Blatt 1 abgekehrt, 3 zugekehrt. Man sieht, dass Blatt 2 ungefähr das Niveau der Scheitelwölbung erreicht und auf seiner Innenseite mit dem Stamm in unmittelbarer Berührung steht.

---

[1]) Die Sporenvorkeime und Zweigvorkeime der Laubmoose. Arbeiten des bot. Inst. in Würzburg, Bd. I pag. 475.

A. Längsansicht mit den jüngsten Blättern 4, 5 und 6.

B. Scheitelansicht im Niveau des Blattes 6. Alle Blätter mit Ausnahme von 0 sind unter sich und mit dem Stamme in Contact.

Fig. 8. *Moosrhizoiden.*

Fig. 8. Stellung der successiven Wände in einem Zweigvorkeim von *Barbula*. Die Ziffern bezeichnen die höchsten Punkte der schiefen Wände am aufrecht gedachten Vorkeim und zugleich die Reihenfolge von unten nach oben.

Hr. Virchow legt einen Bericht des Hrn. J. M. Hildebrandt aus Nossi-bé, 17. Januar, vor, in welchem der Reisende berichtet, dass ihm die von der Akademie bewilligten Mittel erst kürzlich zugegangen seien, dass jedoch die Witterung auch einen früheren Beginn der Reise nicht gestattet haben würde. Er übersendet 7 Sakalaven-Schädel nebst Skelettheilen, sowie eine grössere Menge zoologischer, mineralogischer, botanischer und ethnographischer Gegenstände. Von letzteren ist ein Telephon bereits angekommen. Hr. Hildebrandt bemerkte dasselbe als Kinderspielzeug bei den Malagassen, konnte jedoch nicht ermitteln, ob es etwa die Nachahmung einer europäischen Erfindung sei. Zwei Stücke Bambusrohr, von denen das eine zum Hineinsprechen, das andere zum Hören dient, werden an je einem Ende durch ein feines Häutchen aus Rindsblase geschlossen. Sie sind von ihrer Mitte aus durch einen Faden verbunden, welcher die Schallschwingungen leitet.

Hr. Hildebrandt gedachte, sobald die „kleine Regenzeit“ vorübergegangen sei, von Mojangá (W.-Küste) aus vorzudringen und in möglichst südlich gelegener Route, durch bis jetzt unbekannte Distrikte, zur Hauptstadt Antananarivo vorzudringen, wo er sein Quartier aufschlagen werde.

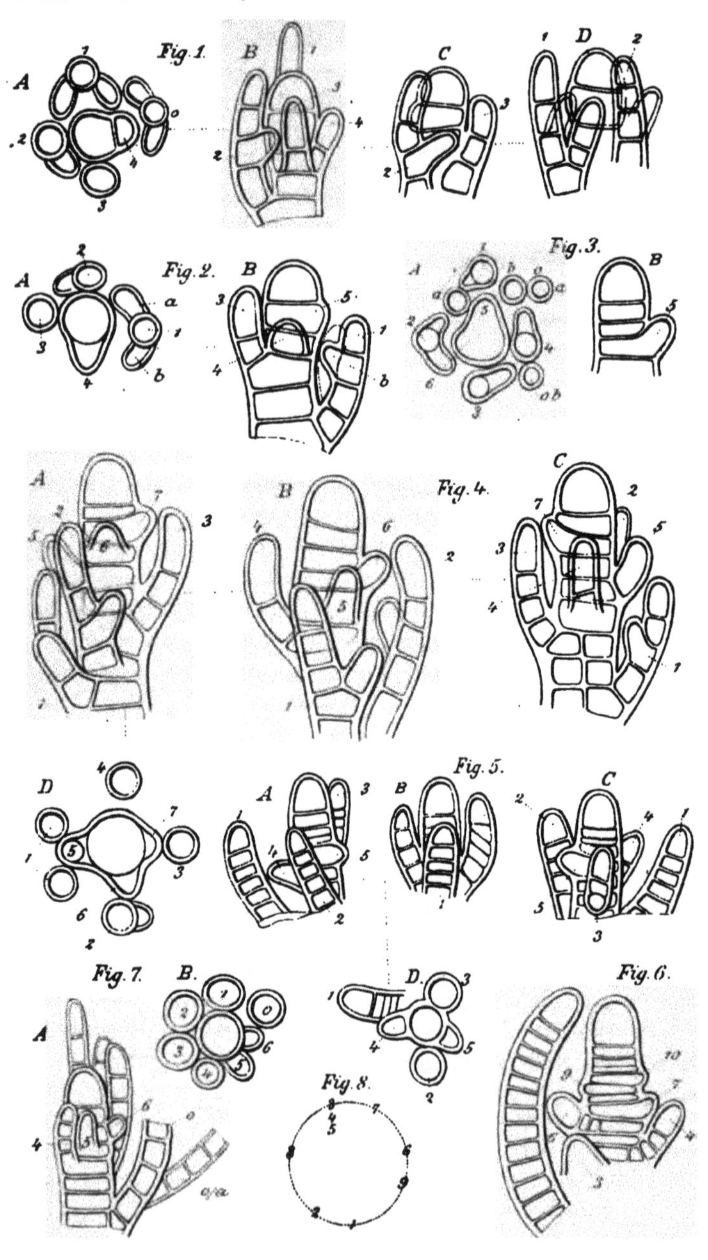

Schwendener del.

C F. Schmidt lith.

Hr. W. Peters legte folgende Mittheilung des Hrn. Dr. F. Hilgendorf vor.

Über eine neue bemerkenswerthe Fischgattung *Leucopsarion* aus Japan.

Bei den Japanern kommen unter dem Namen *Shira-uwo* oder *Shiro-uwo* (Weiss-Fisch) wenigstens zweierlei verschiedene Arten von Speisefischen in Masse auf den Markt. Die eine von mir in Yedo häufig beobachtete ist der *Salanx microdon* Bleeker, ein sehr eigenthümlicher Salmonide. Eine zweite Form wurde in den für die diesjährige Fischerei-Ausstellung eingesandten Sammlungen entdeckt, gehört aber in eine ganz entfernte Abtheilung der Fische, nämlich zu den *Anacanthini* und scheint sich hier der Familie der *Gadidae* am besten anzureihen, durch ihre rudimentären Bauchflossen und den Schuppenmangel aber den *Ophidiidae* zu nähern. Die geringe Entwicklung des Anal- und Dorsalflossensystems und die thoracale Insertion der Bauchflossen sind Eigenthümlichkeiten, die in beiden Familien ungewöhnlich sind. Die Gattung *Bregmaceros* bildet jedoch in erster, die Gattung *Brotulophis* in zweiter Beziehung Analogien.

Steindachner hat neuerdings (Sitzungsber. d. Akad. d. Wiss. Wien. Bd. 80. 1879.) den von Gill zuerst erwähnten, gleichfalls japanischen *Luciogobius* genauer beschrieben. Aus seinen Angaben scheint mir hervorzugehen, dass auch diese Gattung von den *Gobiidae*, wo sie als Stachelflosser ohne Stacheln in den Flossen eine sonderbare Ausnahme darstellt, besser zu den *Gadidae* zu versetzen ist, und zwar in die Nähe von *Leucopsarion*. Die immer noch sehr erheblichen Unterschiede zwischen beiden Gattungen bestehen hauptsächlich in den mehrfachen Zahnreihen, dem abgerundeten Schwanze, der saugnapfartig entwickelten aus gegliederten Strahlen gebildeten Ventralis, dem auf eine Strecke rückläufigen Darmkanal und der engen Kiemenspalte bei *Luciogobius*.

In Kurimoto's Werk Kowa giyo fu wird unter dem Artikel *Shira-uwo* ausser unserer Art und dem *Salanx* noch ein dritter Fisch, offenbar ein *Leptocephalus*, abgebildet. Alle drei sind durch Kleinheit, Durchsichtigkeit und Vorkommen in beiderlei Wasser, süssem und salzigem, übereinstimmend und werden deswegen von dem Autor vereinigt, der sich indess der Artverschiedenheit wohl bewusst ist.

Genus *Leucopsarion* nov. gen.[1])

Körper gestreckt, hinten comprimirt, vor der Schwanzflosse abgestutzt, schuppenlos. Eine Rückenflosse und eine Afterflosse beide in der hintern Körperhälfte gelegen und von der Schwanzflosse durch einen weiten Raum geschieden. Bauchflossen rudimentär mit 6 Strahlen jederseits, beide durch einen gemeinschaftlichen Hautüberzug vereinigt; ihre Insertion ist thorakal. Zähne im Zwischen- und Unterkiefer in einfacher Reihe, keine am Vomer und Gaumenbein. Unterschlundknochen getrennt, mit einem Fleck scharfer, etwas gekrümmter Zähne. Keine Schwimmblase. Darmkanal ohne Windungen und Anhänge, der After unmittelbar vor der Analflosse. Die Ovarien dicht daneben mündend. Kiemenöffnungen sehr weit, die Membran nicht am Isthmus befestigt 4 Kiemen. Keine Pseudobranchien. 4 Kiemenhautstrahlen.

Leucopsarion Petersii n. sp.

Br. 4, D. 14, A. 17—18, V. 6, P. 14, C. 13. — Vert. 15/20.

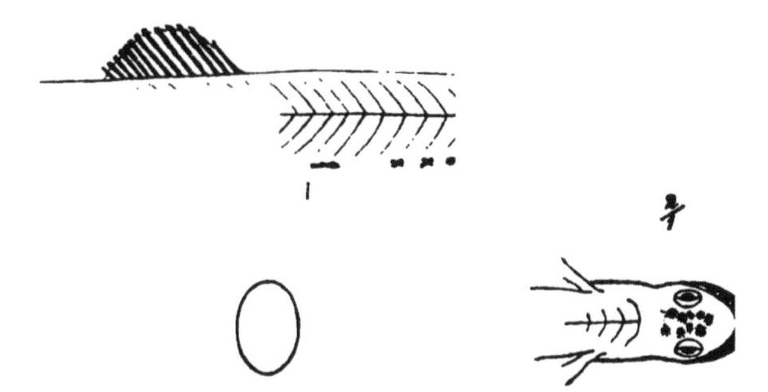

Leucopsarion Petersii. Das ganze Thier, die Oberansicht des Kopfes und de Durchschnitt dicht vor der Rückenflosse in doppelter Grösse.

Kopf etwas depress. Augendurchmesser $\frac{1}{3}$—$\frac{1}{4}$ der Kopflänge welche $\frac{1}{5}$ der Körperlänge und das Doppelte der Körperhöhe be trägt. Interorbitalbreite gleich ein und einem halben Augendurch messer. Bauchflosse kürzer als der Augendurchmesser, ihre Strah len ungetheilt und ungegliedert; P. und C. etwa gleich der Körper höhe, die Höhe der A. misst $\frac{2}{3}$ der Körperhöhe, die D. ist etwa

[1]) Λευκός weiss, ὀψάριον (Fisch-) Zubrod.

niedriger als die A. Die Strahlen der P. sind am Ende nicht durch Haut verbunden. Schwanzflosse schwach gegabelt.

Durchsichtig meist mit 7 schwarzen Punkten (Pigmentzellen) längs den Bauchseiten und schwarzer unterer Medianlinie; eine Reihe dunkler Flecke längs der Analflossenbasis und ein Strich jederseits der Analöffnung. Ferner ist der Ober- und Unterkieferrand schwärzlich und das Operculum und das Hinterhaupt mit einer Zahl blasserer Pigmentzellen versehen. Die Eierstöcke mit den verhältnissmässig grossen Eiern schimmern durch die Bauchwand hindurch. — Totallänge 50^{mm}.

Fundort: das südliche Japan, wo nach den einheimischen Autoren für den nämlichen Fisch auch der Name *Hio* gebräuchlich sein soll; von der Nordinsel Yeso enthält die japanische Sammlung der Fischerei-Ausstellung einige getrocknete Exemplare unter dem Namen *Shirasu*.

Obgleich die Wörter *Shira-uwo* und *Shiro-uwo* eigentlich identisch sind, wird es sich doch vielleicht als zweckmässig empfehlen, nach Kurimoto's Vorgang die Form *Shiro* für *Leucopsarion*, und *Shira* für *Salanx* ausschliesslich zu verwenden.

Am 5. April starb

Hr. Friedrich Harms,

ordentliches Mitglied der philosophisch-historischen Klasse.

8. April. Gesammtsitzung der Akademie.

Hr. Dillmann las: Zur Geschichte des Axumitischen Reiches im 4. bis 6. Jahrhundert.

Die Herren

Dr. Hermann Munk, Professor an der Kgl. Thierarzneischule und ausserordentlicher Professor in der medicinischen Facultät der hiesigen Universität, und

Dr. Aug. Wilh. Eichler, ordentlicher Professor in der philosophischen Facultät und Director des Kgl. botanischen Gartens

sind als ordentliche Mitglieder der physikalisch-mathematischen Klasse in die Akademie eingetreten, nachdem ihre am 12. Februar vollzogene Wahl unter dem 10. März die Allerhöchste Bestätigung erhalten hat.

15. April. Gesammtsitzung der Akademie.

Hr. Conze las über die epigraphische Ausbeute der Ausgrabungen von Pergamon.

Hr. Henry J. S. Smith, Professor der Geometrie in Oxford, wurde zum correspondirenden Mitgliede der physikalisch-mathematischen Klasse gewählt.

---

19. April. Sitzung der philosophisch-historischen Klasse.

Hr. Olshausen trug Folgendes vor:

Zur Erläuterung einiger Nachrichten über das Reich der Arsaciden.

Droysen führt Hellenism. III, 1 S. 372 die Stelle aus Bérûnî's chronologischem Werke an, womit dieser in die Chronologie der Aschkânier (Arsaciden) einleitet. Hier wird der erste der Aschkânier Aschk bin Aschkân genannt und als sein Ehrentitel *Afhgûr Schâh* angegeben. Dieser Titel, der dort als „unerklärt“ bezeichnet wurde, ist vielmehr überhaupt für „unerklärlich“ zu halten; denn es handelt sich dabei unzweifelhaft um einen Fehler im Texte des Bérûnî. Sachau hat die durch zwei Handschriften, eine Londoner und eine Pariser, beglaubigte Lesart in den Text aufgenommen, jedoch nicht versäumt, die Lesart seiner dritten, früher Sir Henry Rawlinson angehörigen Handschrift in der Note anzuführen. Die Variante lautet sowohl in der angeführten Stelle, S. 113 des arab. Textes, als auch in einer der nachfolgenden Namenlisten, S. 116, *Afaghfûr Schâh*. Diese Handschrift ist zwar die jüngste der von Sachau benutzten drei, allein nach einer eigenhändigen Bemerkung Sir Henry's aus dem Jahre 1838 ist dieselbe in Teherân für ihn copiert worden „from a fine and ancient exemplar“. Dieses alte Exemplar ist Eigenthum der Schâh-Moschee in Teherân, und über das gegenseitige Verhältniss der drei Handschriften sagt Sachau, Einleit. S. LVI: „alle drei enthalten genau denselben Text mit denselben Fehlern und Lücken; sie stammen aus einer und derselben Quelle und können sogar direct aus derselben Handschrift (derjenigen der Schâh-Moschee in Teherân?) abgeschrieben sein.“ Damit soll natürlich nicht ausgeschlossen werden, dass jede der Handschriften in einzelnen Fällen doch ihre eigenthümlichen Fehler haben kann. Mag nun die Sache sich so verhalten, wie Sachau annimmt, oder auch für die Beurtheilung der drei Handschriften im Allgemeinen weniger günstig liegen, immer liesse sich im einzelnen Falle ein Misstrauen gegen die Lesart einer jüngeren, aber vielleicht sorgfältiger angefertigten Abschrift nicht rechtfertigen, wenn sonst alles zu deren Gunsten spricht. Dieser Fall liegt hier vor. Denn wenn auch Sir Henry's Handschrift den Ausdruck, um den es sich handelt, vielleicht nicht ganz genau in Übereinstimmung mit Bérûnî's Original wiedergegeben haben sollte, so lässt sie doch auf den ersten Blick erkennen, wie derselbe ursprünglich gelautet habe und was derselbe bedeutete.

Die Lesart *Afaghfûr* im cod. Rawl. ist eine leichte Modification des allen Orientalisten bekannten Wortes *Faghfûr,* womit unter den Muslims des westlichen Asien der chinesische Kaiser bezeichnet zu werden pflegt. Es ist eine sachlich richtige Übersetzung des chinesischen *Thian-tseu,* Himmelssohn, in érânisches Gottessohn, wie schon längst erkannt und nachgewiesen ist. Nur dialectisch ist Faghfûr von *Baghpûr* verschieden, wie die gemein-érânische Form für altpersisches bagha puthra lauten würde, und zwar gehört jene andere Aussprache nach den Angaben persischer Original-Lexica dem Dialecte von Ferghâna und Mâwarâ-annahr an, also dem érânischen Nordosten, der mit China schon in alter Zeit in Verkehr war und dem auch die Arsaciden entstammten. Es ist daher ganz glaublich, dass diese den uralten stolzen Titel eines Gottessohnes schon in verhältnissmässig früher Zeit von dem Beherscher China's entlehnten und auf den Stifter ihres Reiches übertrugen. Auch das Lexicon Burhâni qâṭiʿ giebt unter der richtigen Form Faghfûr die doppelte Beziehung auf den chinesischen Kaiser und den ersten Arsaciden an. Eine Frage, deren Beantwortung ich dahin gestellt lassen muss, ist die, woher dem so klaren Worte ein *ă* vorgesetzt wurde, das zwar den Ursprung desselben nicht verdunkelte, doch offenbar Veranlassung zu der unverständlichen Verstümmelung in Afghûr-Schâh gegeben hat. Ich kann für jetzt nur an die ähnliche Umgestaltung verschiedener anderer érânischer Namen erinnern, die in doppelter Gestalt erscheinen, sowohl mit anlautendem einfachen Consonanten, als mit einem demselben vorausgehenden kurzen *a*, wie Marder und Amarder, Parner und Aparner, Sagartier und Açagarta's. Es möchte wohl die Annahme zulässig sein, dass schon Bérûnî selbst diese Modification kannte und unverändert überlieferte.

Ähnlich wie mit dem Namen Faghfûr scheint es sich mit einem anderen Namen aus den Anfängen der Arsacidenzeit zu verhalten, nemlich so, dass derselbe gleichfalls als die érânische Übersetzung eines fremden Namens angesehen werden darf. Dies ist der Name Φριαπίτης, der von Arrian (Fragm. bei Müller, 248) einem der Vorfahren der beiden ersten Arsaces beigelegt wird und mit dem Namen Priapatius ohne Zweifel identisch ist, welchen bei Justin XLI, 5, 8 sein dritter Arsaces, nach der gewöhnlichen Zählung aber der vierte, führte. Der Name hat ein echt érânisches Gepräge und ist meiner Meinung nach von Lassen schon in der ersten Auflage seiner ind. Alterthumskunde Th. II S. 285 richtig erklärt als zusammengesetzt aus frya = sskr. prijá und patar oder pitar = sskr. pitár; also identisch mit griech. Φιλοπάτωρ. Ist aber diese Worterklärung richtig, so wird man sofort an den gleichen Beinamen und andere gleichartige erinnert, die bei den Ptolemaeern und Seleuciden vorkommen, und geneigt sein hier die Quelle zu suchen, aus der die Arsaciden eben solche Beinamen entlehnten. Die natürlichen Vermittler waren dabei ohne Zweifel die im Gebiete der Arsaciden lebenden Hellenen, die ja auch als deren Münzmeister ein Interesse daran hatten, für die Ehre ihrer Landesherren einzustehen. Wenn nach Justin einer der ersten Arsaciden, der dritte oder vierte, den man etwa für die Jahre 196 bis 181 ansetzen zu dürfen geglaubt hat, den Ehrentitel Phriapites führte, so ist gewiss sehr beachtenswerth, dass er dann muthmasslich Zeitgenosse von Seleucus IV. Philopator war, auf dessen Beispiel den König seine Hellenen mit Erfolg hinweisen konnten. Sonst würde auch der Vorgang von Ptolemaeus IV. (Tryphon), der schon früher den Namen Philopator annahm, genügt haben können, die Nachahmung bei den Arsaciden zu erklären.

Ob freilich die Münzen, welche von neueren Numismatikern, wie z. B. von Percy Gardner (International Numismata Orientalia, Heft 5) dem vierten Arsaces zugeschrieben werden, von einem Könige herrühren können, der den Ehrentitel Philopator führte, ist zweifelhaft; denn nicht diesem begegnen wir auf jenen Münzen, sondern den Beinamen Philellen und Philadelphos. Erst Münzen, die mindestens hundert Jahre jünger geschätzt werden, zeigen den Namen Philopator. Wie von mehreren Arsaciden Münzen mit verschiedenen Titulaturen vorhanden sind, so könnte allerdings auch Justin's Priapatius, d. i. Philopator, zu andrer Zeit Philellen oder Philadelphos genannt worden, und nur zufällig keine Münze mit jenem Namen erhalten sein; aber unsre Quellen fliessen viel zu sparsam, um eine Entscheidung über so dunkle Fragen zu ermöglichen. Unter allen Umständen aber bleibt es, meine ich, höchst wahrscheinlich, dass die Arsaciden ihre Ehrentitel wesentlich von den syrischen und aegyptischen Diadochen entlehnt haben. Ist dies aber so, und beruht nicht die Deutung des Namens Phriapites bei Arrian auf einem Irrthum, so ergiebt sich von selbst, dass diesem angeblichen Vorfahren der ersten beiden Arsaciden jener Name erst in viel späterer Zeit beigelegt sein kann, gleichsam zu Ehren desjenigen seiner Nachkommen, der zuerst denselben annahm.

Droysen deutet II, 1 S. 372 eine andre Combination für den Namen Phriapites an, welche meines Wissens von dem osmanischen Staatsmann und verdienten Numismatiker Subhi Bey herrührt. Darnach wäre jener Name etwa aus dem Avesta-Namen des alten tûrânischen Herschers *Frañraçyan* abzuleiten, dessen neuere Form Afrâsiâb lautet. Sachau hat diese Gleichstellung bereits mit Recht abgelehnt. Die Ableitung dieses Namens von der Wurzel *hraç* scheint alles Vertrauen zu verdienen; s. Justi, Zendspr. S. 197a.

Über die Anfänge der Arsaciden und die Entwickelung ihrer Macht in den älteren Zeiten sind wir bekanntlich durch die Griechen und Römer sehr ungenügend unterrichtet, noch weniger wird uns von den muhammedanischen Schriftstellern geboten. Diesen ist die Zeit zwischen Alexander und Ardschér Bâbagân die Zeit der Theilkönige, wie ich das arab. Mulûk attawâif am liebsten wiedergeben möchte, dessen érânisches Aequivalent bisher unbekannt ist. Was damit ausgedrückt werden soll, ist die Zersplitterung des alten achaemenidischen Reiches. Es gab nach der Ansicht jener späteren Orientalen während dieser Zeit keinen „König der Könige“ in Érân. Die Aschkânier sind ihnen, wie auch die erwähnte, von Droysen mitgetheilte Stelle bei Bérûni besagt, nur eine jener Dynastien, die damals unabhängig von einander in Érân bestanden; sie genossen bloss wegen ihrer vermeintlichen Abstammung von der ältesten, längst der Sage anheim gefallenen Herscherlinie eines besonderen Ansehens, aber eine Herschaft über ihre Nachbaren übten sie nicht aus. So gewiss es ist, dass die Arsaciden zu keiner Zeit weder direct, noch indirect, über das ganze alte Érân herschten, ebenso gewiss ist, dass sie selbst sich doch einer anderen Bedeutung bewusst waren, als einer solchen, die ihnen ein legitimistischer Respect ihrer Nachbaren einräumte. Vielmehr gestützt auf die gewonnene, ungleich grössere, materielle Macht nennen sie sich im Verlaufe der Zeit ganz offen, nemlich auf ihren Münzen, Könige der Könige; zuerst Mithridates I., wohl nach dem Tode des Antiochus Epiphanes um das J. 164, der Eroberer Mediens und des vorliegenden Grenzlandes, vielleicht bis über den Tigris hinaus, später seit dem J. 60 vor Chr. Mithridates III. und sein Bruder Orodes, und fortan deren Nachfolger. Auch den Römern konnte das Reich der Arsaciden nur als eine Macht von nicht geringer Bedeutung erscheinen; sind sind sie allein es doch gewesen, die einst Érân vor der Unterjochung durch die Römer bewahrten. So heisst es denn ja auch bei Justin XLI, 1: Parthi, penes quos velut divisione orbis cum Romanis facta nunc orientis imperium est; sie werden da also als den Römern durchaus ebenbürtig angesehen.

Es ist sehr zu beklagen, dass wir über die staatlichen Einrichtungen im Partherreiche so überaus wenig erfahren, und ich versuche nicht, hier mehr darüber zu sagen, als was zur Beurtheilung einiger einzelner Puncte vielleicht etwas beizutragen dienen könnte. Besser stände die Sache, wenn uns namentlich die ausführlichen Nachrichten über die Verfassung des parthischen Reiches erhalten wären, welche Strabo nach seiner Äusserung p. 515 an anderen Orten gegeben. An dem angeführten Orte beschränkt er sich darauf mitzutheilen, dass Posidonius sage, der hohe Rath, das *συνέδριον*, der Parther sei ein zwiefaches gewesen, *τὸ μὲν συγγενῶν, τὸ δὲ σοφῶν καὶ μάγων, ἐξ ὧν ἀμφοῖν τοὺς βασιλεῖς καθίστασθαι.*

Dieses doppelte Collegium wird allem Anschein nach als die höchste Behörde im parthischen Reiche, als ein Staatsrath, angesehen. Den senatus Parthicus erwähnt auch Justin XLII, 4 ganz kurz und ohne Andeutung einer Theilung in zwei Collegien. Es ist aber durchaus nicht unwahrscheinlich, dass derselbe in der That gleichsam aus zwei Curien, oder einer weltlichen und einer geistlichen Bank bestand; denn so übermächtig und übermüthig auch der parthische Adel war, wird er sich doch gehütet haben, das éranische Volk in seinem zoroastrischen Glauben zu verletzen, an dem es sicherlich festhielt, wenn auch die herschenden kriegerischen Classen ihm wenig Zuneigung widmen mochten. Die eigentliche Entscheidung freilich in allen politischen Angelegenheiten wird sich der Adel zuverlässig nicht haben nehmen lassen und seine Beschlüsse im Wesentlichen nur durch die Ormuzd-Priester zu sanctionieren und zu weihen gewesen sein.

Es heisst nun weiter bei Strabo, die Könige seien eingesetzt worden *ἐξ ἀμφοῖν*, aus den beiden Collegien, also doch — wenn man nicht etwa den Text in ὑφ' ὧν ἀμφοῖν ändern will, — aus dem Gremium des einen oder des andern. Dagegen ist eingewendet worden, dass ja die Könige unzweifelhaft nur aus dem Hause der Arsaciden genommen wurden, also nicht etwa auch aus den Magern. Dies hat den trefflichen Groskurd zu der unhaltbaren Ansicht geführt, die Mager seien das Wahlcollegium gewesen, die συγγενεῖς, als Blutsverwandte der Könige, die Wahlcandidaten. Es ist aber durchaus nicht nachweisbar, dass es nicht auch unter den Priestern Arsaciden geben konnte; vielmehr sehen wir aus Tacitus XV, 24, dass der Arsacide Tiridates — Träger eines zoroastrischen Namens —, Bruder des Partherkönigs Vardanes, sich nicht geweigert haben würde, das Diadem als König von Armenien aus Nero's Hand in Rom anzunehmen, nisi sacerdotii religione attineretur. Dagegen fällt es schwer ins Gewicht, dass mehr als einmal ein für den Thron geeigneter Arsacide in ganz Érân und folglich auch im Schoosse des Senats überhaupt nicht vorhanden war, sondern ausserhalb Landes gesucht und selbst von Rom herbei geholt werden musste; denn die Könige sorgten gern dafür, ihre Blutsverwandte thunlichst aus der Welt zu schaffen, damit ihnen nicht aus denselben ein gefährlicher Prätendent erstehe.

Eine weitere Frage, die sich aus Strabo's Worten nicht entscheiden lässt, ist die, wer den König auf den Thron erhob. Gemeint ist vermuthlich, der König sei von dem Senat erwählt worden, und das mochte auch die correcte Form sein, um nach parthischem Staatsrechte auf den Thron zu gelangen. Thatsächlich hat sich aber die Sache vielfach anders gestaltet. Nicht bloss soll der erste Phraates (mit Übergehung seiner Söhne, wie Justin XLI, 5 sagt,) seinen Bruder, den thatkräftigen Mithridates I., zum Nachfolger eingesetzt haben, sondern verschiedene andere der Arsaciden setzten sich auch mit Gewalt in den Besitz des Thrones. Hatte der Senat — wenigstens im Princip — das Recht die Könige einzusetzen, dann durfte er sie vielleicht auch absetzen. Einen Fall dieser Art führt Justin XLII, 4 an, indem er sagt: Mithridates, rex Parthorum, — nemlich der dritte dieses Namens, — propter crudelitatem a senatu Parthico regno pellitur. In der Regel scheint jedoch die Beseitigung eines unbeliebten Königs auf dem einfacheren, wenngleich nicht verfassungsmässigen Wege der Ermordung erreicht zu sein.

Eine letzte Frage, die sich an die Stelle bei Strabo anknüpft, ist die: wer sind denn die *συγγενεῖς*, die das eine der Collegien des hohen Raths bildeten? Es wurde schon erwähnt, dass Groskurd darunter die Blutsverwandten des Königs, die Mitglieder der Arsaciden-Familie, verstehen wollte und daraus unhaltbare Schlüsse zog. Aber auch abgesehen von diesen seinen Folgerungen, wäre jene Beschränkung eine willkürliche und nicht unbedenkliche. Der Ausdruck *συγγενεῖς*, dessen érânisches Aequivalent noch zu ermitteln ist, hat bekanntlich bei den griechischen Schriftstellern, wo von érânischen Dingen die Rede ist, eine andere, ungleich weitere, conventionelle Bedeutung, und ebenso bei den Römern, die denselben durch cognati, auch wohl durch propinqui, wiedergeben. Das Wort erweist sich als ein mit gewissen Ehrenrechten verbundener Titel, der von den Grosskönigen ohne Rücksicht auf Blutsverwandtschaft verdienten Personen verliehen wurde. Ich bringe hier nur Xenophon Cyrop. I, 4, 27 und Arrian VII, 11 in Erinnerung, womit auch das sog. dritte Buch Ezra's c. 3. 4 und Josephus Ant. XI, 3, 7 zu vergleichen nicht ohne Interesse ist. Dass aber unter die Ehrenrechte dieser *συγγενεῖς* auch die Zugehörigkeit zu dem hohen Rathe der Parther zu rechnen sei, ist schon wegen der grossen Zahl der mit diesem Titel Beliehenen unglaublich; führen denselben doch viele Hunderte von Kriegern in den érânischen Heeren, bei Diodor XVII, 59 tausend auserlesene tapfere und zuverlässige Reiter, während ebenda, c. 31, anderen andere Functionen übertragen werden; bei Curtius III, 7 (früher III, 3, 14) begleiten sogar 15000 Mann, quos cognatos regis appellant, den Darius in den Krieg gegen Alexander, was denn freilich auf starker Übertreibung oder darauf beruhen mag, dass in jener Zahl auch die Gefolgschaft der cognati einbegriffen ist.

Ohne Zweifel wurden unter der weiteren Benennung *συγγενεῖς* Personen zusammengefasst, die an Rang und politischer Bedeutung sehr verschieden waren, und ganz mit Recht wird Curtius III, 8 (3, 21) die vornehmsten als nobilissimi propinquorum, IV, 43 (11, 1) als cognatorum principes, besonders hervorgehoben haben. Meiner Überzeugung nach können als Mitglieder des hohen Rathes nur die natürlich zu den *συγγενεῖς* gehörigen Mitglieder des hohen parthischen Adels verstanden werden, ohne dass dadurch die von Koray vorgeschlagene Änderung des Textes — *εὐγενεῖς* statt *συγγενεῖς* — nöthig gemacht würde. Das parthische Synedrion wird eben genau dem *σύλλογος Περσέων τῶν ἀρίστων* nachgebildet gewesen sein, der bei Herodot VII, 8 von Xerxes einberufen wird, und nur die ungenügende Bekanntschaft der Griechen und Römer mit der streng aristokratischen Gliederung, die in Érân zu allen Zeiten bestand, unter den Achaemeniden, wie unter den Arsaciden und Sâsâniden, wird veranlasst haben, dass sie die *συγγενεῖς* überhaupt als gleichwerthig ansahen mit den *ἄριστοι*, den *ἔντιμοι*, den *ἑταῖροι*, den *φίλοι* des Herschers, den optimates, den proceres, den primores bei Tacit. VI, 31. Es ging ganz so, wie mit den *συγγενεῖς*, auch mit den sogen. purpuratis, welche einer andern, unzweifelhaft höheren Auszeichnung, als jene, theilhaft waren, nemlich der Berechtigung sich in Purpur zu kleiden. Auf diese wurde seit uralten Zeiten ein besonders hoher Werth gelegt, vielleicht in Anlehnung an eine im westlichen Asien verbreitete Anschauungsweise; man vgl. Joseph Ant. X, 11, 3. Tertull. de idololatr. c. 18. Wie die Führung des Titels *συγγενής*, so mag auch die Berechtigung zum Tragen des Purpurgewandes für die höchste Classe des Adels eine erbliche gewesen sein; es scheint aber, als ob sie auch ausserdem aus grossköniglicher Gnade für besondre Verdienste verliehen wurde; man vgl. z. B. Xenoph. Cyrop. II, 4, 6. Diese so hoch geschätzte, den modernen Ordensverleihungen vergleichbare Auszeichnung wurde den Römern insbesondere durch den an den Höfen der Diadochen häufig davon gemachten Gebrauch bekannt, und geläufig genug, um den Ausdruck purpurati geradezu als ein Aequivalent von Höflingen zu verwenden. So erscheint derselbe z. B. bei Curtius V, 6 (1, 37) am persischen Hofe, bei Cic. Tusc. I, 43 am Hofe des Königs Lysimachus, bei Liv. XXXVII, 23 an dem des Antiochus (III), ebenda XXX, 42 an dem des Philippus III.; ja Florus ist so glücklich, schon einen purpuratus am Hofe des Königs Porsena erwähnen zu können. Es ist mir unter diesen Umständen sehr auffallend, dass man an einer Stelle bei Justin XLI, 2 zu Anf., wo die vulgata absolut sinnlos ist, zwar auf mancherlei Weise Abhülfe zu schaffen versucht, das Nächstliegende aber stets verfehlt hat. Es heisst dort so: proximus maiestati regum (nemlich penes Parthos) populorum ordo est. Dem erforderlichen Sinne nach richtig wollten ändern: I. F. Gronov. optimatum, Heeren cognatorum, Frotscher propinquorum, Duebner procerum, weniger zutreffend Jeep praepositorum und Henninius gar philosophorum. Allein die compendia scribendi in den Handschriften weisen auf die ungleich leichtere und nicht minder zutreffende Änderung purpuratorum ordo hin.

Ein anderer Ausdruck, der von vornehmen Érâniern öfter gebraucht wird, z. B. in der Cyrop. I, 5, 5. II, 1, 9. 10. VII, 5, 85, *ὁμότιμοι*, ist mir seinem Werthe nach nicht klar, soweit es die Art „gleicher Ehre“ betrifft, deren diese Classe ausgezeichneter Personen genoss. Ob man Grund hatte, sie als die Pairs des érânischen Reiches ansehen zu wollen, als die Mitglieder des vornehmsten Adels, ist mir mindestens zweifelhaft.

Zu den seit der hellenistischen Zeit aus Érân herüber genommenen Ausdrücken für vornehme Herren gehört auch das Wort *μεγιστᾶνες*. Wir finden es bei griechischen und römischen Schriftstellern häufig gebraucht, theils wo von wirklich érânischen Dingen die Rede ist, wie z. B. III. Ezra, 3, 1, Joseph. Ant. XX, 3, 3 (hier mit Beziehung auf den Arsaciden Artabanus III.), Sueton. Calig. 5 (ebenfalls auf die parthischen Grosskönige bezüglich), Seneca epist. 21 (megistanes et satrapae), theils mit Rücksicht auf ähnliche Verhältnisse in anderen Theilen des Orients, z. B. in Babylon, in der griech. Übersetzung des Daniel V, 1, 9, im Buche Judith 2, 2, und in Armenien bei Tacit. Ann. XV, 27. Im N. T. ist es auch bei Marc. 6, 21 auf Angehörige des Hofes des Tetrarchen Herodes übertragen. Hesychius erklärt es durch *οἱ ἐν ὑπεροχῇ ὄντες*. — Dieses Mal lässt sich, wie ich meine, das érânische Aequivalent des Wortes und zugleich die Stellung, welche die Megistanes in Érân selbst einnahmen, mit Wahrscheinlichkeit nachweisen. Dazu bedarf es aber einer ausführlicheren Darlegung der Verhältnisse des Adels in Érân, worüber uns die allerneueste Zeit unverhofft Aufklärungen von grosser Bedeutung gebracht hat. Wir verdanken sie, wie so viele andere wichtige Aufschlüsse auf dem Gebiete der orientalischen Alterthumskunde, wesentlich Hrn. Nöldeke.

Die von ihm übernommene Bearbeitung der Geschichte der Sâsâniden für die vollständige Ausgabe des Tabari veranlasste ihn im vorigen Jahre, noch vor dem Erscheinen des arab. Originals, eine vollständige Übersetzung dieses Theils mit ausführlichen Erläuterungen und Ergänzungen zu veröffentlichen, welche durchweg die Meisterhand erkennen lassen. In diesem Werke erwähnt er S. 71 Anm. 1 einen von Tabari gebrauchten arab. Ausdruck *ahl-ulbujûtât*, die Leute der Häuser, den er durch „die Adlichen“ — nemlich Érâu's — übersetzt, aber mit dem Hinzufügen, derselbe bedeute vermuthlich bloss die Angehörigen der allerhöchsten Adelsgeschlechter, deren es wahrscheinlich nur sieben gab. Der arab. Ausdruck, sagt er, gebe das pahlavi „*barbîtân*", Söhne des Hauses, wieder, dessen persische Aussprache leider nicht fest stehe. Diese Kategorie stehe in der [Doppel-] Inschrift von Hâǵi-âbâd an zweiter Stelle, unmittelbar hinter den (Vasallen-) Fürsten. Die folgende Classe bildeten „die Grossen", pahl. „*waćarkân*" in der einen Inschrift, durch semit. *rabbân* in der andern wiedergegeben, und darauf folgten zuletzt „die Vornehmen", pahl. „*âzâtân*" [d. h. die Freien]. Die Inschrift genüge, zu zeigen, dass es sich hier nicht um vage Bezeichnungen handle, sondern um ganz bestimmte Stufen von Rang und Macht.

In einem der beigefügten Excurse, S. 437, kommt Nöldeke auf den Gegenstand zurück, erinnert an eine — bisher, wie es scheint, unbeachtet gebliebene — Erwähnung der sieben vornehmen Häuser in dem von Kosegarten im J. 1838 herausgegebenen Theile von Tabari (Bd. II S. 14), sowie an dazu stimmende Stellen bei Ibn al-Athîr und bei Theophylact III, 18, und fügt sodann hinzu: „den Ursprung der sieben Häuser verlegte man in die Zeit des Gesetzgebers Zoroaster. König Biśtâsp hatte nach Tabari sieben Leute mit den höchsten erblichen Würden bekleidet. Auf die Stellung der sieben Geschlechter im Achaemenidenreiche brauche ich nicht erst hinzuweisen. Auch Arsaces soll von sieben Leuten auf den Thron erhoben sein (nach Eunapius). Natürlich sind diese höchsten Geschlechter des Sâsânidenreichs nicht etwa als Nachkommen der sieben Perser anzusehen, welche dem Darius die Krone verschafften, sondern es hat sich nur dieselbe Sitte in den Grossreichen immer wiederhergestellt, sieben Familien als die vornehmsten zu betrachten, deren eine wenigstens im Achaemeniden- wie im Sâsânidenreiche die königliche selbst war, und sicher reicht die Macht mehrerer dieser Häuser weit in die Partherzeit hinauf." Weiter spricht Nöldeke noch in lehrreicher Weise über einige der sieben Häuser bekannten Namens, besonders aus der Partherzeit, über die Stellung des niederen Landadels (das sind die sog. Freien der Inschrift von Hâǵî-âbâd) und über den von dem höheren Adel geübten Einfluss auf die Staats-Angelegenheiten, was alles hier übergangen werden kann.

Endlich trägt Nöldeke noch S. 501 nach, dass die érânische Aussprache für das aram. *barbîtâ* nach den bekannten Pahlavi-

Glossaren „*waspur* (*waspûr? waspôr?*)“ gewesen sei; ein solches Wort sei im Neu-Pers. nicht zu finden, komme aber in einem syrischen gnostischen Liede aus dem Anfange des dritten Jahrhunderts vor. Damit werde auch, wie schon Justi vermuthete, der Name der armen. Provinz *Waspurakân* zusammenhängen. „Wir wissen also doch,“ schliesst Nöldeke, „wie der wahre Name der höchsten Adelsclasse ungefähr lautete.“

Nöldeke's ganze Auseinandersetzung ist so lichtvoll und in sich so wesentlich abgeschlossen, dass sie vor jeder Kritik glänzend wird bestehen können. Nur zu wenigen Puncten darf ich mir erlauben, noch einige Erläuterungen und Ergänzungen nachzutragen.

Die in den Inschriften von Hâǵî-âbâd zuerst erwähnten érânischen Grossen hat Nöldeke nur kurz als „(Vasallen-) Fürsten“ bezeichnet. Gemeint sind dieselben höchsten Würdenträger im Reiche der Grosskönige, welche in den Inschriften des Darius Hystaspis den Namen *Ḱśatrapâvan*, Landesbeschützer, führen. Auf dieser Form beruht ja das griech. σατράπης, wie das hebr. *achaschdarpân*. An ihre Stelle tritt im Zeitalter der Sâsâniden, wie in anderen Inschriften, so auch in denen von Hâǵi-âbâd, ein verwandter Ausdruck, *śatardârân*, Landesinhaber, Inhaber einer Provinz oder eines Territoriums, innerhalb dessen ein solcher als selbständiger Herscher zu walten pflegte, dem Grosskönige nur zur Heeresfolge und Tributzahlung verpflichtet. Unter diesen gab es vormals souveraine Herren, die sich als erbliche Lehnsträger den Grosskönigen zu unterwerfen gezwungen waren, deren Abhängigkeit aber in der That vielfältig nur eine nominelle war. Sie führten unzweifelhaft nach wie vor den Königstitel, was den Grosskönigen eben Anlass gab, sich Könige der Könige zu nennen. Abgesehen von diesen mediatisierten Staaten gab es Provinzen, deren Verwaltung von den Grosskönigen vornehmen Vertrauens-Personen übertragen wurde, darunter Angehörigen des grossköniglichen Hauses selbst. Auch diese führten den Königstitel, wie wir dies z. B. von dem „*Sayânschâh*“, d. h. dem Könige von Saǵistân, und von dem „*Kirmânschâh*“, dem Könige von Kirmân, wissen, welche beide später als Behram III. und IV. auf dem Throne der Grosskönige sassen. Dass aber auch andere Personen, zumal aus den vornehmsten Adelsgeschlechtern, als Śatardârân mit einer Provinzial-Verwaltung betraut werden konnten, unterliegt keinem Zweifel. Dass auch solche den Königs-

ıren durften, ist, soviel ich weiss, nicht zu beweisen und
ich die Regel gewesen. Als sicher wird dagegen angesehen
dürfen, dass sie über den Rang hinaus, der ihnen vermöge
eburt zukam, erst durch den ihnen ertheilten Auftrag des
ınigs in die höchste Rangclasse, die der obersten Staats-
, erhoben wurden. — Soviel zur weiteren Erläuterung des
ıldeke gebrauchten Ausdrucks Vasallen-Fürsten.
ınn Nöldeke in seiner Übersetzung Tabari's „Leute der
' durch den allgemeinen Ausdruck „die Adlichen" wieder-
o schränkt er doch im Folgenden diese Bezeichnung mit
ıuf die Angehörigen der sieben vornehmsten Familien in
n, deren jeder ein *bar bîtâ* ist, d. h. — nicht „Sohn des
', sondern — „Sohn eines der (grossen) Häuser, einer der
ısten) Familien". Mit der durch Nöldeke zuerst gesicher-
ihrem Ursprunge nach erklärten Bedeutung des aramaeischen
:ks ist mir sofort auch die eigentliche Bedeutung seines
ılents *vaçpûr* in den Pahlavi-Glossaren klar geworden.
der Sprache des êrânischen Mittelalters angehörende Wort
auch Nöldeke bemerkt, im Neupersischen nicht mehr
en und wird von den Parsen in Indien nach völliger Ver-
ng seines ursprünglichen Werthes durch einen Ausdruck
ız allgemeiner Bedeutung erklärt, durch *sâlâr*, d. i. Chef,
ıpt, Häuptling, und dgl. mehr. In dem mittelêrânischen,
ıgen wir Pahlavi-Worte ist nun die dem aram. *bar* ent-
ıde zweite Sylbe leicht als das wohlbekannte puthra zu er-
, im Mittelalter *puhr* lautend, dann später *pûr*; wie in
pûr, d. i. Königssohn. Die Aussprache mit langem *u* ist die
; die mit *ó* würde vielleicht bei den Griechen an die Stelle
sein, wie bei ihnen aus Schâpûr gewöhnlich Σαπώρης ge-
st, seltner Σαπόρης. Da nun der zweite Theil des Pahlavi-
vollkommen deutlich ist, so ergiebt sich wie von selbst,
ır erste Theil das Aequivalent von aram. *bîtâ*, Haus, sein
Und so ist es ohne Zweifel. Die Verwandtschaft mit sskr.
ı Avesta vaêça, dem griech. οἶκος, lat. vicus, entsprechend,
in die Augen, ungeachtet der im Verlaufe langer Zeit und
en vielfachen Gebrauch im Munde des Volkes herbeigeführten
ırung des Vocals. Der Übergang von *ê* in *a* wird sich so
ın haben, dass zuerst *ê* in *ĕ* verkürzt, dieses dann mit dem
her Aussprache hinneigenden *ă* vertauscht wurde und gleich

diesem in der Schrift unbezeichnet blieb. Ganz jung ist übrigens die neuere Aussprache nicht. Sie zeigt sich auch schon in dem bereits von Justi und Nöldeke verglichenen Namen der armenischen Provinz Vaspûrâkân, der sicher aus der Zeit der Arsaciden-Herschaft stammt. Man wird anzunehmen haben, dass diese überaus wichtige Provinz Armeniens dereinst immer einem Statthalter aus einem der vornehmsten Häuser anvertraut wurde. Auch in dem sog. Pâzend-Texte des Buches Mainyô-i-khard, in West's Ausgabe p. 3 cap. 1, 7 kehrt die Form mit *a* wieder, während das Wort im Übrigen nicht wenig entstellt ist; doch lässt das beigefügte Glossar p. 213 das Richtige leicht erkennen. In anderer Weise ist das Wort verändert, — man darf wohl sagen, entstellt — in einigen Stellen des von Nöldeke bearbeiteten sog. Kâr-nâma (Beiträge zur Kunde der indogerm. Sprachen IV S. 39, Anm. 2. 62 Anm. 3), indem dort das anlautende schwache *v* abgefallen und nur der Vocal übrig geblieben ist. An beiden Stellen ist das Pahlavi-Wort *aspuhrakân* zu transscribieren; das sind eben die Söhne der sieben vornehmsten Häuser. Ebenso kommt auch bei den Byzantinern Ἀσπουρακᾶν als Name jener armenischen Provinz vor, während anderswo, z. B. bei Cedrenus, II p. 769, 774 (Bonn p. 570 sq., 573), Βασπρακάν, Βασπρακανία, (mit doppeltem *a* in der ersten Sylbe) geschrieben wird. Ob H. Kiepert Strabo's Βασορόπεδα (p. 528) mit Recht für eine graecisirte Form desselben Landschaftsnamens hält, scheint mir äusserst zweifelhaft.

Ich habe erwähnt, dass Nöldeke seine Untersuchung über diesen Gegenstand mit den Worten schloss: „Wir wissen also doch wie der wahre Name der höchsten Adelsclasse ungefähr lautete.“ Nach dem soeben Vorgetragenen glaube ich sagen zu dürfen: „wir wissen sicher und genau, wie dieser Name im érânischen Mittelalter lautete“, füge aber hinzu, „so weit es sich nemlich um die officielle Zusammenfassung der ganzen Classe in öffentlichen Documenten handelt, wie die Inschriften der Sâsâniden sind“. Mit nicht geringer Wahrscheinlichkeit kann man auch annehmen, dass dieselbe Bezeichnung im Munde des Volks im Plural für die Gesammtheit, im Singular für jedes einzelne Mitglied eines der sieben Geschlechter gebräuchlich war. Diese Mitglieder selbst aber mögen sich wohl durch Beifügung ihres hochangesehenen Familiennamen zu ihrem persönlichen Eigennamen in ihrem ererbten Range, als ein *Kârin*, ein *Sûrên* u. s. w. kenntlich gemacht haben. Nur die je

;en Häupter der Familien, die ich mit den bei uns sog. land-
;en Fürsten glaube vergleichen zu müssen, werden sich auch
schwerlich begnügt, sondern für sich persönlich einen be-
ren Ehrentitel in Anspruch genommen haben, soweit ihnen
etwa der Königstitel zugestanden war, wie es in einzelnen
n wohl geschehen sein mag.

Ich brauche mich in dieser Hinsicht nicht auf eine zwar nahe
ide, aber immerhin vage Vermuthung zu beschränken, da ich
esen letzten Tagen den hohen Ehrentitel entdeckt zu haben
e, den die Familienhäupter in der That führten. Es ist mir
ch gelungen, die Pahlavi-Legende einer ebenso merkwürdigen,
eltenen Sâsâniden-Münze zu entziffern, die uns, wie ich meine,
Titel verräth. Dies ist eine in dem schätzbaren Werke von
i's über die Collection Bartholomaei auf Tafel XXIV sub
5 sehr gut abgebildete Goldmünze aus dem 34. Regierungs-
des Grosskönigs Chosrau Anôscharevân. Wesentlich dieselbe
e findet man auch schon bei Longpérier, Essai sur les mé-
s des rois Perses de la dynast. Sassanide, auf Taf. X sub no. 4
ildet. Einige, zum Theil nicht unerhebliche Abweichungen
r Pahlavi-Schrift zeigt dies Exemplar allerdings, es scheint
ber, dass sie wenigstens grösstentheils der minder sorgfältigen
bildung zuzuschreiben sind. Zur Erklärung bringt Long-
er nichts Brauchbares bei. Ich werde mich hier damit be-
n müssen, die Eigenthümlichkeiten unserer Münze kurz anzu-
n, meine Erklärung vorzulegen und einige erläuternde Bemer-
n hinzuzufügen.

Auf dem Avers fällt sofort auf, dass der Grosskönig, dessen
, wie gewöhnlich, zur rechten Hand beigefügt ist, de face,
Beschauer zugekehrt, abgebildet ist, während die Sâsâniden-
en sonst den Kopf des Grosskönigs immer im Profil, nach
s gewandt, zeigen. Eine zweite, in der Collection Bartholo-
, Tab. suppl. no. 1, abgebildete, auch von Mordtmann Z.
I. VIII, S. 30, no. 2 und XII, S. 4, no. 1 erwähnte, überaus
le Münze, auf welcher der Kopf des Grosskönigs ebenfalls de
dargestellt ist, gehört schwerlich in die Reihe der Sâsâniden-
en. Noch auffallender ist, dass auf dem Revers unsrer Münze
onst regelmässig wiederkehrende Feueraltar gänzlich fehlt, zu
n Seiten stets zwei Männer — König und Oberpriester, jeder
inen Stab gestützt, — stehen. Statt dessen erblicken wir hier

einen Mann in ganzer Figur, dem Beschauer zugekehrt, ebenfalls auf einen Stab sich stützend. Die Pahlavi-Inschrift zur Linken wiederholt den Namen des Grosskönigs unter Hinzufügung der Zahl 34, die das Jahr seiner Regierung anzeigt. Zur Rechten dagegen stehen jedenfalls höchst merkwürdige Worte, die ich unbedenklich so lese: „în chidêvagân Meibud kardâr“, zu deutsch: „dies ist der Chidêv-Sohn Meibud, der Kardâr“. Das letzte Wort ist bekannt genug und findet sich auch, jedoch mit langem *a* in der ersten Sylbe geschrieben, in den neupersischen Wörterbüchern mit der Bedeutung „Vazîr des Pâdischâh“. Die vollere Schreibart ist die ursprüngliche und die Erklärung richtig. *Kârdâr* ist, wer ein Geschäft in der Hand, dasselbe auszuführen hat; als hoher Beamter derjenige, der die Staatsgeschäfte zu leiten hat, der Premier oder Reichskanzler, Vazîr, dessen officiellen Titel wir hier auf authentische Weise kennen lernen. Die Verkürzung des ursprünglich langen Vocals ist in êrânischen Sprachen überhaupt nichts Seltenes, bei eben diesem Worte aber in Pahlavi-Schriften auch sonst ganz gebräuchlich. Sie findet sich z. B. durchgängig wieder in dem sog. Pâzend-Texte des Buches Mainyô-i-khard. Ich verweise hier der Kürze halber nur auf West's Glossar zu diesem Buche, S. 118. Das bei den Byzantinern, z. B. bei Theophylact und Theophanes, mehrfach als Benennung eines vornehmen Êrâniers vorkommende Wort *Καρδαρίγας*, anderswo *Χαρδαριγάν* lautend (s. de Lagarde Abhandl. 189, 16 ff.), ist mit Kârdâr nicht identisch (s. Spiegel, Alterthsk. III, 467 Anm. 2), wohl aber von diesem Worte abgeleitet, und kann meiner Meinung nach nur bedeuten „der Vazîrs-Sohn“. Darnach möchten auch die Bemerkungen über dies Wort bei Theophylact I, 9 p. 19 (Bonn. p. 60, 2 sqq.) und bei Theophanes (Bonn. I, p. 390) nicht für ganz zutreffend zu halten sein.

Dass ich das Wort kardâr richtig erklärt und den ihm vorangehenden Eigennamen *Meibud* (sprich: *Mêbud*) richtig gelesen habe, glaube ich auf das Bestimmteste nachweisen zu können. Bei den Byzantinern kommen in der Zeit der êrânischen Grosskönige Qobâd I., Chosrau I., Hormuzd IV. und Chosrau II. verschiedene Personen jenes Namens vor, der bald Μεβώδης, bald Μεβόδης geschrieben wird. Nach Menander Prot., dem Fortsetzer des Agathias, in C. Müller's Fragm. hist. Graec. IV, p. 253 sq. fragm. 50, sandte Chosrau I. in den letzten Zeiten seiner Regierung, — und zugleich der des Kaisers Justin II., — ungefähr im J. 578, behufs der Unterhandlung über einen Waffenstillstand mit den Römern „den Mebódes“ ab und gab ihm als zweiten Bevollmächtigten einen Mann von guter Herkunft, den Σαπώης aus dem Hause Mihrân bei, dessen Name wohl nur aus Σαπώρης entstellt ist. Die Hauptperson war aber der Μεβώδης, βουλευμάτων ἡγούμενος καὶ τοῦ παντὸς ἔχων κῦρος, der Lenker der Beschlüsse und Inhaber der Gewalt über das Ganze (des Staates). Kein andrer als dieser wird es sein können, der auf der Münze aus dem J. 34 des Chosrau, also ungefähr im J. 564, bereits als der Kardâr bezeichnet wird, dessen Bedeutung Menander so vollständig und correct ausgedrückt hat. Seinen Einfluss und seine hohe Stellung verdankte er wahrscheinlich vor allem dem Umstande, dass er schon in der letzten Zeit Qobâd's I. im Interesse von dessen viertem Sohne, eben des Chosrau, am byzantinischen Hofe thätig war (vgl. Spiegel, Alterthsk. III, S. 406), dann nach Qobâd's Tode, also ungefähr im J. 531, die bestrittene Nachfolge des Chosrau auf äusserst geschickte Weise durchsetzte (ebend. S. 417). Mit dem höchsten Staatsamte war er vielleicht schon lange vor der Prägung unsrer Münze vertraut; was zu dieser, die jedenfalls eine ganz besondere Auszeichnung war, die unmittelbare Veranlassung gegeben haben möge, bleibt uns unbekannt. Dass er aber noch um das J. 578 im Amte war, zeigt der Bericht Menander's, wie ich meine, unwiderleglich. Über das Ende seiner Laufbahn sind wir nicht sicher unterrichtet. Nach einigen Quellen, wegen deren ich mich für jetzt damit begnügen muss, auf Spiegel a. a. O. S. 420 und Nöldeke S. 252 zu verweisen, wäre er noch unter Chosrau I. einer Intrigue zum Opfer gefallen; das müsste dann in die letzten Tage des Chosrau fallen. Verschieden von ihm müsste alsdann jedenfallls der Mébod sein, welcher einige Jahre später zur Zeit Hormuzd's IV. und des Kaisers Mauricius als Gesandter an die Römer in Mesopotamien fungiert haben soll, und den Theophylact (p. 63 der Bonner Ausg.) als „Satrapen“ bezeichnet; dieser aber ist vermuthlich identisch mit dem Μεβόδης Σουρίνα υἱός, der weiterhin (p. 122) gegen die Römer ins Feld geschickt wird und in der Zeit zwischen 588 und 590 im Treffen fällt (p. 123); man vgl. Spiegel S. 470, Nöldeke S. 439 Anm. Eine erneute nähere Untersuchung über die verwickelten Verhältnisse während der Kämpfe Rom's mit den Érâniern um diese Zeit und insbesondere auch über die chronologischen Fragen, die sich daran knüpfen, muss ich jüngeren Kräften überlassen. — Ich bemerke noch, dass der authentischen Schreibart Meibud oder Meibod auf der Münze gegenüber, die von Nöldeke S. 260 Anm. 3 angeführten Formen Mâhbôdh oder Mehbôdh als ungenau anzusehen sein werden, und auch der Vorschlag de Lagarde's, Abhdl. S. 190, 2 f., Μεβόδης (bei Procop) in Μωβέδης zu ändern, unannehmbar erscheint. Ob übrigens der Vocal der zweiten Sylbe ursprünglich lang oder kurz war, lässt sich mit Sicherheit nicht entscheiden, obgleich auf der Münze eine ausdrückliche Bezeichnung der Länge fehlt. Ein Dorf Namens Meibûd existiert noch jetzt zwischen Jezd und Ispahân und ist auch in Petermann's Reisecharte aufgenommen.

Die Lesung des auf der Münze dem Namen Meibud vorangehenden Wortes *chidêvagân* — oder vielleicht *chidêvajân* — will ich nicht für ebenso unzweifelhaft richtig ausgeben, als die der beiden letzten Wörter. Indessen vertragen die Schriftzüge meine Auffassung sehr wohl, jede andre aber würde schwerlich überhaupt einen Sinn erkennen lassen. *Chidêv* ist ein im Orient noch immer bekanntes Wort, wie auch die Wörterbücher zeigen, die dasselbe durch König, Vazir, Herr, Grosser u. dgl., allerdings ziemlich unbestimmt erklären. Die erste Sylbe lautete vielleicht früher *cha* und das aus ursprünglichem *sva-dêva* hervorgegangene Wort hätte dann die Bedeutung „Selbstherscher" gehabt. Hier meine ich darin eine specielle Anwendung auf die Häupter der landsässigen Fürstenhäuser zu erkennen; es ist der geborene „Prinz" eines solchen Hauses, der diesen Rangtitel selbst dann nicht aufgiebt, wenn er auch zu der Würde des höchsten Staatsbeamten gelangt ist: „Prinz Meibud, erster Minister". Diese Auffassung stimmt vortrefflich zu der Werthschätzung, welche derselbe Titel bei dem Herscher der Osmanen fand, als er in der Lage war, dem sog. Vicekönig von Aegypten einen hervorragenden Character zugestehen zu müssen. Wenn ich die Pahlavi-Schriftzüge durch خديوكن umschreibe und *chidêvagân* ausspreche, so nehme ich an, dass der ursprüngliche lange Vocal der Endsylbe wenigstens in der Schrift, vielleicht auch in der Aussprache verkürzt wurde, wie denn im Êrânischen die Suffixe *-ân* und *-an* überhaupt nicht wesentlich verschieden sind. Auch scheint mir dieselbe Verkürzung in dem gleichartig gebildeten Worte *Kardârigân* eingetreten zu sein, wenn die Byzantiner dasselbe theils Καρδαρίγας, theils Χαρδαριγάν (oxytoniert) schreiben. Neben خديو

an in persischen Original-Lexicis als gleichwerthig noch aufgeführt, eine etwas befremdliche Form, die jedoch für Münzschrift auf keine Weise in Betracht kommen kann. —
Fürsten Sohn Meibud war, geht aus der allgemeinen Be-
g „Chidév-Sohn" nicht hervor; auch anderweit erfahren
it, welchem der sieben Häuser er angehörte. Vielleicht
n am ersten an das Haus Sûrén denken, in welchem wenig-
ie ich bereits erwähnte, der Name auch sonst vorkommt;
h Nöldeke S. 439 Anm.
erste Wort der Münzschrift endlich, welches mit dem
zu einem Ganzen zu verbinden mir ganz unmöglich scheint,
ibe ich *jn* und lese dies „*în*", wozu die Pahlavi-Schriften
geeignete Parallelen darbieten. Der Sinn passt vorzüglich
der übrigen Beischrift von Meibud's Bilde: „dieses (ist)
lévsohn Meibud, der Minister".
hrend sich Nöldeke S. 440 f. über die dritte Classe des
en Adels, die *âzâdân* der Inschriften von Hâǵî-âbâd, als
leren Adel mit kleinerem Grundbesitze, genügend ausspricht
hnen die sog. *Dihkâne*, „Dörfler", erkennt, äussert er sich
mittlere Classe der *vazarkân*, der Grossen — unzweifel-
h grossen Grundbesitzern — gar nicht näher. Meinerseits
grade diesen Ausdruck für geeignet, über die ursprüng-
gere Bedeutung des Namens Megistanes Aufschluss zu geben,
Griechen und Römern einen weiteren Sinn erhalten und
dieser Auseinandersetzung über die Verhältnisse des érâni-
dels Veranlassung gegeben hat. Das Wort hat eine super-
e Form, welche bei den niederen Ständen um so leichter
Stelle der officiellen, — die Grossen schlechthin, — treten
da die höchste fürstliche Classe durch die landübliche Be-
„Söhne aus den (sieben) Familien" ohnehin deutlich genug
nieden war. Die im érânischen Mittelalter gebräuchliche
ahest (= μέγιστος) ist eben nicht im strengsten Superlativ-
fassen, was auch sonst vorkommt; s. besonders Spiegel,
II S. 428, 2 f., West, Glossar zum Mainyô-i-Khard p. 132;
m etwa noch Spiegel, Einl. I S. 69 Anm. 2.
und in welchem Umfange etwa die den Megistânes ent-
de érânische Adelsclasse zur Zeit der Arsaciden an dem
en Senate betheiligt war, bleibt uns unbekannt.

Nachschrift.

Erst heute geht mir das Heft des diesjährigen Bandes (XXXIV.) der Zeitschrift der D. M. Gesellsch. zu, worin der vor Kurzem verstorbene, um die pahlavische Numismatik so vielfach verdiente Dr. A. D. Mordtmann in Constantinopel die Münzen der Sâsâniden einer letzten Revision unterzogen hat. In dieser seiner Bearbeitung S. 122 f. hat derselbe auch die im Vorstehenden von mir besprochene Randschrift der Goldmünze aus dem J. 34 Chosrau's I. zu erklären versucht, ist aber zu einem ganz andern Resultat gekommen, als ich. Er liest darin die Worte „*Gihan Giti-ban Kartar*" und fügt hinzu: „*Giti-ban* ist ein Compositum und bedeutet „die Welt beschützend (oder bewachend)" und wird als königlicher Titel gebraucht. *Kartar* ist das neupers. كردار, das Nomen agens von كردن „machen". Es dürfte also wohl eigentlich das mittlere Wort *Giti-bani* lauten, doch wage ich es nicht ohne Ansicht des Originals zu behaupten, weil gerade an dieser Stelle die grösste Undeutlichkeit ist. *Giti-bani Kartar* wäre also etwa neupers. پادشاهی كردار, und die ganze Legende جهان پادشاهی كردار „der die Weltherrschaft ausübt" oder „der Beherrscher der Welt". Wer sich etwas in neupersischen Geschichtsschreibern umgesehen hat, wird in diesem Titel nur dieselbe Hyperbel wiederfinden, die sich zu Hunderten von Malen in diesen Historikern findet."

Jeder Belehrung zugänglich überlasse ich den Sachverständigen das Urtheil über meine eigene Erklärung; dass aber irgend ein mit êrânischen Dingen bekannter Gelehrter des sel. Mordtmann's Erklärung — nach dem Wortlaut doch „der Welt Weltschutz ausübender" — sollte billigen können, halte ich für ganz unmöglich.

Berlin, 24. Mai 1880.

J. Olshausen.

Hr. **Mommsen** legte folgende Mittheilung des Hrn. Professor P. **Krüger** zu Königsberg i. Pr. vor.

Neue Bruchstücke aus Papiniani liber V responsorum.

Zu dem im vorigen Jahrgang der Monatsberichte S. 509 ff. besprochenen Stücke eines Doppelblattes aus dem 5. Buche der *responsa Papiniani* gesellt sich noch ein Stück eines theilweis erhaltenen Blattes, welches erst jetzt unter den vom Berliner Museum erworbenen Handschriftenfragmenten herausgefunden worden. Es enthält Bruchstücke zweier lateinischer Textkolumnen, deren Zwischenrand zum Theil mit griechischen Scholien ausgefüllt ist. Dies Blatt hat noch mehr als das erstgefundene Fragment gelitten; die Lesung desselben ist zum Theil überaus schwierig und mir nicht vollständig gelungen. Was ich entziffert habe, ist auf der ersten der beigefügten Tafeln abgezeichnet; zweifelhafte Lesungen sind punktirt wiedergegeben.

Diese Zeichnung giebt das Blatt nicht so, wie es jetzt aussieht, sondern versucht die ursprüngliche Gestalt wiederherzustellen, welche durch Zerreissen und Zusammenschrumpfen namentlich der unteren Hälfte der breiter erhaltenen Kolumnen entstellt worden. Die Zeilen und Buchstaben derselben haben sich so zusammengezogen, dass sie fast so klein erscheinen wie auf dem bereits veröffentlichten Fragmente über *bonorum possessio contra tabulas*; dass sie nicht von Anfang an so gewesen, erkennt man sicher aus einzelnen weniger beschädigten Stellen, insbesondere aus dem schmalen Streifen, der von den anderen beiden Kolumnen erhalten ist. Dieser Streifen hing, als ich das Blatt in die Hände bekam, an den untersten Zeilen so lose mit dem anderen Theile des Blattes zusammen, dass ein Abbrechen während der Arbeit des Entzifferns sich nicht vermeiden lies; ebenso stand es mit dem kleinen Fetzen des Zwischenrandes, welcher den Zusammenhang der untersten Zeilen beider Kolumnen vermittelte. Die Zeichnung giebt den Zusammenhang und die Bruchstellen wieder.

Die zweite Tafel ist die Abzeichnung des Doppelblattes und soll an die Stelle der früher versprochenen, aber nicht ausführbaren Photographie des Originals treten. In dieser Tafel ist ein

Versehen des *Apographum* in der ersten Veröffentlichung (S. 511 Z. 3 RATORESSUIAD falsch statt RATORESUIAD) berichtigt. Die punktirte Linie in der Mitte bezeichnet die Falte zwischen beiden Blättern.

Dass das neu gefundene Blatt und das andere Doppelblatt zu derselben Handschrift gehören, zeigt nicht blos die Gleichheit der Schrift und der Zeileneintheilung auf jenem Blatt und dem ersten Blatt des Doppelblattes; die Angehörigkeit zu demselben Buch der *Responsa* Papinians wird auch dadurch bewiesen, dass das *responsum* in Dig. 28, 3, 17 (*Papinianus libro quinto responsorum*) sich auf der Rückseite des Blattes Kol. 2 Z. 18 ff. wiederfindet, welche mit Hülfe der Digesten etwa so zu restituiren sind:

FILIOPTERITOQFUITINPATRISPOTESTA
TENEQ·LIB·TATESCONPETUNTNEQ·LE
GATAPSTANT'SIPTERITUSFRATRI
B·PART·H TATISAUOCAUITQUODSI
BONISSEPATRISABSTINUITLICETSUB

Wie das auf der nächsten Zeile gelesene mit dem Schlufssatz der Digesten (*licet suptilitas iuris refragari uidetur, attamen uoluntas testatoris ex bono et aequo tuebitur*) in Einklang gebracht werden soll, habe ich nicht herausgefunden; jedenfalls ist ein Theil des Satzes ausgefallen, da auf Z. 24 ein neues *responsum* beginnt, und der Ausfall ist wohl durch Homoeoteleuton von *subtilitas* und *voluntas* oder *iuris* und *testatoris* veranlasst.

Aus dieser Ergänzung ergiebt sich auch die Breite der vollständigen Kolumne; sie hat 26 bis 29 mittelgrosse Buchstaben gefasst. Zur Vergleichung wären aus dem Abschnitt über Vormundschaft Z. 7 ff. der ersten Kolumne heranzuziehen, welche, wie ich erst nachträglich bemerkt habe, in Dig. 26, 9, 5 pr. wiederkehren. Ergänzt man die Zeilen nach dem Digestentext, so bekömmt man folgendes Bild:

PRIMORT·FURIOSINONHABITURINCU
RATOREMQUINEGOTIA
GESSITACTIOIUDICATI[1] N̄MAGISQ̄INTUTORSIMODO
NULLAMEXCONSENSUP'DEPOSIT·OFFICIUMNOUATI
ON·FACTAMETINCURATOR·ŪTUTOR·OBLIGATION·
EĒ TRANSLATAM CONSTABIT

Hiervon passt nur die erste Zeile zu obiger Berechnung; die
ite ist zu kurz, die drei folgenden sind zu lang und würden
auch dann nicht genügend zusammenziehen, wenn man gegen
Gewohnheit des Schreibers die Abkürzungen noch weiter zu
fen versuchte. Noch unregelmässiger wird die Zeilenabtheilung,
n man nach der Emendation von Cuiacius die Worte *post de-*
itum officium in die voraufgehende Zeile setzt. Vielleicht ist die
gefügte Vergleichung mit der Stellung der Tutoren erst von der
tinianischen Kompilation eingesetzt; ohne dieselbe würden Zeile
5 der erwarteten Länge in folgender Gestalt entsprechen:

GESSITACTIOIUDICATISIMODO
NULLAMEXCONSENSUNOUATI
ON·FACTAMETINCURATOR·OBLIGATION·

In dieser Gestalt würde das *responsum* auch mehr dem Charak-
der Entscheidung eines bestimmten Falles entsprechen, in welche
retische Erörterungen über verwandte Fälle nicht gehören. Die
ite Zeile mag eine Dittographie oder einen Zusatz zu *negotia*,
etwa *defuncti*, enthalten haben.

Man könnte sich auch versucht fühlen Zeile 16—19 derselben
e aus Dig. 27, 1, 28 pr. so zu ergänzen:

TUTORPETITUSANTEDECRETIDIEM
SIALIQUODPRIUILEGIUMQUAERIT
RECTEPETITION·INSTITUTAMEXCLU
DEREN̄POTERIT

---

[1]) Die Digesta haben *iudicati actio*; die Umstellung soll ein Versuch
den Digestentext mit meiner Lesung des Fragments (AM) im Einklang
ringen.

Doch scheint es bedenklich aus den winzigen Überresten auf eine Identität beider Stellen zu schliessen.

Das andere Blatt des Doppelblattes weicht von den beiden übrigen Blättern nicht bloss in der Höhe der Zeilen ab. In der früheren Besprechung (S. 516) ist nachgewiesen, dass die Breite der Zeilen dem Umfang von 25—27 mittelgrossen Buchstaben der kleinen Schrift entspricht; das wäre gleich ⅔ der Zeilen der anderen Blätter. Auch der innere Rand desselben Blattes ist schmaler als der des damit zusammenhängenden Blattes, welcher dieselbe Breite hat, wie der Zwischenrand des neu aufgefundenen Blattes; vermuthlich war das Blatt mit der kleinen Schrift in 3 Kolumnen eingetheilt.

Die ursprüngliche Reihenfolge der drei Blätter ergiebt sich aus dem Inhalt. Nach diesem und nach Justinians Digesten bezogen sich die responsa des fünften Buchs vorwiegend auf Vormundschaft und bonorum possessio contra tabulas, daneben noch auf Patronatsrecht (Dig. 38, 1, 41. 49, 9, 25) und auf die Verpflichtung zu den städtischen munera[1]); inwieweit Dig. 42, 8, 16 noch für eine weitere Materie Zeugniss ablegen, ist nicht zu sagen. Dass nun die Vormundschaft der bonorum possessio voraufging, zeigt die Beschaffenheit der Falte in dem Doppelblatt, und das Bestreben des Schreibers, durch engere Linien, kleinere Schrift und 3 Kolumnen Raum zu sparen, deutet darauf hin, dass mit dem betreffenden Blatt der Quaternio zu Ende ging und der Schluss des Buchs noch auf dies Blatt zusammengedrängt werden sollte. Da nun das Einzelblatt auf allen 4 Kolumnen von der bonorum possessio handelt, so ist damit seine Stellung zwischen dem Doppelblatt gegeben und es fragt sich nur, welches seine Vorder-, welches die Rückseite ist. Für die Vorderseite werden wir wohl diejenige ansehen müssen, auf deren erster Kolumne Zeile 3 *in Italia*, Z. 5 u. 14 [*do*]*micilium*, Z. 8 *ex albo* steht. Alles dies passt nicht zum bonorum possessio, sondern führt darauf, dass hier über Gemeindepflichten oder Vormundschaft[2]) gehandelt wird. Und daran darf auch nicht das Scholion der Rückseite irre machen, obgleich dies

---

[1]) Hierauf bezieht sich aber auch Buch I, vgl. Dig. 50, 1, 12. 15. 17. 50, 2, 6. 50, 5, 8. 50, 7, 8. 14. 50, 8, 4. 5.

[2]) Vgl. Dig. 26, 7, 39 § 3. 7. 8. Zu *ex albo* vgl. Dig. 50, 4, 18 § 11.

III. IV.

...niitalia
...ittametsip...
micilium...
...tposs·obo
s indissub
uo ...s'exalbo...
odab
mo op... quandom...
ns im ... ncinst
tpi scd...op
etp bo
oc micili

patris...
ibc
al dap
isset
riinpo
exh da pisatisuc...
osgradi exh dati
loci
ii
ino
osi
debiti
mihi h
a sianc

tu
li
cu
5 ri c
tis de
n·filio
itam
10 aluit
s uin
nunc
ucar
isu
15 adue
uref
itut
...uacc
grad·a
20 eñ·su
Paul adg
succed
Ulp·i
po
25 ... b
mare
ma
filius
tab·ac
30 patris

V.

ie
uo
ΩΙΤΙΕΝΑΛΛΕΙΚΑΙΟ
ΒΟΥΛΕΤΑΙΤΟΑΧΡΗΣΤ
ΤΑΙΣΛΕΙΤΟΥΡΓΙΑΙΣ
ΠΡΟΣΩΠΟΝΤΟΠᾹ
ΛΑΜΒΑΝΕΙΝ

etas
udari
atr·col
dio
ccepi
bit
ituo
itacō
sn̄n
rnel

liodc
iip's·
tenius
anb ·bi
ΤΟΥΔΥΝΑΤΑΙΕΥΝΑΙΝΕ
petere
·dictū
bp̄ pe
ci
umse̅
aatic
atr fra
q·fisco cōst̄ s·sb

VI.

m
c'eman
bitcon l
q̄q̄possion
nepossip'
trisaccip
palion'
petent
cetur
Ulp·scaevol 10
iuris c
iomissab̄p̄s
ssian
ncipat
pi 15
m isind
nis'fer
fi pte fu
t b· tes
nt'sip t 20
l t· h̄tatisauoc
bonissepatrisaustin
ciiii tat·p ic
pa·20 p acce
ib·t e 25
utip
inp's
o
Ulp·her
lle 30

VIII.

oss habereti ideoq·
pentis b primo lo
elicta p̄ stabit q̄ ñ p̄ sta
dicio institutionis de
adierunt tab· q̄q̄ ñ si (5)
fer t' ñ ne nuncup
p̄s· de' ualuit non m
et si p primus gradu

lio ex h datus ñ fuit pu (10)
upation· petip̄ se b
ae h ñ offendit cum
us ñ qui lege me xclu
aria
acto nepos alium ex (15)
ss substitutus
pit q̄ ñ in p rus iii
uop' teritus e eud
cessurum
iniure honorario p̄ (20)
eimmo successit
utatqui ne q atne
ut si sin ruptoti
boss· nem s' tab·
ii ipina (25)
lio r uidet
patibus qui poss·
per potuit intestati
poss· accepit ad ñ ita p il

xiiiiin plesset
ratores ui ad
runtiusti c
neq· offici (5)
t· placuit ut
p' t mort· fu
ratorem
cessitam
nullam (10)
on· fac
tu
rl

tutor (15)
si
pi
d
p (20)

von den munera spricht und man daraus auf einen gleichen Inhalt des dazu gehörigen Textes, also Z. 3 ff. der ersten Kolumne dieser Seite (denn Kolumne 4 handelt hier sicher von der bonorum possessio), schliessen sollte. Es ist doch nicht denkbar, dass Papinian mitten in den Abschnitt über bonorum possessio contra tabulas wieder ein responsum über eine vorher verlassene Materie eingeschoben haben sollte. Ich vermag daher nur eine Verstellung des Scholion anzunehmen. Nach der so festgestellten Ordnung habe ich die erhaltenen 8 Kolumnen in der Abzeichnung gezählt.

Aus dem Einzelblatt gewinnen wir neuen Aufschluss über das Verhältniss der notae zum Texte Papinians. Kolumne VI widerlegt den früher aus Kolumne VII gezogenen Schluss, dass die notae nicht hinter das entsprechende responsum eingefügt, sondern dass alle auf die responsa einer Kolumne bezüglichen notae an den Schluss derselben gesetzt worden. Wir sehen vielmehr, dass VII, 18 hinter Ulpians nota zwei responsa folgen und an das zweite derselben sich erst wieder eine nota Ulpians anschliesst. Jedes responsum beginnt mit einer neuen Zeile und ausgerückter grosser Initiale; ebenso die notae, ihr Anfang (*Ulp. Paul.*) ist aber mit minium geschrieben.

Hiervon wird auch nicht VII, 27 abweichen; das zu Anfang dieser Zeile als zweifelhaft gelesene schwarze Pauli wird wohl der Anfang eines responsum sein.

Dass hinter der notae auf derselben Kolumne wieder responsa folgen, bestätigt VIII, 27—29. Die voraufgehende Zeile kann nur eine kurze nota enthalten haben, etwa so:

PAUL·IUL·SA[1] MELIORUIDET'

Dahinter ist die Zeile leer; auf Z. 27—29 steht aber der Anfang des in Dig. 37,7, 5 enthaltenen responsum; diese Zeilen sind so zu ergänzen:

FILIUSEMANCIPATIBUSQUIPOSS·NE—
—TAB·ACCIPEREPOTUITINTESTATI
PATRISB·POSS·ACCEPITADQ̄ITAFILIA

---

[1]) d. h. *Iuliani* (dies nur beispielsweise gesetzt) *sententia.*

Zu den Tafeln ist Folgendes zu bemerken:

I, 15 beginnt nicht, wie ich vordem las, mit pA, sondern mit rothen Buchstaben, welche aber ganz verwischt sind.

II, 4 hinter eNT ist leer.

III, 2 ist leer, ebenso der Schluss von Z. 9 unter s'eXALBO) und der Schluss von Z. 13 hinter BO·

IV, 21, 23 sind pAUL und ULp· roth geschrieben.

V, 16 ist leer.

20 der Buchstabe hinter AN ist nicht B, vielleicht h.

VI, 9 ist hinter R leer.

10. 29 ULp ist roth.

23 das XATIC auf dem Zwischenrand beginnt die letzte Zeile eines Scholion, dessen Spuren sich schon neben Z. 16 des Textes zeigen.

Zu Kolumne VII und VIII gilt das in den vorjährigen Monatsberichten S. 513 Gesagte, nur dass die Abweichungen von der früheren Zeichnung in VIII. 26—29 auf erneuter Lesung beruhen. Die auf Z. 25 neu gelesenen Striche zeigen, dass der Text fast bis an das Scholion heranging.

Zu dem a. a. O. S. 513 f. gegebenen Verzeichniss der Abkürzungen ist aus der ersten Tafel Folgendes nachzutragen:

B· = *ber* in *libertates* VI, 19

B· = ? VI, 26

Bp̄ = *bonorum possessio* (*-nem -ne*) IV, 18. V, 24. VI, 12

c' = *cum* III, 5. VI, 2

ɔ = *contra* III, 17

eN̄· vgl. N̄·

GRAD· = *gradum* IV, 19

-h = *here* in *exheredare* III, 22. 23, vgl. III, 28

h = *heredi* in *hereditatis* VI, 21

N· = ? IV, 8

N' = *nec* ? IV, 18. VI, 7

N̄· = *non* oder eN̄· = *enim* IV, 20

N̄N̄ = ? III, 14

p' = *pos* VI, 27

p' = *pos* oder *post?* VI, 5

p's· = *possunt* oder *possess* V, 18

p̀ = *prae* VI, 18

pAUL = *Paulus* IV, 21

poss·o = *possessio* III, 5. VI, 4

pR̄ = *praetor?* III, 10

q· = *que* V, 30

q̄N̄ = *quoniam* III, 10

q̄q̄ = *quoque?* VI, 4

ʃ = *secundum* IV, 25

-R· = *rem* oder *rum* V, 8

s' = *sed* III, 8. VI, 17?

-T· = *tem* VI, 21. 23?

-T' = *tur* VI, 20

TAB· = *tabulas* IV, 29.

ULp· = *Ulpianus* VI, 10. 29

Von den griechischen Scholien des neugefundenen Blattes sind zwei fast vollständig erhalten. Das auf dem oberen Zwischenrande der Rückseite stehende lautet:

Uition αλεγει(?) καθ' ὃ βούλεται τὸ ἄχρηστ[ον] ταῖς λιτουργίαις πρόσωπον τὸ πᾶν λαμβάνειν

ist dem Sinne nach klar; auf welche Bestimmung es sich aber bezieht, bleibt räthselhaft.

Das an derselben Stelle der Vorderseite stehende:

—ταιου—λήμψει, ἀπὸ πάντων ἀποκέκλειστα. Ῥιτιοῖος· κ[αὶ] γὰρ καὶ παῖς(?) ··ενω τοῖς praeteritoῖς εὐχαριστ··ι ἐπιγεινώσκει[1]) legata. ἀεὶ δὲ τὰ αὐτὰ ἠδύνατο ἀπὸ τοῦ ῥιτοι. ἔχειν, ἅπερ ἐ[πὶ] τοῦ πολι·····ου [ἐ]πιγειν··[2])

kann erst dann verständlich werden, wenn die Bedeutung des ῥιτιοῖος und des abgekürzten ῥιτοι. gefunden sein wird.

Das unten auf der Rückseite stehende Scholion lässt sich zum Theil so ergänzen:

—συν(?)—εναστων ὁ τ[ὴν θυγα]τέρα· ὁ δὲ emancipatos[3]) ἐτύγχανεν τὴν θυγατέρα μετὰ τοῦ [ἑτέρου] παιδὸς γράψας

Eine Lösung der in Abkürzungen geschriebenen Randnotiz zu V, 30, welche verwandt ist mit dem Schluss des Scholion zu VIII, 9, ist mir nicht gelungen.

---

[1]) Oder ἐπιγιγνώσκει.

[2]) Dass zum Schluss nur wenige Buchstaben fehlen, muss aus den hinter der Lücke über und unter der Zeile stehenden Notizen geschlossen werden.

[3]) In der Handschrift steht emancipa | toi.

Am 21. April starb

Hr. Johann Karl Eduard Buschmann,

ordentliches Mitglied der philosophisch-historischen Klasse.

22. April. Gesammtsitzung der Akademie.

Hr. Nitzsch las folgende Abhandlung:

Über niederdeutsche Kaufgilden.

Die folgenden Erörterungen gehen von den Thatsachen aus, die ich in einem früheren Vortrag über die älteren Formen der städtischen Genossenschaften Norddeutschlands zusammenstellte[1]).

Unter diesen nahm die Kaufgilde eine besondere Stellung ein. „Im 12. Jahrhundert erscheint sie als eine Vereinigung für Verkehrsinteressen für alle an diesen betheiligten Einwohner eines Platzes. Sie ist weder kirchlichen noch hofrechtlichen Ursprungs und kennt zunächst die Scheidung nach einzelnen Gewerben nicht. Ihre selbstgewählten Beamten werden, wie die der englischen Gilden, Aldermann oder Dekan genannt“, auch Gildemeister. Sie bezeichnen „den Gesammtbegriff ihrer autonomen Ordnungen als Gilderecht und die Ausübung ihres exclusiven Verkehrsrechts als Hansa“[2]).

Die grosse Bewegung des deutschen Handels, wie sie sich von der Mitte des 12. Jahrhunderts vollzog, die in Folge derselben eintretende Scheidung zwischen Gross- und Kleinhandel, die gleichzeitig steigende Bedeutung der einzelnen Handwerke und die Ausbildung der städtischen Rathsverfassungen mussten zu vielfachen Umgestaltungen führen. Auf den Zusammenhang der letzteren mit den Gilden hat schon Lappenberg hingedeutet[3]).

In diesen Bewegungen sind, wie ich ebenfalls schon kurz aus- [illegible] grosse [illegible] Gilden, wie die Cölner, fast spurlos [illegible] sich in der verschiedensten Weise [illegible] die Magdeburger, Stendaler, Göttinger u. a.

[1]) [illegible]

[2]) [illegible]

[3]) [illegible] Sartorius Urk. Gesch. d. Urspr. der deut. Hanse I p. XVI f.

Die Erkenntniss dieser Metamorphosen wird wesentlich dadurch erschwert, dass noch im Verlauf des 13. Jahrhunderts, und mehr noch später, die Handwerkervereinigungen sich den vornehmern Namen der Gilde anmassten.

Was hier gegeben wird, beansprucht nicht die Bedeutung einer abschliessenden Untersuchung: es sind gewissermassen Nachträge und weitere Ausführungen zu den früher gegebenen, und zwar nach zwei Richtungen. Um die Bedeutung der Veränderungen zu constatiren, war es zunächst wünschenswerth, erhaltene Exemplare reiner Kaufgilden jener ältesten Form aufzufinden, und nachdem dies gelungen, musste es dann zweckmässig erscheinen, einzelne Beispiele verschiedener Umbildungen, zum Theil mit Hülfe neugewonnenen Materials, zum Theil in eingehenderer Benutzung des bisher vorhandenen, jenen einfacheren Formen gegenüber weiter zu untersuchen.

Lappenberg, der freilich jene älteste Form der, um diese Bezeichnung zu gebrauchen, kaufmännischen Gesammtgilde noch nicht kannte, hat doch die Bedeutung der Gilde für die Verfassungsgeschichte der niederdeutschen Städte richtig gewürdigt. Wenn die folgende Zusammenstellung auch nichts anderes erreicht, als an einigen verschiedenen Bildungen nachzuweisen, wie Gilde und Stadtverfassung auf einander fördernd oder hemmend wirkten, so wird wenigstens diese wichtige Seite unserer städtischen Verfassungsgeschichte in ein etwas klareres Licht gestellt sein.

Zunächst handelt es sich also um jene Exemplare ältester Form, die durch die städtische Verfassung entweder nicht gehemmt oder aber vollständig mattgesetzt und gleichsam versteinert ihren ursprünglichen Charakter das ganze Mittelalter hindurch bewahrten.

I.

Gewiss beweist das von Ennen entdeckte Mitgliederverzeichniss die Existenz einer solchen einfachen Gilde für Cöln[1]), leider aber fehlt jede weitere unmittelbare Notiz über deren Existenz und Einrichtung für das 12. Jahrhundert und auch später. Um so wichtiger scheint mir, dass es gelungen ist, in der bisher urkundlich nur im Jahre 1322 nachweisbaren Kaufgilde zu Lemgo eine solche Gilde ältester Form zu entdecken.

Die „unio mercatorum vulgariter dicta der koplude ghelde" wird urkundlich nur ein einziges Mal in einem Rentenbrief des neustädtischen Raths vom 20. December genannten Jahres erwähnt[1]). Sieben Jahre früher gestattet Simon I den Bürgern der Neustadt, „die Altstadt und deren Markt zum Kaufen, Verkaufen und sonstigen Geschäften täglich besuchen zu können ohne Zwang ad jus et consuetudinem irgend eines Amts, Collegs oder einer Societät, 'quod ghelde vulgo dicitur', und ferner, dass sie dort alle vendibilia verkaufen können, sofern diese nur seinen geschworenen Consuln placuerint et videantur ad vendendum seu dixerint fore (foro?) digna, et de tali placentia — non habebunt unum super se consules"[2]). Es ist mir mehr als wahrscheinlich, dass dieser Schutzbrief damals direct gegen die Ansprüche der altstädtischen Kaufgilde gerichtet war, dass der Aussteller unter der Societät 'quod ghelde vulgo dicitur' eben „der koplude ghelde" verstanden wissen wollte, die neben oder über dem Rath das Recht beanspruchte, über den Marktverkehr der Altstadt zu verfügen und ihn zu beaufsichtigen. Die Urkunde zeigt, dass dieser vom Herrn der Stadt eingesetzte Rath damals schon die Gilde in ihren Ansprüchen zu beschränken begonnen hatte. Das Statut Simon's III vom Jahre 1365 erwähnt der Gilde und ihrer Rechte gar nicht. Fremde Kaufleute sollen darnach an den freien Märkten auf dem Kaufhause bei den Bürgern ausstehen und dem Rathe davon Stättepfennige bezahlen. Auch der Verkauf fremden Biers soll nur mit Erlaubniss des Raths erfolgen, dagegen wird der Betrieb der Handwerke unter die Controlle der „geschwornen Meister", die „von

---

1) Sitzungsber. a. O. p. 18; Ennen Gesch. d. St. Cöln I p. 535.

2) Preuss und Falkmann Lipp. Regesten I n. 630.

3) ebd. n. 617.

4) ebd. n. 1130.

dem Handwerk" wären, gestellt, die „Besserung" soll im einzelnen Fall an die Herrschaft abgeführt werden.

Rath und Handwerke erscheinen so als die Hauptorgane für Verkehr und Gewerbe. Die Gilde scheint verschwunden. Und doch bestand dieselbe bis vor „etwa zwanzig Jahren", wo „bei ihrer Auflösung und der Vertheilung ihres Vermögens ihre Papiere zersplittert sind"[1]). Unsere Kunde über sie beruht heute auf dem Bericht eines Beamten in der Detmolder Regierungsregistratur vom Jahre 1840, welcher neben den Urkunden der Gildelade hauptsächlich mündliche Mittheilungen benutzte.

Darnach bestand die „koplüde-gilde" (erst in neuerer Zeit Kaufmannsamt genannt) neben den dortigen Ämtern (statt Zunft heisst es hier immer Amt), unter welchen namentlich auch Höker und Krämer. Die Gilde besass, wie schon 1322, Capitalien und Grundstücke, aus deren Aufkünften jeder Gildebruder bei der jährlichen Rechnungsabnahme vor beiden Bürgermeistern eine „pröve" von 1 fl. erhielt. An ihrer Spitze standen „dechen und bursarius", von diesen und dem „gemeinen kopmann" oder dem „ganzen gemeinen kopmann" wurden die „willküren" beschlossen, keineswegs immer vom Rathe bestätigt. Ein Gildebuch enthielt das Mitgliederverzeichniss seit 1386 und eine Anzahl anderer Notizen. Ich übergehe eine Reihe von Beschlüssen aus den Jahren 1417, 1486, 1490 und 1553 über die Grösse der Eintrittsgelder, Vererbung und Genuss der „pröven". Wichtiger ist eine andere Bestimmung aus dem letztgenannten Jahr, dass „wer die Kaufmannsgilde gewinnen wolle, jede andere Zunft, worin er gestanden, verlassen müsse", und eine zweite vom Jahre 1583 „von Dechen I, bursarius und ganzem gemeinen Kaufmanne beschlossen und willkürlich angenommen": So einer die Gilde winnen wollte — und derselbe ein Amt hätte, sollte er dasselbige verlassen, sofern er des Kaufmannsamtes gedenke zu gebrauchen, oder bleiben bei seinem Amte, dar er in der Zeit bei befunden. Aus diesen Willküren ergiebt sich, dass bis 1553 jedem Handwerker der Eintritt frei gestanden, und dass damals der Versuch gemacht wurde, die Handwerker, wie es 1231 zu Stendal gelungen, ganz von der Gilde auszuschliessen. Der Beschluss von 1583 zeigt nun zweierlei, dass jene Ausschliessung

---

[1]) Alle folgenden Nachrichten über die Lemgoer Gilde verdanke ich der gütigen Mittheilung des Herrn Justizraths Preuss in Detmold.

nicht durchgesetzt ward, dass aber dagegen der Kaufmann sich innerhalb der Gilde zu einem besonderen Amte abschloss und nun versuchte, von dieser engeren Genossenschaft und damit vom Grosshandel den Handwerker, Krämer und Höker fern zu halten, während er den sonstigen Genuss der Gilde den Genossen dieser andern Ämter gestattete.

Aber auch dies ist nie vollständig gelungen. Nicht allein blieb der Eintritt in die Gilde ohne Unterschied allen offen, sondern Höker und Krämer achteten jenes von dem Kaufmannsamt beanspruchte Monopol so wenig, dass noch später, obwol die Dechen der Gilde in wiederholten Eingaben an die Regierung „behaupteten, dass traditionell die Befugniss zum Engross-Handel nur den Mitgliedern des Kaufmannsamtes zustehe, während das Krämer- und das Hökeramt allein zum Detail-Handel, mit gewissen Unterscheidungen unter diesen beiden, Berechtigung verleihe", dennoch „über den Umfang jenes Privilegs", so schliesst unser Bericht, „mehrfach Streit zwischen den Interessenten herrschte".

Man erkennt auch hier den Kampf, in dem die eigentliche Kaufmannschaft, wie zu Stendal, Magdeburg und Dortrecht, um den Alleinbesitz der Gilde oder um eine exclusive Stellung in ihr ringt, ohne die von Herrschaft und Rath geschützten Ämter bezwingen zu können.

Und so blieb die Gilde bis zu ihrem Ende, wo sie eben nur als Rentenanstalt Bedeutung hatte, Handwerkern und Taglöhnern ebenso offen, wie sie andrer Seits Beamte, Ärzte, Geistliche und namentlich die Bürgermeister zu ihren Mitgliedern zählte.

Es kann jedenfalls kein Zweifel sein, dass diese „koplude gelde" oder der Lemgoer „gemeine kopmann" am Anfang des 14. Jahrhunderts eben alle am Verkehr Betheiligten der Altstadt umfasst hatte. Als Simon I die Neustädter auf dem altstädtischen Markt gegen „Gilderechte" zu schützen suchte und sie und ihre Waaren im Gegensatz zu solchen unter die Controlle des von ihm eingesetzten Raths stellte, musste die koplude gelde früher wenigstens für sich dieses Aufsichtsrecht auch dem Rathe gegenüber beansprucht haben. Die Ausbildung der Rathsgewalt und andrer Seits der Handwerker und ihrer geschwornen Meister, wie sie im Statut von 1365 erscheinen, untergruben die alte Stellung der Gilde. Gewann diese erst am Ende des 16. Jahrhunderts die Energie zu Beschlüssen, wie sie die Stendaler schon am Anfang des 13. glücklich durchgeführt hatte[1]), so scheint mir diese Thatsache doch dafür zu zeugen, dass sie bis dahin immer noch eine gewisse Bedeutung sich bewahrt hatte. Offenbar aber war der Versuch, innerhalb der Gilde das „Kaufmannsamt“ besonders abzusondern und hier wenigstens die Mitglieder andrer Ämter auszuschliessen, auch zu spät gemacht. Nicht einmal das Privileg des Grosshandels konnte sie sich so bewahren, ja nicht einmal den alten Namen. „Weil“, sagt unser Berichterstatter, „die Genossen der wirklichen Handwerker- und Handelszünfte, hier Ämter genannt, sich neuerdings auch Gildebrüder nannten, warf man diese Ämter mit der alten Kaufmannsgilde zusammen, diese ward in neuerer Zeit Kaufmannsamt genannt“.

Als ein Seitenstück zu dieser Lemgoer Gilde könnte man die von Salzdetfurt betrachten; war sie auch nur eine Pfannergilde, die die Theilhaber am dortigen Salzwerk umfasste[2]), so war eben dieser Betrieb der einzige wirkliche Verkehrszweig des Ortes, und eben daraus erklärt es sich, dass hier die Gilde nicht allein wie die Lemgoer bis in dieses Jahrhundert bestand, sondern den eigentlichen Kern der Ortsgemeinde bildete.

Der Ort, als salina apud Thietvorde schon 1195 erwähnt, hatte ursprünglich in der engen Schlucht, in der er liegt, gar keine Feldflur, die jetzt von ihm aus bebauten Ländereien gehörten früher zu zwei jetzt eingegangenen Dörfern, er war eine reingewerbliche Niederlassung behufs des Salinenbetriebs. Die Pfannergilde oder einfach die Gilde bildete sich also unzweifelhaft zunächst in den engen Grenzen und für die nächsten Aufgaben der ersten Gründung. Noch 1396 sind „de rad unn pennere up dem sotte to Detforte“, die von den Herren von Steinburg eine ausgedehnte Waldnutzung erwerben, sicher eben nur die Gilde[3]). „Allmälig aber hatten sich bei den Salzquellen eine Menge Menschen angesiedelt, welche keinen Theil am Salzgewinne hatten, nicht zur Gilde gehörten“[4]). Es muss wahrscheinlich dünken, dass zum

---

[1]) Sitzungsber. a. O. p. 19; Götze Gesch. v. Stendal p. 101.

[2]) S. über dieselbe Koken u. Lüntzel Mittheilungen gesch. u. gemeinnütz. Inhalts Bd. 2 p. 292 ff.

[3]) Die a. O. p. 294 citirte Urkunde enthält leider keine weiteren Thatsachen.

[4]) ebd.

Theil die Einwohner jener beiden Dorfschaften dem gewerbreichen Nachbarort zuzogen. Wie diese neuen Elemente sich allmälig neben der Gilde als Gemeinde organisirten, wissen wir nicht. Die von uns benutzte Darstellung aus dem Jahre 1833 sagt: „den Übergang scheint die Anstellung eines Altermanns der Gemeinde gebildet zu haben, wogegen dann auf Seiten der Gilde Gildeherrn, auch ein Salzgrefe vorkommt. Übrigens werden die Gemeindelasten zur Hälfte auf die Gemeinde, zur Hälfte auf die Gilde gelegt, indess trägt diese wiederum als Theil jener die Hälfte der zweiten Hälfte. Ausser den 103 Mitgliedern der Gilde giebt es noch 77 Reihe-Einwohner. Der Rathskeller ist der Versammlungsort der Gilde und der Gemeinde. Auch das Siegel der Gemeinde erinnert an die Abstammung von der Gilde, da es drei beim Salzsieden gebrauchte Haken zeigt."

Jedenfalls das erhellt aus diesen unklaren Angaben, dass die Gilde hier nicht wie in Lemgo durch die Ausbildung der Stadtverfassung matt gesetzt wurde, sondern der Gemeinde gegenüber und in derselben das volle Übergewicht behauptete.

Es ist leicht erklärlich, dass die ursprünglichen Gilden nur in weniger bedeutenden Orten sich so intact bis in die neuste Zeit erhielten, wie in den beiden eben besprochenen Fällen. So wie der Verkehr sich mannigfaltiger und vielseitiger gestaltete, musste er jene einfachen Bildungen dadurch beeinflussen, dass er entweder neben ihnen neue Organe schuf oder in ihnen selbst es zu einer Auseinandersetzung der verschiedenen Interessen brachte.

Wir beobachten solche Bewegungen schon am Anfang des 13. Jahrhunderts in Dortrecht, Magdeburg und Stendal[1]). Sie gingen vom Tuchhandel aus und führten an dem Holländischen Platze dazu, dass das Wandschneideramt zunächst eine Unterabtheilung der Gilde wurde, an den beiden Sächsischen, dass die Wandschneider mit den Grosshändlern alle Handwerker aus derselben verdrängten.

Man könnte sagen, dass in Lemgo der Grosshandel, eben weil er stets unbedeutend blieb, nicht die Macht hatte, Krämer, Höker und Handwerker nach seinem Interesse zu beeinflussen. Eben

---

[1]) Sitzungsber. a. O. p. 18 f.; Höhlbaum Hans. Urkdb. I n. 57.

dieser Kampf zwischen dem eigentlichen Kaufmann und dem Detailisten, sei er Krämer oder Handwerker, ist es ja, was die mannigfaltigen Umbildungen der ältesten Gildeverfassung überall bedingt hat.

Ehe wir auf die Betrachtung einer Reihe solcher Umbildungen eingehen, scheint es zweckmässig, ein schon früher erwähntes Beispiel hier eingehender zu erörtern, bei dem der Einfluss des Grosshandels vollständig fehlt, so dass da besonders klar wird, wie weit auch ohne dies Element die einfachen Kräfte des Gewerbes und des Detailverkehrs neue Formen zu schaffen vermochten.

Ich habe schon früher auf die „grosse Gilde" zu Menden in diesem Sinne aufmerksam gemacht[1]).

Der kleine Ort, an dem schon 1161 der Erzbischof von Cöln Einkünfte besass, erscheint um 1270 als städtisches Gemeinwesen[5]). Wie die Bürger 1372 die in einem Brande verlorenen Urkunden sich vom Erzbischof bestätigen liessen[2]), so liessen sich vierhundert Jahre später (1667) „die drey Ämter der grossen Gilde", da „bey jüngster erbärmlicher Feuersbrunst ihr Gildebuch verkommen und eingeäschert", die aus dem Gedächniss zusammengestellten Artikel vom Bürgermeister und Rath „durchlesen und examiniren" und „auch demnächst confirmiren". In dieser Form liegen sie jetzt allein vor.

Die „grosse Gilde" besteht, wie erwähnt, aus den drei Ämtern. Also auch hier der Gegensatz zwischen Gilde uud Amt wie in Lemgo und Osnabrück, ja auch hier werden letztere offenbar erst in neuerer Zeit wie dort Gilden genannt, und darnach wird auch anzunehmen sein, dass die eigentliche Gilde erst später als die „grosse" bezeichnet wurde.

Die drei Ämter sind die der Wollenweber, Krämer und Schneider, und wenn wir gleich hier bemerken, dass die beiden erstern ausdrücklich zum Tuchhandel berechtigt sind, so ergiebt sich, dass allerdings die Tuchproduction in ihrem alten Zusammenhang den Kern dieses Verkehrs bildete. Waren doch zu Bremen noch 1261 die pannicidae häufig zugleich „hosensnidere"[3]).

---

[1]) Sitzungsber. a. O. p. 21 f.

[2]) Seibertz Landes- u. Rechtsg. des Hrzgth. Westf. III p. 176.

[3]) Brem. Urkundenb. I n. 314.

Aber das Merkwürdige ist, dass neben Tuchgeschäft und Krämerei, die so in drei Ämter geschieden, Hökerei und Schlächterei gleichzeitig allen Gildegenossen „frei steht und gemein ist“.

Ich sehe schon in dieser Thatsache den unwiderleglichen Beweis dafür, dass die Gilde nicht aus einer Vereinigung der drei Ämter hervorging, sondern dass sie ursprünglich alle Branchen, in denen es überhaupt an dem kleinen Orte frühster Zeit einen Marktverkehr gab, ungetrennt umfasste. Der allmälige Process innerer Gliederung schuf dann die genannten Unterabtheilungen, während es für Hökerei und Schlächterei eben nicht zu solchen kam. Dem entspricht es, dass die „Gerechticheit der Schumachergilde“ erst 1549 „verlehnt un angeteichnet“ ward, und auch die „Leinewebergilde“ nicht zu der „grossen Gilde“ gehörte[1]). In den Zeiten der ungetheilten Gilde gab es eben noch keine Schuster- und Leinewebergewerbe am Ort.

Nur wenn nach dieser Auffassung die Gilde den ganzen vorhandenen Platzverkehr umfasste, erklärt es sich, dass sie noch im 13. Jahrhundert die Aufsicht über Maass und Gewicht hatte, das nach den Statuten das Cölnische sein soll. Die Gildemeister sollen darauf „auf sichere Zeit des Jahres fleissig Obacht haben, und da hier einiger Betrug mit looser Waare, falscher Maass, unrechtem Gewicht befunden würde, soll dafür ernstlich angesehen und nach Befinden von der Gilde, auch auf deren Versäumung von

[1]) Den Leinewebern wurde 1658 das bei „vorgewesener mittelster Feuersbrunst“ verbrannte Gildebuch durch ein neues ersetzt, aber „ohne einband nicht wohl verwahrt“, daher Bürgermeister und Rath ihnen 1703 die einzelnen Artikel „aus dem fast verkommnen Gildebuch“ auszogen und confirmirten. Die Vereinigung verschiedener Gewerke zu einer Zunft, wie sie später so häufig vorkommt (Schönberg Z. wirthsch. Bedeutung d. deut. Zunftwesens p. 20 A. 20. Stahl Das deut. Handwerk p. 28), kann keinesfalls mit der hier vorliegenden Bildung verglichen werden. Durch eine solche wird nach den von Jäger Ulm p. 628 gegebenen Daten der Bestand der dortigen Krämerzunft so merkwürdig zwischen 1470 und 1499 verändert und so erst von 22 auf 240 Mitglieder gestiegen sein. Am nächsten würde der oben besprochenen Gilde die Vereinigung der Zimmerleute, Schreiner und Schuhmacher zu Regensburg, schon aus dem Jahre 1244, stehen (Stieda Z. Entsteh. des deut. Zunftw. p. 110 u. 118), aber auch hier fehlt doch eben das gemeinsame exclusive Recht auf andere Betriebe und das allgemeine Aufsichtsrecht auf Maass und Gewicht.

dem Magistrat ohne alle Gnade bestraft werden". Ebenso soll „jedesmal das Fleisch von zweien dazu verordneten Gildemännern in Augenschein genommen, nach Befinden des Werths und der wohlfeilen und theuern Zeit auf einen billigen Preis gesetzet und geschätzet werden, davon denselbigen ein halb Viertel Bier für ihre Mühe von jedem Rind zugelegt. Sollte aber hierin einiger Betrug — befunden werden, soll der Verbrecher des Amts entsetzet (aus der Gilde gestossen) und das untauglich Fleisch den Armen verfallen sein."

Das sind unzweifelhaft eben die Rechte einer alten Gilde, wie sie 1315 Simon I der altstädtischen Gilde zu Lemgo zu Gunsten seines Stadtraths streitig machte.

In Menden hatte die Stadtverfassung die Gilde eben nicht wie dort allmälig ihrer früheren Bedeutung beraubt, weil die Neubildung der Ämter nicht ausserhalb, sondern innerhalb derselben erfolgte, ja der Höckereibetrieb z. B. Gesammtrecht aller Gildemänner blieb.

Es ist mit Einem Worte ein Process, wie der zu Stendal beobachtete[1]), wo sich innerhalb der Kaufgilde doch wieder „sivaren" und „koplude" zu besondern Untergilden zusammenthaten.

Gesteht man aber dieser Auffassung ihre Berechtigung zu, so ist es für das ganze Verständniss dieser Dinge von grossem Interesse, zu beobachten, wie sich an diesem kleinen Platze die innern Verhältnisse zwischen der Gilde als dem Ganzen und den Ämtern als den Theilen nun weiter gestalteten.

Von den Statuten der Ämter liegen mir nur die der „Wöllner" d. h. der Tuchmacher und der Schneider vor, erstere gleichzeitig mit denen der Gilde renovirt, letztere schon 1617 „durch des Raths secretarium verzeichnet, sintemal das alte Gildebuch verwerfet, an der Schrift maculiret und sonsten von uns (dem Magistrat) nicht approbiret noch bestätiget worden". Die letzte Notiz ist deshalb von Werth, weil sich daraus ergiebt, dass die Statuten der Gilde und ihrer Ämter und unzweifelhaft also auch die Genossenschaften selbst früher unabhängig neben dem Rath standen, der dagegen, wie oben erwähnt, schon im 16. Jahrhundert den Schustern ihre Gerechtigkeit „lieh".

---

[1]) Götze Stendal p. 104.

Gildestatut und Ämterstatute zeigen uns nun die Gilde nicht allein als die Gesammtheit, sondern auch als die über den Ämtern stehende Behörde. Ersteres verfügt § 24: Wann einer von der Kramergilde mit ausländischen, Spanischen, Englischen, Holländischen und andern feinen couleurten Laken (den Artikeln der Wandschneider), wie auch mit Kirsey, Pletz (?), Sarge und andern dünne Waaren (die eigentlichen Krämerartikel) zu handeln Lust hat, soll demselben forgestehn und von dem Wollenamt dieserhalb kein Einsprach geschehn. Andere gemeine und ohngefärbte Laken und Büstel (?), so die Wöllner allhier selbst machen können, sollen den Kramern allhir verboten sein damit zu handeln", nur wenn sie nicht gemacht werden, „soll es den Kramern damit zu handeln freistehn". Die Gilde war es, die ebenso, wie schon gezeigt, die ganze Marktpolizei in Händen hatte, aber der „Pflichtag" derselben, der „Maitag" mit der Vereinigung aller Amtsmeister bildete auch die obere und letzte Instanz für alle nicht entschiedenen und verglichenen Sachen der einzelnen Ämter. Ebendeshalb, bestimmt das Gildestatut, müssen alle „unter den Gildebrüdern in ihren Amtsachen vorgefallenen" Streit und Unwillen im Amt zur definitiven Verhandlung gekommen sein, um, wenn sie dort nicht „verglichen und abgethan", den am Pflichttag versammelten Amtsmeistern zur Entscheidung vorgelegt zu werden. Wer sich hier nicht „wolle weisen und unterrichten lassen, soll von dem Pflichttage abgewiesen und für keinen Gildebruder zugelassen oder gehalten werden, bis er sich verglichen und Abtrag gemacht".

Alle anderen ausserordentlichen Zusammenkünfte berufen die Gildemeister, wobei alle Gildebrüder zu erscheinen gehalten sind und der jüngste als Diener fungirt. Den verstorbenen Amtsmeistern giebt die gesammte Gilde das Grabgeleit, die vier jüngsten Meister seines Amts tragen ihn. Interressanter als diese ja so häufig wiederkehrenden Bestimmungen sind die über die Gewerbepolizei der drei Ämter.

Das Gildestatut verlangt, dass jeder der Mitglied werden will „eins von den dreien Ämtern gelernt und seine Zeit gebührlich ausgestanden haben" soll, aber andrer Seits „nicht vermeinen soll, dass er alle drei Ämter zu gebrauchen berechtigt, sondern nur eins, welches er gelernt zu gebrauchen — vorbehaltlich eben, dass schlachten und Höckerwaar feil zu halten, soll allen dreien Ämtern ohn Unterschied freistehen und gemein sein".

Es liegt auf der Hand, dass durch diese Satzung die Gilde, wenn sie sie durch ihre eigne Willkür aufstellte, alle übrigen Gewerbe ausschloss, wie die von Stendal und Magdeburg alle Handwerker, und indem die drei Ämter auf gegenseitige Concurrenz verzichteten, gleichzeitig die Bildung eines Höker- und Schlächteramts für immer verhindert, ihr Betrieb dagegen den Gildebrüdern vorbehalten ward.

Dem entspricht es, dass die Gilde ihren Gildemeistern, wie oben erwähnt, die allgemeine Marktpolizei vorbehielt, aber die der einzelnen Branchen in die Hände der Ämter legte. Das Statut der Schneider verordnet, dass ein Kleid, das von einem Genossen „verdorben und nach rechter Maass nicht gefertiget oder gemacht", sämmtlichen Gildebrüdern, um „den Augenschein einzunehmen", vorgelegt werden soll, um nach ihrem Beschluss eine „verdienliche Strafe" festzusetzen und den „Kläger klagslos zu stellen". Können hier natürlich nur die Mitglieder des Schneideramts gemeint sein, so werden auch sie nur in der folgenden Bestimmung zu verstehen sein, nach welcher dem unbefugten ungewissen Arbeiter zuerst von dem Gildemeister die fernere Arbeit zu untersagen ist Giebt der Schuldige diesem Verbot nicht Folge, so sollen „die sambtlichen Gildebruder — sich bei einander thun und sich desselben bemächtigen und folgends — in Strafe nehmen.

Im Wüllneramt liegt ausser der Beaufsichtigung und Verwaltung der dem Amt gehörigen Walkmühle dem Gildemeister vor Allem ob, „auf der Wolle Gewicht und rechte Breite der Tücher gute Aufsicht zu haben und deswegen etliche mahl im Jahr neben dem Gildeknechte umzugehen; da also Unrecht befunden, soll nach Gebühr bestraft werden".

Wie fest aber die Gilde den Grundsatz hielt, die Controlle über die betreffenden Artikel dem einzelnen Amt zu überlassen, zeigt sich hier besonders deutlich. Das allgemeine Statut sprach, wie oben erwähnt, den Tuchhandel zum Theil den Krämern, zum Theil den Wüllnern zu. Dem entsprechend kam beiden Ämtern „der Hanse Recht" über fremde Tuchhändler zu, ein Verhältniss, das durch den 13. und 14. Artikel des Kramerstatuts 1667 gestört erschien, da dieselben nur den Krämern die Hanse „über neue ankommende Wand- und andere Kramer" zusprachen. Die Auseinandersetzung, mit der die Statuten des Wüllneramts schliessen, erfolgte nicht durch die Gilde, sondern durch einen Vergleich beider Ämter. Er setzte fest, dass „der Wollner Zunft in der Visitation und Hänse so viel die Kramer mit ihnen auf dem Rathhause, so viel die Wülner mit den Kramern auf dem Markt haben und behalten, und dass ein Amt so viel als das andere — berechtigt sein und bleiben sollen, mit diesem Zusatz, dass die Wülner Gildemeister auf dem Rathhause und der Kramer Gildemeister auf dem Markte die Visitation principaliter zu verrichten haben".

Die vorstehenden Thatsachen werden genügen, um die eigenthümlichen Züge dieser Verfassung klar zu legen, wie sie selbst in den renovirten Statuten des 17. und 18. Jahrhunderts unter dem steigenden Einfluss fürstlicher und städtischer Gewalten sich noch erhalten haben.

In einer alten Kaufgilde, die es nie zum Grosshandel gebracht, haben sich drei Gewerbe, indem sie sich selbständig abschlossen, im Besitz der Marktpolizei trotz und neben einer städtischen Rathsverfassung erhalten, ja die Hand auf zwei so wichtigen Branchen des kleinstädtischen Verkehrs gehalten, wie es Hökerei und Schlächterei unzweifelhaft sind. Es ist undenkbar, dass eine solche Organisation erst nach der Aufrichtung der Stadt- und Rathsverfassung erfolgte. Dann aber müssen wir jedenfalls die Existenz der ursprünglichen Gilde, vor ihrer Gliederung in Ämter, spätestens in die erste Hälfte des 13. Jahrhunderts setzen, da Menden schon 1270 als „städtisches Gemeinwesen" erscheint. Und so würde die älteste Periode auch dieser Gilde in die Zeit hinaufrücken, wo die Gesammtgilden von Stendal, Magdeburg, Dordrecht, Cöln und St. Omer bestanden.

II.

Die bisherigen Beobachtungen ergaben, dass die Kaufgilde als die ältere und einfachere Form merkantiler Genossenschaft zunächst alle an den Verkehr eines Platzes Betheiligten zu vereinigen suchte oder wirklich vereinigte. In dieser Fassung konnte sie es als ihre Aufgabe betrachten, für die Sicherheit und die innere Polizei des Markts für sich einzutreten. Die fragmentarischen Notizen, die uns bisher meist nur zu Gebote standen, lassen doch diese Seite ihrer Thätigkeit fast mehr hervortreten als die der gegenseitigen Unterstützung, so gewiss auch diese an vielen Orten gerade die wichtigste gewesen sein muss.

Aber eben jene Aufgabe wurde umfangreicher und schwieriger, als der Verkehr stieg und die Entwicklung sowohl des Handels als des Gewerbes an die Genossenschaft und ihre Aufsichtsbehörden bisher ungewohnte Forderungen stellte. Schon die zusammengestellten Thatsachen zeigen, dass die dadurch veranlasste Bewegung sowohl vom Grosshandel ausgehen konnte, der sich dem Handwerker gegenüber für sich abzuschliessen suchte, wie von dem Detailhändler und Gewerbtreibenden, der die Controlle des eignen Betriebs weder mit dem eigentlichen Kaufmann noch mit dem Genossen eines andern Handwerks theilen wollte.

Am einfachsten und zweckentsprechendsten gestaltete sich das Verhältniss, wenn die Gesammtgilde, wie wir zu Menden fanden, die allgemeine Verkehrspolizei behielt und den Ämtern dagegen die Controlle ihres eignen speciellen Betriebs überliess, so dass die Gesammtheit hierfür nur die Stelle einer höchsten Instanz über den Ämtern behauptete. Aber wo immer der Grosshandel wirklich sich dem Gewerbe gegenüber erst ausbildete oder aber in seiner bisherigen dominirenden Stellung den Ansprüchen des Handwerks nicht mehr gerecht werden konnte, musste das Gleichgewicht der bisherigen Verfassung nur zu leicht verloren gehen. Von da an war eine Menge von Möglichkeiten gegeben.

Der Kaufmann oder der Handwerker konnte vollständig aus der Gilde ausscheiden. Jener sowol wie dieser konnte aber auch sich das Recht der Betheiligung an der alten Genossenschaft bewahren und doch neben ihr für sich besondere Vereine gründen. Die ganze alte Genossenschaft konnte aber auch entweder von innen sich auflösen, indem alle ihre Bestandtheile sich zu neuen Bildungen zusammenschlossen, oder sie konnte dadurch ihre Bedeutung einbüssen, dass die neben ihr sich bildenden Ämter und Innungen den Anforderungen der neuen Zeit immer vollständiger entsprachen, hinter welchen sie selbst mehr und mehr zurückblieb.

Wir gehen hier noch nicht auf die Frage ein, ob und wo schon vor der Entstehung einer Stadt- und Rathsverfassung Gilden bestehen konnten, das aber liegt auf der Hand, dass die Aufrichtung oder Ausbildung eines städtischen Gemeinwesens, wie sie seit dem 12. Jahrhundert so zahlreich entstanden, für diese Verhältnisse von der grössten Bedeutung sein musste.

Wo Gilde und Rath nebeneinander in die grosse Bewegung seit der Mitte des 12. Jahrhunderts eintraten, da haben sie sich wohl nur selten so lange nebeneinander als zwei gleichberechtigte Gewalten behauptet wie zu Menden, wenn nicht wie z. B. in Stendal der Rath gleichsam das verfassungsmässige Organ der Gilde wurde, oder die Gemeinde überhaupt wie zu Salzdetfurt auch ihrem äusseren Umfang nach hinter der Gilde zurückblieb.

Eben weil das Verhältniss beider Factoren meistens sehr bald und an den verschiedenen Plätzen in sehr verschiedener Weise sich änderte, ist es so schwer, die ursprünglichen Formen und die ersten Stadien der allmäligen Umbildung zu erkennen.

Es sind zwei kleinere Gemeinwesen, die für diese Seite der Gildegeschichte besonders lehrreiches Material bieten, Höxter und Göttingen.

Die Gildebriefe der ersteren Gemeinde aus den Jahren 1276 und 1280[1]) zeigen, dass hier der Rath unmittelbar die Organisation einer Reihe von Gewerken in die Hand genommen hatte, so dass er sich selbst zum Theil die Bestrafung der widersetzlichen Gildebrüder und einen bedeutenden Antheil an den Straf- und Eintrittsgeldern vorbehielt. Während in Menden das Amt der Schneider als Glied der grossen Gilde bis 1617 seine Statuten ohne Bestätigung des Raths führte und auch nachher noch ohne dessen Eingreifen gegen aussergildische Arbeiter vorging, verpflichtet der Rath hier die Kürschner schon im 13. Jahrhundert in solchen Fällen ihm die Entscheidung zu überlassen.

Es kann kein Zweifel sein, dass, wie auch Wigand annimmt, die Gilde der Kaufleute, deren Verhältnisse der Magistrat erst 1327 regelte[2]), schon länger und vor jenen andern bestand. Sie zerfiel damals in die „grosse“ und „kleine“ Gilde, je nach dem Umfang der Kaufmannschaft, die gegen ein grösseres oder geringeres Eintrittsgeld den Mitgliedern gestattet war: die kleinere gab das Recht, „ut quod liceat sibi emere lineum pannum et cineres in foro“, die grössere also nicht allein das Privileg des Wandschnitts, das ausdrücklich erwähnt wird, sondern den ganzen übrigen Engrosverkehr und das Recht dafür aufzukaufen. In Betreff des Tuch- und Leinenhandels ward ihr Verhältniss zu den Wollenwebern 1333, zu den Leinewebern 1352 ebenfalls durch den Rath geregelt.

---

[1]) Wigand Denkwürdige Beitr. p. 135 ff.

[2]) ebd. p. 137 f.

Wenn nun der Rath 1280 erklärt, er ertheile den Kürschnern „ghildam sive facultatem eo jure vendicionis et emptionis, quo antiquitus habuerunt in hunc modum, ut unusquisque eorum qui suum proprium opus operatur ad presens dare debet etc.“[1]), so erscheint die „ghilda jure vendicionis et emptionis“ doch zunächst nur die frühere Betheiligung an der Kaufgilde bezeichnen zu können.

Aus den Pelzhändlern sonderten sich die aus, die ihre Waare selbst bearbeiteten, nur so erklärt sich die Bestimmung, „si quis eciam de numero pellificum opus suum seu hanc gyldam resignasset aut in posterum resignaret volens statuta ... observare ad presens et hic forte iterato vellet habere ghildam sepedictam etc.“ Ich verzichte auf die Ergänzung der Lücke, das ganze hier ins Auge gefasste Verhältniss erklärt sich doch am einfachsten, wenn man beachtet, dass der Pelzhandel einer der wichtigsten Artikel der Kaufmannschaft war, und dass der Kürschner eben so leicht sich aus dem Pelzhändler, wie der Schneider aus dem Tuchhändler[2]) entwickeln, aber auch eben so leicht wieder Kaufmann werden konnte. In Göttingen leisteten sie der Kaufgilde einen besondern Eid[3]), gehörten also sicher ursprünglich zu ihren Mitgliedern. Schon die eben angeführte Bestimmung zeigt, mit welcher Rücksicht der Rath in diesem Gildebrief vorgeht — im Gegensatz zu allen anderen ist hier von den dominis pellificibus die Rede —, und wie viel ihm unzweifelhaft darauf ankam, diese Gilde zu Stande zu bringen.

Dasselbe gilt auch von dem Gildebrief der Schmiede, wo nicht allein das Eintrittsgeld der Kleinschmiede weit niedriger gesetzt ist als das des faber grossus, nur auf 3 solidi, sondern sogar zugelassen wird, dass die Gilde, „si quis forte pro nimia paupertate geldam ipsorum eis servire non sufficeret, hic dabit II sol. graves, ad quos ipsi fabri suos denarios adjicient, ut cum his denariis alium hospitem possint acquirere, qui eis serviat suam geldam“.

In diesen Anordnungen tritt vollkommen deutlich hervor, dass der Rath in diesen Gildebriefen nicht sowol selbständig empordrängende Gewerbe einfach anerkannte, sondern vielmehr seiner Seits die Bildung der neuen Genossenschaften möglichst zu be-

---

[1]) a. O.

[2]) s. oben p. 377 f.

[3]) Sitzungsber. a. O. p. 43 f.

schleunigen und zu ermöglichen suchte. Unter diesem Gesichtspunct wird es auch zu erklären sein, dass hier Vereinen, die eigentlich nur Innungen oder Bruderschaften waren, der Name Gilde von vorn herein und so auffallend früh zugestanden wird.

Diesem Factum gegenüber steht das andere, dass die Kaufleute sich nicht in kopgilde und Krämer, sondern eben einfach in gilda major und minor scheiden: eine Bezeichnung, die in dieser Einfachheit hier sich nur erklärt, wenn sie schon vor der Errichtung andrer Gilden sich festgesetzt hatte.

Dagegen mag die Gilde der sutores, cerdones, cellatores, calopidatores, die 1343 ex antiqua consuetudine die Bestrafung gewisser excessus allein für sich beanspruchte, auch nach jenen vom Rath gestifteten Gilden aus freier, eigner Entschliessung oder doch unter Verhältnissen entstanden sein, die den Rath veranlassten, ihr eine grössere Selbständigkeit zuzugestehen. In jenem Jahre benutzte er offenbar den Umstand, dass die Gilde sich ausser Stande sah, diese Selbständigkeit länger aufrecht zu erhalten, zu einer Vereinbarung, die ihm auch an den Strafen für jene excessus, musste er eingreifen, einen Antheil zugestand, wie er sich ihn in jenen frühern Gildebriefen ausbedungen hatte.

Wir sehen also, dass der Rath von Höxter absichtlich durch die Stiftung neuer Zünfte, unter dem Namen von Gilden, seinen Einfluss auf und seine Einkünfte aus dem Gewerbebetrieb zu heben suchte, wie etwa der Rath zu Lemgo, allerdings von der Herrschaft unterstützt, dies wenig später der Gilde gegenüber that, während die Gilde zu Menden noch Jahrhunderte später einer solchen Machtentwicklung im Wege stand. Wie weit die alte Höxterer Kaufmannsgilde unmittelbar durch diese Rathspolitik in ihrer Stellung beeinflusst wurde, dies zu beurtheilen, fehlt uns fast jedes weitere Material. Die Rathsurkunde von 1327, gegeben „ob honorem et reverenciam b. Johannis ap. et ev.“, zeigt uns, dass dieselbe sich diesen Patron gegeben und also auch als Fraternität organisirt hatte, dass sie, wie schon erwähnt, gegen ein verschiedenes Eintrittsgeld entweder die „grosse Gilde“, d. h. das volle Kaufmannsrecht, oder ein nur auf bestimmte Artikel beschränktes, die s. g. „kleine Gilde“ verlieh. Von diesem Eintrittsgeld erhielt der Rath hier nicht wie bei den Schmieden zwei Drittel, sondern bei der kleinen Gilde wie bei den Schneidern und Kürschnern die Hälfte, bei der grossen sogar nur ein Drittel.

Von einem Ausschluss der Handwerker ist nicht die Rede, aber der freie Eintritt in die grosse Gilde ist nur denjenigen Erben früherer Mitglieder gestattet, deren Vater wirklich den Wandschnitt betrieben hat, wofür der Nachweis nur durch das Zeugniss zweier „viri probi et idonei, in ipsa gilda existentes“ erbracht werden kann. Das Bemühen der Wandschneider, sich innerhalb der grossen Gilde erblich abzuschliessen, liegt hier jedenfalls zu Tage, und da, soweit wir sehen, der Rath damals zum ersten Mal unmittelbar in diese Verhältnisse eingriff, so war möglicher Weise der allerdings auffallend geringe Antheil an den Eintrittsgeldern der Preis, für den man vom Rath die Bestätigung jener auffallenden Beschränkung des Gildeerbrechts erkaufte. Weder in Menden noch in Lemgo und Stendal fand bei dem Eintritt in die Gilde eine Zahlung an den Rath statt.

Nur das ist zunächst noch hervorzuheben, dass nach dem Dortmunder Statut, wie es der Stadt Höxter in der bekannten Redaction von dort zu eignem Gebrauch übermacht wurde, alle Maasse „in potestate consilii“ sind[1]), dass also jedenfalls auch nach dieser Seite hin die Stellung der Gilde dem Rath gegenüber von je oder jedenfalls seit längrer Zeit eine vollständig abhängige war.

Schon eine oberflächliche Betrachtung der Verhältnisse in Göttingen zeigt, wie wesentlich verschieden sich dort die Stellung der Gilde und vor Allem der Kaufgilde zum Rath gestaltet hatte.

Nirgends ist der Unterschied zwischen Gilden und Innungen so lange und so sicher festgehalten worden wie hier. Nirgends ist auch die Verbindung zwischen Rath und Kaufgilde so fest normirt: wie alle rathsfähigen Geschlechter Mitglieder der Gilde sind, so wird nicht allein einer der Bürgermeister stets aus ihren Mitgliedern genommen, sondern dieser auch als der vornehmere bezeichnet[2]). Die Beschlüsse in Gildesachen erfolgen gemeinsam durch Rath und Gilde[3]) oder auch allein durch die „gildemester met orem rade unde bisittern“[4]). Die Gilde ertheilt sowol die kopgilde wie die hense und da, „wer der nicht enthefft, nicht wegen enmach[5])“,

---

[1]) Wigand Gesch. der Reichsabtei Corvey I, 2 p. 216 § 20.

[2]) Schmidt in Hans. Geschichtsbl. 1878 p. 22.

[3]) Sitzungsber. a. O. p. 31 ff. s. a. 1384. 1401. 1431.

[4]) ebd. s. a. 1386. 1406.

[5]) a. O. p. 43.

so liegt in ihrer Hand die Zulassung nicht allein zum Gross-, sondern zu einem grossen Theil des Kleinhandels. Letzteres um so mehr, als nicht die Kaufgilde, wol aber die Hanse z. B. „der wantsnyder knechte edder andere“ befähigt, Parchen zu schneiden[1]).

Dass wir es daher hier in der Gilde mit einem alten Verkehrsinstitut für den ganzen Platz, grade wie zu Menden, zu thun haben, kann nicht zweifelhaft sein, nur dass sie nicht im Gegensatz zum, sondern in engster Verbindung mit dem Rathe steht, wie zu Stendal, und dass sie dabei keineswegs das Handwerk so vollständig ausgeschlossen hat, wie es dort 1231 geschehen war. Grade diese letzteren Verhältnisse sind von besonderem Interesse.

Zum Verständniss derselben ist es nothwendig, zunächst namentlich die verschiedene Bedeutung des Begriffs „gilde“ zu fixiren, wie sie uns im Gildebuch und dem Ordinarius des Raths entgegentritt.

Es bezeichnet zunächst die Genossenschaft selbst und das Recht der Mitgliedschaft. Dieses Recht aber umfasst erstens das ausschliessliche Recht der Betheiligung am Grosshandel und am Kramhandel, an letzterem nur in seiner grössten Ausdehnung, nicht in der engeren Fassung. Dies ist die eigentlich s. g. kopgilde[2]), auf die ich auch den Ausdruck beziehe „der gilde mit buden, kopen unde vorkopen gebruken“[3]). Daneben aber umfasst das Theilnehmerrecht auch den Mitgenuss der „provende“ oder Rente, zu Lemgo „prove“ genannt, die sehr häufig allein unter „gilde“ verstanden wird, wie in den ausserordentlich zahlreichen und ausführlichen Bestimmungen über ihre Erwerbung und Vererbung[4]). Den vollen Genuss der Mitgliedschaft bezeichnet man allerdings mit dem Ausdruck „der gilde unde der provende bruken“[5]), aber dass der erste Terminus eben beides bezeichnen kann, das beweist vor Allem, dass jedenfalls auch die für Mitglieder galten, die nur an der Rente Theil hatten. Diese beiden so zu sagen verschiedenen Grade der Mitgliedschaft bedingten die innere Organisation der Gilde in höchst eigenthümlicher Weise. Unzweifelhaft macht sich

[1]) ebd. p. 35.

[2]) ebd.

[3]) p. 31 s. a. 1471.

[4]) ebd. p. 29 f.

[5]) ebd. p. 30 Abs. 3.

für sie auch der Gegensatz zwischen Kaufmann, Krämer und Handwerker geltend, aber keineswegs so, dass das Handwerk von jedem, ja nicht einmal so, dass alle Handwerke von einem beider Rechte ausgeschlossen und also nur zum Rentengenuss, zur provende zugelassen wären.

Es ist zweckmässig, bei der Betrachtung dieser Verhältnisse von der Bemerkung auszugehen, die sich in einer Verhandlung vor dem Rath im Jahre 1413 findet, dass der Göttinger Markt aus Städten besucht werde, wo Wollenweber und Schneider „kopgilde hedden u. wand darvon sneden u. ok altohand de vorschreven hantwerk oveden"[1]). In Göttingen war das eben nicht der Fall: der vielleicht wichtigste Grundsatz war hier, dass nur Kaufleute und Krämer „kopgilde" gewinnen konnten, so dass auf Grund derselben jene Wandschnitt und Grosshandel, diese Kramhandel in den bestimmten Artikeln trieben, welche mit diesen Umsatzweisen verbunden waren. Nur in diesem Sinne heisst es: „welk hantwerke wert med eyner gilde beerft eder winnet eyne gilde, wil he der g. bruken, so scal he alle hantwerk laten"[2]). Aber selbst dieser Satz, der dem Handwerker nur eben Kaufmannschaft und Krämerei verbietet, galt nicht unbedingt. Der Betrieb der letzteren auf Grund der kopgilde war allerdings ausdrücklich den Handwerkern untersagt, jedoch „uthgenomen tymmerwerk, goldschmedewerk u. apotekeri"[3]).

Das Recht der kopgilde vereinte also hier noch 1431, wo wir diese Bestimmungen finden, den Kaufmann, Krämer, Zimmerer und Goldschmied, ohne dass diese verschiedenen Bestandtheile durch etwas anderes geschieden waren als die genau beachtete Begrenzung des Gross- und Kleinhandels. Eigene sonstige Unterabtheilungen innerhalb dieser Masse, wie die Ämter zu Osnabrück und Menden, die Gilden zu Stendal, gab es nicht. Es begreift sich daher, dass es an Versuchen zu solchen Organisationen auch hier nicht fehlte, und dass schon 1449 der Rath sich veranlasst fand, über den Antrag der Kramer, den Goldschmieden ihr Geschäft zu verbieten, die Ansicht der Braunschweiger und Hildesheimer einzuholen. Es ist sehr bezeichnend, dass beide Räthe dahin ent-

---

[1]) a. O. p. 33.

[2]) ebd. p. 29.

[3]) ebd. p. 35 s. a. 1431.

schieden, „nademe de kramere neyne inninge edder gilde enhebben, so mochte eyn jowelik borger sodane gud alse to der cramerie horde wol kopen u. vorkopen na unser stad rechte u. wonheit“[1]). Man sieht, dass in diesen Städten der Begriff und das Institut der kopgilde entweder, wie sicher zu Hildesheim, nie existirte oder jedenfalls vollständig verschwunden war.

Die besondere Form aber, in der es zu Göttingen bestand, scheint mir am einfachten nur durch die Annahme zu erklären, dass auch hier eine alte Gesammtgilde durch das steigende Übergewicht der kaufmännischen Interessen eine innerliche Metamorphose erlitt, in der sich Kaufmann und Kramer nur nach dieser einen Seite, aber auch hier nicht vollständig, gegen das Handwerk abschlossen, während sie andrer Seits die Betheiligung an den financiellen Vortheilen der Gilde auch den Handwerkern offen liessen. Denn dies allerdings kann, obgleich es neuerdings in Abrede gestellt[2]), nicht zweifelhaft sein. Es liegt schon ausgesprochen in der Äusserung der Gildemeister: „welk der eyn ander hantwerk ovede, de en mochte hir neyn wandsniden, dewile he dat ander hantwerk ovede efft he wol eyn kopgilde hedde“[3]). Der Besitz der Gilde, nur nicht der Wandschnitt, war neben der Ausübung eines Handwerks möglich, wie ja auch das Statut von 1368 von dem Handwerker, der „eyne gilde winnet“, nur die Aufgabe seines Betriebs fordert, wenn er „der gilde bruken“, d. h. sie kaufmännisch verwerthen will[4]).

Eine oberflächliche Betrachtung könnte ja allerdings die andere Vermuthung zunächst nahe legen, dass die kaufmännische Gilde etwa erst allmälig andern Einwohnern, ja auch Handwerkern, den Mitgenuss ihrer provenden zugänglich gemacht hätte. Aber wie erklärt sich dann die andere Thatsache, dass eben Zimmerer und Goldschmiede den Zutritt zur Kaufgilde haben? Die weitere, dass die Gilde die Meister für die „korsenwerchten“ jährlich ernennt und ihnen den Eid gegen Stadt und Gilde abnimmt?[5]) Und auch die, dass die Gildemeister beim Rath nicht allein eine Verfügung

---

[1]) a. O. p. 36 s. a. 1449.

[2]) Schmidt a. O.

[3]) Sitzungsber. a. O. p. 33 s. a. 1413.

[4]) ebd. p. 29.

[5]) ebd. p. 43 unten.

für die Honigkuchenbäcker beantragen, sondern sie diesen dann zur Nachachtung mittheilen? [1]) Und wenn gerade in diesem Falle dieses Vorgehen dadurch weiter motivirt wird, dass „de honnichkokenbeckere, de honnig sellen willen, schullen de hense hebben", wenn der Rath mit Bezug hierauf verfügt, „dat de honnichkokenbeckere, de honnich utwegen willen, schullen de hense hebben, unde wan se de hebben, mogen se wegen lik den hokeren, u. wan de kokenbekere dat anders helden, dat schullen de gildemestere verdigen na oren gnaden" [2]), wie erklärt sich diese Verfügung der Gildemeister über die Hanse und die dadurch ermöglichte Controlle des Detailhandels der Gewerke, wenn wir nicht annehmen, dass die Gilde von Anfang an den ganzen Verkehr des Platzes umfasste, auch den der Handwerke? Die Veränderung erfolgte nicht wie in Stendal durch Ausschluss des Handwerkers auch vom Genuss der Präbenden, nicht wie in Menden und Osnabrück dadurch, dass einige Handwerke und die Krämer sich innerhalb der Gilde zu den einzig berechtigten Ämtern abschlossen, sondern es muss hier allmälig das Handwerk den rein kaufmännischen Verkehr Kaufmann und Krämer überlassen haben. Bei dieser Bewegung, die nicht bei allen Handwerken gleichmässig erfolgte, blieben eben einige ganz oder zum Theil in dem alten Zusammenhang mit den eigentlich Handeltreibenden, unter der grösseren oder geringeren Controlle der Gilde und des aus ihr gebildeten Raths. Ganz besonders beweisend für die Richtigkeit dieser Auffassung scheint mir der Umstand, dass, wie zu Menden Hökerei und Schlächterei allen Gildebrüdern gemeinsam blieb, so hier allen „hensebrodern, de mit uns wonen", der Detailverkehr in „wasz, vyghen, mandeln, rys, krude". Diese auffallenden Bestimmungen sind, wie ich schon dort hervorhob, nur zu erklären als Reste eines bestimmt umgränzten Platzverkehrs, der früher allen Genossen durchaus gleichmässig gestattet war, bis die Anerkennung engerer Vereine innerhalb der Gesammtverbindung und ihres speciell begränzten Verkehrsrechts jene Gemeinsamkeit brach und sie schliesslich ganz aufhob oder eben auf ein solches Minimum beschränkte.

Wie dieser Scheidungsprocess sich vollzog, darüber können wir hier wie zu Menden nur unsichere Rückschlüsse aus den spä-

[1]) ebd. p. 36 s. a. 1455.
[2]) ebd. p. 37.

teren Verhältnissen machen. Es kommen vor Allem folgende Thatsachen in Betracht.

Obgleich der Urkundenbestand der Stadt, soweit wir sehen, fast vollständig erhalten ist[1]), ist sowol, wie auch sonst überall, für die Kaufgilde als auch für die Handwerksgilden kein Stiftungsbrief vorhanden. Neben und allerdings etwas unter der Kaufgilde stehen diese im 13. Jahrhundert allen übrigen Handwerken, später ihren Innungen als Vereine höherer Ordnung gegenüber. Von ihrem ersten Auftreten seit der Mitte des 13. Jahrhunderts bis zum Ende des ·15· sind es nur diese Handwerksgenossenschaften, die in Krieg und Frieden neben der Kaufgilde unter ihren eignen Gildemeistern selbständig dastehen, während die übrigen Gewerke entweder, wie Zimmerer und Goldschmiede, ungeschlossen, noch in der Kaufgilde gleichsam stehen geblieben, oder, wie die Kürschner, von ihr, oder, wie Fleischhauer, Schmiede und Schneider, ganz vom Rath abhängig sind.

Verhandelt der Rath mit Schustern und Badern schon in frühster Zeit als mit selbständigen Corporationen[2]), so zeigen noch die Innungsbriefe der Schneider von 1489, der Schmiede von 1517, wie gedrückt und abhängig die Stellung derselben bis dahin gewesen war[3]).

Erwägt man, dass also diese Göttinger Handwerkergenossenschaften schon als Gilden existirten, da zu Magdeburg, Stendal, Lemgo, Menden, Osnabrück der Name noch die volle alte Bedeutung hatte, wahrscheinlich lange vorher, bevor der Höxterer Rath seine Handwerksgilden einrichtete, so wird die Vermuthung gestattet sein, dass sie ursprünglich als Unterabtheilungen der Gesammtgilde sich so sonderten und so nannten, wie wir es bei den Untergilden zu Stendal beobachteten[4]). Die Kramer und eine Anzahl von Handwerken schieden sich nicht so und blieben auch in und bei der alten Gilde zurück, als Schuster, Bader, Wollenweber und Leinweber nun vollständig austraten und nur das Recht zu den provenden sich bewahrten. Dass eben sie noch 1448 Innungen und

---

[1]) Schmidt a. O. p. 3.

[2]) Schmidt Urkdb. d. St. Gött. I pp. 4. 63. 149. 166.

[3]) Sitzungsber. a. O. p. 39 ff.

[4]) Götze a. O. p. 103 f.

Gemeinheit gegenüber sich kopgilden nannten[1]), ist in diesem Zusammenhang doch zu erwähnen, wenn auch nicht zu urgiren.

Diese frühe und eigenthümliche Auseinandersetzung zwischen dem Kaufmann und den damals jedenfalls schon wichtigsten Gewerken, die dadurch ermöglichte Stellung von Rath und Kaufgilde erklärt am einfachsten die merkwürdige Consistenz dieser Stadtverfassung das ganze Mittelalter hindurch. Scheint es z. B. in Stendal, als habe Gilde und Rath „die corporative Gliederung der Gewerke so lange als möglich hingehalten", und sind hier mit Ausnahme eines „alle Innungsstatute erst nach der Zeit gegeben, wo die Handwerker sich 1298 zum ersten Male gegen die Gilde aufgelehnt hatten"[2]), so erfolgte auch schon 1345 der Sturz der alten aristokratischen Verfassung durch einen Handwerkeraufstand, wie er im Mittelalter kaum einer deutschen Stadt, wohl aber Göttingen erspart blieb[3]).

III.

Die Untersuchung hat bisher zur Lösung ihrer Aufgabe nicht die wichtigsten und bedeutendsten, sondern die sozusagen besterhaltnen Exemplare alter Gildeverfassungen ins Auge gefasst.

Soweit ich sehe, war es möglich, an ihnen doch im Allgemeinen jene eine durchstehende älteste Form trotz späterer Abwandlungen nachzuweisen; aber diese Abwandlungen eben sind doch jedenfalls höchst verschieden und unberechenbar.

Hoffen wir auf weiteres Material. Aber wie selten wol hat sich eine Gilde, nur mit einer Gemeinde als Auswuchs, so intact gehalten, wie zu Salzdetfurt, oder ist sie von der Stadtverfassung umwachsen und gleichsam erdrückt, so in sich vertrocknet wie zu Lemgo!

Wo immer ein wirklicher Gegensatz gleich lebendiger Organe sich findet, wo sowol die Gilde als der Rath Entwicklungsfähigkeit behalten, da beginnt die fast unberechenbare Mannigfaltigkeit der Metamorphosen.

Ich will hier das bisher Erörterte nicht wiederholen, nur Eins

---

[1]) Schmidt Urkdb. II p. 209.

[2]) Götze a. O. p. 319.

[3]) Schmidt Hans. Geschichtsbl. 1878 p. 20 f.

ist ausdrücklich zu beachten, unsrer früheren Auffassung der Gesammtgilde gegenüber. Gewiss war sie eine der wichtigsten Formen jener alten Verkehrsgilden; aber auch die einzige? Wenn der Rath zu Höxter um 1280 schon Handwerkergilden machte, kann es da nicht schon früher neben den Kaufgilden, wie wir es zu Cöln, Stendal etc. finden, auch Handwerkergilden gegeben haben, die ganz allein auf sich beschränkt die Genossen eines bestimmten oder einiger bestimmter Gewerbe vereinigten, und die als solche sich eben so früh wie jene allgemeinen Verkehrsgenossenschaften Gilden nannten? Dies einfach leugnen, hiesse, die Lage der Untersuchung auf diesem Gebiet, wie sie bisher eben noch ist, vollständig verkennen.

Es scheint jedenfalls angezeigt, sich an diese Sachlage hier zu erinnern, wo wir daran gehen, den Spuren der Gildeverfassung in dem unmittelbaren grossen Zusammenhang der Norddeutschen Handelsgeschichte in einer Stadt nachzugehen, die uns sehr früh inmitten desselben erscheint.

Bekanntlich werden uns in verschiedenem Zusammenhang und verschiedenen Gruppen Thiel, Cöln, Utrecht, Bremen, Münster, Dortmund, Groningen, Staveren, Soest und Lübeck am frühesten als am Ost- und Nordseehandel betheiligte Plätze Norddeutschlands genannt[1]). Nur in den drei zuletzt genannten wird, soweit wir bis jetzt sahen, niemals einer Gilde Erwähnung gethan, dagegen reichen bekanntlich Spuren einer solchen in Thiel bis in den Anfang des 11.[2]), in Cöln bis in das 12. Jahrhundert zurück. In Bremen und Utrecht fehlen sie später nicht vollständig[3]), am deutlichsten treten sie uns in Dortmund, Münster und Groningen entgegen. Die major gilda des älteren[4]), die St. Reinoldsgilde des jüngeren Dortmunder Statuts[5]), die merkwürdige Gilde, deren Rechtsbuch wir in dem Münsterer „rothen Buch" besitzen[6]), end-

---

[1]) Koppmann Hanserec. I p. XXVI u. XXIX.

[2]) Waitz Deut. Verfg. V p. 365 ff.

[3]) Lappenberg b. Sartorius a. O. p. XVIII. Junghans Forsch. IX p. 515.

[4]) Fahne Statutarrecht der Rchst. Dortm. p. 20.

[5]) a. O. p. 37 § 28.

[6]) Niesert Münst. Urk. III p. 237 ff. Die Wandschneider traten erst 1492 der Gilde bei, a. O. p. 296 f.

lich das „Gilderecht" zu Groningen[1]). Diese verschiednen Bildungen lassen keinen Zweifel darüber, dass hier die ältere Organisation des Verkehrs sich wesentlich grade in dieser Form vollzog und dieselbe auch später je nach den Bedürfnissen des Platzes festhielt.

Desto beachtenswerther ist es mir aber, dass in Dortmund schon in der ersten Hälfte des 14. Jahrhunderts die vereinigten „sechs Gilden", dass die Münsterer Gilde bis ans Ende des 15., dass die Vereinigung der zehn Gilden in Groningen, wie sie 1436 erfolgte, nur Handwerker und Krämer umfassen. Hier fragt es sich unzweifelhaft, ob nicht von Anfang an ganz überwiegend eben diese und nicht der Grosshandel solche Genossenschaften schufen, und erst als die zweite Möglichkeit kann die in Betracht gezogen werden, dass diese Gilden früher ebenfalls den Kaufmann umfassten, dieser aber hier ebenso austrat wie in Stendal der Handwerker.

Soweit ich sehe, wird es bis jetzt bei dem geringen urkundlichen Material, was die beiden westfälischen Plätze für eine solche Untersuchung bieten, kaum möglich sein, für sie den Gang dieser Entwicklung festzustellen. Für Groningen dagegen, auf das ich schon früher aufmerksam machte, scheint ein solcher Versuch wenigstens mehr Erfolg zu versprechen.

Gilde und Ämter in Groningen.

Allerdings kommen in Groningen schon 1245 bis 1262 „aldermanni" an der Spitze der Stadtgemeinde vor[2]), aber ihre Stellung bleibt zunächst unklar, die Reihe der für die Geschichte der städtischen Genossenschaften wichtigen Statute beginnt erst 1362 mit dem Bruderschaftsbrief der Krämer[3]), in den folgenden Jahren folgen nach einander die Statuten einer Reihe von Gewerben[4]). Sie bezeichnen die Genossenschaften bald als Bruderschaft, bald als Amt, bald als Gilde. Gleich der erste Paragraph des Krämerstatuts spricht von „desser ghilde efte broderschop", wie dann

[1]) Het Oldermannsboek v. Groningen — mitg. v. Feith; Sitzungsber. a. O.

[2]) Feith de gildis Groning. p. 38 ff.

[3]) Driissen Mon. Groning. I. p. 235, eine vollständigere Abschrift verdanke ich Hrn. Archivar Feith.

[4]) Feith a. O. p. 164 ff.

„ghildebroders“, „ghildehuys“ und „ghildebier“ wiederholentlich erwähnt werden. Die Genossenschaft der Schuhmacher nennt sich 1373 „Broderschaft“[1]). Das Buch der Tuchscheerer dagegen spricht von der „gilde“, die der Rath ihr 1436 zugestanden, „als van der smede amt vorsecht is“[2]).

Also auch hier nehmen Bruderschaften und Ämter wie zu Lemgo Bruderschaften und Ämter den Namen der „Gilde“ allmälig an.

Den Abschluss dieser Bewegung bilden zwei Urkunden vom 7. Sept. 1436, der allgemeine Gildebrief „den ghemenen ghilden“ von Bürgermeister und Rath mit der geschwornen Gemeinde verliehen[3]) und der den Brauern von derselben Behörde und „der ghemenen achte der gemenen ghilden ende wiisheit onserer stadt“ verliehen[4]).

In diesen beiden Urkunden findet sich die Bestimmung, dass alle diejenigen, die „op datum disses breves“ „borger“ sind, bis Martini „in deme winterė naestkomende“, wollen sie Brauereĩ oder irgend ein ander „amt“ treiben, verpflichtet sind, die betreffende Gilde zu gewinnen, aber auch berechtigt zu „bruken ende wynnen alle andere ampte, de se in horen husen handelen mit 14 bulkens, wanneer se des amtes bruken willen“; denen dagegen, die in der angegebnen Zeit nicht „borger“, sondern nur „buer“ waren, d. h. nur das kleine Bügerrecht hatten, ist dagegen nur der Eintritt in eine Gilde gestattet, der in jede andere dagegen, auch wenn sie derselben gebrauchen, d. h. das Gewerbe ausüben wollen, verboten.

Es ergiebt sich daraus, dass jedenfalls bis zum 7. Sept. 1436 der Gewerbebetrieb nicht allein den „borgern“, sondern auch denen, die nur „buermal“ gewonnen, vollständig frei war; erst die Bewegung, die von den Krämern ausgehend die Bruderschaften und Ämter schuf und sie, mit Ausschluss der Brauer, als „gemeene gilden“ hinstellte, führte zu einer Abschliessung, deren vollständige Durchführung in jenen beiden Urkunden jedoch zu Gunsten der „borger“ noch so weit möglich aufgehalten wurde.

An diese Reihe von Statuten schliessen sich nun aber die

[1]) ebd. p. 178. 173.

[2]) ebd. p. 209.

[3]) Verhandelingen V p. 219.

[4]) Eine Abschrift, mitgetheilt durch Hrn. Feith.

beiden allgemeinen Rechtsbücher der Stadt, das Oldermannsbuch, wie es in der Schlussredaction von 1439 vorliegt[1]), und das Stadtbuch von 1446 an[2]).

Für uns hat zunächst das erstere hier eine besondere Bedeutung. Dasselbe zerfällt in drei Theile. Der erste enthält eine Reihe von Bestimmungen, namentlich über die Aufnahme in das „gilderecht“, über die Wahl der Beamten desselben und über die Wahl der Beisitzer des „gilderechts“ im engeren Sinn. Das Wort bedeutet nämlich zweierlei, zunächst vor Allem die Betheiligung an einer grösseren Genossenschaft, deren Beamte „oldermannen“ und „bussherren“ sind, die ihre Morgensprache hält, und in die gegen bestimmte Einzahlung jeder eintreten kann, der sein „beurmal“, d. h. das kleinere Bürgerrecht, gewonnen hat, dann ein halbes Jahr „beur“ gewesen, eigne Kost, Feuer und Licht gehalten und „stadt dienst gedaen mit waken, graven ende gelijk andere borgere unde beur“[3]). Diese umfassende Genossenschaft besetzt ihr Gericht, d. i. das gilderecht im engeren Sinne, jährlich am bestimmten Tag mit früher 13, seit 1464 16 Mitgliedern, die aus sämmtlichen Quartieren oder Kluften der Stadt genommen werden. Mit Einem Wort, wir haben es hier mit einer Gilde zu thun, die, ohne Beschränkung auf bestimmte Gewerbe, allen Bürgern des grösseren oder kleineren Bürgerrechts offen steht, die also keineswegs etwa mit der Gesammtheit der „gemeinen gilden“ zusammenfällt. Nicht allein zeigen die Datirungen des ersten Buchs, dass diese Gilde vor dem Entstehungsjahr der „gemeinen gilden“ schon bestand, sondern das ganze zweite Buch muss nothwendig als eine ganz selbständige Rechtsaufzeichnung betrachtet werden, die Jahrzehnte vor dem ersten Buch und den dort zusammengestellten Beschlüssen ein längst schon bestehendes Recht schriftlich fixirte.

Dieser zweite Theil trägt die Überschrift: „Beati qui custodiunt judicium et faciunt justitiam in omni tempore. Dit boec hoert den giltrechte to G. Dyt sint der stat rechte van G. in der morgensprake binnen G. unde buten“[3]). An ihr ist als dritter Theil das

---

[1]) Het oldermannsboek of verzameling van stukken behorende tot het gild-wateren-stapelregt v. d. st. Gr. v. 1434 tot 1770 utgeg. d. Feith. Vorr. p. 2.

[2]) Oldermannsb. B. I, 1 ff.

[3]) Oldermannsb. p. 7.

bekannte Holländische Schiff- und Wasserrecht angehängt[1]), wie der erste nur aus neuen Ordnungen und Zusätzen aus den Jahren seit 1434 besteht. Dies Verhältniss zeigt sich unter Anderm auch darin, dass im zweiten Theile eine ältere Wahlordnung stehen geblieben ist, die durch den ersten Paragraphen des ersten Theils hinfällig wurde. Nach jener werden, wie schon oben erwähnt, 13, nach dieser 16 Mitglieder jährlich zum „giltrecht" gewählt[2]).

Gehört aber dieses ältere Rechtsbuch jedenfalls spätestens in die zweite Hälfte des 14. Jahrhunderts, d. h. entstand es spätestens während jener Periode der Ämterbildung in Groningen, so müssen wir die Gilde selbst, deren Recht hier vorliegt, vor die Entstehung der Ämter setzen. Dann aber bestand sie schon, als die Abgränzung und Sperrung der Ämter gegeneinander, die wir oben in den beiden Statuten vom 7. Sept. 1436 betrachteten, überhaupt noch nicht begonnen hatte.

Ist sie, worüber B. II gar keinen Zweifel lässt, von Anfang an eine gilda mercatorum gewesen, in die jeder „beur" eintreten konnte, so war sie jedenfalls ursprünglich und vor der Entstehung der Ämter eine Vereinigung, an der sich auch die Handwerker betheiligten.

Der Gang der Entwicklung war also hier der, dass sich neben einer alten gilda mercatorum eine Reihe Ämter bildeten, als eines der ersten die Bruderschaft der Krämer, dass dann diese Ämter, die ihre Mitglieder sehr früh als „gildebroders", sich selbst als „gilden" bezeichneten, sich 1436 in einem Brief „der gemeenen gilden" zu einer Einheit verbanden, neben der das „giltrecht" der alten Gilde selbständig fortbestand.

Einer solchen Bewegung gegenüber erscheint die Aufzeichnung und wiederholte Redaction dieses alten „Gilderechts" eben motivirt durch die Nothwendigkeit, ihre dominirende Stellung den neuen Organisationen gegenüber zu behaupten. Der Umstand, dass diese wiederholten Rechtsaufzeichnungen vor Allem den überseeischen Verkehr und seine processualischen Ordnungen ins Auge fassten, lässt darüber keinen Zweifel, dass jene wesentlich zünftische Bewegung des Detailhändlers und Handwerkers auch hier den Gross-

---

[1]) ebd. p. 104 A. 112.

[2]) ebd. B. II, 47 u. B. I, 1.

händler sich gegenüber fand. Es fragt sich, ob wir dessen Verhältniss auch weiter beobachten können.

Eine Kaufmannsgilde allerdings, die ebenso wie jene sich damals neben der alten gilda mercatorum neuorganisirt hätte, findet sich nicht genannt, wol aber scheint das „Brauamt", wie es sich 1424, oder die Gilde der Brauer, wie es 1436 heist[1]), die eigentlich kaufmännischen Elemente in sich vereinigt zu haben. Bürgermeister und Rath bezeichnen als Zweck des ihnen gegebnen Briefs, „dat se erer ampt mede moghen voeren ende holden, also dat se hem mede moghen neren ende berghen ende de stad in eren holden, wente alse de stad last heefft, so moten de borghere de bruwen de meeste last ommetrecken". Der Sinn wird klarer durch eine der folgenden Bestimmungen: „dit ampt en sal nemant doen hi en wille schoten (schossen) voer vyerhundert gulden, als men en schot nemet over de stad". Es sind die reichsten Bürger der Stadt, die sich jetzt erst mit dem Rath über die Bildung des Amts vereinigen, das offenbar das Exportgeschäft des Platzes wesentlich beherrscht. Es war doch in gewissem Sinne eine Auseinandersetzung zwischen dem grossen und dem kleinen Geschäft, als an jenem 7. Sept. 1436 gleichzeitig die „zehn Zünfte" und neben ihnen die „borghere, de dat browamt doen", ihren Brief erhielten.

In dem Briefe der Brauer wird vor Allem ihr Verhältniss zum Rath hervorgehoben, die drei „hoefdinge" sollen nur mit den vier Bürgermeistern das Statut „verbeteren unde vermeren alse dat noet effte nutte is, ende wanneer sie dat moghen merken te dienen ende orber to wesen voer disse ghilde ende voer tghemene orber ons stad".

Dem entspricht es nun, dass jenen zehn, den s. g. „Bürgergilden" gegenüber, welche unter den „Braumeistern" standen, das Brauamt lange Zeit die einzige „Rathsgilde" war und als solche unmittelbar unter, wir sagten vielleicht richtiger, neben dem Rath stand. Erst 1512 wurde die damals gestiftete Goldschmiedegilde auch Rathsgilde[2]).

---

[1]) Ich verdanke die Mittheilung beider Briefe ebenfalls Hrn. Feith.

[2]) Feith de g. p. 262. Die oben gegebene Erklärung scheint mir am einfachsten den Unterschied zwischen Raths- und Bürgergilden zu motiviren, den nach dem Vorgange Feith's a. O. p. 160 auch die späteren Forscher als räthselhaft bezeichnen.

Seit 1436 war die Lage der Dinge in Groningen, also im 15. Jahrhundert, folgende. Die alte ursprüngliche ungetheilte Kaufgilde bestand noch und gab entsprechend ihrer ältesten Bedeutung für die ganze Verkehrsbevölkerung des Platzes das Handels- und Schiffergericht, obgleich sich neben ihr allmälig Krämer- und Handwerkerämter, dann auch Gilden genannt, erst abgeschlossen, dann zur Genossenschaft der „ghemenen gilden“ zusammengeschlossen hatten.

Die Erhaltung des alten Gilderechts ward dadurch ermöglicht und gesichert, dass die reichsten Handel- und Gewerbtreibenden im Einverständniss mit dem Rath sich neben den gemeinen Gilden als Brauamt oder -gilde organisirten und, wie wir dann alle höheren Beamten der Stadt in ihren Verzeichnissen finden, so in engster Verbindung mit dem Rath „der stat richte van Groningen in der morgensprake binnen G. ende buten lande“ aufrecht erhielten.

Es war ein letzter Abschluss dieser Bildungen, dass das Stadtbuch von 1446 (?) vor Allem nun den Gegensatz zwischen dem grösseren und kleineren Bürgerrecht, zwischen „borger“ und „buer“ in so schroffer Weise festhielt, wie es sich an so vielen Sätzen des Process- und des Strafrechts zeigt[1]).

Eine vornehme und reiche Aristokratie brachte wirklich die Bewegung zum Stehen, die in der zweiten Hälfte des 14. Jahrhunderts die alten Verhältnisse, namentlich auch die der Kaufgilde ernsthaft bedrohen machte. Auch hier war es schliesslich, wie zu Stendal, die Verbindung zwischen dem Rath und dem Grosshändler, die wenigstens einen sehr wichtigen Theil der letztern erhielt und sie der Stadtverfassung zweckentsprechend einfügte.

Ebenso deutlich wie das Verhältniss der Gilde zu den später entstehenden Ämtern in den verschiedenen Statuten tritt uns in dem Oldermannsbuch die Verfassung der älteren Genossenschaft entgegen.

Dass es wesentlich eine gilda mercatorum im weiteren Sinne war, ergiebt der ganze Inhalt des Rechtsbuches.

Beim Eintritt schworen die Genossen „mit ghenen luden, die buten der Emse ende Lawers woenen, komenscap“ zu thun „in onsen landen noch mit oerem gelde noch personen“[2]).

---

[1]) Stadtrechtbook III a. E. IV, 5 VI a. E. VII, 27 u. a.

[2]) Oldermannsb. p. 5 § 9.

Namentlich die jüngeren Bestimmungen des ersten Buchs zeigen, dass bis dahin der Bestand der Mitglieder ein häufig wechselnder war, da, wie schon angeführt, ausdrücklich für diese nicht allein die Erwerbung des buermal, sondern auch ein vorhergehender halbjähriger Aufenthalt und bürgerlicher Dienst verlangt wird, da namentlich ausserdem der Eintretende sich verpflichten muss, weitere zwei Jahre wenigstens in Groningen zu wohnen[1]).

Aldermann und Büchsenherren — die bursarii der Lemgoer Gilde — als Beamte, die Morgensprache als die Versammlung der Genossenschaft sind ja die überall vorkommenden Gildeinstitute. Eigenthümlich ist zunächst der Gerichtsausschuss, das s. g. „gilderecht". Die genannten Beamten wählen auf Petri Stuhlfeier „over die stadt, die dat gilderecht up den dag sollen verwaren — dese menen, dat se dar nutte to syn — ende dat giltrecht hebben"[2]). Morgensprache und Gilderecht wird auf dem Kirchhof gehalten, unzweifelhaft als Handelsgericht für den ganzen Platz[3]).

Aber wie schon die Überschrift das zweite Buch als „der stad rechte van Groningen in der morgensprake binnen G. ende buten lande" bezeichnet, so liegt die wesentliche Bedeutung des Gilderechts vor Allem darin, dass es die Rechtsfindung des Groninger buer an fremden Plätzen für Streitigkeiten unter Genossen ermöglicht und für die dort entschiedenen Processe die obere Instanz bildet.

Eine solche Morgensprache „buten lande" kann gebildet werden, sobald „daerenboven sesse sint die dat int recht finden sollen"[4]). Dieses Gilderecht „buten lande" mit ihrem gewählten Oldermann ist das allein berechtigte Gericht für die Streitigkeiten der buer untereinander[5]), von dem allerdings die Berufung an die heimische Morgensprache für den „naesten wintere" frei steht. Eben jene Morgensprache und ihr Aldermann ist es aber auch, welche, „soe wellic onse beur buten lande to unrechte biswaret wirt", die be-

---

[1]) ebd. p. 2 § 1. p. 3 § 4.

[2]) ebd. p. 1 § 1. Diese Wahlordnung von 1434 ist unzweifelhaft die jüngere, die ältere p. 20 § 47.

[3]) ebd. p. 18 § 4.

[4]) ebd. II § 1.

[5]) ebd. §§ 4. 23 f. 27.

treffenden Mitglieder auswählen, um den Handel bei einem „hoheren recht“ zu vertreten[1]).

Es liegt auf der Hand, dass unter diesen Verhältnissen die Zulassung zu dem Gilderecht der Groninger auf den fremden Plätzen für die heimische Genossenschaft ein Gegenstand sorgfältiger Controlle, für den auswärts Verkehrenden von besonderem Werth war.

In diesem Sinne verleiht die Gilde das Recht der Hanse, und zwar für die verschiedenen auswärtigen Plätze gegen verschieden angesetzte Zahlungen, immer aber werden dabei an die Gilde „vijftich lovensche penninghe“ bezahlt. Das Statut unterscheidet die Cölner und Utrechter, die „Riper“ und „Herbere hense“[2]). Ich lasse dahin gestellt, ob letztere die von Ripen und die der „fünf Häfen“ sein könne, jedenfalls aber erhellt, wie die Gilde im Besitz der Hanse als anerkannter Mittelpunct des Rheinischen und überseeischen Verkehrs auch der eines ganzen Kreises von Gilden war, die sich „buten landes“ immer von Neuem bildeten.

Dem entspricht dann auch ihre Stellung als Vertreterin des ganzen einheimischen, als Leiterin und Schützerin des auswärtigen Verkehrs.

Sie überwacht den Tuch-, Vieh- und Getreidehandel, das Stapelrecht und das Monopol des Platzes Groningen zwischen Ems und Lawers[3]).

Mit Einem Wort, diese Gilde nimmt eine Stellung ein, die man der der Mendener mit ihrer Markt- und Maasspolizei und Hanse vergleichen mag, soweit die bescheidenen Geschäfte des westfälischen Krämers sich mit denen des Groninger Kaufmanns zusammenstellen lassen, dessen Geschäfte um 1230 von Smolensk bis London reichten.

Wenn aber die Bewegungen des 15. Jahrhunderts die Gilde im Besitz einer so dominirenden Stellung liessen, so scheint mir damit gegeben, dass sie früher eine noch bedeutendere sein konnte.

---

[1]) ebd. § 8.

[2]) ebd. § 29 f. mit den Anm. Ein Stader Statut des 14. Jahrh., das für „de de to Ripen unde to Denemerken segelen“, ebenfalls die Wahl von Oldermannen verordnet, scheint mir auch für die Groninger „Riper hense“ obige Erklärung nahe zu legen. Archiv d. V. f. Gesch. u. Alterth. z. Stade Th. I p. 135.

[3]) B. II §§ 28. 31 f. 45. 48—50.

Ich meine daher, dass die aldermanni und rationales, welche zuerst an der Spitze des städtischen Gemeinwesens erwähnt werden, noch um die Mitte und in der zweiten Hälfte des 13. Jahrhunderts am einfachsten und natürlichsten als die Oldermannen der Gilde und die ihnen zur Seite stehenden Rechnungsbeamten als die „bussherren" zu erklären sind. In welcher Weise sie dann allmälig durch die consiliarii und burgimagistri verdrängt wurden, wissen wir nicht. Nahe liegt aber die Vermuthung, dass, wie um 1435 sicher in den Mitgliedern des Brauamts sich die Träger der städtischen Magistratur und die Häupter der Gilde vereinigten[1]), ein solches nahes Verhältniss zwischen Aldermännern und Rath auch früher bestand.

Eine solche allmälige Entwicklung der Stadt- aus der Gildeverfassung liegt anzunehmen um so näher, da wir für Groningen weder eine Stadt- noch eine Marktrechtsverleihung nachweisen können.

Wie dem aber auch sei, die Angaben des Oldermannsbuchs bieten uns ein so vollständiges Bild einer älteren Kaufgilde, wie wir es kaum sonst noch nachweisen können: die heimische Gilde und Morgensprache, unter ihren Aldermann und Büchsenherren, mit ihrem Gilderecht, borger und buer zugänglich, Ausgangspunkt, Muttergilde und Oberhof für eine Reihe von Tochtergilden, die je nach Bedürfniss unter dem Schutze des Hanserechts entstehen, wieder verschwinden oder sich behaupten.

Erst vor diesen Thatsachen erkennt man, wie der damalige Kaufmann mit seinem Properhandel in diesen Morgensprachen „in Groningen u. buten lande" Gelegenheit und Übung fand, sein Handelsrecht weiter auszubilden und für die Interessen seines Platzes bald jenseits des Meeres bald daheim einzutreten.

---

[1]) Feith a. O. p. 248 A. 2.

Hr. Kronecker las:

Über die Potenzreste gewisser complexer Zahlen.

Schon sehr früh hatte Euler die Beobachtung gemacht, dass die Primtheiler der quadratischen Formen einer bestimmten Discriminante D in gewissen Linearformen $mD+\alpha$ enthalten sind, aber erst im Jahre 1783 hat er diese für die Entwickelung der Zahlentheorie so folgenreiche Beobachtung in jener merkwürdigen Weise formulirt, welcher der Name des Reciprocitätsgesetzes seine Entstehung verdankt[1]). Vor der Eleganz der Correlation, auf welche hierbei — und mit Recht — stets ein besonderer Nachdruck gelegt worden ist, trat seitdem die Bedeutung und der Zielpunkt der ursprünglichen Euler'schen Beobachtung einigermassen in den Hintergrund. Nun ist mir aber in diesen Tagen bei der Anwendung der arithmetischen Theorie der singulären Moduln auf die Potenzreste complexer Zahlen eine specifisch neue Erscheinung entgegengetreten, die unmittelbar an jene erste Wortfassung erinnert, in welcher Euler den wesentlichen Inhalt des quadratischen Reciprocitätsgesetzes veröffentlicht hat, und da diese Erscheinung in der Theorie der Potenzreste nicht nur im Rückblick durch die Analogie mit dem historischen Ausgangspunkt derselben sondern auch im Vorblick durch den Hinweis auf ein neues Stadium der Entwickelung ein besonderes Interesse darbietet, so will ich schon heute der Akademie eine kurze Mittheilung darüber machen.

Die Abelschen Gleichungen, welche in der Theorie der singulären Moduln vorkommen, lassen ganz ebenso wie die der Kreistheilung zwei verschiedene Arten von Bestimmungen derjenigen Primtheiler zu, für welche sie als Congruenzen aufgefasst Wurzeln haben. Die Identität dieser beiden Bestimmungsweisen ergiebt für den Fall quadratischer Gleichungen ganz unmittelbar das quadratische Reciprocitätsgesetz und führt im allgemeineren Falle der Kreistheilungsgleichungen wenigstens zu einer Reciprocitäts-Beziehung, die im Falle der cubischen und biquadratischen Reste noch zum vollständigen Beweise des Reciprocitätsgesetzes ausreichend ist. Man kann nämlich unter dem Gesichtspunkte der erwähnten

[1]) Vgl. meine Bemerkungen im Monatsbericht vom April 1875. S. 268.

Identität alle jene Entwickelungen auffassen, welche in Gauss' sechstem Beweise des quadratischen Reciprocitätsgesetzes zuerst gegeben und nachher von Jacobi, Eisenstein und Andern bei Behandlung der höheren Potenzreste weiter ausgebildet und mit Erfolg benutzt worden sind. Um dies für den einfachen Fall quadratischer Gleichungen vollständig darzulegen, sei q eine positive Primzahl und $\varepsilon = \pm 1$, so dass $\varepsilon q \equiv 1$ mod. 4 ist. Alsdann sind die Primtheiler p von $z^2 - \varepsilon q$ oder von $x^2 + x + \frac{1}{4}(1 - \varepsilon q)$ durch die Bedingung

$$\left(\frac{\varepsilon q}{p}\right) = 1$$

vollständig charakterisirt. Andrerseits werden aber, wenn man von der Darstellung der Wurzeln der Gleichung $x^2+x+\frac{1}{4}(1+\varepsilon q)=0$ als Perioden $q$ter Wurzeln der Einheit Gebrauch macht, die Primtheiler p als solche durch die Congruenzbedingung

$$\sum_k \left(\frac{k}{q}\right) e^{\frac{2kp\pi i}{q}} \equiv \sum_h \left(\frac{k}{q}\right) e^{\frac{2k\pi i}{q}} \text{ mod. } p \qquad (k=1,2,\ldots q-1)$$

bestimmt, welche unmittelbar zu der Bedingung

$$\left(\frac{p}{q}\right) = 1$$

führt; und daraus, dass die beiden Bestimmungsweisen der Primtheiler p mit einander übereinstimmen müssen, folgt die Reciprocitätsgleichung

$$\left(\frac{p}{q}\right) = \left(\frac{\varepsilon q}{p}\right).$$

Nunmehr sei wie in meiner Mittheilung vom 2. Febr. d. J.

$$F(x) = (x^3 - 10x)^2 + 31(x^2 - 1)^2,$$

so dass die Wurzeln von $F(x) = 0$ die Gattung der singulären Moduln für $\sqrt{-31}$ bestimmen. Setzt man zur Abkürzung

$$\omega = \frac{-1+\sqrt{-3}}{2}, \quad \varpi = \frac{-1+\sqrt{-31}}{2}$$

$$\eta_1 = 1 - \varpi + 3\omega, \quad \eta_2 = 1 - \varpi + 3\omega^2,$$

so ist

$$\omega^2+\omega+1=0\,,\quad \varpi^2+\varpi+8=0\,,\quad \eta_1\eta_2+1=0\,,$$

und die drei Wurzeln ξ_0, ξ_1, ξ_2 der cubischen Gleichung

$$x^3-10x+(1+2\varpi)(x^2-1)=0$$

sind durch die Gleichungen

$$\xi_0+\xi_1+\xi_2=\eta_1+\eta_2\,,\ (\xi_0+\omega^2\xi_1+\omega\xi_2)^3=\eta_1\,,\ (\xi_0+\omega\xi_1+\omega^2\xi_2)^3=\eta_2$$

explicite gegeben. Die Primzahlen p, für welche die Congruenz $F(x)\equiv 0 \bmod. p$ Wurzeln hat, werden hiernach erstens durch die Bedingung

$$\left(\frac{-31}{p}\right)=1$$

und zweitens dadurch charakterisirt, dass η_1 cubischer Rest des complexen Primfactors von p in der Theorie der bezüglichen complexen Zahlen sein muss. Diese Bedingungen können auch dahin formulirt werden, dass erstens Zahlen n existiren müssen, wofür

$$n^2+n+8\equiv 0 \bmod. p$$

ist, und dass zweitens

$$(1-3n+\omega)^{\frac{p\pm 1}{3}}\equiv \mp 1 \bmod. p$$

sein muss. Die anderweite Bestimmung der Primtheiler p, welche aus der Theorie der singulären Moduln hervorgeht (vgl. meine Mittheilung vom 2. Febr. d. J.), ergiebt aber, dass dieselben durch die Hauptform x^2+31y^2 darstellbar sein müssen, und es folgt daher, dass die complexe Einheit η_1 cubischer Rest von allen im Kummer'schen Sinne wirklichen complexen Primfactoren $a+b\varpi$, von allen andern aber Nichtrest ist. Auch die beiden andern cubischen Restcharaktere, welche η_1 haben kann, scheiden sich nach den Classen, welchen die Primzahl-Moduln angehören, so dass überhaupt die Restcharaktere von η_1 durch den Index, den der bezügliche Modul im Sinne der Composition hat, bestimmt wird. — Ist q irgend eine Primzahl von der Form $3k+1$, welche im Sinne der Composition zum Exponenten 3 gehört, so dass also nicht q selbst sondern erst q^3 durch die Hauptform x^2+31y^2 darstellbar ist, und hat man q^3 in vier conjugirte complexe, aus ω, ϖ gebildete Factoren $q_{11}, q_{12}, q_{21}, q_{22}$ zerlegt, wo der erste Index sich auf die beiden Werthe von ω, der zweite auf die beiden Werthe von ϖ bezieht, so wird der Quotient zweier conjugirter q_{11}, q_{21}

durch Multiplication mit einem der beiden Werthe von η stets ein vollständiger Cubus. Der cubische Charakter dieser Quotienten bestimmt sich daher genau wie der der Einheiten η durch die quadratischen Formen der Discriminante -31, durch welche die Norm des Primzahlmoduls darstellbar ist, und es ist grade dieser Umstand, welcher einen deutlichen Hinweis auf die Weiterentwickelung der Theorie der Potenzreste namentlich auch für die in den Kummer'schen Untersuchungen ausgeschlossenen Fälle enthält.

Zur Erläuterung der vorstehenden Bemerkungen füge ich noch folgende specielle Beispiele an:

Da $N(1-2\varpi) = 35$ und $\eta_1 \equiv \frac{1}{2} + 3\omega \bmod. (1-2\varpi)$ ist, so kommt

$$\eta_1^2 \equiv -6\omega \bmod. 35\,,$$

und es ist

$$\tfrac{1}{3}(5+1) = 2\,,\; \tfrac{1}{3}(7-1) = 2\,,\; -6\omega \equiv -\omega \bmod. 5\,,\; -6\omega \equiv \omega \bmod. 7.$$

Ferner ist $N(3-2\varpi) = 47$ und $\dfrac{47+1}{3} = 16$ und

$$\eta_1^{16} \equiv -1 \bmod. (3-2\varpi)\,,$$

während $N(5-2\varpi) = 67$ und $\dfrac{67-1}{3} = 22$ und

$$\eta_1^{22} \equiv +1 \bmod. (5-2\varpi)$$

wird. Endlich ist

$$N_\omega N_\varpi (5+3\omega+\varpi) = N_\varpi(11+6\varpi) = 7^3$$

und die Gleichung

$$\frac{5+3\omega+\varpi}{5+3\omega^2+\varpi}\cdot\eta_1 = \left(\frac{\omega-\varpi}{3+2\omega}\right)^3,$$

diene als Beispiel für die oben angeführte Reduction des Restcharakters gewisser complexer Zahlen auf den der Einheiten η.

---

29. April. Gesammtsitzung der Akademie.

Hr. Schwendener las:

Über die durch Wachsthum bedingte Verschiebung kleinster Theilchen in trajectorischen Curven.

1.

Das Wachsthum organisirter Gebilde geschieht bekanntlich durch Intussusception, d. h. durch Einlagerung von Substanz und Wasser zwischen die Micellen der schon vorhandenen Masse. Mit diesem Wachsthumsmodus verknüpft ist zunächst eine Anordnung der kleinsten Theilchen in parallel zur Umrisslinie verlaufende Schichten, wie sie auch beim Wachsthum durch Apposition entstehen; dazu kommt aber noch die charakteristische Reihenbildung in einer Richtung, welche die Schichten rechtwinklig oder doch nahezu rechtwinklig schneidet, eine Eigenthümlichkeit, welche die durch Apposition wachsenden Körper nicht kennzeichnet[1]). Sowohl die Schichtung parallel zur Oberfläche als die hierzu rechtwinklige Reihenbildung lässt sich in vielen Fällen direct beobachten oder aus beobachteten Thatsachen mit Nothwendigkeit folgern. Dies bleibt auch dann richtig, wenn das Organ aus Zellen zusammengesetzt ist, die dann gleichsam die sichtbaren Raum- oder Flächenelemente darstellen, auf welche die in Rede stehende Anordnung sich überträgt. Die Belege hierfür lassen sich leicht beibringen, können jedoch vorläufig nur angedeutet werden.

Bezüglich der Schichtung sei hier an die bekannte Abwechslung von dichter und weicher Substanz in Stärkekörnern und Zellmembranen, für welche der Ausdruck „Schichtung" allgemein gebräuchlich ist, ferner an die mehr oder weniger concentrischen Zellenlagen oder Jahrringe im Holz der Dicotylen, an die Kappen der Wurzelhaube und die Periclinen in der Scheitelregion höherer und niederer Gewächse erinnert. Für die radiale Reihenbildung sprechen: 1) bei Stärkekörnern die durch Austrocknen oder un-

[1]) Nichtorganisirte Gebilde, welche zwar durch Apposition wachsen, deren Schichten aber von organisirten Häuten ausgeschieden werden, wie z. B. die Perlen und die Schaalen der Muscheln, bilden eine Mittelstufe, die ich hier unberücksichtigt lasse.

gleichmässiges Quellen entstehenden Risse, 2) bei Membranen einerseits die Thatsache, dass die Quellung rechtwinklig zum Schichtenverlauf in vielen Fällen ein Maximum erreicht und folglich die grosse Axe der Quellungsellipse durch alle Veränderungen hindurch radial orientirt bleibt, andererseits die entsprechende Richtung der Rissflächen beim Zerreissen der Schichtencomplexe durch tangentialen Zug, 3) bei Zellflächen und Zellkörpern der vorherrschende und oft sehr augenfällige Verlauf der anticlinen Zellreihen oder Zellwände, die Richtung der Markstrahlen etc.

Für die folgenden Betrachtungen hat diese Reihenbildung in radialer Richtung überall dieselbe Bedeutung, die Reihen mögen aus Micellen oder aus mikroskopisch wahrnehmbaren Elementarorganen bestehen. Immer bezeichnen dieselben die Wege, welche beliebige Elemente während des Dickenwachsthums durchlaufen, indem sie durch die Volumenzunahme der innern Partieen nach aussen oder durch die der äussern nach innen geschoben werden. Ein bestimmtes Micell auf der Oberfläche eines noch jungen Stärkekorns entfernt sich z. B., während die Schichten sich spalten und vermehren, auf der vorgezeichneten Bahn vom organischen Centrum; ebenso rückt ein bestimmter Punkt auf der Rindenseite des Verdickungsringes unserer Bäume in Folge der Bildung neuer Jahresschichten nach aussen, und die peripherischen Faserenden eines wachsenden *Roccella*-Scheitels beschreiben die bekannten Trajectorien.

Bei dickwandigen Zellmembranen mit Porencanälen sind auch diese letztern als Wegspuren in dem bezeichneten Sinne zu betrachten; sie beschreiben Curven gleicher Natur, und da sie deutlicher als alle andern zu erkennen sind, so ist der Beobachter hier des Suchens nach weitern Anhaltspunkten enthoben. Dasselbe gilt von den strahligen Fäden in den Cystolithen von *Ficus* und andern ähnlichen Bildungen.

Die Verschiebungen, welche mit der Intussusception verknüpft sind, lassen sich also im Allgemeinen leicht übersehen; auch leuchtet ein, dass der Gegensatz zwischen zelliger und nichtzelliger Structur gegenüber den gemeinsamen mechanischen Momenten untergeordnet ist. Die genauere Betrachtung wird sogar, wie ich gleich beifügen will, herausstellen, dass die Gliederung der Masse in Zellen und die Vermehrung der letztern auf die Natur der Verschiebungen und somit auf die Form der trajectorischen Curven keinen Einfluss hat. Das einzig Bestimmende ist die Einlagerung neuer Substanz, gleichviel in welcher Form. Um indess diese Verschiebungsvorgänge Schritt für Schritt verfolgen und construiren zu können, ist es nothwendig, die Wachsthumsursachen selbst in geeigneter Weise zu analysiren, d. h. die Componenten so zu wählen, dass die zu lösende Aufgabe eine möglichst einfache wird.

Thatsächlich kann das Bestreben der Substanz, neue Theilchen zwischen die vorhandenen einzulagern, nach allen Richtungen des Raumes wirksam sein und sogar in jeder beliebigen ein relatives Maximum erreichen. Für die mechanische Betrachtung ist es aber immer gestattet, die sämmtlichen Kräfte in zwei Gruppen von Componenten zu zerlegen, von denen die einen radial, die andern tangential orientirt sind. Und wenn, wie in unserem Falle, die Elemente sich in Schichten und radiale Reihen ordnen, so ist die Annahme, dass die das Wachsthum bedingenden Kräfte einerseits in der Tangentialebene der Schichten, andererseits in der dazu rechtwinkligen radialen Richtung thätig seien, die einzig naturgemässe. Damit ist freilich die Frage, ob das Wachsthumsbestreben in der einen Richtung als Ursache, in der andern als die nothwendige Folge zu betrachten sei, nicht entschieden. In dieser Beziehung mögen sich die verschiedenen körperlichen Gebilde, mit denen wir es hier zu thun haben, ungleich verhalten. Für die Stärkekörner nimmt Nägeli aus theoretischen Gründen an, dass das Flächenwachsthum das Primäre, die dadurch bedingte Spannung und darauf folgende Einlagerung in radialer Richtung das Secundäre sei. Für die Rinde der dicotylen Bäume dagegen, welche als peripherische Schicht des Stammes ja ebenfalls zeitlebens an Umfang zunimmt, hätte eine solche Annahme offenbar wenig für sich[1]). Ebenso scheint in manchen andern Fällen das radiale Wachsthum das ursprüngliche, das tangentiale das durch Anregung bewirkte zu sein. Aber wie dem auch sein mag, es ist für die Bestimmung der Resultirenden gleichgültig, in welcher Reihenfolge die wirksamen Componenten berücksichtigt werden, da ja bloss ihre Grösse und Richtung, nicht ihre genetischen Beziehungen in Betracht kommen. Es ist demnach unter allen Umständen zulässig, die durch Wachsthum bedingten Verschiebungen zunächst unter

---

[1]) Vgl. hierüber Detlefsen, Arbeiten des bot. Instituts in Würzburg I. S. 18, 41.

der Voraussetzung zu verfolgen, dass die radialen Kräfte allein und ungestört thätig seien, und erst nachträglich die Abweichungen zu bestimmen, welche die Verhältnisse des tangentialen Wachsthums und die damit zusammenhängenden seitlichen Componenten verursachen.

Sei also *A* in Fig. 3 auf Taf. II ein Complex concentrischer Schichten, und betrachten wir zunächst die Flächenelemente zwischen den Radien *cb* und *cd*, d. h. also die 4 kleinen Trapeze zwischen *mn* und *bd*, die man sich räumlich als Scheibchen vorstellen mag. Nehmen wir ferner an, diese concentrischen Schichten besitzen in der zu ihrem Verlauf rechtwinkligen Richtung ein Wachsthumsbestreben, das im Radius *ca* sein Maximum erreicht und nach beiden Seiten hin abnimmt, dann wird der Parallelismus der Schichten in Folge dieses einseitig geförderten Wachsthums nothwendig gestört, ihre Grenzlinien divergiren nach oben zu, und unsere 4 kleinen Trapeze oder Scheibchen zwischen *mn* und *bd* erhalten in Folge dessen eine schwach keilförmige Gestalt; sie nehmen zwar durchgehends an Dicke zu, aber auf der nach *ac* gerichteten Seite in höherem Grade als auf der entgegengesetzten (Taf. II, Fig. 3, B). Damit hängt zusammen, dass die seitlichen Umrisslinien *mb* und *nd* jetzt nicht mehr gerade verlaufen, sondern bogenförmig gekrümmt erscheinen (*m'b'* und *n'd'* in Fig. 3, B). Aber jedes Stück dieses Bogens steht natürlich nach wie vor senkrecht auf der Flächenausdehnung des zugehörigen Scheibchens; denn das ist ja vorläufig unsere Prämisse, dass das Wachtshum nur eine Verschiebung der Theilchen senkrecht zur Schichtung bedinge. Man kann sich auch, um ein noch anschaulicheres Bild zu erhalten, die Scheibchen in der Mitte durchbohrt und von einer Schnur durchzogen denken; lässt man alsdann die ebenerwähnten Gestaltveränderungen eintreten, so krümmt sich die ganze Scheibchenreihe und auch die Schnur bildet eine Curve, aber der Winkel, unter welchem sie die Berührungsflächen der Scheibchen schneidet, bleibt ein rechter.

Genau dieselbe Curve kommt natürlich auch dann zu Stande, wenn die bezeichneten Wachsthumsvorgänge in den 4 Scheibchen nicht gleichzeitig, wie wir es hier vorausgesetzt haben, sondern in beliebiger Reihenfolge nach einander stattfinden. Es kann z. B. zuerst das innerste sich radial strecken und dann in den Dauerzustand übergehen, etwas später das zweite, dann das dritte etc.

Oder es kann dieser Process an der Peripherie beginnen und in centripetaler Richtung fortschreiten oder auch im Zickzack von einer Schicht zu einer beliebigen andern überspringen. In allen diesen Fällen ist die resultirende Gesammtwirkung dieselbe, so lange die Theilwirkungen constant bleiben.

Wir gelangen also zu dem Ergebniss, dass die radialen Reihen, von denen wir ausgingen (Fig. 3, A), in orthogonale Trajectorien übergehen. Auf die Verschiebung bezogen, welche die Raumtheilchen während des Wachsthums erfahren, ist damit gesagt, dass sich dieselben in orthogonal-trajectorischen Curven bewegen. Denken wir uns z. B. in Fig. 3, A (Taf. II) die innere Grenzfläche der Scheibchenreihe *mn* unbeweglich, gleichsam als feste Basis, so rücken die Punkte *b* und *d* in solchen Trajectorien nach aussen, bis sie die in Fig. 3, B bezeichnete Lage (*b'* und *d'*) erreicht haben. Aber ich wiederhole: Die rechtwinklige Schneidung ist an die Bedingung geknüpft, dass die Wachsthumsvorgänge in der Richtung des Schichtenverlaufs entweder keine Widerstände mit sich bringen oder doch keine solchen, welche seitliche Componenten liefern.

Diese Voraussetzung trifft nun allerdings auch in den günstigsten Fällen nicht häufig, bei manchen Objecten wohl gar nicht zu. Es finden gewöhnlich grössere oder kleinere Abweichungen statt, hervorgerufen durch seitliche Kräfte, deren Herkunft und Wirkungsweise eine besondere Erklärung verlangt. Diese zu geben, soweit es sich um allgemeinere Vorkommnisse handelt, soll im Folgenden versucht werden.

2.

Bevor ich indess näher auf die angedeuteten Abweichungen eingehe, mag es für die geometrische Orientirung zweckmässig sein, einige Formen regelmässiger Curvensysteme nebst den zugehörigen orthogonalen Trajectorien speciell hervorzuheben. Besondere Beachtung verdienen namentlich diejenigen Fälle, welche einigermaassen an botanische Vorkommnisse erinnern.

A. Das gegebene Curvensystem besteht aus Kreislinien.

1) Concentrische Kreise von allmälig steigender Grösse. Die Trajectorien sind bekanntlich Gerade, die vom Centrum ausgehen.

2) Nichtconcentrische Kreise von allmälig steigender Grösse, die Centren sämmtlich auf einer Geraden (z. B. der Ordinatenaxe), auf welcher zugleich der Punkt liegt, in welchem die Kreise sich von innen berühren (Taf. I, Fig. 3). Die orthogonalen Trajectorien hierzu sind ebenfalls Kreise, welche mit den gegebenen den Berührungspunkt gemein haben, deren Centren aber auf einer andern Geraden liegen, welche die erstgenannte rechtwinklig schneidet (in unserer Fig. auf der Abscissenaxe). Man construirt diese trajectorischen Kreise, indem man einen beliebigen Punkt der Abscissenaxe als Mittelpunkt und den Abstand desselben vom Ursprung als Radius wählt.

3) Nichtconcentrische Kreise von allmälig steigender Grösse, aber ohne gemeinsamen Berührungspunkt, die Centren sämmtlich auf einer geraden Linie (Taf. I, Fig. 4, die Centren auf der X-Axe). Die orthogonalen Trajectorien hierzu sind ebenfalls Kreise, deren Centren auf einer zur vorigen rechtwinkligen Geraden (der Y-Axe in Fig. 4) liegen, und welche die Abscissenaxe sämmtlich in den beiden Punkten i und i' schneiden. Der Ursprung des Coordinatensystems liegt in der Mitte zwischen i und i'.

Man kann natürlich auch umgekehrt die trajectorischen Kreise als gegebene Curven und die andern als zugehörige Trajectorien betrachten[1]).

4) Kreise von constantem Radius, aber die Centren auf einer geraden Linie liegend. Dieser Fall reducirt sich für botanische Betrachtungen auf den einfachern, dass ein Halbkreis, als Scheitelwölbung gedacht, allmälig auf der Axe vorrückt.

Die orthogonalen Trajectorien der so entstehenden Schaar von Halbkreisen sind congruente Huyghens'sche Tractorien, welche sämmtlich aus einer einzigen durch Verschiebung derselben parallel zur Axe entstehen. Die rechts und links von der Mediane liegenden Äste der Curve verlaufen symmetrisch; für beide ist die Mediane Asymptote. Um diese Curven zu ziehen, hat man nur nöthig, eine einzige wirklich zu construiren und zugleich die Lage der Axe anzugeben; die übrigen werden einfach durchgepaust, nachdem man die entsprechende Verschiebung in der Axenrichtung

---

[1]) Dieser Fall nach C. Neumann, allgemeine Lösung des Problems über den stationären Temperaturzustand eines homogenen Körpers, welcher von irgend zwei nichtconcentrischen Kugelflächen begrenzt wird. Halle 1862.

vorgenommen. (Vgl. meine Figur zur Veranschaulichung des Scheitelwachsthums bei Flechten in Nägeli's Beitr. z. wiss. Bot. 2. Heft Taf. VII, 15.)

B. Das gegebene Curvensystem besteht aus confocalen Kegelschnitten.

In diesem Falle sind die Trajectorien mit den gegebenen Curven identisch; nur besteht die Einschränkung, dass zu den confocalen Ellipsen confocale Hyperbeln als Trajectorien gehören und umgekehrt.

Da die hierher gehörigen Combinationen bereits von Sachs[1]) besprochen und in sehr anschaulicher Weise dargestellt worden sind, so beschränke ich mich darauf, den Leser auf diese Darstellungen zu verweisen. Nur eine Bemerkung glaube ich hier noch beifügen zu sollen. Die Sachs'schen Abbildungen sind von andern Autoren zum Theil so gedeutet worden, als ob alle Periclinen einer Scheitelregion, wenn sie annähernd wie Parabeln oder Ellipsen aussehen und sich nach oben zu etwas nähern, nothwendig confocale Parabeln oder Ellipsen sein müssen. Das ist ein Irrthum, den ich hiermit berichtigen möchte. Ebenso ist natürlich auch die Vorstellung, als ob der eingebildete gemeinsame Focus mit dem organischen Bildungscentrum zusammenfalle, vollständig unmotivirt; so leichthin können geometrische Beziehungen nicht auf organische Bildungsvorgänge übertragen werden. Was hat denn der geometrische Focus einer parabolischen Umrisslinie mit den Theilungen der Zellen zu thun? Gerade um solchen Täuschungen vorzubeugen, scheint mir dem genannten mathematischen Ausdrucke gegenüber die von Sachs in seiner zweiten Abhandlung[2]) vorgeschlagene Bezeichnung der Wachsthumstypen für botanische Zwecke den Vorzug zu verdienen.

C. Das gegebene Curvensystem besteht aus ähnlichen und ähnlich gelegenen Ellipsen.

Als ähnliche Ellipsen bezeichnet man solche, bei welchen das Verhältniss der Axen dasselbe ist. Unter dieser Voraussetzung besteht für die Trajectorien die allgemeine Gleichung $y^{n^2} = cx$,

---

[1]) Arbeiten des bot. Instituts in Würzburg, II. Bd. S. 64, Taf. 3 und 4.

[2]) l. c. II. S. 202.

wobei n das Axenverhältniss und c einen variabeln Parameter bezeichnet. Hieraus ergeben sich beispielsweise folgende Specialfälle:

1) $n = 1$. Die Ellipsen gehen unter dieser Voraussetzung in Kreise über und die Trajectorien in gerade Linien.

2) $n = \sqrt{\frac{3}{2}}$. Die Trajectorien sind sogenannte Neil'sche Parabeln. Das resultirende Bild ist der Fig. 5 auf Taf. I ähnlich; nur zeigen die Trajectorien etwas abweichende Krümmungen.

3) $n = \sqrt{2}$. Die Trajectorien sind gewöhnliche Parabeln (Taf. I, Fig. 5), deren Axe mit der kleinen Axe der Ellipse zusammenfällt.

4) $n = \sqrt{3}$. Die Trajectorien sind Curven nach der Gleichung $y^3 = cx$ oder $y = \sqrt[3]{cx}$. Hierher gehören z. B. die Umrisslinien der Träger von gleichem Widerstande mit cylindrischem Querschnitt (vgl. Schwendener, das mechan. Princip, S. 96).

D. Verschiedene andere Curven.

1) Die gegebenen Curven sind Neil'sche Parabeln (Gleichung $ay^2 = x^3$); die orthogonalen Trajectorien hierzu sind Hälften gewöhnlicher Parabeln mit quer gestellten Axen (Taf. I, Fig. 2).

2) Die gegebenen Curven entsprechen der Gleichung $r^m = c \sin m\varphi$; dann sind die orthogonalen Trajectorien gegeben durch $r^m = c \cos m\varphi$, folglich mit den gegebenen Curven identisch, jedoch um den Winkel $\frac{\pi}{2m}$ gedreht. Als Specialfälle mögen erwähnt werden:

a) $m = +2$. Die gegebenen Curven und ihre Trajectorien sind Lemniscaten von der Form ∞, welche um 45° gegen einander gedreht erscheinen und sämmtlich durch den Ursprung des Coordinatensystems gehen (Taf. I, Fig. 6; nur für die nach oben gehenden Zweige weiter durchgeführt).

b) $m = -2$. Die gegebenen Curven und ihre Trajectorien sind gleichseitige Hyperbeln, welche um 45° gegen einander gedreht sind. Erinnert an die Kappen mancher Wurzelhauben.

c) $m = +\frac{1}{2}$. Die gegebenen Curven und ihre Trajectorien sind Cardioiden, welche um 180° gegen einander gedreht sind (Taf. I, Fig. 1).

d) $m = -\frac{1}{2}$. Die gegebenen Curven und ihre Trajectorien sind confocale Parabeln, welche um 180° gegen einander gedreht sind. Dieser Fall ist identisch mit der zu B gehörigen Parabelschaar.

Für $m = +1$ gehen die Curven in die Kreise Fig. 3, für $m = -1$ in gerade Linien über.

3) Die gegebenen Curven sind Parabeln nach der Gleichung $y^2 = 2p(x - a)$, in welcher a einen variabeln Parameter bezeichnet. Die orthogonalen Trajectorien hierzu sind Curven nach der Gleichung $y = e^{-\frac{1}{p}(x+c)}$, wobei e die Basis der natürlichen Logarithmen (Taf. I, Fig. 8). Man construirt diese Trajectorien mit Hülfe der auf rechtwinklige Coordinaten bezogenen logarithmischen Linie $y = e^x$.

4) Die gegebenen Curven sind Parabeln oder Hyperbeln im weitern Sinn, nach der Gleichung $Y^n X^m = c$. Die Trajectorien hierzu sind gegeben durch $my^2 - nx^2 = A$; es sind gewöhnliche Hyperbeln oder Ellipsen, je nachdem n positiv oder negativ ist.

5) Die gegebenen Curven sind confocale Lemniscaten (Cassini'sche Curven). Die orthogonalen Trajectorien hierzu sind gleichseitige Hyperbeln, deren Axen der Lage und Grösse nach variiren.

6) Die gegebenen Curven sind nichtconfocale Lemniscaten von der Form der getrennten Ovale in Fig. 1 auf Taf. II. Die Trajectorien hierzu sind ebenfalls nichtconfocale Lemniscaten, die aber aus einem Zweige bestehen und deren Axen die der gegebenen unter 45° schneiden. Die zusammengehörigen Curvenstücke sind in der Figur mit gleichen Ziffern bezeichnet; eine der Curven ist ein Kreis[1]).

Die vorstehende Aufzählung macht keinen Anspruch auf Vollständigkeit; damit wäre dem botanischen Publicum auch wenig gedient. Ich gebe sogar zu, dass die Kenntniss der mathematisch-regelmässigen Curven für das blosse Verständniss der hier zu erörternden Frage gar nicht nothwendig ist. Da jedoch die in der Natur vorkommenden Trajectorien zur Vergleichung mit Kegel-

---

[1]) Dieser Fall nach A. Wangerin in Grunert's Archiv, Theil LV, S. 5 und Taf. I.

schnitten und andern höheren Curven unwillkürlich anregen und in der Darstellung und Schematisirung zum Theil auch wohl eine entsprechende, aus dieser Vergleichung hervorgegangene Bezeichnung finden, so ist eine gewisse Übersicht über die möglichen Combinationen allerdings geeignet, vor einseitiger Auffassung zu bewahren, und somit von praktischem Interesse.

3.

Gehen wir jetzt zur Untersuchung der Abweichungen über, welche die orthogonalen Trajectorien durch die aus dem tangentialen Wachsthum sich ergebenden Widerstände erfahren. Es ist zwar, wie bereits oben bemerkt, wohl denkbar, dass zwischen den beiden Wachsthumsintensitäten eine vollständige Harmonie besteht, welche Widerstände mit seitlichen Componenten von vorne herein ausschliesst. In diesem Falle bleiben natürlich die Trajectorien orthogonal. Eine solche Regelmässigkeit kommt auch hin und wieder, wenigstens ohne erkennbare Abweichungen, vor, so z. B. bei den Rissen mancher Stärkekörner, den Porenkanälen einseitig verdickter Membranen (vgl. Taf. II, Fig. 6 u. 7), stellenweise auch bei manchen Zellflächen und Zellkörpern (Markstrahlen u. dergl.). Viel häufiger jedoch sind kleine Störungen vorhanden, durch welche die rechten Winkel der Trajectorien um einige Grade verändert werden, und es wird nun unsere Aufgabe sein, das Zustandekommen und die Natur dieser Störungen für einzelne aus den Wachsthumsverhältnissen abgeleitete Voraussetzungen kennen zu lernen.

Eine der häufigsten Ursachen solcher Abweichungen liegt offenbar darin, dass das Wachsthum in tangentialer Richtung, wenn es für sich allein, d. h. gänzlich unbeeinflusst stattfände, eine geringere Intensität ergeben würde als das Wachsthum in radialer Richtung. Für die Rinde unserer Bäume ist die Annahme eines solchen Gegensatzes so zu sagen selbstverständlich, und Wachsthumsvorgänge, wie sie beispielsweise im Markstrahlenparenchym der Linde stattfinden, liefern hierfür besonders instructive Belege. Aber auch andere Zellkörper, wie die Wurzelhaube, der Centralstrang der Dicotylenwurzel bei beginnender Korkbildung innerhalb der Schutzscheide etc. lassen keinen Zweifel darüber, dass die radiale Dickenzunahme durch das active Wachsthumsbestreben der Zellen bedingt wird, während das Verhalten der peripherischen Zellen in der Wurzelhaube, zumal in der Nähe des Randes, ebenso dasjenige der Schutzscheide bei der Korkbildung dicotyler Wurzeln auf eine passive Dehnung, verbunden mit Wachsthum — man kann sagen auf ein passives Wachsthum — schliessen lassen. In gleicher Weise ist auch bei Zellmembranen, welche sich unter Verkleinerung des Lumens verdicken, nicht etwa eine active Contraction der innern Membranschichten, sondern ein passives Übereinanderschieben der Micellen in Folge des radialen Wachsthumsbestrebens anzunehmen.

In all' diesen Fällen verhalten sich die tangential verlaufenden Schichten oder Zellreihen wie elastische Bänder oder Streben, welche durch das radiale Wachsthum gespannt werden und nach Maassgabe dieser Spannung nicht bloss in radialer, sondern auch in seitlicher Richtung ihren Widerstand geltend machen. Denken wir uns z. B. eine ringförmige Schicht, welche auf der einen Seite stärker in die Dicke wächst als auf der andern (Taf. II, Fig. 5), so bezeichnen die orthogonalen Trajectorien *am*, *bn*, *cp* und *dq* die Verschiebungswege, wie sie ohne die in Rede stehenden Störungen beschrieben würden. Sind nun die Punkte *pq* und *mn* paarweise so gewählt, dass sie ursprünglich gleich weit von der Mediane (Symmetrieaxe) abstehen, so erfährt dieser Abstand durch das angenommene Dickenwachsthum in *pq* nur einen sehr kleinen Zuwachs, während die Punkte *m* und *n* fast auf das Dreifache ihrer ursprünglichen Entfernung auseinander rücken. Eine passiv gedachte Tangentialreihe, welche diese letztern Punkte mit einander verbindet, wird also sehr viel stärker gespannt als eine ebensolche Reihe zwischen *p* und *q*; sie wird sich also auch mit viel grösserer Kraft zu contrahiren bestrebt sein und vermöge dieses Übergewichtes die Punkte *m* und *n* in der Richtung der Pfeile verschieben. Dasselbe gilt von beliebigen andern Punkten, welche auf der Seite des stärkern Wachsthums liegen. Da nun die Hälften rechts und links von der Mediane symmetrisch sind, so ist der Gesammteffect dieser tangentialen Spannkräfte genau derselbe, wie wenn die Mediane am Orte des stärksten Wachsthums die peripherischen Enden der sämmtlichen Trajectorien näher an sich heranzöge; diese letztern erhalten in Folge dessen ungefähr die Richtung, welche in unserer Figur durch die punktirten Linien angedeutet ist.

Diese Richtungsänderungen modificiren begreiflicher Weise auch die Abstände der Trajectorien auf dem peripherischen Kreis, oder allgemein ausgedrückt: sie verändern die Breitenausdehnung der zwischen je zwei Trajectorien eingeschlossenen Flächen Diese letztern werden auf der Seite des stärksten Dickenwachsthums nothwendig schmäler, weil hier das Contractionsbestreben der Tangentialreihen am grössten ist, und zwar erreicht die Verschmälerung aus demselben Grunde ihr Maximum zwischen der Symmetrieaxe und der nächstliegenden Trajectorie. Auf der entgegengesetzten Seite dagegen werden die genannten Flächen in die Breite gezogen und zwar am stärksten in unmittelbarer Nähe der Symmetrieaxe, weil hier das Contractionsbestreben der Schichten am kleinsten ist. Nach den Seiten hin nimmt die Verbreiterung ab, um ganz allmälig in die Verschmälerung überzugehen; es muss sich also irgendwo gegen die Mitte zu ein neutraler Streifen befinden, der bei der Ablenkung der Trajectorien weder schmäler noch breiter wird.

Ebenso lässt sich durch eine einfache Betrachtung zeigen, dass der Abstand zwischen der orthogonalen Trajectorie und der entsprechenden abgelenkten vom Orte des stärksten Wachsthums nach beiden Seiten hin eine Zeit lang zunimmt, bis er das Maximum erreicht hat, um dann allmälig wieder abzunehmen. Denken wir uns nämlich, das Contractionsbestreben der gespannten Tangentialreihen äussere sich zunächst bloss am Orte des maximalen Wachsthums und zwar zwischen der Mediane und den zwei nächsten (rechts und links liegenden) Trajectorien, so werden diese letztern und mit ihnen das ganze System der Trajectorien um eine entsprechende lineare Grösse nach dieser Seite hin verschoben. Diese Verschiebung ist natürlich mit einer passiven Verlängerung des Kreisbogens verknüpft, welcher die bezeichneten Trajectorien mit dem Orte des geringsten Zuwachses verbindet, und die lineare Verschiebungsgrösse ist für jeden Punkt des Bogens, wenn wir den letztern widerstandslos gleiten lassen, dem Abstande von jenem Orte proportional. In gleicher Weise erfahren ja auch bestimmte Punkte auf einem Kautschukbande, das man sich am einen Ende befestigt, am andern gezogen denkt, in Folge der Dehnung eine um so grössere Ortsveränderung, je weiter sie vom Befestigungspunkte entfernt sind. Lassen wir nun nachträglich die bis dahin latent gedachten Contractionskräfte ebenfalls zur Wirkung kommen, so bedingen sie voraussichtlich auf der Seite des stärkern Wachsthums, wo sie einen viel höhern Grad erreichen, eine so bedeutende Annäherung der Trajectorien, dass die vorausgegangene kleine Dehnung mehr als aufgewogen wird, während allerdings auf der Seite des geringsten Zuwachses diese nämlichen Kräfte die daselbst vorhandene Zugspannung verstärken. Soweit sich nun die Trajectorien in Folge der Ablenkung näher rücken, summiren sich ihre respectiven Ortsveränderungen mit Rücksicht auf eine beliebige feste Axe und also auch mit Rücksicht auf ihre ursprüngliche Lage. Mit dem linearen Abstand, auf einem gegebenen Kreis gemessen, wächst aber auch die angulare Abweichung von der rechtwinkligen Schneidung. Demzufolge erreichen diese beiden Grössen in einer gewissen Entfernung von der Mediane ihr Maximum und nehmen von hier aus nach beiden Seiten hin ab.

Um diesen Verschiebungsprocess, wie er sich unter der Voraussetzung eines freien Gleitens der tangential gespannten Schichten vollziehen würde, experimentell zu veranschaulichen, befestige man in A (Taf. I, Fig. 7) ein Kautschukband oder eine Drahtspirale und hänge an den Punkten a, b, c ... f die beigesetzten Gewichte an, also 4 Gramm in a, 4 Gr. in b, 3 Gr. in c etc. oder nach Umständen Multipla dieser Grössen. Dann ist das spannende Gesammtgewicht für jedes Theilstück durch die Summe der darunter befindlichen Gewichte gegeben; diese Summe beträgt für das oberste Theilstück = 15 Gramm, für das nächstfolgende 11 Gr., für das dritte 7 Gr. und so fort, wie es die auf der linken Seite beigesetzten Ziffern angeben. Die Spannung nimmt also von oben nach unten ab und zwar unter den gegebenen Umständen ungefähr in demselben Verhältniss, wie bei ungleichmässigem Wachsthum ringförmiger Bildungszonen. Man notire sich nun die Lage der Theilpunkte auf dem gespannten Bande, halte sodann das untere Ende desselben unverrückbar fest und entferne hierauf sämmtliche Gewichte; dann findet sofort Ausgleichung der Spannungen statt, wobei die Punkte a, b ... e eine Verschiebung erfahren, welche derjenigen der Trajectorien auf dem peripherischen Kreise entspricht. Die gleichmässige Spannung, welche dadurch zu Stande kommt, entspricht natürlich dem arithmetischen Mittel der Einzelspannungen in den Theilstücken, beträgt also $\frac{1}{6}$ von $1 + 2 + 4 + 7 + 11 + 15 = \frac{40}{6} = 6\frac{2}{3}$. Demzufolge contrahirt sich das oberste Theilstück mit einem Überschuss von $15 - 6\frac{2}{3} = 8\frac{1}{3}$, ebenso die beiden folgenden mit den respectiven Kräften von $11 - 6\frac{2}{3} = 4\frac{1}{3}$ und $7 - 6\frac{2}{3} = \frac{1}{3}$. Die drei untern Theilstücke dagegen erfahren eine entsprechende Verlängerung, weil die in ihnen vorhandene Spannung weniger als $6\frac{2}{3}$ beträgt. Aus dieser Sachlage ergibt sich ohne Weiteres, dass das Maximum der Verschiebung nur wenig vom Punkte c absteht.

In Wirklichkeit kann nun aber von einem freien Gleiten der gespannten Schichten auf den darunter liegenden, wie wir es bis dahin vorausgesetzt haben, keine Rede sein; der überall vorhandene anatomische Zusammenhang verhindert dasselbe. Wir können diesen Zusammenhang gewissermaassen mit der Reibung vergleichen, welche unser Kautschukband zu überwinden hätte, wenn es um eine rauhe Walze gelegt und dann erst den localen Contractionskräften ausgesetzt würde. Wie hier ein am freien Ende des Bandes wirksamer Zug nicht leicht bis zum andern Ende sich fortpflanzt, weil der Reibungswiderstand die Kraft gleichsam absorbirt, so erstreckt sich auch in gespannten Schichten die Wirkung des vorhandenen Zuges nur auf einen Theil des Umfanges; der Rest bleibt unbeeinflusst. In Folge dessen fällt auch die Verschiebung der Trajectorien durchgehends geringer aus als in dem vorhin besprochenen theoretischen Falle, und das Verschiebungsmaximum rückt von der Mitte der symmetrischen Hälften hinweg und nähert sich dem Orte des stärksten Wachsthums. Behufs richtiger Abmessung der Winkelabstände darf überdies nicht übersehen werden, dass die neutrale Axe der Spannungen, welche in unserer Fig. 5 auf Taf. II mit der geometrischen Symmetrieaxe zusammenfällt, in Wirklichkeit mehr oder weniger davon abweicht, aus dem einfachen Grunde, weil die beiden Hälften eines excentrisch gebauten Organs keineswegs genau homogen sind, sondern sowohl in der Dehnbarkeit wie in der Festigkeit der einzelnen Theile differiren. Die beiden Hälften sind mit andern Worten ungleich stark. In Folge dessen wird die geometrische Halbirungslinie ebenfalls verschoben und zwar nach der stärkern Seite der gezogenen Schichten hin. Nach derselben Seite divergirt alsdann auch die Symmetrieaxe der Spannungen (d. h. die neutrale Linie, welche weder nach rechts noch nach links abgelenkt wird) von der geometrischen Mittellinie.

Die im Vorstehenden geschilderten Ablenkungen der Trajectorien nach dem Orte des stärksten Wachsthums hin lassen sich an den verschiedensten Objecten beobachten; sie charakterisiren nicht bloss den gewöhnlichen Verlauf der Markstrahlen in excentrisch gebauten Hölzern, wir begegnen ihnen auch in der Scheitelregion der Stämme und Wurzeln, bei letztern namentlich betreffs der anticlinen Wandrichtungen in der äussern Rinde (Taf. II, Fig. 11) und in den Kappen der Wurzelhaube, zuweilen ferner an den Orten localer Korkwucherungen oder analoger Zellbildungen, desgleichen in den Cystolithen von *Ficus* (vgl. die Abbildung der botanischen Wandtafeln von L. Kny), hin und wieder auch in den einseitig verdickten Zellmembranen mit Porenkanälen, selten und schwach ausgesprochen bei Stärkekörnern.

Die Tangentialspannungen, welche solche Ablenkungen bewirken, sind übrigens nicht etwa bloss an die Bedingung excentrischen Wachsthums geknüpft, sondern treten nothwendig auch dann auf, wenn bei allseitig gleicher Dickenzunahme die Krümmungen der wachsthumsfähigen Tangentialreihen (Periclinen) an verschiedenen Stellen des Umfangs ungleich sind. Ist z. B. der Querschnitt eines cylindrischen Zellkörpers von Anfang an elliptisch und das Axenverhältniss der wachsthumsfähigen Zone in einem bestimmten Zeitpunkt = 2 : 1, so ist der grösste Krümmungsradius, welcher den Endpunkten der kleinen Axe entspricht, 8 mal länger als der kleinste an den Enden der grossen Axe. Die Divergenz der orthogonalen Trajectorien ist nun aber nothwendig um so stärker, je kleiner die Krümmungsradien. Gleiche Dickenzunahme vorausgesetzt, erreicht daher auch die Tangentialspannung an den Enden der grossen Axe ihr Maximum, und da die Abnahme nach beiden Seiten hin symmetrisch stattfindet, so verhält sich diese Axe wie bei nichtconcentrischen Kreisen die Mediane: sie zieht die Trajectorien gleichsam näher an sich heran (Taf. II, Fig. 10, Querschnitt durch den innern Theil der Blattscheide oberhalb der Rhizomspitze von *Convallaria majalis*). Ist dagegen der Zuwachs an den Orten stärkster Krümmung in demselben Verhältniss geringer, als die Radien stärker divergiren — was allerdings eine allmälige Annäherung zur Kreisform bedingen würde —, so verschwindet die Ungleichheit der Tangentialspannungen und die Trajectorien behalten ihren orthogonalen Verlauf. Theoretisch betrachtet, lässt sich überhaupt für jedes Curvensystem eine solche Vertheilung der Radialkräfte und der hierdurch bewirkten Zuwachse denken, dass die vorhandenen Widerstände der Tangentialreihen zwar einen Druck nach innen ausüben, aber keine seitlichen Componenten liefern.

An einem gegebenen Object sind natürlich die fraglichen Spannungsverhältnisse nicht immer leicht zu übersehen, und es ist häufig genug unmöglich, sie aus der geometrischen Form der Schichtensysteme ohne Weiteres abzuleiten. Man denke z. B. an die mancherlei Unregelmässigkeiten, welche in der Rinde unserer Bäume schon durch ihre ungleiche Mächtigkeit an verschiedenen Punkten und durch die Anordnung der Bast- und Sklerenchymzellen, sowie ferner durch die im Frühjahr entstehenden Risse hervorgerufen werden. Man rechne hierzu die localen Widerstände, welche von kleinen, in der Schnittfläche oder deren Nähe befindlichen Ästen herrühren, dann das öftere Vorkommen mehrerer Maxima im nämlichen Jahrring und die nicht übereinstimmende Lage derselben in verschiedenen Jahrringen etc. Sind die Triebe jung, so kommen zu alledem noch die individuellen Abstufungen zwischen den grössern und kleinern Gefässbündeln, im Gegensatz zu der mehr homogenen Natur des Verdickungsringes älterer Stämme. Aber nicht bloss die dicotylen Hölzer, auch beliebige andere Zellkörper zeigen zuweilen ähnliche Unregelmässigkeiten. Ich erinnere nur an die Ungleichheiten in der Verdickung gespannter Membranen, an die physikalischen Verschiedenheiten der Membransubstanz u. dgl. Selbstverständlich lassen sich Complicationen wie die eben aufgezählten nur in concreten Fällen einigermaassen erklären; genauere Messungen sind meist auch hier unausführbar. Aber wie sich auch diese localen Änderungen der Elasticitätsverhältnisse gestalten mögen, sie erreichen nur selten und meist nur stellenweise einen solchen Grad, dass das im Vorhergehenden abgeleitete Schema der Störungen verwischt oder in sein Gegentheil umgewandelt würde. Es versteht sich übrigens von selbst, dass man bei Untersuchungen dieser Art Schichtencomplexe mit zahlreichen Störungen am besten von vorne herein ausschliesst und sich vorzugsweise an junge, etwa fünf- bis zehnjährige Äste von Linden, Ulmen etc. hält, welche nicht selten eine bewunderungswürdige Gesetzmässigkeit zeigen (vgl. Taf. II, Fig. 2, Querschnitt durch einen Lindenzweig).

Eine zweite Ursache der Ablenkung, die sich aber nur in Zellgeweben geltend machen kann, liegt im Vorhandensein von Druckdifferenzen (Turgescenzunterschieden) zwischen verschiedenen

Zonen oder Grenzflächen, — Differenzen, wie sie z. B. bei ungleicher Nahrungszufuhr, namentlich aber bei Verwundungen eintreten und dann während der Callusbildung eine Zeit lang erhalten bleiben. Die Trajectorien neigen sich in diesem Falle, sofern sie verschiebbar sind, nach der Seite des geringern Druckes, d. h. nach der Wundfläche oder der weniger turgescenten Seite hin, bis das alte Gleichgewicht wieder hergestellt ist. Aber schon frühzeitig macht sich gerade bei Überwallungen ein entgegengesetzter Einfluss geltend, den wir als weitere Ursache der Ablenkung bezeichnen können. Dieser Einfluss kommt dadurch zu Stande, dass die Rinde des Wundholzes durch die neuen Zuwachse und noch mehr durch das Vorrücken des Callusrandes stark gespannt wird und deshalb einen einseitigen Zug nach der gesunden Seite hin ausübt, wo ohnehin die Dickenzunahme eine beträchtlichere ist. Die Markstrahlen erscheinen demzufolge vom Callusrande hinweggebogen, zuweilen so stark, dass sie die Grenzlinie zwischen Holz und Rinde unter Winkeln von 60—70° schneiden. An der Stelle, wo die vor der Verwundung vorhandenen Xylemstrahlen nach aussen in die nach der Verwundung entstandenen Fortsetzungen übergehen, erscheinen dieselben deutlich gebrochen; ja in manchen Fällen ist die Schubwirkung in der Berührungszone so stark, dass die zunächst dem Callusrande befindlichen Markstrahlen nicht bloss gebrochen, sondern seitlich verschoben erscheinen, d. h. ein kleines Stück eines solchen Strahls durchsetzt die Berührungszone in tangentialer oder tangential-schiefer Richtung, um dann wieder in die mehr radiale überzugehen (Taf. II, Fig. 9, Querschnitt durch einen Zweig von *Cytisus Laburnum*).

Die Wirkungen der im Vorstehenden bezeichneten Zugkräfte, soweit sie durch Schiefstellung der Trajectorien sich kundgeben, erstrecken sich bei unsern Hölzern begreiflicher Weise zunächst auf den Verdickungsring, dessen Zellreihen am wenigsten Widerstand leisten. Es scheint mir indess aus einzelnen Thatsachen hervorzugehen, dass bisweilen auch der Splint bis auf eine gewisse Tiefe dem vorhandenen Zuge mehr oder weniger nachgibt, in dem Sinne, dass Ursachen, welche beispielsweise im Sommer 1880 zu wirken beginnen, auch den Holzring des Jahres 1879 um eine gewisse Grösse verschieben. Ich schliesse dies namentlich aus dem Verhalten der Markstrahlen in den Fällen, wo die Maxima des Zuwachses in zwei aufeinander folgenden Jahrringen c. 40—50°

gegen einander verschoben sind. Wäre der Splint unverrückbar, so müsste hier derjenige Xylemstrahl, welcher mit der Symmetrieaxe der Spannungen im ältern Jahrring zusammenfällt, in diesem selbst orthogonale Kreuzung, im nächst jüngern dagegen maximale Ablenkung zeigen und folglich in der Berührungslinie der beiden Jahrringe schwach gebrochen erscheinen. Das trifft nun zwar in den meisten Fällen zu, war aber doch an einzelnen der untersuchten Objecte nicht zu constatiren. Es bedarf indess weiterer Beobachtungen, um diese Frage definitiv zu entscheiden.

Endlich kommt in Zellgeweben eine scheinbare Abweichung von der rechtwinkligen Schneidung auch dann zu Stande, wenn die Wandungen der Zellen, welche die einzigen Spuren der durch Wachsthum bedingten Verschiebungen bilden, von Anfang an schief, statt senkrecht zur Schichtung gestellt sind. Ist z. B. *abcd* (Taf. II, Fig. 4) eine solche Zelle, so beschreiben die Punkte *c* und *d* während des peripherischen Wachsthums und der damit verbundenen Zelltheilungen die durch punktirte Linien angedeuteten Bahnen cc_5 und dd_5, während *a* und *b*, wie wir der Einfachheit wegen annehmen wollen, ihre Lage beibehalten. Die Wände *ac* und *bd* gehen also in die schiefen Linien über, welche nach den Punkten c_1d_1, c_2d_2, c_3d_3 etc. gezogen sind. Als Endergebniss erhalten wir die gebrochenen Linien ac_5 und ad_5, welche mit den eigentlichen Verschiebungsbahnen offenbar nicht coincidiren; man sieht indessen leicht ein, dass sie, in Graden ausgedrückt, um so weniger von denselben abweichen, je länger die zurückgelegten Wege. Damit ist zugleich gesagt, dass die beim Wachsthum sich bildenden Complexe anticliner Zellwände, auch wenn diese letztern ursprünglich beliebig orientirt sind, stets mehr oder weniger genau die Trajectorien bezeichnen, in welchen die kleinsten Theilchen allmälig weiter nach aussen rücken. Die Übereinstimmung wird so vollständig als möglich, wenn die anticlinen Wandrichtungen von Anfang an dem Verlaufe der Trajectorien entsprechen.

Es gibt nun freilich noch Störungen ganz anderer Art, welche unter Umständen die Richtung der Zellreihen total verändern, zugleich aber mit wirklichen Verschiebungen der Theilchen verbunden sind: ich meine die Ungleichheiten des spätern intercalaren Wachsthums in einer mit den Trajectorien sich kreuzenden Richtung. So verlaufen z. B. bei manchen exotischen Orchideen die Zellreihen der Wurzelhülle ursprünglich radial, auf dem medianen

Längsschnitt quer, im ausgewachsenen Zustande dagegen schieflongitudinal und zwar von der innern Grenze am basiscopen Ende nach der Aussenseite des acroscopen. Es mag indessen genügen, auf diese Verschiebungen, die den eigentlichen Kern unserer Frage nicht berühren, kurz hingewiesen zu haben.

4.

Nachdem ich im Vorhergehenden die verschiedenen Vorkommnisse, welche nach meiner Auffassung aus demselben mechanischen Hintergrunde heraus zur Erscheinung kommen, im Zusammenhange zu erläutern versucht habe, scheint es mir geboten, nachträglich diejenigen Punkte noch besonders zu beleuchten, in welchen meine Darstellung mit derjenigen von Sachs[1]) nicht übereinstimmt. Sachs erklärt sowohl die Richtung der Markstrahlen als der anticlinen Zellreihen in der Scheitelregion von Stämmen und Wurzeln aus der Art und Weise, wie beim Wachsthum durch Zellbildung die neuen Wände sich an die schon vorhandenen ansetzen. Als Regel wird hierbei die „rechtwinklige Schneidung" angenommen, die ja auch unzweifelhaft in vielen Fällen annähernd zutrifft. Der Verlauf der Markstrahlen und der anticlinen Reihen in Zellflächen und Zellkörpern fällt hiernach unter denselben Gesichtspunkt, wie die Wandrichtungen in Sporen, Eizellen, Pollenmutterzellen, Scheitelzellen etc. Überall ist es die rechtwinklige Schneidung, als Regel für die Wandbildung in der Zelle gedacht, welche den Verlauf der Trajectorien bestimmt. Mechanische Momente kommen dabei nicht in Betracht, denn die Vorgänge innerhalb der Zelle sind mechanisch unerklärt.

Nach meiner Auffassung dagegen bilden die Zelltheilungen eine Erscheinung für sich, die ich im Vorhergehenden nicht berührt habe, und die trajectorische Reihenbildung wird aller Orten von denselben mechanischen Principien beherrscht, welche die Richtung der Micellarreihen in Stärkekörnern und verdickten Zellmembranen etc. bedingen. Damit soll natürlich nicht in Abrede gestellt sein, dass der Parallelismus zwischen den später auftretenden Einzelwänden und den Trajectorien wesentlich zur Verdeutlichung des Bildes beiträgt; mit andern Worten: dieser Parallelis-

[1]) Arbeit. des bot. Instituts in Würzburg, II. Bd. S. 46 u. 185.

mus erhöht den Effect, auf den es hier ankommt, aber er ist nicht die Bedingung desselben.

Gerade die Markstrahlen, welche mit zu den deutlichsten und instructivsten Trajectorienbildungen gehören, liefern ein vortreffliches Beispiel für die Richtigkeit dieser Auffassung. Es sei *abcd* in der schon oben citirten Fig. 4 auf Taf. II eine Zelle des Markstrahlenmeristems, *ab* die Xylem-, *cd* die Rindenseite derselben. Die Seitenwände sind absichtlich beliebig schief angenommen. Dann rücken die Punkte *c* und *d*, wie wir gesehen haben, in Folge der Thätigkeit des Verdickungsringes auf den durch punktirte Linien bezeichneten Wegen nach aussen, und nur wenig verschieden davon ist die Richtung, in welcher die ursprünglichen Wände *ac* und *bd* in spätern Stadien verlängert erscheinen. Um diese Verlängerungen mit annähernder Genauigkeit zu construiren, hat man nur nöthig, die Formveränderungen unserer Meristemzelle für eine grössere Anzahl von Stufen anzugeben und auf jeder Stufe einen innern Theil der Zelle in den unveränderlichen Dauerzustand übergehen zu lassen (die Fortsetzung auf der Aussenseite mag der Vereinfachung wegen vernachlässigt werden). Und um die seitlichen Wände dieses fixirten Theils thatsächlich vor jeder Verschiebung zu schützen, kann man sich einen beliebigen Wandbildungsprocess in den Nachbarzellen oder im Markstrahl selbst hinzudenken, wie er in der Figur durch das rechtwinklige Gitterwerk veranschaulicht ist. Die neu auftretenden Zellwände haben also für unsere Betrachtung bloss den Zweck, die seitlichen Grenzlinien des Markstrahls in derjenigen Lage festzuhalten, in welcher der Übergang zum Dauergewebe stattgefunden; ihre Richtung ist völlig irrelevant. Betreffend die weitere Durchführung der Construction verweise ich auf die Figur, zu deren Erklärung ich bloss noch beifüge, dass die successiven Lagen der Wand *cd* mit c_1d_1, c_2d_2, c_3d_3... und die fixirten Zuwachse des Dauerzustandes der Reihe nach mit 1, 2, 3... bezeichnet sind, wobei übrigens die pericline Grenzlinie nach Form und Neigung beliebig gezogen werden kann. Das Übrige ist aus den gezeichneten Linien zu ersehen. Als resultirende Grenzwände des Markstrahls im Dauerzustande erhält man die gebrochenen Linien ac_5 und bd_5, welche das ganze System der Geraden nach innen begrenzen; für unendlich viele Stufen gehen dieselben in Curven über, welche den punktirten

Trajectorien cc_1 und dd_1 rasch näher rücken. Die Mitte des Markstrahls fällt genau mit der vorgezeichneten Trajectorie zusammen.

Es kann hiernach keinem Zweifel unterliegen, dass die Fortsetzung des Markstrahls nach aussen einzig und allein durch die radiale Verlängerung der gegebenen Meristemzelle und die damit verbundene fortschreitende Differenzirung auf ihrer Innenseite bedingt wird. Ob sich diese Zelle im Verlaufe des Wachsthumsprocesses irgendwie theilt oder in unserer Vorstellung etwa bloss nach Art der Diatomeen eine allmälig vorrückende wachsthumsfähige Zone besitzt, aus welcher nach innen der Dauerzustand hervorgeht, das hat auf die Richtung des resultirenden Markstrahls keinen Einfluss. Es kommt überhaupt nicht darauf an, ob das kleine Flächenelement *abcd* in Fig. 4 als Zelle oder Zellgruppe, oder als homogene Substanz gedacht wird, sondern bloss darauf, dass diesem Flächenelement das vorausgesetzte Wachsthumsbestreben zukommt, und dass die daraus hervorgehenden Dauerprodukte in derjenigen Lage fixirt bleiben, die sie während der Bildung eingenommen.

Dieselbe Betrachtungsweise lässt sich bei andauerndem Wachsthum in einer Richtung überall anwenden. Wächst z. B. eine beliebige Gewebezelle vorherrschend in der Längsrichtung, und sind die entstehenden Dauerproducte von gleicher Beschaffenheit und überdies von den benachbarten deutlich verschieden, so bilden sich nothwendig längsverlaufende Reihen oder Stränge. Man denke z. B. an die Entwicklung der porösen Gefässe, der Siebröhren, der gegliederten Milchsaftgefässe u. s. w., sowie überhaupt an die Längsreihen im Mark- und Rindenparenchym oder in beliebigen andern Geweben mit intercalarem Wachsthum. Und wenn das fragliche Gewebe zugleich eine quer gestellte Wachsthumszone besitzt oder überhaupt quer verlaufende Schichten unterscheiden lässt, so bilden natürlich die Längsreihen rechtwinklige Trajectorien zu diesen Schichten. Aus demselben Grunde ordnen sich die Korkzellen in Folge der radialen Streckung ihrer Mutterzellen in gleich gerichtete Reihen, welche die Schichten des Korkes, wo solche vorhanden sind, ungefähr rechtwinklig schneiden, und ähnliche Beispiele liefern auch die innern Rindenzellen vieler Wurzeln, die Meristemreihen von *Dracaena* etc. Dabei ist wohl zu beachten, dass in manchen hierher gehörigen Fällen sowohl die ursprünglichen wie die neu auftretenden Wände schief zur herrschenden

Wachsthumsrichtung gestellt sind, die Reihenbildung aber dessenungeachtet stets deutlich hervortritt.

5.

Zum Schlusse glaube ich einige der hierher gehörigen Fälle, insbesondere die auf Taf. II dargestellten mikroskopischen Objecte noch speciell besprechen zu sollen. In Fig. II der genannten Tafel ist die schematisirte Querschnittsansicht eines Lindenzweiges wiedergegeben, um den Verlauf der Markstrahlen in der peripherischen Jahresschicht zu veranschaulichen. Die Neigungswinkel sind nach einer mit der Camera aufgenommenen Originalskizze mit möglichster Genauigkeit, jedoch nur für eine bestimmte Anzahl von Punkten und unter Vernachlässigung etwaiger schwacher Krümmungen eingetragen. Die Symmetrieaxe der Spannungen trifft die Umrisslinie in *a*; sie fällt also annähernd (aber nicht genau) mit dem Orte des stärksten Wachsthums zusammen. Die Ablenkung der Markstrahlen von der orthogonalen Richtung nimmt nach beiden Seiten bis zu den mit *m* bezeichneten Punkten zu und jenseits dieser Punkte wieder ab, um in *b* und *c* auf Null herunterzusinken. Das Maximum der Ablenkung beträgt auf der linken Seite = 21° (die Neigung zur Umrisslinie also = 69°), auf der rechten Seite dagegen nur = 12° (Neigung zur Umrisslinie = 78°). Dergleichen Differenzen sind in der Natur etwas Gewöhnliches, wenn sie auch nicht immer diesen auffallenden Grad erreichen; sie haben ihren Grund darin, dass die Rindenhälften rechts und links von der Axe ungleiche Zugkräfte entwickeln, was gewöhnlich schon durch die ungleiche Mächtigkeit angedeutet ist. Auf den nächst innern Jahrring scheinen diese Verschiebungsvorgänge ohne Einfluss geblieben zu sein.

Ein erheblich complicirteres Beispiel abgelenkter Markstrahlen ist in Fig. 8 auf Taf. II abgebildet. Die Figur stellt einen Stammquerschnitt von *Passerina filiformis* dar. Die vier äussern Jahrringe sind mit den Ziffern *1*, *2*, *3*, *4* bezeichnet; in jedem Jahrring steht die zugehörige Ziffer in der Nähe der Symmetrieaxe. Die Ablenkungen der Markstrahlen innerhalb einer Jahresschicht sind normal; da jedoch die Maxima des Zuwachses nicht in denselben Radius fallen, sondern mehr oder weniger, für *2* und *3* beispielsweise um c. 90° gegen einander verschoben sind, so erscheinen die Markstrahlen an der Grenze der betreffenden Jahrringe gebrochen. Hiernach ist auch in diesem Falle die Richtung der Markstrahlen im einzelnen Jahrring nur abhängig von den Zugkräften, welche während seiner Entstehung wirksam waren; nachträgliche Verschiebungen lassen sich nicht constatiren.

Von Ablenkungen der Radialreihen bei elliptischer Form der Periclinen habe ich in Fig. 10 der nämlichen Tafel einen Querschnitt durch die jugendliche Blattscheide eines Rhizoms von *Convallaria majalis*, und zwar nur die Partie innerhalb des Gefässbündelringes, dargestellt. Die Figur soll nicht das eigentliche Zellnetz, sondern bloss die schiefwinklige Kreuzung der Reihen als Folge der stärkern Spannung in den Scheiteln der Ellipsen veranschaulichen. Man begegnet übrigens ganz analogen Abweichungen auch bezüglich des Markstrahlenverlaufes in Stammorganen mit elliptischem Querschnitt. Nur kommt es hier öfter vor, dass der Zuwachs in der Richtung der kleinen Axe viel stärker ist, so dass die elliptische Querschnittsform des jungen Zweiges schon frühzeitig in die kreisförmige übergeht. In diesem Falle besitzt häufig der stärkere Zuwachs das Übergewicht über die stärkere Krümmung und verschiebt dementsprechend die Trajectorien nach der kleinen Axe zu.

Endlich ist in Fig. 11 noch ein Gewebe mit nicht geschlossener Umrisslinie, nämlich der Wurzelkörper von *Triticum repens* (mit Weglassung der Wurzelhaube) dargestellt, um die Ablenkung der Radialwände in der Epidermis zu veranschaulichen. Die verdickte Aussenwand nimmt hier offenbar am Scheitelwachsthum nicht im gleichen Maasse activen Antheil, wie das übrige Gewebe; sie wird daher durch das Vorrücken des Urmeristems gespannt, und da sie nach unten zu stärker wird, so zieht sie die ursprünglich rechtwinkligen Wände nach rückwärts. Die Ablenkung erreicht ihr Maximum in *m*, wo sie c. 20° beträgt; von da an nimmt sie wieder ab und verschwindet allmälig. Dabei verdient noch der Umstand Beachtung, dass die intercalaren Wände, welche nachträglich in der Epidermis entstehen, den abgelenkten gewöhnlich parallel verlaufen, also schon im Moment der Entstehung schief gestellt sind.

Ähnliche Verschiebungen der Wandrichtungen und der trajectorischen Reihen durch den Zug gespannter Schichten kommen im Gewebe häufig vor. Die peripherischen Kappen der Wurzelhaube zeigen z. B. in vielen Fällen eine Annäherung der Anticlinen an die Mediane, ebenso die Zellreihen der Ovula etc. Das Vorhandensein eines tangentialen Zuges ist allerdings bei manchen hierher gehörigen Geweben nicht constatirt, weil bis jetzt Niemand darauf geachtet hat; für die peripherischen Schichten der Wurzelhaube jedoch ist daran nicht zu zweifeln.

Was nun noch die nichtzelligen Gebilde betrifft, deren kleinste Theilchen ebenfalls trajectorische Curven beschreiben, so habe ich in Fig. 6 der Taf. II zwei einseitig verdickte Zellmembranen aus der Schutzscheide des Rhizoms von *Triticum repens*, in Fig. 7 eine mechanische Zelle aus der Granne von *Arrhenatherum elatius* dargestellt. Die Porenkanäle dieser Zellwände schneiden die Schichten ziemlich genau rechtwinklig. Bei der Durchmusterung zahlreicher Fälle habe ich indess eine Ablenkung nach dem Orte des stärksten Zuwachses hin wiederholt beobachtet. Dagegen bemerke ich ausdrücklich, dass extrem schiefwinklige Kreuzungen, wie man sie hin und wieder in den zur Veranschaulichung der Porenkanäle bestimmten Abbildungen dargestellt findet[1]), in Wirklichkeit niemals vorkommen.

Bezüglich der Risse in Stärkekörnern verweise ich auf die Darstellungen Nägeli's. Wie bekannt, verlaufen dieselben ziemlich genau rechtwinklig zur Schichtung. Um solche Risse hervorzurufen, lässt man die Körner am besten einige Zeit in Alcohol liegen und bringt sie nachher in Wasser oder in verdünntes Glycerin. Quellungsmittel, welche eine Structuränderung bewirken, sind weniger günstig. Um durch perspectivische Ansichten nicht irre geführt zu werden, ist es rathsam, nur solche Spalten zu beobachten, welche unter dem Mikroskop genau senkrecht stehen und demgemäss beim Wechsel der Einstellung keine Verschiebungen zeigen. An solchen Profilansichten feiner Rissflächen habe ich entweder keine oder doch nur sehr geringe Ablenkungen von der rechtwinkligen Schneidung beobachtet.

---

[1]) Vgl. z. B. Weiss, Anatomie der Pflanzen S. 30 Fig. 38.

Erklärung der Tafeln.

Tafel I.

Fig. 1—6 u. 8: Verschiedene Curvensysteme und ihre Trajectorien.

Fig. 1. Cardioiden, welche um 180° gegen einander gedreht erscheinen.

Fig. 2. Curven, welche an die Wandrichtungen in der Wurzelhaube erinnern; die Kappen Neil'sche Parabeln, ihre Trajectorien gewöhnliche Parabeln.

Fig. 3. Nichtconcentrische Kreise, die sich von innen in einem Punkte berühren, die Centren sämmtlich auf der Ordinatenaxe. Ihre Trajectorien sind ebenfalls Kreise, die den Berührungspunkt mit jenen gemein haben, deren Centren aber auf der Abscissenaxe liegen.

Fig. 4. Nichtconcentrische Kreise, die sich nirgends berühren; die Centren auf der Abscissenaxe. Die Trajectorien hierzu sind ebenfalls Kreise, welche sämmtlich durch die Punkte i und i' gehen und deren Centren auf der Ordinatenaxe liegen.

Fig. 5. Ähnliche und ähnlich gelegene Ellipsen, deren Axen sich verhalten wie $1:\sqrt{2}$. Die Trajectorien sind gewöhnliche Parabeln.

Fig. 6. Lemniscaten von der Form ∞; ihre Trajectorien ebenfalls Lemniscaten, aber um 45° gegen jene gedreht.

Fig. 7. Elastisches Band zur Erläuterung der Spannungen und ihrer Ausgleichung in den Tangentialreihen.

Fig. 8. Gewöhnliche Parabeln, welche an die Kappen der Wurzelhaube erinnern; die Trajectorien sind Curven, welche der Gleichung $y = e^{-\frac{1}{p}(x+c)}$ entsprechen.

Tafel II.

Fig. 1. Nichtconfocale Lemniscaten von der Form der getrennten Ovale; die Trajectorien sind ebenfalls nichtconfocale Lemniscaten, die aber nur aus einem Zweige bestehen und um 45° gegen jene gedreht sind. Die zusammengehörigen Curvenstücke sind mit den nämlichen Ziffern bezeichnet.

Fig. 2. Schematisirter Querschnitt durch einen Lindenzweig, um die Richtung ddr Markstrahlen im peripherischen Jahrring zu veranschaulichen.

Fig. 3, A. System concentrischer Schichten, welche durch einseitig gefördertes Dickenwachsthum in das nichtconcentrische System B übergehen, wobei die radialen Reihen zu orthogonalen Trajectorien werden.

Fig. 4. Construction zur Erläuterung der Reihenbildung für den Fall, dass die ursprünglichen Wände ac und bd einer Meristemzelle schief gegen die orthogonal-trajectorische Richtung gestellt sind.

Fig. 5. Construction, um das Zustandekommen eines Zuges nach der Symmetrieaxe durch einseitig gefördertes Wachsthum zu erklären.

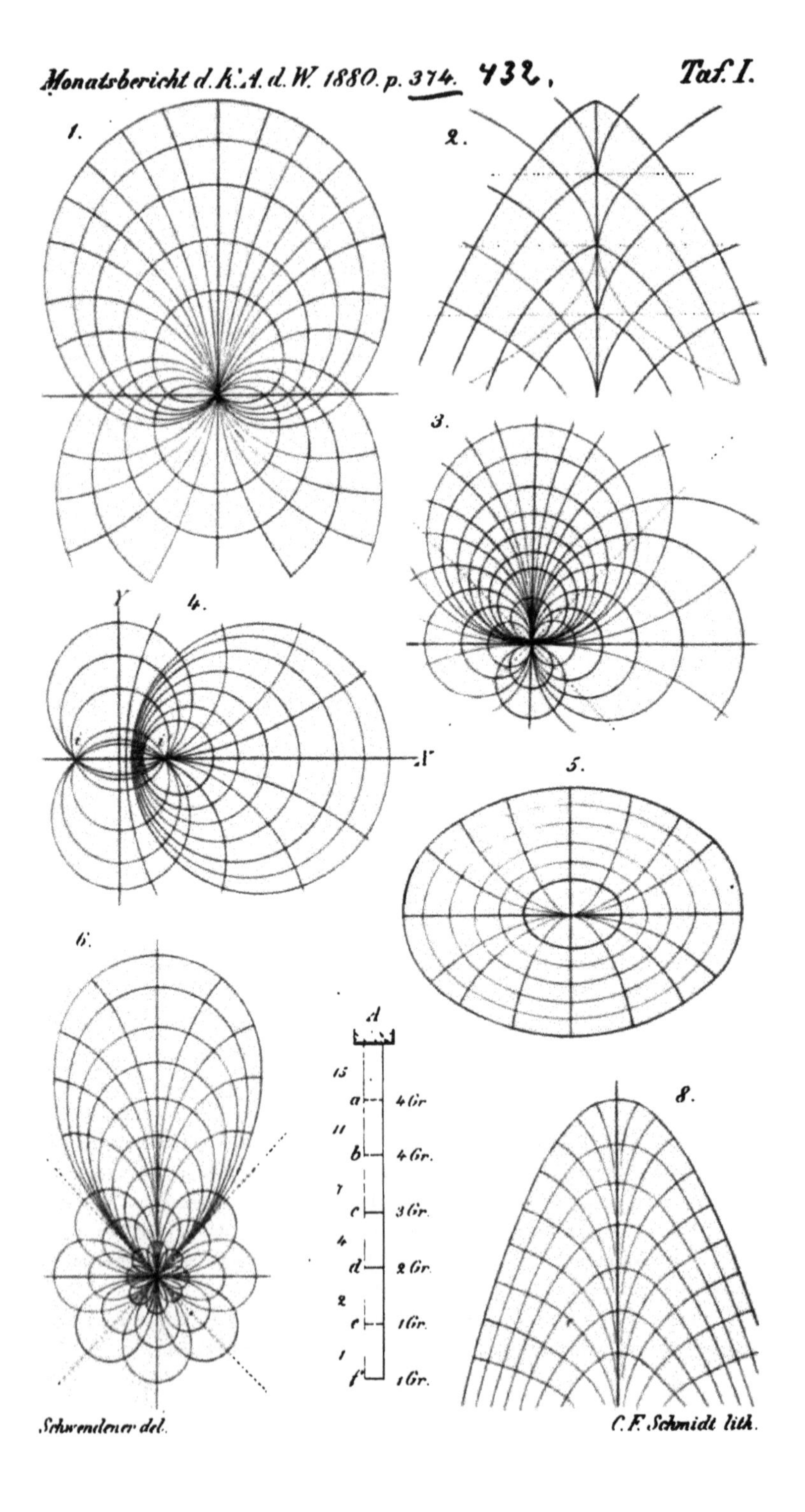
Monatsbericht d. K. A. d. W. 1880. p. 374.
Taf. I.
1.
2.
3.
4.
Y
X
5.
6.
8.
d
15
a
4 Gr.
11
b
4 Gr.
7
c
3 Gr.
4
d
2 Gr.
2
e
1 Gr.
1
f
1 Gr.
Schwendener del.
C. F. Schmidt lith.

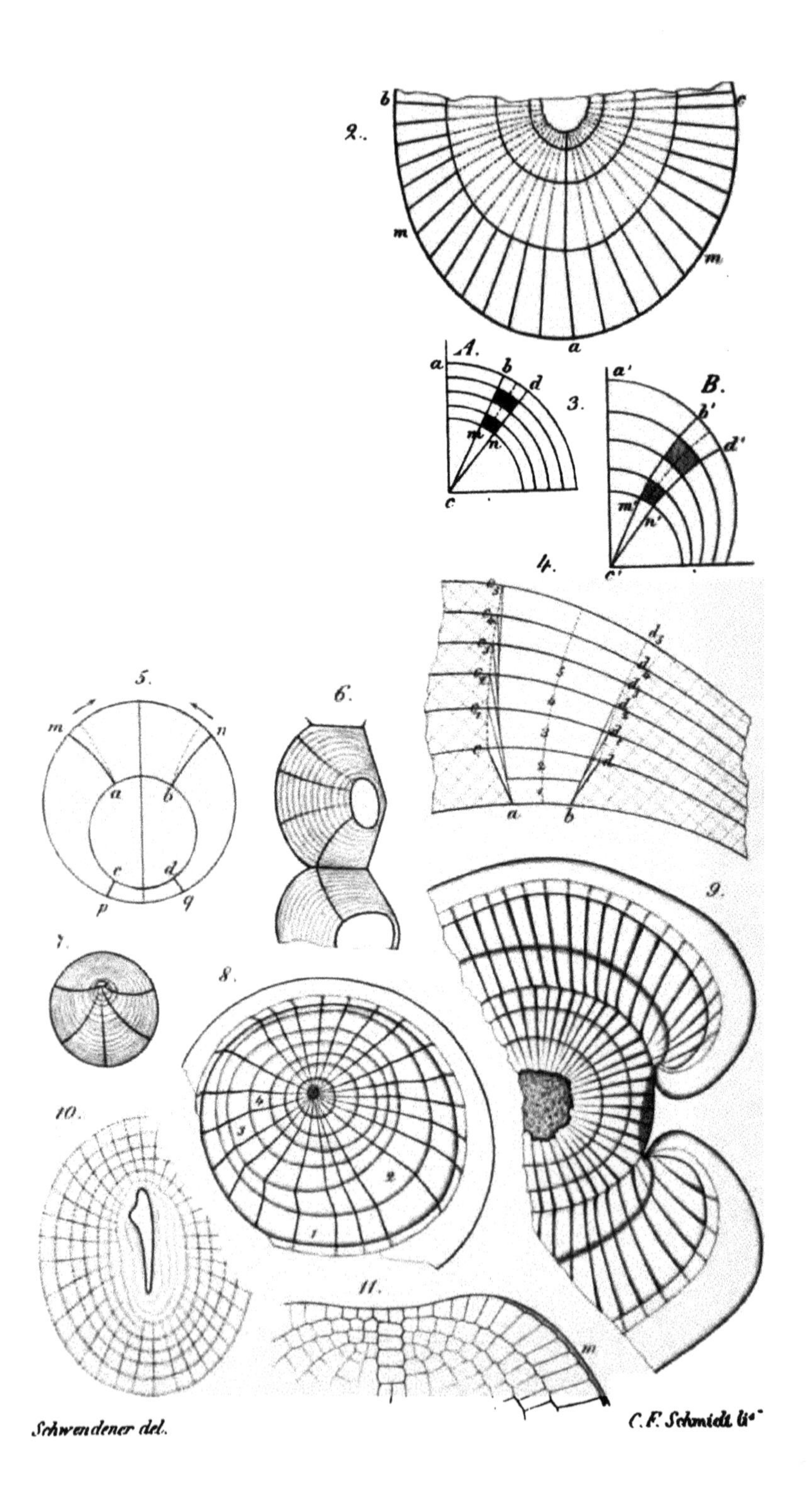

Schwendener del. C.F. Schmidt lit.

Fig. 6. Zellen mit einseitiger Wandverdickung aus dem Rhizom von *Triticum repens*. Die Porenkanäle bilden orthogonale Trajectorien.

Fig. 7. Eine ähnlich verdickte Zelle aus der Granne von *Arrhenatherum elatius*.

Fig. 8. Querschnitt durch den Stamm von *Passerina filiformis*. Da die Maxima des Zuwachses in den successiven Jahrringen nicht in den gleichen Radius fallen, so erscheinen die Markstrahlen an der Grenze gebrochen.

Fig. 9. Querschnitt durch den Stamm von *Cytisus Laburnum*. Zeigt das Verhalten der Markstrahlen bei Überwallungen.

Fig. 10. Querschnitt durch die Blattscheide oberhalb der Rhizomspitze von *Convallaria majalis*, innerer Theil. Die Figur veranschaulicht die Ablenkung der Anticlinen bei elliptischer Form der Periclinen.

Fig. 11. Medianer Längsschnitt durch den Wurzelkörper von *Triticum repens*. Zeigt die Ablenkung der radialen Wände in der Epidermis; Maximum der Ablenkung bei *m*.

Hr. Auwers legte folgende Mittheilung des Hrn. Professors H. C. Vogel in Potsdam vor.

Über eine einfache Methode zur Bestimmung der Brennpunkte und der Abweichungskreise eines Fernrohrobjectivs für Strahlen verschiedener Brechbarkeit.

Stellt man das Ocular eines auf einen Stern gerichteten astronomischen Fernrohrs so ein, dass der Stern ein möglichst kleines Bild zeigt, und bringt hinter dem Ocular einen Prismensatz mit gerader Durchsicht an, so wird das Sternbild in ein Spectrum ausgezogen, welches durchaus nicht linear ist, sondern in den meisten Fällen eine Figur zeigen wird, ähnlich der in Fig. 1 der Tafel dargestellten. Nur die intensivsten Theile des Spectrums sind nahezu in eine Linie zusammengedrängt, während das Spectrum sich besonders nach dem blauen Ende stark verbreitert. Die Ursache dieser Erscheinung liegt in dem unvollkommenen Achromatismus des Objectivs.

Bei der Einstellung des Oculars kommen nur die Strahlen, welche den stärksten Eindruck auf das Auge machen (Roth, Gelb und Grün) und welche bei einem gut achromatisirten Objectiv sich nahezu in einem Punkte vereinigen, in Betracht, dort vereinigen sich jedoch die blauen und violetten Strahlen nicht. Letztere werden in einer Ebene, senkrecht auf der optischen Axe des Fernrohrs in dem Vereinigungspunkte der intensivsten Strahlen gedacht, den Stern nicht punktartig, sondern als ein Scheibchen von um so grösserem Durchmesser darstellen, je weiter ihr Schnittpunkt von der erwähnten Ebene absteht. Der Durchmesser dieser Scheibchen, der sogenannten chromatischen Abweichungskreise, könnte nun aus der erwähnten Figur, welche das Spectrum zeigt, durch directe Messung mit Hülfe eines Mikrometers für jede Farbe gefunden werden, denn offenbar entspricht das Verhältniss der Breite des Spectrums in einer Farbe zu der Breite desselben in einer anderen Farbe dem Verhältniss der Durchmesser der Abweichungskreise für diese Farben. Viel leichter und sicherer erreicht man jedoch den Zweck, wenn man das Ocular mit dem daran befestigten Prismenkörper in der optischen Axe verschiebt. Bei der kleinsten Veränderung der Oculareinstellung ändert sich die Figur des Spectrums, man bemerkt eine Einschnürung, welche bei den meisten achromatischen Objectiven sich nach dem Violett verschieben wird, wenn man das Ocular weiter herausbewegt. Die Erscheinung erfolgt da, wo sich die betreffenden Strahlen in einem Punkte schneiden, man braucht daher nur die Verschiebung des Oculars mittelst einer am Auszugsrohr angebrachten Theilung zu messen, welche nöthig ist, um den Einschnürungspunkt im Spectrum von Blau nach Violett zu verlegen, um sofort die Entfernung der Vereinigungspunkte der blauen und violetten Strahlen und somit auch, durch eine leichte Rechnung, die Grösse der Abweichungskreise zu haben.

Wählt man zur Untersuchung einen hellen weissen Stern, so sieht man in dem verbreiterten Theile des Spectrums deutlich die breiten dunklen Wasserstofflinien, welche direct benutzt werden können, um für ganz bestimmte Stellen des Spectrums die Lage der Brennpunkte und die Grösse der Abweichungskreise zu finden.

Eine Darstellung der Erscheinung in dem hiesigen Refractor von 298^{mm} Öffnung von Schröder in Hamburg ist in den Figuren 1 bis 4 gegeben. Fig. 1 zeigt die Form des Spectrums, wenn das Ocular auf die intensivsten Strahlen des Spectrums (Gelb), Fig. 2, wenn dasselbe auf rothe Strahlen von der Wellenlänge H_α eingestellt ist. Es findet dann eine zweite Einschnürung im Blau zwischen den Wasserstofflinien H_β und H_γ statt, diese violetten Strahlen haben also mit H_α einen gemeinsamen Vereinigungspunkt. Fig. 3 giebt die Form des Spectrums, wenn auf den Vereinigungspunkt der äussersten rothen Strahlen eingestellt worden ist, die zweite Einschnürung im Violett ist in dem Falle mehr nach H_γ gerückt. Endlich ist Fig. 4 eine Darstellung des Spectrums, wenn auf den Vereinigungspunkt der Strahlen von der Wellenlänge H_γ eingestellt wurde.

Zum Vergleich sind noch die Figuren 1a und 3a hinzugefügt, welche die Erscheinung im Berliner Refractor von Fraunhofer darstellen. Man sieht daraus, wie die Methode geeignet ist, mit einem Blicke die Verschiedenheit in der Achromatisirung zweier Objective zu erkennen. Während Fraunhofer bemüht gewesen ist, die rothen, grünen und gelben Strahlen möglichst zu vereinigen, und auf die blauen und violetten Strahlen weniger Rücksicht genommen hat, hat Schröder die äussersten rothen Strahlen ausser Acht gelassen und vereinigt mehr die Strahlen mittlerer Brechbarkeit. Es dürfte diese Verschiedenheit wohl keine zufällige, sondern eine aus praktischen Gründen zu erklärende sein. Da die Fraunhofer'schen Objective alle mehr oder weniger grünlichgelb gefärbt sind, demnach das Blau und Violett nicht unerheblich absorbiren, machten sich diese Farben in den Bildern weniger störend bemerkbar. Bei den neueren, möglichst farblosen Glassorten, wie sie Schröder zu seinen Objectiven anwendet, war es geboten, den blauen Strahlen mehr Rechnung zu tragen und die Achromatisirung so vorzunehmen, dass ihr schädlicher Einfluss auf die Bilder geringer würde.

Dass die soeben erläuterte Methode zur Auffindung der Brennpunkte und Abweichungskreise für die verschiedenfarbigen Strahlen zunächst für den Optiker nicht ohne Nutzen sein dürfte, möchte ich schon daraus entnehmen, dass Dr. Schröder in Hamburg schon vor einigen Jahren das Bedürfniss gefühlt hat, die Abweichungskreise bei seinen Objectiven praktisch zu bestimmen, und zu dem Zwecke sich eines besonderen Apparats bedient. Derselbe besteht aus einem künstlichen Doppelstern, bei welchem die Farbe und die Entfernung der Componenten verändert werden kann. Der Apparat wird weit entfernt aufgestellt, und kann aus der Entfernung, welche man den beiden künstlichen Sternen bei verschiedenen Farben und derselben Oculareinstellung geben muss, um im Brennpunkt des Fernrohrs den Doppelstern getrennt zu sehen, die Grösse der

Abweichungskreise berechnet werden. Entschieden ist diese Methode, abgesehen von der Schwierigkeit, den beiden Sternen eine Farbe von bestimmter Wellenlänge zu geben, gegenüber der von mir angegebenen, umständlich und zeitraubend, erfordert auch einen besonderen Apparat, während ein kleiner, leicht zu beschaffender Prismensatz mit gerader Durchsicht vor dem Ocular angebracht, überall da ausreichen wird, wo es nicht auf die allerfeinsten Bestimmungen und Messungen ankommt. Soll jedoch auch das erreicht werden, so ist an Stelle des Oculars ein grösserer zusammengesetzter Spectralapparat zu setzen. Ist derselbe mit einer Vorrichtung zur Positionsbestimmung der Spectrallinien versehen, so kann man für jede beliebige Wellenlänge mit aller nur wünschenswerthen Schärfe die Lage der Brennpunkte und Abweichungskreise ganz in derselben Weise durch Benutzung des Spectroskops in der optischen Axe des Fernrohrs und Beobachtung der schmalsten Stelle des Spectrums ermitteln[1]).

Eine fernere Anwendung der beschriebenen Methode ergiebt sich in allen Fällen, in welchen ein Fernrohr ausser seiner gewöhnlichen Bestimmung zu anderen Zwecken z. B. zum Photographiren verwendet wird. Man braucht hier nur den Unterschied zwischen dem Vereinigungspunkt der Strahlen mittlerer Brechbarkeit und sodann derjenigen, welche besonders für das anzuwendende photographische Verfahren wirken (was bekanntlich bei verschiedenen photographischen Methoden sehr verschieden ist), zu ermitteln und ist so der mühevollen Aufsuchung des sogenannten chemischen Focus durch photographische Versuche überhoben.

Die grosse Wichtigkeit einer möglichst sorgfältigen Focaleinstellung bei feinen astronomischen Messungen ist bekannt. Es ist aber die Einstellung auf einen Stern bei etwas unruhiger Luft immer mit beträchtlicher Unsicherheit behaftet, sie ist ferner abhängig vom Accommodationsvermögen des Auges und ist um so unsicherer, je grösser das Accommodationsvermögen des Auges ist. Ferner ist es nicht gleichgültig, ob man einen rothen oder weissen Stern beobachtet, ja selbst bei verschiedener Durchsichtigkeit der Luft wird man auf ein und dasselbe Object etwas anders einstellen, da ein leichter

---

[1]) Das Spectroskop ist ohne Cylinderlinse anzuwenden. Man kann auch hier einen künstlichen, durch eine Lampe, zerstreutes Tageslicht oder elektrisches Licht erleuchteten Stern benutzen.

Wolkenschleier, der oft sehr günstig zu feinen Messungen ist, das Blau und Violett stark absorbirt, und man daher in einem solchen Falle geneigt sein wird, mehr den Vereinigungspunkt der weniger brechbaren Strahlen zu berücksichtigen. Es dürfte sich daher wohl zu feinen astronomischen Messungen die Einstellung mittelst eines kleines Ocularspectroskops empfehlen, da auf diese Weise, frei von den genannten Einflüssen, jederzeit sicher der Vereinigungspunkt einer ganz bestimmten Strahlengattung ermittelt werden kann. Praktisch würde man so verfahren, dass man das Ocular zunächst so scharf als möglich auf die Fäden einstellt, dann einen kleinen Prismensatz vor dem Ocular anbringt und das Fernrohr auf einen hellen, weissen Stern, der die breiten Wasserstofflinien zeigt, richtet. Durch Verschiebung des Auszugsrohrs am Ocularende des Fernrohrs verlegt man die Einschnürung im Spectrum etwa nach H_γ im Violett, entfernt den Prismensatz und bewegt den Ocularauszug um den constanten, aus vielen Versuchen ermittelten Unterschied zwischen dem Vereinigungspunkt der auf das Auge des Beobachters am stärksten wirkenden Lichtstrahlen und dem von H_γ.

Ich theile schliesslich noch einige Untersuchungen mit, welche ich an vier verschiedenen Fernröhren ausgeführt habe. Aus denselben wird der Grad der Genauigkeit ersichtlich sein, der sich bei der Bestimmung der Brennpunkte für Strahlen verschiedener Wellenlänge erreichen lässt. Die Untersuchungen an dem Schröder-schen und Grubb'schen Fernrohre des hiesigen Observatoriums sind mit einem grösseren, zusammengesetzten Spectralapparate, die am Fraunhofer'schen Refractor der Berliner Sternwarte und an einem kleineren Steinheil'schen Refractor hier, mit einem kleinen Ocularspectroskop, und zwar alle am Sirius ausgeführt.

Ich habe der Einfachheit wegen nicht erst die direct beobachteten Einstellungen am Auszugsrohr aufgeführt, sondern gleich die Unterschiede von der Einstellung auf die F-Linie angegeben, wobei ein negatives Vorzeichen eine Verkürzung des Focus, ein positives dagegen eine Verlängerung andeutet.

1. Fernrohr von Schröder. Objectivöffnung 298mm. Brennweite 5400mm.

Beob. am 13. März 1880.

Wellen-Länge Mill. Mm.	Differenz der Einstellungen in Mm. (Mittel aus 2 Einst.)	in Einh. d. mittl. Brennw.
680	+ 3.5	+0.00065
C 656	+ 2.4	+0.00044
591	— 0.5	—0.00009
D 589	0.0	0.00000
560	— 1.2	—0.00022
556	— 1.6	—0.00030
526	— 1.5	—0.00028
512	— 2.3	—0.00043
500	— 1.0	—0.00019
F 486	0	0
476	+ 2.1	+0.00039
452	+ 3.1	+0.00057
445	+ 5.9	+0.00109
Hγ 434	+ 8.2	+0.00152
Hδ 410	+17.0	+0.00315

Beob.
am 26. März.

Wellen-Länge Mill. Mm.	in Mm.	in Einh. d. mittl. Brennw.
680	+ 3.6	+0.00067
C 656	+ 2.4	+0.00044
610	+ 0.2	+0.00004
573	— 0.6	—0.00011
544	— 1.6	—0.00030
520	— 1.9	—0.00035
498	— 0.7	—0.00010
F 486	0	0
473	+ 2.0	+0.00037
F—Hγ 459	+ 3.2	+0.00059
445	+ 5.3	+0.00098
Hγ 434	+ 8.2	+0.00152
Hδ 410	+16.3	+0.00302

2. Fernrohr von Grubb. Objectivöffnung 207^{mm}. Brennweite 3160^{mm}.

Beob. am 26. März 1880.

Wellen-Länge Mill. Mm.	Differenz der Einstellungen in Mm. (Mittel aus 2 Einst.)	in Einh. d. mittl. Brennw.
680	+ 0.3	+0.00009
C 656	— 0.6	—0.00019
610	— 1.2	—0.00038
573	- 1.6	—0.00051
544	- 1.7	—0.00054
520	- 1.8	—0.00057
498	- 0.8	—0.00025
F 486	0	0
473	+ 1.2	+0.00038
F—Hγ 459	+ 2.3	+0.00073
445	+ 4.6	+0.00146
Hγ 434	+ 6.4	+0.00203
Hδ 410	+10.8	+0.00342

3. Fernrohr von Fraunhofer. Objectivöffnung 243^{mm}. Brennweite 4331^{mm}.

Beob. am 27. März 1880.

Wellen-Länge Mill. Mm.	Differenz der Einstellungen in Mm. (Mittel aus 2 Einst.)	in Einh. d. mittl. Brennw.
690:	— 0.8	—0.00019
C 656	— 1.3	—0.00030
D 590:	— 2.8	—0.00065
b 517:	— 1.2	—0.00028
F 486	0	0
F—Hγ 459	+ 1.8	+0.00042
Hγ 434	+ 4.0	+0.00092
Hδ 410	+ 8.5	+0.00196
Äuss.Viol. *H* 397:	+15.7	+0.00362

4. *Fernrohr von Steinheil.* Objectivöffnung 135^{mm}.
Brennweite 2160^{mm}.

Beob. am 26. März 1880.

Wellen-Länge Mill. Mm.	Differenz der Einstellungen in Mm. (Mittel aus 2 Einst.)	in Einh. d. mittl. Brennw.
690:	0.0	0.00000
C 656	—0.5	—0.00024
D 590:	—1.1	—0.00052
b 517:	—0.9	—0.00042
F 486	0	0
F — *H*γ 459	+1.2	+0.00056
*H*γ 434	+3.0	+0.00139
*H*δ 410	+6.8	+0.00315

Die Beobachtungen an den drei ersten Fernröhren sind graphisch auf nebenstehender Tafel dargestellt worden. Die Abweichungen der Beobachtungen von den wahrscheinlichsten Curven beträgt bei dem Schröder'schen Refractor, wo am meisten Beobachtungen vorliegen, im Durchschnitt 0.00005 der Brennweite d. i. 0.27^{mm}. Es zeigt die graphische Darstellung deutlich die Verschiedenheit in der Achromatisirung der drei Fernröhre von Schröder, Grubb und Fraunhofer, das Steinheil'sche Objectiv liegt in Bezug auf seine Achromatisirung zwischen denen von Grubb und von Fraunhofer.

Ich stelle hier noch für die 4 Fernröhre die Radien der chromatischen Abweichungskreise für die wichtigsten Fraunhofer-schen Linien in der Ebene, in welcher sich die Strahlen von der W. L. 589 = *D* schneiden, zusammen. Sie sind verhältnissmässig am grössten beim Grubb'schen Fernrohr, bei welchem das Verhältniss zwischen Objectivöffnung und Brennweite auch am kleinsten, nämlich $\frac{1}{13}$ ist; bei dem Steinheil'schen Fernrohr ist dieses Verhältniss $\frac{1}{16}$, bei den Fernröhren von Fraunhofer und Schröder $\frac{1}{18}$.

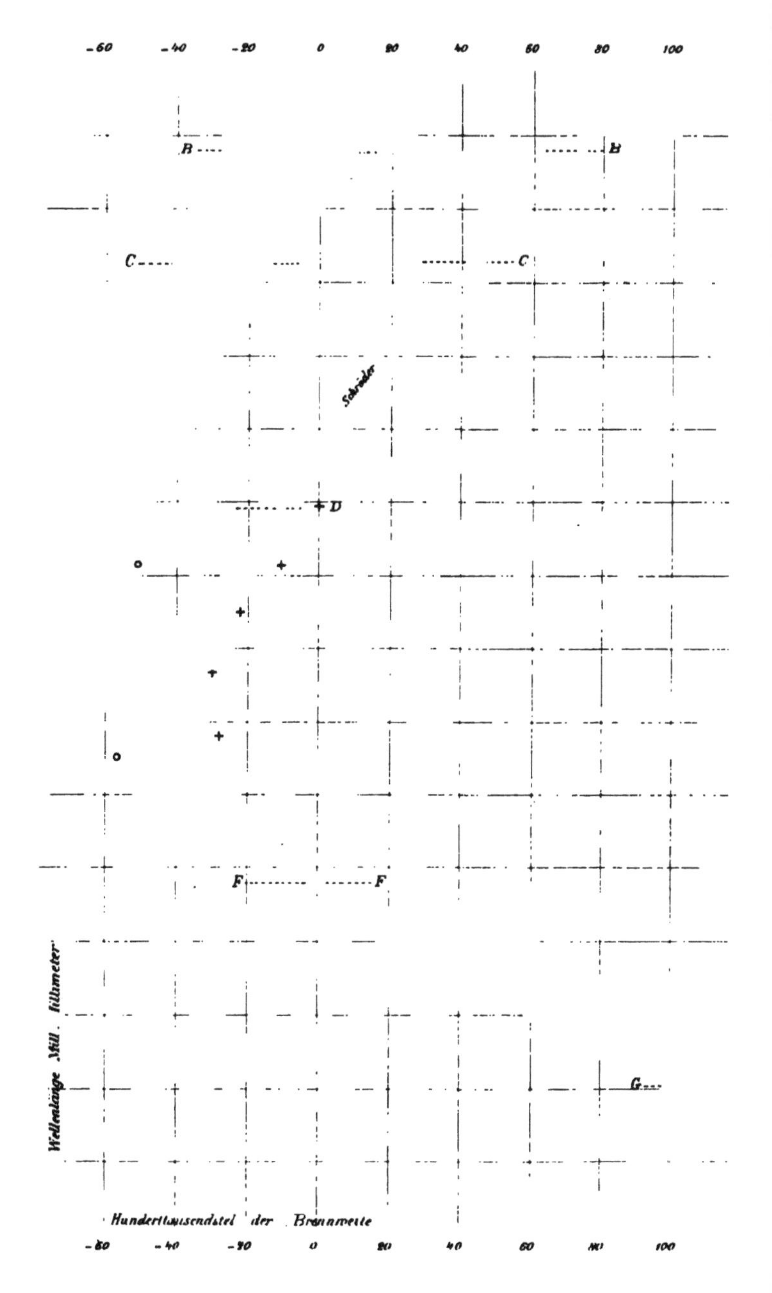
-60
-40
-20
0
20
40
60
80
100
B
C
D
F
G
Schröder
Wellenlänge Mill. Millimeter
Hunderttausendstel der Brennweite

H C Vogel del

Spectrum eines weissen Sterns bei verschiedener Oculareinstellung

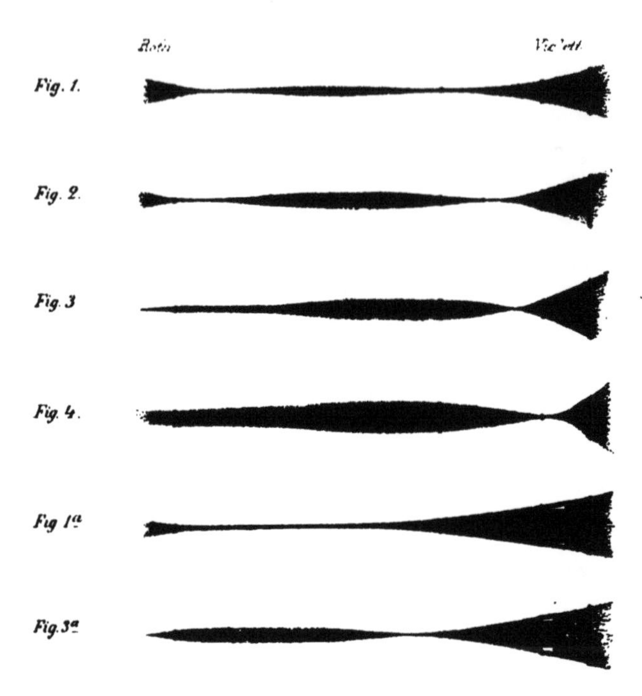

180 200 220 240 260 280 300 320 340 360

Lith v Alb Schütze, Berlin

Radien der chromatischen Abweichungskreise für die hauptsächlichsten Fraunhofer'schen Linien.

a) In Einheiten der Brennweite:

	Schröder	Fraunhofer	Grubb	Steinheil
B	0.000023	0.000013	0.000019	0.000016
C	015	007	012	009
D	000	000	000	000
b	006	012	001	003
F	008	018	016	016
G	048	048	085	060
h	088	073	128	115

b) In Millimetern:

	Schröder	Fraunhofer	Grubb	Steinheil
B	0.125	0.058	0.060	0.035
C	.081	.032	.037	.019
D	.000	.000	.000	.000
b	.033	.051	.003	.007
F	.015	.079	.052	.035
G	.262	.207	.269	.129
h	.474	.318	.406	.248

Verzeichniss der im Monat April 1880 eingegangenen Schriften.

Leopoldina. Amtliches Organ der kaiserl. Leop.-Carol. deutschen Akademie der Naturforscher. Heft XVI. N. 5. 6. Halle 1880. 4.

Abhandlungen der K. Gesellschaft der Wissenschaften zu Göttingen. Bd. XXV vom Jahre 1879. Göttingen 1879. 4.

Nachrichten von der K. Gesellschaft der Wissenschaften und der G. A. Universität zu Göttingen. 1880. Nr. 1—5. Göttingen. 8.

Sitzungsberichte der mathematisch-physikalischen Classe der k. b. Akademie der Wissenschaften zu München. 1880. Heft 1. München 1880. 8.

Berichte der Deutschen Chemischen Gesellschaft. Jahrg. XIII. N. 5. 6. 7. Berlin 1880. 8.

Bericht der Wetterauischen Gesellschaft für die gesammte Naturkunde zu Hanau über den Zeitabschnitt vom 14. October 1863 bis 31. Dec. 1867. — über den Zeitraum vom 1. Januar 1868 bis 31. Dec. 1873. — über den Zeitraum vom 13. December 1873 bis 25. Januar 1879. Hanau 1868. 1874. 1879. 8.

Zeitschrift für das Berg-, Hütten- und Salinen-Wesen im Preussischen Staate. Bd. XXVIII. Heft 2. Mit Atlas. Bd. XXVIII. Tafel VI—XV. Berlin 1880. fol. 4.

Zeitschrift für die gesammten Naturwissenschaften. Originalabhandlungen und Berichte. 3. Folge 1879. Bd. IV (der ganzen Reihe LII. Bd.). Berlin 1879. 8.

Elektrotechnische Zeitschrift. Herausgegeben vom Elektrotechnischen Verein. Jahrg. I. 1880. Heft 1. 2. 3. 4. Jan.—April. Berlin 1880. 8.

Ergebnisse der Beobachtungsstationen an den Deutschen Küsten über die physikalischen Eigenschaften der Ostsee und Nordsee und die Fischerei. Jahrg. 1879. Heft X. October. Berlin 1880. 4.

Hedwigia. Ein Notizblatt für kryptogamische Studien. Bd. 18. Dresden 1879. 8.

Mittheilungen der Deutschen Gesellschaft für Natur- und Völkerkunde Ostasiens. Februar 1880. Berlin. 4.

Die antiken Terracotten. Im Auftrage des archäologischen Instituts des Deutschen Reichs herausgegeben von R. Kekulé. — Bd. I. *Die Terracotten von Pompeji. Bearbeitet von H. von Rohden. Nach Zeichnungen von L. Otto.* Stuttgart 1880. fol.

Syrisch-Römisches Rechtsbuch aus dem fünften Jahrhundert. Herausgegeben von Dr. K. G. Bruns und Dr. E. Sachau. Leipzig 1880. 4. 2 Ex.

Symbolae Joachimicae. — Festschrift des K. Joachimsthalschen Gymnasiums. Aus Anlass der Verlegung der Anstalt veröffentlicht von dem Lehrer-Collegium des K. Joach. Gymnasiums. Th. 1. Berlin 1880. 8.

Die Neuaufstellung des Herzogl. naturhistorischen Museums zu Braunschweig. Erläutert von Prof. Dr. W. Blasius. Braunschweig 1879. 8.

W. Blasius, *Öffentliche Anstalten für Naturgeschichte und Alterthumskunde in Holland und dem nordwestlichen Theile von Deutschland.* Braunschweig 1880. 8.

E. Ulrici, *Die Ansiedlungen der Normanen in Island, Grönland und Nord-Amerika im 9., 10. u. 11. Jahrh.* Sep.-Abdr. 8.

R. Clausius, *Über das Verhalten der Kohlensäure in Bezug auf Druck, Volumen und Temperatur.* 1880. 8. Sep.-Abdr.

A. v. Reumont, *König Gustav III. von Schweden in Aachen in den Jahren 1780 und 1791.* Aachen 1880. 8. Sep.-Abdr.

C. Bruhns, *Neue Bestimmung der Längendifferenz zwischen der Sternwarte Leipzig und der neuen Sternwarte auf der Türkenschanze in Wien.* Leipzig 1880. 8. Sep.-Abdr.

— —, *Resultate aus den meteorologischen Beobachtungen angestellt an den K. Sächs. Stationen in den Jahren 1874 und 1875.* Jahrg. 11. 12. Dresden und Leipzig 1880. 4.

— —, *Bericht über das Meteorologische Büreau für Wetterprognosen im Königreich Sachsen für das Jahr 1879.* Leipzig 1880. 8.

J. E. Weiss, *Anatomie und Physiologie fleischig verdickter Wurzeln.* Regensburg 1880. 8.

R. Lange, *Das Taketori Monogatari oder das Mädchen aus dem Monde.* Aus dem Japanischen. Yokohama 1879. 8. Extr.

Sitzungsberichte der math.-naturw. Classe der K. Akademie der Wissenschaften in Wien. Jahrg. 1880. N. VI. X. Wien. 8.

Verhandlungen der k. k. zoologisch-botanischen Gesellschaft in Wien. Jahrg. 1879. Bd. XXIX. Wien 1880. 8.

Schriften des Vereines zur Verbreitung naturwissenschaftlicher Kenntnisse in Wien. Bd. XX. Jahrg. 1878/79. Wien 1880. 8.

Verhandlungen des naturforschenden Vereines in Brünn. Bd. XVII. 1878. Brünn 1879. 8.

Öffentliche Vorlesungen an der K. K. Universität zu Wien im Winter-Semester 1880. Wien 1880. 4.

Österreichisch-Ungarische Kunst-Chronik. Bd. 3. N. 10. Wien 1880. 4.

H. Kábdebo, *Hand-Lexikon österreichischer Künstler und Kunstverwandten.* Lief. 1. Wien 1880. 8.

Erdélyi Muzeum. Sz. 3. Évtolyam VII. 1880. Budapest. 8.

Viestnik hrvatskoga arkeologičkoga Družtva. Godina II. Br. 2. Zagrebu 1880. 8.

Transactions of the Royal Society of Edinburgh. Vol. XXVIII. P. 3. For the Session 1877—78. Vol. XXIX. P. 1. For the Session 1878—79. Edinburgh 1879. 1880. 4.

Proceedings of the Royal Society of Edinburgh. Session 1878—79. Vol. X. Edinburgh. 8.

Memoirs of the R. Astronomical Society. Vol. XLIV, 1877—79. London 1879. 4.

Monthly Notices of the R. Astronomical Society. Vol. XL. N. 4. February 1880. N. 5. March 1880. London. 8.

Proceedings of the London Mathematical Society. N. 153. 154. 155. 8.

Journal of the Chemical Society. N. CCIX. April 1880. London. 8.

The Quarterly Journal of the Geological Society. Vol. XXXV. P. 1. N. 141. February 1880. London. 8.

Proceedings of the R. Geographical Society. Vol. XIX. N. 3. 1875. Vol. XXI. N. 1. 1877. London. 8.

Proceedings of the R. Geographical Society and Monthly Record of Geography. New Monthly Series. Vol. I. N. 1. 2. London 1879. 8. Vol. II. N. 4. April 1880. London 1880. 8.

Journal of the R. Microscopical Society. Vol. III. N. 2. April 1880. London. 8.

The Numismatic Chronicle. 1879. P. IV. New Series. N. LXXVI. London. 8.

Catalogue of Oriental Coins in the British Museum. Vol. IV. London 1879. 8.

Illustrations of typical specimens of Coleoptera in the Collection of the British Museum. P. I. *Lycidae by Ch. O. Waterhouse.* London 1879. 8. P. III. *By Arthur Gardiner Butler.* London 1879. 4.

Astronomical and Magnetical and Meteorological Observations made at the R. Observatory, Greenwich, in the year 1877. Under the Direction of Sir George Biddell Airy. London 1879. 4.

J. Glaisher, *Factor Table for the fourth Million, containing the least factor of every number not divisible by 2, 3, or 5 between 3000000 and 4000000.* London 1879. 4.

— —, *Various papers and notes that have appeared in the Quarterly Journal of Mathematics and the Messenger of Mathematics during the year 1879.* Cambridge 1880. 8.

— —, *5 Extr. aus den Proceedings of the Royal Society, aus dem Report of the British Association for the advancement of Science, und aus den Proceedings of the Cambridge Philos. Society.* 8.

Proceedings of the Asiatic Society of Bengal. N. VII. July 1879. Calcutta 1879. 8.

Journal of the Asiatic Society of Bengal. New Series. Vol. XLVIII. N. 1. 2. Calcutta 1879. 8.

Bibliotheca Indica. New Series. N. 323. 324. 326. 327. Calcutta, Benares 1879. 8.

A. C. Burnell, *A classified index to the Sanskrit Mss. in the Palace at Tanjore.* P. I. *Vedic and technical literature.* Madras 1879. 4. P. II. *Philosophy and law.* Madras 1879. 4.

Memoirs of the Geological Survey of India. Vol. XVI. P. I. Calcutta 1879. 8.

Records of the Geological Survey of India. Vol. XII. P. 2. 3. Calcutta 1879. 8.

Palaeontologia Indica. The fossil Flora of the upper Gondwanas. Ser. II. — Ser. III. P. I. *Salt-Range Fossils by W. Waagen.* Calcutta 1879. 4.

Descriptions of New Indian Lepidopterous Insects from the collection of the late Mr. W. S. Atkinson. Calcutta 1879. 4.

E. J. Stone, *Results of Astronomical Observations made at the Royal Observatory, Cape of Good Hope, during the year 1876.* Cape Town 1879. 8.

J. von Haast, *Geology of the Provinces of Canterbury and Westland, New Zealand.* Christchurch 1879. 8.

Comptes rendus hebdomadaires des séances de l'Académie des Sciences de l'Institut de France. 1880. Semestre I. T. XC. N. 10. 11. 12. 13. 14. 15. Paris 1880. 4.

Bulletin de l'Académie de Médecine. N. 11. 12. 13. 1880. Paris. 8.

Bulletin de la Société zoologique de France. Pour l'année 1876. 1877. 1878. Part. 1—6. 1879. Part. 1—4. Paris 1876—79. 8.

Bulletin de la Société de Géographie. Janvier Février 1879. Paris 1880. 8.

Bulletin de la Société mathématique de France. T. VIII. N. 1. 2. Paris 1880. 8.

Annales des Ponts et Chaussées. Mémoires et Documents. Série V. Année X. Cah. 3. 4. 1880. Mars Avril. Paris. 8.

Société académique indo-chinoise de Paris. — Actes. Compte rendu des Séances. Année 1877, dernier trimestre. Année 1878. Année 1879, 1er. Semestre. T. I. P. I. Paris 1879. 8.

Mémoires de la Société des sciences physiques et naturelles de Bordeaux. Sér. II. T. III. Cah. 3. Bordeaux 1880. 8.

Bulletin de la Société de Géographie commerciale de Bordeaux. Sér. 2. Année 3. N. 7. 8. Bordeaux 1880. 8.

Mémoires de la Société d'émulation du Doubs. Série V. Vol. III. 1878. Besançon 1879. 8.

La Médecine contemporaine. Année 21. N. 5. 1880. Paris. 8.

Revue scientifique de la France et de l'étranger. N. 38. 39. 40. 41. 42. 43 Paris 1880. 4.

Polybiblion. Revue bibliogr. univ. Part. litt. Sér. II. T. XI. Livr. 3. *Part. techn.* Sér. II. T. VI. Livr. 3. 4. Paris 1880. 8.

M. L. Gaussin, *Lois concernant la distribution des astres du système solaire.* Paris 1880. 4.

Atti della R. Accademia dei Lincei. Anno CCLXXIII. 1875—76. Serie 2. Vol. III. Parte 3. *Memorie della classe di scienze morali, storiche e filologiche.* Roma 1876. 4.

——— Anno CCLXXVI. 1878—79. Serie 3. *Memorie della Classe di scienze fisiche, matem. e naturali.* Vol. III. IV. Roma 1879. 4.

——— ——— *Memorie della Classe di scienze morali, storiche e filologiche.* Vol. III. Roma 1879. 4.

——— *Transunti* Fasc. 3. Febbr. 1880. Fasc. 4. Marzo 1880. Vol. IV. Roma 1880. 4.

Atti dell' Accademia Pontificia de' Nuovi Lincei. Anno XXXII (1879). Sess. IV. V. VI. VII. Roma 1879. 4.

——— Anno XXIII (1880). Sess. III. IV. Roma. 8.

Atti della Società Toscana di Scienze naturali. — Processi verbali. Marzo 1880. 8.

Bullettino della Società Veneto-Trentina di Scienze naturali. Anno 1880. Marzo. N. 3. Padova 1880. 8.

Bullettino di Archeologia cristiana del Commendatore G. B. de Rossi. — Serie III. Anno IV. Roma 1879. 8.

B. Boncompagno, *Bullettino di bibliografia e di storia delle scienze matematiche e fisiche.* T. XII. Nov. 1879. Roma 1879. 4.

P. Riccardi, *Biblioteca matematica italiana.* P. II. Volumine unico. Fasc. II. Modena 1880. 8.

Monumento ad Antonio Rosmini eretto in Roverto sua patria e scoperto a 6 di Luglio 1879. Roverto 1879. 8.

A. de Gasparis, *Sulla variazione degli elementi ellittici nelle orbite planetarie.* 1879. 4. Extr.

G. Lumbroso, *Descrittori italiani dell' Egitto e di Alessandria.* (*R. Accad. dei Lincei. — Memorie della Classe di scienze morali.* Ser. III. Vol. VIII.) Roma 1879. 4.

A. de Zigno, *Flora fossilis formationis oolithicae.* Vol. I. II. Puntata 1. Padova 1856—1868. 4.

— — —, *Annotazioni paleontologiche.* Venezia 1870. 4.

— — —, *Catalogo ragionato dei Pesci fossili.* Venezia 1874. 8.

— — —, *Annotazioni paleontologiche. Sirenii fossili trovati nel Veneto.* Venezia 1875. 4. Extr.

— — —, *Annotazioni paleontologiche. Sopra i resti di uno squalodonte scoperti nell' Arenaria miocena del Bellunese.* Venezia 1876. 4. Extr.

— — —, *Sulla distribuzione geologica e geografica delle Conifere fossili.* Venezia 1878. 8.

— — —, *Sopra un nuovo Sirenio fossile scoperto nelle colline di Brà in Piemonte.* Roma 1878. 4.

— — —, *Annotazioni paleontologiche. Aggiunte alla ittiologia dell' epoca eocena.* Venezia 1878. 4. Extr.

— — —, *Annotazioni paleontologiche. Sulla Lithiotis problematica di Gümbel.* Venezia 1879. 4. Extr.

Bulletin de l'Académie Imp. des Sciences de St. Pétersbourg. T. XXVI. (Feuilles 1—8.) St. Pétersbourg 1880. 4.

H. Wild, *Annalen des physikalischen Central-Observatoriums.* Jahrg. 1878. Theil I. II. St. Petersburg 1879. 4.

Upsala Universitets Fyrahundraårs Jubelfest September 1877. Stockholm 1879. 8.

Verhandelingen der Koninklijke Akademie van Wetenschappen. — Afdeeling Natuurkunde. Deel XIX. *Afdeeling Letterkunde.* Deel XII. Amsterdam 1879. 4.

Verslagen en Mededeelingen der K. Akademie van Wetenschappen. — Afdeeling Natuurkunde. 2e. Reeks. Deel 14. *Afdeeling Letterkunde.* 2e. Reeks. Deel 8. Amsterdam 1879. 8.

Jaarboek van de K. Akademie van Wetenschappen gevestigd te Amsterdam voor 1878. Amsterdam. 8.

Processen-Verbaal van de gewone Vergaderingen der K. Akademie van Wetenschappen. — Afdeeling Natuurkunde van Mei 1878 tot en Met April 1879. Nr. 1—9. Amsterdam.

Virginis Maturioris Querelae. Elegia Esseiva Praemio Aureo ornata. Amstelodami 1879. 8.

Bulletin de l'Académie R. des Sciences de Belgique. 49. Année. 2. Série. T. 49. N. 2. Bruxelles 1880. 8.

Annuaire de l'Académie R. des Sciences de Belgique. 1880. Année 46. Bruxelles 1880. 8.

A. Preudhomme de Borre, *Note sur le genre Macroderes Westwood.* Bruxelles 1880. 8. Extr.

J. Z. F. Vauthier, *Étude sur le Maïs (Zea Maïs) Acide maizénique.* Bruxelles 1880. 8. 2 Ex.

M. Ch. Montigny, *8 Extraits des Bulletins de l'Académie R. de Belgique.* 8.

C. Malaise, *Description de gites fossilifères devoniens et d'affleurements du terrain crétacé.* Bruxelles 1879. 4.

Mémoires de la Société de Physique et d'Histoire naturelle de Genève. T. 26. P. II. Genève 1879. 4.

Boletin de la Real Academia de la Historia. T. I. Cuaderno V. Dic. 1879. Madrid 1879. 8.

Revista Euskara. Año III. N. 24. Marzo de 1880. Pamplona 1880. 8.

J. F. J. Biker, *Supplemento a Collecção dos Tratados e Actos publicos celebrados entre a Coróa da Portugal e as mais potencias.* (T. XIII do Suppl.) T. XXI. Lisboa 1879. 8.

Bulletin of the Museum of Comparative Zoology, at Harvard College, Cambridge, Mass. Vol. VI. N. 3. 4. Cambridge 1880. 8.

Journal of the American Oriental Society. Vol. X. N. 2. New Haven 1880. 8.

Proceedings of the American Oriental Society. October 1879. New Haven. 8.

The American Journal of Science and Arts. Ser. III. Vol. XIX. N. 112. April 1880. New Haven 1880. 8.

The Journal of the Cincinnati Society of Natural history. Vol. II. N. 4. January 1880. Cincinnati. 8.

Jahresbericht des naturhistorischen Vereins von Wisconsin „The Wisconsin Natural history Society" für das Jahr 1879—80. Milwaukee 1880. 8.

Annals of the Astronomical Observatory of Harvard College. Vol. XI. P. II. Cambridge 1879. 4.

Thirty-first Annual Report of the Trustees of the Astor Library, for the year ending December 31, 1879. Albany 1880. 8.

Johns Hopkins University Circulars. Published with the approbation of the Board of Trustees. N. 3. Baltimore 1880. 4.

H. Philipps, *An account of two maps of America published respectively in the years 1550 and 1555.* Philadelphia 1880. 8. Extr.

— —, *An account of an old work on Cosmography.* 1880. 8. Extr.

D. L. R. Wadsworth & Fr. E. Nipher, *The Tornado of April 14, 1879.* St. Louis. Extr.

Fr. E. Nipher, *Report on Magnetic Determinations in Missouri, Summer of 1878.* 8. Extr.

— — —, *Report on Magnetic Determinations in Missouri, Summer of 1879.* 8. Extr.

— — —, *On the variation in the Strength of a Muscle.* 1875. 8. Extr.

— — —, *On a new form of Lantern Galvanometer.* 1876. 8. Extr.

J. F. Loubat, *The Medallic History of the United States of America 1776 —1876.* Vol. I. Text. Vol. II. Plates. New York 1878. 4.

O. Stone, *On the Extra-Meridian Determination of Time by means of a portable Transit Instrument.* Cincinnati. 8.

El Repertorio Caraqueño. A la Memoria de Bolivar. Año I. 28 de Octubre de 1879. Caracas 1879. 8.

Memorias del General O'Leary publicadas por su hijo Simon B. O'Leary. T. I. II. Caracas 1879/80. 8.

13. Mai. Gesammtsitzung der Akademie.

Hr. Schott las: Beiträge zur chinesischen Bücherkunde.

Am 20. Mai starb

Hr. William Hallowes Miller

in Cambridge, correspondirendes Mitglied der physikalisch-mathematischen Klasse.

24. Mai. Sitzung der philosophisch-historischen Klasse.

Hr. A. Kirchhoff legte die folgenden beiden neugefundenen Fragmente der attischen Tributlisten vor und knüpfte an die Vorlegung einige erläuternde Bemerkungen.

1.

Eckstück von Pentelischem Marmor, gefunden am Südabhange der Burg. Abschrift von Hrn. Koehler.

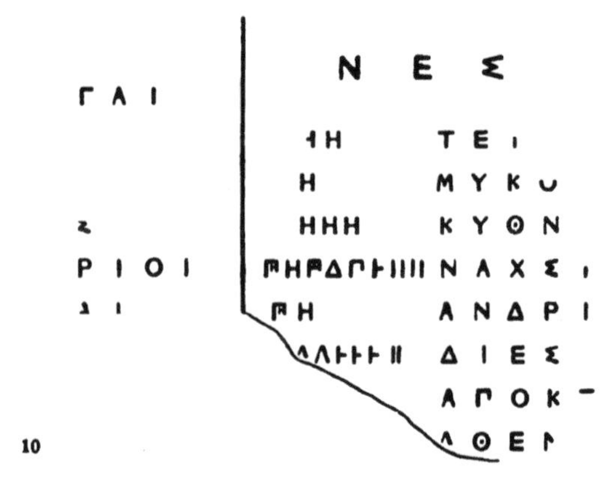

Es kann keinem Zweifel unterliegen, dass das Stück dem ersten Steingefüge angehörte und sich unmittelbar an no. 69 der bekannten Fragmente desselben nach unten anschloss (C. I. A. I. p. 105 und 109). Die rechte Fläche gehörte zur linken Schmalseite und dem Verzeichnisse von Ol. 84, 4, was von der links daranstossenden erhalten ist, zur Rückseite und der letzten Colonne des Verzeichnisses von Ol. 84, 1. Die Rubrik des Inseltributes in dem älteren der beiden Verzeichnisse wird durch das neuhinzutretende Bruchstück in Ansehung der Namen ganz vollständig, und auch die Quotenziffern erhalten eine erwünschte und nicht werthlose Ergänzung. Die betreffende Rubrik erhält nämlich nunmehr folgende Gestalt:

Νησ[ιω]τικὸς [φό]ρ[ος].

[H]HH	Τήν[ιοι]	- -	Σίφνιοι
H¦	Μυκό[νιοι]	- -	Σερίφιοι
HHH	Κύθν[ιοι]	- -	Κεῖοι
ΓHΓΔΓ⊢IIII	Νάξι[οι]	- -	Ἰᾶται
ΓH	Ἄνδρι[οι]	- -	Σύριοι
[Δ]ΔΔ⊢⊢⊢II	Διῆς	- -	Ῥηναιῆς
	ἀπὸ Κη[ναίου]	- -	[Γ]ρυγχῆς
- -	Ἀθῆν[αι]	- -	[Χ]αλκιδῆς
	[Διάδες]	- -	Ἐρετριῆς
- -	[Καρύστ]ιοι	- -	Στυρῆς
[X]ΓHΔΔ	[Πάρι]οι	[X]XX	Αἰγινῆται
HHH	[Ἡφ]αιστιῆς	HΓ	Μυριναῖοι
H	[Ἴ]μβριοι		*vac.*

Die neuen Quotenziffern bestätigen, was aus den bisher bekannten Angaben zu schliessen war, das nämlich die Tribute von Mykonos, Kythnos, Naxos und Andros sich während der Periode Ol. 83, 3 — 85, 1 ohne Schwanken auf der Höhe von resp. 1, 3, $6\frac{2}{3}$ und 6 Talenten gehalten haben, und constatiren weiter, dass die der Tenier und Dienser während derselben Zeit wie in der vorliegenden und folgenden Periode sich auf resp. 3 und $\frac{1}{3}$ Talent belaufen haben, ganz wie dies der Analogie nach zu erwarten war.

Auf der linken Seitenfläche sind nur die Endungen einer Anzahl von Städtenamen erhalten, welche zu vieldeutig sind, als dass eine Ergänzung versucht werden könnte. Z. 6 ist vielleicht [Τηλάνδ]ριοι oder [Μαιάνδ]ριοι zu erkennen.

2.

Bruchstück einer 0,13 starken Platte von Pentelischem Marmor. Auf der Burg gefunden und ebenfalls von Hrn. K o e h l e r abgeschrieben.

```
                    O I
                  N O I          ⊦
                O I              Γ
              O N E Σ I T A I    ⊦
            A Λ O P A Σ          F
          Ͱ O Γ O-K O N N E Σ I O I Γ
        ˎ I Λ E I E Σ
        M A Δ Y T I O I          ⊦
        Γ A Ͱ A I Γ E P K O Σ I O'
10      E Ͱ A I O Σ I O I
        E K X E P P O N E Σ O
        K A Ͱ X E Δ O N I O'
        Δ A Y N I O T E I ˎ
        Δ I Δ Y M O T Γ
15 ⅂⊦IIII  Σ O M B P I Λ
        Σ E P I
        B Γ
```

Da das Stück von einer Platte stammt, so gehört es keinem der drei Steingefüge und folglich der Zeit nach Ol. 88, 1 an. Die eine zum Theil erhaltene Spalte, welche jedenfalls nicht die letzte war, da rechts von ihr oben die ersten Stellen der Quotenziffern einer folgenden noch erkennbar sind, enthält Hellespontischen Tribut: die Quotenziffern sind mit Ausnahme der einen bei Z. 15 sämmtlich weggebrochen.

- - . . . . οι
- - . . . . . η]νοί
- - [Σήστι]οι
- - [Χερρ]ονησῖται
[ἀπ']Ἀγορᾶς
- - [Ἀ]λωποκοννήσιοι
- - Σιγειῆς
- - Μαδύτιοι
- - Παλαιπερκώσιοι

10 - - Ἐλαιούσιοι
ἐκ Χερρονήσου
- - Καλχηδόνιοι
- - Δαυνιοτειχ[ῖται]
- - Διδυμοτε[ιχῖται]
15 [Δ]ΓΗΙΙΙΙ Σομβρια[νοί]
- - Σερ . . . .
- - Βε[ρύσιοι]

— —

Die beiden Z. 15 und 16 verzeichneten Ortschaften erscheinen hier zum ersten Male auf den Tributlisten und sind auch sonst gänzlich unbekannt. Der Name der ersten ist seiner Bildung nach thrakisch und die Lage des Ortes darum vermuthlich an der europäischen Küste der Propontis zu suchen; der von ihm gezahlte Tribut betrug $\frac{1}{6}$ Talent. Noch weniger ist von dem zweiten zu sagen; an Σέρρειον τεῖχος zu denken, verbietet die geographische Lage des letzteren, welche in den Bereich des thrakischen Quartiers, nicht des hellespontischen, fallen würde.

— — — — —

Hr. Mommsen legte die Photographie von drei Bleitafeln aus England und die Abschrift einer Bleitafel mit Verwünschungen aus Minturnae vor.

27. Mai. Gesammtsitzung der Akademie.

Hr. Conze las über die Gigantomachie-Reliefs des grossen pergamenischen Altars. Er berichtete unter Vorlage der Humann'schen Zeichnungen über die Ergebnisse der bisherigen Zusammenfügungsarbeiten, die augenblicklich hauptsächlich in der Hand des Bildhauers Hrn. Freres und seiner Gehülfen liegen, hob diejenigen Theile hervor, deren ursprünglicher Platz am Gebäude und somit im Ganzen der bildlichen Composition schon jetzt wiedergefunden ist, stellte die bereits gesicherten Deutungen einzelner Gestalten zusammen und machte eine Anzahl von Bedingungen geltend, welche aus den Fundthatsachen für weitere Erklärungsversuche sich ergeben. Hierbei kamen namentlich die Ermittlungen des Hrn. Baumeister Bohm über die Reihenfolge der Gesimsplatten mit den Götternamen zur Sprache.

Hr. Helmholtz legte folgenden Auszug aus einer Arbeit des Hrn. Professors H. F. Weber in Zürich vor:

Die Beziehung zwischen dem Wärmeleitungsvermögen und dem elektrischen Leitungsvermögen der Metalle.

[Gedrängte Zusammenstellung der wichtigsten Resultate einer über diesen Gegenstand ausgeführten Untersuchung.]

1. Forbes[1]) hat im Jahre 1831 zuerst bemerkt, dass die Reihenfolge, in welcher sich die Metalle bezüglich der Höhe ihres elektrischen Leitungsvermögens ordnen lassen, nahezu vollständig mit der Reihenfolge übereinstimmt, in welcher die Metalle in Betreff der Güte ihres Wärmeleitungsvermögens auf einander folgen.

Mehr als zwanzig Jahre später haben die Hrn. Wiedemann und Franz[2]) in einer umfangreichen Arbeit die relativen Wärmeleitungsvermögen von neun Metallen mit möglichster Sorgfalt gemessen und die gefundenen Werthe mit den für dieselben Metalle

[1]) Philosoph. Magazine, Vol. IV. (1834) p. 15.

[2]) Pogg. Annalen, Band 89 (1853) S. 530.

von anderen Physikern ermittelten relativen Werthen des elektrischen Leitungsvermögens verglichen. Sie fanden, dass der Quotient aus dem relativ gemessenen elektrischen Leitungsvermögen in das relativ gemessene Wärmeleitungsvermögen für alle die untersuchten Metalle fast genau der gleiche ist, dass also die von Forbes bemerkte Beziehung in der That zutrifft.

Auch Hr. F. E. Neumann[1]) kam bei seinen absoluten Messungen des Wärmeleitungsvermögens, die er in den Jahren 1860 bis 1863 für die Metalle Kupfer, Messing, Zink, Neusilber und Eisen ausführte, zu dem Schluss, dass der Quotient aus dem elektrischen Leitungsvermögen in das Wärmeleitungsvermögen nahezu constant ist: Die Werthe dieses Quotienten betrugen für die genannten Metalle 17.5, 19.8, 17.1, 19.9 und 18.9. Die vorhandenen kleinen Schwankungen dieses Quotienten glaubte Hr. Neumann auf Rechnung des Umstandes setzen zu müssen, dass die Temperaturen, aus welchen die Wärmeleitungsvermögen berechnet wurden, nicht für alle untersuchten Metalle genau die gleichen waren.

In einer viel strengeren, einwurfsfreieren Weise als die bisher angeführten Untersuchungen die Beziehung zwischen dem thermischen und elektrischen Leitungsvermögen der Metalle untersucht hatten, prüfte Hr. R. Lenz[2]) im Jahre 1869 die Gültigkeit dieser Beziehung von neuem. Seine Untersuchungen bezogen sich auf die Metalle Kupfer, Messing, Neusilber und Eisen und führten ihn zu dem Resultat, dass der Quotient aus dem elektrischen Leitungsvermögen in das Wärmeleitungsvermögen für die verschiedensten Metalle vollkommen derselbe ist.

Seitdem wurde die Proportionalität der Leitungsvermögen der Metalle für Wärme und Elektricität allgemein angenommen.

Dieses Resultat der besprochenen Experimentaluntersuchungen befindet sich indess mit unseren bisherigen Vorstellungen über den Process der Wärmeleitung in ponderablen Substanzen in vollkommenem Widerspruch. Nach diesen Vorstellungen steht die Wärmemenge, die im Innern einer Substanz auf dem Wege der Wärmeleitung von Schicht zu Schicht übertragen wird, in dem engsten Zusammenhange mit der specifischen Wärme der Volumeneinheit.

---

[1]) Annales de Chimie et de Physique, T. 66, III. Ser. (1863) p. 185.

[2]) Bulletin de l'Académie de St. Pétersbourg, T. XV, p. 54—59 (1870).

Für die Gase ist dieser Zusammenhang sowohl von theoretischer als auch von experimenteller Seite schon seit einigen Jahren festgestellt, und für die tr baren Flüssigkeiten habe ich ihn in einer kürzlich publicirten aus lichen Experimentaluntersuchung klar zu legen gesucht. Wäre für die metallischen Wärmeleiter keine solche Abhängigkeit des Wärmeleitungsvermögens von der specifischen Wärme der Volumeneinheit vorhanden, so würde der Process der Wärmeleitung in Metallen mit einer von Schicht zu Schicht erfolgenden Übertragung von lebendiger Kraft der ponderablen Moleküle nichts zu thun haben, und es wäre die Wärmeleitung in Metallen ein vorläufig völlig räthselhafter Vorgang.

Eine nähere Durchsicht der Versuche, auf welche sich die obige Annahme stützt, drängte mir aber die Überzeugung auf, dass die behauptete Constanz des Quotienten aus dem elektrischen Leitungsvermögen in das Wärmeleitungsvermögen der Metalle auf höchst unsicherem Boden ruht. Diese Behauptung stützt sich theils auf Versuchsresultate, die mit Hülfe der von Fourier in die Theorie der Wärmeleitung eingeführten, nur sehr annäherungsweise zutreffenden Prämissen aus den Beobachtungen abgeleitet worden sind, und welche daher unmöglich völlig exact sein können — dahin gehören die Untersuchungen der Hrn. Wiedemann und Franz und die Messungen des Hrn. F. E. Neumann — theils beruht diese Behauptung auf Versuchsergebnissen, die zwar aus exacten Voraussetzungen abgeleitet wurden, die sich aber nur auf einige wenige Metalle beziehen, welche fast genau dieselbe specifische Wärme der Volumeneinheit haben, so dass aus ihnen gar nichts über die etwa bestehende Abhängigkeit des Wärmeleitungsvermögens von der specifischen Wärme der Volumeneinheit gefolgert werden kann — dahin gehören die Untersuchungen, welche Hr. R. Lenz ausgeführt hat.

Ich habe es deswegen für nöthig erachtet, neue messende Versuche zur Aufklärung der Beziehung zwischen dem Wärmeleitungsvermögen und dem elektrischen Leitungsvermögen der Metalle anzustellen. Um möglichst fehlerfreie Aufschlüsse in dieser Richtung zu erhalten, habe ich die beiden Leitungsvermögen im absolutem Maasse bestimmt und die Theorie der zur Bestimmung der Wärmeleitungsfähigkeit benutzten Methode in voller Strenge und auf Grund von Prämissen entwickelt, die mit der Erfahrung in vollkommenem Einklang stehen; endlich habe ich die beiden Leitungsvermögen an genau demselben Metallstück gemessen, so dass sich die gefundenen Leitungsvermögen eines Metalles für Wärme und Elektricität auf vollkommen identische Substanzen beziehen. Letzteres war zur Erlangung sicherer Resultate unumgänglich nothwendig, da ja bekanntlich sowohl das Wärmeleitungsvermögen als auch das elektrische Leitungsvermögen desselben Metalles von Varietät zu Varietät in der allererheblichsten Weise variirt.

2. Zur Messung der absoluten Wärmeleitungsfähigkeit habe ich für die meisten der untersuchten Metalle die Abkühlung eines *Ringes* in einem Raume von constanter Temperatur benutzt. Zur Berechnung dieser Abkühlung habe ich an Stelle der von Fourier in die Theorie der Wärmeleitung eingeführten, aber der Erfahrung widerstreitenden Prämissen — nach welchen die specifische Wärme der Volumeneinheit, das innere und das äussere Wärmeleitungsvermögen Constanten sind — die allgemeinere und mit der Erfahrung in vollkommenem Einklange stehende Voraussetzung eingeführt, dass diese drei den Process der Wärmeleitung bestimmenden Elemente lineare Functionen der Temperatur sind. Die auf Grund dieser Voraussetzung entwickelte Theorie der Wärmeleitung im Ring schliesst demnach das schon von Fourier behandelte Problem der Wärmeleitung im Ring als speciellen Fall ein.

Der metallene Ring, dessen Wärmeleitungsfähigkeit gemessen werden sollte, wurde in einen Raum mit der constanten Temperatur u_a gebracht und in einem seiner (überall gleichen) Querschnitte dauernd auf die hohe Temperatur U so lange erwärmt, bis die Temperaturvertheilung im ganzen Ringe eine stationäre geworden war. Hierauf wurde die Heizung unterbrochen und die nun erfolgende Abkühlung messend verfolgt. Aus dem beobachteten zeitlichen Verlaufe der Abkühlung lassen sich die Werthe des inneren und äusseren Wärmeleitungsvermögens der Ringsubstanz und deren Veränderlichkeit mit steigender Temperatur bestimmen.

Der Halbmesser der Ringmittellinie sei r; p sei der Umfang und q sei die Fläche des überall gleichen Ringquerschnittes. Von diesen drei Grössen darf angenommen werden, dass sie unveränderlich mit der Temperatur sind, da die thermischen Ausdehnungscoëfficienten der Metalle sehr kleine Grössen sind gegenüber den Temperaturcoëfficienten der specifischen Wärme, des inneren und des äusseren Wämeleitungsvermögens. Es werde angenommen: für die Temperatur u sei die specifiische Wärme der Volumeneinheit

$$c = c_0 + c_1 . u$$

und das innere Wärmeleitungsvermögen

$$k = k_0 - k_1 . u.$$

Dieses sind Annahmen, die für alle bis jetzt von mir untersuchten festen Metalle zutreffen. Bezüglich der äusseren Wärmeleitung soll die Voraussetzung gemacht werden, dass das Oberflächenelement dS, welches zur Zeit t die Temperatur u besitzt, während des Zeitelementes dt an eine kühlere Umgebung von der constanten Temperatur u_a die Wärmemenge

$$\{h_0(u - u_a) + h_1(u - u_a)^2)\} dS . dt$$

abgiebt. Dieses für den Vorgang der äusseren Wärmeleitung zu Grunde gelegte Elementargesetz wurde in jeder ausgeführten Versuchsreihe auf seine Richtigkeit geprüft und wurde stets als im vollkommenen Einklang mit der Erfahrung stehend gefunden.

Auf Grund dieser verallgemeinerten Fourier'schen Prämissen lässt sich zunächst die partielle Differentialgleichung angeben, welcher die Temperatur in jedem Volumelemente des Ringes und in jedem Zeitelemente genügen muss. Der Einfachheit der Rechnung halber möge angenommen werden: die Querschnittsdimensionen des Ringes seien so gewählt, dass die Temperaturen aller Massenpuncte je eines Querschnittes in jedem Zeitelemente gleich seien, dass also die Bewegung der Wärme im Ring nur eine lineare, in Richtung der Mittellinie der Ringquerschnitte erfolgende sei. Durch Rechnung lässt sich mit voller Strenge ermitteln, wie gross die Querschnittsdimensionen des Ringes gewählt werden dürfen, damit die grösste in einem Ringquerschnitt vorkommende Temperaturdifferenz einen festgesetzten kleinen Betrag nicht überschreiten soll. Ich habe die Querschnittsdimensionen der untersuchten Metallringe stets so gewählt, dass diese grösste in einem Querschnitt vorkommende Temperaturdifferenz kleiner ausfiel als der 500. Theil der mittleren Temperatur dieses Querschnitts[1]).

[1]) Bisher war unter den Experimentatoren auf dem Gebiete der Wärmeleitung allgemein die Ansicht verbreitet, dass die Querschnitte von Stäben, deren Wärmeleitungsfähigkeit nach den bisher üblichen Methoden bestimmt werden sollte, ausserordentlich klein sein müssten, kleine Bruchtheile eines Quadratcentimeters betragen müssten, damit die Wärmebewegung als eine li-

Nehmen wir die Mittellinie der auf einander folgenden Ringquerschnitte als die Abscissenaxe der x an, so hat die Temperatur u in jedem Ringelemente und in jedem Zeitmomente t die partielle Differentialgleichung zu erfüllen:

$$c_0\frac{\partial u}{\partial t}+\frac{c_1}{2}\frac{\partial(u^2)}{\partial t}-k_0\frac{\partial^2(u)}{\partial x^2}+\frac{k_1}{2}\frac{\partial^2(u^2)}{\partial x^2}+h_0\frac{p}{q}(u-u_a)+h_1\frac{p}{q}(u-u_a)^2=0$$

oder, falls $u-u_a$ mit v bezeichnet und

$$\left.\begin{array}{l} c_0+c_1.u_a=c_a \\ k_0-k_1.u_a=k_a \end{array}\right\} \text{ gesetzt wird,}$$

der folgenden partiellen Differentialgleichung Genüge zu leisten:

$$\frac{\partial v}{\partial t}+\frac{1}{2}\frac{c_1}{c_a}\frac{d(v^2)}{\partial t}-\frac{k_a}{c_a}\frac{\partial^2 v}{\partial x^2}+\frac{1}{2}\frac{k_1}{c_a}\frac{\partial^2(v^2)}{\partial x^2}+\frac{h_0 p}{c_a q}\cdot v+\frac{h_1 p}{c_a q}\cdot v^2=0 \quad \ldots \quad (1)$$

Der durch den Nullpunct der Abscissenaxe gehende Ringquerschnitt möge derjenige sein, welcher bis zu dem Eintritt des stationären Temperaturzustandes auf die Temperatur U erwärmt wurde. Die eine Bedingung, welche die Lösung der Differentialgleichung (1) zu erfüllen hat, ist dann die folgende:

$$\left.\begin{array}{c} \text{in jedem Zeitmomente ist} \\ v_{x=+x}=v_{x=-x} \end{array}\right\} \quad \ldots\ldots\ldots\ldots\ldots\ldots \quad (2)$$

Eine weitere Bedingung, welche die Lösung v der obigen Differentialgleichung zu erfüllen hat, fliesst aus der Ringgestalt:

$$\left.\begin{array}{l} \text{in jedem Zeitmomente } t \text{ muss } v \text{ für die beiden Ab-} \\ \text{scissenwerthe } x=x \text{ und } x=x+2r\pi \text{ denselben} \\ \text{Werth besitzen} \end{array}\right\} \quad \ldots . \quad (3)$$

---

neare betrachtet werden dürfte. Diesse Auffassung beruht auf einem Irrthum. Aus den Principien der Theorie der Wärmeleitung lässt sich folgern, dass z. B. ein einseitig erwärmter Kupferstab einen Querschnitt von circa 10 cm Höhe und circa 10 cm Breite haben darf, ohne dass die grösste in je einem Querschnitt vorkommende Temperaturdifferenz den 1000. Theil der mittleren Temperatur dieses Querschnittes übersteigt. Für eine andere Substanz mit kleinerem Leitungsvermögen müsste man zur Erreichung derselben näherungsweisen Gleichheit der Temperatur in allen Puncten eines Stabquerschnittes, die angegebenen Querschnittsdimensionen im Verhältniss der kleineren Leitungsfähigkeit dieser Substanz zu der des Kupfers verkleinern.

Die Anfangsbedingung endlich, welcher v zu genügen hat, ist: es muss für $t = 0$ v denjenigen Werth v_0 haben, welcher der stationären Temperaturvertheilung entspricht. Diese stationäre Temperaturvertheilung wäre zunächst anzugeben. Sie ist, wie aus (1) hervorgeht, durch die Differentialgleichung bestimmt:

$$\frac{d^2 v_0}{dx^2} - \frac{1}{2}\frac{k_1}{k_a}\frac{d^2(v_0^2)}{dx^2} - \frac{h_0 p}{k_a q}\cdot v_0 - \frac{h_1 p}{k_a q}\cdot v_0^2 = 0,$$

deren angenäherte Lösung [in welcher schon die Glieder mit den Quadraten und Producten der sehr kleinen Coëfficienten $\frac{h_1}{h_0}$ und $\frac{k_1}{k_a}$ fortgelassen sind] ist $\left[\lambda^2 = \frac{h_0 p}{k_a q}\right]$:

$$v_0 = M.e^{-\lambda x} + N.e^{+\lambda x} + \frac{1}{3}M^2\left(\frac{h_1}{h_0} + 2\frac{k_1}{k_a}\right).e^{-2\lambda x}$$
$$+ \frac{1}{3}N^2\left(\frac{h_1}{h_0} + 2\frac{k_1}{k_a}\right).e^{+2\lambda x} - 2\frac{h_1}{h_0}M.N \quad . \; . \; (4)$$

Die Constanten M und N sind durch die beiden für $x = 0$ und $x = r\pi$ gültigen Bedingungsgleichungen bestimmt:

$$\left.\begin{aligned} U - u_a &= M + N + \tfrac{1}{3}M^2\left(\frac{h_1}{h_0} + 2\frac{k_1}{k_a}\right) + \tfrac{1}{3}N^2\left(\frac{h_1}{h_0} + 2\frac{k_1}{k_a}\right) - 2\frac{h_1}{h_0}M.N \\ 0 &= -M^{-\lambda r\pi} + Ne^{\lambda r\pi} - \tfrac{2}{3}M^2\left(\frac{h_1}{h_0} + 2\frac{k_1}{k_a}\right)e^{-2\lambda r\pi} \\ &\quad + \tfrac{2}{3}N^2\left(\frac{h_1}{h_0} + 2\frac{k_1}{k_a}\right)e^{2\lambda r\pi} \end{aligned}\right\}$$

von denen die letztere Gleichung sagt, dass in dem der Heizstelle $x = 0$ diametral gegenüberliegenden Querschnitt $\frac{dv_0}{dx}$ in jedem Momente gleich Null sein muss.

Die allgemeinste Lösung, welche die Differentialgleichung (1) erfüllt und zu gleicher Zeit den Bedingungsgleichungen (2) und (3) genügt, lässt sich mit beliebiger Annäherung ermitteln. Wird die Annäherung nur so weit getrieben, dass schon die Glieder mit den Quadraten und Producten der sehr kleinen Coëfficienten $\frac{h_1}{h_0}$, $\frac{k_1}{k_a}$ und

$\frac{c_1}{c_a}$ vernachlässigt werden, so ist die allgemeinste Lösung, welche die Gleichungen (1) bis (3) erfüllt, die folgende:

$$v = A_0 . e^{-\frac{h_0 p}{c_a q} . t} + A_0^2 \left(\frac{h_1}{h_0} - \frac{c_1}{c_a}\right) . e^{-\frac{2 h_0 p}{c_a q} . t}$$

$$+ A_1 . \cos\left(\frac{x}{r}\right) . e^{-\left(\frac{h_0 p}{c_a q} + \frac{k_a}{c_a} \frac{1}{r^2}\right) . t}$$

$$+ 2 A_0 A_1 \left\{\frac{h_1}{h_0} - \frac{c_1}{c_a} - \frac{k_a q}{2 h_0 p} \frac{1}{r^2}\left(\frac{k_1}{k_a} + \frac{c_1}{c_a}\right)\right\} \cos\left(\frac{x}{r}\right) . e^{-\left(\frac{2 h_0 p}{c_a q} + \frac{k_a}{c_a} \frac{1}{r^2}\right) . t}$$

$$+ A_2 \cos\left(\frac{2x}{r}\right) . e^{-\left(\frac{h_0 p}{c_a q} + \frac{4 k_a}{c_a} \frac{1}{r^2}\right) . t}$$

$$+ A_1^2 \frac{\left\{\frac{h_1}{k_a} \frac{p}{q} - \frac{h_0}{k_a} \frac{c_1}{c_a} \frac{p}{q} - \frac{c_1}{c_a} \frac{1}{r^2}\right\}}{2\left(\frac{h_0}{k_a} \frac{p}{q} + \frac{2}{r^2}\right)} . e^{-\left(\frac{2 h_0}{c_a} \frac{p}{q} + \frac{2 k_a}{c_a} \frac{1}{r^2}\right) . t}$$

$$+ A_1^2 \frac{\left\{\frac{h_1}{k_a} \frac{p}{q} - \frac{h_0}{k_a} \frac{c_1}{c_a} \frac{p}{q} - \frac{1}{r^2}\left(\frac{c_1}{c_a} - \frac{2 k_1}{k_a}\right)\right\}}{2\left(\frac{h_0 p}{k_a q} - \frac{2}{r^2}\right)} \cos\left(\frac{2x}{r}\right) . e^{-\left(\frac{2 h_0 p}{c_a q} + \frac{2 k_a}{c_a} \frac{1}{r^2}\right) . t}$$

$$+ 2 A_0 A_2 \left\{\frac{h_1}{h_0} - \frac{c_1}{c_a} - \frac{2 k_a q}{h_0 p r^2}\left(\frac{c_1}{c_a} + \frac{k_1}{k_a}\right)\right\} \cos\left(\frac{2x}{r}\right) . e^{-\left(\frac{2 h_0 p}{c_a q} + \frac{4 k_a}{c_a} \frac{1}{r^2}\right) . t}$$

$$+ 2 A_1 A_2 \left\{\left[\frac{h_1}{k_a} \frac{p}{q} - \frac{9}{2} \frac{k_1}{k_a} \frac{1}{r^2} - \frac{c_1}{c_a} \frac{h_0 p}{k_a q} - \frac{5}{2} \frac{c_1}{c_a} \frac{1}{r^2}\right] \cos\left(\frac{3x}{r}\right)\right.$$

$$\left. + \left[\frac{h_1 p}{k_a q} - \frac{1}{2} \frac{k_1}{k_a} \frac{1}{r^2} - \frac{c_1}{c_a} \frac{h_0 p}{k_a q} - \frac{5}{2} \frac{c_1}{c_a} \frac{1}{r^2}\right] \cos\left(\frac{x}{r}\right)\right\} . e^{-\left(\frac{2 h_0 p}{c_a q} + \frac{5 k_a}{c_a r^2}\right) . t}$$

$$+ A_3 . \cos\left(\frac{3x}{r}\right) . e^{-\left(\frac{h_0 p}{c_a q} + \frac{9 k_a}{c_a} \frac{1}{r^2}\right) . t}$$

Werden die Constanten $A_0, A_1, A_2, \ldots$ so bestimmt, dass die Anfangsbedingung:

$$\text{für } t = 0 \text{ ist } v = v_0$$

erfüllt wird, so befriedigt die angegebene Lösung alle vorgeschriebene Bedingungen. Auf diese Constantenbestimmung soll hier nicht näher eingegangen werden; es genügt hier die Bemerkung, dass A_n mit wachsender Indexzahl rasch an Grösse abnimmt.

Von diesem allgemeinen Temperaturausdruck bleiben schon nach kurzer Zeit seit Beginn der Abkühlung des Ringes nur die ersten Glieder bestehen; von diesen können alle Terme mit dem Factor $\cos\left(\frac{2x}{r}\right)$ gleich Null gemacht werden, wenn die Abkühlung des Ringes in den Abscissenorten $x = \frac{2r\pi}{8}$ und $x = 5 \cdot \frac{2r\pi}{8}$ beobachtet wird. Von den allerersten Zeitmomenten seit Beginn der Abkühlung abgesehen ist also der Ausdruck des Überschusses der Temperatur des Ringes in x über die Temperatur der Umgebung zur Zeit t:

$$v = A_0 e^{-\frac{h_0 p}{c_a q} \cdot t} + A_0^2 \left(\frac{h_1}{h_0} - \frac{c_1}{c_a}\right) . e^{-\frac{2h_0 p}{c_a q} \cdot t}$$

$$+ A_1 . \cos\left(\frac{x}{r}\right) \cdot e^{-\left(\frac{h_0 p}{c_a q} + \frac{k_a}{c_a} \frac{1}{r^2}\right) \cdot t}$$

$$+ 2 A_0 A_1 \left\{\frac{h_1}{h_0} - \frac{c_1}{c_a} - \frac{k_a q}{2h_0 p} \frac{1}{r^2} \left(\frac{k_1}{k_a} + \frac{c_1}{c_a}\right)\right\} \cos\left(\frac{x}{r}\right) \cdot e^{-\left(\frac{2h_0 p}{c_a q} + \frac{k_a}{c_a r^2}\right) \cdot t}.$$

Die halbe Summe der in den Ringquerschnitten $x = \frac{2r\pi}{8}$ und $x = 5 \cdot \frac{2r\pi}{8}$ stattfindenden Temperaturüberschüsse nähert sich demnach nach sehr kurzer Zeit dem Werthe:

$$\frac{v_1 + v_2}{2} = \Sigma = A_0 . e^{-\frac{h_0 p}{c_a q} \cdot t} \left\{1 + A_0 . e^{-\frac{h_0 p}{c_a q} \cdot t} \left(\frac{h_1}{h_0} - \frac{c_1}{c_a}\right)\right\}$$

Durch Beobachtung des zeitlichen Verlaufes dieser halben Summe lässt sich erstens der Werth $\frac{h_0 p}{c_a q}$ und zweitens der Coëfficient $\left(\frac{h_1}{h_0} - \frac{c_1}{c_a}\right)$ bestimmen; daraus sind durch Bestimmung der specifischen Wärme und durch Ausmessung der Grössen p und q die absoluten Werthe von h_0 und h_1 ableitbar.

Als allgemeines Resultat hat sich bei Ausführung der Beobachtungen ergeben, dass h_0 und h_1 für alle untersuchten Metalle für gleiche Form und gleiche Dimensionen die gleichen Werthe besitzen.

Die halbe Differenz der in den Ringquerschnitten $x = \frac{2r\pi}{8}$ und $x = 5 \cdot \frac{2r\pi}{8}$ vorkommenden Temperaturüberschüsse beträgt schon nach sehr kurzer Zeit seit Beginn der Abkühlung:

$$\frac{v_1 - v_2}{2} = \Delta = \frac{1}{\sqrt{2}} \cdot A_1 . e^{-\left(\frac{h_0 p}{c_a q} + \frac{k_a}{c_a} \frac{1}{r^2}\right) \cdot t}$$

$$+ \sqrt{2} A_0 A_1 \left\{ \frac{h_1}{h_0} - \frac{c_1}{c_a} - \frac{k_a q}{2 h_0 p} \frac{1}{r^2} \left(\frac{k_1}{k_a} + \frac{c_1}{c_a} \right) \right\} . e^{-\left(\frac{2 h_0 p}{c_a q} + \frac{k_a}{c_a} \frac{1}{r^2}\right) \cdot t} .$$

Der kleine Werth des zweiten Gliedes dieses Ausdruckes wurde nach vorhergegangener Messung des Coëfficienten $\left(\frac{h_1}{h_0} - \frac{c_1}{c_a}\right)$ und nach vorhergegangener approximativer Messung von $\left(\frac{k_1}{k_a} + \frac{c_1}{c_a}\right)$ durch passende Wahl der Grössen r, p und q verschwindend klein gemacht. So blieb:

$$\Delta = \frac{1}{\sqrt{2}} \cdot A_1 . e^{-\left(\frac{h_0 p}{c_a q} + \frac{k_a}{c_a} \frac{1}{r^2}\right) \cdot t} .$$

Durch die Ermittlung des zeitlichen Verlaufes dieser halben Temperaturdifferenz liess sich die Summe

$$\frac{h_0 p}{c_a q} + \frac{k_a}{c_a} \frac{1}{r^2}$$

finden und hieraus liess sich mit Hülfe des oben für $\frac{h_0 p}{c_a q}$ gefundenen Werthes auch die Grösse $\frac{k_a}{c_a}\frac{1}{r^2}$ und daraus k_a bestimmen.

Wurde eine zweite Beobachtungsreihe für die äussere Temperatur $u_a = 0°$ unternommen, so gestattete diese den Werth von k_0 abzuleiten. Aus der Combination der beiden Beobachtungsreihen liess sich sodann auch die Grösse k_1 ermitteln.

Ich führe in diesem Auszuge nur diejenigen absoluten Werthe des inneren Wärmeleitungsvermögens an, die ich für die Temperatur 0° erhalten habe. Werden Gramm, Centimeter, Secunde und 1° C. als Einheiten zu Grunde gelegt, so sind die für 0° gefundenen Wärmeleitungsvermögen für:

	k_0
Kupfer[1])	0.8190
Silber[2])	1.0960
Cadmium[3])	0.2213
Zink[4])	0.3056
Messing[5])	0.1500
Zinn[6])	0.1446

3. Für dieselben unveränderten Ringe wurde ferner der absolute Werth des elektrischen Leitungsvermögens nach elektromagnetischem Maasse mittelst der elektromagnetischen Dämpfung bestimmt.

Der Ring, dessen elektrisches Leitungsvermögen gemessen werden sollte, wurde auf einen Holzrahmen so aufgesetzt, dass die Ebene seiner Mittellinie vertical und parallel dem magnetischen Meridiane stand. In unmittelbarer Nähe des Ringes hing ein kräftiger Magnet; seine Mitte lag auf der Ringaxe und stand von der Mittelebene des Ringes nur um die sehr kleine Länge d ab. Die Länge des Magnets war so klein gewählt, dass die fünften und

[1]) Käufliches Kupfer.

[2]) Chemisch rein.

[3]) Chemisch rein.

[4]) Chemisch rein.

[5]) Käufliches Messing.

[6]) Chemisch rein.

höheren Potenzen des Quotienten aus dem Ringhalbmesser r in die halbe Länge des Magnets als verschwindend klein gegen 1 betrachtet werden konnten, dass also der Magnet durch ein System zweier einfacher magnetischer Massenpuncte im Abstand $2l$ ersetzt werden durfte.

Bedeuten λ_1 und T_1 logarithmisches Decrement und Schwingungsdauer des Magnets für den Fall, dass die dämpfende Wirkung des Metallringes nicht vorhanden ist,

bedeuten λ_2 und T_2 die Werthe, welche logarithmisches Decrement und Schwingungsdauer unter der dämpfenden Einwirkung des Ringes annehmen, stellt M das magnetische Moment, Q das Trägheitsmoment des schwingenden Magnets und S die Grösse

$$S = \frac{2\pi r^2}{\sqrt{r^2+d^2}^{\,3}}\left\{1 + \tfrac{3}{4}\frac{l^2(r^2-4d^2)}{(r^2+d^2)^2}\right\}$$

dar, so ist der gesammte elektrische Widerstand des Ringes in absolutem elektromagnetischem Maasse:

$$W = \frac{M^2.S^2.T_1}{2Q\left\{\lambda_2\sqrt{\frac{\pi^2+\lambda_1^2}{\pi^2+\lambda_2^2}} - \lambda_1\right\}}$$

oder

$$= S^2.\frac{M}{H}\cdot\frac{1}{2T_1(1+\theta)}\cdot\frac{\pi^2+\lambda_1^2}{\lambda_2\sqrt{\frac{\pi^2+\lambda_1^2}{\pi^2+\lambda_2^2}} - \lambda_1},$$

wo H die am Beobachtungsorte Statt findende horizontale Componente der erdmagnetischen Kraft und θ das Verhältniss aus der Torsionsconstante des den Magneten tragenden Fadens zum Producte MH bedeutet.

Verstehen wir nun unter der specifischen elektrischen Leitungsfähigkeit $\varkappa$ der Ringsubstanz das Leitungsvermögen eines aus dieser Substanz geformten Würfels von der Kantenlänge 1, so erhalten wir für diese Grösse aus dem soeben angegebenen Werthe des gesammten Widerstandes W den folgenden Ausdruck:

$$\varkappa = \frac{2r\pi}{q.S^2}\cdot\frac{H}{M}\cdot 2T_1(1+\theta)\cdot\frac{\lambda_2\sqrt{\frac{\pi^2+\lambda_1^2}{\pi^2+\lambda_2^2}} - \lambda_1}{\pi^2+\lambda_1^2}.$$

Die Grössen $\frac{M}{H}$, l, ϑ wurden zu Anfang und am Ende einer jeden Versuchsreihe nach den von Gauss eingeführten Verfahrungsweisen ermittelt; Schwingungsdauer und logar. Decrement wurden ebenfalls nach den von Gauss gegebenen Vorschriften beobachtet. Eine jede der in den Ausdruck für $\varkappa$ eingehenden Grössen konnte so genau gemessen werden, dass der gesammte für $\varkappa$ resultirende Fehler unmöglich den Werth $\frac{1}{4}$pCt. übersteigen konnte.

Nach diesem Verfahren habe ich für die oben genannten sechs Metallringe die specifische Leitungsfähigkeit für zwei verschiedene Temperaturen gemessen und daraus ihre Werthe für die Temperatur 0° und die Coëfficienten α ihrer Abnahme für 1° Temperatursteigung nach der üblichen Formel berechnet:

$$\varkappa = \varkappa_0[1 - \alpha . u].$$

Die für 0° gefundenen specifischen elektrischen Leitungsvermögen dieser sechs Metalle sind, wenn Centimeter und Secunde als Maasseinheiten zu Grunde gelegt werden:

	$\varkappa_0$
Kupfer	40.81×10^{-5}
Silber	65.87×10^{-5}
Cadmium	14.61×10^{-5}
Zink	17.43×10^{-5}
Messing	7.62×10^{-5}
Zinn	10.34×10^{-5}

4. Der Quotient aus dem elektrischen Leitungsvermögen bei 0° in das Wärmeleitungsvermögen bei 0° ist demnach:

	$\frac{k_0}{\varkappa_0}$
für Kupfer	$0.2007 \times 10^{+4}$
für Silber	$0.1664 \times 10^{+4}$
für Cadmium	$0.1515 \times 10^{+4}$
für Zink	$0.1753 \times 10^{+4}$
für Messing	$0.1968 \times 10^{+4}$
für Zinn	$0.1398 \times 10^{+4}$

Dieser Quotient ist also von Metall zu Metall variabel; die von Forbes und Wiedemann und Franz wahrscheinlich gemachte und von F. E. Neumann und R. Lenz behauptete Constanz dieses Quotienten ist nicht vorhanden. Da ich die elektrische Leitungsfähigkeit bis auf die Genauigkeit von $\frac{1}{2}$ pCt. zu bestimmen vermochte, da die zur Bestimmung des Wärmeleitungsvermögens benutzte Methode kaum einen Fehler von 1 pCt. liefern konnte, da ferner die Messung beider Leitungsvermögen immer an genau demselben Ringe vollzogen wurde, der dabei keinerlei Abänderung, weder in materieller noch in formeller Richtung, unterworfen wurde, halte ich dieses Ergebniss für völlig begründet.

Eine aufmerksame Durchmusterung der erhaltenen Quotienten der beiden Leitungsvermögen lehrt aber, dass dieselben in engster Abhängigkeit von der specifischen Wärme der Volumeneinheit stehen. Dieses tritt sofort aus der folgenden Tabelle hervor, in welcher diese sechs Metalle nach der Grösse der specifischen Wärme der Volumeneinheit c_0 geordnet sind.

	c_0	k_0	$\varkappa_0$	$\frac{k_0}{\varkappa_0}$
Kupfer	0.827	0.8190	40.81×10^{-5}	$0.2007 \times 10^{+4}$
Messing	0.791	0.1500	7.62×10^{-5}	$0.1968 \times 10^{+4}$
Zink	0.662	0.3056	17.43×10^{-5}	$0.1753 \times 10^{+4}$
Silber	0.573	1.0960	65.87×10^{-5}	$0.1664 \times 10^{+4}$
Cadmium	0.475	0.2213	14.61×10^{-5}	$0.1515 \times 10^{+4}$
Zinn	0.380	0.1446	10.34×10^{-5}	$0.1398 \times 10^{+4}$

Mit abnehmender specifischer Wärme der Volumeneinheit nimmt auch der Quotient $\frac{k_0}{\varkappa_0}$ in der regelmässigsten Weise ab. Eine nähere Vergleichung der Zahlen zeigt, dass die Variationen des Quotienten $\frac{k_0}{\varkappa_0}$ den Variationen der specifischen Wärme der Volumeneinheit proportional sind. Setzt man

$$\frac{k_0}{\varkappa_0} = a + b.c_0$$

und bestimmt die beiden Grössen a und b aus den Beobachtungen, die an den beiden Metallen mit den extremsten Werthen von c_0, an Kupfer und Zinn, ausgeführt worden sind, so erhält man für a den Werth $0.0880 \times 10^{+4}$ und für b den Werth $0.1365 \times 10^{+4}$. Die mit Hülfe dieser Werthe für die übrigen vier Metalle berechneten Quotienten $\frac{k_0}{\varkappa_0}$ sind:

	$\frac{k_0}{\varkappa_0}$ (berechnet)	$\frac{k_0}{\varkappa_0}$ (beobachtet)
Messing	$0.1960 \times 10^{+4}$	$0.1968 \times 10^{+4}$
Zink	$0.1784 \times 10^{+4}$	$0.1753 \times 10^{+4}$
Silber	$0.1664 \times 10^{+4}$	$0.1662 \times 10^{+4}$
Cadmium	$0.1528 \times 10^{+4}$	$0.1515 \times 10^{+4}$

Der in diesen Zahlen sich aussprechende verhältnissmässig hohe Grad von Übereinstimmung zwischen den beobachteten und den berechneten Werthen des Quotienten $\frac{k_0}{\varkappa_0}$ lässt es wohl als höchst wahrscheinlich erscheinen, dass die Beziehung

$$k_0 = \varkappa_0 \{a + b . c_0\}$$

Ausdruck der Wirklichkeit ist.

5. Nach dem in (2) beschriebenen Verfahren zur Bestimmung der absoluten Wärmeleitungsfähigkeit können nur für verhältnissmässig gute Wärmeleiter ganz sichere Resultate gewonnen werden. Für schlechtere Wärmeleiter, wie Blei, Wismuth u. A. wird der Einfluss der äusseren Wärmeleitung auf den zeitlichen Verlauf der Differenz der Temperaturen je zweier diametral gegenüberliegender Ringstellen ein viel zu grosser, als dass die Grösse des inneren Wärmeleitungsvermögens ganz sicher ermittelt werden könnte, weil jeder kleine, in der Ermittelung des äusseren Wärmeleitungsvermögens begangene Fehler den aus den Beobachtungen berechneten Werth des inneren Wärmeleitungsvermögens ganz erheblich fälscht. Die soeben constatirte Beziehung zwischen dem Wärmeleitungsvermögen und dem elektrischen Leitungsvermögen liess es aber als wünschenswerth erscheinen, auch die schlechter leitenden Metalle auf das Verhältniss ihrer beiden Leitungsvermögen zu untersuchen.

Ich habe deswegen zur Bestimmung des absoluten Wärmeleitungsvermögens schlechter metallischer Leiter ein anderes Verfahren benutzt, das dem Verfahren nachgebildet ist, mittelst dessen ich im vorigen Jahre das absolute Wärmeleitungsvermögen der Flüssigkeiten bestimmt habe.

Die nach diesem Verfahren auf das Wärmeleitungsvermögen zu untersuchende Substanz hat die Form eines flachen Kreis-Cylinders. Ursprünglich besitzen alle Massenpuncte dieses Cylinders die gleiche Temperatur u_0 (etwa die gerade vorhandene Zimmertemperatur); von einem bestimmten Zeitmomente an, der als Moment Null genommen werden soll, wird die Mantelfläche dieses Cylinders und die nächste Umgebung seiner beiden freien Basisflächen auf eine um einige Grade niedrigere Temperatur u_a (auf die Temperatur des Wassers der Wasserleitung) gebracht und dauernd auf dieser Temperatur erhalten.

Aus dem zeitlichen Verlaufe, welchen die Temperatur der Mitte der oberen oder unteren Basisfläche während dieser Abkühlung zeigt, lässt sich die Grösse des inneren Wärmeleitungsvermögens der Cylindersubstanz herausfinden, sobald der Werth ihres äusseren Wärmeleitungsvermögens approximativ bekannt ist.

Der Ausdruck für den zeitlichen Verlauf der Temperatur irgend eines Massenpunctes des sich abkühlenden Cylinders soll zunächst entwickelt werden. Da bei diesem Verfahren die Temperatur des Cylinders nur innerhalb eines Interwalls von einigen Graden variirt, da die innere Wärmeleitungsfähigkeit aller festen Metalle mit steigender Temperatur nur sehr wenig abnimmt und der Vorgang der äusseren Wärmeleitung auf den zeitlichen Verlauf der Abkühlung in diesem Falle nur einen ganz untergeordneten Einfluss ausübt, darf bei dieser Entwicklung ganz unbedenklich angenommen werden, dass die specifische Wärme der Volumeneinheit und die beiden Wärmeleitungsvermögen mit der Temperatur unveränderlich sind. Wir legen ein cylindrisches Coordinatensystem (r, φ, x) zu Grunde, das seinen Ursprung in der Mitte des Cylinders hat; $2l$ sei die Höhe des Cylinders, R sein Radius. Nach der Anordnung des Versuches ist die Temperatur u in jedem Zeitmomente t von der Richtung der φ unabhängig; es hat also der Überschuss v der Cylindertemperatur u in (x, r, φ) über die Temperatur u_a der Hülle und der Mantelfläche in jedem Zeitmomente die partielle Differentialgleichung zu erfüllen:

$$c\frac{\partial v}{\partial t}=k\left\{\frac{\partial^2 v}{\partial x^2}+\frac{\partial^2 v}{\partial r^2}+\frac{1}{r}\frac{\partial v}{\partial r}\right\}\quad\ldots\ldots\ldots\quad(1)$$

Die Lösung dieser Gleichung hat die 3 Grenzgleichungen zu erfüllen:

$$\text{für } r=R \text{ ist: } v=0 \text{ für jedes } t \quad\ldots\ldots\ldots\quad(2)$$

$$\text{für } x=+l \text{ ist: } k\left(\frac{\partial v}{\partial x}\right)_{x=+l}+hv_{x=+l}=0 \text{ für jedes } t\quad.\;(3)$$

$$.\text{für } x=-l \text{ ist: } -k\left(\frac{\partial v}{\partial x}\right)_{x=-l}+hv_{x=-l}=0 \text{ für jedes } t\quad(4)$$

und als Anfangsbedingung gilt:

$$v=v_0=u_0-u_a\left\{\begin{array}{c}\text{für } t=0 \text{ und}\\ \text{für alle } x \text{ und alle } r\end{array}\right\}\quad\ldots\quad(5)$$

Als allgemeine Lösung, welche die Differentialgleichung (1) und sämmtliche Bedingungsgleichungen (2) bis (5) erfüllt, ergiebt sich:

$$v=$$

$$\left\{A_1.\cos(q_1x).e^{-\frac{k}{c}q_1^2t}+A_2.\cos(q_2x).e^{-\frac{k}{c}q_2^2t}+A_3.\cos(q_3x)e^{-\frac{k}{c}q_3^2t}+\ldots\right\}$$

$$\times\left\{B_1.J^0_{(m_1r)}.e^{-\frac{k}{c}m_1^2t}+B_2.J^0_{(m_2r)}.e^{-\frac{k}{c}m_2^2t}+B_3.J^0_{(m_3r)}.e^{-\frac{k}{c}m_3^2t}+\ldots..\right\},$$

wo $J^0_{(mr)}$ die Bessel'sche Function erster Art mit dem Index 0 und dem Argument mr bedeutet, wo die $q_1, q_2, q_3, \ldots$ die auf einander folgenden Wurzeln der transcendenten Gleichung

$$ql.\,\mathrm{tg}(ql)=\frac{h}{k}\cdot l$$

darstellen, wo die $m_1, m_2, m_3, \ldots$ die ihrer Grösse nach geordneten Wurzeln der Function J^0_{mR} sind und wo endlich die Constanten A_n und B_n die Bedeutung haben:

$$A_n=\frac{4(u_0-u_a)\sin(q_nl)}{2q_nl+\sin(2q_nl)}\quad,\qquad B_n=\frac{2}{R}\cdot\frac{1}{J^1_{(m_nR)}}\;.$$

Die Quadrate der Wurzelwerthe q und der Wurzelwerthe m wachsen mit steigender Indexzahl n so rasch, dass alle auf das erste

Glied folgenden Glieder des obigen allgemeinen Temperaturausdruckes schon nach wenigen Minuten seit Beginn der Abkühlung völlig bedeutungslos sind. Von dieser Zeit an ist dann

$$v = A_1 B_1 \cos(q_1 x) J^0_{(m_1 r)} \cdot e^{-\frac{k}{c}(q_1^2 + m_1^2) \cdot t}$$

d. h., da $m_1^2 = \frac{(2.40...)^2}{R^2}$ und q_1^2 sehr angenähert gleich $\frac{h}{k} \cdot \frac{1}{l}$ ist,

$$v = A_1 . B_1 . \cos\left(\sqrt{\frac{h}{kl}} . x\right) \cdot J^0_{\left(\frac{2.40}{R} r\right)} e^{-\left[\frac{k}{c} \frac{5.76..}{R^2} + \frac{h}{lc}\right] \cdot t}.$$

Wird also von den ersten Minuten der Abkühlung abgesehen, so ist der zeitliche Verlauf des Temperaturüberschusses für die Mitte der oberen oder unteren Basisfläche des abgekühlten Cylinders:

$$v = A_1 . B_1 . \cos\left(\sqrt{\frac{hl}{k}}\right) \cdot e^{-\left[\frac{k}{c} \cdot \frac{5.76..}{R^2} + \frac{h}{lc}\right] \cdot t}.$$

Aus dem gemessenen zeitlichen Verlaufe dieses Temperaturüberschusses lässt sich die Grösse

$$\frac{k}{c} \cdot \frac{5.76..}{R^2} + \frac{h}{lc}$$

und daraus der Werth k finden, sobald der im Vergleich zu $\frac{k}{c} \cdot \frac{5.76..}{R^2}$ sehr klein gemachte Werth $\frac{h}{l.c}$ angenähert bekannt ist.

Der gefundene Werth von k ist auf die benutzte mittlere Abkühlungstemperatur zu beziehen, die in den ausgeführten Versuchen zwischen 6° und 8° lag.

Nach diesem Verfahren wurden für Blei, Wood'sches Metall und Wismuth Versuche ausgeführt und folgende Werthe für die Wärmeleitungsfähigkeit dieser Substanzen gewonnen:

	k	
Blei [1])	0.0719	Gramm, Centimeter, Secunde und 1° C. als Einheiten zu Grunde gelegt und gültig für die mittlere Temperatur +7°.
Wood'sches Metall [2])	0.0319	
Wismuth [3])	0.0108	

Hierauf wurden aus den zur Bestimmung der Wärmeleitungsfähigkeit benutzten kreisförmigen Platten Ringe ausgedreht und an diesen die elektrische Leitungsfähigkeit nach der in (3) geschilderten Methode bestimmt. Die gefundenen, auf die Temperatur +7° reducirten elektrischen Leitungsfähigkeiten sind:

	$\varkappa$
Blei	5.350×10^{-5}
Wood'sches Metall	2.313×10^{-5}
Wismuth	0.838×10^{-5}

Daraus ergeben sich die folgenden Quotienten $\frac{k}{\varkappa}$:

	$\frac{k}{\varkappa}$
für Blei	$0.1345 \times 10^{+4}$
für Wood'sches Metall	$0.1379 \times 10^{+4}$
für Wismuth	$0.1288 \times 10^{+4}$

Der nach der Beziehung:

$$\frac{k}{\varkappa} = 0.0880 \times 10^{+4} + 0.1365 \times 10^{+4} . c$$

aus der specifischen Wärme berechnete Werth dieses Quotienten ist:

		$\frac{k}{\varkappa}$
für Blei	0.340	$0.1344 \times 10^{+4}$
für Wood'sches Metall	0.371	$0.1378 \times 10^{+4}$
für Wismuth	0.293	$0.1280 \times 10^{+4}$

---

[1]) Chemisch rein.

[2]) Chemisch rein.

[3]) Chemisch rein.

Die für die guten metallischen Leiter gefundene Beziehung zwischen den beiden Leitungsvermögen hat also auch noch für die schlechter leitenden Metalle Gültigkeit.

Als zehnte Substanz, welche die angegebene Beziehung erfüllt, füge ich noch das Quecksilber bei. In meiner Untersuchung über die Wärmeleitung in Flüssigkeiten habe ich das absolute Wärmeleitungsvermögen des Quecksilbers in der Nähe von 0° gleich 0.0152 gefunden und in einer früheren Arbeit habe ich den absoluten Werth des elektrischen Leitungsvermögens des Quecksilbers bei 0° gleich 1.047×10^{-5} bestimmt. Der aus den Beobachtungen abgeleitete Werth des Quotienten der beiden Leitungsvermögen beträgt hiernach für Quecksilber: $0.1452 \times 10^{+4}$. Aus der Beziehung

$$\frac{k_0}{\varkappa_0} = 0.0880 \times 10^{+4} + 0.1365 \times 10^{+4} . c_0$$

berechnet er sich für $c_0 = 0.44$ zu $0.1480 \times 10^{+4}$.

Auch Quecksilber fügt sich also mit grosser Annäherung der angegebenen Beziehung zwischen den beiden Leitungsvermögen.

Ich stelle jetzt in der folgenden Tabelle alle gefundenen Resultate zusammen und gebe in der letzten Columne den nach der Gleichung $k_0 = \varkappa_0(a + b . c_0)$ berechneten Werth des Quotienten $\frac{k_0}{\varkappa_0}$, der sich auf diejenigen Werthe von a und b stützt, die aus allen Beobachtungen nach der Methode der kleinsten Quadrate abgeleitet wurden.

	c_0	k_0	$\varkappa_0$	$\frac{k_0}{\varkappa_0}$	$a + bc_0$
Kupfer	0.827	0.8190	40.81×10^{-5}	$0.2007 \times 10^{+4}$	$0.2002 \times 10^{+4}$
Messing	0.791	0.1500	7.62×10^{-5}	$0.1968 \times 10^{+4}$	$0.1953 \times 10^{+4}$
Zink	0.662	0.3056	17.43×10^{-5}	$0.1753 \times 10^{+4}$	$0.1777 \times 10^{+4}$
Silber	0.573	1.0960	65.87×10^{-5}	$0.1664 \times 10^{+4}$	$0.1656 \times 10^{+4}$
Cadmium	0.475	0.2213	14.61×10^{-5}	$0.1515 \times 10^{+4}$	$0.1523 \times 10^{+4}$
Quecksilb.	0.441	0.0152	1.047×10^{-5}	$0.1452 \times 10^{+4}$	$0.1475 \times 10^{+4}$
Zinn	0.380	0.1446	10.34×10^{-5}	$0.1398 \times 10^{+4}$	$0.1394 \times 10^{+4}$
Wood	0.371	0.0319	2.313×10^{-5}	$0.1379 \times 10^{+4}$	$0.1373 \times 10^{+4}$
Blei	0.340	0.0719	5.351×10^{-5}	$0.1345 \times 10^{+4}$	$0.1339 \times 10^{+4}$
Wismuth	0.293	0.0108	0.838×10^{-5}	$0.1288 \times 10^{+4}$	$0.1275 \times 10^{+4}$

$$\left. \begin{aligned} a &= 0.0877 \times 10^{+4} \\ b &= 0.1360 \times 10^{+4} \end{aligned} \right\}$$

Das Eisen konnte ich nicht auf die Beziehung zwischen den beiden Leitungsvermögen untersuchen, da die von mir gewählte Methode zur Bestimmung der elektrischen Leitungsfähigkeit die Benutzung des Eisens ausschloss.

7. Auch für die Amalgame scheint die gefundene Beziehung zwischen den beiden Leitungsvermögen gültig zu sein. Eine daraufhin gerichtete Untersuchung der Hrn. Tuchschmid und G. Weber, die in nächster Zeit zum Abschluss kommt, wird darüber näheren Aufschluss geben.

Die nichtmetallischen, aber Wärme und Elektricität leitenden Substanzen fügen sich jedoch dieser Beziehung nicht; für die Kohle, für welche gegenwärtig Hr. Zeller ausführliche Versuche anstellt, ist z. B. die wirkliche Leitungsfähigkeit mindestens 20 bis 30 mal grösser als diejenige Wärmeleitungsfähigkeit, welche sich nach der obigen Relation aus dem elektrischen Leitungsvermögen und der specifischen Wärme berechnet.

Die gefundene Beziehung zwischen den beiden Leitungsvermögen scheint also an die metallische Natur der Substanzen gebunden zu sein.

8. Das Wärmeleitungsvermögen aller bisher von mir untersuchten festen Metalle nimmt mit steigender Temperatur ab und zwar für die verschiedenen Metalle in nicht sehr verschiedenem Grade; für alle untersuchten festen Metalle fand ich diese Abnahme des Wärmeleitungsvermögens ganz erheblich kleiner als die Abnahme des elektrischen Leitungsvermögens. Die in dem oben gegebenen Zusammenhang der beiden Leitungsvermögen vorkommenden Grössen a und b sind demnach Functionen der Temperatur. Weitere und feinere Untersuchungen müssen die Natur dieser Functionen darlegen.

9. Zum Schluss will ich noch hervorheben, dass die von mir gefundenen Resultate in guter Übereinstimmung mit den Ergebnissen stehen, zu welchen die Hrn. F. E. Neumann und R. Lenz gelangt sind.

Hr. Lenz untersuchte die vier Metalle Kupfer, Messing, Neusilber und Eisen auf ihre Leitungsfähigkeit für Wärme und Elektricität und fand, dass der Quotient aus dem relativ gemessenen elektrischen Leitungsvermögen in das relativ gemessene Wärmeleitungsvermögen für diese Metalle fast vollkommen derselbe ist. Er glaubte daraus folgern zu dürfen, dass dieses für alle Metalle Statt findet. Diese Schlussfolgerung ist unzulässig, obschon das für die vier genannten Metalle gefundene Resultat vollkommen richtig ist. Diese vier Metalle Kupfer, Messing, Neusilber und Eisen besitzen nämlich fast genau dieselbe specifische Wärme der Volumeneinheit — die entsprechenden Werthe sind 0.83, 0.80, 0.80 und 0.84 — und sie liefern deswegen auch fast genau denselben Quotienten aus dem elektrischen Leitungsvermögen in das Wärmeleitungsvermögen.

Hr. F. E. Neumann hat in seinen Untersuchungen über die Wärmeleitung in Metallen nur die fünf Metalle Kupfer, Messing, Zink, Neusilber und Eisen auf die Grösse des absoluten Wärmeleitungsvermögens und der relativen elektrischen Leitungsfähigkeit untersucht. Aus seinen Messungen ergiebt sich der Mittelwerth des Quotienten aus der elektrischen Leitungsfähigkeit in das Wärmeleitungsvermögen für die vier nahezu die gleiche (0.82) specifische Wärme der Volumeneinheit besitzenden Metalle Kupfer, Messing, Neusilber und Eisen gleich 19.05, während sich der Quotient aus den beiden Leitungsvermögen für das Zink, das die erheblich kleinere specifische Wärme der Volumeneinheit 0.67 besitzt, nur gleich 17.1 herausstellte. Aus diesen zwei Werthengruppen würde sich in der Relation

$$\frac{k}{\varkappa} = a + b.c$$

der Werth $a = 8.4$ und der Werth $b = 13.0$ und das Verhältniss $\frac{b}{a} = 1.545$ ergeben. Aus der von mir abgeleiteten Beziehung ergiebt sich das letztere Verhältniss gleich 1.550.

Verzeichniss der im Monat Mai 1880 eingegangenen Schriften.

Leopoldina. Amtliches Organ der kaiserl. Leop.-Carol. deutschen Akademie der Naturforscher. Heft XVI. N. 7. 8. Halle 1880. 4.

Sitzungsberichte der philos., philolog. und histor. Classe der k. b. Akademie der Wissenschaften zu München. Jahrg. 1879. Bd. II. Heft 3. München 1879. 8.

Sitzungs-Berichte der math.-phys. Classe der k. b. Akademie der Wissenschaften zu München. Jahrg. 1879. Bd. II. Heft 3. München 1879. 8.

Vierteljahrsschrift der Astronomischen Gesellschaft. Jahrg. XIV. Heft 4. Leipzig 1879. 8.

Catalog der Bibliothek der Astronomischen Gesellschaft. Herausgegeben von dem Bibliothekar der Gesellschaft Dr. C. Bruhns. Leipzig 1879. 8.

Berichte der Deutschen Chemischen Gesellschaft. Jahrg. XIII. N. 8. 9. Berlin 1880. 8.

Elektrotechnische Zeitschrift. Jahrg. I. Heft V. Mai. Berlin 1880. 4.

Abhandlungen herausgegeben vom Naturwissenschaftlichen Vereine zu Bremen. Bd. VI. Heft 1. 2. 3. Bremen 1879. 1880. 8. Beilage N. 7. Bremen 1879. 8.

Sitzungs-Berichte der naturwissenschaftlichen Gesellschaft Isis in Dresden. Jahrg. 1879. Juli — Dec. Dresden 1880. 8.

Zeitschrift der Gesellschaft für Beförderung der Geschichts-, Alterthums- und Volkskunde von Freiburg, dem Breisgau und den angrenzenden Landschaften. Bd. V. Heft 1. Freiburg i. Br. 1880. 8.

Wissenschaftlicher Jahresbericht über die Morgenländischen Studien vom October 1876 bis December 1877. Heft 1. 2. Leipzig 1879. 8.

Zeitschrift der Deutschen Morgenländischen Gesellschaft. Bd. 34. Heft 1. Leipzig 1880. 8.

Ergebnisse der Beobachtungsstationen an den Deutschen Küsten über die physikalischen Eigenschaften der Ostsee und Nordsee und die Fischerei. Jahrg. 1879. Heft XII. December. Berlin 1880. 4.

Publicationen des Astrophysikalischen Observatoriums zu Potsdam. 1. Band. Potsdam 1879. 4.

Der deutsch-französische Krieg 1870—71. Redigirt von der kriegsgeschichtlichen Abtheilung des Grossen Generalstabes. Heft 17. Berlin 1880. 8.

A. v. Reumont, *Gino Capponi. Ein Zeit- und Lebensbild.* Gotha 1880. 8.

Nicephori Archiepiscopi Constantinopolitani Opuscula historica. Edidit A. de Boor. Lipsiae 1880. 8.

A. Mühry, *Über die exacte Natur-Philosophie.* Göttingen 1880. 8.

J. M. Hildebrandt, *West-Madagaskar. Reiseskizze. Sep.-Abdr. Zeitschrift der Gesellschaft für Erdkunde.* Bd. XV. 8.

C. Bruhns, *Die Benutzung der Meteorologie für landwirthschaftliche Arbeiten.* Dresden 1880. 8.

C. F. W. Peters, *Resultate aus Pendelbeobachtungen.* Abth. 1. *Bestimmung der Länge des einfachen Sekundenpendels in Altona.* S.-A. Kiel 1880. 4.

Statistik der Preussischen Schwurgerichte und der von denselben erkannten Strafen und Freisprechungen für das Jahr 1878. Berlin 1880. 4.

Mittheilungen des Deutschen Archaeologischen Institutes in Athen. Jahrg. V. Heft 1. Athen 1880. 8.

**The Vinaya Pitaka. Edited by H. Oldenberg.* Vol. II. *The Cullavagga.* London 1880. 8. 2 Ex.

Jahrbuch der K. K. geologischen Reichsanstalt. Jahrg. 1880. Bd. 30. N. 1. Jan.—März. Wien 1880. 8.

Verhandlungen der K. K. geologischen Reichsanstalt. 1880. N. 1—5. Wien 1880. 8.

Mittheilungen der anthropologischen Gesellschaft in Wien. Jahrg. 1880. Bd. IX. Wien 1880. 8.

Astronomische, magnetische und meteorologische Beobachtungen an der K. K. Sternwarte zu Prag im Jahre 1879. Jahrg. 40. Prag. 4.

Erdélyi Muzeum. 4. és. 5. sz. Évtolyam VII. 1880. Budapest. 8.

R. L. Landau, *Religion und Politik nebst Nachtrag zur Sammlung kleiner Schriften.* Budapest, Leipzig 1880. 8.

Memoirs of the R. Astronomical Society. Vol. XLI, 1879. London 1879. 4.

Monthly Notices of the R. Astronomical Society. Vol. XL. N. 6. April 1880. London 1880. 8.

Proceedings of the London Mathematical Society. N. 156. 157. 158. London 1879/80. 8.

Proceedings of the R. Geographical Society and Monthly Record of Geography. New Monthly Series. Vol. II. N. 5. May 1880. London. 8.

The Journal of the Chemical Society. N. CCX. May 1880. London. 8.

Transactions of the Zoological Society of London. Vol. X. N. 13. Vol. XI. P. 1. London 1879. 1880. 4.

Proceedings of the scientific meetings of the Zoological Society of London, for the year 1879. Part IV. London 1880. 8.

List of the vertebrated animals now or lately living in the Gardens of the Zoological Society of London. First Supplement, containing additions received in 1879. London. 8.

1880. Victoria. — Reports of the Mining Surveyors & Registrars. — Quarter ended 31st. Dec. 1879. Melbourne 1880. fol.

Comptes rendus hebdomadaires des séances de l'Académie des Sciences de l'Institut de France. T. XC. 1880. Semestre I. N. 16. 17. 18. 19. Paris 1880. 4.

Tables des Comptes rendus des séances de l'Académie des Sciences. 2. Sem. 1879. T. LXXXXIX. ib. 4.

Bulletin de la Société mathématique de France. T. VIII. N. 3. Paris 1880. 8.

Bulletin de l'Académie de Médecine. Sér. II. T. IX. N. 17. 18. 19. Paris 1880. 8.

Bulletin de la Société géologique de France. Sér. III. T. VIII. 1880. N. 1. Paris 1879/80. 8.

Société Nationale d'Agriculture de France. — M. Delesse, Carte agronomique du Département de Seine-et-Marne. Paris 1880. 8.

Annales des Ponts et Chaussées. Mémoires et Documents. Série V. Année X. Cah. 4. 1880. Avril. Paris. 8.

Bulletin de la Société de Géographie commerciale de Bordeaux. Sér. 2. Année 3. N. 9. 10. Bordeaux 1880. 8.

Revue scientifique de la France et de l'étranger. N. 44. 45. 46. 47. Paris 1880. 4.

Polybiblion. Revue bibliogr. univ. Part. litt. Sér. II. T. XI. Livr. 5. *Part. techn.* Sér. II. T. VI. Livr. 5. Mai. Paris 1880. 8.

Comité international des poids et mesures. — Procès-verbaux des séances de 1879. Paris 1880. 4.

M. Vivien de Saint Martin, *Nouveau Dictionnaire de Géographie universelle.* Fasc. 12. 13. Paris 1880. 4.

L. Delisle, *Mélanges de Paléographie et de Bibliographie.* Paris 1880. 8.
M. C. Marignac, *Sur les terres de la Samarskite.* 1878. 8. Extr.

Atti della R. Accademia dei Lincei. Anno CCLXXVII. 1879—80. Serie 3. *Transunti* Fasc. 5. Aprile 1880. Vol. IV. Roma 1880. 4.
Atti della Società Veneto-Trentina di Scienze naturali residente in Padova. Vol. II. Fasc. 1. 2. Vol. III. Fasc. 1. 2. Vol. V. Fasc. 1. Vol. VI. Fasc. 1. Padova 1873—1879. 8. Octobre 1875.
B. Boncompagno, *Bullettino di bibliografia e di storia delle scienze matematiche e fisiche.* T. XII. Dic. 1879. Roma 1879. 4.
G. Omboni, *Il Gabinetto di Mineralogia e Geologia della R. Università di Padova.* Padova 1880. 8.
Giraud Giuseppe, *La mia lanterna nella Scienza, in Medicina.* Torino 1879. 8.
— —, *L'Universo ossia il Mondo disvelato.* Torino 1878. 8.
— —, *La Genesi delle forze.* Torino 1880. 8.

Entomologisk Tidskrift utgifven af J. Spångberg. Bd. I. Häfte 1. 1880. Stockholm 1880. 8.

G. Schlegel, *Réponse aux critiques de l'Uranographie Chinoise.* La Haye 1880. 8. Extr.

Bulletin de l'Académie R. des Sciences de Belgique. 49. Année. 2. Série. T. 49. N. 3. Bruxelles 1880. 8.
Levé géologique des planchettes XV/7 et XV/8, XXXI/1 et XXXI/5 de la Carte topographique de la Belgique. Par M. le Baron O. van Ertborn, avec la collaboration de M. P. Cogels: Feuille de coupes. - - Hoboken. — Contich. *Par M. G. Velge:* Lennick. — St. Quentin. — 4 Bll. fol.
O. van Ertborn, *Texte explicatif du levé géologique des planchettes d'Hoboken et de Contich.* Bruxelles 1880. 8.

Revista Euskara. Año 3. N. 25. Abril de 1880. Pamplona 1880. 8.

Transactions of the Connecticut Academy of Arts and Sciences. Vol. V, P. 1. New Haven 1880. 8.

The American Journal of Science and Arts. Ser. III. Vol. XIX. N. 113. May 1880. New Haven 1880. 8.

American Journal of Mathematics pure and applied. Vol. II. Number 4. Baltimore 1879. 4.

Bulletin of the Museum of Comparative Zoology, at Harvard College, Cambridge, Mass. Vol. VI. N. 5-7. Cambridge 1880. 8.

R. W. Amidon, *The effect of willed muscular movements on the temperature of the Head: new study of cerebral cortical localization.* New York 1880. 8. Sep.-Abdr.

R. N. Toppan, *Some modern monetary questions viewed by the light of Antiquity.* Sep.-Abdr. Philadelphia 1880. 8.

C. C. Schaeffer, *The American System. — Latin.* — Charts with Text. Philadelphia 1878. 4.

Berichtigung.

–

S. 436 Z. 14 st. Benutzung l. Bewegung.

MONATSBERICHT

DER

KÖNIGLICH PREUSSISCHEN
AKADEMIE DER WISSENSCHAFTEN
ZU BERLIN.

Juni 1880.

Vorsitzender Secretar: Hr. Auwers.

---

3. Juni. Gesammtsitzung der Akademie.

Hr. Munk las folgende Abhandlung:

Über die Sehsphären der Grosshirnrinde.

Seitdem der Versuch über die Seelenblindheit ein tieferes Verständniss der Functionen der Grosshirnrinde angebahnt hatte, war als ein besonders zu erstrebendes Ziel klar vorgezeichnet ein Versuch, der naturgemäss die feste Grundlage aller anderen Erfahrungen auf dem Gebiete abzugeben hatte, die totale Exstirpation der beiden Sehsphären. Doch nur schrittweise und ganz allmählich, wie meine Mittheilungen zeigen[1]), habe ich mich dem Ziele zu nähern vermocht. Jetzt endlich bin ich im Stande, von der Ausführung des Versuches am Hunde zu berichten.

Den enormen operativen Eingriff auf einmal vorzunehmen, wäre ein gar zu kühnes Wagniss gewesen, dessen Gelingen zudem keinen absehbaren Vortheil geboten hätte. Ich habe immer zuerst bloss die eine Sehsphäre total exstirpirt und dann 1—2 Monate später, wenn die Wunde schon lange vernarbt war, die gleiche Operation auf der anderen Seite folgen lassen. Auch so noch bietet der Versuch der Misslichkeiten genug.

---

[1]) Die früheren Mittheilungen, an welche die vorliegende sich anschliesst, finden sich an folgenden Orten: Verhandlungen der Physiologischen Gesellschaft zu Berlin, 1876/77, Nr. 16, 17, 24; 1877/78, Nr. 9—10; 1878/79, Nr. 4—5, 18. — Berl. klin. Wochenschr., 1877, Nr. 35. — du Bois-Reymond's Archiv, 1878, S. 162, 547, 599; 1879, S. 581.

Die technischen Schwierigkeiten zwar lassen sich durch Ausdauer überwinden. Der Hund, der die letzten Tage kein Wasser erhalten hat, wird durch Morphium und Äther tief narkotisirt. Mit Trepan und Knochenzange entfernt man das Schädeldach in der ganzen Ausdehnung, in welcher die zu exstirpirende Sehsphäre an der Convexität der Grosshirnhemisphäre gelegen ist (AA_1A Fig. 1 u. 2); doch geht man bloss dicht an die Mittellinie heran, ohne dieselbe zu erreichen, so dass nach der zweiten Operation noch ein ganz schmaler Knochenstreif die Falx mit dem Sinus longitudinalis trägt. Bei jüngeren Hunden bluten die Knochenvenen stark und müssen durch Andrücken von kleinen Feuerschwamm-Stücken verschlossen werden; bei alten Hunden ist die Blutung selten von Belang. Nachdem dann die Dura gespalten und in Stücken zurückgeschlagen, wird durch Einschieben eines dünnen und breiten Scalpellstieles die mediale Fläche der Hemisphäre zugänglich gemacht, der Sulcus calloso-marginalis, soweit er die Sehsphäre begrenzt (*A* Fig. 3), 2—3^{mm} tief eingeschnitten, vom vorderen Ende dieses Schnittes aus und senkrecht zu ihm ein zweiter, ebenso tiefer Schnitt nach oben zur Convexität geführt und von der Convexität aus in der Richtung von vorn nach hinten die ganze mediale Partie der Sehsphäre scheibenförmig abgetragen. In gleicher Weise wird danach das hintere Ende der Hemisphäre, soweit es der Sehsphäre zugehört (*A* Fig. 4), umschnitten und von der Mitte nach der Seite hin abgeschnitten. Schliesslich trägt man mit flachen Messerzügen in derselben Richtung die Rindenpartie der Convexität ab, nachdem man sie noch vorn und unten durch Einschnitte von der Umgebung isolirt hat. Die anscheinend gefährliche Blutung aus den Hirngefässen kommt immer bald zum Stehen, und die Wunde kann nunmehr durch Nähte geschlossen werden. Es bedarf bei diesem Verfahren nur einer gewissen Übung, um die Totalexstirpation der Sehsphäre ebenso sicher auszuführen, wie vergleichsweise den Bell'schen Versuch oder die Magendie'sche Trigeminus-Durchschneidung.

Aber was sich nicht beherrschen lässt, das sind die Nachblutungen und die Entzündung. Durch die ersteren, welche meist aus den Hirngefässen stammen, geht ein Theil der Versuchsthiere in den ersten Tagen nach der Operation zu Grunde. Ein anderer Theil der Thiere erliegt in der zweiten Woche, nachdem bei scheinbar gutem Befinden plötzlich Krämpfe und bald darauf Coma eingetreten sind; die Section ergiebt, dass die Entzündung von einer beschränkten Stelle der Hirnwunde aus sich in die Tiefe verbreitet und durch eine rothe Erweichung zum Durchbruch in den Ventrikel geführt hat. Endlich entstehen noch weitere Verluste in der ersten Woche, indem eine Encephalomeningitis die Nachbarschaft der Hirnwunde befällt; sterben hier die Thiere auch nicht, so ist doch der Zweck ganz verfehlt, da die Rindenläsion eine unbeabsichtigte Ausdehnung gewonnen hat. Grosse Sauberkeit in der Ausführung der Operation und die mit der Übung wachsende Geschicklichkeit mindern alle diese Verluste, insbesondere die letztgenannten, doch verhüten lassen sich dieselben nicht; und noch bei der letzten Serie von 30 Hunden haben mir nicht weniger als 19mal Blutung oder Entzündung meist nach der ersten, seltener nach der zweiten Operation den Versuch vereitelt.

Wo die unglücklichen Zufälle ausbleiben, überraschen die geringfügige Reaction und die schnelle Heilung, welche den so grossen und so groben Verletzungen folgen. Jedesmal etwa 24 Stunden nach der Operation, kaum dass er sich von der Narkose erholt hat, ist der Hund bei mässigem Fieber schon recht munter, 12 bis 24 Stunden später frisst er mit gutem Appetite, nach weiteren 24—36 Stunden ist er ganz fieberfrei und wohlauf. Die Wunde verheilt rasch, in der Regel bei mässiger Eiterung, und nach 2—3 Wochen ist sie vernarbt. Macht man derzeit oder später die Section, so findet man an der Operationsstelle die weichen Bedeckungen alle zu einer festen derben Masse verwachsen und auch verwachsen mit dem Gehirne, das in der ganzen Ausdehnung der Exstirpationsfläche eine gelb erweichte Grenzschicht von etwa 1^{mm} Dicke und darunter die normale Beschaffenheit zeigt; trotz den Wunden zu seinen Seiten ist der Sinus longitudinalis unversehrt und durchgängig geblieben.

Die gelungenen Versuche lohnen nun reich alle für ihren Erwerb aufgewandte Mühe. Denn von Stund' an, da die zweite Sehsphäre entfernt wurde, ist und bleibt der Hund auf beiden Augen vollkommen blind, hat er den Gesichtssinn ganz und für immer verloren, während er in allen übrigen Stücken nicht im mindesten vom unversehrten Hunde sich unterscheidet. Normal laufen alle vegetativen Functionen ab; normal sind Hören, Riechen, Schmecken, Fühlen; normal kommen alle Bewegungen zur Ausführung, die sogenannten willkürlichen ebenso wie die unwillkürlichen, wofern sie nur nicht gerade vom Sehen abhängig sind; normal functioniren die Augen, verengen und erweitern sich die Pupillen; normal ist auch die Intelligenz, soweit sie nicht den Gesichtssinn zur Grundlage hat: kurz, nichts ist abnorm, als das totale Fehlen des Gesichtssinnes.

In den ersten Wochen regen nur Hunger und Durst den Hund zu längerem Gehen an; sonst rührt er sich freiwillig nicht von der Stelle, und auch Lockung und Prügel setzen ihn bloss für kurze Zeit in Bewegung. Immer geht er sehr langsam und zögernd, indem er, den Kopf weit vorgestreckt, mit der Schnauze den Boden abfühlt und die Vorderbeine gleichsam vorsichtig tastend vorschiebt. An alle Hindernisse auf seinem Wege stösst er an. Häufig dreht er sich rechtsum und linksum im Bogen, ohne von der Stelle zu kommen; hat er auf den Zuruf die richtige Richtung eingeschlagen, so verliert er dieselbe bald; selbst in dem ihm vorher bestbekannten Raume fehlt ihm jede Orientirung. Zum Laufen, wie zum Springen ist er nie zu bewegen. Vor jeder Terrainschwierigkeit macht er halt oder kehrt er um. Nur gezwungen passirt er die Treppe, indem er Stufe für Stufe mit der Schnauze nachfühlt; hat er nicht die erste Stufe mit der Schnauze abgereicht, so lässt er sich eher jede Misshandlung gefallen, als dass er ein Bein setzt. Von der Mitte des Tisches aus vermeidet er, mit der Schnauze den Rand abtastend, sehr geschickt die Gefahr; war er aber von vorneherein so auf den Tisch gesetzt, dass ein laterales Fusspaar nahe dem Rande sich befand, so fällt er regelmässig herunter, sobald er sich in Gang setzt. Nur durch Riechen und Fühlen findet er seine Nahrungsmittel. Er sieht nichts, das man vor seinen Augen hält oder bewegt, wo auch das Bild auf den Retinae entsteht; und er blinzelt demgemäss auch nur auf Berührung. Ob man das helle Zimmer plötzlich verfinstert oder das finstere Zimmer plötzlich erhellt, ob man das grellste Licht, natürlich unter Vermeidung der Erwärmung, plötzlich in seine Augen wirft und diese oder jene Partie seiner Retinae plötzlich mit Licht überfluthet, keine andere Fiber seines Körpers zuckt, als die Irismusculatur, die in normaler Weise reagirt. Und nichts von alledem ändert sich an unserem Hunde, so lange er lebt und gesund bleibt, ausser dass, wie es von blinden Thieren altbekannt, die restirenden Sinne sich verfeinern und, soweit es angeht, eintreten für den verlorenen Gesichtssinn. Mit der Zeit stösst der Hund immer weniger heftig an die

Hindernisse auf seinem Wege an, und schliesslich weicht er ihnen meist sogar gut aus, nachdem er sie bloss mit den Tasthaaren oder mit den weit nach vorn gestellten Ohrmuscheln berührt hat. Dann orientirt er sich auch mehr und mehr in den für ihn bestimmten Räumen, sein Gang wird weniger vorsichtig und langsam, er trägt den Kopf höher, er umgeht die ständigen Hindernisse ganz, er hält auf den Zuruf die richtige Richtung immer besser ein, er bewegt sich immer häufiger und andauernder von freien Stücken. Wer in diesen Räumen den Hund nach Monaten oberflächlich betrachtet, kommt nicht auf die Vermuthung, dass er ein ganz blindes Thier vor sich hat; aber nichts weiter ist nöthig, als den Hund auf ein ihm unbekanntes und einigermassen schwieriges Terrain zu versetzen, damit das alte, erstgezeichnete Bild sogleich in allen wesentlichen Zügen wiederkehrt. Alle besonderen Prüfungen des Gesichtssinnes liefern vom ersten bis zum letzten Tage unverändert dasselbe Ergebniss.

Die so werthvollen Thiere für eine lange Beobachtung gesund und in guter Verfassung zu erhalten, ist übrigens eine weitere Schwierigkeit unseres Versuches, da, wie ich schon einmal bei einer früheren Gelegenheit zu bemerken hatte, die verstümmelten Grosshirnhemisphären übermässig empfindlich sind. Schrecken und Angst, wie sie die Prüfungen manchmal mit sich bringen, Lungen- oder Darmerkrankungen, welche für den unversehrten Hund ohne weitere Bedeutung sind, schon einfache Indigestionen, wie sie im Verlaufe eines langen Zeitraumes gar nicht sich verhüten lassen, alles das führt hier leicht zu Gehirnaffectionen, Blutungen oder Entzündungen, auch wenn die letzte Wunde schon seit Monaten vernarbt ist. Die Blutungen haben regelmässig in den nächsten Tagen den Tod der Thiere zur Folge, die Entzündungen bloss hin und wieder, wenn sie in die Tiefe gehen oder eine sehr grosse Ausdehnung gewinnen. Meist breitet sich die von der Operationsstelle ausgegangene Encephalomeningitis nur mehr oder weniger weit über die Nachbarschaft dieser Stelle aus; und dann treten zu der Blindheit, entsprechend der Intensität und dem Umfange des pathologischen Processes, theils für eine Weile, theils für die Dauer Functionsstörungen im Bereiche der Fühlsphäre, und zwar ihrer Augen- und Extremitäten-Regionen, hinzu, wie auch Hörstörungen, welche freilich als einseitige nicht mit voller Sicherheit zu constatiren sind. Der sorgfältigen Pflege meines Wärters Bartel habe ich es zu verdanken, dass meine Hunde trotz allen Gefahren meist 2—3 Monate, einzelne sogar über 4 Monate nach der zweiten Operation gesund geblieben sind. Da in so langer Zeit nicht die mindeste Veränderung hinsichts des Gesichtssinnes sich darbot, unterliegt es keinem Zweifel, dass die Blindheit unseres Versuches eine andauernde ist.

Natürlich schliesst selbst grosse Übung es nicht aus, dass hin und wieder einmal die beabsichtigte Totalexstirpation der beiden Sehsphären doch nicht ganz zur Ausführung gelangt, indem ein kleines Stück der einen oder der anderen Sehsphäre dem Messer entgeht. Mir ist es im ganzen selten und immer nur in der Weise vorgekommen, dass der erhaltene Rest das mediale Ende der Sehsphäre war, also am Sulcus calloso-marginalis sich befand, wo die richtige Messerführung am schwierigsten ist. Aber die so missglückten Fälle sind durchaus nicht zu den verlorenen zu zählen; denn mit den abweichenden Erscheinungen, welche sie darbieten, sichern sie gerade sehr schön das sonstige Ergebniss. Nehmen wir an, die stehengebliebene kleine Partie gehöre der linken Sehsphäre an. Der Hund bewegt sich von vorneherein sichtlich freier, er trägt den Kopf höher und setzt die Vorderbeine weniger vorsichtig; er bevorzugt auffällig die Rechtsdrehung und führt nur auf besonderen Anlass eine Linksdrehung aus, die dann übrigens ebenso gut wie die Rechtsdrehung sich vollzieht; er stösst rechts viel seltener an Hindernisse an als links. Schon in der zweiten Woche geht er viel von freien Stücken, freilich langsam, und er umgeht dabei sehr gut alle Hindernisse auf seinem Wege; nur wenn er sich linksum dreht, stösst er ferner noch und bloss mit der linken Seite des Kopfes an. Auf den Zuruf oder wenn sonst ein auffälliges Geräusch in der Höhe entsteht, wendet er eigenartig den Kopf, indem er ihn in den Nacken wirft und zugleich so um die Längsaxe dreht, dass die mediale Partie der rechten Retina der Schallquelle zugekehrt wird. Bald passirt er auch ohne Zwang die Treppe, indem er nur Kopf und Vorderbeine vorsichtig vorstreckt; und wenn man ihn an den Rand des Tisches drängt, klammert er sich zwar lange krampfhaft an, springt aber endlich ungeschickt herunter. Bringt man irgend einen Gegenstand, den Finger, den Stock u. dgl., vor die Augen und bewegt ihn in den verschiedensten Richtungen, so bleibt der Hund ganz theilnahmlos, bis das Bild auf die äusserste mediale Partie seiner rechten Retina fällt; nur dann, aber dann auch jedesmal wird er plötzlich aufmerksam, hebt den Kopf und sperrt die Augen auf, und er folgt auch einen Moment der Bewegung des Objectes mit Drehung der Augen und des Kopfes. Verbinden des linken Auges ändert an alledem nichts; ist dagegen das rechte Auge verbunden, so verhält sich unser Hund gerade so, wie der zuerst geschilderte ganz blinde Hund. In einem besonders bemerkenswerthen Falle stellten sich für die grobe Beobachtung durch Monate hindurch bloss zwei Abweichungen heraus: der Hund drehte sich von vorneherein mit Vorliebe rechtsum und vollführte weiterhin auf Geräusche in der Höhe die eigenartige Wendung des Kopfes, welche ich vorhin beschrieb. Die genaue Prüfung lehrte, dass nur, wenn ein grelles Licht plötzlich auf dem obersten Abschnitte der äussersten medialen Partie der rechten Retina sein Bild entwarf, der Hund aufmerksam wurde, übrigens der Bewegung des Lichtes weder mit den Augen noch mit dem Kopfe weiter folgte; weniger helle Objecte, ebenso vorgehalten und bewegt, liessen den Hund durchaus theilnahmlos. Was hier vom Gesichtssinne übrig geblieben, war offenbar ein Minimum. Und in unerwarteter Deutlichkeit zeigte die Section, dass vom vorderen medialen Ende der linken Sehsphäre ein ganz kleines Stück erhalten war; die Exstirpationsstelle reichte am Sulcus calloso-marginalis linkerseits etwas weniger weit nach vorn, als rechterseits.

So ist denn also, was ich früher aus den Folgen kleinerer Exstirpationen der Grosshirnrinde erschlossen hatte, nunmehr auch durch den entscheidenden Versuch unmittelbar und endgültig festgestellt: dass die Rindenabschnitte AA_1A (Fig. 1—4) der Grosshirnhemisphären und von allen nervösen Centraltheilen einzig und allein diese Rindenabschnitte, welche ich die Sehsphären genannt habe, es sind, die mit der Function des Sehens betraut sind. So sicher, können wir sagen, wie die durchsichtigen Theile der Augen Bilder von den äusseren Objecten auf den Retinae entstehen lassen und dadurch die specifischen Endelemente (Zapfen-Stäbchen), mit welchen die Opticusfasern in den Retinae ausgestattet sind, und so mittelbar die Opticusfasern selbst erregt werden, so sicher enden auf der anderen Seite diejenigen Opticusfasern, deren Erregung das Sehen zur Folge hat, in den Sehsphären AA_1A, und liegen ebendort und dort allein die centralen Elemente, welche Licht empfinden, in welchen die Gesichtswahrnehmung statthat. Sind die Sehsphären entfernt oder für die Dauer functionsunfähig geworden, so werden zwar durch die Lichtwellen des Äthers die Opticusfasern nach wie vor von ihren Endelementen aus in Erregung gesetzt, und diese Erregung führt auch noch reflectorisch von anderen, unterhalb der Grosshirnrinde gelegenen Centraltheilen aus Irisbewegungen herbei, aber Licht wird nicht mehr empfunden, Gesichtswahrnehmungen kommen nicht mehr zustande, volle Rindenblindheit auf beiden Augen besteht für alle Folge.

Und noch mehr wissen wir bereits: Die mit den Opticusfasern verbundenen centralen Rindenelemente, in welchen die Gesichtswahrnehmung statthat, sind regelmässig und continuirlich angeordnet wie die specifischen Endelemente der Opticusfasern in den Retinae, derart dass benachbarten Rindenelementen immer benachbarte Retinaelemente entsprechen. Nur ist nicht die einzelne Retina zur einzelnen Sehsphäre in Beziehung gesetzt. Vielmehr ist jede Retina mit ihrer äussersten lateralen Partie zugeordnet dem äussersten lateralen Stücke der gleichseitigen Sehsphäre. Der viel grössere übrige Theil jeder Retina aber gehört dem viel grösseren übrigen Theile der gegenseitigen Sehsphäre zu, und zwar so, dass man sich die Retina derart auf die Sehsphäre projicirt denken kann, dass der laterale Rand des Retinarestes dem lateralen Rande des Sehsphärenrestes, der innere Rand der Retina dem medialen Rande der Sehsphäre, der obere Rand der Retina dem vorderen Rande der Sehsphäre, endlich der untere Rand der Retina dem hinteren Rande der Sehsphäre entspricht. Wo die Verknüpfung der centralen Rindenelemente einer Sehsphäre mit den peripherischen Endelementen der gegenseitigen Retina ein Ende hat, tritt demgemäss, für das laterale Stück dieser Sehsphäre, das laterale Stück der gleichseitigen Retina an die Stelle des lateralen Stückes der gegenseitigen Retina. Ist ein Theil der Sehsphären entfernt oder für die Dauer functionsunfähig geworden, so ist damit zwar hinsichts der mittelbaren Erregung der Opticusfasern durch die Lichtwellen und hinsichts der reflectorischen Irisbewegungen nichts verändert, aber von den specifischen Endelementen des correspondirenden Theiles der Retinae aus kommt es nicht mehr zur Lichtempfindung, zur Gesichtswahrnehmung; für den Theil der Retinae, dessen Endelemente mit den centralen Rindenelementen des vernichteten Theiles der Sehsphären verknüpft waren, besteht Rindenblindheit für alle Folge.

Diese genaueren Beziehungen der Sehsphären zu den Retinae habe ich früher ermittelt, indem ich an verschiedenen Hunden verschiedene Abschnitte einer Sehsphäre oder eine ganze Sehsphäre exstirpirte. Jetzt habe ich sie, um alle Controlen zu erschöpfen, auch in der Weise festgestellt, dass ich nach der Totalexstirpation der einen Sehsphäre, wenn die Wunde schon lange vernarbt war, noch eine Partialexstirpation der zweiten Sehsphäre, von verschiedener Lage und Ausdehnung an den verschiedenen Hunden, ausführte. Man ist hier in vielen Fällen der Mühe überhoben, für die Prüfungen das eine Auge zu verbinden; sonst gestalten sich die Prüfungen und die Beobachtungen nicht anders, als ich sie nach dem ersteren Verfahren beschrieb. Mir ist das letztere Verfahren zugleich eine sehr gute Vorübung für die Totalexstirpation beider Sehsphären gewesen; und schon deshalb allein ist es werthvoll, weil es zur vollen Rindenblindheit des einen Auges führt, wenn nach der Totalexstirpation der gegenseitigen Sehsphäre das äusserste laterale Drittel von der an der Convexität gelegenen Partie der gleichseitigen Sehsphäre abgetragen wird. Hunde, welchen eine Sehsphäre ganz oder zum Theil exstirpirt war, ebenso Hunde, die auf einem Auge rindenblind waren, haben sich 7—9 Monate lang für die Beobachtung gesund erhalten lassen, und ich habe während dieser Zeit die durch den Eingriff gesetzte Rindenblindheit nicht im mindesten sich verändern sehen.

Ob Retinaabschnitte von gleicher Grösse auch gleich grossen Sehsphärenabschnitten zugeordnet sind oder nicht, darüber war unmittelbare Auskunft durch Versuche nicht zu gewinnen, weil die Grösse der geschädigten Partieen an der Retina sowohl wie am Gehirne nur recht ungenau sich schätzen liess. Doch kann ich folgendes mit voller Sicherheit hinstellen. Wie es mir schon früher aufgefallen war, so hat es sich jetzt durch die zahlreichen weiteren Beobachtungen nur bestätigt, dass die äusserste laterale Retinapartie, welche der gleichseitigen Sehsphäre zugehört, an Hunden verschiedener Race verschieden gross und dort grösser ist, wo die Divergenz der Augen geringer ist, aber nie, auch in den günstigsten Fällen nicht, mehr als ein Viertel der Retina, immer auf dem horizontalen Meridiane gemessen, ausmacht. Diese Retinapartie wird regelmässig rindenblind, wenn man von der an der Convexität gelegenen Partie der Sehsphäre das äusserste laterale Drittel abträgt; es darf die mediale Grenze der Exstirpationsfläche mehrere Mm. entfernt bleiben von der Furche, welche den Gyrus suprasylvius R. Owen ungefähr hälftet. Hinwiederum wird regelmässig Rindenblindheit der ganzen medialen Hälfte der Retina herbeigeführt, wenn man die mediale Partie der Sehsphäre soweit fortnimmt, dass die laterale Grenze der Exstirpationsfläche auf wenige Mm. der Furche nahekommt, welche den Gyrus medialis vom Gyrus supersylvius trennt. Misst man nun auf einem durch die Mitte der Sehsphäre — etwas hinter der Mitte der Partie A_1 Fig. 1 — gelegten Frontalschnitte die Länge der an Dicke überall ungefähr gleichen Rindenschicht mit Berücksichtigung der Furchen (von der Tiefe des Sulcus calloso-marginalis an), so ergiebt sich, dass die Rindenstrecke für das mediale Viertel der lateralen Hälfte der Retina einerseits ungefähr ebenso lang und höchstens wenig kürzer ist, als die Rindenstrecke für die ganze mediale Hälfte der Retina, andererseits um etwa die Hälfte länger ist, als die Rindenstrecke für das äusserste laterale Viertel der Retina. Und wenn man alle möglichen Fehler noch so gross setzt, so bleibt doch immer die Bevorzugung auffallend, welche hinsichts der zugehörigen Rindenstrecke das mediale Viertel der lateralen Hälfte der Retina vor der übrigen Retina zeigt. Das ist aber sehr bemerkenswerth, weil gerade dieses Retina-Viertel die Stelle des directen Sehens des Hundes enthält, die Stelle, auf welcher jedesmal das Bild des fixirten Objectes entsteht. Man wird danach wohl nicht fehlgehen, wenn man im allgemeinen für die verschiedenen Abschnitte der Retina eine ungleichartige Projection auf die Sehsphäre annimmt. Jedenfalls aber ist es ausgemacht, dass die Stelle des directen Sehens der Retina besonders gut in der Hirnrinde repräsentirt ist, einen verhältnissmässig sehr grossen Theil der Sehsphäre für sich in Anspruch nimmt; denn an eine etwaige Compensation der grösseren Länge des betreffenden Sehsphärenabschnittes durch geringere Breite ist nach der ganzen Lage der Dinge und schon nach der Configuration der Sehsphäre selbstverständlich nicht zu denken.

Mit der umfassenden und allseitig gesicherten Einsicht, welche wir derart in die Sehsphären als den Ort der Gesichtswahrnehmung gewonnen haben, ist jedoch unsere Kenntniss der Sehsphären noch nicht abgeschlossen. Gerade der erste Versuch, mit welchem ich vor Jahren in das Gebiet eintrat, hat uns sogleich einen Einblick thun lassen in die höheren Functionen, welche den Sehsphären ferner noch zukommen. Völlig isolirt und weitab von allem Bekannten, wie damals der Versuch über die Seelenblindheit dastand, hat er zuvörderst der Ausgangspunkt gewissermassen rückläufiger Untersuchungen werden müssen, welche den natürlichen und festen Boden für den Versuch zu schaffen hatten. Jetzt ist dieser Boden gewonnen, unmittelbar dem Vorbehandelten reiht sich nunmehr der Versuch an, und so kann der scheinbar lange vernachlässigte Gegenstand heute endlich die zureichende Behandlung finden.

Nach der ausführlichen Schilderung, welche ich früher gab, werde ich hier nur kurz an den Versuch zu erinnern brauchen. Ein Hund, dem die Grosshirnrinde der Stelle A_1 (Fig. 1 und 2) beiderseits exstirpirt ist, bietet, wenn nach einigen Tagen die entzündliche Reaction vorüber, eine eigenthümliche Störung im Gebiete des Gesichtssinnes dar. Er bewegt sich überall ganz frei und ungenirt, nie stösst er an, und selbst unter den schwierigsten Verhältnissen umgeht oder überwindet er jedes Hinderniss. Aber so gut er auch danach offenbar sieht, er kennt oder erkennt nichts, das er sieht, nicht die Fleischschüssel, nicht den Wassernapf, nicht den Genossen, nicht den Menschen, nicht die Peitsche, nicht das Feuer u. s. f. Neugierig glotzt er um sich, und wie prüfend von allen Seiten betrachtet er, was ihm in den Weg kommt, als wolle er es kennen lernen. Erst nach und nach erkennt er die Objecte wieder; von Untersuchung zu Untersuchung findet sich dieser oder jener Zug des Bildes, das der Hund zunächst darbot, verwischt, täglich sind mehr Absonderheiten fortgefallen. Zu allererst ist der Hund wieder mit der Fleischschüssel und dem Wassergefässe vertraut, dann erkennt er auch den Menschen und findet aus der Ferne den Wärter heraus, der ihn pflegt, weiter erweisen sich Tisch, Schemel, Hund, Kaninchen ihm bekannt, noch später kennt er Stock, Peitsche, Finger, Feuer wieder, u. s. w. Die Neugier und die Unruhe des Hundes haben mittlerweile entsprechend abgenommen. Endlich, wenn 3—5 Wochen seit der Operation verflossen sind, erscheint der Hund restituirt, die eigenthümliche Störung im Gebiete des Gesichtssinnes — die Seelenblindheit, wie ich sie nannte — ist beseitigt.

Indem ich so den Versuch zuerst beschrieb, waren die Sehstörungen nur unvollkommen erkannt. Wir haben seitdem erfahren, dass die beiderseitige Exstirpation der Stelle A_1 andauernde partielle Rindenblindheit mit sich bringt, und zwar an beiden Retinae für die Stelle des directen Sehens und deren Umgebung. Diese Schädigung ist auch jedesmal an unserem Hunde nachweisbar. Hat man dem von der Seelenblindheit restituirten Hunde ein Auge verbunden, und nähert man, während der Hund das andere Auge ruhig hält, diesem Auge von vorn und etwas von der Nasenseite her Objecte, Fleisch oder Feuer, so, dass ihr Bild ungefähr auf der Mitte der Retina oder besser etwas nach aussen von der Mitte entsteht, so sieht der Hund die Objecte nicht, er bleibt durchaus theilnahmlos; dagegen schnappt er sofort nach dem Fleische oder zuckt vor dem Feuer zurück, sobald man die Objecte etwas nach der einen oder der anderen Seite verschiebt. Auch schon in den ersten Wochen, wenn der Hund die Objecte noch gar nicht wieder kennt, gelingt die Prüfung, sobald nur die Unruhe des Hundes sich genügend gemässigt hat: nachdem man dem hungrigen Hunde einige Fleischstücke gereicht hat, hält der Hund alles, was man ihm nähert, für Fleisch und schnappt danach; und er schnappt nur dann nicht zu, wenn das Bild des genäherten Objectes auf der Mitte der Retina oder etwas nach aussen von der Mitte sich erhält. Ganz im groben thut sich die Schädigung kund in dem stieren und blöden Blick, welchen der Hund zeitlebens nach der Operation behält. So eigenartig ist dieser Blick, der nach keinem anderen Eingriffe als der beiderseitigen Exstirpation der Stelle A_1 sich findet, dass er mir von vorneherein nicht entging; aber ich verstand ihn anfangs nicht und mass ihm keine Bedeutung bei. Worauf der Blick beruht, lehrt einfach der Vergleich mit dem unversehrten Hunde. Ganz anders als dieser bewegt unser Hund seine Augen, viel seltener und viel unregelmässiger. So gespannt er auch offenbar das Fleischstück vor seiner Nase betrachtet, die Augen sind abnorm divergent, und die Divergenz nimmt nicht in normaler Weise ab, wenn das Fleischstück der Nase genähert, nicht in normaler Weise zu, wenn das Fleischstück von der Nase entfernt wird; ebensowenig erfolgt die Seitenwendung der Augen normal, wenn man das Fleischstück nach rechts oder nach links bewegt. Mit einem Worte, unser Hund fixirt nicht mehr; er stellt die Augen nicht mehr so ein, dass das betrachtete Object an den Stellen des directen Sehens auf seinen Retinae sich abbildet.

Indess mit dieser Verbesserung unserer Einsicht ist doch das Wesentliche an unserem Versuche nicht verändert. So sehr tritt die partielle Rindenblindheit gegen die anderen Störungen zurück, dass sie anfangs sogar ganz sich hat übersehen lassen, und dass es erst langer und mühsamer Untersuchungen bedurft hat, um sie aufzudecken. In die Augen springt, und das bleibt der Kern des Versuches, dass der Hund die äusseren Objecte, obwohl er sie sieht, nicht mehr wie früher kennt und erst nach und nach wieder erkennt. Danach sind offenbar noch andere und höhere Functionen der Grosshirnrinde, als die Gesichtswahrnehmung, von Störungen betroffen, danach hat unser Eingriff auch im Gebiete der Gesichtsvorstellungen eine Schädigung herbeigeführt.

Die Gesichtsvorstellungen, aus Gesichtswahrnehmungen hervorgegangen, sind entweder Anschauungsbilder oder Erinnerungsbilder dieser Wahrnehmungen. Die Erregung der Opticusfasern, welche dem Sehen dienen, braucht in ihren Folgen nicht auf die Erregung der centralen Elemente, welche mit der Gesichtswahrnehmung betraut sind, sich zu beschränken, sondern kann auch noch mittelbar durch diese Erregung andersgeartete centrale Elemente in Erregung versetzen und damit Gesichtsvorstellungen veranlassen. Die letzteren centralen Elemente, welche Vorstellungselemente heissen mögen, sind aber vor den wahrnehmenden Elementen dadurch ausgezeichnet, dass, während diese sehr rasch nach der Erregung wieder in dem vollen alten Ruhezustande sich befinden, an den Vorstellungselementen infolge der Erregung wesentliche Veränderungen zurückbleiben, welche nur äusserst langsam sich abgleichen. Wenn nun durch die Erregung von Opticusfasern, unter Vermittelung der zugehörigen wahrnehmenden Elemente, gewisse Vorstellungselemente zum ersten Male in Erregung gesetzt sind, so ist damit das blosse Anschauungsbild der Gesichtswahrnehmung gegeben, und die Gesichtswahrnehmung erscheint neu und unbekannt. Hört die Erregung der Opticusfasern auf, so hat auch die Erregung der centralen Elemente ein Ende, und das Anschauungsbild ist fortgefallen; aber mit den bleibenden Veränderungen, welche die Vorstellungselemente erfahren haben, ist latent (potentia) das Erinnerungsbild der Gesichtswahrnehmung erhalten, und dieses Bild entsteht (actu) fortan jedesmal, dass dieselben Vorstellungselemente, gleichviel aus welchem Anlasse, wieder in Erregung gerathen. Wird diese Erregung nunmehr durch eine neue Erregung der Opticusfasern herbeigeführt, so ist zugleich mit dem Erinnerungsbilde wieder das Anschauungsbild der Gesichtswahrnehmung da; und indem Anschauungs- und Erinnerungsbild zusammenfallen, erscheint jetzt die Gesichtswahrnehmung bekannt. So nur und nicht anders lassen die Dinge, um die es sich hier handelt, physiologisch sich erfassen; und die eigenthümliche Störung, welche unser Hund im Gebiete des Gesichtssinnes zeigt, lässt sich demgemäss dahin präcisiren, dass infolge der Verstümmelung nicht mehr, wie früher, zugleich Anschauungs- und Erinnerungsbilder der Gesichtswahrnehmungen entstehen und erst nach und nach für die verschiedenen Gesichtswahrnehmungen das Zusammenfallen von beiderlei Bildern sich wieder einstellt.

Nichts liegt nun näher, als das Wesen der Störung in der vorübergehenden Functionsunfähigkeit zu vermuthen von Rindentheilen, welche Gesichtsvorstellungen dienen, sei es von Vorstellungselementen selbst, sei es auch nur von Leitungen, welche die wahrnehmenden Elemente mit den Vorstellungselementen oder die Vorstellungselemente unter sich verbinden. Hat doch, wer viel an der Grosshirnrinde experimentirt, häufig genug Gelegenheit zu sehen, wie Rindentheile ausser Function treten und mit der Zeit ihre Function wieder aufnehmen. Nach jeder Exstirpation kommt es infolge des mechanischen Angriffs und der reactiven Entzündung für die Umgebung der Exstirpationsstelle zur Beobachtung, und noch schöner ist es zu verfolgen, wo nach völliger Heilung der Wunde eine Entzündung von der Operationsstelle aus sich verbreitet und darauf in umgekehrter Richtung sich zurückbildet. Ja, unter diesen Umständen scheint sogar gelegentlich unsere Störung selbst sich wieder zu finden, wenn in der Umgebung der Stelle A_1 Exstirpationen vorgenommen sind; denn manchmal tritt dann Seelenblindheit auf und verschwindet wieder in wenigen Tagen. Dass in unserem Falle sehr viel langsamer die Restitution erfolgt, könnte man bloss dem zuschreiben wollen, dass die mechanische Verletzung, bez. die Entzündung bei der Exstirpation der Stelle A_1 aus unbekanntem Grunde besonders heftig ist.

Aber so nahe auch die Vermuthung liegt, sie erweist sich als gründlich falsch. Überall wo eine Erkrankung von Rindensubstanz, gleichviel wodurch herbeigeführt, den Ausfall von Rindenfunctionen mit sich bringt und mit der Heilung die Functionen wiederkehren, wird, wann die Functionen wiedererscheinen, und wie, d. h. in welcher Reihenfolge und in welcher Vollständigkeit sie sich wieder einstellen, einzig und allein durch den Heilungsvorgang bestimmt, und der Experimentator vermag nicht den mindesten Einfluss darauf zu gewinnen. So entspricht es der Natur der Dinge, und so lässt es sich hundertfach constatiren; so zeigt es sich insbesondere auch jedesmal da, wo nach einer Exstirpation in der Umgebung von A_1 die Seelenblindheit auftritt und in wenigen Tagen wieder sich verliert. Ganz anderes stellt sich in unserem Falle heraus. Hat man unserem Hunde am 2. oder 3. Tage nach der Operation den Kopf in den Eimer gedrückt, bis das Wasser die Schnauze berührte, und den Futternapf vor die Nase gebracht, dass er das Fleisch roch und frass, so findet der Hund schon am 3., bez. 4. Tage Eimer und Futternapf auf; thut man das gleiche erst am 4. oder 5. Tage, so erkennt der Hund Eimer und Futternapf erst am 5., bez. 6. Tage wieder. Hat man den Hund noch in der 1. Woche die Treppe hinabgeschleift, vor welcher er stutzte, so passirt er dieselbe fortan von freien Stücken, das erste Mal etwas ängstlich, dann ohne Zögern; war der Hund aber geflissentlich von der Treppe ferngehalten, so macht sich alles ebenso erst in der 3. oder 4. Woche nach der Operation. Fährt man im Verlaufe der 1. Woche mehrmals mit dem Finger an oder in die Augen des Hundes, so tritt von der Zeit an regelmässig Blinzeln auf Näherung des Fingers ein; sonst kommt dieses Blinzeln ohne alles Zuthun erst in der 2. oder 3. Woche zur Beobachtung. Drückt man in der 2. Woche ein brennendes Streichholz, nachdem man es vor den Augen gehalten, an die Nase des Hundes, so dass es ihn schmerzt, so weicht der Hund fernerhin stets mit dem Kopfe zurück, sobald er wieder das Feuer sieht; brennt man ihn ebenso erst in der 5. Woche, so hat ihn bis dahin das Feuer nicht genirt, und er kennt es erst jetzt. Bewegt man in der 2. Woche die Peitsche, die noch gar keinen Eindruck macht, einigemal vor den Augen des Hundes und ertheilt ihm einen Schlag, so scheut der Hund in der Folge, so oft man die Peitsche bewegt, und kriecht nach einigen Tagen in die Ecke, sobald er nur die Peitsche in der Hand sieht; hat man dagegen den Hund so lange mit der Peitsche verschont, so macht man dieselben Beobachtungen erst in der 4. oder 5. Woche. Und der Art sind der Erfahrungen mehr. Ja, die volle Restitution von der Seelenblindheit kommt auch überhaupt bloss dann in 3—5 Wochen zustande, wenn nichts, das der Prüfung unterliegt, dem Hunde vorenthalten blieb; anderenfalls gewisse Objecte, wie z. B. gerade Peitsche und Feuer, nach Monaten noch ihm ebenso unbekannt sind, wie in den ersten Tagen nach der Operation. Hier zeigt es sich also vielfach in die Hand des Experimentators gelegt, ob und wie bald der Hund die Objecte wieder kennt, und das schliesst unbedingt die Möglichkeit aus, dass ausser Function gesetzte Rindentheile mit der Zeit ihre Function wieder aufnehmen. Danach kann es nicht anders sein, als dass diejenigen Vorstellungselemente, in welchen die Erinnerungsbilder der früheren Gesichtswahrnehmungen latent erhalten waren, durch die Operation dem Hunde ganz verloren gegangen oder wenigstens für immer nutzlos geworden sind. Indem eben nur diese Vorstellungselemente und nicht im mindesten alle centralen Elemente, deren Erregung Gesichtsvorstellungen veranlasst, fortgefallen sind, kann unser Hund von Anfang an, da er nach der Operation der Beobachtung unterliegt, durch seine Gesichtswahrnehmungen zu Gesichtsvorstellungen kommen, können seine Wahrnehmungen zu Anschauungs- und Erinnerungsbildern führen so wie früher, nur dass es andere, bis dahin unbenutzte Vorstellungselemente sind, welche jetzt die Erinnerungsbilder geben. Darum erscheinen dem Hunde die Objecte zunächst unbekannt, und sie werden ihm erst nach und nach wieder bekannt in dem Umfange und in der Reihenfolge, wie er neue Erinnerungsbilder von ihnen gewinnt.

Wenn diese Erkenntniss nicht noch zwingender bei dem Versuche sich aufdrängt, wenn eine gewisse Gleichförmigkeit im Verlaufe der Restitution, so oft man auch den Versuch wiederholt, den Gedanken an eine vorübergehende Functionsunfähigkeit von Rindentheilen überhaupt aufkommen lässt, so liegt es nur an der Eigenart der Störung, welche die Operation mit sich bringt. Plötzlich wie durch einen Zauber ganz unbekannt geworden mit allem, was er sieht, ist unser Hund für seine Existenz und seine Erhaltung auf den baldigen Erwerb neuer Kenntnisse angewiesen und lernt gerade so, wie er sie beachtet, die ihm wichtigeren Objecte eher wieder kennen als die weniger wichtigen, die grösseren Objecte eher als die kleineren, die bewegten eher als die ruhenden. Indem dies aber bei jedem Versuche wiederkehrt, ist wegen der gleichen und beschränkten Verhältnisse, unter welchen die Thiere leben, für zufällige und dabei gut bemerkbare Variationen der Restitution nur sehr wenig Spielraum vorhanden; und die individuellen Verschiedenheiten scheinen im wesentlichen darauf sich zu beschränken, dass der Gesammtverlauf der Restitution das eine Mal ein etwas rascherer, das andere Mal ein etwas langsamerer ist. Auch der Experimentator vermag da nur in Einzelheiten ändernd einzugreifen, wie ich es oben schilderte: einige unwichtige Objecte allerdings kann er dem Hunde ganz vorenthalten, von den übrigen Objecten aber kann er bloss die Kenntnissnahme etwas verzögern. Gelänge es, die eigenthümliche Störung im Gebiete des Gesichtssinnes unter Bedingungen zu beobachten, unter welchen dieselbe weniger bedeutungsvoll für die Existenz des Hundes wäre, es stände zu erwarten, dass das Wesen der Störung alsdann viel schärfer hervorträte. Und so ergiebt es sich in der That, wenn die Grosshirnrinde der Stelle A_1 bloss an einer Hemisphäre exstirpirt ist.

Versuche dieser Art bieten schon das Interesse dar, dass sie der Analyse der doppelseitigen Exstirpationsversuche dienen, und ich habe es deshalb sogleich beim Beginne meiner Untersuchungen nicht verabsäumt, dieselben auszuführen. „Hat man die Stelle A_1 nur an einer Hemisphäre exstirpirt, so gilt alles, was ich oben für das Sehen im allgemeinen schilderte, bloss für das Sehen mit dem Auge der der Verletzung entgegengesetzten Seite. Nach der rechtsseitigen Exstirpation z. B. erkennt der Hund alles in der alten Weise weiter mit dem rechten Auge, wenn man ihm das linke verbunden hat, während er bei verbundenem rechten Auge wohl sieht, aber zunächst nichts erkennt und erst mit der Zeit alles wieder kennen lernt.“ So führte ich damals das Ergebniss an, und so habe ich es heute nur zu wiederholen. Aber wenn ich weiter hinzufügte: „Nur die Restitution habe ich bei einseitiger Exstirpation rascher sich vollziehen sehen als bei beiderseitiger Exstirpation, was durch die Hülfe, welche das wohlerhaltene Sehen mit dem einen Auge für die Kenntnissnahme von den Objecten gewähren muss, leicht verständlich ist,“ so bin ich dabei in einen doppelten Irrthum verfallen, einmal indem ich die raschere Restitution nach der einseitigen Exstirpation für allgemeingültig hielt, zweitens indem ich sie als derart verständlich ausgab. Dass ich im heikelsten Gebiete, mittenhinein vor Räthsel über Räthsel gestellt, einmal irrte, wer würde es mir verargen wollen? Erst recht aber wird man es mir nicht verübeln, da mein Irrthum gerade dem naturgemässen Gange der Untersuchung entsprang. Damals kam es vor allem darauf an, wie von der beiderseitigen, so von der einseitigen Seelenblindheit die volle Restitution zu constatiren; ich untersuchte und prüfte deshalb sehr viel das eine Auge, und ich setzte damit unbewusst die Bedingungen, unter welchen die

Restitution allerdings so rasch erfolgt, wie ich es angab. Aber ein anderes Verfahren liefert ein ganz anderes Ergebniss.

Man exstirpire einem Hunde die Stelle A_1 der einen, sagen wir der linken Hemisphäre, man überwache die Heilung und Vernarbung der Wunde, man halte aber den Hund stets in seinem Käfige; oder auch man lasse den Hund frei in den Laboratoriumsräumen sich bewegen, man lasse ihn im Garten sich tummeln mit den anderen Hunden, man beschäftige sich selbst mit ihm, nur stelle man keine Prüfungen seines Gesichtssinnes an. 3, 4, 6, 8 Wochen oder noch später nach der Operation prüfe man den Hund bei verbundenem linken Auge: man wird finden, dass er mit dem rechten Auge alles sieht, aber nichts oder so gut wie nichts mit diesem Auge erkennt. Allenfalls kennt er Mensch und Hund, doch findet er aus der Ferne weder den Wärter noch den Spielgenossen heraus, allenfalls blinzelt er auf Näherung des Fingers, höchst selten — mir ist es nur ein einziges Mal begegnet — scheut er vor dem Feuer; sonst zeigt er dasselbe Verhalten, wie es ein derart operirter Hund immer in den ersten Tagen nach der Operation darbietet. Steckt man bei dieser Prüfung dem Hunde nicht den Kopf in den Eimer, bis das Wasser die Schnauze benetzt, nähert man ihm nicht den Futternapf, dass er das Fleisch riecht, lässt man ihn nicht den Stock fühlen, brennt man ihn nicht mit dem Feuer u. s. w., nimmt man auch sogleich nach der Prüfung den Verband wieder ab, so kann man die gleichen Erfahrungen während einer Reihe von Tagen hintereinander machen. Endlich halte man täglich längere Zeit dem Hunde das linke Auge verbunden, man füttere und tränke ihn dabei, man schlage, man brenne ihn u. s. f.: nunmehr vollzieht sich die Restitution von der 4., 5., 7., 9. Woche oder einer noch späteren Zeit an gerade so, wie sonst schon in den ersten Wochen nach der Operation. Und will man es anders, so setze man bloss einzelne Objecte der Kenntnissnahme von Seiten des Hundes aus, während dieser das rechte Auge allein offen hat: nur diese Objecte wird er in der Folge kennen, die anderen werden ihm so unbekannt sein wie zuvor.

Mit der beiderseitigen Exstirpation der Stelle A_1 ist also für den Hund der definitive Ausfall aller der Vorstellungselemente verbunden, in welchen die Erinnerungsbilder seiner früheren Gesichtswahrnehmungen latent erhalten waren; und die einseitige Exstirpation der Stelle A_1 bringt den Ausfall dieser Vorstellungselemente bloss für das Sehen mit dem gegenseitigen Auge mit sich. Ob es sich dabei um einen wirklichen Verlust von Vorstellungselementen handelt oder nur darum, dass die Vorstellungselemente dem Hunde für die Folge nutzlos sind, ist damit noch nicht ausgemacht. Die bezüglichen Vorstellungselemente könnten in den Stellen A_1, und zwar gesondert und gleichmässig in jeder dieser beiden Stellen gelegen sein und durch unseren Eingriff entfernt werden; oder sie könnten irgendwo in der Rinde ausserhalb der Stellen A_1 sich befinden, sei es einfach vorhanden für beide Hemisphären, sei es wiederum gleichmässig in jeder Hemisphäre für sich, und die Exstirpation der Stelle A_1 brauchte nur jedesmal alle Leitungen zu unterbrechen, welche von den der gegenseitigen Retina zugeordneten wahrnehmenden Elementen zu den Vorstellungselementen führen. Aber zwischen diesen Möglichkeiten sind wir sogleich zu entscheiden im Stande. Denn es giebt in der Grosshirnrinde keine andere Partie ausser der Stelle A_1, deren ein- oder beiderseitige Zerstörung unsere Seelenblindheit zur Folge hätte. Selbst dann blieb diese aus, als ich die ganze einer Retina zugehörige Rinde mit alleiniger Schonung der Stelle A_1 entfernte, indem ich zuerst von der einen Sehsphäre das äusserste Drittel der an der Convexität gelegenen Partie und dann von der anderen Sehsphäre die ganze mediale Partie bis zum medialen Rande der Stelle A_1 und dazu noch die beiden Streifen vor und hinter A_1 exstirpirte[1]). Es unterliegt demnach keinem Zweifel, dass die Vorstellungselemente, in welchen die Erinnerungsbilder der früheren Gesichtswahrnehmungen latent erhalten sind, in den Stellen A_1, und zwar gesondert und gleichmässig in jeder dieser beiden Stellen ihren Sitz haben, so dass sie mit der Exstirpation dieser Stellen ganz verloren gehen.

Und dass dem so ist, dass diese Vorstellungselemente gerade in derjenigen Partie der Sehsphäre enthalten sind, welche der Re-

---

[1]) Der Versuch gelingt nur, wenn man das äusserste Drittel der an der Convexität gelegenen Partie der zweiten Sehsphäre höchst schonend behandelt und wo möglich gar nicht entblösst; sonst stirbt die Stelle A_1, wahrscheinlich infolge unzureichender Ernährung, regelmässig ab. Viel besser sind die Chancen, wenn das Abschneiden der Streifen vor und hinter A_1 unterbleibt, wodurch der Werth des Versuches allerdings, doch nur wenig verringert wird.

tinastelle des directen Sehens und deren Umgebung zugeordnet ist, dafür bietet sich auch ein tieferes Verständniss dar. Es will dazu nur beachtet sein, was wir schon bei der Schilderung der Versuchsthiere mehrfach anzudeuten hatten, sonst aber bisher vernachlässigen konnten, dass das Entstehen der Vorstellungen aus den Wahrnehmungen überall noch an einer besondere, physiologisch ihrem Wesen nach unbekannte Bedingung geknüpft ist, die Aufmerksamkeit. Nicht alle Gesichtswahrnehmungen liefern Anschauungsbilder und lassen durch die bleibenden Veränderungen, welche sie an den Vorstellungselementen setzen, Erinnerungsbilder latent fortbestehen, sondern solche Wirkung entfalten bloss diejenigen Gesichtswahrnehmungen, auf welche die Aufmerksamkeit gerichtet ist. Das sind aber in der Norm immer Gesichtswahrnehmungen, welche mittels der Stelle des directen Sehens zustandekommen; denn diese Stelle der Retina wird ja regelmässig auf die Objecte eingestellt, welche beachtet und betrachtet werden. Es ist daher nichts natürlicher, als dass die Vorstellungselemente der Stelle A_1 gemäss den engeren Beziehungen, in welchen sie zu den wahrnehmenden Elementen derselben Stelle stehen, vor den übrigen Vorstellungselementen der Sehsphäre so ausgezeichnet sind, wie wir es fanden.

Die Richtigkeit dieses Verständnisses finden wir in sehr bemerkenswerther Weise verbürgt, wenn wir nochmals den Hund betrachten, an welchem die Stelle A_1 auf der einen Seite exstirpirt ist. Er erkennt mit dem gegenseitigen Auge nichts, und doch ist das äusserste Viertel der Retina dieses Auges gar nicht mit der verletzten Sehsphäre in Verbindung, sondern mit der unverletzten, welche im ungestörten Besitze aller ihrer Vorstellungselemente sich befindet. Das beweist, dass die Vorstellungselemente der Stelle A_1 zu den verschiedenen wahrnehmenden Elementen, welche derselben Retina zugehören, in verschiedener Beziehung und sogar zu vielen peripherischen unter diesen Elementen so gut wie in gar keiner Beziehung sind. Es ist dadurch noch mehr, als durch die örtlichen oder anatomischen Verhältnisse allein, gesichert, was ich vorhin heranzog, dass die Vorstellungselemente der Stelle A_1 in besonders enger Beziehung zu den wahrnehmenden Elementen derselben Stelle stehen. Wichtiger aber noch ist und von umfassenderer Bedeutung, dass unser Hund, auch wenn wir ihn monatelang frei umherlaufen lassen, die verlorenen Erinnerungsbilder der einen Seite doch nicht wiedergewinnt. So schwierig hier das Räthsel zuerst erscheint, so einfach ergiebt sich schliesslich seine Lösung. Der Hund, der nie Unruhe oder Neugier verräth, der von einem stieren oder blöden Blick keine Spur, sondern immer den Blick des unversehrten Hundes zeigt, fixirt, wie die genaue Untersuchung lehrt, nach der Operation die Objecte gerade so wie vorher; demgemäss erkennt er alles mit dem gleichseitigen Auge, im gegenseitigen Auge aber fallen die Bilder der Objecte, welche er betrachtet, immer auf die Retinastelle des directen Sehens, welche rindenblind ist, und es kann deshalb hier nicht zu Wahrnehmungen und Vorstellungen, also auch nicht zu neuen Erinnerungsbildern kommen.

Nur unter dem Zwange, wenn der Hund nichts erkennt, das er sieht, wenn nach der einseitigen Exstirpation der Stelle A_1 das gleichseitige Auge verbunden oder wenn die Stelle A_1 beiderseits exstirpirt ist, wendet sich die Aufmerksamkeit den Gesichtswahrnehmungen zu, welche mittels anderer Stellen der Retina, als der des directen Sehens, zustandekommen; und entsprechend werden dann Vorstellungselemente, welche ausserhalb der Stelle A_1 in der Sehsphäre gelegen sind, erregt und treten bleibende Veränderungen an ihnen ein, so dass der Hund neue Erinnerungsbilder gewinnt. So verliert sich allmählich die Seelenblindheit, auch wenn noch wesentlich mehr von der Sehsphäre als die Stelle A_1 abhanden gekommen ist. Ich habe noch die volle Restitution in 6—8 Wochen eintreten sehen, wo die Retina bis etwa auf das äusserste laterale oder mediale Viertel rindenblind war; und erst wenn die Rindenblindheit der Retina noch ausgedehnter war, kam es bloss zu einer unvollkommenen Restitution, erschienen selbst nach Monaten nur einzelne Objecte dem Hunde bekannt, oder war überhaupt keine Restitution von der Seelenblindheit mehr nachzuweisen.

So können wir nun, alles zusammenfassend, den obigen Ermittelungen über die Gesichtswahrnehmung folgendes über die Gesichtsvorstellungen hinzufügen: Ausser den centralen Elementen, welche Licht empfinden, in welchen die Gesichtswahrnehmung statthat, sind in den Sehsphären AA_1A und dort allein noch andersgeartete centrale Elemente gelegen, deren Erregung die Gesichtsvorstellungen giebt; über die ganze Ausdehnung jeder Sehsphäre sind sie verbreitet und überall mit den wahrnehmenden Elementen derselben in leitender Verbindung. Werden solche Vorstellungselemente von wahrnehmenden Elementen aus in Erregung versetzt, so liefern sie das Anschauungsbild der Gesichtswahrnehmung; hat die Erregung aufgehört, so ist mit den bleibenden, nur äusserst langsam sich abgleichenden Veränderungen, welche die Erregung an ihnen herbeigeführt hat, das Erinnerungsbild der Gesichtswahrnehmung latent in ihnen erhalten, und dieses Bild entsteht in der Folge jedesmal, dass eine neue Erregung derselben Vorstellungselemente, gleichviel wodurch, veranlasst ist. Aber nicht immer hat die Erregung von wahrnehmenden Elementen die Erregung von Vorstellungselementen zur Folge; vielmehr muss dafür noch eine besondere, physiologisch ihrem Wesen nach unbekannte Bedingung erfüllt sein, es muss die Aufmerksamkeit auf die Gesichtswahrnehmung gerichtet sein. Das bringt es mit sich, dass unter allen Vorstellungselementen der Sehsphäre denjenigen, welche in der Stelle A_1 gelegen und mit den wahrnehmenden Elementen dieser Stelle in engerer Verbindung sind, eine hervorragende Bedeutung zukommt. Da der Hund die Objecte, welche er betrachtet, fixirt, seine Aufmerksamkeit also in der Norm immer den Gesichtswahrnehmungen zugewandt ist, welche mittels der Retinastelle des directen Sehens zustandekommen, so sind es immer die Vorstellungselemente der Stelle A_1, welche die Anschauungsbilder der Gesichtswahrnehmungen liefern; und in den Vorstellungselementen der Stelle A_1 finden sich demgemäss auch die Erinnerungsbilder der früheren Gesichtswahrnehmungen erhalten, gleichmässig und gesondert in jeder Hemisphäre für sich, wie sie jederseits aus dem Sehen mit dem gegenseitigen Auge hervorgegangen sind. Wird die Stelle A_1 beiderseits entfernt, so ist der Hund nicht nur auf beiden Retinae rindenblind für die Stelle des directen Sehens und deren Umgebung, sondern infolge des Fehlens aller Erinnerungsbilder seiner früheren Gesichtswahrnehmungen kennt oder erkennt er auch nichts, das er sieht, er ist völlig seelenblind. In der Noth richtet sich jetzt die Aufmerksamkeit des Hundes auf die Gesichtswahrnehmungen, welche mittels anderer Stellen der Retinae zustandekommen, der Hund fixirt nicht mehr, und bis dahin unbenutzte, ausserhalb der Stellen A_1 gelegene Vorstellungselemente liefern Anschauungsbilder von den neuen Gesichtswahrnehmungen und lassen Erinnerungsbilder von ihnen fortbestehen: so vollzieht sich mit der Zeit die Restitution von der Seelenblindheit, während die partielle Rindenblindheit unverändert für die Dauer sich erhält. Wird die Stelle A_1 nur an einer Hemisphäre entfernt, so gilt alles ebenso bloss für das Sehen mit dem gegenseitigen Auge; doch

Monatsber. der K. Preuss. Acad d. Wiss 1880.

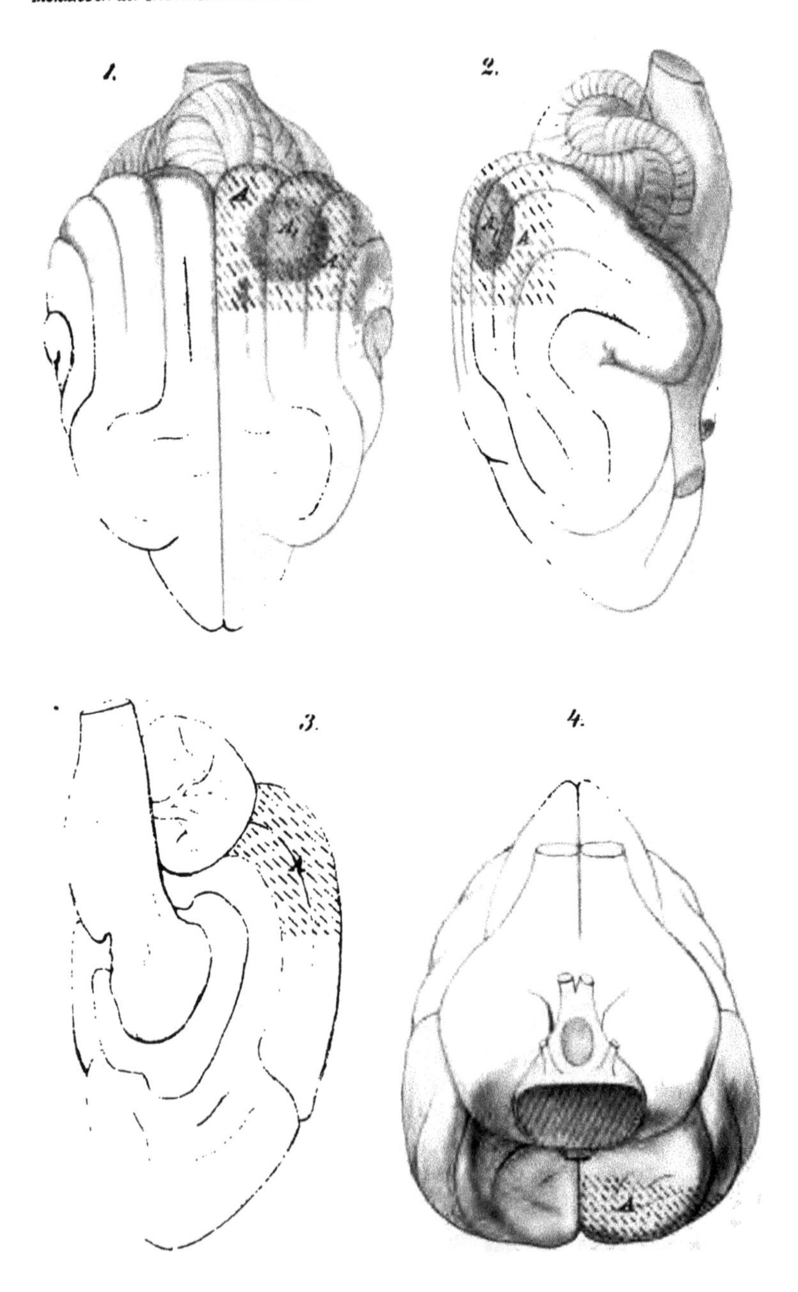

fixirt hier der Hund mit beiden Augen nach wie vor, und deshalb kommt es zur Restitution von der Seelenblindheit bloss insoweit, als der Hund gezwungen ist, das gegenseitige Auge allein zum Sehen zu benutzen. Überall kann die Seelenblindheit vollkommen sich verlieren, auch wenn mit der Stelle A_1 noch ein grosses Stück der übrigen Sehsphäre entfernt ist; und erst wenn mehr als drei Viertel der Retina rindenblind sind, bleibt die Restitution unvollkommen oder kommt gar nicht mehr zustande.

Tiefer in das Gebiet der Gesichtsvorstellungen einzudringen, ist mir, trotz vieler und verschiedenartiger Bemühungen, bisher nicht gelungen. Am ehesten schien noch die Vermuthung sich bestätigen zu wollen, welcher ich nach meinen allerersten Versuchen dahin Ausdruck gegeben hatte, dass in der Sehsphäre „die Erinnerungsbilder der Gesichtswahrnehmungen in der Reihenfolge etwa, wie die Wahrnehmungen dem Bewusstsein zuströmen, gewissermassen von einem centralen Punkte aus in immer grösserem Umkreise deponirt werden“. Schon vor Jahren habe ich angegeben, dass nach der Exstirpation der Stelle A_1 hin und wieder einmal, im ganzen sehr selten, ein einzelnes Erinnerungsbild erhalten gefunden wird, bei Fehlen der übrigen Erinnerungsbilder. Seitdem habe ich häufig, wenn bei Partialexstirpationen der Sehsphäre ein Theil der Stelle A_1 entfernt war, einen Theil der Erinnerungsbilder erhalten, einen anderen Theil verloren gesehen. Es ist also zweifellos, dass es für das einzelne Erinnerungsbild bloss einer kleinen Gruppe von Vorstellungselementen bedarf, und dass verschiedene Erinnerungsbilder an verschiedene solche Gruppen gebunden sind. Aber darüber hinaus bin ich doch nicht gekommen, weil ich weiter keine Gesetzmässigkeit in den Erscheinungen zu entdecken vermochte. Es hat mir gerathen scheinen wollen, die Verfolgung dieser Dinge aufzuschieben, bis die Fühlsphäre, welche gerade für das Studium der Vorstellungen besondere Vortheile bietet, ebenso eingehend untersucht ist, wie jetzt die Sehsphäre.

7. Juni. Sitzung der physikalisch-mathematischen Klasse.

Hr. W. Peters las über die von Hrn. J. M. Hildebrandt auf Nossi-Bé und Madagascar gesammelten Säugethiere und Amphibien.

Hr. J. M. Hildebrandt, welcher mit Unterstützung der Akademie eine Reise zur Erforschung von Madagascar unternommen hat, sandte im vorigen Jahre eine im October hier angelangte Sammlung von Naturalien von der Insel Nossi-Bé und neuerdings eine zweite von dem Continent von Madagascar, welche manche sehr interessante werthvolle Gegenstände enthält, von denen ich mir zunächst nur erlaube, eine Übersicht der Säugethiere und Amphibien vorzulegen.

I. Mammalia.

1. *Propithecus Verreauxii* Grandidier var. *Deckenii* Ptrs. N. W. Madagascar, Beravigebiet.
2. *Propithecus Coquereli* A. Milne Edwards. — N. W. Madagascar.
3. *Lepilemur mustelinus* Js. Geoffroy. — Nossi-Bé.
4. *Lemur brunneus* v. d. Hoeven. — N. W. Madagascar.
5. *Lemur rufifrons* Bennett. — N. W. Madagascar. Mas.
6. *Lemur rufus* Geoffroy. — N. W. Madagascar. Fem.
7. *Lemur macaco* Gmelin. — Nossi-Bé, Urwald von Loko-Bé.
8. *Microcebus myoxinus* Ptrs. — Mas. N. W. Madagascar.
9. *Pteropus Edwardsii* Geoffroy. — Nossi-Bé. September 1879.
10. *Emballonura atrata* Ptrs. — Nossi-Bé.
11. *Taphozous mauritianus* Geoffroy. — Nossi-Bé.
12. *Crocidura Coquerelii* Grandidier. — Nossi-Bé.
13. *Mus musculus* Linné. — Nossi-Bé.
14. *Mus* spec. — Nossi-Bé.

Von einer zweiten Art der Gattung *Mus* befinden sich nur Exemplare in der Sammlung, welche noch nicht ausgewachsen sind und noch nicht alle Backzähne entwickelt haben, so dass sie sich nicht bestimmen lassen. Die Oberseite ist braun und schwarz melirt, während die Bauchseite gelbweiss ist.

II. Amphibia.

1. Pholidota.

Crocodilini.

1. *Crocodilus madagascariensis* Grandidier. — Nossi-Bé; Kraterseen. Mai 1879.

Chelonii.

2. *Dumérilia madagascariensis* Grandidier. — Eine Schale aus Nordwest-Madagascar, Beravigebiet. Juli 1879.
3. *Sternothærus castaneus* Schweigger. — N. W. Madagascar.
4. *Pelomedusa galeata* Schoepf. — N. W. Madagascar.

Lacertilia.

5. *Chamaeleon pardalis* Cuv. — Nossi-Bé.
6. *Chamaeleon verrucosus* Cuv. — Ein Exemplar aus N. W. Madagascar.
7. *Chamaeleon superciliaris* Kuhl. — N. W. Madagascar.
8. *Ptyodactylus fimbriatus* Dum. Bibr. — Ein Exemplar von N. W. Madagascar.
9. *Phyllodactylus Stumpffi* Boettger. — Ein ganz junges Exemplar von Nossi-Bé.
10. *Geckolepis maculata* n. sp.

G. squamis per series longitudinales 25, transversales a mento ad anum 36 dispositis; supra griseus, nigro-maculatus, subtus flavidus; digitis omnibus falculatis.

Supralabialia und Infralabialia 7 bis 8. Zwei pentagonale, hinten abgestutzte Submentalia; jederseits zwei kleinere neben einander liegende. Körperschuppen in 25 Längsreihen, am Bauche von den Submentalia bis zum After in 36 Querreihen. Schwanz abgerundet, conisch, Schuppen etwas kleiner als die des Körpers, an der Unterseite nach dem Basaldrittel mit einer mittleren Reihe sehr breiter Schuppen. Gliedmafsen sehr kurz und plump, sämmtliche Finger und Zehen mit deutlichen Krallen versehen; die Mittelzehe an der Sohle mit 12 bis 13 Querlamellen. — Oben graubraun mit unregelmässigen schwarzen und seltneren weissen Flecken. Lippenränder gefleckt; Unterseite schmutzig weiss.

Ein Exemplar aus Anfica, im nordwestlichen Madagascar.

11. *Pachydactylus cepedianus* Péron. — Nossi-Bé, Madagascar.
12. *Pachydactylus laticaudus* Boettger (? *P. lineatus* Gray). Varietät? — Nossi-Bé.
13. *Hemidactylus mabouia* Moreau. — Nossi-Bé, Madagascar.
14. *Gongylus Polleni* Grandidier. — Madagascar.
15. *Euprepes bistriatus* Gray. — Nossi-Bé, Madagascar.
16. *Acontias Hildebrandti* n. sp.

A. squamis corporis 18-seriatis, abdominalibus per series 92 dispositis; supraocularibus quinis. Violaceus, squamis margine pallidioribus.

Durch den viel kürzeren Körper und die dem entsprechend viel geringere Zahl der Ventralschuppen unterscheidet sich diese Art von den bisher beschriebenen. *Acontias rubrocaudatus* Grandidier (Rev. Mag. Zoolog. sér. II. vol. 21. 1869. p. 343) ist ganz verschieden gefärbt.

Das einzige Exemplar aus dem nordwestlichen Madagascar ist von der Schnauze bis zum After 34mm lang, während die Schwanzlänge 33mm beträgt. Körperdicke 2,3mm.

Serpentes.

17. *Pelophilus madagascariensis* Dum. Bibr. — Madagascar.
18. *Xiphosoma (Sganzinia) madagascariense* Duméril et Bibron. — Nossi-Bé.
19. *Enicognathus rhodogaster* (Schlegel) 172 + $\frac{1}{1}$ + 37. — N. W. Madagascar.
20. *Heterodon madagascariensis* Dum. Bibr. — Nossi-Bé, N. W. Madagascar.
21. *Herpetodryas Bernierii* Dum. Bibr. — N. W. Madagascar.
22. *Herpetodryas Bernierii* var. *quadrilineatus* Dum. Bibr. — Nossi-Bé, N. W. Madagascar.
23. *Philodryas miniata* (Schlegel). — N. W. Madagascar.
24. *Mimophis madagascariensis* Günther. — N. W. Madagascar.
25. *Dipsas colubrina* Schlegel. — Nossi-Bé; Madagascar.

2. Batrachia.

Anura.

26. *Rana mascareniensis* Dum. Bibr. — Nossi-Bé.
27. *Limnodytes madagascariensis* A. Duméril. — Ein Exemplar aus N. W. Madagascar.
28. *Polypedates Goudotii* Dum. Bibr. — N. W. Madagascar.
29. *Hyperolius* spec. — Ein Exemplar von Nossi-Bé.
30. *Hyperolius* spec. — Ein Exemplar von Nossi-Bé.

Hr. Auwers legte folgende Mittheilung des Hrn. Prof. Th. von Oppolzer in Wien vor:

Über die Bestimmung grosser wahrer Anomalien in parabolischen Bahnen.

Nähert sich die wahre Anomalie in einer parabolischen Bahn dem Werthe 180°, so wird die Benutzung der Barker'schen Tafel, die man sonst wohl allgemein zur Auflösung der auftretenden kubischen Gleichung braucht, sehr unbequem, im Grenzfalle unmöglich. Bessel hat ein Verfahren angegeben, welches diesen Nachtheil behebt, jedoch scheint mir dasselbe nicht auf die für die Rechnung vortheilhafteste Form gebracht zu sein und wird zweckmässig durch die folgende Umformung ersetzt werden können.

Bezeichnet man mit w den Hülfswinkel, den Bessel für die Bestimmung der wahren Anomalie v eingeführt hat, so besteht bekanntlich die Relation:

$$\sin v = \sin w . \sqrt[3]{b} \qquad 1.)$$

b ist ein Factor, der sich von der Einheit nur um eine Grösse 4ter Ordnung unterscheidet, wenn man $\operatorname{cotg}\frac{1}{2}v$ als eine Grösse erster Ordnung gelten lässt. $\sin w$ und b bestimmen sich nach:

$$\left.\begin{aligned} \sin w &= \frac{2\sqrt{2q}}{\sqrt[3]{6kt}} \\ b &= \frac{(1+3\operatorname{cotg}\frac{1}{2}v^2)^{\frac{1}{3}}}{1+\operatorname{cotg}\frac{1}{2}v^2} \end{aligned}\right\}, \qquad 2.)$$

in welchen Ausdrücken q die Periheldistanz, k die bekannte Gaufssche Constante und t die Zeit, die seit der Perihelpassage verflossen ist, in Einheiten des mittleren Sonnentages darstellt; man hat $\sin w$, je nach dem Vorzeichen von t, im zweiten oder dritten Quadranten zu nehmen. Setzt man der Kürze halber $\sin w = 2y$, $\operatorname{cotg}\frac{1}{2}v = x$, so erhält man aus 1) und 2) ohne Schwierigkeit:

$$x = y(1+3x^2)^{\frac{1}{3}} = y(1+x^2-x^4+\tfrac{5}{3}x^6-\tfrac{10}{3}x^8+\cdots)$$

und durch Umkehrung der Reihe:

$$x = y(1+y^2+y^4+\tfrac{2}{3}y^6+0.y^8+\cdots). \qquad 3.)$$

Ebenso leicht findet man:

$$\log b^{-\frac{1}{3}} = \operatorname{Mod}\left\{\frac{3-1}{2}x^4 - \frac{3^2-1}{4}x^6 + \frac{3^3-1}{6}x^8 - \cdots\right\}, \qquad 4.)$$

welche Relationen nunmehr völlig ausreichend sind zur allseitigen Lösung des Problems. Soll z. B. zur Zeit t die wahre Anomalie und der Radiusvector ermittelt werden, wobei t von der Perihelpassage zu zählen ist, so berechnet man nach der ersten Formel in 2.) $\sin w = 2y$, dieser Werth von y in 3.) eingesetzt giebt x, mit welchem Werthe leicht nach 4.) der Logarithmus von $b^{-\frac{1}{3}}$ gefunden wird, den ich in diesem Falle mit $-\Delta\log w$ bezeichnen will, dann ist:

$$\log\sin v = \log\sin w + \Delta\log\sin w$$

und der Radiusvector r findet sich einfach, da $\sin\frac{1}{2}v$ stets mit genügender Genauigkeit in diesen Fällen erlangt werden kann, nach:

$$r = 4q\left(\frac{\sin\frac{1}{2}v}{\sin v}\right)^2.$$

Will man die Zeit der Perihelpassage aus r oder v finden, wobei zu beachten ist, dass die Benutzung des Werthes von r in diesen Fällen sicherere Resultate geben wird, so hat man zunächst zur genauen Berechnung von $\sin v$:

$$\sin v = 2\sin\tfrac{1}{2}v\sqrt{\frac{q}{r}}\,.$$

Mit diesem Werthe findet sich leicht $x = \operatorname{cotg}\frac{1}{2}v$ und mit Benutzung der Reihe 4.), deren Resultat ich in diesem Falle mit $\Delta\log\sin v$ bezeichnen will:

$$\log\sin w = \log\sin v + \Delta\log\sin v,$$

und die Zeit t nach:

$$t = \frac{8\sqrt{2}}{3k}\left(\frac{\sqrt{q}}{\sin w}\right)^3.$$

Die Berechnung dieser Ausdrücke mit Benutzung der obigen Reihen wäre von Fall zu Fall sehr unbequem; ich habe deshalb Hrn. A. Palisa aufgefordert, die Berechnung der nöthigen Hülfstafeln auf 10 Stellen genau auszuführen. Ich gebe in Tafel I mit dem Argumente $\log\sin w$ den Werth von $\Delta\log\sin w$ in Einheiten der 7ten Decimale und ebenso in Tafel II mit dem Argumente $\log\sin v$, $\Delta\log\sin v$ in Einheiten der 7ten Decimale. Es ist leicht ersichtlich, dass sich die numerischen Angaben der beiden Tafeln, abgesehen von dem Vorzeichen, nur am Schlusse der Tafeln in etwas unterscheiden.

Beispiele für die Anwendung dieser einfachen Formeln hier anzuführen erscheint überflüssig; die für die Rechnung nöthigen Formeln habe ich am Fusse einer jeden Tafel angesetzt. Die Grenzen der Tafeln sind so weit ausgedehnt, dass noch vor Erreichung derselben die Anwendung der Barker'schen Tafeln keine Schwierigkeit hat.

Tafel I.

Argument $\log \sin w$; $\Delta \log \sin w$ in Einheiten der 7ten Decimale.

log sin w	Δ log sin w	log sin w	Δ log sin w	log sin w	Δ log sin w	Diff.
8.50	0	8.80	−4	9.10	−69	−6
8.51	0	8.81	−5	9.11	−75	−7
8.52	0	8.82	−5	9.12	−82	−8
8.53	0	8.83	−6	9.13	−90	−9
8.54	0	8.84	−6	9.14	−99	−10
8.55	0	8.85	−7	9.15	−109	−10
8.56	0	8.86	−7	9.16	−119	−12
8.57	−1	8.87	−8	9.17	−131	−13
8.58	−1	8.88	−9	9.18	−144	−13
8.59	−1	8.89	−10	9.19	−157	−16
8.60	−1	8.90	−11	9.20	−173	−16
8.61	−1	8.91	−12	9.21	−189	−19
8.62	−1	8.92	−13	9.22	−208	−20
8.63	−1	8.93	−14	9.23	−228	−22
8.64	−1	8.94	−16	9.24	−250	−24
8.65	−1	8.95	−17	9.25	−274	−27
8.66	−1	8.96	−19	9.26	−301	−29
8.67	−1	8.97	−21	9.27	−330	−32
8.68	−1	8.98	−23	9.28	−362	−35
8.69	−2	8.99	−25	9.29	−397	−39
8.70	−2	9.00	−27	9.30	−436	−42
8.71	−2	9.01	−30	9.31	−478	−47
8.72	−2	9.02	−33	9.32	−525	−51
8.73	−2	9.03	−36	9.33	−576	−56
8.74	−2	9.04	−39	9.34	−632	−61
8.75	−3	9.05	−43	9.35	−693	−68
8.76	−3	9.06	−47	9.36	−761	−74
8.77	−3	9.07	−52	9.37	−835	−81
8.78	−4	9.08	−57	9.38	−916	−89
8.79	−4	9.09	−62	9.39	−1005	−98
8.80	−4	9.10	−69	9.40	−1103	

$\log a = 0.780\,3008$ $\qquad$ $\log \sin v = \log \sin w + \Delta \log \sin w$

$$\sin w = \frac{a\sqrt{q}}{\sqrt[3]{t}} \qquad r = 4q\left(\frac{\sin \frac{1}{2} v}{\sin v}\right)^2$$

Tafel II.

Argument $\log\sin v$; $\Delta\log\sin v$ in Einheiten der 7ten Decimale.

log sin v	Δ log sin v	log sin v	Δ log sin v	log sin v	Δ log sin v	Diff.
8.50	0	8.80	+4	9.10	+69	+ 6
8.51	0	8.81	+5	9.11	+75	+ 7
8.52	0	8.82	+5	9.12	+82	+ 8
8.53	0	8.83	+6	9.13	+90	+ 9
8.54	0	8.84	+6	9.14	+99	+10
8.55	0	8.85	+7	9.15	+109	+10
8.56	0	8.86	+7	9.16	+119	+12
8.57	+1	8.87	+8	9.17	+131	+13
8.58	+1	8.88	+9	9.18	+144	+13
8.59	+1	8.89	+10	9.19	+157	+16
8.60	+1	8.90	+11	9.20	+173	+16
8.61	+1	8.91	+12	9.21	+189	+19
8.62	+1	8.92	+13	9.22	+208	+20
8.63	+1	8.93	+14	9.23	+228	+22
8.64	+1	8.94	+16	9.24	+250	+24
8.65	+1	8.95	+17	9.25	+274	+27
8.66	+1	8.96	+19	9.26	+301	+29
8.67	+1	8.97	+21	9.27	+330	+32
8.68	+1	8.98	+23	9.28	+362	+35
8.69	+2	8.99	+25	9.29	+397	+39
8.70	+2	9.00	+27	9.30	+436	+42
8.71	+2	9.01	+30	9.31	+478	+47
8.72	+2	9.02	+33	9.32	+525	+51
8.73	+2	9.03	+36	9.33	+576	+56
8.74	+2	9.04	+39	9.34	+632	+62
8.75	+3	9.05	+43	9.35	+694	+67
8.76	+3	9.06	+47	9.36	+761	+74
8.77	+3	9.07	+52	9.37	+835	+82
8.78	+4	9.08	+57	9.38	+917	+89
8.79	+4	9.09	+62	9.39	+1006	+99
8.80	+4	9.10	+69	9.40	+1105	

$\log a^3 = 2.340\,9023$ $\qquad$ $\log\sin w = \log\sin v + \Delta\log\sin v$

$$\sin v = 2\sin\tfrac{1}{2}v\sqrt{\frac{q}{r}} \qquad t = a^3\left(\frac{\sqrt{q}}{\sin w}\right)^3$$

Hr. Virchow las:

Über den Schädel des jungen Gorilla.

Die Mehrzahl der bis jetzt bekannten jungen Gorilla-Schädel gehört Thieren an, welche sich im Zahnwechsel befanden. Es ist daher über die früheren Entwickelungszustände, welche in mehrfacher Beziehung von hervorragender Wichtigkeit sind, wenig Genügendes festgestellt. Ich war deshalb sehr erfreut, bei einem Besuche des Königlichen zoologischen Museums in Dresden im letzten Frühjahr das Skelet eines jungen Gorilla (B. 281) zu treffen, dessen Schädel ein noch unvollständiges Milchgebiss zeigt. Der Director des Museums, Hr. Dr. A. B. Meyer, hat die Freundlichkeit gehabt, mir die Besprechung und Veröffentlichung der Verhältnisse dieses Schädels zu überlassen, nachdem er selbst in den Mittheilungen aus dem Königl. zoologischen Museum zu Dresden. 1877. Heft II. S. 230 eine kurze Beschreibung und S. 246 eine Reihe von Maassen[1]) veröffentlicht hat.

Der Angabe nach soll dieses Thier, dessen Geschlecht leider nicht bekannt ist, nur 2 Monate alt gewesen sein. Da indess über die Geburt desselben keine Daten vorliegen, so muss es dahin gestellt bleiben, in wie weit diese Angabe, gegen welche scheinbar die Grösse des Schädels und der Zustand des Milchgebisses sprechen, richtig ist.

Ich benutze zur Vergleichung den Schädel eines dem Berliner zoologischen Museum angehörigen, jungen weiblichen Gorilla (A. 987), welchen Hr. A. B. Meyer gleichfalls schon erwähnt und von dem er eine Seitenansicht (Taf. XVII. Fig. *a*) abgebildet hat. Dieses Thier ist durch einen Schuss, der beide Unterkieferhälften durchbohrt hat, getödtet worden; es muss sich also sehr frei bewegt haben. Das Milchgebiss ist vollständig, der Zahnwechsel bereitet sich vor.

Ausserdem verweise ich auf die vorzüglichen Abbildungen zweier junger Gorilla-Schädel, welche Hr. Bischoff seiner Abhandlung „Über die Verschiedenheit in der Schädelbildung des Gorilla, Chimpansé und Orang-Outang, vorzüglich nach Geschlecht und Alter“. München 1867. Taf. XIX—XXI beigegeben hat.

---

[1]) Durch einen Druckfehler ist in der Maasstabelle in der Überschrift Nr. 287 statt 281 aufgeführt.

Der Dresdener Schädel besitzt eine Capacität von 355 Cub.Cm., wie ich übereinstimmend mit Hrn. Meyer finde. Für den Berliner Schädel, dessen Capacität Hr. Meyer zu 400 Cub.Cm. angiebt, erhalte ich bei sorgfältigster Messung mit Schrot nur 380. Hr. Bischoff (a. a. O. S. 76) giebt für das jüngste, von ihm untersuchte Exemplar, einen Schädel mit Milchgebiss von Lübeck, 380 Cub.Cm. an; zwei andere, gleichfalls jugendliche Schädel ergaben 425 und 450 Cub.Cm. In jedem Falle ist es höchst bemerkenswerth, wie wenig das Wachsthum des Schädelraumes austrägt, während die Gesichtsknochen sich in der stärksten Weise vergrössern. So beträgt die Entfernung des Alveolarrandes des Oberkiefers, zwischen den mittleren Schneidezähnen gemessen, von der am meisten vorspringenden Stelle des Hinterhaupts, wo eben die Crista transversa sich zu bilden anfängt, bei dem Dresdener Exemplar 128, bei dem Berliner dagegen 186^{mm}, also 58^{mm} mehr. Nimmt man dazu, dass der grösste Schädel eines männlichen Gorilla im Dresdener Museum nach Hrn. Meyer nur 560 Cub.Cm. Rauminhalt besitzt[1]), so ergiebt sich, dass das Gehirn während der ganzen weiteren Entwickelung des Thieres nur von 100 auf 157 wächst. Es erklärt sich daraus, dass der hier zu besprechende Dresdener Schädel in ungewöhnlich hohem Maasse, namentlich in der Gestalt der eigentlichen Schädelcapsel, anthropoid erscheint.

Sehr wesentlich trägt dazu allerdings der Umstand bei, dass bei ihm noch keine Spur der späteren Cristen vorhanden ist, dass also die äusseren Schädelcontouren noch in der Hauptsache mit den inneren Verhältnissen in Harmonie stehen. Ich werde alsbald darauf zurückkommen; zunächst möchte ich, um Missverständnisse zu vermeiden, ein Paar methodologische Bemerkungen voraufschicken.

Die beiden Tafeln mit Abbildungen, welche ich vorlege, stellen den Dresdener Schädel in allen Hauptnormen in natürlicher Grösse dar. Die Abbildungen sind von meinem Zeichner, Hrn. Eyrich, in geometrischer Weise genau gezeichnet und nur innerhalb der geometrischen Umgrenzungen zur Erläuterung des Details etwas weiter ausgeführt. Dabei ist jeder Schädel planmässig in die „deutsche

[1]) Hr. Bischoff (a. a. O.) fand als Maximalzahl für je ein altes Exemplar von München und Lübeck 465 Cub.Cm.

Horizontale" gestellt worden, d. h. eine durch den oberen Rand des Ohrloches und durch den unteren Rand der Augenhöhle gezogene Linie ist hier, wie wir es bei dem menschlichen Schädel thun, als Horizontale angenommen worden. Dass diese Linie auch für die Anthropoiden nicht bloss anwendbar, sondern auch correct ist, glaube ich in einer Mittheilung an die deutsche anthropologische Gesellschaft (Allgemeine Versammlung zu Kiel. 1878. Bericht S. 148. Tafel) nachgewiesen zu haben. Auf dieselbe Horizontale ist daher auch die senkrechte Höhe, sowohl vom Ohrloche aus (die auriculare), als vom vorderen Rande des grossen Hinterhauptsloches aus (die ganze) gemessen worden.

Das Messen selbst ist an dem Dresdener Schädel ganz nach der von mir beim Menschen geübten Weise ausgeführt worden; es hatte nicht die mindesten Schwierigkeiten, eben weil die Cristen noch nicht vorhanden sind. Dagegen bietet schon der Berliner Schädel unübersteigliche Schwierigkeiten, da an ihm nicht nur die Hinterhauptscriste schon stark angelegt ist, sondern auch der Schläfenwulst breit vorspringt und besonders der Orbital-Nasenwulst weit vorgeschoben ist. Ein Mittel der Correction habe ich nicht auffinden können; ich gebe daher die Maasse, wie sie sich mit diesem Zuwachs darstellen.

Andere Beobachter, welche sich mit Messungen des Schädels erwachsener Anthropoiden beschäftigt haben, sind in derselben Zwangslage gewesen. So ergiebt sich von selbst eine, mit jedem Lebensjahre zunehmende Länge des Schädels, welche jedoch weniger der Capsel als solcher, als vielmehr den knöchernen Aussenwerken derselben zuzuschreiben ist. Auf diese Weise erklärt es sich, dass manche Beobachter die Schädelform der afrikanischen Anthropoiden als dolichocephal betrachten und in einen bestimmten Gegensatz gegen die brachycephalen Anthropoiden Asiens[1]) stellen,

---

[1]) Hr. Bischoff (a. a. O. S. 67) sagt: „der Gorilla-Schädel ist in dieser frühen Zeit mehr dolichocephal als der des Chimpansé, obgleich beide den dolichocephalen Charakter im Allgemeinen haben"; und später (S. 71): „der Schädel schon des jungen Orang-Outang ist entschieden mehr rund und brachycephal, als der des jungen Gorilla und selbst des jungen Chimpansé". Die weiter folgende Bemerkung (S. 73), dass für den jungen Orang-Outang-Schädel „absolut charakteristisch nur die dolichocephale Gestalt des Schädels" sei, enthält wohl einen Druckfehler.

— eine Auffassung, welche durch die Untersuchung des jugendlichen Gorilla widerlegt wird. Denn ich erhalte folgende Indices:

	Dresdener Schädel	Berliner Schädel
Längenbreiten-Index	80,5	80,1
Längenhöhen-Index	66,3	61,0
Auricular-Index	62,8	52,2.

Daraus folgt, dass auch der jugendliche Gorilla brachycephal ist, dass aber mit zunehmendem Alter die Brachycephalie abnimmt, wenigstens insofern die äusseren Wülste mitgerechnet werden.

Ganz anders gestaltet sich das Bild, wenn man als weiteren Messpunkt nicht den Nasenwulst, sondern die stärkste Vorwölbung der Stirn (Inion der Franzosen) wählt. Dann ergiebt sich ein Längenbreiten-Index bei dem

Dresdener Schädel von	81,9
Berliner „ „	91,5.

Hier wird sogar eine fortschreitende Brachycephalie constatirt.

Indess auch diese letzteren Indices sind nicht auf die Vergleichung ganz gleichwerthiger Punkte begründet. Denn der ganz junge Dresdener Schädel hat, was für seine Erscheinung höchst bezeichnend ist, die grösste Breite unmittelbar unter den Tubera parietalia, welche sehr deutlich ausgebildet sind. Bei dem Berliner Schädel dagegen sind diese Tubera schon stark verwischt und die grösste Breite liegt an dem starken Wulst, der sich von dem Jochbogen her über die Schläfenschuppe zieht, und zwar hinter den Ohrlöchern. Wir finden also im ersten Falle eine parietale (obere), im zweiten eine temporale (untere) grösste Breite, somit eine vollständige Verlegung der physiognomisch bestimmenden Punkte.

Was die Höhenindices betrifft, so ergeben sich in beiden Fällen niedrige Maasse, und zwar bei dem älteren Exemplar sogar weit niedrigere, als bei dem jüngeren; ersteres ist ausgemacht chamäcephal. Es erklärt sich dies aus dem sehr bezeichnenden Umstande, dass die Ohrhöhe (die senkrechte Entfernung des oberen Randes des Ohrloches vom Scheitel) bei beiden Schädeln gleich ist, indem sie beidemal 71^{mm} beträgt; die „ganze“ Höhe variirt um 8^{mm} zu Gunsten des älteren Schädels. Das Höhenwachsthum fällt demnach weniger dem Grosshirn, als vielmehr den spinalen und cerebellaren Antheilen des Hirns zu.

Diesen Verhältnissen entsprechend erscheint der jüngere Schädel in der Norma verticalis (Taf. I, Fig. 3) breitoval, mit der grössten Breite nahezu in der Mitte der Umfangslinie; die Stirn stark gewölbt, das Hinterhaupt etwas mehr verjüngt und hinten fast gerade abgeschnitten. In der Norma occipitalis (Taf. I, Fig. 2) tritt die Chamäcephalie am deutlichsten hervor; das Schädeldach sieht breit gedrückt, fast platt aus, die Seiten sind kurz und nach unten convergirend, der untere Theil der Hinterhauptsschuppe, unterhalb der Linea superior, scharf nach vorn umgebogen. In der Norma temporalis (Taf. II, Fig. 1—2. Bischoff Taf. XX, Fig. 23) überwiegt der Längeneindruck: die Stirn steigt bis über die nur schwach ausgebildete Tubera frontalia mit einer steilen Wölbung auf, dann folgt bis an die Linie der Tubera parietalia eine flache Curve und hinter der Linie ein sehr langsamer Abfall bis zu dem vorspringenden Punkt des Hinterhauptes, welcher dicht oberhalb der nur sehr schwachen Protuberantia occipitalis liegt.

Die Differenz des Berliner Schädels ist höchst auffällig. Schon die Vergleichung der Breitendurchmesser lehrt die grosse Ungleichmässigkeit des Wachsthums:

	Dresdener Schädel	Berliner Schädel	Differenz
Unterer Frontaldurchmesser .	69^{mm}	61^{mm}	— 8
Temporaldurchmesser . . .	67 „	79 „	+12
Auriculardurchmesser . . .	65 „	95 „	+30
Occipitaldurchmesser . . .	75 „	92 „	+17
Mastoidealdurchmesser (Spitze)	36 „	88 „	+52

Der ganze Schwerpunkt der weiteren Entwickelung liegt demnach hinten und unten. Während die Spitzen der Warzenfortsätze um 52^{mm}, also um nicht viel weniger als um das Doppelte der früheren Distanz, auseinanderrücken, beträgt die Zunahme des Querdurchmessers an der Schläfe nur 12^{mm}. Freilich darf aus dem Umstande, dass die untere Stirnbreite bei dem älteren Thier kleiner ist, als bei dem jüngeren, nicht auf eine ebenso starke Verkleinerung des Frontaldurchmessers geschlossen werden; die letztere hängt zum grossen Theil mit dem Hinaufrücken der Linea temporalis zusammen. Indess ist doch auch eine wirkliche

Reduction nicht zu verkennen. Nimmt man auch bei dem älteren Schädel die Messpunkte hinter dem Processus zygomaticus des Stirnbeins, so erhält man einen geraden Durchmesser von nur 63^{mm}, also immer noch weniger, als bei dem jüngeren Schädel.

Die obere Ansicht des Berliner Schädels hat mit der des Dresdener recht wenig Ähnlichkeit. Die starke Ausbildung der weit nach aussen ausgebogenen Jochfortsätze des Stirnbeins, sowie des supraorbitalen und nasalen Wulstes, der durch eine quere Einfurchung von der eigentlichen Stirnwölbung abgesetzt ist, bedingt in der Norma verticalis eine vollständige Abweichung im Aussehen von dem Dresdener Schädel. Diese ganze Knochenmasse erscheint wie eine fremdartige Vorlagerung vor der Schädelcapsel, deren vorderer Contour sich als eine spitzovale Wölbung von der vorgelagerten Bildung absetzt. Hinter den Jochfortsätzen liegt dem entsprechend jederseits eine tiefe Einbiegung, welche der vorderen Partie der Schläfe angehört. Von da an wölbt sich der Schädel in seinen seitlichen Theilen nach hinten immer stärker und sein oberer Contour läuft nach hinten in eine ganz breite und ganz flache Curve aus, der beginnenden Crista occip. transversa folgend. Schon in dieser oberen Ansicht sieht der hintere Theil des Schädeldaches wie breitgedrückt aus.

Die Hinteransicht ist von demselben Momente beherrscht. Der Contour ist nach unten sehr breit und platt, an den Seiten nach oben convergirend, das eigentliche Dach schmal und flach. — In der Seitenansicht ist die Scheitelcurve lang und flach; die Crista occip. bildet einen eckigen Vorsprung, von dem ab die Unterschuppe schräg nach vorn und fast eben verläuft. —

Die Nähte sind an beiden Schädeln noch vollständig vorhanden. Nur sind mehrere, namentlich die Pfeilnaht, bei dem kleineren Schädel stark zackig, während sie bei dem grösseren fast überall mehr einfach, höchstens ganz niedrig gezackt erscheinen. Auch bei dem grösseren Schädel ist die Synchondrosis spheno-occipitalis noch ganz offen und von der Synchondrosis condyloidea sind noch Spuren vorhanden. Bei dem kleineren Schädel (Taf. II, Fig. 3 vgl. Bischoff Taf. XXI, Fig. 25) ist auch diese letztere ganz offen; sie liegt, wie bei dem Menschen, am vorderen Ende der Gelenkhöcker, jedoch noch innerhalb derselben, und verläuft von da schräg nach vorn und aussen. Ausserdem ist bei dem kleineren Schädel aber auch die Synchondrosis transversa posterior (squamosa) noch ganz vorhanden: sie erstreckt sich vom hinteren seitlichen Umfange des Foramen magnum in einer flachen Bogenlinie zur Sutura masto-occipitalis, in welcher sie etwas oberhalb der Mitte derselben endigt. Der mediale Theil dieser Synchondrose ist noch sehr breit, während die lateralen Abschnitte sehr fein geworden sind und sich zur Schliessung vorbereiten. Die Synostose diese Knorpelfuge geschieht also, wie beim Menschen, von aussen nach innen; ihre Lage differirt nur darin, dass die medialen Enden der beiden Fugen etwas weiter auseinander liegen. Die gerade Entfernung zwischen ihnen beträgt 8^{mm}. Bei dem älteren Schädel ist jede Spur dieser Fuge verstrichen.

Nächstdem ist zu erwähnen, dass bei dem jüngeren Schädel jederseits eine hintere seitliche Fontanelle (Taf. I, Fig. 2. Taf. II, Fig. 1—3) an der Vereinigungsstelle von Sutura lambdoides, squamosa und masto-occipitalis vorhanden ist. Sie ist ganz offen und hat die Gestalt eines Dreieckes, dessen Basis oben in der Richtung der Schuppennaht, dessen Spitze in der Richtung der Mastooccipitalnaht liegt. Es hat in der Breite links 6, rechts 8^{mm}, in der Höhe fast ebensoviel. Charakteristisch ist es, dass der untere Theil der Lambdanaht, der sich zunächst ansetzt, und der eigentlich der Sutura transversa occipitalis angehört, noch eine Strecke, links 2^{cm}, rechts $1,5^{cm}$ lang horizontal, in der Richtung der Sutura squamosa fortläuft. Die Schenkel der eigentlichen Lambdanaht setzen je unter einem stumpfen Winkel an und laufen convergirend gegen einander, ohne jedoch an der Spitze einen Winkel zu bilden. Vielmehr ist hier eine mehr horizontale, mehr als 2^{cm} lange Strecke, die freilich stark gezackt ist. Oberhalb derselben sitzt ein kleines Os interparietale dextrum (Taf. I, Fig. 2 und 3), das jedoch, genau genommen, ein durch eine gekrümmte Naht getrenntes Stück des Os parietale dextrum ist. Darüber, in kurzer Entfernung, ist noch ein kleines Os sagittale intercalare, welches mehr in der Quer-, als in der Längsrichtung entwickelt ist. Die beim Menschen constanten Emissaria parietalia fehlen gänzlich.

Bei dem grösseren Schädel zeigen sich zu den Seiten der Pfeilnaht einige kleine Gefässlöcher, jedoch kein eigentliches Emissarium. Dagegen liegt ein solches von beträchtlicher Grösse dicht unter der Spitze der Lambdanaht an der Oberschuppe; nach vorn geht von da eine tiefe Furche bis über die Lambdanaht hinaus, und hier erkennt man, dicht über der Spitze der Naht, einen im Verstreichen begriffenen kleinen Interparietalknochen von 6^{mm} Höhe. Eine eigentliche Spitze der Lambdanaht existirt übrigens nicht, so wenig als ein eigentlicher Lambdawinkel: die Naht macht vielmehr eine ganz flache, nur wenig nach oben ausgebogene Curve.

Bei dem kleineren Affen ist auch noch ein Rest der vorderen Fontanelle und zwar in häutiger Gestalt erhalten (Taf. I, Fig. 3); er liegt mehr quer, in der Richtung der Kranznaht. Die Stirnnaht ist gänzlich verstrichen. An den seitlichen unteren Abschnitten der Kranznaht, da, wo die Linea semicircularis temporalis dieselbe schneidet, sitzt rechts ein coronaler Schaltknochen (Taf. II, Fig. 1), der sich mit einer langen Spitze in das Stirnbein hineinerstreckt und von dem aus sich noch um 1^{cm} weiter nach vorn eine feine Linie, scheinbar der Rest einer alten Trennung, erstreckt. Links (Taf. II, Fig. 2) ist an derselben Stelle ein kleiner Vorsprung der Naht, von dessen Mitte eine kurze Spalte ausgeht.

Von ganz hervorragendem Interesse sind die Nahtverhältnisse in der Gegend der Sutura spheno-parietalis; ich erörtere sie um so mehr genau, als sie für die Frage von der Entstehung des Processus frontalis squamae temporalis von wesentlicher Bedeutung sind. Wie ich in einer früheren akademischen Abhandlung (Über einige Merkmale niederer Menschenrassen am Schädel. 1875. S. 41) und neuerlich in einer kleinen Arbeit (Zeitschr. f. Ethnologie. 1880. Bd. XII, S. 23) dargelegt habe, ist schon längere Zeit die Frage schwebend, ob der Processus frontalis, der gelegentlich beim Menschen vorkommt, aus einem besonderen Knochenkern oder, anders ausgedrückt, aus einem Schaltknochen der Schläfenfontanelle entstehe. Wäre diese Frage für die Anthropoiden entschieden, so würde sie sich auch für den Menschen leichter erledigen lassen. Wie steht es nun mit dem Processus frontalis bei unseren Affenschädeln?

Bei dem älteren derselben ist der Stirnfortsatz jederseits in vollständigster Weise entwickelt. Stellt man den Schädel in die „deutsche Horizontale" (die hier übrigens keineswegs mit der Jochbogenlinie zusammentrifft, vielmehr mit derselben einen nach vorn spitzen Winkel bildet, indem der Jochbogen sich nach vorne hin immer mehr senkt), so liegt die Schuppennaht fast parallel mit derselben. Da, wo sie die Kranznaht erreicht, schiebt sich diese ein wenig nach vorn, indem rechts das Parietale einen kleinen

Fortsatz nach vorn bildet, links ein ganz kleiner dreieckiger Schaltknochen eingeschoben ist. Von da an hat der Stirnfortsatz noch eine Länge von 15^{mm} und drängt das Stirnbein weit fort[1]). Auf der rechten Seite ist der Stirnfortsatz etwas unregelmässig: sein oberer und unterer, durch eine Sutura squamoso-frontalis umgrenzter Rand bildet eine etwas gezackte, schräg nach vorn und unten gerichtete Linie, welche sich in die schräg nach hinten und unten verlaufende Sut. sphenotemporalis fortsetzt. Der Fortsatz erscheint daher geradeswegs in das Stirnbein hineingeschoben und die Ala sphenoidealis ist weit getrennt von dem Parietale. Die gerade Entfernung des Endes der Sut. coronaria von dem Anfang der Sut. sphenotemporalis beträgt 15^{mm}. — Auf der linken Seite ist der obere Rand des Stirnfortsatzes die gerade Verlängerung der Schuppennaht; der vordere Rand steht ziemlich senkrecht gegen das Stirnbein und schliesst sich unmittelbar an die etwas zurückweichende Sutura sphenotemporalis an. Die gerade Entfernung der Kranznaht von der Sphenotemporalnaht beträgt hier fast 18^{mm}. — Durch das Hineindringen dieses Fortsatzes wird der untere Abschnitt des temporalen Theiles des Frontale, der an sich sehr weit nach unten, hinter dem Zygomaticum, fortgeht, in eine Art von breitem Fortsatz umgewandelt, den man als Processus sphenoidealis ossis frontis bezeichnen kann. Die Ala magna sphenoidealis ist dem entsprechend sehr kurz und schmal; ihr höchster Punkt erreicht eben nur das Niveau der Mitte der Orbita. Nach hinten und oben läuft die Ala in eine Art von Spitze aus, welche sich um 5—6^{mm} über das Niveau der vorderen und mittleren, mehr horizontal verlaufenden Abschnitte der Sutura sphenofrontalis erhebt. Nach vorn hat die Ala einen fast viereckigen Fortsatz, der sich an das Zygomaticum anlehnt. Dabei ist die Ala von oben nach unten durch eine tiefe, senkrechte Rinne tief gegen den Schädel eingedrückt und es entsteht jene typische Stenokrotaphie, welche den Schädel älterer Gorillas auszeichnet. Am besten wird dieses Verhältniss ersichtlich, wenn man den transversalen Durchmesser des Schädels an der Verbindung der Sutura coronaria und der Sutura squamosa (*A*) mit dem transversalen

---

[1]) Man vergleiche die Abbildung bei A. B. Meyer a. a. O. Taf. XVII, Fig. *a*. Leider ist das Verhältniss der Nähte wegen der Dunkelheit der Stelle schwer erkennbar.

Durchmesser an der Vereinigungsstelle der Sutura sphenotemporalis und der vorderen Naht des Processus frontalis squamae temporalis (*B*) vergleicht. Es beträgt

A 79^{mm}
B 62 „

Der Unterschied zu Ungunsten der Stellung der Spitze der Ala ist demnach 17^{mm}.

Was die Stellung der senkrechten Nähte zu einander betrifft, so ist beiderseits die Sphenotemporalnaht weiter nach vorn gerückt, als die Kranznaht. Verlängert man in Gedanken die letztere nach unten, so trifft die Linie hinter die Sphenotemporalnaht und zwar rechts etwas weiter nach hinten, als links. Daraus folgt, dass die Schläfenschuppe überhaupt bedeutend weiter nach vorn reicht, als das Parietale.

Vergleichen wir damit die Verhältnisse des jüngeren (Dresdener) Schädels, so zeigt sich zunächst das merkwürdige Verhältniss, dass derselbe jederseits einen temporalen Schaltknochen (Os epiptericum) besitzt. Damit scheint auf den ersten Blick die Frage über die Entstehung des Processus frontalis zu Gunsten der Ansicht entschieden, welche diesen Fortsatz aus einem besonderen Knochenkern ableitet. Indess eine genauere Betrachtung lehrt, dass die Frage nicht so einfach beantwortet werden kann. Denn es zeigt sich, dass auch in dem Falle, wo dieser Schaltknochen ganz und gar mit der Ala sphenoidealis verwüchse, die letztere das Parietale nicht erreichen würde. Vielmehr besteht oberhalb des Schaltknochens noch eine directe Verbindung der Schläfenschuppe mit dem Stirnbein. Die Grösse dieser Verbindung ist freilich verschieden auf beiden Seiten, wie eine genauere Betrachtung darlegen wird:

Auf der rechten Seite (Taf. II, Fig. 1) endigt die Schuppennaht unmittelbar an der Kranznaht und bildet hier einen, freilich ganz schmalen, kaum 1^{mm} breiten Fortsatz. Von dem unteren Winkel dieses Processulus setzt sich, ungefähr in der Verlängerung der Kranznaht, jedoch etwas mehr nach vorn gerichtet, eine Naht nach unten zwischen Schläfenschuppe und Os epiptericum 11^{mm} abwärts fort. Hier erreicht sie die tief eingedrückte Spitze des Alisphenoid, welches durch eine, etwa 3^{mm} lange, ganz wenig nach vorn gesenkte Naht von dem Epiptericum getrennt ist. Letzteres grenzt dann in einer Länge von 4,5^{mm} nach vorn an das Zygomaticum und wird endlich durch eine stark convexe Naht, welche sich wieder an die vordere untere Ecke des Processulus frontalis anschliesst, vom Frontale getrennt. Das ganze Epiptericum misst 1^{cm} in der Höhe und 6^{mm} in der grössten Breite; letztere liegt oberhalb des Ansatzes der Sutura zygomatico-frontalis. Die Gestalt des Epiptericum ist demnach die eines stehenden Ovals mit nach unten gerichteter Spitze. Das Stirnbein läuft vor dem Epiptericum in eine ganz scharfe Spitze aus, welche das Alisphenoid bei Weitem nicht erreicht.

Auf der linken Seite (Taf. II, Fig. 2) ist ein vollständiger Stirnfortsatz vorhanden. Hier erreicht die Schuppennaht die Kranznaht nicht nur, sondern es setzt sich unterhalb der Verbindungsstelle eine, über 3^{mm} lange, schräg nach vorn gerichtete Sutura squamoso-frontalis an, welche bis an das Epiptericum reicht. Letzteres ist durch eine obere, genau horizontale, fast 5^{mm} lange Naht vom Stirnbein abgegrenzt, in welches es tief einschneidet; die vordere, 7^{mm} lange, genau senkrechte Naht setzt unter einem rechten Winkel an die obere an und endigt nach unten unter einem spitzen Winkel an der Sutura zygomatico-frontalis; dann folgt noch eine kurze, nur 1,5^{mm} lange Naht zwischen Epiptericum und Zygomaticum, ehe man die Spitze des Alisphenoid erreicht. Letztere ist von dem Epiptericum durch eine ganz kurze, etwa 3^{mm} lange, nach unten ausgebogene Naht geschieden. Dann folgt nach oben und hinten eine schräge, fast 7^{mm} lange Naht zwischen Schläfenschuppe und Epiptericum, welche nahezu in der Verlängerung der Kranznaht liegt, jedoch hinter der Sutura squamoso-frontalis etwas zurücksteht. Der untere Winkel des Stirnbeins zwischen Epiptericum und Zygomaticum ist ganz spitz und schmal, aber er erreicht das Alisphenoid nicht.

Die Querdurchmesser, in der vorher angegebenen Weise ermittelt, betragen

A . . .	67^{mm}
B . . .	52 „
Differenz	15^{mm},

also schon eine recht erhebliche Stenokrotaphie.

Darf man nun annehmen, das Epiptericum sei der Knochenkern für den Processus frontalis squamae temporalis? Ich meine, nicht. Schon allein der Umstand, dass über dem Epiptericum jederseits ein Processus frontalis existirt, würde genügen, die Frage zu verneinen. Freilich ist dieser Fortsatz rechts minimal, aber links ist er sehr deutlich und zwar mindestens ebenso deutlich, wie in dem von Hrn. Bischoff (Taf. XX, Fig. 23) untersuchten weiblichen Exemplar, bei dem von einem Epipterieum keine Spur wahrzunehmen ist. Trotzdem liesse sich denken, dass das Epiptericum noch diesem Processus frontalis hinzuwüchse, denn die Art, wie es in den Temporaltheil des Frontale eingeschoben ist, erinnert stark an das Verhältniss des entwickelten Processus frontalis bei älteren Thieren. Allein bei genauerer Erwägung ergiebt sich, dass eine Synostose des Epiptericum mit dem Processus frontalis oder, anders ausgedrückt, eine Verstärkung des letzteren durch das erstere eine wesentlich andere Einrichtung bedingen würde, als sie der normale Processus frontalis älterer Thiere zeigt. Das Epiptericum des jungen Thieres berührt jederseits das Zygomaticum, rechts in grösserer, links in geringerer Ausdehnung, während meines Wissens niemals ein Stirnfortsatz der Schläfenschuppe beobachtet worden ist, welcher bis an das Wangenbein reichte. Bei dem jungen Thiere ist durch das Epiptericum die Berührung des Stirnbeins und der Ala sphenoidealis aufgehoben, während sie normal immer existirt, indem sich ein langer Processus sphenoidealis ossis frontis hinter dem Jochbein heruntererstreckt. Diess sind meiner Ansicht nach so durchgreifende Unterschiede, dass man die Beziehung des Epiptericum zu dem Processus frontalis aufgeben muss.

Fragt man, was denn wohl in späterer Zeit mit dem Epiptericum werden würde, so scheint mir eine abschliessende Antwort auf Grund einer einzigen Beobachtung nicht ertheilt werden zu können. Denn es wäre zunächst zu entscheiden, ob das Epiptericum bei dem jungen Gorilla als ein typischer oder als ein accidenteller (pathologischer) Knochen anzusehen ist. Wäre er typisch, so müsste er bald mit einem der Nachbarknochen verwachsen, da er später nicht mehr als typischer Bestandtheil des Schädels gefunden wird. Eine solche Verwachsung müsste nothwendigerweise mit dem Stirnbein erfolgen; das Epiptericum müsste eine Art von Postfrontale sein. Wäre das Epiptericum eine bloss accidentelle Bildung, so wäre es denkbar, dass es wenigstens eine längere Zeit als solches persistirte.

Mir erscheint die letztere Möglichkeit mehr Gründe für sich zu vereinigen. Genau genommen, zeigt sich eine gewisse Beeinträchtigung, sowohl des Processus frontalis, als auch des Stirnbeins selbst durch das Epiptericum. Würde das letztere mit dem Stirnbein verwachsen, so würde ein ungewöhnlich kleiner Processus frontalis übrig bleiben. Von einer Verwachsung mit dem Alisphenoid kann gar keine Rede sein, denn dadurch würde ein gänzlich abweichendes Verhältniss entstehen. Träte endlich eine Synostose mit dem Processus frontalis ein, so würde sowohl dieser, als der Processus sphenoidealis ossis frontis eine abnorme Beschaffenheit erlangen. Ich entscheide mich daher vorläufig für die Annahme eines bloss individuellen, also accidentellen Verhältnisses, und für die von mir schon früher vertheidigte Thesis, dass der Stirnfortsatz direct aus der Schläfenschuppe hervorwächst. Dass das accidentelle Verhältniss, welches der Dresdener Schädel darbietet, ein pathologisches sei, dafür spricht ausserdem das Vorkommen nicht nur der offenen Fontanellen, sondern auch anderer Schaltknochen.

Vielleicht könnte man dahin auch eine Reihe supracorticaler Osteophyte rechnen, welche sich namentlich an den Seitentheilen der Parietalia und Frontalia verfolgen lassen. Sie nehmen an den Parietalia hauptsächlich den unteren Abschnitt der lateralen Theile ein und erstrecken sich, namentlich im Umfange der Casserischen Fontanelle, auch auf Schläfen- und Hinterhauptsschuppe. Obwohl sie bei dem ersten Anblick der Richtung der Schläfenlinie zu folgen scheinen, so ergiebt doch eine genauere Erwägung, dass sie darüber hinausgreifen, besonders am Schläfenbein. Noch mehr ist diess am Stirnbein der Fall, wo sie allerdings an der Kreuzungsstelle der Schläfenlinie mit der Kranznaht beginnen, aber sich nach vorn beträchtlich über die Schläfenlinie erheben, selbst den Jochfortsatz des Stirnbeins nicht verschonen und sich bis zur Mitte des Supraorbitalrandes erstrecken. Sie haben viel Ähnlichkeit mit den rachitischen Auflagerungen des Schädels beim Menschen.

Was die Bildung der Knochenkämme anbetrifft, so lässt sich das Fortschreiten derselben an unsern Schädeln leicht verfolgen. Bei dem kleinen liegt die Linea semicircularis temporum noch sehr tief; die transversale Entfernung beider Kreuzungsstellen an der Kranznaht beträgt 75, der Querumfang des Schädels zwischen diesen Stellen 105^{mm}. Nur nach der Mitte zu kann man mit einiger

Mühe 2 Linien unterscheiden: von diesen erreicht die obere eben den Rand des Tuber parietale. — Bei dem grösseren Exemplar lassen sich schon am Stirnbein zwei stark divergirende Linien unterscheiden; am Parietale vergrössert sich der Zwischenraum, der sehr glatt und leicht sklerotisch erscheint, um an der Lambdanaht seine grösste Breite zu erreichen. An der Kranznaht findet die grösste Annäherung statt an der

	Directe Entfernung	Querumfang des Schädels
Linea semicirc. temp. sup. . . .	45 mm	48 mm
„ „ „ infer. . . .	70 „	75 „

Der Absatz der oberen Linie gegen den muskelfreien, medianen Raum der Schädeloberfläche ist vorn schon durch eine Erhöhung angezeigt; nach hinten überschreitet diese Linie bereits das Tuber parietale, welches in der unteren Linie liegt.

Die Crista occipitalis liegt bei beiden Schädeln dicht unter der Linie der Sutura transversa. Aber sie rückt der Spitze der Hinterhauptsschuppe mit zunehmendem Alter näher: die gerade Entfernung der Lambdaspitze von der Mitte der Crista beträgt bei dem

jüngeren Schädel . . . 29 mm,

älteren „ . . . 24 „

Ganz besonders stark ist die Entwickelung der Pars mastoidea. Bei dem jüngeren Thiere zeigt dieser Theil, ausser einem grösseren Emissarium jederseits, eine ziemlich flache, schwach höckerige Oberfläche; ungefähr in ihrer Mitte fühlt man mehr, als man sie sieht, eine schwache, etwas eckige Anschwellung, welche dem Warzenfortsatz entspricht. Vorn, nach innen von der flachen Kiefergelenkgrube, liegt eine stärkere Anschwellung, der Anfang des Griffelfortsatzes.

An dem älteren Schädel ist der Griffelfortsatz stark ausgebildet, jedoch mehr in die Dicke, als in die Länge. Er ist an der Basis 6 mm dick, aber nur 7 mm lang, übrigens scharf zugespitzt. Der Warzenfortsatz ist deutlicher geworden und hat eine mehr längliche, gedrückte Gestalt angenommen. Zwischen beiden, am äusseren Rande des Canalis caroticus, steht eine fast stachelige

Pyramide hervor, ein Processus caroticus[1]). Sehr bemerkenswerth ist auch die sonderbare, fast warzige Verdickung, welche die innere Oberfläche des Porus acusticus externus darbietet; die Anfänge zu diesen Wärzchen, die in den Gehörgang hineingerichtet sind, bemerkt man schon bei dem jüngeren Schädel. —

Recht interessant sind die Verhältnisse der Nase und ihrer Anfügung an die Schädelcapsel. Schon Hr. Bischoff hatte darüber Mittheilungen gemacht. Er bemerkt (a. a. O. S. 17 Taf. XIX, Fig. 20 und 22) von zwei jungen Gorillaschädeln mit Milchzähnen, die er aus Lübeck erhielt, dass der eine, bestimmt weibliche Schädel zwei ganz deutlich getrennte Nasenbeine besass, der zweite, sowie ein dritter, im Zahnwechsel begriffener Schädel dagegen bestimmt nur eines und keine Naht. Ausserdem lag bei dem zweiten Schädel mit einfachem Nasenbein oberhalb desselben ein besonderer Schaltknochen, der nach oben zwischen die auseinandergedrängten Nasenfortsätze des Stirnbeins eine spitzige Verlängerung aussendete, nach unten dagegen seinerseits in zwei Schenkel auseinanderwich, um zwischen dieselben die Spitze des Nasenbeins aufzunehmen. Hr. Bischoff lässt es dahin gestellt, ob diess nur eine individuelle Eigenthümlichkeit sei, ist jedoch geneigt, die Trennung der Nasenbeine als eine weibliche Geschlechtseigenthümlichkeit aufzufassen, da er bei einem ausgewachsenen weiblichen Exemplar auch eine Andeutung einer mittleren Naht gesehen zu haben glaubt.

Bei dem Dresdener Schädel (Taf. I, Fig. 1) ist gleichfalls ein einfaches Nasenbein ohne jede Spur einer Naht. Nach oben läuft dasselbe in eine feine Spitze aus, welche sich zwischen die auseinanderweichenden Theile des Stirnbeins, man kann kaum sagen, die Nasenfortsätze des Stirnbeins einschiebt. Aber da, wo es endigt, läuft die Naht jederseits noch eine kleine Strecke weit in das Stirnbein hinein, und zwar so, dass die beiden Schenkel gebogen auseinanderweichen und eine Xförmige Figur entsteht. Von oben her tritt ein kleiner Fortsatz des Stirnbeins zwischen diese Schenkel ein. Dieses Verhältniss, welches sich übrigens auch an dem, von Hrn. Bischoff (Taf. XIX, Fig. 20) abgebildeten Schädel eines jungen Gorillaweibchens befunden zu haben scheint, könnte

---

[1]) Man vergleiche die vortreffliche Abbildung bei Bischoff Taf. XXI, Fig. 25.

so gedeutet werden, als habe auch hier früher ein supranasaler Schaltknochen gelegen, indess passt die Stelle nicht zu derjenigen des von Hrn. Bischoff (Fig. 22) abgebildeten Kopfes, wo der Schaltknochen mitten zwischen den Orbitae, also an der Stelle sich findet, an welcher der Dresdener Schädel schon das wirkliche Nasenbein zeigt.

Auch unser Berliner Schädel hat ein einfaches Nasenbein, an dem, etwas unter der Mitte, eine kurze Linie zu bemerken ist, welche als Andeutung einer früheren Naht aufgefasst werden könnte, welche aber keineswegs deutlich ist. Nach oben greift auch bei ihm eine lange Spitze des Nasenbeins zwischen die auseinanderweichenden Stirnbeinhälften ein, und man sieht da, wo dieselbe endet, am Nasenwulst eine deutliche Nahtspur noch 6—7 ^{mm} weit fortlaufen. Daraus geht hervor, dass diese Gegend noch längere Zeit hindurch sich in gewissen Veränderungen befindet und es ist leicht zu begreifen, dass hier gewisse individuelle Abweichungen öfter vorkommen.

Als charakteristisch ist aber zu betrachten, dass das Nasenbein nach oben in einen breiteren, spindelförmigen Theil übergeht, dessen Spitze sich in das Stirnbein hineinschiebt und welcher in seiner ganzen Länge so stark auf der Fläche gebogen ist, dass er einen wirklichen Nasenrücken bildet. Bei dem Berliner Schädel ist dieser Rücken fast scharf. Unterhalb dieser Stelle verschmälert sich das Nasenbein sehr stark und der Rücken verschwindet; noch tiefer hinab breitet sich das Nasenbein in eine platte dreieckige Schaufel aus, welche in der Mitte des unteren Randes einen kleinen, kurzen Vorsprung besitzt und auf jeder Seite davon etwas eingebuchtet ist. Im Ganzen ist also die Nase eingebogen und zwar liegt die Biegungsstelle an der schmalen Partie zwischen den Augenhöhlen; ober- und unterhalb dieser Stelle verbreitert sich das Nasenbein, oberhalb unter Bildung eines vorspringenden Rückens, unterhalb unter Bildung einer breiten Platte. Bezeichnet man die obere, etwas verbreiterte Partie mit *a*, die enge Stelle mit *b*, die untere Schaufel mit *c*, so ergeben sich folgende Breitendurchmesser:

	Dresdener Schädel	Berliner Schädel
a	4,5 ^{mm}	4 ^{mm}
b	2 „	2 „
c	10,5 „	16,5 „

Die Nasenöffnung liegt in einer, ganz schräg nach vorn gerichteten Ebene, welche bei dem jungen Thiere nach unten und vorn wenig scharf begrenzt ist. Im Ganzen gleicht ihre Gestalt dem Durchschnitte einer Glocke; obwohl der weiteste Theil unten liegt, so ist doch schon der oberste Abschnitt stark ausgelegt[1]). Der Nasenindex berechnet sich bei dem

Dresdener Schädel zu 37,6
Berliner „ „ 44,1.

Bei der Bildung der Nase concurrirt in erheblichem Maasse der Zwischenkiefer, insofern als derselbe nicht bloss den ganzen Boden des Naseneinganges bildet, sondern sich auch längs der Seiten desselben hinaufzieht und sogar noch jederseits eine Spitze zwischen Nasenbein und Oberkieferfortsatz hinaufsendet. Hr. Turner hatte diesem letztern Verhältniss, als einem diagnostischen Merkmal gegenüber dem Chimpanse, einen besonderen Werth beigelegt; Hr. Bischoff (S. 68) bestreitet denselben, da bei dem jungen Gorillaschädel mit dem doppelten Nasenbein der obere Fortsatz zwischen Nasen- und Kieferbein fehle und der Zwischenkiefer eben nur das Nasenbein berühre. Bei dem andern jungen Schädel mit dem einfachen Nasenbein und bei dem schon im Zahnwechsel begriffenen sei allerdings ein solcher Einschub des Zwischenkiefers vorhanden, aber der Fortsatz sei sehr klein und nicht entfernt mit dem weiten Hinauftreten dieses Fortsatzes bei Cynocephalus, Inuus etc. zu vergleichen. Ich muss hier zunächst bemerken, dass nach den Abbildungen des Hrn. Bischoff (Taf. XIX, Fig. 20 u. 22) das Verhältniss bei dem Schädel mit doppeltem Nasenbein nur durch eine geringe Differenz in der Grösse von demjenigen bei dem Schädel mit einfachem Nasenbein abweicht. In beiden Fällen hat das zwischengelagerte Stück eine

---

[1]) Hr. Bischoff (a. a. O. S. 68) sagt: „Die vordere Nasenöffnung ist nach oben rund, ihre seitlichen Ränder verlaufen schwach convergirend von oben nach aussen und unten, und die untere Begränzung bilden die stark angeschwollenen und gewölbten Zwischenkiefer." Ich kann diese Beschreibung in ihrem ersten Theile nicht ganz anerkennen; die Abbildungen des Hrn. Bischoff ergeben auch, dass die Schädel seiner jungen Gorillas an dem untern Rande des Nasenbeins entweder verletzt, oder nicht ganz ausgebildet waren.

dreieckige Gestalt mit der Spitze nach oben, und der Erfolg davon ist der, dass das Nasenbein jederseits schräg abgeschnitten ist.

Sodann muss ich bestätigen, dass in den beiden mir vorliegenden Schädeln der fragliche Fortsatz sehr entwickelt ist. Schon bei dem kleinen Dresdener Exemplar (Taf. I, Fig. 1) schiebt sich jederseits ein, freilich sehr schmales, aber 6 ^{mm} hohes Stück zwischen Nasenbein und Oberkieferfortsatz ein. Dasselbe ist am unteren Rande jederseits durch eine feine Knochenbrücke mit dem Nasenbein verbunden, sonst jedoch ganz frei. Bei dem grösseren Berliner Exemplar ist dieser Fortsatz breit und ungemein kräftig: er hat im Niveau des untern Randes des Nasenbeins eine Breite von 8 ^{mm} und von demselben Niveau an eine Höhe von 9 ^{mm}. Ausserdem setzt er sich in allmählich abnehmender, jedoch noch immer recht beträchtlicher Breite nach unten zur Seite der Nasenöffnung noch eine Strecke fort, so dass die Höhe dieser breiteren Partie im Ganzen 17 ^{mm} beträgt. Das Nasenbein wird dadurch nach unten und seitlich so beträchtlich verschmälert, dass seine untere Platte eine fünfeckige Gestalt angenommen hat. Während sie im Niveau der oberen Spitze des Zwischenkieferfortsatzes 17 ^{mm} breit ist, verschmälert sie sich am untern Rande bis auf 14 ^{mm}. Grössere Fortsätze sehe ich auch bei Cynocephalus und Inuus nicht. Ich möchte daher die Auffassung des Hrn. Turner für die richtigere halten, wenngleich vielleicht individuelle Schwankungen von beträchtlicher Grösse in diesem Punkte zugestanden werden dürfen.

Unterhalb dieser Stelle bildet das Intermaxillare die ganze Seitenwand der Nasenöffnung. Die Naht zwischen Intermaxillare und Maxillare zieht sich an der innern Wand der Nasenhöhle von der Stelle, wo am oberen Rande der Nasenöffnung Intermaxillare und Nasale an einander stossen, schräg nach unten und vorn, dicht vor dem Ansatze der unteren Muschel herab bis zu dem Foramen incisivum, welches hier, wie bei dem grösseren Schädel, doppelt ist. Der vordere Theil der Crista nasalis gehört in einer Länge von 3 ^{mm} noch dem Intermaxillare an. Man kann daher in der That mit Hrn. Turner sagen, dass die starke Prognathie des Alveolarfortsatzes, welcher in seinem mittleren Theile ganz dem Intermaxillare angehört, hauptsächlich durch diesen Knochen bedingt wird; ja man kann hinzufügen, dass auch die Bildung des unteren Nasenabschnittes wesentlich durch die Vorlagerung des mächtigen Intermaxillare vor die eigentliche Nase bestimmt wird.

Denkt man diesen Knochen hinweg, so würde die Nase des jungen Gorilla sich dem menschlichen Typus sehr annähern. Das Intermaxillare aber bildet vor der eigentlichen Nasenhöhle zwei stark vorgewölbte Erhöhungen mit je einer pränasalen Ausbuchtung (Furche). Hinter diesen Erhöhungen vertieft sich der Boden der Nasenhöhle sehr beträchtlich und zwar in zwei Absätzen, indem zunächst jederseits von der (doppelten) Crista nasalis eine schmale, weniger tiefe Furche innerhalb der Grenzen des Intermaxillare, dann aber vom Foramen incisivum an eine ganz tiefe Furche auf dem harten Gaumen hinzieht.

Die äussere, maxillare Nath des Zwischenkiefers folgt ziemlich genau dem Seitenrande der Nasenöffnung. Unterhalb derselben macht sie eine schnelle Ausbiegung nach aussen um die seitlichen Schneidezähne herum, so dass die Breite des Intermaxillare, welche im Niveau des Naseneinganges 19 ^{mm} beträgt, am Alveolarrande bis auf 26 ^{mm} anwächst. Kurz bevor die seitliche Naht den Alveolarrand erreicht, zweigt sich von ihr nach vorn und unten eine kurze Naht ab, welche einen kleinen dreieckigen Schaltknochen umgrenzt, der die vordere Wand der Alveole des äusseren Schneidezahnes bildet. Die mediane Naht ist sehr stark und die beiden mittleren Schneidezähne lassen eine kleine Lücke zwischen sich. Die Höhe des ganzen Alveolarfortsatzes beträgt in der Mittellinie 7 ^{mm}.

An der Gaumenfläche verhält sich die äussere Naht des Intermaxillare (Taf. II, Fig. 4) folgendermaassen: Nachdem sie sich jederseits zwischen dem lateralen Schneidezahn und dem Eckzahn durchgezogen hat, läuft sie zunächst schräg nach hinten, indem sie sich dicht an den Alveolen des Eckzahns und des ersten Backzahns hält, dann geht sie unter einer starken Ausbiegung nach hinten quer durch den Gaumen und wendet sich medialwärts nach vorn, um an dem, auch hier doppelten Foramen incisivum zu endigen. Der ganze vordere Theil des Gaumens in einer Länge von 9 (vom Alveolarrande aus gemessen sogar von 12) ^{mm} gehört demnach dem Intermaxillare an; bei einer Gesammtlänge des harten Gaumens von 33 ^{mm} beinahe $\frac{1}{4}$.

Bei dem grösseren Berliner Schädel treffen diese Eigenschaften in allen Stücken gleichfalls zu. Der quere, fast wallartige Vorsprung, welchen die Erhöhungen der Intermaxillaria am Naseneingange bilden, ist so beträchtlich, dass hinter demselben ein jäher Abfall zu dem um 2 ^{cm} tiefer liegenden Boden der Nasenhöhle hin stattfindet. Die pränasalen Gruben oder besser Furchen sind stärker ausgebildet. Eine Spina nasalis anterior inferior fehlt hier, wie bei dem jüngern Schädel, gänzlich. Dagegen ist das Intermaxillare in dem Niveau des Naseneinganges 3 ^{cm}, am Alveolarrande 3,3 ^{cm} breit und seine vordere, etwas gewölbte, schräg vorgestreckte Fläche hat in der Mitte eine Länge (Höhe) von 2,2 ^{cm}. Der untere Theil der medianen Naht klafft beträchtlich und die beiden mittleren Schneidezähne sind etwas schief gegen einander gerichtet. Da, wo die seitliche Naht gegen das Trema zwischen lateralem Schneidezahn und Eckzahn eintaucht, liegt jederseits auf der medialen Seite dieser Naht ein kleiner, mit der Spitze nach oben und aussen gerichteter, bis über den Alveolarrand des lateralen Schneidezahns herüberreichender Schaltknochen, den ich schon von dem Dresdener Schädel erwähnte und der sich auch an dem Schädel mit einfachem Nasenbein bei Hrn. Bischoff (Taf. XIX, Fig. 22) dargestellt findet. — Am Gaumen verhält sich die Naht genau so, wie bei dem kleineren Schädel. —

Die Bildung der Augenhöhlen hat neben der der Nase eine dominirende Bedeutung für die Physiognomie des Gorilla. Wenn Hr. Bischoff (a. a. O. S. 69) dieselben bei allen seinen jungen Gorillaschädeln rundlich-viereckig findet, so will ich zugestehen, dass eine solche Bezeichnung allenfalls auf den Berliner Schädel zutrifft; keineswegs passt dieselbe auf den jüngeren Dresdener Schädel. Die Orbitae desselben haben nur eine eckige Stelle, nämlich die Ausbuchtung nach innen und oben, und auch hier ist die Ecke eben nur angedeutet. Der Rand ist eigentlich durchweg gerundet, nur dass der Contour keinen wirklichen Kreis bildet: die Höhe ist grösser als die Breite. Der Orbitalindex beträgt 104, der kindliche Gorilla-Schädel ist also hypsikonch. Dazu kommt, dass die Orbitae absolut gross sind, sowohl in den Durchmessern des Einganges (26 ^{cm} Höhe, 25 Breite), als auch in dem Tiefendurchmesser (30 ^{mm}).

Was aber den anthropoiden Habitus der kindlichen Orbita am meisten bestimmt, das ist das Verhältniss zur Nase. Nicht nur ist, wie Hr. Bischoff lehrt, „die Scheidewand der Augenhöhlen bei allen Gorillas dicker, als bei den Chimpanse,“ sondern es tritt die Nase, namentlich der im obern Abschnitte derselben vorhandene Rücken nicht unbeträchtlich vor der Ebene des Orbitaleinganges vor. Zieht man jederseits von der Sutura zygomaticofrontalis eine Horizontale zum Nasenrücken, so bilden dieselben an dem Vorsprung des letzteren einen Winkel von 120°. Auch ist der Boden der Orbita bei dem Dresdener Exemplar noch concav, dagegen das Dach, namentlich nach hinten und medialwärts etwas niedrig, entsprechend dem verhältnissmässig grossen Antheil, welchen das Stirnbein an der Bildung des medialen Abschnittes der Orbita und des obern Theils der Nase nimmt. Wo das Stirnbein aufhört und dafür nach unten der Stirnfortsatz des Oberkiefers eintritt, da werden auch die Nase und das Nasenbein sehr schmal, denn dieser Fortsatz, der einfach schmal und fast ganz sagittal gestellt ist, läuft ganz spitzig aus. Kräftiger sind die Wangenbeine ausgebildet, besonders ihr Stirnfortsatz; der eigentliche Körper ist eher zart und der Jochbogen dem entsprechend dünner.

Bei dem älteren Berliner Schädel sind schon die grössten Veränderungen in der Configuration der Orbitae vorgegangen. Nur die Hypsikonchie ist noch stärker ausgeprägt: der Index beträgt 116. Auch sind die Grösse des Einganges (36 ^{mm} Höhe, 31 Breite) und die Tiefe (38 ^{mm}) so beträchtlich, dass der Eindruck, welchen die Orbitae in dem physiognomischen Totalbilde hervorbringen, ein ganz beherrschender wird. Indess tritt daneben der bestiale Charakter der fortschreitenden Entwickelung schon recht empfindlich hervor: die Nase, obwohl ihr Rücken im oberen Abschnitte noch prominirt, bildet mit den Wangenbeinen einen Winkel von 140°, indem die letztern mächtig gewachsen und weit nach vorn vorgetreten sind. Noch mehr haben sich die Augenhöhlen innen verändert: überall sind die Ränder vorgeschoben und gegen die Höhle überhängend oder eingebogen; hinter dem Eingange erweitert sich daher die Höhle beträchtlich, namentlich in der Richtung gegen die untere Spalte, welche sehr tief und breit ist. Nur die untere Partie der medialen und die anstossende mediale Partie der unteren Wand haben sich „zeltartig“ stark vorgewölbt, indem die Oberkieferhöhle beträchtlich erweitert und der Stirnfortsatz des Oberkiefers sehr verbreitert ist. Über die Vorwölbung zieht sich ein flacher Sulcus infraorbitalis, der nach vorn in einen langen Canalis infraorbitalis übergeht; letzterer mündet über der sehr flachen und vom Orbitalrande sehr entfernten Fossa canina jederseits mit 2 übereinandergelegenen Öffnungen. Der frontale Antheil der Augenhöhlen-Scheidewand ist in der Entwickelung sehr zurückgeblieben, während der maxillare sich stark entfaltet hat; daher sieht es aus, als ob die Augenhöhlen sich nach oben gegen einander neigten. Nur die Supraorbitalränder sind stark gewachsen, aber doch nicht in dem Verhältniss der Kieferknochen, so dass der Infraorbitalrand ganz nach vorn vorgerückt und die Ebene des Orbitaleinganges schief geneigt ist. —

Es erübrigt endlich, die Kiefer- und Zahnbildung zu erörtern.

Bei dem Dresdener Exemplar sind eigentlich nur die vier Schneidezähne vollständig ausgebrochen. Die oberen überragen die unteren und übertreffen sie bei Weitem an Grösse. In beiden Kiefern sind die medialen Schneidezähne grösser als die lateralen, jedoch sind die oberen so viel grösser, als die unteren, dass sie nicht bloss diese letzteren, sondern auch noch die mediale Hälfte der lateralen decken. Die oberen lateralen Schneidezähne stehen schon grossentheils über die unteren hinaus. Die gerade Länge der Pars incisiva beträgt am Oberkiefer 24, am Unterkiefer nur 20 ^{mm}.

Nächstdem ist mit einem grösseren Theil der Krone ausgegebrochen, jedoch mit den übrigen Theilen noch zurück der erste Backzahn des Oberkiefers: ein sehr umfangreicher Zahn, 9 ^{mm} im frontalen, 8 im sagittalen Durchmesser, mit einer äusseren, sehr starken und einer inneren, viel kürzeren und niedrigeren Leiste; ausserdem am vordern Ende der äussern Leiste mit einem kleinen Schmelzvorsprung. — Im Unterkiefer wird eben die Spitze des ersten Backzahns über dem Niveau der Alveole sichtbar. Es ist gleichfalls ein grosser Zahn, aber er hat eine pyramidenförmig zugespitzte Krone ohne alle Leistenbildung.

Die Alveolen der Eckzähne sind geöffnet, aber noch sehr schmal. Die Eckzähne selbst liegen noch in ihren Höhlen weit zurück; letztere treten an der äussern Oberfläche der Ober- und Unterkiefer (Taf. I, Fig. 1) als dicke rundliche Vorsprünge hervor.

Ausserdem sieht man im Ober- und Unterkiefer jederseits noch

2 Backzahn-Alveolen geöffnet, in deren Tiefe grosse Abschnitte der fertigen Kronenstücke liegen. Von diesen sind die hinteren bei Weitem die grösseren. Man erkennt daran 5 Spitzen.

Endlich ist noch zu bemerken, dass man hinter den Schneidezähnen schon die Öffnungen der freilich sehr kleinen Alveolen der bleibenden Schneidezähne sieht; von diesen sind die lateralen die grössern und wiederum die im Oberkiefer grösser, als die im Unterkiefer. —

Bei dem Berliner Schädel sind 24 vollkommen entwickelte Zähne vorhanden. Offenbar ist auch dies noch ein Milchgebiss. Denn hinter sämmtlichen Schneide- und Eckzähnen sind die Alveolen der bleibenden Zähne geöffnet und man sieht in den Alveolen der lateralen Schneidezähne die Spitzen der neuen Zähne. Sämmtliche Zähne, besonders die Schneide- und Backzähne sind an ihren Schmelzflächen mit einer schwarzbraunen Masse überzogen; die Schneidezähne in einer geraden Ebene tief, meist bis auf das Dentin abgeschliffen und die Kronen der Praemolaren stark abgenützt. Auch die Eckzähne sind etwas stumpf. Nur der I Molare ist ganz scharfspitzig.

Von den einzelnen Zähnen erwähne ich, dass die Eckzähne sehr gross sind, namentlich die oberen. Diese stehen 16 mm weit über den Alveolarrand hervor, wovon 11 mm der Krone angehören; diese ist an der Basis 1 cm breit. Die unteren sind etwas kleiner und greifen in den 7 mm breiten Zwischenraum (Trema) zwischen oberem Eckzahn und Schneidezahn ein; unten ist das Trema ganz geringfügig. Der I Praemolare hat oben 3, unten 2 Wurzeln, sowie 2 Leisten, eine äussere längere und höhere mit einem kleinen Vorsprunge vorn, und eine innere kürzere und niedrigere, jede mit einer Spitze. Der II Praemolare hat 4 Wurzeln und 2 Kronleisten mit je 2 Spitzen, von denen die hintere äussere mit der vorderen inneren durch einer schiefen Wulst verbunden ist. Ganz ähnlich sind die I Molaren beschaffen, nur dass sie erheblich grösser sind und dass im Unterkiefer jeder derselben 5 Spitzen hat, nämlich je 2 vorn und hinten am Rande und 1 hinten mehr gegen die Mitte zu. Hinter ihm ist in jeder Oberkieferhälfte noch eine geräumige Alveole geöffnet, im Unterkiefer sogar 2, jedoch kleinere. —

Der harte Gaumen ist bei beiden Schädeln lang und schmal,

bei dem grösseren natürlich in sehr verstärktem Maasse. Der Gaumenindex beträgt daher bei dem

Dresdener Schädel 72,7
Berliner „ 43,3.

Von den Eckzähnen an stehen die Zähne fast in einer geraden Linie, während die Schneidezähne eine deutliche Curve bilden. Die Gaumenfläche ist gewölbt, die Naht nur bei dem kleinen Schädel von leichten Erhebungen begleitet. Die Pars horizontalis ossis palatini ist bei dem Dresdener Schädel sehr schmal, kaum 2 mm breit (in der Richtung von vorn nach hinten); ihre hintere Begrenzung ist kaum merkbar ausgerundet (Taf. II, Fig. 3). Von dem Foramen pterygopalatinum setzt sich jederseits nach vorn eine kleine Spalte fort. Bei dem Berliner Schädel ist die horizontale Platte des Gaumenbeins in der Mitte 14, an der Seite 11 mm breit; jederseits steht vor der Naht am hintern Rande ein kleiner Vorsprung hervor. Da nach Bischoff (a. a. O. S. 69) alle Gorillaschädel deutlich eine Incisura palatina posterior zeigen sollen, so mag dieser doppelte Vorsprung eine solche andeuten. Bei dem kleinen Schädel ist jedenfalls eine Incisur nicht vorhanden.

Dass die hintere Nasenöffnung höher, als breit ist, kann ich bestätigen. Ich füge nur hinzu, dass die Breite an der Gaumenplatte grösser, an der Basis cranii sehr viel geringer ist.

Der Unterkiefer des Dresdener Schädels hat noch seine Synchondrose offen. Nach oben hin klafft dieselbe etwas, in der Mitte und unten ist sie von einer Art kleiner supracartilaginöser Exostosen begleitet, welche einen vorspringenden Rand bilden. Aus ihnen geht hinten und unten die Spina mentalis posterior als ein ungewöhnlich starker Auswuchs hervor (Taf. I, Fig. 2. Taf. II, Fig. 3 und 5). Der mittlere Theil des Unterkiefers ist etwas schräg vorgeschoben, so dass die Zähne schaufelförmig gerichtet sind. Der Zahnrand bildet auch hier eine Curve. Der folgende Abschnitt des Knochens, von der Gegend des Eckzahns bis an den I Molar, ist mehr gerade nach hinten gerichtet; von der Gegend des I Molars an wendet sich der Unterkiefer ganz nach aussen. Die transversalen Distanzen betragen hier:

zwischen den Kieferwinkeln . . . . . 41 mm
„ der Mitte der Gelenkköpfe . . 56 „
„ den Spitzen der Kronenfortsätze 55 „ .

Der Gelenkfortsatz ist kurz und schräg, unter einem Winkel von 140° angesetzt. Auch der Kronenfortsatz ist schräg nach hinten gerichtet, fast zugespitzt und nach rückwärts gebogen, so dass eine tiefe, aber nicht weite Incisur entsteht. Das sehr grosse Foramen mentale anterius liegt gerade unter dem I Praemolare.

An dem Unterkiefer des Berliner Schädels ist die mediane Synchondrose bis auf eine schwache Spur am obern Rande geschlossen. Der Kiefer hat hier in seiner Mitte eine Höhe von 39 mm; er bildet eine plumpe, rundlich vorgewölbte, ungemein compakt aussehende Masse, welche breit vortritt, aber nach unten zurückgeht, ohne ein Kinn zu bilden. Die Spina mentalis interna ist sehr gross; sie bildet eine fast schneidende, senkrechte Crista. Der vordere Winkel zwischen den Seitentheilen ist so eng, dass man kaum einen Finger hineinlegen kann. In der Norma temporalis erscheint der Unterkiefer fast kahnförmig. Die Seitentheile gehen sehr schnell zurück und laufen fast parallel mit einander. Die Foramina mentalia anteriora liegen nahe am untern Rande, senkrecht unter dem Zwischenraum zwischen den beiden Prämolaren. Weiter nach hinten werden die Seitentheile niedrig, aber sehr dick. Die Äste sind gross und breit; ihr Querdurchmesser beträgt 36 mm. Mit dem Gelenkfortsatze, der stark nach hinten zurückweicht, beträgt die Länge des Astes 5 cm. Der Processus coronoides, der auch hier durch eine tiefe, aber kurze Einbuchtung von dem Processus condyloides getrennt ist, hat in noch höherem Grade eine nach rückwärts gekrümmte Spitze, die hinter dem Jochbogen verschwindet. Der Winkel, unter welchem der Gelenkfortsatz gegen den Seitentheil des Unterkiefers angesetzt ist, beträgt 120°.

Ich beendige damit diese Mittheilung, von der ich hoffe, dass sie den Erörterungen über die früheren Entwickelungsverhältnisse des Gorillaschädels einige sichere Unterlagen gewähren werde. Niemals früher ist, wie ich glaube, der Fortschritt von dem eminent anthropoiden Charakter des frühkindlichen Gorillaschädels zu

Taf. I.

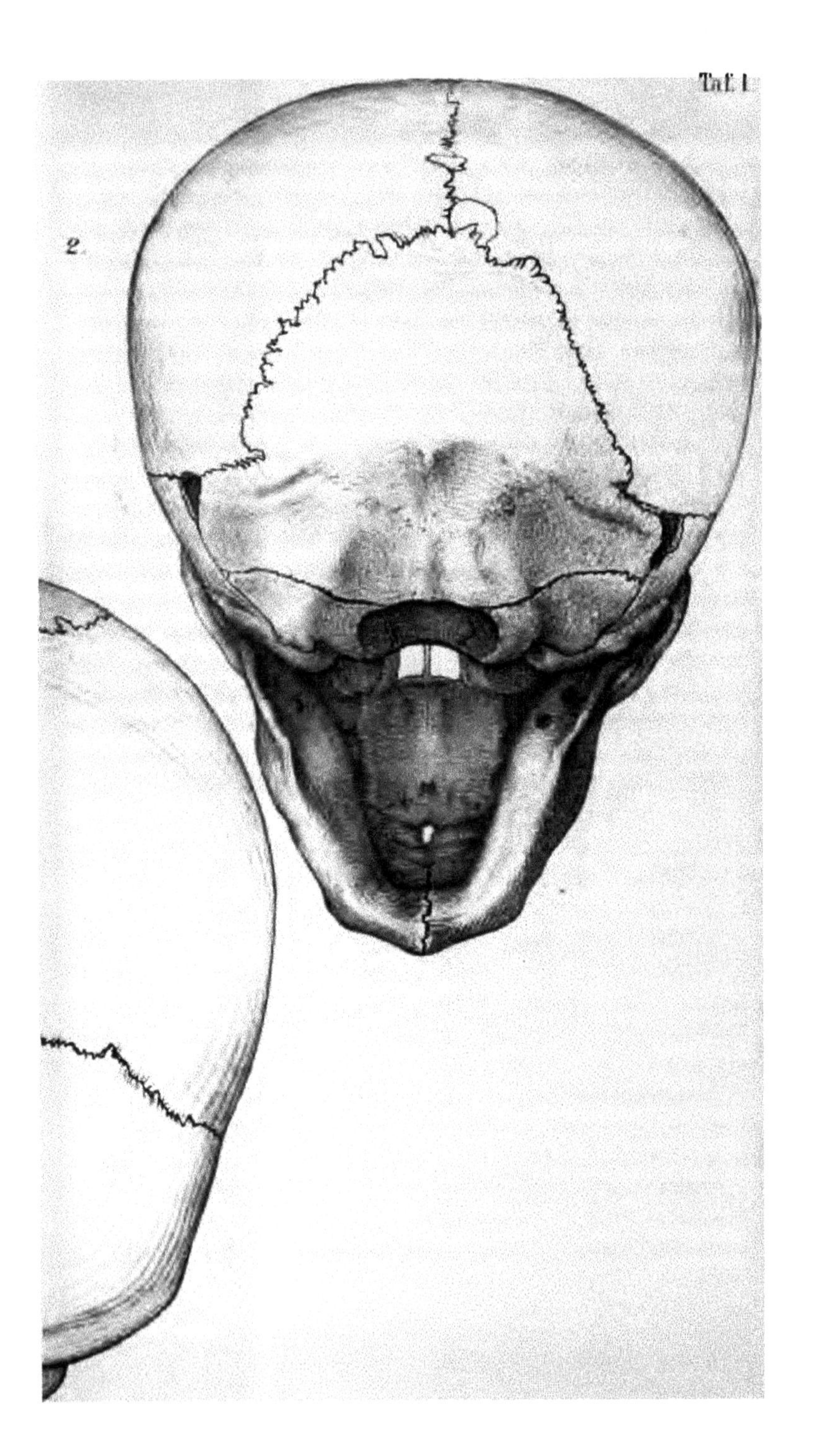

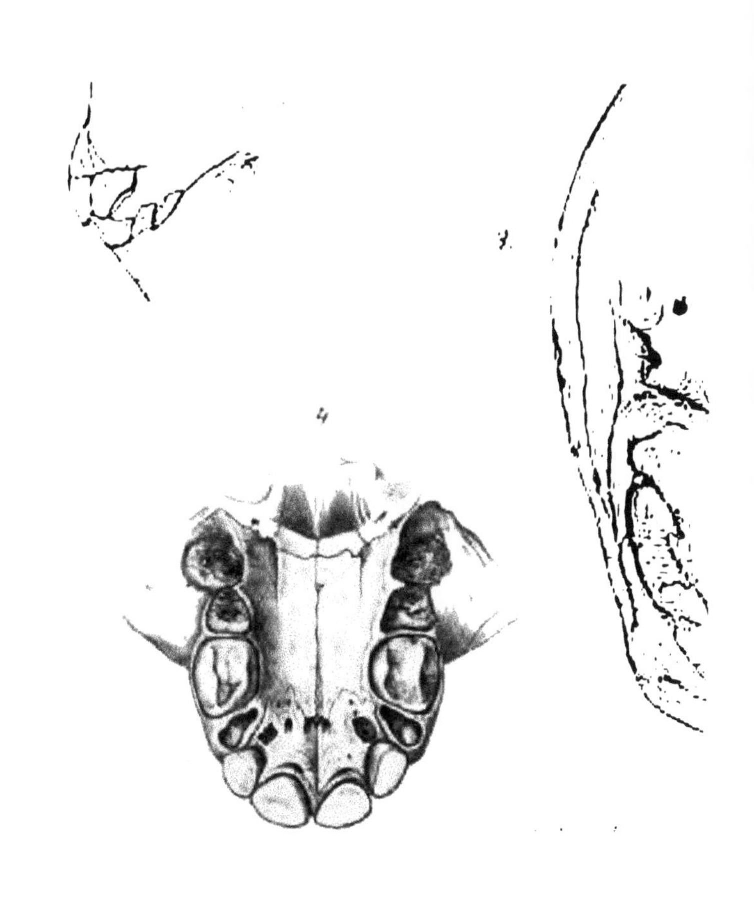

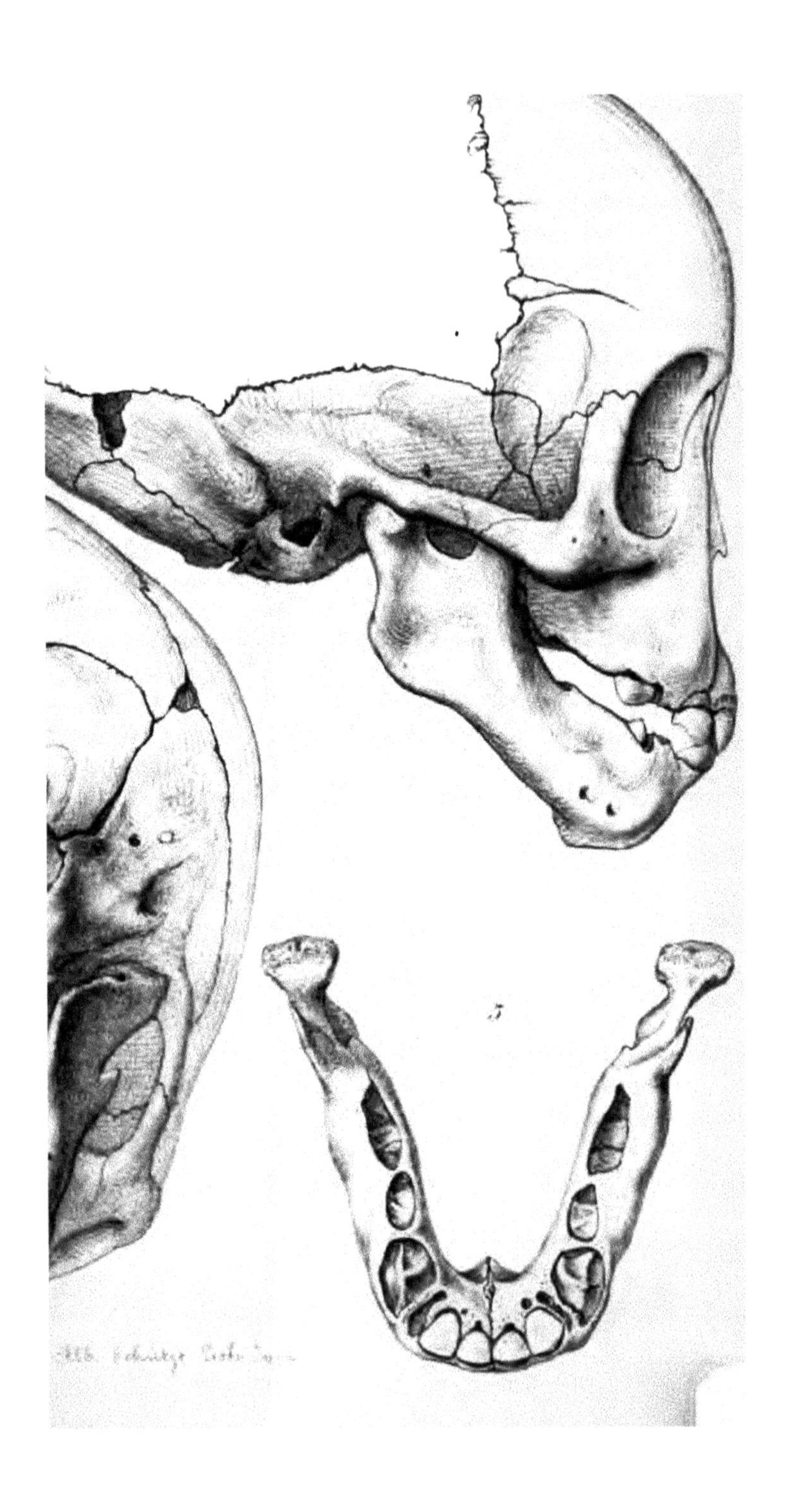

dem ausgemacht bestialen Charakter des jugendlichen so scharf dargelegt worden. Die Thatsache, dass die Schädelkapsel schon früh in einen mehr stationären Zustand geräth, der nur durch die forstchreitende Ausbildung der Cristae eine äusserliche Umwandlung, gleichsam eine Verkleidung erfährt, während alle zu dem Gesicht gehörigen Theile schnell wachsen und jenen formidablen, im höchsten Grade thierischen Ausdruck annehmen, den wir alle an dem älteren Gorilla kennen, ist hier zahlenmässig dargelegt und auf ihre örtlichen Gründe zurückgeführt. Die Entwickelungsverhältnisse des Processus frontalis squamae temporalis, der Nase und der Augenhöhlen, die wirkliche Gestalt der Schädelkapsel sind deutlich geworden. Auch die Indices dürften hier zum ersten Male in grösserer Zuverlässigkeit nachgewiesen sein.

Zum Schlusse fasse ich die Hauptmaasse noch einmal in einer Tabelle zusammen:

Maasse	Dresdener Schädel	Berliner Schädel
Capacität	355 Ccm.	380 Ccm.
Grösste Länge *A* von der Nasenwurzel	113 Mm.	136 Mm.
„ „ *B* von der Stirnwölbung	111 „	119 „
Diagonale Länge vom Alveolarrand des Oberkiefers bis zur Crista occip.	128 „	186 „
Grösste Breite	91 „	109 „
Ganze senkrechte Höhe	75 „	83 „
Auricular-Höhe	71 „	71 „
Gerade Distanz der Schläfenlinien	75 „	45 (70) „
Umfangs- „ „ „ „	105 „	48 (75) „
Untere Frontalbreite	69 „	61 „
Temporalbreite *A* (Zusammenstoss der Sut. squamosa mit der Coronaria)	67 „	79 „
„ *B* (Spitze der Ala sphen.)	52 „	62 „
Auricularbreite	65 „	95 „
Occipitalbreite (Fontic. later.)	75 „	92 „
Mastoidealbreite (Spitze)	36 „	88 „
Entfernung der Nasenwurzel vom Ohrloch	69 „	87 „
„ Mitte des Naseneinganges vom Ohrloch	68 „	107 „
„ des oberen Alveolarrandes vom Ohrloch	71 „	122 „
„ „ Zahnrandes vom Ohrloch	72,5 „	128 „
„ unteren Kinnrandes vom Ohrloch	67 „	128 „
der Nasenwurzel vom For. magnum	71 „	89 „
„ Mitte des Naseneinganges vom For. magnum	66 „	105 „

Maasse	Dresdener Schädel	Berliner Schädel
Entfernung des oberen Alveolarrandes vom For. magnum	70 Mm.	114 Mm.
„ oberen Zahnrandes vom For. magnum	71 „	120 „
„ unteren Kinnrandes vom For. magnum	68,5 „	114 „
Gesicht, Höhe (Nasenwurzel bis Kinnrand)	71 „	128 „
„ Breite (unteres Ende des Proc. zygom. max.)	56 „	84 „
Jugalbreite	74 „	109 „
Nase, Höhe	43 „	69 „
Länge	30 „	47 „
„ Breite der Öffnung	19 „	26 „
Orbita, Höhe	26 „	36 „
„ Breite	25 „	31 „
Infraorbitaldurchmesser	27 „	45 „
Maxillardurchmesser	37 „	60 „
Länge (Höhe) des oberen Alveolarfortsatzes	6,5 „	22 (14) „
Gaumen, Länge	33 „	60 „
„ Breite	24 „	26 „
Gesichtswinkel (Ohrloch, Naseneingang, Nasenwurzel)	67°	50°
Unterkiefer, Distanz der Winkel	41 Mm.	70 Mm.
„ mediane Höhe	20 „	39 „
Kieferwinkel	140°	120°
Kieferast, Länge	26 Mm.	52 Mm.

10. Juni. Gesammtsitzung der Akademie.

Hr. Peters las einen Nachtrag zu seiner Abhandlung über die Ohrenrobben (*Otariae*).

17. Juni. Gesammtsitzung der Akademie.

Hr. Hofmann machte folgende Mittheilungen:

I.

Über eine Reihe aromatischer, den Senfölen und Sulfocyanaten isomerer Basen.

Im Laufe des vorigen Sommers habe ich der Akademie einige Versuche über die Einwirkung des Phosphorpentachlorids auf das Phenylsenföl mitgetheilt[1]), welche zur Darstellung des von Sell und Zierold entdeckten Isocyanphenylchlorids unternommen, zur Entdeckung einer constant bei 248° siedenden, neuen Verbindung geführt hatten. Diese Verbindung hatte sich durch die Analyse als ein einfach chlorirtes Senföl,

$$C_7H_4ClNS,$$

erwiesen und ich habe sie daher mit dem Namen Chlorphenylsenföl oder schlechtweg Chlorsenföl bezeichnet.

Das Chloratom in diesem Körper ist — wie ich gleichfalls bereits angedeutet habe — in hohem Grade beweglich. Durch geeignete Behandlung kann dasselbe gegen die Hydroxyl-, die Amid- und die Anilidgruppe ausgetauscht werden, indem gut charakterisirte krystallinische Verbindungen,

$$C_7H_4(OH)NS, \quad C_7H_4(NH_2)NS \text{ und } C_7H_4(NHC_6H_5)NS,$$

entstehen.

Während der letzten Monate habe ich die Untersuchung dieses eigenthümlichen Körpers wieder aufgenommen, um seine Natur näher aufzuklären.

Ich will zunächst einige weitere Erfahrungen mittheilen, welche über die schon früher beobachteten Verbindungen gesammelt wurden.

Chlorsenföl. Was in erster Linie die Darstellung des chlorirten Senföls anlangt, so habe ich dieselbe auf anderen Wegen als dem bisherigen versucht. Ein langsamer Clorstrom wurde in eine stark abgekühlte Chloroformlösung von Phenylsenföl geleitet und das Ein-

---

[1]) Hofmann, Monatsberichte 1879, S. 642.

leiten lange vor der Sättigung unterbrochen; es hatte sich nur das von Sell und Zierold entdeckte Isocyanphenylchlorid gebildet. Chlorschwefel wirkt bei erhöhter Temperatur unter Druck auf Phenylsenföl ein, allein es wurden im besten Falle nur Spuren der gesuchten Verbindung erzeugt. Ich musste also zu der Behandlung des Phenylsenföls mit Phosphorpentachlorid zurückkehren. Die beste, immerhin nicht grosse Ausbeute, etwa 18 pCt. der theoretischen, wurde erhalten, wenn man 1 Mol. Senföl mit 1 Mol. Pentachlorid auf 160° erhitzte. Der in den Röhren wirkende Druck scheint nicht besonders hoch zu sein; es ist keine einzige Röhre gesprungen, obwohl die Beschickung einzelner Röhren bis zu 115g der Mischung betrug.

Das chlorirte Senföl wurde früher als eine wasserhelle Flüssigkeit beschrieben; während der kalten Wintertage ist es krystallinisch erstarrt. Sein Schmelzpunkt liegt bei ungefähr 24°; einmal verflüssigt, wird es nur sehr langsam wieder fest.

Zur Vervollständigung der Analyse ist seitdem auch noch die Dampfdichtebestimmung, und zwar im Anilindampf ausgeführt worden; sie ergab 82.4; die Theorie verlangt $\frac{169.5}{2} = 84.75$.

Die Neigung der chlorirten Verbindung, Salze zu bilden, und die geringe Beständigkeit dieser Salze ist schon früher bei der Beschreibung des salzsauren Salzes erwähnt worden. Mit concentrirter Schwefelsäure und Salpetersäure bildet sie ebenfalls krystallinische Salze. Die concentrirte salzsaure Lösung giebt mit Platinchlorid und Goldchlorid gut krystallisirende Doppelsalze, die aber vom Wasser sofort unter Abscheidung von Chlorsenföl wieder zersetzt werden.

Chlornitrosenföl. Das Chlorsenföl lässt sich leicht nitriren. Versetzt man die Lösung desselben in concentrirter Schwefelsäure mit rauchender Salpetersäure, so wird ein einfacher Nitrokörper gebildet, ohne dass das Chlor eliminirt wird. Durch Wasser wird er aus der sauren Lösung gefällt; er lässt sich leicht reinigen, da er in heissem Alkohol reichlich, in kaltem sehr wenig löslich ist. Das Chlornitrosenföl bildet schwach gelbgefärbte Nadeln, welche bei 192° schmelzen; es hat keine basischen Eigenschaften mehr. Der Formel

$$C_7H_3ClNO_2NS$$

entsprechen folgende Werthe:

	Theorie		Versuch
C_7	84	39.16	38.76
H_3	3	1.40	1.71
N_2	28	13.05	—
S	32	14.92	—
Cl	35.5	16.55	16.44
O_2	32	14.92	—
	214.5	100.00	—

Von rauchender Schwefelsäure wird das Chlorsenföl gleichfalls angegriffen; es entstehen zwei Producte, ein unlösliches krystallinisches, und ein lösliches, offenbar eine Sulfosäure. Sie sind nicht näher untersucht worden.

Oxyphenylsenföl. Es wird am bequemsten durch Kochen des Rohproductes der Reaction mit Alkohol gewonnen. Man kann es auch — aber nur schwieriger — durch die Einwirkung des Wassers auf Chlorsenföl erhalten. Chlorsenföl kann mit Wasser auf 180° erhitzt werden, ohne sich zu verändern. Über 200° erhitzt, verwandelt es sich zum Theil in Oxysenföl; es werden aber gleichzeitig andere Producte gebildet. Neben einer braunen, nicht fassbaren Materie entstehen Anilin, Salzsäure, Kohlensäure und Schwefel,

$$C_7H_4ClNS + 2H_2O = C_6H_7N + HCl + CO_2 + S.$$

Es tritt aber gleichzeitig stets etwas Schwefelwasserstoff auf, so dass man es offenbar mit einer complexen Reaction zu thun hat.

In meiner früheren Abhandlung ist angegeben, dass diese phenolartige Verbindung in Ammoniak unlöslich sei. Neuere Versuche haben gezeigt, dass sie sich in viel Ammoniak löst. Die Lösung giebt auf Zusatz von Säure einen spärlichen Niederschlag von krystallisirtem Oxysenföl.

Äthyloxysenföl. Löst man Natrium in absolutem Alkohol auf und setzt soviel Chlorsenföl hinzu, dass 1 Chloratom auf 1 Natriumatom kommt, so hat sich, wenn man die Mischung eine Stunde lang am Rückflusskühler gekocht hat, alles Chlor in der Form von Kochsalz ausgeschieden. Die von demselben abfiltrirte alkoholische Lösung enthält den Äthyläther des Oxysenföls. Nach dem Verdunsten des Alkohols bleibt derselbe als ein Öl von angenehmem aromatischen Geruch zurück, welches allmählich krystallinisch erstarrt. Der Schmelzpunkt der Verbindung liegt bei 25°. Das Äthyloxysenföl besitzt schwach basische Eigenschaften. Es löst sich in concentrirter Salzsäure; aus der Lösung fällen Platinchlorid und Goldchlorid Salze, welche in sehr schönen Prismen krystallisiren. Durch die Analyse eines solchen Platindoppelsalzes wurde die Zusammensetzung des Körpers, die sich übrigens schon aus seiner Bildungsweise ergiebt, festgestellt. Der Formel

$$2[C_7H_4(OC_2H_5)NS, HCl]PtCl_4$$

entsprechen 25.58 pCt. Platin. Der Versuch ergab 25.50 pCt.

Die einfachen wie die Doppelsalze des Äthyloxysenföls sind ebenso unbeständig wie die entsprechenden Verbindungen des Chlorsenföls. Auch der Äther selbst zeigt nur geringe Stabilität. Man kann ihn zwar ohne Zersetzung mit Natronlauge zum Sieden erhitzen, beim Kochen mit concentrirter Salzsäure wird er aber unter Entwicklung von Chloräthyl in Oxysenföl verwandelt.

Acetyloxysenföl wird erhalten, wenn Oxysenföl einige Stunden lang mit einem Überschuss von Essigsäureanhydrid am Rückflusskühler erhitzt wird. Setzt man nun Wasser hinzu, so scheidet sich ein Öl aus, welches bald erstarrt und nur aus Alkohol umkrystallisirt zu werden braucht, um völlig rein zu sein. Die neue Verbindung krystallisirt aus Alkohol in Prismen, aus heisser Essigsäure in feinen Nadeln. Schmelzpunkt 60°. Das Acetoxysenföl hat keine basischen Eigenschaften mehr. Durch Kochen mit Alkalien spaltet es sich in Essigsäure und Oxysenföl. Die aus der Darstellungsweise sich ergebende Zusammensetzung

$$C_7H_4(OC_2H_3O)NS$$

wurde durch die Analyse bestätigt.

	Theorie		Versuch
C_9	108	55.96	55.87
H_7	7	3.63	3.82
N	14	7.25	—
S	32	16.58	—
O_2	32	16.58	—
	193	100.00.	

Amidosenföl. Die Darstellung ist schon früher angegeben worden. Durch Fällen der alkoholischen Lösung mit Wasser werden perlmutterglänzende Blättchen erhalten, welche bei 129° schmelzen; durch langsamen Zusatz von Wasser lassen sich etwas besser ausgebildete Krystalle gewinnen. Ganz gut krystallisirt die Verbindung aus Schwefelkohlenstoff. Sie kann ohne Zersetzung destillirt werden; auch gegen Agentien ist sie sehr beständig; sie lässt sich mit Säuren oder Alkalien ohne Veränderung kochen. Das Amidosenföl ist eine schwache Base, die sich nur in concentrirten Säuren löst; sie ist indessen doch noch stärker als das Chlorsenföl, wenigstens werden weder das Platin- noch das Goldsalz durch Wasser zersetzt. Diese Salze fallen auf Zusatz von Platinchlorid und Goldchlorid zu der salzsauren Lösung krystallinisch aus. Das Goldsalz wird in besonders schönen Krystallen erhalten. Das bei 100° getrocknete Amidosenföl enthält

$$C_7H_4(NH_2)NS.$$

	Theorie		Versuch
C_7	84	56.00	55.76
H_6	6	4.00	4.14
N_2	28	18.67	—
S	32	21.33	—
	150	100.00.	

Das *in vacuo* getrocknete Platinsalz hat folgende Formel:

$$2[C_7H_4(NH_2)NS, HCl]PtCl_4.$$

Die Theorie verlangt 27.69 pCt. Platin; gefunden wurden 27.49 pCt.

Anilidosenföl. Darstellung und Eigenschaften sind schon früher angegeben worden. Ich will nur noch nachträglich bemerken, dass der Schmelzpunkt der oft umkrystallisirten Verbindung zu 159° (statt 157° wie früher angegeben ward), gefunden wurde. Auch das Anilidosenföl lässt sich unzersetzt destilliren und wird durch Kochen mit Säuren und Alkalien nicht verändert. Die bei 100° getrocknete Base enthält:

$$C_7H_4(NHC_6H_5)NS,$$

	Theorie		Versuch	
C_{13}	156	69.03	68.83	68.89
H_{10}	10	4.42	5.01	4.71
N_2	28	12.39	—	—
S	32	14.16	—	
	226	100.00		

Das bei 100° getrocknete Platinsalz enthält

$$2[C_7H_4(NHC_6H_5)NS, HCl]PtCl_4.$$

Die Theorie verlangt 22.80 pCt. Platin; gefunden wurden 22.52 pCt.

Auch in dem oben beschriebenen Chlornitrosenföl kann das mobile Chloratom noch leicht durch die phenylirte Amidogruppe ersetzt werden. Erhitzt man das Chlornitroproduct mit Anilin, so bildet sich das salzsaure Salz dieser Base und eine in gelben, bei 247° schmelzenden Nadeln krystallisirende Verbindung, welche noch schwachbasische Eigenschaften besitzt. Sie ist in Salzsäure löslich und wird durch Wasser aus dieser Lösung gefällt. Die Verbindung bildet ein in schwerlöslichen Nadeln krystallisirendes Platinsalz.

Die im Vorstehenden verzeichneten Ergebnisse zeigen unzweideutig — und ich habe auf diese Thatsache in meiner früheren Mittheilung bereits hingewiesen — dass das Phenylsenföl mit der Aufnahme eines Chloratoms an Stelle des Wasserstoffs die fundamentalen Eigenschaften eines Senföls vollständig eingebüsst hat. Die chlorirte Verbindung fixirt keine Amine mehr um Harnstoffe zu bilden, auch tauscht sie selbst unter dem Einflusse der kräftigsten Agentien ihren Schwefel gegen Sauerstoff nicht aus. Mit Wasser oder Salzsäure endlich unter Druck erhitzt, spaltet sie sich nicht mehr, wie dies die normalen Senföle thun, in Amin und Kohlenoxysulfid oder Kohlensäure und Schwefelwasserstoff. Offenbar lag hier kein einfaches Substitutionsproduct des Phenylsenföls vor.

Ich habe bereits früher betont, dass das von Sima Losanitsch[1]) im hiesigen Laboratorium aus dem starren Parachloranilin dargestellte bei 64° schmelzende, mit dem durch Phosphor-

[1]) Losanitsch, Ber. chem. Ges. V, 146.

pentachlorid entstehenden isomere Chlorsenföl ein ganz anderes, und zwar demjenigen des normalen Senföls vollkommen analoges Verhalten zeigt. Es war nur eine sehr geringe Wahrscheinlichkeit vorhanden, dass sich die aus dem Phenylsenföl sich ableitende Verbindung mit einem der Senföle identisch erweisen würde, welche dem Meta- und Orthochloranilin entsprechen. Es schien gleichwohl wünschenswerth, diese Frage durch den Versuch zu entscheiden. Die genannten Senföle sind bis jetzt nicht dargestellt worden. Durch ein glückliches Zusammentreffen war ich im Stande, diese Lücke auszufüllen. Hr. Dr. Wilh. Will, welcher sich mit den drei isomeren Nitrochlorbenzolen beschäftigt, hatte die Güte, mir Proben dieser Substanzen zur Verfügung zu stellen, welche Hr. Dr. Paul Meyer in die entsprechenden chlorirten Aniline, Harnstoffe und Senföle verwandelt hat. Ich will die Einzelheiten dieser Versuche bei einer andern Gelegenheit veröffentlichen und hier nur die Endresultate mittheilen.

Parachloranilin vom Schmelzpunkt 70° und vom Siedepunkt 230° aus Chloracetanilid dargestellt, liefert mit Schwefelkohlenstoff einen Harnstoff vom Schmelzpunkt 168° und ein starres Senföl vom Schmelzpunkt 44.5° und vom Siedepunkt 249—250°. Losanitsch hatte den Schmelzpunkt zu 40° angegeben, Beilstein und Kurbatow[1]) hatten ihn bei 45—47° beobachtet.

Metachloranilin vom Siedepunkt 230°, aus dem bei 46° schmelzenden Chlornitrobenzol gewonnen, giebt einen Harnstoff vom Schmelzpunkt 121—122°, welcher bei der Destillation mit Phosphorsäure in ein flüssiges Senföl vom Siedepunkt 249—250° übergeht.

Endlich verwandelt sich Orthochloranilin vom Siedepunkt 208°, aus dem flüssigen (Ortho-) Chlornitrobenzol dargestellt, bei der Behandlung mit Schwefelkohlenstoff in einen Harnstoff vom Schmelzpunkt 145—146°, welcher mit Phosphorsäureanhydrid destillirt, ein starres Senföl vom Schmelzpunkt 44—45° und vom Siedepunkt 249—250° liefert. Die Senföle des Para- und Orthochloranilins zeigen also ganz dieselben Eigenschaften, und man könnte sie für identisch halten, wenn die ihnen entsprechenden Harnstoffe keine so verschiedenen Schmelzpunkte (168 und 145°) zeigten.

---

[1]) Beilstein und Kurbatow, Ann. Chem. CLXXVI, 47.

Die aus den drei Chloranilinen mit Hülfe des Schwefelkohlenstoffs dargestellten drei Senföle verhalten sich also — und dies ist das Ergebniss, welches für die vorliegende Untersuchung allein von Interesse ist — genau wie das normale Phenylsenföl selbst. Keines der chlorirten Phenylsenföle enthält ein mobiles Chloratom, so dass die schon an und für sich nur wenig wahrscheinliche Vermuthung, es könne eine dieser Verbindungen mit dem Körper, um dessen Untersuchung es sich handelt, identisch sein, vollständig beseitigt ist.

Dem Phenylsenföl isomere Base. Da die beschriebenen Versuche keinen Anhaltspunkt für die Beurtheilung der Constitution des mit Phosphorpentachlorid erhaltenen Chlorsenföls geliefert hatten, so schien es wünschenswerth, das Chlor in dieser Verbindung wieder gegen Wasserstoff auszutauschen. Dies gelingt einfach durch Behandlung der Lösung des Chlorsenföls in concentrirter Salzsäure mit metallischem Zinn. Zur Vermeidung einer zu heftigen Reaction wird die Lösung während der Einwirkung des Zinns zweckmässig in kaltes Wasser gestellt. Nach Verlauf einiger Stunden giesst man Wasser auf, filtrirt von unlöslichen Zinnverbindungen ab, fällt das Zinn mit Schwefelwasserstoff und schüttelt die Flüssigkeit, nach Zerlegung des Chlorhydrats durch Alkali, mit Äther aus. Nach dem Verdampfen des Äthers bleibt das Reductionsproduct in Gestalt einer farblosen Flüssigkeit zurück. Diese Flüssigkeit, obwohl keine alkalische Reaction besitzend, ist eine gut ausgesprochene Base, welche sich sowohl in concentrirten als verdünnten Säuren löst. Die Lösungen trüben sich aber auf Zusatz von sehr viel Wasser, auch lässt sich der salzsauren Lösung ein Theil der Base durch Äther entziehen. Aus diesem Grunde liefert auch die Reduction des Chlorsenföls mit Zinn eine schlechte Ausbeute, insofern bei der Wasserstoffentwicklung und bei der Ausfällung des Metalles von dem durch die Flüssigkeit streichenden Schwefelwasserstoff trotz der Gegenwart der Säure erhebliche Mengen von Base verflüchtigt werden. Daher wird die Entchlorung weit besser durch Jodwasserstoffsäure und Phosphor bewerkstelligt. Man digerirt in geschlossenem Rohre einige Stunden bei 100° und erhält die theoretische Ausbeute, wenn man das Reactionsproduct mit Alkali übersättigt und die Base im Wasserdampfstrom überdestillirt. Wendet man sehr starke Jodwasserstoffsäure an, so erfolgt schon bei gewöhnlicher Temperatur eine heftige Reaction, die Flüssigkeit geräth ins Sieden, und enthält nun das jodwasserstoffsaure Salz der entchlorten Base.

Die neue Base ist schwerer wie Wasser, in dem sie kaum löslich ist. In Alkohol und Schwefelkohlenstoff löst sie sich leicht. Sie hat einen brennenden Geschmack und einen eigenthümlichen Geruch, welcher entfernt an den der flüchtigen Pflanzenbasen, sowie der Pyridinbasen erinnert. Sie siedet constant bei 230° und destillirt ohne Zersetzung. Beim Vermischen mit concentrirten Säuren entstehen alsbald krystallinische Salze. Die salzsaure Lösung liefert mit den Chloriden des Platins, Golds, Zinns und Quecksilbers schwerlösliche, sehr gut krystallisirte Doppelsalze. Das Platinsalz bildet wohl ausgebildete rhombische Tafeln oder Nadeln. Die neue Base hat, wie dies nach der Darstellungsweise nicht anders erwartet werden konnte, die Zusammensetzung

$$C_7H_5NS.$$

Bei der Analyse wurden folgende Werthe erhalten:

	Theorie		Versuch	
C_7	84	62.22	61.89	—
H_5	5	3.70	3.67	—
N	14	10.38	—	—
S	32	23.70	—	23.10
	135	100.00		

Die oben erwähnte Platinverbindung enthält

$$2[C_7H_5NS, HCl]PtCl_4$$

	Theorie		Versuch						
			I.	II.	III.	IV.	V.	VI.	VII.
C_{14}	168	24.63	25.15	—	—	—	—	—	—
H_{12}	12	1.76	2.19	—	—	—	—	—	—
S_2	64	9.39	—	9.71	—	—	—	—	—
N_2	28	4.11	—	—	—	—	—	—	—
Cl_6	213	31.32	—	—	—	—	—	—	—
Pt	197	28.89	—	—	28.68	28.70	28.64	29.06	28.92
	682	100.00.							

Für die Analysen I—IV war das Platinsalz aus mit Zinn dargestellter Base bereitet worden, für Analyse V aus mit Jodwasserstoffsäure gewonnener. Der Ursprung der für Analysen VI und VII verwendeten Base wird weiter unten angegeben werden.

Das Goldsalz hat die Formel

$$C_7H_5NS, HCl, AuCl_3.$$

Die Theorie verlangt 41.37 pCt. Gold; gefunden wurden 41.37 pCt.

Die neue Base ist also dem Phenylsenföl und dem Phenylsulfocyanat isomer; die Siedepunkte liegen nicht erheblich auseinander: Sulfocyanat 231°, Phenylsenföl 222°, neue Base 230°. Allein auch bei der oberflächlichsten Vergleichung können die genannten Substanzen nicht verwechselt werden. Schon ihr Geruch ist ganz und gar verschieden. Was das chemische Verhalten des neuen Körpers anlangt, so mag noch bemerkt werden, dass sich der Schwefel, der im Phenylsenföl so leicht eliminirt werden kann, in dem isomeren Körper selbst durch Alkali und Blei nicht nachweisen lässt. Auch durch Erhitzen mit frischreducirtem, metallischem Kupfer auf 250° wird die Verbindung nicht angegriffen. Mit Brom vereinigt sich die Base zu einem krystallinischen Additionsproduct. Ebenso mit Jodmethyl. Die Jodmethylverbindung wird mit Leichtigkeit durch kurze Digestion bei 100° erhalten. Sie krystallisirt in schönen, bei 210° schmelzenden Nadeln, welche in Wasser, besonders warmem, leicht löslich sind. In kaltem Alkohol sind sie schwer löslich; aus heissem lassen sie sich sehr gut umkrystallisiren. Die Verbindung enthält

$$C_7H_5NS, CH_3I.$$

Dieser Formel entsprechen 45.84 pCt. Jod und 11.55 pCt. Schwefel; gefunden wurden 45.13 pCt. Jod und 11.29 pCt. Schwefel. Das Additionsproduct tauscht sein Jod gegen Säuregruppen aus, allein durch Silberoxyd wird keine alkalische Ammoniumbase erhalten.

Mit Phosphorpentachlorid in geschlossenem Rohre einige Stunden lang auf 160° erhitzt, verwandelt sich die chlorfreie Base wieder in das Chlorsenföl zurück, aus dem sie gewonnen worden war. Wendet man statt des Phosphorpentachlorids Phosphorpentabromid an, so erfolgt ebenfalls eine Reaction, es entsteht eine bromhaltige Base, welche offenbar dem Chlorphenylsenföl in ihrer Zusammensetzung correspondirt.

Bei dieser Gelegenheit will ich noch einer eigenthümlichen Überführung dieses letzteren in die neue Base erwähnen. Versetzt man Chlorsenföl bei Gegenwart von Wasser mit Triaethylphosphin, so erfolgt eine explosionsartige Reaction und die Lösung enthält nunmehr die neue Base:

$$C_7H_4ClNS + C_6H_{15}P + H_2O = C_7H_5NS + C_6H_{15}PO + HCl.$$

Die im Vorstehenden beschriebenen Untersuchungen gestatten trotz ihrer Mannichfaltigkeit keinen näheren Einblick in die Structur des isomeren Senföls und der Chlorverbindung, aus der es entsteht, sowie der übrigen in diese Reihe gehörenden Körper. Dieser wurde erst durch Versuche gewonnen, welche mit der Frage, um die es sich handelt, zunächst nur in losem Zusammenhange zu stehen schienen.

Phenyl-phenylsenföl. Die eigenthümliche Wirkung des Phosphorpentachlorids auf das Phenylsenföl ist Veranlassung gewesen, das Verhalten des Senföls auch gegen andere Chloride zu prüfen. Unter andern wurde das Verhalten desselben zum Benzoylchlorid untersucht. Bei niedriger Temperatur findet keine Wirkung statt, bei sehr hohen Temperaturen aber, zwischen 250 und 300° erfolgt eine sehr complexe Reaction, es entsteht eine unerquickliche Harzmasse, aus der sich aber durch heisse Salzsäure in kleiner Menge eine neue Substanz ausziehen lässt, welche auf Zusatz von Wasser zu der Lösung in feinen, gelblichweissen Krystallen ausfällt. Nach mehrmaligem Umkrystallisiren aus heissem Alkohol gewinnt man diesen Körper in langen Nadeln von grosser Schönheit und eigenthümlichem Geruch nach Rosen und Geranien. Die Analyse führte zu einer Formel, welche denselben in enge Beziehung zu dem neuen Chlorsenföl und seinen Derivaten bringt. Die Formel

$$C_{13}H_9NS = C_7H_4(C_6H_5)NS$$

lässt ihn nämlich als ein phenylirtes Phenylsenföl erscheinen. 1 Mol. Phenylsenföl und 1 Mol. Benzoylchlorid enthalten die Elemente von 1 Mol. des neuen Körpers und 1 Mol. des hypothetischen Ameisensäurechlorids

$$C_7H_5NS + C_7H_5OCl = C_{13}H_9NS + CHOCl.$$

Unter dem Einflusse der Spaltungsproducte des letzteren scheint eine erhebliche Menge Senföl tiefergreifende Umbildungen zu erleiden. Da sich die neue merkwürdige Substanz auf dem angedeuteten Wege nur in äusserst geringer Menge aus dem Phenylsenföl gewinnen lässt, so wurden mehrfache Versuche angestellt, um eine einfachere Darstellungsmethode zu ermitteln. Bei dieser Gelegenheit wurde nun die einfache Reaction aufgefunden, welche ich der Akademie schon am Anfange dieses Jahres mitgetheilt habe[1]). In der That ist der durch die Einwirkung von Schwefel auf Phenylbenzamid entstehende Körper nichts anderes als die ursprünglich durch Behandlung von Phenylsenföl mit Benzoylchlorid gebildete Materie. Die Möglichkeit, diese Substanz in grosser Menge darzustellen — im Laufe von ein Paar Tagen gelang es, mehr als ein halbes Pfund zu gewinnen —, gestattete nun alsbald ein eingehendes Studium derselben, welches auch schnell zu einer ganz bestimmten Ansicht über ihre Constitution führte. In der oben citirten Mittheilung habe ich gezeigt, dass sich diese im Übrigen äusserst stabile Verbindung beim Schmelzen mit Alkalien in Benzoësäure und Amidophenylmercaptan zerlegt, und dass letzteres mit Leichtigkeit durch Benzoylchlorid in die schön krystallisirende Verbindung zurückgeführt werden kann, welche ich demgemäss als Benzenylamidophenylmercaptan, als

$$C_6H_4 \left\langle \begin{matrix} N \\ S \end{matrix} \right\rangle C - C_6H_5$$

anzusprechen berechtigt war.

Methenylamidophenylmercaptan. Damit war aber nun auch ein willkommener Einblick in die Natur der mit dem Phenylsenföl isomeren Base gewonnen. Wenn sich die Constitution von Phenylsulfocyanat und Phenylsenföl in den Formeln

$$C_6H_5 - S - C \equiv N \quad \text{und} \quad C_6H_5 - N = C = S$$

spiegelt, so musste die Structur der isomeren Base in der Formel

$$C_6H_4 \left\langle \begin{matrix} N \\ S \end{matrix} \right\rangle C - H$$

gegeben sein, und der neue Körper naturgemäss als eine der von Ladenburg[2]) durch Behandlung von Orthoamidophenol gewonnenen Sauerstoffverbindung entsprechende Schwefelbase, als Methenylamidophenylmercaptan aufgefasst werden.

---

[1]) Hofmann, Monatsber. 1880, S. 15.

[2]) Ladenburg, Ber. chem. Ges. X, 1123.

Die experimentale Prüfung dieser Auffassung bot keine Schwierigkeit. Im Sinne derselben musste sich die dem Phenylsenföl isomere Base unter dem Einflusse der Alkalien in Amidophenylmercaptan und Ameisensäure spalten. Andrerseits musste sich der Körper aus Amidophenylmercaptan und Ameisensäure wieder zurückbilden lassen. Der Versuch bestätigte in willkommener Weise diese beiden Voraussetzungen.

Lässt man die Base in schmelzendes Kalihydrat fliessen und übersättigt die erkaltete Schmelze mit verdünnter Schwefelsäure, so geht bei der Destillation der Flüssigkeit verdünnte Ameisensäure über, welche durch die Reactionen mit Silber- und Quecksilbersalzen unzweideutig nachgewiesen wurde. Wird der saure Rückstand in der Retorte mit Ammoniak neutralisirt, so wird das Mercaptan in Freiheit gesetzt, oxydirt sich aber schnell an der Luft, und scheidet sich aus der Flüssigkeit allmählich in schönen Krystallen des wohlcharakterisirten Disulfids aus, welches durch sorgfältige Vergleichung der Eigenschaften und durch Bestimmung des bei 93° liegenden Schmelzpunktes mit dem aus der Benzenylverbindung stammenden Disulfid des Amidophenylmercaptans identificirt wurde.

$$C_6H_4\left\langle\begin{matrix} N \\ S \end{matrix}\right\rangle CH + 2H_2O = C_6H_4\left\langle\begin{matrix} NH_2 \\ SH \end{matrix}\right. + CH_2O_2.$$

Ebenso einfach gestaltet sich die Synthese der Base aus Amidophenylmercaptan und Ameisensäure.

Kocht man Amidophenylmercaptan oder sein Chlorhydrat mit krystallisirbarer Ameisensäure eine Viertelstunde lang am Rückflusskühler, indem man, um etwa gebildetes Disulfid in Mercaptan zurückzuführen, ein Paar Stückchen Zinkblech zusetzt, so ist die Umwandlung bewerkstelligt und man braucht nach dem Übersättigen mit Alkali nur noch einen Dampfstrom durch die Flüssigkeit zu leiten, um alsbald schon in den ersten Antheilen des übergehenden Wassers die ganze Menge der reichlich gebildeten Base zu erhalten, welche sich durch den constanten Siedepunkt von 230° alsbald als völlig rein erweist. Zum Überfluss wurde das in schönen Nadeln krystallisirende Platinsalz der Analyse unterworfen; die oben (S. 553) unter VI angeführten Platinprocente sind bei dieser Analyse erhalten worden.

Zu dem beschriebenen Versuche diente das aus der Benzenylverbindung gewonnene Salzsäuresalz des Mercaptans. Der angegebene Weg, das Amidophenylmercaptan darzustellen, ist allerdings ein sicherer, aber auch ein sehr umständlicher. Es musste erwünscht erscheinen, einen directeren einzuschlagen. Ein solcher schien sich in der Schwefelung des Orthonitrophenols oder des Orthoamidophenols durch Phosphorpentasulfid zu bieten; in diesem Sinne angestellte Versuche haben indessen nicht das gewünschte Resultat geliefert. Oder aber man konnte von dem Phenylmercaptan oder Phenyldisulfid ausgehen, und diese Verbindungen nitriren und amidiren. Die Nitrirung dieser Körper ist indessen mit den grössten Schwierigkeiten verbunden, und schliesslich liess sich keineswegs im Voraus bestimmen, ob man so zu einer Verbindung gelangen würde, in der sich Amido- und Sulfhydrylgruppe in der Orthostellung zueinander befinden. Viel leichter gelingt die Nitrirung des Benzolsulfosäurechlorids. Als man den durch Behandlung mit rauchender Salpetersäure erhaltenen gutkrystallisirten Nitrokörper mit Zinn und Salzsäure reducirte, wurde auch wirklich ein wohl charakterisirtes Mercaptan gewonnen, allein dasselbe war keine homogene Substanz, denn als man sie mit Benzoylchlorid behandelte, entstand nur eine minimale Menge der so leicht erkennbaren Benzenylverbindung, während der grössere Theil der Substanz nicht verändert wurde. Angesichts dieser Schwierigkeiten blieb kein anderer Ausweg, als auf die reine Orthonitrobenzolsulfosäure zurückzugreifen. Eine genaue Kenntniss dieser Substanz verdankt man den umfassenden Forschungen Limpricht's[1]). Diese haben gelehrt, dass sich bei der Einwirkung der Salpetersäure auf Benzolsulfosäure die drei isomeren Nitrosäuren bilden, dass die Metaverbindung in vorwaltender Menge auftritt, während die Para- und Orthoverbindung in verhältnissmässig geringer Quantität entstehen. Limpricht hat eine Methode angegeben, diese drei Säuren von einander zu trennen, welche zunächst auf der ungleichen Löslichkeit der Kalisalze beruht und schliesslich in der Scheidung durch Krystallisation der den drei Säuren entsprechenden Amide gipfelt. Mit einer Bereitwilligkeit, für die ich ihm nicht dankbar genug sein kann, hat mir nun Hr. Limpricht aus seiner Sammlung Proben der drei Säuren zur Verfügung gestellt. Der Versuch hat alsbald gezeigt, dass sowohl die Metasäure (einem Säureamid vom Schmelzpunkt 164° entsprechend), als auch die Parasäure (einem Säureamid vom

---

[1]) Limpricht, Ann. Chem. CLXXVII, 60.

Schmelzpunkt 131° entsprechend), als auch endlich die Orthosäure (einem Säureamid vom Schmelzpunkt 188° entsprechend), bei der Behandlung mit Zinn und Salzsäure mit Leichtigkeit in Mercaptane übergeführt werden. Allein die Mercaptane, welche sich von der Meta- und Parasäure ableiten, werden von Säuren und Säurechloriden nicht verändert. Anders das Mercaptan der Orthosäure. Dieses erweist sich seiner Eigenschaft nach, — mit Eisenchlorid geht es schnell in das schön krystallisirende Disulfid über, — als identisch mit dem aus der Benzenylverbindung gewonnenen. Erhitzt man das salzsaure Salz dieses Mercaptans, wie es bei der Reduction des Chlorids erhalten wird, kurze Zeit mit Ameisensäure, so werden, wie man dies ja auch nicht anders erwarten konnte, durch Destillation der alkalisch gemachten Flüssigkeit reichliche Mengen von Methenylamidomercaptan erhalten. Die charakteristischen Eigenschaften dieses Körpers konnten über seine Natur keinen Zweifel lassen. Zur Sicherheit wurde aber doch noch das Platinsalz analysirt. Die S. 553 unter VII aufgeführten Platinprocente sind in der That bei der Analyse eines so bereiteten Platinsalzes gefunden worden.

Die Constitution, welche die im Vorstehenden beschriebenen Versuche für die dem Phenylsenföl isomere Base nachweisen, gehört begreiflich auch dem durch Phosphorpentachlorid entstehenden Chlorkörper, sowie sämmtlichen von diesem sich ableitenden Substanzen an. Die Chlor-, die Hydroxyl- und die Amidoverbindung enthalten offenbar

$$C_6H_4{<}\genfrac{}{}{0pt}{}{N}{S}{>}CCl,\quad C_6H_4{<}\genfrac{}{}{0pt}{}{N}{S}{>}COH,\quad C_6H_4{<}\genfrac{}{}{0pt}{}{N}{S}{>}CNH_2.$$

Alle diese Verbindungen liefern in der That beim Schmelzen mit Alkalien Amidophenylmercaptan, die erste neben Kohlensäure Salzsäure, die zweite Kohlensäure allein, die dritte neben Kohlensäure Ammoniak. Diese Körper sind in der That die Amidophenylmercaptanderivate beziehungsweise der Chlorameisensäure, der Kohlensäure und der Carbaminsäure.

Auch die Bildung des Chlorphenylsenföls, welches die Veranlassung zu den beschriebenen Versuchen gegeben hat, findet jetzt eine einfache Erklärung. Zunächst lagern sich wohl die beiden mobilen Chloratome im Phosphorpentachlorid an Kohle und Schwefel, indem sich die Doppelbindung zwischen diesen beiden Elementen löst; asldann tritt das Chloratom des Schwefels mit einem Atom Wasserstoff der Phenylgruppe als Salzsäure aus, wodurch der Schwefel mit der bivalenten Phenylengruppe verkettet wird. Man hat nacheinander

$$C_6H_5\langle{}^{N}_{S}\rangle C + Cl_2,\quad C_6H_5\langle{}^{N}_{ClS}\rangle CCl \text{ und } C_6H_4\langle{}^{N}_{S}\rangle CCl + HCl.$$

Der Gedanke lag nahe, einige Homologe der Methenylverbindung darzustellen. Dies gelingt natürlich leicht durch Behandlung des Mercaptans mit Säureanhydriden oder Säurechloriden.

Äthenylamidophenylmercaptan wird durch längeres Kochen des Mercaptans mit Essigsäureanhydrid am Rückflusskühler oder besser durch Digestion mit dem Chlorid in geschlossenem Rohr bei 150° leicht erhalten. Eisessig bewirkt die Umbildung auch bei lange fortgesetztem Sieden am Rückflusskühler nicht. Die Reindarstellung der Base erfolgt genau wie die der Methenylverbindung, nämlich durch Destillation der alkalisch gemachten Flüssigkeit mit Wasserdampf. Was Geruch, Geschmack und chemisches Verhalten anlangt, gleicht sie vollständig der Methenylbase. Der Siedepunkt liegt bei 238°. Die Zusammensetzung

$$C_8H_7NS = C_6H_4\langle{}^{N}_{S}\rangle C - CH_3$$

wurde durch die Analyse des Platinsalzes festgestellt. Dieses Salz fällt aus kalter Lösung in schönen gelben Nadeln. Aus heisser verdünnter Lösung schiessen beim Erkalten prachtvolle, oft wohlausgebildete Prismen an. Der Formel

$$2[C_8H_7NS,\ HCl]PtCl_4$$

entsprechen 27.74 pCt. Platin. Gefunden wurden 27.57 pCt.

Die Äthenylverbindung ist den verschiedenen Toluylsenfölen isomer.

Propenylamidophenylmercaptan. Digerirt man das Mercaptan einige Stunden lang mit Propionylchlorid im geschlossenen Rohr bei 150°, so hat sich die Reaction in präciser Weise vollzogen. Mit Alkali in Freiheit gesetzt und mit Wasserdampf destillirt, wird die Base als farblose, im Wasser untersinkende, und darin unlösliche Flüssigkeit von eigenthümlichem aromatischem Geruch erhalten. Der Siedepunkt derselben liegt bei 252°. Die Zusammensetzung

$$C_9H_9NS = C_6H_4\langle{}^{N}_{S}\rangle C - C_2H_5$$

ward durch die Analyse eines in grossen Prismen krystallisirten Platinsalzes festgestellt. Die Theorie verlangt 26.69 pCt. Platin, gefunden wurden 26.47 pCt.

Die Propenylbase ist isomer mit den Senfölen der Xylidine.

Quintenylamidophenylmercaptan. Bei der Einwirkung des Valerylchlorids (aus der dem Fuselöl ensprechenden Säure dargestellt) auf das Mercaptan zeigen sich alle Erscheinungen, welche man nach den bereits gesammelten Erfahrungen erwarten durfte. Im Hinblick auf den schon etwas höheren Siedepunkt des Valerylchlorids liess man Chlorid und Mercaptan am Rückflussaufeinander einwirken. Es ist aber besser, den Versuch in geschlossener Röhre auszuführen. Die Darstellung der Quintenylverbindung erfolgt wie die der übrigen Basen dieser Reihe. Der Geruch der freien Base erinnert daran, dass man es mit einem Abkömmling der Valeriansäure zu thun hat. Mit der wachsenden Anzahl von Kohlenstoffatomen nimmt die Basicität der Glieder dieser Reihe von Körpern auffallend ab. Die Quintenylverbindung löst sich nur noch schwierig selbst in concentrirten Säuren. Wenn man das Platinsalz darstellen will, so muss man gleichzeitig Salzsäure und Alkohol anwenden. In der so erhaltenen Lösung wird durch Platinchlorid ein in schönen Nadeln krystallisirendes Salz gefällt, dessen Analyse die Zusammensetzung des Körpers

$$C_{11}H_{13}NS = C_6H_4\langle{}^{N}_{S}\rangle C - C_4H_9$$

feststellt. Das Platinsalz enthält 24.81 pCt. Platin, gefunden wurden 25.18 pCt. Die Quintenylverbindung ist den Senfölen der vierfach methylirten Aniline isomer.

Bei dieser Gelegenheit will ich nicht unerwähnt lassen, dass auch ein der Benzenylbase isomeres, aromatisches Senföl existirt. Es ist dies das Senföl des Amidodiphenyls, der von mir ursprünglich in den *queues d'aniline* aufgefundenen Base, welche ich vor vielen Jahren unter dem Namen Xenylamin beschrieben habe[1]). Dieses Senföl ist unlängst im hiesigen Laboratorium von Hrn. J. Zimmermann dargestellt worden, welcher in der Kürze des Näheren über dasselbe berichten wird.

[1]) Hofmann, L. R. S. Proc. XII, 389.

Hr. Dr. C. Schotten, der mich schon bei der früheren Untersuchung über die beschriebene Körpergruppe thatkräftig unterstützte, hat mir auch bei der Fortsetzung derselben seine werthvolle Hülfe geliehen. Auch Hr. N. Nagai ist bei der Ausführung der Versuche auf das Eifrigste und Erfolgreichste thätig gewesen. Beiden spreche ich meinen besten Dank aus.

II.

Zur Kenntniss des Amidophenylmercaptans oder Sulfhydranilins.

Eine Reihe aromatischer den Senfölen und Sulfocyanaten isomerer Basen, welche ich theilweise schon in einer zu Anfang dieses Jahres der Akademie vorgelegten[1]), zumal aber in der vorstehenden Abhandlung beschrieben habe, gruppirt sich naturgemäss um das Amidophenylmercaptan, so dass es erwünscht erschien, diesen Namen an die Spitze eines Aufsatzes zu stellen, in welchem ich weitere im Anschluss an die früheren Beobachtungen gesammelte Erfahrungen mittheilen will.

Nachdem der Versuch unzweifelhaft festgestellt hatte, dass das Benzenylderivat des Amidophenylmercaptans sowohl durch die Einwirkung der Benzoësäure oder eines geeigneten Abkömmlings derselben auf dieses, als auch durch Behandlung des Phenylbenzamids mit Schwefel[2]) erhalten werden könne, war vor Allem die Frage

[1]) Hofmann, Monatsberichte 1880, S. 15.

[2]) Bei mehrfacher Darstellung dieser schönen Verbindung in letzter Zeit hat es sich gezeigt, dass eine kleinere Menge Schwefel sich vortheilhaft erweist, als früher verwendet wurde. Es empfiehlt sich ein Gemenge von 1 Th. Schwefel und 3 Th. Phenylbenzamid — früher wurden auf 1 Th. Schwefel nur 2 Th. Phenylbenzamid genommen — mehrere Stunden zu erhitzen und alsbald direct zu destilliren. Das Destillat braucht alsdann zur Entfernung kleiner Mengen von Phenylbenzamid nur noch in concentrirter Salzsäure gelöst zu werden; aus der filtrirten Flüssigkeit scheidet sich der Körper auf Zusatz von Alkali in vollkommener Reinheit ab. 100 Th. Phenylbenzamid liefern zum wenigsten 60 Th. der Schwefelverbindung.

zu beantworten, ob auch die entsprechenden Methenyl-, Äthenyl- etc. Verbindungen, welche man bisher nur aus dem Phenylsenföl oder Amidophenylmercaptan gewonnen hat, aus den phenylirten Säureamiden unter dem Einflusse des Schwefels entstehen würden. Zu dem Ende wurde zunächst das

Verhalten des Formanilids gegen Schwefel bei höherer Temperatur untersucht.

Erhitzt man Formanilid mit dem halben Gewicht Schwefel über mässigem Feuer, so entwickeln sich Ströme von Kohlenoxyd und Schwefelwasserstoff. Gleichzeitig destillirt Anilin mit Spuren der Methenylbase und schliesslich bleibt in dem Ballon ein dunkel gefärbtes, flüssiges Product, welches beim Erkalten zu einem amorphen, spröden Harze erstarrt. Die Methenylbase giebt sich alsbald durch den Geruch zu erkennen. Von dem in grosser Menge beigemischten Anilin lässt sie sich trennen, wenn man das Destillat mit einem Überschuss verdünnter Salzsäure versetzt und durch die Flüssigkeit einen Strom von Wasserdampf leitet. Das Destillat ist

---

Noch mag hier, da ich auf die Benzenylverbindung kaum wieder zurückkommen werde, kurz bemerkt werden, dass dieselbe ohne zu zerfallen die mannichfaltigsten Veränderungen erleidet. Rauchende Salpetersäure allein übt keine Wirkung, mit einer Mischung aber von rauchender Salpetersäure und concentrirter Schwefelsäure nitrirt sie sich leicht. Das Nitroproduct fällt auf Zusatz von Wasser zunächst als Öl, welches aber bald krystallinisch erstarrt. Aus heissem Alkohol werden hellgelbe Nadeln erhalten, welche bei 188° schmelzen. Eine Kohlenstoff- und Wasserstoffbestimmung charakterisirt diese Verbindung als ein Mononitroderivat

$$C_{13}H_8N_2O_2S = C_{13}H_8(NO_2)NS.$$

	Theorie	Versuch
Kohlenstoff	60.94	60.92
Wasserstoff	3.12	3.30.

Es ist nicht untersucht worden, in welchem Theile des Körpers die Nitrirung stattgefunden hat. Die Nitrogruppe lässt sich mit Leichtigkeit reduciren; die entstandene Amidoverbindung ist krystallinisch, ebenso ihr Chlorhydrat; sie sind aber nicht weiter untersucht worden.

Auch das Phosphorpentachlorid übt eine kräftige Wirkung auf den Benzenylkörper. Unter Entwickelung von Salzsäure und Phosphortrichlorid entsteht ein gut krystallisirtes, chlorhaltiges Product, welches aber gleichfalls nicht genauer studirt worden ist.

von der übergehenden Methenylbase milchig getrübt. Sie tritt aber, wie bereits bemerkt, nur in äusserst geringer Menge auf, so dass man die Base auf diese Weise nicht darstellen kann. Aus diesen Ergebnissen erhellt, dass bei der Einwirkung des Schwefels auf das Formanilid verschiedene Processe neben einander herlaufen. Eine äusserst kleine Quantität Formanilid zersetzt sich in erwünschter Weise nach der Formel:

$$\left.\begin{matrix} C_6H_5 \\ CHO \\ H \end{matrix}\right\rangle N + S = C_6H_4\left\langle\begin{matrix} N \\ \\ S \end{matrix}\right\rangle CH + H_2O.$$

Die grössere Menge erleidet die Umbildung, welche ich früher[1]) für das Formamid und namentlich für das Formanilid[2]) nachgewiesen habe, nämlich nach der Gleichung

$$\left.\begin{matrix} C_6H_5 \\ CHO \\ H \end{matrix}\right\rangle N = \left.\begin{matrix} C_6H_5 \\ H_2 \end{matrix}\right\} N + CO.$$

Der Schwefelwasserstoff gehört offenbar einer weiteren Einwirkung des Schwefels an, in welcher sich überdies Thioanilin erzeugt.

Verhalten des Acetanilids gegen Schwefel bei höherer Temperatur. Hier verläuft die Reaction wesentlich verschieden. Wird eine Mischung von Acetanilid und Schwefel im Verhältniss von 5 : 3 über den Schmelzpunkt erhitzt, so erfolgt eine heftige Entwicklung von Schwefelwasserstoff und Kohlensäure, von denen ersterer in so hohem Grade vorwaltet, dass sich das Gas an der Mündung der Retorte anzünden lässt; gleichzeitig destillirt ein Öl, welches sich als ein Gemenge von Anilin, Essigsäure, Acetanilid und Äthenylbase zu erkennen giebt. Die Äthenylbase tritt in diesem Falle in etwas grösserer Menge auf als die Methenylbase bei der Einwirkung des Schwefels auf das Formanilid, allein die Ausbeute ist immer noch viel zu unbedeutend, als dass diese Reaction für die Darstellung der Äthenylbase Verwerthung finden könnte. Dagegen beobachtet man, wie sich gegen das Ende der Operation von dem Rande der Schmelze aus ein Krystallnetz über die Wölbung der Retorte ver-

---

[1]) Hofmann, Chem. Soc. J. (2) I, 72.

[2]) Hofmann, Monatsberichte 1866, 685.

breitet. Es entsteht hier also noch ein anderes Product, welches bei dem entsprechenden Versuche mit Formanilid nicht auftritt.

Ich werde auf dieses Product im Folgenden eingehend zurückkommen.

Noch mag hier bemerkt werden, dass im Anschluss an die beschriebenen Versuche mit Formanilid und Acetanilid auch die Einwirkung des Schwefels auf Propionylanilid und Quintoxylanilid (Valeranilid), beide durch Behandlung von Anilin mit den betreffenden Säurechloriden erhalten, untersucht worden ist. Das Verhalten der beiden Anilide, welche schön krystallisirte Verbindungen sind, entspricht im Allgemeinen demjenigen des Formanilids. Es entstehen nur Spuren der Propenyl- und Quintenylbasen. Aus dem Propionanilid bildet sich überdies eine kleine Menge krystallinischen Sublimats, auf welches ich gleichfalls zurückkommen werde. Bei dem Quintoxylanilid wurde nichts Krystallinisches beobachtet.

Endlich soll nicht unerwähnt bleiben, dass auch noch die Einwirkung des Schwefels auf das Anilid der Phenylessigsäure studirt worden ist. Das Phenylacetanilid wird mit Leichtigkeit gewonnen, wenn man Anilin mit Phenylessigsäure längere Zeit im Sieden erhält. Es krystallisirt in glänzenden platten Nadeln, welche bei 117° schmelzen. Als diese Verbindung mit Schwefel erhitzt wurde, entwickelten sich Ströme von Schwefelwasserstoff, und nach kurzer Frist war die ganze Masse verkohlt. Salzsäure zog aus dem verkohlten Producte kaum etwas aus. Auf Zusatz von Alkali zu der salzsauren Lösung schied sich gleichwohl eine kleine Menge einer krystallisirten Materie ab, welche indessen nach dem Umkrystallisiren durch die Bestimmung des Schmelzpunktes (115°), sowie durch sorgfältige Vergleichung aller Eigenschaften, namentlich des Geruchs, als die Benzenylverbindung des Amidophenylmercaptans erkannt wurde. Das auf diesem Wege vergeblich gesuchte Homologon der Benzenylverbindung lässt sich aber nach einem anderen Verfahren gewinnen, auf welches ich weiter unten zurückkommen werde.

Oxalsäure-Derivat des Amidophenylmercaptans. Es wurde bereits oben erwähnt, dass beim Erhitzen von Acetanilid mit Schwefel ein krystallinisches Product im Rückstand bleibt. Um ein Maximum der Ausbeute an diesem Körper zn erhalten, muss man die Operation längere Zeit fortsetzen. Da derselbe als

Ausgangspunkt für mehrere weitere Versuche gedient hat und zu diesem Ende in grösserem Maafsstabe dargestellt worden ist, so will ich den Process etwas eingehender beschreiben.

500g Acetanilid — durch längere Digestion von 100 Th. Anilin, 65 Th. Eisessig und Abdestilliren von 20 Th. Wasser gewonnen — wurden mit 300g Schwefelblumen gemischt, etwa 30 Stunden lang, im Sieden erhalten, wobei die schon oben angeführte stürmische Entwickelung von Schwefelwasserstoff und Kohlensäure eintrat, und Essigsäure, Acetanilid und Anilin, sowie ein wenig Äthenylbase überdestillirten. Nach Verlauf von 30 Stunden erlahmte die Schwefelwasserstoffentwickelung und es zeigten sich die bereits erwähnten Krystalle. Das Ende der Reaction wird überdies durch eine Wolke glänzender Flitter angezeigt, welche sich in der Retorte verbreitet. Der schwach krystallinische braune Rückstand in der Retorte, dessen Volum im Verhältniss zu dem der angewendeten Materialien auffallend vermindert erschien, wog 500g; es waren ihm noch kleine Mengen Anilin, Acetanilid und Äthenylbase beigemengt, welche durch heissen Alkohol leicht entfernt werden konnten. Das so behandelte graugelbe Pulver (470g) wurde nun behufs weiterer Reinigung bei sehr hoher Temperatur in einem Luftstrome sublimirt; hierbei sammelte sich in der Vorlage eine prachtvolle Krystallisation grosser, gelblich gefärbter Nadeln (175g), welche sich nach nochmaliger Behandlung mit Alkohol als völlig rein erwiesen. Die Ausbeute an reiner Substanz betrug schliesslich nicht mehr als etwa 23 bis 25 pCt. des angewendeten Acetanilids. Ganz erhebliche Mengen Material werden zumal bei der Sublimation zerstört, es entweichen uncondensirbare Dämpfe, während eine schwammig aufgeblasene Kohle in dem Sublimationsgefässe zurückbleibt. Es hat begreiflich nicht an Anläufen gefehlt, die Sublimation zu umgehen, allein alle Versuche, durch Anwendung von Lösungsmitteln allein einen ganz reinen Körper zu erlangen, sind bisher gescheitert, so dass man schliesslich immer wieder auf das hier geschilderte Verfahren zurückkam.

Bei späteren Darstellungen hat sich die Ausbeute an dem neuen Product bis zu 30 pCt. des angewendeten Acetanilids gesteigert.

Im reinen Zustande bildet das neue Zersetzungsproduct des Acetanilids farblose, glänzende Krystallblätter, welche bei ungefähr 300° schmelzen und bei höherer Temperatur ohne namhafte Zersetzung überdestilliren. Es ist in fast allen Lösungsmitteln nahezu unlöslich; am leichtesten löst es sich noch in siedendem Toluol, aus dem es beim Erkalten in mikroskopischen Prismen anschiesst. Auch aus siedendem Alkohol, in welchem indessen nur minimale Mengen löslich sind, lässt es sich krystallisiren. Alkohollösungen, wie verdünnt immer, zeigen einen intensiv bittern Geschmack. In concentrirter Schwefelsäure löst sich der Körper mit eigenthümlich gelblich-grüner Farbe; durch Wasser wird er aus dieser Lösung als weisser Niederschlag gefällt. Bei der Analyse der bei 100° getrockneten Substanz wurden Werthe erhalten, welche zu der Formel

$$C_7H_4NS$$

führen, wie folgende Zusammenstellung zeigt:

	Theorie		Versuch				
C_7	84	62.69	63.21	62.44	—	—	—
H_4	4	2.99	3.34	3.07	—	—	—
N	14	10.44	—	—	10.64	—	—
S	32	23.88	—	—	—	23.33	23.46
	134	100.00.					

Die Formel lässt sich indessen erst interpretiren, wenn man sie verdoppelt, für welche Verdoppelung überdies der hohe Schmelzpunkt und die Schwerflüchtigkeit des Körpers spricht. Man hat dann

$$C_{14}H_8N_2S_2 = C_6H_4\langle{}^{N}_{S}\rangle C - C\langle{}^{N}_{S}\rangle C_6H_4$$

und der Körper lässt sich als ein aus Amidophenylmercaptan und Oxalsäure entstandenes Condensationsproduct betrachten,

$$2\,C_6H_7NS + C_2H_2O_4 = C_{14}H_8N_2S_2 + 4\,H_2O.$$

Diese Auffassung findet in den Spaltungen, sowie in anderweitigen Bildungsweisen der Verbindung, willkommene Bestätigung.

Erhitzt man sie mit Kalihydrat im Ölbad auf 200°, so zerlegt sie sich in der That quantitativ in Amidophenylmercaptan und Oxalsäure.

Ebenso einfach ist die Reduction, welche der Körper durch Jodwasserstoffsäure erleidet. Mit dieser Säure und Phosphor 5 bis 6 Stunden lang auf 150° erhitzt, liefert er unter Bildung von Schwefelwasserstoff Anilin und Äthenylbase. Zur Reindarstellung der letzteren wurde das schon oben erwähnte Verhalten dieser schwachen Base benutzt, sich durch Wasserdampf aus saurer Lösung austreiben zu lassen. Dass hier in der That die Äthenylbase gebildet worden war, wurde durch eine Platinbestimmung noch besonders festgestellt. Das schön krystallisirte Platinsalz enthielt 27.66 pCt. Platin, während die Theorie 27.74 pCt. verlangt. Die Reaction vollzieht sich offenbar in zwei Phasen. Die Äthenylbase ensteht gleich in der ersten, unter gleichzeitiger Bildung von Amidophenylmercaptan, welches in der zweiten in Anilin und Schwefelwasserstoff zerfällt.

$$\text{I.}\quad C_6H_4\left\langle\begin{array}{c}N\\ \\ S\end{array}\right\rangle C - - C\left\langle\begin{array}{c}N\\ \\ S\end{array}\right\rangle C_6H_4 + HH$$

$$= C_6H_4\left\langle\begin{array}{c}N\\ \\ S\end{array}\right\rangle C - - CH_3 + C_6H_4\left\langle\begin{array}{c}NH_2\\ \\ SH\end{array}\right. .$$

$$\text{II.}\quad C_6H_4\left\langle\begin{array}{c}NH_2\\ \\ SH\end{array}\right. + HH = C_6H_5NH_2 + H_2S .$$

Dass sich das Amidophenylmercaptan unter dem Einfluss von Jodwasserstoffsäure in der That in Anilin und Schwefelwasserstoff zerlegt, wurde durch besondere Versuche dargethan.

Der Gedanke lag nahe, die neue Verbindung auch aus Amidophenylmercaptan und Oxalsäure darzustellen. Entwässerte Oxalsäure löst sich im Mercaptan mit Leichtigkeit, allein auch nach längerem Erhitzen bildet sich der Körper nicht. Setzt man aber der Mischung beider Substanzen etwas Phosphortrichlorid zu, so erfolgt alsbald auch ohne äussere Wärmezufuhr eine heftige Reaction, indem sich Ströme von Salzsäure entwickeln. Es bleibt schliesslich ein zäher Rückstand, aus welchem beim Kochen mit Alkohol weisse Krystallblättchen aufgeschwemmt werden. Man identificirt die Substanz am besten durch die charakteristischen Sublimationserscheinungen. Der Versuch kann mit den kleinsten Mengen ausgeführt werden. Beim Erhitzen zwischen zwei Uhrgläsern erreichen nur wenige Krystallflitter das Deckelglas, die meisten häufen sich als leichte Umwallung in einiger Entfernung von der erhitzten Substanz auf dem untern Uhrglase an.

Statt der Oxalsäure selbst kann man auch behufs Umwandlung des Amidophenylmercaptans in das krystallisirte Condensationsproduct den Oxalsäureäthyläther anwenden. Man braucht alsdann kein Phosphortrichlorid zuzusetzen. Immer aber muss man das

Gemenge beider Substanzen lange und hoch erhitzen. Selbst bei 250° nimmt die Umwandlung geraume Zeit in Ansprnch.

Oxamid, welches, im Hinblick auf weiter unten mitzutheilende Ergebnisse in der Succinylreihe, ebenfalls versucht wurde, bewerkstelligt offenbar in Folge seiner Unlöslichkeit die Umwandlung nicht.

Dagegen erfolgt dieselbe mit grosser Leichtigkeit und Schnelligkeit, wenn man einen Strom von Cyangas in eine alkoholische Auflösung von Amidophenylmercaptan leitet. Schon nach wenigen Augenblicken scheiden sich in der Kälte farblose Krystallflitter des Oxalsäurederivats im Zustande vollendeter Reinheit ab, indem sich reichlich Ammoniak entwickelt.

$$2\,C_6H_4\left\langle{}^{NH_2}_{SH}\right. + NC - - - CN = C_6H_4\left\langle{}^{N}_{S}\right\rangle C - - - C\left\langle{}^{N}_{S}\right\rangle C_6H_4 + 2\,NH_3.$$

Der Versuch, den Oxalsäurekörper durch Behandlung des Mercaptans mit Sesquichlorkohlenstoff bei hoher Temperatur zu erzeugen, hat zu keinem Ergebniss geführt.

Dagegen verdienen hier noch einige andere von dem Amidophenylmercaptan unabhängige Reactionen erwähnt zu werden, in denen man diesem Oxalsäurecondensationsproduct ebenfalls begegnet.

Wird die Methenylbase mit dem aus Phenylsenföl durch Phosphorpentachlorid erhaltenem Chlorsenföl erhitzt, so bildet sich der Körper unter Ausscheidung von Salzsäure:

$$C_6H_4\left\langle{}^{N}_{S}\right\rangle CH + C_6H_4\left\langle{}^{N}_{S}\right\rangle C\,Cl$$
$$= C_6H_4\left\langle{}^{N}_{S}\right\rangle C - - - C\left\langle{}^{N}_{S}\right\rangle C_6H_4 + HCl.$$

Ebenso auch, wenn man Chlorsenföl mit Zink erhitzt; es werden dann unter Bildung von Zinkchlorid zwei Molecule des entchlorten Senföls mit einander verkettet. Das neugebildete Product bleibt mit dem Zinksalz verbunden und kann aus demselben mit Leichtigkeit durch Sublimation abgeschieden werden.

Auch durch Behandlung der Methenylbase mit Acetylchlorid oder mit Benzoylchlorid im geschlossenen Rohre bei 150° entsteht das Oxalsäurecondensationsproduct. Diese Versuche wurden erst gemacht, als mein Vorrath an Methenylbase schon zur Neige ging. Die complementären Producte sind daher nicht mehr untersucht worden, und es muss späteren Untersuchungen vorbehalten bleiben, diese Bildungsprocesse zu erklären. Versuche durch Erhitzen von oxalsaurem Anilin oder von Oxanilid mit Schwefel den Oxalsäurekörper darzustellen, haben zu keinem Resultate geführt.

Die im Vorstehenden beschriebenen Bildungen des Oxalsäurecondensationsproductes lassen ebenso wenig wie die Metamorphosen desselben irgend welche Zweifel über die Natur dieses Körpers. Um so bedauerlicher ist es nun, dass über dem ursprünglichen Processe, in dem ich demselben begegnet bin und welcher des Öfteren und in ziemlich grossem Maafsstabe ausgeführt worden ist, über der Einwirkung des Schwefels auf das Acetanilid, einiges Dunkel verbreitet bleibt. Was ist der Mechanismus dieser Reaction? Wenn 2 Mol. Acetanilid und 2 At. Schwefel $C_{16}H_{18}N_2O_2 + S_2$ das Material zu 1 Mol. des Oxalsäurederivats geliefert haben, so bleibt noch, über einen Atomcomplex $C_2H_{10}O_2$ Rechenschaft zu geben, für dessen Zerstörung allerdings noch ein Überschuss von Schwefel zur Verfügung steht. Ein Theil desselben findet sich wohl in den entwickelten Gasen Kohlensäure und Schwefelwasserstoff, ein Theil zumal auch in der überdestillirten Essigsäure wieder; es bleibt jedoch unentschieden, in welcher Form der Rest von Kohlenstoff austritt, ob er in Methylmercaptan oder Methylsulfid verwandelt wird, oder ob er sich in den harzigen Producten, welche neben dem Oxalsäurederivat entstehen, wiederfindet. Schwefelkohlenstoff wird in der Reaction nicht gebildet; eine ätherische Lösung von Triäthylphosphin wird durch Einleiten der sich entwickelnden Gase nicht verändert. Man könnte auch annehmen, dass sich in erster Linie ein acetylirtes Thioanilin:

$$S\begin{cases} C_6H_4NHC_2H_3O \\ C_6H_4NHC_2H_3O \end{cases} = C_{16}H_{16}N_2O_2S$$

bilde, welches bei der weiteren Einwirkung von Schwefel in die Oxalylverbindung, Essigsäure und Schwefelwasserstoff

$$C_{16}H_{16}N_2O_2S + 4S = C_{14}H_8N_2S_2 + C_2H_4O_2 + 3H_2S$$

zerfalle. Allein abgesehen davon, dass die Quantität der in Freiheit gesetzten Essigsäure eine minimale ist, giebt diese Gleichung auch von der Entwickelung der Kohlensäure keine Rechenschaft.

Schon oben ist die Wirkung des Schwefels auf das Propionylanilid gedacht worden. Der in diesem Process gebildete Körper hätte das homologe Malonsäurecondensationsproduct sein können. Es ist aber durch genaue Versuche festgestellt worden, dass auch aus der Propionylverbindung der Oxalsäurekörper entsteht, allein in verhältnissmässig geringer Menge neben zahlreichen Nebenproducten.

Darstellung des Amidophenylmercaptans (Orthoverbindung). Wie aus dem Vorhergehenden erhellt, ist die Überführung des Acetanilids in die Oxalsäureverbindung keineswegs eine einfache Operation, auch liefert dieselbe immer nur eine geringe Ausbeute, die sich im günstigsten Falle auf 30 pCt. beläuft. Gleichwohl ist das Oxalsäurederivat — weil das Ausgangsmaterial zu seiner Darstellung, das Acetanilid, in jeder Menge und zu billigstem Preise zu beschaffen ist, noch immer die geeignetste Verbindung, aus welcher man sich grössere Mengen von Amidophenylmercaptan bereiten kann. In der That sind denn auch im Laufe dieser Untersuchungen mehrere Kilogramme Acetanilid, behufs der Gewinnung vom Amidophenylmercaptan in das Oxalsäurederivat übergeführt worden. Hat man letzteres im Zustande annähernder Reinheit, so bietet die Umwandlung desselben in das Mercaptan nicht die geringste Schwierigkeit. Die Schmelze mit Kaliumhydroxyd (auf 1 Th. Substanz 3 Th. Kaliumhydrat) im Ölbade bei einer Temperatur von 200° ist in 15 bis 20 Minuten vollendet und liefert nahezu die theoretische Ausbeute. Der Theorie nach sollte man aus 100 Th. Oxalsäurekörper 93 Th. Mercaptan erhalten; in mehreren Versuchen wurde bis zu 90 Th. gewonnen. Zur Reindarstellung des Mercaptans wird die Kalischmelze mit Salzsäure neutralisirt; alsbald erscheint das ausgeschiedene Amidomercaptan als eine braune Flüssigkeit, welche sich bald auf der Oberfläche als homogene Schicht ansammelt. Sie wird abgehoben und destillirt, wobei sie kaum verändert wird. Die so gewonnene farblose Flüssigkeit siedet constant bei 234°. In der Kälte erstarrt sie zu farblosen Nadeln, welche bei 26° schmelzen. Das Amidophenylmercaptan muss gegen die Einwirkung der Luft geschützt werden; es ist indessen im reinen Zustande keineswegs so leicht oxydirbar, wie ich früher aus der Beobachtung der noch unreinen Verbindung geschlossen hatte. (Vgl. Monatsberichte 1880, S. 15.)

Mit einer Auflösung von Chlorkalk in Berührung gebracht, zeigt das Amidophenylmercaptan keine Farbenveränderung.

Der Besitz einer grösseren Menge reinen Amidophenylmercaptens musste mich begreiflich zu einigen weiteren Versuchen mit diesem Körper auffordern. Wenn man bedenkt, dass man in dieser Verbindung ein Anilin vor sich hat, in welchen 1 At. Wasserstoff durch das Schwefelwasserstofffragment ersetzt ist, so erkennt man, dass sich hier eine unabsehbare Perspective eröffnet. Ich habe nur ganz wenige der in Sicht tretenden Verbindungen dargestellt.

Bernsteinsäurederivat des Amidophenylmercaptans. Obwohl der Versuch, Homologe des Oxalsäurekörpers durch die Einwirkung des Schwefels auf Propionylanilid und Quintoxylanilid zu gewinnen, fehlgeschlagen war, so schien doch Aussicht vorhanden, solche Verbindungen direct aus dem Mercaptan zu erzeugen.

Nach dieser Richtung hin in der Succinylreihe angestellte Versuche waren indessen zunächst keineswegs ermuthigend. Durch Erhitzen von Amidophenylmercaptan mit Bernsteinsäureanhydrid, mit Bernsteinsäureäther oder mit Bernsteinsäurechlorid konnte der angestrebte Körper nicht erhalten werden. Dagegen führte die Einwirkung des Mercaptans auf Succinamid alsbald zu dem erwünschten Resultate. Succinamid löst sich in der Wärme leicht in dem Amidomercaptan unter Ammoniakentwicklung auf. Sobald sich aus der klaren Lösung kein Ammoniak mehr entbindet, ist die Reaction zu Ende. Durch Auflösen der erstarrten Masse in heissem Alkohol und mehrfaches Umkrystallisiren des sich beim Erkalten ausscheidenden krystallinischen Productes in demselben Lösungsmittel werden schliesslich schöne, farblose Nadeln von dem constant bleibenden Schmelzpunkt 137° erhalten. Die Analyse zeigte, dass hier in der That das erwartete Bernsteinsäure-Condensationsproduct

$$C_{16}H_{12}N_2S_2 = C_6H_4\langle{}^{N}_{S}\rangle C - CH_2 - CH_2 - C\langle{}^{N}_{S}\rangle C_6H_4$$

vorlag.

	Theorie		Versuch		
C_{16}	192	64.86	64.37	—	—
H_{12}	12	4.06	4.09	—	—
N_2	28	9.46	—	—	—
S_2	64	21.62	—	20.96	21.13
	296	100.00.			

Der Bernsteinsäurekörper ist in Säuren löslich. Aus der heissen Lösung schiesst beim Erkalten ein Chlorhydrat in citronengelben Nadeln an, welche jedoch von Wasser alsbald zerlegt werden. Die Krystalle werden weiss, indem die Base in Freiheit gesetzt wird. Die Lösung in Salzsäure liefert mit Platinchlorid ein schwerlösliches, in glänzenden Flittern krystallisirendes Platinsalz, in dem aber, wahrscheinlich in Folge einer partialen Zersetzung, stets etwas weniger Platin gefunden wurde, als die Theorie verlangt. Dagegen zeigte das in prächtigen gelben Nadeln krystallisirende, etwas lösliche Goldsalz genau die Zusammensetzung

$$C_{16}H_{12}N_2S_2,\ HCl,\ AuCl_3,$$

welche 30.97 pCt. Gold verlangt; gefunden wurden 31.06 pCt.

Beim Schmelzen mit Kaliumhydrat liefert die Bernsteinsäureverbindung wieder Amidophenylmercaptan; die Bernsteinsäure aber scheint weitere Veränderungen zu erleiden, wenigstens konnte sie aus der Schmelze nicht wieder gewonnen werden.

Von Interesse schien es, das Bernsteinsäurederivat durch Jodwasserstoffsäure zu reduciren. Erfolgte die Reduction in ähnlicher Weise wie die der Oxalsäureverbindung, so durfte man die Bildung einer Quartenylbase neben Anilin erwarten.

$$C_6H_4\genfrac{}{}{0pt}{}{N}{S}C\text{--}CH_2\text{--}CH_2\text{--}C\genfrac{}{}{0pt}{}{N}{S}C_6H_4 + HH$$

$$= C_6H_4\genfrac{}{}{0pt}{}{N}{S}C\text{--}CH_2\text{--}CH_2\text{--}CH_3 + C_6H_5NH_2 + H_2S.$$

In der That scheint auch die Reaction in diesem Sinne zu verlaufen, wenigstens wurde stets neben Anilin eine Base erhalten, deren Geruch an den der Methenyl- und Äthenylbase erinnerte, von dem sie sich aber durch die grosse Löslichkeit des Platinsalzes unterschied. Leider zeigte aber der Bernsteinsäurekörper eine so ausserordentliche Stabilität, dass sich stets nur äusserst geringe Menge desselben zerlegten, obwohl die Digestion mit Jodwasserstoffsäure und Phosphor tagelang bei einer Temperatur von 250° fortgesetzt wurde. Die beiden Basen wurden, wie gewöhnlich, durch Einleiten von Wasserdampf in die saure Lösung derselben geschieden; leider reichte die minimale Menge, welche erhalten wurde, nicht einmal zur Darstellung eines Platinsalzes hin, welches hätte analysirt werden können.

Phtalsäurederivat des Amidophenylmercaptans. Diese Verbindung entsteht, wenn das Amidophenylmercaptan oder dessen salzsaures Salz mit Phtalsäureanhydrid oder besser mit Phtalsäurechlorid behandelt wird. Bei der Darstellung wurden 5g Chlorhydrat des Amidophenylmercaptans mit 6.5g Phtalsäurechlorid erhitzt; alsbald trat eine heftige Reaction ein, indem reichliche Mengen von Salzsäure und Wasserdampf entwickelt wurden. Nach dem Erkalten wurde der glasartige amorphe Rückstand in Alkohol gelöst und die Flüssigkeit mit Wasser versetzt, wodurch sich der Phtalylkörper als gelbgefärbte zähe Masse ausschied, welche nach einigen Tagen krystallinisch erstarrte. Durch wiederholtes Umkrystallisiren aus Alkohol wurden bessere Krystalle erhalten. Noch schneller gelingt die Reindarstellung, wenn man das Rohproduct der Reaction direct mit concentrirter Natronlauge kocht, welche den Überschuss des Phtalsäurechlorids löst, während das neue Product in Gestalt einer öligen Schicht auf der Oberfläche der Flüssigkeit schwimmt. Nach dem Erkalten wird die erstarrte Masse zur Entfernung der Natronlauge mit Wasser ausgekocht, abfiltrirt und mehrfach aus heissem Alkohol umkrystallisirt. Ist letzterer concentrirt, so werden beim Erkalten dicke Prismen erhalten; aus verdünntem Alkohol krystallisirt die Base in dünnen Nadeln. Der neue Körper löst sich auch in Äther; in Wasser, selbst in siedendem, ist er unlöslich. Sein Schmelzpunkt liegt bei 112°.

Die Analyse der reinen Substanz bestätigte die erwartet Formel:

$$C_{20}H_{12}N_2S_2 = C_6H_4\left\langle\begin{matrix}N\\S\end{matrix}\right\rangle C - - - C_6H_4 - - - C\left\langle\begin{matrix}N\\S\end{matrix}\right\rangle C_6H_4.$$

	Theorie		Versuch
C_{20}	240	69.77	70.16
H_{12}	12	3.49	3.88
N_2	28	8.14	—
S_2	64	18.60	18.77
	344	100.00.	

Die Phtalylverbindung ist eine schwache Base; sie löst sich in Salzsäure mit hellgelber Farbe auf; aus der Lösung schiesst nach einiger Zeit ein ziemlich schwerlösliches, gut krystallisirendes Chlorhydrat an, welches aber durch Wasser leicht zersetzt wird.

Die Lösung dieses Salzes liefert auf Zusatz von Platinchlorid ein in feinen verfilzten Nadeln krystallisirendes Platinsalz, welches aber gleichfalls durch Wasser zerlegt wird. Dies ist wohl die Ursache, weshalb bei der Analyse dieses Salzes stets etwas zu wenig Platin gefunden wurde.

Glycolsäurederivat des Amidophenylmercaptans. Nachdem ich das charakteristische Verhalten des Mercaptans gegen Essigsäure und Oxalsäure studirt hatte, schien es von Interesse, auch die Glycolsäureverbindung zu untersuchen. Dieselbe bildet sich ohne Schwierigkeit, wenn man Monochloressigsäure mit Amidophenylmercaptan erwärmt. Es erfolgt eine heftige Reaction, indem Salzsäure und Wasserdampf entweichen. Nach kurzer Digestion lässt man erkalten und krystallisirt das erstarrte Reactionsproduct aus heissem Alkohol um. Beim Erkalten setzen sich prachtvolle, lange, feine, spröde Krystallnadeln vom Schmelzpunkt 176° ab, welcher sich durch weiteres Umkrystallisiren nicht mehr ändert. In Wasser löst sich der Körper nicht auf, ebenso wenig in Salzsäure; er ist aber in concentrirter Schwefelsäure löslich und wird aus dieser Lösung durch Wasser wieder unverändert gefällt. Die Analyse der bei 100° getrockneten Substanz führte zu der erwarteten Zusammensetzung

$$C_8H_7NSO = C_6H_4\langle {}^{N}_{S} \rangle C - - CH_2OH.$$

		Theorie	Versuch	
C_8	96	58.18	57.92	—
H_7	7	4.24	4.35	—
N	14	8.49	—	—
S	32	19.39	—	19.35
O	16	9.70		—
	165	100.00.		

Die Anwesenheit einer Hydroxylgruppe in der Verbindung wird alsbald durch das Verhalten derselben zu den Alkalien angezeigt. In Natronlauge löst sie sich mit Leichtigkeit auf und wird aus der Lösung durch Säuren wiederum krystallinisch gefällt. In Ammoniak ist der Körper nicht löslich.

Phenylessigsäurederivat des Amidophenylmercaptans. Es ist bereits oben (S. 565) kurz erwähnt worden, dass diese Verbindung durch die Einwirkung des Schwefels auf das Anilid der Phenylessigsäure nicht erhalten werden konnte. Sie bildet sich aber leicht durch Einwirkung des Phenylessigsäurechlorids auf Amidophenylmercaptan oder dessen Chlorhydrat. Das Phenylessigsäurechlorid ist eine ziemlich leicht zersetzliche Substanz, zumal wenn es destillirt wird. Man wendet daher zweckmässig das directe Product der Behandlung der Säure mit Phosphorpentachlorid an, von welchem nur das Phosphoroxychlorid durch Erwärmen entfernt worden ist. Lässt man diesen Rückstand, im Überschuss angewendet, etwa eine Stunde lang mit salzsaurem Amidomercaptan digeriren und destillirt alsdann das Reactionsproduct, so geht eine braune Flüssigkeit über, welche nach einiger Zeit krystallinisch erstarrt. Diese Krystalle bestehen zum grossen Theile aus dem Salzsäuresalz des Phenylessigsäurederivats des Amidophenylmercaptans. Löst man dieselben in Salzsäure, so scheidet sich das reine Salz nach längerem Stehen in der Kälte in sternförmig gruppirten, hellgelben, feinen Nadeln aus.

Dieses Salz, wie die Salze dieser Klasse von Basen im Allgemeinen, zeigt nur wenig Beständigkeit, schon durch Zusatz von Wasser wird es zerlegt; auch beim Liegen an der Luft, langsam bei gewöhnlicher, schneller bei höherer Temperatur, entweicht Salzsäure. Versetzt man die Lösung des salzsauren Salzes mit einem Alkali, so scheidet sich die Base als eine ölige Flüssigkeit von aromatischem Geruche aus, welche in Wasser unlöslich, leicht löslich dagegen in Alkohol und Äther ist. Ihre Zusammensetzung

$$C_{14}H_{11}NS = C_6H_4\langle {}^{N}_{S} \rangle C - - CH_2 - - C_6H_5,$$

wurde durch die Analyse eines in schönen, gelben Nadeln krystallisirenden Platinsalzes festgestellt, welches beim Vermischen concentrirter Lösungen von salzsaurem Salz und Platinchlorid erhalten wird. Das Salz krystallisirt mit 5 Mol. Wasser. Dem Platinsalze

$$2(C_{14}H_{11}NS \,.\, HCl)PtCl_4 + 5H_2O$$

entsprechen 20.69 pCt. Platin, gefunden wurden in dem *in vacuo* getrockneten Salze 20.51 und 20.68 pCt. Die 5 Mol. Wasser entweichen bei 100°. Der theoretische Wassergehalt beträgt 9.42 pCt., gefunden wurden 9.65 pCt. Es ist auch das bei 100° getrocknete Platinsalz analysirt worden; gefunden wurden 22.85 und 22.84 pCt. Platin, während die Theorie 22.89 pCt. verlangt.

Schmilzt man das salzsaure Salz der Base mit Alkali, so werden Amidophenylmercaptan, welches durch die Umwandlung in Disulfid erkannt wurde, und Phenylessigsäure, durch ihren Schmelzpunkt (76°) identificirt, zurückgebildet.

Zimmtsäurederivat des Amidophenylmercaptans. Zimmtsäure und Amidophenylmercaptan wirken mit der allergrössten Leichtigkeit schon bei gelindem Erwärmen auf einander ein, es entwickelt sich Wasser, welches sich alsbald an dem kalten Halse des Ballons anlegt. Nachdem die Mischung einige Zeit lang auf dem Sandbade digerirt worden ist, lässt man erkalten und erhitzt das Reactionsproduct mit Natronlauge, in welcher, was von den Componenten unverändert geblieben ist, aufgelöst wird. Der ungelöst gebliebene Rückstand, mit Wasser gewaschen, und ein paar Mal aus siedendem Alkohol umkrystallisirt, liefert dicke, stark lichtbrennende Prismen, welche bei 111° schmelzen. Die Analyse der bei 100° getrockneten Substanz führte zu der Formel:

$$C_{15}H_{11}NS = C_6H_4\langle {N \atop S} \rangle C - CH = CH - C_6H_5.$$

	Theorie		Versuch
C_{15}	180	75.95	75.71
H_{11}	11	4.64	5.03
N	14	5.91	—
S	32	13.50	—
	235	100.00.	

Der Zimmtsäure-Abkömmling ist eine schwache Base; er löst sich in concentrirter Salzsäure, aber die Lösung wird durch Wasser zerlegt. Die starke Lösung giebt mit Platinchlorid ein in gelben Nadeln krystallisirendes Salz; allein mehrfache Analysen zeigten, dass dieses Salz nicht ohne Zersetzung gewaschen werden kann.

Durch Schmelzen der Base mit Kaliumhydroxyd wird das Amidophenylmercaptan zurückgebildet; die Zimmtsäure geht hierbei in Benzoësäure über.

Gelegentlich der im Vorstehenden beschriebenen Versuche über das Amidophenylmercaptan habe ich das Verhalten dieser höchst reactionsfähigen Verbindung auch noch gegen einige andere Körpergruppen mit in den Kreis der Untersuchung gezogen.

Von den Ergebnissen meiner Versuche will ich hier nur noch die Beobachtung mittheilen, dass die durch die Einwirkung der Säuren und ihrer Chloride auf das Mercaptan gewonnenen Verbindungen auch bei der Behandlung desselben mit den zugehörigen Aldehyden und Nitrilen gebildet werden.

Als man Amidophenylmercaptan mit käuflichem Acetylaldehyd eine halbe Stunde lang am Rückflusskühler erhitzte, wurde ein Reactionsproduct erhalten, welches nach dem Versetzen mit Natronlauge bei der Destillation mit Wasserdampf reichliche Mengen von Äthenylbase lieferte. Die Eigenschaften des so erhaltenen Productes stimmten mit denen des mit Hülfe des Essigsäureanhydrids oder des Acetylchlorids gewonnenen vollkommen überein. Zum Überfluss wurde das Platinsalz analysirt. Man erhielt 27.69 pCt. Platin, während die Theorie 27.74 pCt. verlangt.

Man kann kaum zweifeln, dass gleichzeitig Alkohol gebildet wird nach der Gleichung:

$$C_6H_4\langle {NH_2 \atop SH} + 2 {CH_3 \atop CHO} = C_6H_4\langle {N \atop S} \rangle C - CH_3 + {CH_3 \atop CH_2OH} + H_2O.$$

Ich will aber nicht unterlassen zu bemerken, dass der verhältnissmätsig kleine Maafsstab, in welchem der Versuch angestellt wurde, den experimentalen Beweis der Alkoholbildung nicht gestattet hat.

Nach diesem Ergebnisse konnte man nicht zweifeln, dass sich bei der Einwirkung des Bittermandelöls auf das Mercaptan die vielfach besprochene Benzenylverbindung bilden werde. Schon nach kurzer Digestion der beiden Substanzen am Rückflusskühler ist die Umbildung vor sich gegangen. Das entstandene Benzenylamidophenylmercaptan wurde durch die Bestimmung des Schmelzpunkts (115°) identificirt. Hier muss also als Nebenproduct Benzylalkohol entstehen.

Noch will ich endlich erwähnen, dass auch der Salicylaldehyd mit Leichtigkeit auf das Amidophenylmercaptan einwirkt. Eine Mischung beider Substanzen erstarrt schon nach kurzem Sieden zu einer gelblichen Krystallmasse. Durch mehrfaches Umkrystallisiren aus Alkohol wurden schöne, atlasglänzende Nadeln erhalten, welche bei 129° schmolzen. Der neue Körper ist gleichzeitig Base und Säure. In concentrirter Salzsäure löst er sich auf und erzeugt ein gut krystallisirendes Salz, welches schon durch Wasser zersetzt wird. Mit Platinchlorid liefert die Lösung einen krystallinischen Niederschlag. Die Gegenwart einer Hydroxylgruppe in der Verbindung bedingt ihre Löslichkeit in Alkalien. Diese Lösungen zeigen namentlich in Gegenwart von Alkohol eine sehr auffallende eigenthümliche bläuliche Fluorescenz.

Man konnte nicht zweifeln, dass hier eine hydroxylirte Benzenylverbindung vorlag, welche Hr. Eduard Schuhwirth vor Kurzem im hiesigen Laboratorium auf einem anderen Wege, nämlich durch die Einwirkung von Schwefel auf Phenylsalicylamid gewonnen hat, und über welche derselbe in der Kürze des Näheren berichten wird. Die von demselben bereits festgestellte Zusammensetzung

$$C_{13}H_9NSO = C_6H_4\langle{}^{N}_{S}\rangle C - - C_6H_4OH$$

wurde durch die Analyse der aus dem Salicylaldehyd erzeugten, bei 100° getrockneten Substanz bestätigt.

	Theorie		Versuch	
C_{13}	156	68.72	68.34	68.54
H_9	9	3.96	4.22	4.20
N	14	6.17	—	—
S	32	14.16	—	—
O	16	7.06	—	—
	227	100.00.		

Durch Schmelzen der Salicylsäure-Verbindung mit Kaliumhydroxyd entsteht einerseits Amidomercaptan, andererseits Salicylsäure.

Was schliesslich die Einwirkung der Nitrile anlangt, so konnte es nach dem, was bei der Behandlung des Amidophenylmercaptans mit Cyangas beobachtet worden war (vgl. S. 569), kaum zweifelhaft sein, dass sich auch in dieser Reaction die geschwefelten Basen würden gewinnen lassen. In der That wird denn auch bei der Wechselwirkung zwischen salzsaurem Amidophenylmercaptan und Cyankalium, alsbald unter Ammoniakentwickelung die Methenylbase erhalten:

$$C_6H_4\langle\begin{matrix}NH_2\\SH\end{matrix} + HCN = C_6H_4\langle\begin{matrix}N\\S\end{matrix}\rangle CH + NH_3.$$

Die Reaction vollzieht sich schon unter gewöhnlichem Druck, wenn die wässerigen Lösungen der beiden Körper gelinde mit einander erwärmt werden.

Substituirt man der Blausäure Acetonitril oder Benzonitril, so wird beziehungsweise die Äthenyl- oder die Benzenylbase erzeugt. Man muss aber in diesem Falle die beiden Bestandtheile einige Zeit lang in geschlossener Röhre bei 180° mit einander digeriren. Die beiden Basen werden alsdann aber auch in reichlicher Menge erhalten.

Mit lebhafter Dankbarkeit gedenke ich am Schlusse dieser Arbeit der trefflichen Hülfe, welche mir die HH. F. Mylius und N. Nagai bei der Ausführung derselben geleistet haben.

III.

Über sechsfach methylirtes Benzol.

Am Schlusse einer vor einigen Jahren veröffentlichten Notiz über die Umwandlung des Anilins in Toluidin[1]), welche durch die Einwirkung einer sehr hohen Temperatur auf chlorwasserstoffsaures Methylanilin sich vollzieht, wurde auch der Nebenproducte gedacht, welche in dieser Reaction, zumal aber bei der Einwirkung auf das triphenylirte Phenylammoniumjodid entstehen. Neben einer prachtvoll krystallisirten Base, welche die Analyse als fünffach methylirtes Anilin

$$C_{11}H_{17}N = C_6(CH_3)_5NH_2$$

zu erkennen gab, entstanden stets Kohlenwasserstoffe, unter denen zumal einer meine Aufmerksamkeit auf sich zog, insofern einige Verbrennungen desselben zu der einfachen Formel

---

[1]) Hofmann, Monatsberichte 1872, S. 608.

$$C_{12}H_{18} = C_6(CH_3)_6$$

führten. Ich bemerkte indessen, dass diese Analysen noch weiterer Bestätigung bedürften.

Eine Verkettung glücklicher Umstände hat mich während der letzten Monate in den Stand gesetzt, diese Untersuchung wieder aufzunehmen. Die Industrie lässt heute die Ergebnisse der wissenschaftlichen Forschung nicht lange unbenützt. So ist denn auch die gemeinschaftlich von Dr. Martius und mir[1]) aufgefundene Methode der Methylirung der Phenylgruppe im Anilin bereits seit längerer Zeit Gegenstand der industriellen Verwerthung geworden. Eine Reihe prachtvoller Farbstoffe, welche von den HH. Meister, Lucius und Brüning unter dem Namen Ponceau schon seit einiger Zeit in den Handel gebracht werden, entstehen durch Association von Naphtoldisulfosäuren mit Cumidin, und dieses Cumidin wird einfach durch Behandlung von Xylidinchlorhydrat mit Methylalkohol bei hoher Temperatur unter Druck in emaillirten Autoclaven dargestellt.

Durch die Güte des Hrn. Dr. Martius bin ich in den Stand gesetzt worden, die Producte dieses im grossen Maafsstabe ausgeführten Processes des Näheren untersuchen zu können.

Wird salzsaures Xylidin mit Methylalkohol längere Zeit auf eine Temperatur von 250—300° erhitzt, so ist das Hauptproduct der Reaction das salzsaure Salz eines Cumidins vom Siedepunkt 225° bis 226°, welches alle Eigenschaften des durch directe Methylirung aus dem Anilin gewonnenen zeigt. Allein die Reaction bleibt bei der Bildung von Cumidin nicht stehen, es bilden sich höher methylirte Basen, zumal vierfach methylirte, und es entsteht selbst, obwohl in kleiner Menge, das schön krystallisirte fünffach methylirte Anilin, dem ich, wie bereits oben bemerkt wurde, auch bei meinen Versuchen im kleinen Maafsstabe begegnet war[2]). Ich hoffe demnächst im Stande zu sein, über die Basen von höherem Siedepunkt der Akademie weitere Mittheilung machen zu können.

Gleichzeitig mit den Basen treten aber in diesem Process stets auch in erheblicher Menge Kohlenwasserstoffe auf, wie sie bei den früher beschriebenen, in Glasröhren angestellten Versuchen beobachtet wurden. Behufs Gewinnung dieser Kohlenwasserstoffe hat

[1]) Hofmann und Martius, Monatsberichte 1871, S. 435.

[2]) Hofmann, Monatsberichte 1872, S. 608.

Hr. Dr. Schad die Güte gehabt, eine Charge von 30 Kilo salzsaurem Xylidin, welches in den Werkstätten der Gesellschaft für Anilinfabrikation in Rummelsburg mit Methylalkohol im Autoclaven digerirt worden war, mit Wasserdampf behandeln zu lassen. Das mit den Wasserdämpfen übergegangene, auf Wasser schwimmende Öl löste sich nur noch theilweise in Salzsäure auf. Auf diese Weise konnten Basen und Kohlenwasserstoffe mit Leichtigkeit getrennt werden.

Die aus der Salzsäurelösung ausgeschiedenen Basen siedeten zwischen 220 und 250°, sie sind für den Augenblick nicht näher untersucht worden; dagegen sind mit den auf der salzsauren Lösung schwimmenden Kohlenwasserstoffen einige Versuche angestellt worden.

Durch einen Scheidetrichter von der Salzlösung getrennt, mit Chlorcalcium getrocknet und der Destillation unterworfen, gingen dieselben zwischen 120° und 230° über. Die zuletzt übergehenden Fractionen erstarrten zu einer krystallinischen Masse, welche, nachdem man alles Flüssige mit Sorgfalt abgesaugt und abgepresst hatte, mehrfach aus Alkohol umkrystallisirt wurde. Auf diese Weise gewann man schliesslich eine schöne, in abgeplatteten streifigen Prismen krystallisirende Verbindung vom Schmelzpunkt 163°, welcher sich durch weiteres Umkrystallisiren nicht mehr änderte. Die Substanz siedete constant bei 253°. Die so gewonnene Verbindung stimmte in jeder Beziehung mit der in meinen früheren Versuchen erhaltenen, von der ich noch eine Probe besass, überein. Auch von letzterer wurde der Schmelzpunkt wiederholt genommen und bei 163° gefunden, wie hier besonders betont zu werden verdient, da der Schmelzpunkt in der citirten Abhandlung, offenbar durch einen Schreibfehler, irrthümlich zu 136° angegeben ist.

Bei der Analyse wurden folgende Werthe erhalten, welche ich mit den früher gefundenen, sowie mit den theoretischen Werthen für Hexmethylbenzol zusammenstelle.

	Theorie		Alte Analyse	Neue Analysen	
C_{12}	144	88.88	88.38	88.88	88.56
H_{18}	18	11.12	11.15	11.56	11.25
	162	100.00.			

Da das dem Hexmethylbenzol benachbarte Homologon, das Pentamethylbenzol, in seiner Zusammensetzung von dem ersteren nur wenig abweicht — es enthält 89.18 Kohlenstoff und 10.82 Wasserstoff —, so war eine weitere Controlle durch Bestimmung der Dampfdichte geboten.

Die Bestimmung im Anilindampf lieferte 80.5 (5.58); die Theorie verlangt $\frac{162}{2} = 81$ (5.62). Die Dampfdichte des pentamethylirten Benzols ist $\frac{148}{2} = 74$.

Was die Bildung des methylirten Benzols bei der Einwirkung des Methylalkohols auf salzsaures Anilin anlangt, so bedarf dieselbe noch weiterer Aufklärung. Vielleicht erfolgt sie in der Art, dass sich ein Theil des Methylalkohols in Methylaldehyd verwandelt, wodurch Ammoniak und Benzol gebildet würden; Ammoniak und Methylamin lassen sich in der That nachweisen. Das entstandene Benzol würde dann *in condicione nascendi* von dem in dem Autoclaven bei hoher Temperatur jedenfalls existirenden Chlormethyl methylirt.

Es darf nicht unerwähnt bleiben, dass die Umwandlung des Benzols oder wenigstens methylirter Benzolderivate mittelst Chlormethyl in Hexmethylbenzol den HH. Ador und Rilliet[1], nach dem Friedel'schen Verfahren bei Gegenwart von Aluminiumchlorid wirklich gelungen ist. Die Eigenschaften, welche die genannten Forscher dem hexmethylirten Benzol zuschreiben, weichen allerdings etwas von den oben angegebenen ab. Nach ihren Angaben schmilzt das Hexmethylbenzol gegen [illegible] und siedet bei [illegible]. Diese Abweichungen sind [illegible] nicht so gross, dass man annehmen müsste, wir hätten [illegible] Körper in den Händen gehabt.

Das [illegible] Benzol [illegible] Kenntniss [illegible]. Die Oxydationsproducte zumal dürften [illegible]

[illegible]

$$[illegible]$$

[illegible] Zinn [illegible]

[illegible]

---

[1] [illegible]

Kohlenwasserstoff in geschlossenem Rohre einige Stunden mit einem Überschusse von Brom auf 100° erhitzt. Nach dem Verdampfen des Broms blieb die neue Verbindung als krystallinische Materie zurück, welche sich selbst in siedendem Alkohol fast unlöslich erwies. Nach dem Umkrystallisiren aus Toluol zeigte sie den Schmelzpunkt 277°, welcher sich auch durch erneute Behandlung mit Brom nicht mehr änderte. Die Analyse des Körpers weist unzweideutig auf ein Substitutionsproduct mit 6 At. Brom hin. Im Kohlenstoff- und Bromgehalt weichen Substitutions- und Additionsproduct nur wenig von einander ab; der Wasserstoff aber ist charakteristisch.

	$C_{12}H_{12}Br_6$	$C_{12}H_{18}Br_6$	Versuch		
Kohlenstoff . .	22.64	22.43	23.51	—	—
Wasserstoff . .	1.88	2.81	2.13	—	—
Brom	75.48	74.76	—	74.93	75.43
	100.00	100.00.			

Dass die Kohlenstoffbestimmung einer so bromreichen Substanz etwas zu hoch ausgefallen ist, kann nicht befremden.

Es muss begreiflich für den Augenblick dahingestellt bleiben, in welcher Weise die Bromatome in den Methylgruppen vertheilt sind. Es könnte ein Bromatom in eine jede der sechs Methylgruppen eingetreten sein, oder aber es könnten zwei Methylgruppen vollständig bromirt worden sein. Hier ist noch Raum für mancherlei Untersuchungen.

Schliesslich sei es mir gestattet, Hrn. Dr. Walter Wolff für seine thatkräftige Hülfe bei Durchführung dieser Versuche meinen besten Dank zu sagen.

IV.

Über Erkennung und Bestimmung kleiner Mengen von Schwefelkohlenstoff.

Gelegentlich meiner bereits vor vielen Jahren veröffentlichten Untersuchungen über die Phosphorbasen habe ich die tertiären Phosphine, zumal das Triäthylphosphin, als sehr empfindliche Reagentien auf Schwefelkohlenstoff gekennzeichnet[1]). Später nach der

[1]) Hofmann, Ann. Chem. Pharm. Suppl. I, S. 35.

interessanten Entdeckung des Kohlenoxysulfids von v. Than bin ich noch einmal auf diese Frage zurück gekommen, indem ich zeigte, dass dieses Gas keine Wirkung auf den Schwefelkohlenstoff ausübt, und dass man sich daher des Triäthylphosphins zur Entfernung der letzten Spuren von Schwefelkohlenstoff, welcher sich bei der Behandlung von Schwefelcyankalium mit Säuren neben dem Kohlenoxysulfid stets in kleiner Menge bildet, mit Vortheil bedienen kann [1]).

Durch eine gerichtliche Expertise ist die Erinnerung an diese Untersuchungen früherer Jahre in den letzten Wochen wieder aufgefrischt worden.

Die bekannte Grosshandlung Schimmel & Co. in Leipzig hatte von einer russischen Firma einen erheblichen Posten Senföl bezogen, welches zweifellos mit Schwefelkohlenstoff verfälscht war. Beim Öffnen der Flaschen waren die Stöpsel mit Gewalt aus den Mündungen geschleudert worden, ausserdem war von den verschiedensten Sachverständigen der Schwefelkohlenstoff als solcher aus dem Öle abdestillirt und identificirt worden. Angesichts dieser Ergebnisse konnte die russische Firma das Vorhandensein von sehr erheblichen Mengen von Schwefelkohlenstoff in dem von ihr gelieferten Senföle nicht mehr bestreiten; sie stellte nunmehr aber die Behauptung auf, dass der aufgefundene Schwefelkohlenstoff weit entfernt davon, in betrügerischer Absicht dem Senföl beigemischt worden zu sein, vielmehr als vollkommen normales Nebenproduct bei der Darstellung des Senföls auftrete. Dass das Auftreten erheblicher Mengen von Schwefelkohlenstoff bei der Darstellung des Senföls bisher der Beobachtung entgangen sei, könne nur durch den Umstand erklärt werden, dass man in Russland eine besondere Sinapisvarietät, nämlich *sinapis juncea*, zur Darstellung des Senföls benutze, während in Deutschland, überhaupt im übrigen Europa, *sinapis nigra* zur Verwendung komme.

Von dem Richter aufgefordert, meine Meinung bezüglich dieser Darlegung auszusprechen, nahm ich keinen Anstand zu erklären, dass ich das Vorkommen erheblicher Mengen von Schwefelkohlenstoff im natürlichen Senföle für unwahrscheinlich halte, liess indessen auch nicht unerwähnt, dass ich directe Versuche in dieser Beziehung bisher nicht angestellt habe, dass mir namentlich das

---

[1]) Hofmann, Ber. chem. Ges. II, S. 73.

russische Senföl (aus *sinapis juncea*) bisher ganz unbekannt geblieben sei.

Gelegenheit, die angedeuteten Versuche anzustellen, wurde mir alsbald von der Firma Schimmel & Co. in erwünschter Weise geboten. In den Werkstätten dieses Hauses war zunächst aus russischem Senfsamen von *sinapis juncea*, über dessen Ursprung kein Zweifel obwalten konnte, in Gegenwart von Sachverständigen, unter denen ich Hrn. Prof. Stohmann in Leipzig und Hrn. Dr. Jul. Bertram, den Chemiker des genannten Hauses, anführen darf, in gewöhnlicher Weise dargestellt worden. Von diesem Präparat wurden mir 200^g zur Untersuchung übersendet. Das Öl zeigte alle Eigenschaften, namentlich den Siedepunkt des normalen Senföls; bei der Destillation von 25 bis 30^g stieg derselbe unmittelbar auf 150°. Mittheilungen zufolge, welche mir gleichzeitig zugingen, sollte sich in diesem Öle nach dem gewöhnlichen Verfahren kein Schwefelkohlenstoff nachweisen lassen. Dieses Verfahren beruht auf der Überführung des Schwefelkohlenstoffs in xanthogensaures Alkali, aus welchem das charakteristisch gelbe Kupferxanthogenat dargestellt wird, ein Verfahren, welches noch neuerdings von E. Luck[1]) empfohlen worden ist. Man soll die schwefelkohlenstoffhaltige Flüssigkeit, durch Abdestilliren der zu untersuchenden Probe erhalten, mit absolutem Alkohol mischen, alkoholisches Kali zusetzen und zum Sieden erhitzen. Die Lösung wird alsdann mit Essigsäure versetzt und mit Kupfersulfat gefällt.

Hat man es mit nur einigermaassen erheblichen Mengen von Schwefelkohlenstoff zu thun, so ist die Xanthogenatreaction in hohem Grade charakteristisch. Nach Luck soll sie in der That so empfindlich sein, dass es genüge, $\frac{1}{2}$—1 Ccm. eines zu prüfenden, 4—6 pCt. Schwefelkohlenstoff haltenden Öls im Wasserbad zu destilliren und das durch eine geeignete Kühlvorrichtung condensirte Destillat in der angegebenen Weise zu behandeln. Als man das beschriebene Verfahren auf das Senföl aus *sinapis juncea* anwendete, konnte in der That Schwefelkohlenstoff nicht nachgewiesen werden.

Eine geringe Modification des Versuches gestattete aber alsbald die Gegenwart des Schwefelkohlenstoffs mit Leichtigkeit zu erkennen. Zu dem Ende wurde ein Ballon mit etwa 50^g des zu

---

[1]) E. Luck, Fresenius' Zeitschr. f. anal. Chem. XI, S. 410.

prüfenden Senföls in ein Wasserbad gestellt, der Hals desselben mit einem Entbindungsrohre versehen, dessen Mündung in alkoholisches Kali eintauchte, und alsdann durch beide Flüssigkeiten ein langsamer Luftstrom geleitet. Schon nach wenigen Stunden entstand auf Zusatz von Essigsäure und Kupfersulfat ein intensiv gelber Niederschlag, wodurch die Gegenwart von Schwefelkohlenstoff in dem Öl aus *sinapis juncea* unzweifelhaft nachgewiesen war. Es wurde nun versucht, nach diesem Verfahren den Schwefelkohlenstoff auch quantitativ zu bestimmen. Diese Versuche sind aber an der Schwierigkeit gescheitert, das Kupferxanthogenat zu trocknen. Bei 100° schwärzt sich dasselbe sofort, aber auch *in vacuo* entwickelten sich constant acride Dämpfe; es liess sich kein constantes Gewicht erzielen. Wie empfindlich die Reaction ist, erhellt aus dem Umstande, dass in absolut reinem Senföl, dem man absichtlich $\frac{1}{4}$ pCt. Schwefelkohlenstoff zugesetzt hatte, der Schwefelkohlenstoff durch die angeführte Behandlung mit vollkommener Sicherheit nachgewiesen werden konnte.

Angesichts der Schwierigkeiten, welche die quantitative Bestimmung des Schwefelkohlenstoffs in der Form von Kupferxanthogenat bietet, warf sich die Frage auf, ob diese Bestimmung mit Hülfe des Triäthylphosphins ausgeführt werden könne.

Es hat sich denn auch alsbald gezeigt, dass diese Methode vollkommen brauchbare Ergebnisse liefert. Man stellt den Versuch zweckmässig in der Weise an, dass man die zu prüfende Flüssigkeit — in dem vorliegenden Falle das Senföl — in einer tubulirten Retorte im Wasserbade erhitzt. Die Retorte steht mit Kühler und Vorlage in Verbindung, und an diese reihen sich drei weite Probirröhren, welche zunächst Natronlauge, und auf dieser schwimmend, eine ätherische Lösung von Triäthylphosphin enthalten. Nun wird ein Strom trockener Kohlensäure durch das erwärmte Senföl geleitet, welcher den ganzen Apparat durchströmt. Ist Schwefelkohlenstoff vorhanden, so färbt sich schon nach kurzer Frist die Triäthylphosphinlösung in dem der Vorlage nächsten Probirrohre rosenroth und bald erscheinen auch die schönen morgenrothen Prismen der Verbindung

$$(C_2H_5)_3PCS_2.$$

Man setzt nun den Versuch mehrere Stunden lang fort. Sollte sich die Röthung in dem dritten Rohre zeigen, so ist dies ein Zeichen, dass das Triäthylphosphin in den vorhergehenden verbraucht ist, und man muss dann den Process unterbrechen, um diese dritte Röhren direct mit der Vorlage zu verbinden und die beiden anderen von Neuem mit Triäthylphosphinlösung zu beschicken. Schliesslich wird die ganze Menge der ausgeschiedenen Krystalle auf einem gewogenen Filter gesammelt, *in vacuo* getrocknet und auf die Wage gebracht. 100 Gew.Th. dieses Niederschlags entsprechen 39.1 Th. Schwefelkohlenstoff. Es braucht kaum erwähnt zu werden, dass man den Schwefelkohlenstoff aus der zu untersuchenden Flüssigkeit nicht durch einen Luftstrom austreiben darf, da dieselbe die Phosphorbase schnell zu Triäthylphosphinoxyd oxydiren würde. Man könnte zu dem Ende jedes Gas wählen, welches keinen freien Sauerstoff enthält; die Kohlensäure verdient aber den Vorzug, weil sie schnell von Natronlauge absorbirt wird, wodurch die Vereinigung des in ihr diffundirten Schwefelkohlenstoffgases mit dem Phosphorkörper erleichtert wird.

Um die Verwendbarkeit der Methode für quantitative Bestimmungen festzustellen, wurden 150^g Senföl, aus dem jede Spur von Schwefelkohlenstoff ausgetrieben worden war, 0.7782^g d.h. 0.518 pCt. Schwefelkohlenstoff zugefügt. Nach mehrstündigem Durchleiten von Kohlensäure wurden 2.1315^g der *in vacuo* getrockneten Triäthylphosphinverbindung erhalten, entsprechend 0.8349^g = 0.556 pCt. Schwefelkohlenstoff.

Bestimmung des Schwefelkohlenstoffgehaltes im Senföl aus *sinapis juncea.*

I. 100^g Senföl lieferten 1.0431^g Triäthylphosphinverbindung, entsprechend 0.4086^g = 0.41 pCt. Schwefelkohlenstoff.

II. 70^g Senföl lieferten 0.6592^g Triäthylphosphinverbindung, entsprechend 0.2582^g = 0.37 pCt. Schwefelkohlenstoff.

Die unzweifelhafte Gegenwart kleiner Mengen von Schwefelkohlenstoff in dem Öl aus *sinapis juncea* legte die Frage nahe, ob wohl auch in dem Senföl aus *sinapis nigra* und vielleicht auch in dem künstlichen Senföl Schwefelkohlenstoff enthalten sein möge. Der Versuch hat diese Frage bejahend entschieden. Die Probe Senföl aus *sinapis nigra* war in den Werkstätten der Firma Schimmel & Co., das künstliche Senföl in dem Laboratorium von C. A. F. Kahlbaum dargestellt.

Bestimmung des Schwefelkohlenstoffgehaltes im Senföl aus *sinapis nigra.*

I. 102g Senföl lieferten 1.3208g Triäthylphosphinverbindung, entsprechend 0.5174g = 0.51 pCt. Schwefelkohlenstoff.

II. 120g Senföl lieferten 1.7028g Triäthylphosphinverbindung, entsprechend 0.6670g = 0.56 pCt. Schwefelkohlenstoff.

Bestimmung des Schwefelkohlenstoffgehaltes im künstlichen Senföl, aus Jodallyl und Schwefelcyanammonium dargestellt.

100g künstliches Senföl lieferten 0.8181g Triäthylphosphinverbindung, entsprechend 0.32g = 0.32 pCt. Schwefelkohlenstoff.

Aus den beschriebenen Versuchen, bei denen ich in dankenswerthester Weise von Hrn. Dr. M. Dennstedt unserstützt worden bin, erhellt, dass Senföle, aus so verschiedenen Quellen stammend, deren Ächtheit nicht bezweifelt werden konnte, minimale Mengen Schwefelkohlenstoff enthalten. Wie gelangt dieser Schwefelkohlenstoff in das Senföl? Bei Abwesenheit directer Versuche, deren Anstellung jenseits der mir gestellten Aufgabe lag, lassen sich nur Vermuthungen aussprechen. Die Untersuchungen von Sell und Proskauer[1]) haben nachgewiesen, dass sich das Phenylsenföl unter dem Einflusse des Schwefelwasserstoffs langsam in Schwefelkohlenstoff und Diphenylsulfoharnstoff verwandelt. Ähnlich verhält sich das Allylsenföl, obwohl der Übergang nur sehr schwierig stattfindet. Die Schwefelkohlenstoffbildung konnte mittelst der Triäthylphosphinreaction noch eben nachgewiesen werden. Vielleicht zerlegen sich nun bei der Darstellung des Senföls unter dem Einflusse des Wasserdampfes kleine Mengen desselben in Allylamin oder Derivate desselben (Diallylsulfoharnstoff) auf der einen und Kohlensäure und Schwefelwasserstoff auf der anderen Seite, welch' letzterer alsdann die Bildung kleiner Mengen von Schwefelkohlenstoff veranlassen könnte.

Das Auftreten von Schwefelkohlenstoff in Senföl ist schon mehrfach beobachtet worden. Man ist aber fast immer geneigt gewesen, in diesen Fällen eine absichtliche Verfälschung des Öles anzunehmen. Indessen hat auch bereits E. Mylius[2]), der sich mit der Untersuchung des Senföls auf seine Beimischungen und Ver-

---

[1]) Sell und Proskauer, Ber. chem. Ges. IX, S. 1266.

[2]) E. Mylius, Reichardt's Arch. f. Pharm. VII, S. 207.

unreinigungen noch jüngst erst sehr eingehend beschäftigt hat, darauf hingewiesen, dass man kaum annehmen könne, dass die erheblichen Mengen von Schwefelkohlenstoff, die er in künstlichem Senföl auffand, demselben absichtlich zugesetzt worden seien. Eine solche Annahme ist für die Senföle, welche Gegenstand der beschriebenen Versuche gewesen sind, ganz und gar ausgeschlossen.

Es braucht schliesslich wohl kaum darauf hingewiesen zu werden, dass man aus dem Auftreten minimaler Mengen von Schwefelkohlenstoff in unzweifelhaft ächtem Senföl aus *sinapis juncea* nicht etwa schliessen darf, dass auch das von dem Handlungshause Schimmel & Co. in Leipzig aus Russland bezogene Product, aus welchem reichliche Mengen von Schwefelkohlenstoff abgeschieden werden konnten, ein unverfälschtes Senföl gewesen sei. Der Verdacht bleibt nach wie vor bestehen, dass der Schwefelkohlenstoff dem Senföl absichtlich beigemischt worden sei, und nur durch den Experimentalbeweis Seitens der russischen Fabrikanten, dass unter den besonderen Umständen, unter denen sie fabriciren, ein so reichliche Mengen Schwefelkohlenstoff haltendes Senföl entstehe, kann dieser Verdacht entkräftet werden.

Die erneute Beschäftigung mit der schönen Schwefelkohlenstoffverbindung des Triäthylphosphins hat mich veranlasst, auch wieder auf das Verhalten des Monoäthylphosphins zum Schwefelkohlenstoff zurückzukommen. Ich habe schon früher erwähnt, dass in diesem Falle nicht eine krystallinische Verbindung, sondern eine Flüssigkeit entsteht[1]). Diese bildet sich aber so langsam und schwierig, dass ich eine Untersuchung derselben bisher nicht habe vornehmen können. Vielleicht lässt sich dieselbe leichter mit Hülfe des Phosphorsulfochlorids gewinnen.

[1]) Hofmann, Monatsberichte 1871, S. 405.

Am 20. Juni starb

Hr. Karl Wilhelm Nitzsch,

ordentliches Mitglied der philosophisch-historischen Klasse.

21. Juni. Sitzung der philosophisch-historischen Klasse.

Hr. Müllenhoff las eine Abhandlung: Über die Scandinavier des Königs Rodwulf.

Hr. Mommsen legte eine kleine in Rom kürzlich gefundene Vasen-Inschrift ältesten Lateins vor.

24. Juni. Gesammtsitzung der Akademie.

Hr. Kiepert legte den im Entwurfe vollendeten westlichen Theil seiner neuen Karte von Kleinasien vor und sprach über die Quellen derselben, namentlich die durch Mittheilungen des Hrn. C. Humann aus Smyrna ihm zugegangenen Bereicherungen des Materials und die sich daraus für die antike Topographie ergebenden Berichtigungen.

Hr. G. Kirchhoff legte einen von Hrn. Wild, Director des physikalischen Central-Observatoriums zu St. Petersburg, herausgegebenen Atlas der Jahres- und der Monats-Isothermen des Russischen Reiches vor. Die Karten umfassen ein weites Gebiet, dessen grösster Theil bisher nur wenig erforscht war, und lassen viele Besonderheiten in der Temperaturvertheilung erkennen, die hier zum ersten Mal deutlich hervortreten; so die Verschiebung, welche der Kältepol im Laufe der Jahreszeiten erfährt, den Einfluss der Binnen-Seen und Binnen-Meere, den der Gebirge, der Hochebenen und Tiefebenen, der Steppen und Wüsten. Das Beobachtungsmaterial, auf dem der Atlas beruht, ist ein sehr umfangreiches; es ist auf 396 russischen und 137 nichtrussischen Stationen gesammelt; auf jeder dieser Stationen wurde die Temperatur täglich mehrere Mal, und auf manchen sogar stündlich Tag und Nacht hindurch beobachtet; für den grösseren Theil der Stationen lagen je mehrere Jahre umfassende Beobachtungen vor, für die russischen im Ganzen 4440 Jahrgänge. Dieses Material ist auf das Sorgfältigste bearbeitet, und die in dem Atlas dargestellten Resultate bieten daher, auch in ihren Einzelnheiten, eine bedeutende Sicherheit.

Am 27. Juni starb

Hr. Wilhelm Borchardt,

ordentliches Mitglied der physikalisch-mathematischen Klasse.

Verzeichniss der im Monat Juni 1880 eingegangenen Schriften.

Leopoldina. Amtliches Organ der K. Leopoldinisch-Carolinischen Deutschen Akademie der Naturforscher. Heft XVI. N. 9—10. Halle a. S. 1880. 4.

Berichte über die Verhandlungen der K. Sächsischen Gesellschaft der Wissenschaften zu Leipzig. Philologisch-historische Classe. 1879. I. II. Leipzig 1880. 8. *Math.-physische Classe.* 1879. Leipzig 1880. 8.

Abhandlungen der historischen Classe der K. Bayerischen Akademie der Wissenschaften. Bd. XV. Abth. 1. München 1880. 4.

Sitzungsberichte der mathematisch-physikalischen Classe der k. b. Akademie der Wissenschaften zu München. 1880. Heft 3. München 1880. 8.

——————— *der philos.-philolog. und histor. Classe der k. b. Akademie der Wissenschaften zu München.* 1880. Heft 1. München 1880. 8.

Berichte der Deutschen Chemischen Gesellschaft. Jahrg. XIII. N. 10. Berlin 1880. 8.

Elektrotechnische Zeitschrift. Herausgegeben vom Elektrotechnischen Verein. Jahrg. I. 1880. Heft 6. Juni. Berlin 1880. 4.

Neues Archiv der Gesellschaft für ältere Deutsche Geschichtskunde. Band 5. Heft 3. Hannover 1880. 8.

Neues Lausitzisches Magazin. Bd. 56. Heft 1. Görlitz 1880. 8.

Verhandlungen der Physikalisch-Medicinischen Gesellschaft in Würzburg. Neue Folge. Bd. XIV. Heft 3. 4. Würzburg 1880. 8.

Jahreshefte des Vereins für vaterländische Naturkunde in Württemberg. Jahrg. 36. Stuttgart 1880. 8.

Zweiter Jahresbericht des Vereins für Erdkunde zu Metz pro 1879. Metz 1880. 8.

Zeitschrift der Savigny-Stiftung für Rechtsgeschichte. Herausgegeben von G. B r u n s. Bd. I. (Bd. XIV *der Zeitschrift für Rechtsgeschichte.*) Weimar 1880. 8. 2 Ex.

Landwirthschaftliche Jahrbücher. Bd. VIII. Suppl. II. (1879.) Bd. IX Heft 2. 3. (1880.) Berlin 1880. 8.

Zeitschrift für das Berg-, Hütten- und Salinen-Wesen im Preuss. Staate. Bd. XXVII. 3. statist. Heft. Berlin 1879. 4.

Annali dell' Instituto di Corrispondenza archeologica. Vol. LI. Roma 1879. 8.

Bullettino dell' Instituto di Corrispondenza archeologica per l'Anno 1879. Roma 1879. 8.

Monumenti dell' Instituto di Corrispondenza archeologica. Vol. X. Tab. XLVIII. i. k. l. m. n. 1878. Vol. XI. Tab. I—IX. X. Xa. XI. XII. 1879. Roma. fol.

Mittheilungen aus der zoologischen Station zu Neapel. Bd. II. Heft 1. Leipzig 1880. 8.

*Robby Kossmann, *Zoologische Ergebnisse einer im Auftrage der Königl. Akademie der Wissenschaften zu Berlin ausgeführten Reise in die Küstengebiete des Rothen Meeres.* Hälfte II. Lief. 1. Leipzig 1880. 4. 2 Ex.

A. Conze, *Hermes-Kadmilos.* Berlin 1880. 4. Sep.-Abdr.

Cinq lettres de Sophie Germain à Charles-Frédéric Gauss, publiées par B. Boncompagni. Berlin 1880. 4.

C. Bruhns, *Neue Bestimmung der Längendifferenz zwischen der Sternwarte in Leipzig und der Neuen Sternwarte auf der Türkenschanze in Wien.* Sep.-Abdr. Leipzig 1880. 8.

C. Struckmann, *Die Wealden-Bildungen der Umgegend von Hannover.* Hannover 1880. 4.

Dr. J. A. Rivoli, *Die Sierra da Estrella. Ergänzungsheft N. 61 zu Petermann's Mittheilungen aus Justus Perthes' geographischer Anstalt.* Gotha 1880. 4.

H. Scheffler, *Die Naturgesetze und ihr Zusammenhang mit den Prinzipien der abstrakten Wissenschaften.* 3. Theil: *Die Theorie der Erkenntniss.* Lief. 6. 7. 8. Leipzig 1880. 8.

M. Grünwald, *Das Unterrichtswesen zur Zeit Karls des Grossen.* Heft 1. Sep.-Abdr. 8.

A. v. Druffel, *Ignatius von Loyola an der Römischen Curie. Festrede.* München 1879. 4. 2 Ex.

63 Dissertationen der K. Universität Strassburg aus den Jahren 1878, 1879 und 1880. 4. & 8.

Sitzungsberichte der math.-naturw. Classe der K. Akademie der Wissenschaften in Wien. Jahrg. 1880. XI. 8.

Bollettino della Società Adriatica di Scienze naturali in Trieste. Vol. V. N. 2. Trieste 1880. 8.

Jahrbücher der K. K. Central-Anstalt für Meteorologie und Erdmagnetismus. Officielle Publication. Jahrg. 1877. Neue Folge. XIV. Bd. Wien 1880. 4.

Mittheilungen der K. K. Central-Commission zur Erforschung und Erhaltung der Kunst- und histor. Denkmale. Neue Folge. Bd. VI. Heft 2. Wien 1880. 4.

Österreichisch-Ungarische Kunst-Chronik. Bd. IV. N. 2. Wien 1880. 4.

Opuscula Graeca. Collecta edidit J. B. Télfy. Budapestini 1880. 8.

Erdélyi Muzeum. Sz. 6. évtolyam VII. 1880. Budapest. 8.

Proceedings of the R. Institution of Great Britain. Vol. IX. P. I. II. N. 70. 71. London 1879. 8.

Monthly Notices of the R. Astronomical Society. Vol. XL. N. 7. May 1880. London. 8.

Proceedings of the London Mathematical Society. N. 159. 160. London 1880. 8.

Proceedings of the R. Geographical Society and Monthly Record of Geography. Vol. II. N. 6. June 1880. London. 8.

Journal of the Chemical Society. N. CCXI. June 1880. London. 8.

Journal of the R. Microscopical Society. Vol. III. N. 3. June 1880. London. 8.

Proceedings of the scientific meeting of the Zoological Society of London for the year 1880. P. I. London 1880. 8.

Catalogue of the Library of the Zoological Society of London. London 1880. 8.

Report of the forty-ninth Meeting of the British Association for the Advancement of Science; held at Sheffield in August 1879. London 1879. 8.

The sacred books of the east translated by various oriental scholars and edited by F. Max Müller. Vol. IV, I. V, I. VII. Oxford 1880. 8.

The Madras University Calendar, 1880 — 81. Madras 1880. 8.

List of Sanskrit Manuscripts discovered in Oudh during the year 1879. Prepared by Pandit Devy Prasáda. Allahabad 1879. 8.

Ràjendralála Mitra, Notices of Sanskrit Mss. for the year 1878. Calcutta 1879. 8.

Aitihásika Rahasya, or Essays on the history, philosophy, arts, and sciences of Ancient India. By Rám Dás Sen ... Part 1. (2. Ausg.) Calcutta sana 1284 (1877). Part 2. Calcutta 1283 (1876). Part 3. Calcutta 1879. (In bengalischer Sprache.) kl. 8.

Hemacandra's *Abhidhânacintâmaṇi (Sanskrit-Wörterbuch), mit kurzem Commentar, hg. von Kâlivaraçarman Vedantavâgîça und Râmadâsa Sena.* Calcutta saṃ 1934 (1877). II. 231 Seiten. 8.

Bibliotheca Indica. Old Series. N. 231. 300. Calcutta 1873. 1875. 8.

Journal and Proceedings of the R. Society of New South Wales 1878. Vol. XII. Sydney 1879. 8.

New South Wales. — Report of the Council of Education upon the Condition of the Public Schools, and of the certified denominational Schools, for the year 1878. Sydney 1879. 8.

Comptes rendus hebdomadaires des Séances de l'Académie des Sciences. T. XC. 1880. Semestre I. N. 20. 21. Paris 1880. 4.

Bulletin de l'Académie de Médecine. Sér. II. T. IX. N. 20. 21. 22. 23. 24. 25. Paris 1880. 8.

Bulletin de la Société mathématique de France. T. VIII. N. 4. Paris 1880. 8.

Nouvelles Archives du Muséum d'histoire naturelle. Sér. II. T. II. Fasc. 2. Paris 1879. 4.

Annales des Ponts et Chaussées. Mémoires et Documents. Série V. Année X. Cahier 5. 6. 1880. Mai, Juni. Paris. 8.

Polybiblion. — Revue bibliographique univ. — Partie litt. Série II. T. XI. Livr. 6. — *Partie techn.* Sér. II. T. VI. Livr. 6. Juni. Paris 1880. 8.

Revue scientifique de la France et de l'étranger. N. 48. 49. 50. 51. 52. Paris 1880. 4.

Bulletin de la Société de Géographie commerciale de Bordeaux. Sér. II. Année III. N. 11. 12. Bordeaux 1880. 8.

Oeuvres complètes de Laplace. Publiées sous les auspices de l'Académie des Sciences, par MM. les Secrétaires perpétuels. T. I. II. III. Paris 1878. 4.

A. Aurès, *Détermination géométrique des mesures de capacité dont les anciens se sont servis en Égypte.* Nîmes 1880. 8.

Vovard, *Du Rhumatisme.* Paris 1879. 8.

L. Delisle, *Mélanges de Paléographie et de Bibliographie. Atlas.* Paris 1880. fol.

Lettre de M. Charles Tissot à M. E. Desjardins, sur la découverte d'un texte épigraphique. Table de Souk El-Khmis (Afrique). Extr. Paris 1880. 8. 4 Ex.

Atti dell' Accademia Pontificia de' Nuovi Lincei. Anno XXXIII. Sessione 1a. del 21 Dec. 1879. Roma 1880. 4.

— — Anno XXIII (1880). Sess. V. Roma. 8.

Atti della R. Accademia dei Lincei. Anno CCLXXVII. 1879—80. Ser. III. Transunti Fasc. 6. Maggio 1880. Vol. IV. Roma 1880. 4.

Atti della Società Toscana di Scienze naturali. — Processi verbali. 19 Maggio 1880. 8.

P. Poggioli, *Lavori in opera di scienze naturali del già Professore Michelangelo Poggioli.* Roma 1880. 8.

Th. de Heldreich, *Catalogus systematicus herbarii Theodori G. Orphanidis.* Fasc. I. *Leguminosae.* Florentiae 1877. 8.

Compte-rendu de la Commission Impériale archéologique pour l'année 1877. Avec un Atlas. St. Pétersbourg 1880. 4. & fol.

Sitzungsberichte der Naturforscher-Gesellschaft bei der Universität Dorpat. Bd. V. Heft 2. 1879. Dorpat 1880. 8.

Archiv für die Naturkunde Liv-, Ehst- und Kurlands. 1. Serie. Bd. VIII. Lief. 4. Dorpat 1879. 8.

Bulletin de la Société Impér. des Naturalistes de Moscou. Année 1879. N. 3. Moscou 1880. 8.

Berichte und gelehrte Denkschriften der K. Universität zu Kasan. Jahrg. 46. 1879. N. 1—6. Kasan 1879. (russ.) 8.

Annales de l'Observatoire de Moscou. Publiées par le Prof. Dr. Th. Bredichin. Vol. VI. Livr. 2. Moscou 1880. 4.

H. Wild, *Die Temperatur-Verhältnisse des Russischen Reiches. Atlas der Jahres- und Monats-Isothermen.* St. Petersburg 1880. fol.

Öfversigt af K. Vetenskaps Akademiens Förhandlingar. 1879. 36. Årg. N. 9. 10. Stockholm 1880. 8.

Bulletin mensuel de l'Observatoire météorologique de l'Université d'Upsal. Vol. XI. Année 1879. *Par H. Hildebrand Hildebrandsson.* Upsal 1879—80. 4.

Mémoires de l'Académie R. de Copenhague. Série V. *Classe des Sciences.* Vol. XI. N. 6. Vol. XII, N. 5. Copenhague 1880. 4.

Oversigt over det K. Danske Videnskabernes Selskabs Forhandlingar og dets Medlemmers Arbyder i Aaret 1879. 1879. N. 3. Kjøbenhavn 1880. 8.

Den Grønlandske Ordbog, omarbeidet af Sam. Kleinschmidt; udgiven ved H. F. Jörgensen. Kjøbenhavn 1871. 8.

Bijdragen tot de Taal-, Land- en Volkenkunde van Nederlandsch-Indie. 4e. Volgreeks. 4e. Deel. Stuk 1. 2. 'S Gravenhage 1880. 8.

Bulletin de l'Académie R. des sciences de Bruxelles. Année 49. Sér. II. T. 49. Bruxelles 1880. 8.

Annales de la Société entomologique de Belgique. T. XXII. Bruxelles 1879. 8.

A. Wasseige, *Fibromyome Kystique volumineux de l'Utérus, grossesse de cinq mois.* Bruxelles 1880. 8. Extr.

M. G. Velge, *Notice explicative servant de Complément à la Carte géologique des Environs de Lennick — St. Quentin.* Bruxelles 1880. 8.

Levé géologique des planchettes XXXI/1 et XXXI/5 de la Carte topographique de la Belgique. Planchette N. 5. 1 Bl. fol.

Mittheilungen der Antiquarischen Gesellschaft (der Gesellschaft für vaterländische Alterthümer) in Zürich. Bd. XX. Abth. I. Heft 3. Abth. II. Heft 2. Zürich 1879. 1880. 4.

Verhandlungen der Schweizerischen Naturforschenden Gesellschaft in Bern den 12., 13. u. 14. August 1878. — 61. Jahresversammlung. — Jahresbericht 1877/78. Bern 1879. 8.

Mittheilungen der Naturforschenden Gesellschaft in Bern aus dem Jahre 1878. N. 937—961. Bern 1879. 8. *Aus dem Jahre 1879.* N. 962—978. Bern 1880. 8.

Verhandlungen der Schweizerischen Naturforschenden Gesellschaft in St. Gallen den 10., 11. u. 12. August 1879. — 62. Jahresversammlung. — Jahresbericht 1878/79. St. Gallen 1879. 8.

62e. Session de la Société Helvétique des Sciences naturelles réunie à Saint-Gall les 10, 11 et 12 Août 1879. 8.

Revista Euskara. Año III. N. 29. Mayo de 1880. N. 27. Junio de 1880. Pamplona 1880. 8.

J. F. J. Biker, *Supplemento á Collecção dos Tratados e Actos publicos celebrados entre a Corôa da Portugal e as Mais Potencias desde 1640.* T. XVII. Lisboa 1880. 8.

Subhi Pascha, *Ḥaḳâik el Kelâm .... (Die Wahrheiten des Wortes über die Geschichte des Islâm)*, *ein Unterrichtsbuch.* Constantinopel, 20. Jumâza 1297 (30. April 1880). (Türkisch.) 8.

A. Postolacca, *Synopsis numorum veterum qui in Museo Numismatico Athenarum publico adservantur.* Athenis 1878. 4.

Ἀναγραφὴ τῶν ἐπὶ τὸ ἀκαδημαϊκὸν ἔτος 1879—80 ἀρχῶν τοῦ ἐθνικοῦ πανεπιστημίου .... καὶ πρόγραμμα τῶν ἐπὶ τὸ χειμερινὸν ἑξάμηνον 1879—80 διδαχθησομένων ἐν αὐτῷ μαθημάτων. Ἐν Ἀθήναις 1879. 8.

Θ. **Ἀφεντούλης**, Κρίσις ἐπὶ τοῦ οἰκονομείου διαγωνίσματος τοῦ κατὰ τὸ 1879. Ἀθήνησι 1879. 8.

The American Journal of Science and Arts. Ser. III. Vol. XIX. N. 114. New Haven 1880. 8.

The Journal of the Cincinnati Society of natural history. Vol. III. N. 1. April 1880. Cincinnati. 8.

The American Journal of Otology. Vol. II. N. II. April 1880. New York. 8.

Report on Standard Time to the American Metrological Society, by Cleveland Abbe. 1879. 8.

F. V. **Hayden**, *11th Report of the U. S. Geological and Geographical Survey of the Territories embracing Idaho and Wyoming.* Washington 1879. 8.

H. **Phillips**, *Some recent discoveries of Stone implements in Africa and Asia.* Extr. Philadelphia 1880. 8.

W. H. **Pickering**, *Photometric Researches.* Cambridge 1880. 8. Extr.

Fr. E. **Nipher**, *Choice and Chance.* Kansas City 1880. 8.

Papers on Time-Reckoning and the selection of a Prime Meridian to be common to all nations. Toronto 1879. 8. Sep.-Abdr.

stellung gegeben ist. Fügt man nun den beiden Galvanometerdrähten solche Widerstände hinzu, dass wiederum die Ablenkung der Nadel verschwindet, so ist auch das Verhältniss der hinzugefügten Widerstände gleich dem Verhältniss der zu vergleichenden.[1])

Will man aus dem Widerstande eines Drahtes — sei dieser nach der einen oder nach der andern der erwähnten Methoden bestimmt — die Leitungsfähigkeit ermitteln und kann man bei der Genauigkeit, die man beabsichtigt, einen Fehler nicht zulassen, der von der Ordnung des Verhältnisses der Dicke des Drahtes zu seiner Länge ist, so darf man da, wo drei Zweige des leitenden Systemes zusammenstossen, die Ströme nicht mehr als lineare ansehn; es muss also eine Anwendung der Theorie der Stromverbreitung in nicht-linearen Leitern stattfinden.

Von dem Widerstande eines nicht-linearen Leiters kann man — strenge genommen — nur unter der Voraussetzung sprechen, dass der Theil seiner Oberfläche, durch den Elektricität strömt, aus zwei Flächen besteht, von denen innerhalb einer jeden das Potential constant ist. Die Differenz der Potentialwerthe in diesen beiden Elektrodenflächen, wie sie genannt werden mögen, dividirt durch die Elektricitätsmenge, die durch die eine oder die andere in der Zeiteinheit fliesst, ist dann eine Constante des Leiters, die eben der Widerstand desselben heisst. Es muss hier ein verwickelterer Fall ins Auge gefasst werden, der Fall, dass statt der zwei Elektrodenflächen deren mehr vorhanden sind, von denen eine jede aber wieder eine Fläche gleichen Potentials sein soll.

Es sei n die Zahl der Elektrodenflächen, es seien $P_1, P_2, \ldots P_n$ die Potentialwerthe in ihnen und $J_1, J_2, \ldots J_n$ die Elektricitätsmengen, die durch sie in der Zeiteinheit in den Leiter hineinfliessen. Sind diese Intensitäten, zwischen denen die Relation

$$J_1 + J_2 + \cdots + J_n = 0$$

bestehen muss, gegeben, so sind die Grössen P bis auf eine additive Constante bestimmt; wird diese c genannt, so ist nämlich

---

[1]) Hr. Tait hat eine ähnliche Methode mit der Thomson'schen verglichen und dieser überlegen gefunden; bei dem von ihm benutzten Differentialgalvanometer war aber, wie es scheint, nicht die Einrichtung getroffen, dass die Windungen verstellt werden konnten, und in Folge hiervon musste er auf wesentliche Vortheile verzichten, die die im Texte empfohlene Methode darbietet. Edinb. Trans. Vol. 28 p. 737. 1877—78.

$$P_1 = c + a_{11}J_1 + a_{12}J_2 + \cdots + a_{1n}J_n$$
$$P_2 = c + a_{21}J_1 + a_{22}J_2 + \cdots + a_{2n}J_n$$
$$\cdots\cdots\cdots\cdots$$
$$P_n = c + a_{n1}J_1 + a_{n2}J_2 + \cdots + a_{nn}J_n\,,$$

wo die Grössen a Constanten des Leiters bezeichnen, Constanten, die, beiläufig bemerkt, aber nicht unabhängig von einander sind, sondern auf $\frac{n(n-1)}{2}$ von einander unabhängige Grössen zurückgeführt werden können.

Nun werde angenommen, dass $n = 4$ ist, dass die Elektrodenflächen 1 und 4 mit den Polen einer Kette, die Elektrodenflächen 2 und 3 mit den Enden eines Drahtes (des einen Drahtes eines Differentialgalvanometers) verbunden seien. Der Widerstand dieses Drahtes sei w. Es ist dann

$$J_3 = -J_2 \quad , \quad J_4 = -J_1\,.$$

Ferner hat man einerseits

$$P_2 - P_3 = wJ_2\,,$$

andererseits

$$P_2 - P_3 = (a_{21} - a_{31} - a_{24} + a_{34})J_1 + (a_{22} - a_{32} - a_{23} + a_{33})J_2\,.$$

Setzt man

$$a_{21} - a_{31} - a_{24} + a_{34} = \varrho$$
$$a_{22} - a_{32} - a_{23} + a_{33} = r\,,$$

so folgt hieraus

$$\varrho J_1 = (w - r)J_2.$$

Die Grösse ϱ lässt sich bezeichnen als der Werth, den $P_2 - P_3$ in dem Falle hat, dass $J_2 = -J_3 = 0$ und $J_1 = -J_4 = 1$ ist. Ist der Leiter ein sehr langer, dünner Draht, und liegen die Flächen 1, 2 ganz nahe an dem einen, die Flächen 3, 4 an dem andern Ende, so ist ϱ der Widerstand des Leiters; bei anderer Gestalt des Leiters wird man ϱ einen Widerstand desselben nennen dürfen.

Man denke sich jetzt neben dem besprochenen Leiter einen zweiten, welcher auch die Eigenschaften besitzt, die jenem beigelegt sind. Den Grössen ϱ und r bei jenem mögen die Grössen P und R bei diesem entsprechen. Die Elektrodenflächen 2 und 3 des zweiten Leiters sollen mit den Enden des zweiten Drahtes des Differentialgalvanometers verbunden sein, dessen erster Draht mit seinen Enden die Elektrodenflächen 2 und 3 des ersten Leiters berührt; die Elektrodenflächen 1 und 4 des zweiten Leiters sollen respektive mit den Elektrodenflächen 4 und 1 des ersten communiciren, die eine durch einen Draht, die zweite durch eine Kette. Es ist dann eine Anordnung hergestellt, wie sie am Anfange dieser Mittheilung beschrieben ist. Bei dieser Anordnung hat J_1 für beide Leiter denselben Werth, und dasselbe gilt auch für J_2, wenn die Nadel des Galvanometers keine Ablenkung zeigt und dieses Instrument die vorausgesetzte Einrichtung besitzt. Ist W der Widerstand des zweiten Galvanometerdrahtes, so hat man daher

$$PJ_1 = (W-R)J_2\,,$$

also

$$P(w-r) = \varrho(W-R)\,.$$

Sind nun w' und W' zwei andere Werthe der Widerstände der beiden Galvanometerdrähte, bei denen die Nadel ebenfalls keine Ablenkung erleidet, so ist ebenso

$$P(w'-r) = \varrho(W'-R)\,;$$

es ist also auch

$$P(w'-w) = \varrho(W'-W)\,.$$

Kann man theoretisch den Widerstand ϱ durch die Leitungsfähigkeit und die Dimensionen des betreffenden Leiters ausdrücken, hat man diese Dimensionen gemessen, kennt man P und das Verhältniss der Widerstände $w'-w$ und $W'-W$, so kann man hiernach jene Leitungsfähigkeit berechnen.

Eine wesentliche Grundlage der angestellten Betrachtungen war die Voraussetzung, dass die Elektrodenflächen Flächen gleichen Potentials sind. Eine Elektrodenfläche, die diese Eigenschaft hat, kann man finden, wenn dem Leiter Elektricität durch eine Fläche zugeführt wird, deren Dimensionen unendlich klein gegen alle Dimensionen des Leiters sind. Wenn man nämlich um einen Punkt dieser Fläche eine Kugel beschreibt mit einem Radius, der unendlich gross gegen ihre Dimensionen, aber unendlich klein gegen die Dimensionen des Leiters ist, so ist der innerhalb des Leiters befindliche Theil dieser Kugel eine Fläche gleichen Potentials, und er ist daher, wenn man ihn zur Begrenzung des Leiters, den man betrachtet, rechnet, eine Elektrodenfläche der vorausgesetzten Art. In anderer Weise kann man eine solche finden, wenn der Leiter, ganz oder zum Theil, aus einem Cylinder von beliebig gestaltetem Querschnitt besteht, dessen Länge die Dimensionen des Querschnitts erheblich übertrifft, und wenn die Elektricität am Ende desselben zuströmt. Ein Querschnitt, der von diesem Ende um ein mässiges Vielfaches der grössten Sehne des Querschnitts absteht, kann dann als eine Fläche gleichen Potentials, und also auch als eine Elektrodenfläche der in Rede stehenden Art angesehen werden, wenn man ihn als zur Grenze des Leiters gehörig betrachtet.

Eine Anordnung, die hiernach benutzt werden kann, wenn die Leitungsfähigkeit eines Stoffes gemessen werden soll, der in Form eines Cylinders von mässiger Länge vorliegt, ist die folgende: Der Strom der Kette wird dem Stabe durch seine Enden zu- und abgeleitet; die Enden des einen Galvanometerdrahtes sind mit Spitzen in leitender Verbindung, die gegen die Mantelfläche desselben in zwei Punkten gedrückt werden, deren Abstände von dem nächsten Ende ein mässiges Vielfaches der grössten Sehne des Querschnitts ausmachen. Als die Elektrodenflächen 1 und 4 können dann zwei Querschnitte des Stabes betrachtet werden, die etwa in den Mitten zwischen einem Ende und der nächsten Spitze sich befinden, als die Elektrodenflächen 2 und 3 zwei Kugelflächenstücke, die mit unendlich kleinen Radien um die beiden Spitzen beschrieben sind. Der Widerstand ρ ist dann gleich dem Abstand der durch die beiden Spitzen gelegten Querschnitte, dividirt durch ihre Fläche und die Leitungsfähigkeit.

Es kann aber wünschenswerth sein die ganze Länge des gegebenen Stabes auszunutzen, um den zu messenden Widerstand so gross als möglich zu machen. Hat der Stab die Gestalt eines rechtwinkligen Parallelepipedums, so empfiehlt sich dann die Anordnung, bei der von den vier Ecken einer langen Seitenfläche zwei, einer langen Kante angehörige, mit der Kette, die beiden andern mit dem Galvanometerdrahte verbunden werden; wobei dann die Elektrodenflächen 1, 2, 3, 4 die Octanten von vier unendlich kleinen Kugelflächen sind, deren Mittelpunkte in den genannten vier Ecken liegen. Die Methode ist in der Ausführung sehr bequem, und sie bietet auch in sofern ein Interesse, als sie eine Anwendung der schönen Theorie der Stromverbreitung in einem rechtwinkligen Parallelepipedum bildet.

Hr. Greenhill[1]) hat bereits für das Potential in einem Punkte eines rechtwinkligen Parallelepipedums, dem durch einen Punkt die Elektricität zuströmt und durch einen zweiten entzogen wird, einen Ausdruck aufgestellt, der hier zu Grunde gelegt werden kann. Ein Eckpunkt des Parallelepipedums sei der Anfangspunkt der Coordinaten, die von ihr ausgehenden Kanten seien die Coordinaten-Achsen, a, b, c die Längen der Kanten, x_1, y_1, z_1 die Coordinaten der positiven, x_4, y_4, z_4 die Coordinaten der negativen Elektrode; ferner sei die Intensität des Stromes $= 1$ und k die Leitungsfähigkeit des Parallelepipedums; das Potential φ in Bezug auf den Punkt (x, y, z) ist dann

$$= \frac{1}{32\,abck}\int_0^\infty dt(F_1 - F_4)\,,$$

wo

$$F_1 = \left(\vartheta_3\left(\frac{x-x_1}{2a}, \frac{i\pi t}{4a^2}\right) + \vartheta_3\left(\frac{x+x_1}{2a}, \frac{i\pi t}{4a^2}\right)\right)$$
$$\times\left(\vartheta_3\left(\frac{y-y_1}{2b}, \frac{i\pi t}{4b^2}\right) + \vartheta_3\left(\frac{y+y_1}{2b}, \frac{i\pi t}{4b^2}\right)\right)$$
$$\times\left(\vartheta_3\left(\frac{z-z_1}{2c}, \frac{i\pi t}{4c^2}\right) + \vartheta_3\left(\frac{z+z_1}{2c}, \frac{i\pi t}{4c^2}\right)\right)$$

ist, F_4 aus F_1 entsteht, wenn der Index 4 an Stelle des Index 1 gesetzt wird, und

$$\vartheta_3(w\,, \tau) = \Sigma e^{\nu(2w+\nu\tau)\pi i}$$

ist, die Summe so genommen, dass für ν alle ganze Zahlen von $-\infty$ bis $+\infty$ gesetzt werden. Bei Benutzung der partiellen Differentialgleichung, der die ϑ-Funktionen genügen, kann man

[1]) Proc. of the Cambr. Phil. Soc. Oct. to Dec. 1879 p. 293.

auf dem von Hrn. Greenhill bezeichneten Wege nachweisen, dass die hierdurch definirte Funktion φ der partiellen Differentialgleichung genügt, der sie genügen soll; man kann weiter zeigen, dass die Grenzbedingungen und die Stetigkeitsbedingungen erfüllt sind, die für φ gelten, und so beweisen, dass das in Rede stehende Potential bis auf eine additive Constante dem aufgestellten Ausdruck gleich sein muss.

Um den Werth von φ zu erhalten, der der oben bezeichneten Anordnung entspricht, setzen wir

$$x_1 = 0 \qquad y_1 = 0 \qquad z_1 = 0$$
$$x_4 = 0 \qquad y_4 = 0 \qquad z_4 = c.$$

Benutzt man, dass

$$\vartheta_3(w \pm \tfrac{1}{2}, \tau) = \Sigma(-1)^\nu e^{\nu(2w+\nu\tau)\pi i} = \vartheta_0(w, \tau),$$

so ergiebt sich dadurch

$$F_1 - F_4$$
$$= 8\vartheta_3\left(\frac{x}{2a}, \frac{i\pi t}{4a^2}\right)\vartheta_3\left(\frac{y}{2b}, \frac{i\pi t}{4b^2}\right)\left(\vartheta_3\left(\frac{z}{2c}, \frac{i\pi t}{4c^2}\right) - \vartheta_0\left(\frac{z}{2c}, \frac{i\pi t}{4c^2}\right)\right)$$

oder, da

$$\vartheta_3(w, \tau) - \vartheta_0(w, \tau) = 2\vartheta_2(2w, 4\tau),$$

$$\varphi = \frac{1}{2abck}\int_0^\infty \vartheta_3\left(\frac{x}{2a}, \frac{i\pi t}{4a^2}\right)\vartheta_3\left(\frac{y}{2b}, \frac{i\pi t}{4b^2}\right)\vartheta_2\left(\frac{z}{c}, \frac{i\pi t}{c^2}\right)dt.$$

Um den durch ϱ bezeichneten Widerstand zu finden, hat man die Differenz der Werthe zu bilden, die dieser Ausdruck annimmt

für $x = a \quad y = 0 \quad z = 0$

und

für $x = a \quad y = 0 \quad z = c,$

vorausgesetzt, dass b die Länge derjenigen Kante ist, die senkrecht auf der Fläche der vier, als Elektroden benützten Ecken steht. Erwägt man, dass

$$\vartheta_2(w+1, \tau) = -\vartheta_2(w, \tau),$$

und schreibt der Kürze wegen

$$\vartheta(\tau) \text{ für } \vartheta(0, \tau) \,,$$

so hat man hiernach

$$\varrho = \frac{1}{abck}\int_0^\infty dt\,\vartheta_0\left(\frac{i\pi t}{4a^2}\right)\vartheta_3\left(\frac{i\pi t}{4b^2}\right)\vartheta_2\left(\frac{i\pi t}{c^2}\right).$$

Die numerische Berechnung dieses Integrals wird verhältnissmässig leicht, wenn man dasselbe durch Einschiebung einer passenden Zwischengrenze in zwei theilt und an geeigneten Orten statt der ϑ-Funktionen mit dem Modus τ die ϑ-Funktionen mit dem Modul $-\frac{1}{\tau}$ einführt. Da

$$\vartheta_0\left(\frac{i\pi t}{4a^2}\right) = \frac{2a}{\sqrt{\pi}}\frac{1}{\sqrt{t}}\vartheta_2\left(\frac{4a^2 i}{\pi t}\right)$$

$$\vartheta_3\left(\frac{i\pi t}{4b^2}\right) = \frac{2b}{\sqrt{\pi}}\frac{1}{\sqrt{t}}\vartheta_3\left(\frac{4b^2 i}{4t}\right)$$

$$\vartheta_2\left(\frac{i\pi t}{c^2}\right) = \frac{c}{\sqrt{\pi}}\frac{1}{\sqrt{t}}\vartheta_0\left(\frac{c^2 i}{\pi t}\right)$$

ist, so kann man setzen

$$\varrho = \frac{4}{k\pi^{\frac{3}{2}}}\int_0^\lambda \frac{dt}{t^{\frac{3}{2}}}\,\vartheta_2\left(\frac{4a^2 i}{\pi t}\right)\vartheta_3\left(\frac{4b^2 i}{\pi t}\right)\vartheta_0\left(\frac{c^2 i}{\pi t}\right)$$

$$+ \frac{1}{abk\sqrt{\pi}}\int_\lambda^\infty \frac{dt}{\sqrt{t}}\,\vartheta_0\left(\frac{i\pi t}{4a^2}\right)\vartheta_3\left(\frac{i\pi t}{4b^2}\right)\vartheta_0\left(\frac{c^2 i}{\pi t}\right),$$

wo λ eine positive Grösse ist, über die nach Willkür verfügt werden kann. Der erste dieser beiden Theile von ϱ kann geschrieben werden

$$\frac{8}{k\pi^{\frac{3}{2}}}\int_{\frac{1}{\sqrt{\lambda}}}^\infty dt\,\vartheta_2\left(\frac{4a^2t^2 i}{\pi}\right)\vartheta_3\left(\frac{4b^2t^2 i}{\pi}\right)\vartheta_0\left(\frac{c^2t^2 i}{\pi}\right),$$

oder, da

$$\vartheta_3(\tau) = \Sigma e^{\nu^2 \tau \pi i},$$

$$\vartheta_2(\tau) = \Sigma e^{(\nu+\frac{1}{2})^2 \tau \pi i},$$

$$\vartheta_0(\tau) = \Sigma (-1)^\nu e^{\nu^2 \tau \pi i},$$

$$\frac{8}{k\pi^{\frac{3}{2}}} \Sigma (-1)^n \int_{\frac{1}{\sqrt{\lambda}}}^{\infty} dt e^{-((2l+1)^2 a^2 + 4m^2 b^2 + n^2 c^2) t^2},$$

wo die Summe so zu nehmen ist, dass für jedes der Zeichen l, m, n alle ganzen Zahlen von $-\infty$ bis $+\infty$ zu setzen sind. Nun setze man

$$\int_x^{\infty} dt e^{-t^2} = U(x),$$

also, wenn α eine positive Grösse bezeichnet,

$$\int_x^{\infty} dt e^{-\alpha^2 t^2} = \frac{1}{\alpha} U(\alpha x);$$

für diese Funktion $U(x)$ und für das Intervall von $x = 0$ bis $x = 3$ ist bekanntlich von **Kramp** eine Tafel berechnet; für grössere Werthe des Arguments findet man ihre Werthe mit Hülfe der semiconvergenten Reihe

$$U(x) = \frac{e^{-x^2}}{2} \left(\frac{1}{x} - \frac{1}{2} \frac{1}{x^3} + \frac{1}{2} \cdot \frac{3}{2} \frac{1}{x^5} - \cdots \right).$$

Setzt man noch zur weiteren Abkürzung

$$\frac{1}{x} U(x) = f(x),$$

so wird der erste Theil von ϱ

$$\frac{8}{k\pi^{\frac{3}{2}}} \frac{1}{\sqrt{\lambda}} \Sigma (-1)^n f\left(\sqrt{\frac{(2l+1)^2 a^2 + 4m^2 b^2 + n^2 c^2}{\lambda}} \right).$$

Was den zweiten anbetrifft, so lässt sich derselbe schreiben

$$\frac{2}{abk\sqrt{\pi}} \int_{\sqrt{\lambda}}^{\infty} dt \vartheta_0\left(\frac{i\pi t^2}{4a^2}\right) \vartheta_3\left(\frac{i\pi t^2}{4b^2}\right) \vartheta_0\left(\frac{c^2 i}{\pi t^2}\right),$$

oder

$$\frac{2}{abk\sqrt{\pi}}\Sigma(-1)^l\int_{\sqrt{\lambda}}^{\infty}dt\,e^{-\left(\frac{l^2}{a^2}+\frac{m^2}{b^2}\right)\frac{\pi^2}{4}t^2}\vartheta_0\left(\frac{c^2 i}{\pi t^2}\right),$$

wo die Summe in Bezug auf l und m so zu nehmen ist, dass für diese Zeichen alle Zahlen von $-\infty$ bis $+\infty$ gesetzt werden. Um das Glied dieser Summe, welches bestimmten Werthen von l und m entspricht, zu berechnen, mache man

$$\left(\frac{l^2}{a^2}+\frac{m^2}{b^2}\right)\frac{\pi^2}{4}=\beta^2$$

mit der Festsetzung, dass β positiv ist; das Glied wird dann

$$\frac{2}{abk\sqrt{\pi}}(-1)^l\Sigma(-1)^n\int_{\sqrt{\lambda}}^{\infty}dt\,e^{-\beta^2t^2-\frac{n^2c^2}{t^2}},$$

wo bei der Summation für n alle Zahlen von $-\infty$ bis $+\infty$ zu setzen sind, oder

$$\frac{1}{abk\sqrt{\pi}}\frac{(-1)^l}{\beta}\Sigma(-1)^n\left\{e^{2n\beta c}U\left(\beta\sqrt{\lambda}+\frac{nc}{\sqrt{\lambda}}\right)+e^{-2n\beta c}U\left(\beta\sqrt{\lambda}-\frac{nc}{\sqrt{\lambda}}\right)\right\}.$$

Für den Fall, dass $\beta=0$ ist, dass also gleichzeitig l und $m=0$ sind, gilt dieses Resultat nicht; das diesen Werthen von l und m entsprechende Glied ist

$$\frac{2}{abk\sqrt{\pi}}\int_{\sqrt{\lambda}}^{\infty}dt\,\vartheta_0\left(\frac{c^2 i}{\pi t^2}\right)$$

oder

$$\frac{2}{abk\sqrt{\pi}}\int_{\sqrt{\lambda}}^{\infty}dt\,\Sigma(-1)^n e^{-\frac{n^2c^2}{t^2}}.$$

Da

$$\int dt\,e^{-\frac{\gamma^2}{t^2}}=t\,e^{-\frac{\gamma^2}{t^2}}-2\gamma U\left(\frac{\gamma}{t}\right)+\text{const.},$$

so ist dieser Ausdruck

$$= C + \frac{2}{abk\sqrt{\pi}} \Sigma (-1)^n \left(2ncU\left(\frac{nc}{\sqrt{\lambda}}\right) - \sqrt{\lambda} e^{-\frac{n^2c^2}{\lambda}} \right),$$

wo C eine von λ unabhängige Grösse bedeutet und wo für n stets sein absoluter Werth gesetzt werden möge. Den Werth von C lernt man kennen, wenn man dasselbe Glied berechnet, nachdem man

$$\vartheta_0\left(\frac{c^2 i}{\pi t^2}\right) \quad \text{durch} \quad \frac{\sqrt{\pi}}{c} t \vartheta_2\left(\frac{i\pi t^2}{c^2}\right)$$

ersetzt hat; es wird dadurch

$$\frac{1}{abck}\int_{\lambda}^{\infty} dt \vartheta_2\left(\frac{i\pi t}{c^2}\right)$$

oder

$$\frac{c}{abk}\frac{4}{\pi^2}\sum \frac{1}{(2\nu+1)^2} e^{-(2\nu+1)^2\frac{\pi^2\lambda}{4c^2}}.$$

Indem man $\lambda = 0$ setzt und berücksichtigt, dass

$$\sum \frac{1}{(2\nu+1)^2} = \frac{\pi^2}{4}$$

ist, ergiebt sich

$$C = \frac{c}{abk}.$$

Für den Versuch von hervorragendem Interesse ist der Fall, dass c als unendlich gross, a, b und λ als endlich anzusehen sind; in diesem Falle verschwinden von den Gliedern, deren Summe den Werth von ρ bildet, alle, in denen n einen von Null verschiedenen Werth hat, und es wird

$$\rho = \frac{c}{abk} - \frac{2\sqrt{\lambda}}{abk\sqrt{\pi}} + \frac{2\sqrt{\lambda}}{abk\sqrt{\pi}} \Sigma (-1)^l f\left(\frac{\pi}{2}\sqrt{\lambda}\sqrt{\frac{l^2}{a^2}+\frac{m^2}{b^2}}\right)$$

$$+ \frac{8}{k\pi^{\frac{3}{2}}\sqrt{\lambda}} \sum f\left(\sqrt{\frac{(2l+1)^2a^2+4m^2b^2}{\lambda}}\right),$$

wo die Summe so zu nehmen ist, dass für l und m alle ganzen Zahlen von $-\infty$ bis $+\infty$ gesetzt werden.

Macht man

$$\lambda = \frac{2ab}{\pi},$$

so folgt hieraus

$$abk.\rho = c - \frac{\sqrt{8ab}}{\pi}\left\{1 - \Sigma(-1)^l f\left(\sqrt{\frac{\pi}{2}}\sqrt{l^2\frac{b}{a}+m^2\frac{a}{b}}\right)\right.$$

$$\left. - 2\Sigma f\left(\sqrt{\frac{\pi}{2}}\sqrt{(2l+1)^2\frac{b}{a}+4m^2\frac{a}{b}}\right)\right\}$$

oder

$$abk.\rho = c - \frac{8\sqrt{2ab}}{\pi}\left\{\frac{1}{4} - \sum_0^\infty\sum_0^\infty \varepsilon f\left(\sqrt{\frac{\pi}{2}}\sqrt{l^2\frac{b}{a}+m^2\frac{a}{b}}\right)\right\},$$

wo

$\varepsilon = 0$, wenn $l = 0$ und $m = 0$,

$\varepsilon = \frac{1}{2}$, wenn $l = 0$ oder $m = 0$,

$\varepsilon = -1$, wenn l und m ungerade,

$\varepsilon = +1$ in allen andern Fällen.

Ist

$$b = a,$$

so ergiebt sich hieraus

$$a^2k.\rho = c - a.0{,}7272.$$

Bei der Ableitung dieses Resultats reicht es aus 4 Glieder der Doppelsumme zu berechnen.

Die Ableitung des für ρ angegebenen Ausdrucks beruhte auf der Voraussetzung, dass die Verhältnisse $\frac{c}{a}$ und $\frac{c}{b}$ als unendlich gross angesehen werden können; thatsächlich reichen aber sehr mässige Werthe dieser Verhältnisse aus, um jenen Ausdruck sehr nahe richtig zu machen. Er ist das selbst in dem Falle schon, dass

$$a = b = \frac{c}{2}$$

ist. In diesem Falle lässt sich der Werth von ρ besonders leicht ermitteln. Nach einer der aufgestellten Gleichungen ist dann

$$\rho = \frac{1}{a^3k}\int_0^\infty dt\,\vartheta_0\vartheta_3\vartheta_2,$$

wo der Modul τ für alle 3 ϑ-Funktionen derselbe, nämlich $\frac{i\pi t}{4a^2}$ ist. Nun hat man bekanntlich

$$\vartheta_0\vartheta_3\vartheta_2 = \frac{1}{\pi}\vartheta_1' = \Sigma(-1)^\nu(2\nu+1)e^{-\frac{(2\nu+1)^2\pi^2 t}{16a^2}},$$

und hieraus folgt

$$\begin{aligned}\rho &= \frac{8}{ak\pi^2}\Sigma(-1)^\nu\frac{1}{2\nu+1} \\ &= \frac{16}{ak\pi^2}(1-\tfrac{1}{3}+\tfrac{1}{5}-\cdots) \\ &= \frac{4}{ak\pi}\text{ d. h. } = \frac{1}{ak}\cdot 1{,}2732\,.\end{aligned}$$

Berechnet man aber für diesen Fall ρ aus der vorher abgeleiteten Formel, so findet man es wenig verschieden hiervon, nämlich

$$= \frac{1}{ak}\cdot 1{,}2728\,.$$

Hr. Zeller legte den IV. Band der von Hrn. Professor Gerhardt in Eisleben herausgegebenen philosophischen Schriften von Leibniz vor.

In diesem Bande hat der Herausgeber einen Theil der philosophischen Schriften Leibnizens in drei Abtheilungen zu gliedern versucht. Die erste Abtheilung enthält die frühesten Schriften aus den Jahren 1663 bis 1671. In ihnen finden sich die Anfänge und ersten Ideen, die Leibniz sein ganzes Leben hindurch verfolgt hat. Es sind darin auch die ersten Schriften dynamischen Inhalts aufgenommen, da Leibnizens Metaphysik wesentlich in seiner Dynamik wurzelt. In der zweiten Abtheilung sind die Schriften zusammengestellt, die Leibniz besonders gegen Descartes und den Cartesianismus verfasst hat. Auch hier zeigt sich, dass die Angriffe Leibnizens gegen Descartes namentlich von den von dem letztern falsch aufgestellten Bewegungsgesetzen ausgehen. Die dritte Abtheilung vereinigt die philosophischen Abhandlungen aus den Jahren 1684 bis 1703, welche sich um die prästabilirte Harmonie gruppiren. Die jeder Abtheilung vorausgeschickten Einleitungen enthalten nähere Nachweisungen, dass der Herausgeber mit dem bisher Gedruckten das in der Königlichen Bibliothek zu Hannover vorhandene handschriftliche Material vereinigt hat, um ein vollständiges Bild über die betreffenden philosophischen Arbeiten Leibnizens vorzuführen.

5. Juli. Sitzung der physikalisch-mathematischen Klasse.

Hr. Beyrich las über die Gastropoden aus deutschen Tertiärbildungen in der Petrefactenkunde Schlotheim's.

Hr. W. Peters machte eine Mittheilung über den von der Humboldtstiftung ausgesandten Hrn. Dr. O. Finsch.

Von demselben sind zugleich zwei Schreiben. von dem 18ten Januar und dem 31sten März d. Js. aus Jaluit (Marschallsinseln) eingelaufen. Dem ersten zufolge hatte er einen Ausflug nach den Gilbertsinseln (Kingsmill) gemacht. Die Reise wurde auf einem Segelschiff unternommen, welches Eingeborne holte, also eine Art Sklavenschiff war. Sie wurde durch Winde und Strömungen sehr aufgehalten, so dass er von 42 Tagen nur 6 am Lande zubrachte. aber dennoch eine ziemlich reiche Sammlung von Säugethieren. Vögeln, Insecten, Mollusken, Echinodermen und Corallen so wie ein kleines Herbarium erlangte. Hiernach stimmen die Fauna und Flora der Gilbertsinseln im Ganzen mit denen der Marschallsinseln überein. Auch brachte er auf den Gilbertsinseln gegen 300 ethnographische Gegenstände zusammen.

Er ging dann nach den Carolinen, von denen er Kuschai (Ualan) und Ponapé (Ascension) besuchte und von wo er am 30sten März zurückkehrte. Er hatte 16 bis 17 der von Ponapé bekannten 22 Vogelarten, von Kuschai ebenfalls eine Menge Arten, darunter eine neue Taube erhalten. Sie sind, ungeachtet der üppigsten Vegetation viel ärmer an Insecten und Reptilien als die Coralleninseln. Auf den glatten Basaltblöcken von Ponapé hatte er sich durch einen Fall am Knie und Knöchel verletzt, so dass er noch nicht wieder ganz hergestellt war. Er beabsichtigte nun, nach Neu-Britannien und Neu-Irland zu gehen.

Hr. Hofmann machte folgende Mittheilung:

Umwandlungen des Schwefelcyanmethyls unter dem Einflusse erhöhter Temperatur.

Schon ist mehr als ein halbes Jahrhundert dahingeeilt, seit durch Wöhler's denkwürdige Überführung des Ammoniumcyanats in Harnstoff die Schranke zwischen der anorganischen und organischen Chemie gefallen ist, und noch sind die Versuche, auf welche diese Überführung naturgemäss hindeutet, weit davon entfernt, alle angestellt zu sein. Über einen solchen Versuch, der in der That so nahe liegt, dass ich lange zweifelhaft war, ob er nicht schon ausgeführt sei, will ich im Folgenden berichten.

Wenn man an die häufige Condensation der Isocyansäureäther zu Isocyanursäureäthern denkt, wie sie von Wurtz beobachtet worden ist, an den ähnlichen Übergang der Cyansäureäther in die entsprechenden Cyanursäureverbindungen und die Umwandlung dieser letzteren in die isomeren Isoverbindungen — sie erfolgt in der Methylreihe schon beim gelinden Erwärmen über den Schmelzpunkt[1]) —, wenn man sich endlich daran erinnert, dass die Processe, in denen man die Bildung von Allylsulfocyanat erwarten sollte, stets fast nur Allylsenföl liefern und dass das von Billeter[2]) auf Umwegen dargestellte Sulfocyanat schon bei der Destillation fast vollständig in Senföl übergeht, so erscheint es fast befremdlich, dass die Einwirkung der Wärme auf die gewöhnlichen Sulfocyansäureäther, welche sich durch die Leichtigkeit ihrer Darstellung auszeichnen, noch nicht studirt worden ist.

Meine bisherigen Versuche betreffen ausschliesslich das Methylsulfocyanat, welches sich durch Destillation äquivalenter Mengen von Kaliumsulfocyanat und methylschwefelsaurem Kalium schnell und in reichlicher Menge darstellen lässt. Es werden zum wenigsten 70 pCt. der theoretischen Ausbeute erhalten.

Methylsulfocyanat kann in geschlossenem Rohr geraume Zeit auf 100° erhitzt werden, ohne die geringste Veränderung zu erleiden. Eine solche erfolgt auch nicht bei erheblich gesteigerter

[1]) Hofmann und Olshausen, Monatsberichte 1870, S. 198.

[2]) Billeter, Ber. chem. Ges. VIII, 436.

Temperatur, selbst nicht bei 150—160°. Erhitzt man aber auf 180—185°, so lässt sich eine Veränderung schon nach wenigen Stunden erkennen; die ursprünglich farblose Flüssigkeit hat eine gelbe Färbung angenommen und beginnt bereits, obwohl nur spärlich, Krystalle abzusetzen.

Hat die Digestion bei der angegebenen Temperatur 5 bis 6 Stunden angedauert, so ist die Flüssigkeit tiefbraun geworden, und dem Ansehen nach wenigstens zur Hälfte, in eine braune Krystallmasse verwandelt. Geht man nur wenig über die genannte Temperatur hinaus, so enthalten die Röhren nach dem Erkalten keine Flüssigkeit mehr, sondern sind mit einer braunen, scheinbar amorphen Masse angefüllt. Man ist also, um die gedachten Krystalle zu gewinnen, auf ein verhältnissmässig beschränktes Temperaturintervall angewiesen. Innerhalb desselben aber erfolgt die Bildung der Krystalle in erwünschter Regelmässigkeit.

Die bei 180° digerirten Röhren enthalten kein gespanntes Gas. Giesst man die Flüssigkeit von den Krystallen ab, so erkennt man alsbald an dem charakteristischen, heftigen Geruch derselben und an der thränenreizenden Wirkung ihres Dampfes, dass sich ein Theil des Methylsulfocyanats in Methylsenföl umgewandelt hat:

$$H_3C - S - C \equiv N = H_3C - N = C = S.$$

Wird die braune Flüssigkeit der Destillation unterworfen, so geht ein farbloses Destillat über, während in der Retorte ein braunes Liquidum zurückbleibt, welches beim Erkalten krystallinisch erstarrt. Die Bildung von Methylsenföl wird auch alsbald durch die Erniedrigung des Siedepunktes angedeutet. Die vor dem Erhitzen constant bei 132° siedende Flüssigkeit fängt jetzt schon bei 118° an zu sieden und die grösste Menge ist übergegangen, ehe der Siedepunkt auf 125° gestiegen ist.

Es ist nicht ganz leicht aus der niedrig siedenden Fraction das Senföl im absolut reinen Zustande abzuscheiden, da ihm eine kleine Menge einer bei nahezu derselben Temperatur siedenden Flüssigkeit, wahrscheinlich Methyldisulfid $(CH_3)_2S_2$, beigemischt ist, ganz abgesehen davon, dass etwas Methylsulfocyanat unverwandelt geblieben ist. Man kann die Flüssigkeit in einem geeigneten Apparat, der von einer Kältemischung umgeben ist, erstarren lassen und ohne sie aus der Kältemischung herauszunehmen, mit der Pumpe absaugen. Vortrefflich eignet sich für diesen Zweck ein Apparat zur Darstellung reinen Benzols durch Gefrieren, welchen ich vor einigen Jahren beschrieben habe[1]). Ich habe denselben zu dem Ende in kleinerem Maafsstabe herstellen lassen. Verflüssigt sich der weisse Krystallkuchen noch wieder bei gewöhnlicher Temperatur, so muss die Operation wiederholt werden. Das so erhaltene Senföl stimmt in allen seinen Eigenschaften mit dem nach dem früher von mir angegebenen Verfahren[2]) gewonnenen überein. Zweckmässiger benutzt man das noch verunreinigte Senföl zur Darstellung des Methylsulfoharnstoffs. Übergiesst man das rohe Öl mit starker wässeriger Ammoniakflüssigkeit, so erhitzt sich die Mischung zumal beim Schütteln bis nahe zum Siedepunkt. Nach dem Erkalten hat sich auf dem Boden des Gefässes eine Ölschicht angesammelt, welche von dem Ammoniak nicht weiter angegriffen wird. Sie bleibt zurück, wenn man die Flüssigkeit auf ein benetztes Filter wirft, und hat nunmehr den Geruch nach Senföl vollständig verloren. Wird das Filtrat auf dem Wasserbade verdampft, bis kein Wasser und kein Ammoniak mehr weggeht, so erstarrt es beim Erkalten zu einer in grossen prachtvollen Krystallen anschiessenden Masse von Monomethylsulfoharnstoff vom constant bleibenden Schmelzpunkt 120°. Dies ist genau der Schmelzpunkt des aus reinem Senföl dargestellten Monomethylharnstoffs.

Viel leichter gelingt es, die braunen Krystalle zu reinigen, von denen die senfölhaltige Flüssigkeit abgegossen wurde. Sie werden auf Papier geworfen und nach dem Trocknen mit Alkohol ausgekocht, welcher sie nur spurenweise löst, aber einen Theil des Farbstoffs, obwohl nicht allen, wegnimmt. Der neue Körper löst sich weder in verdünnten Säuren noch Alkalien, wohl aber in heissem Eisessig. Aus dieser Lösung scheiden sich beim Erkalten ziemlich gut ausgebildete Krystalle ab, welche aber immer noch röthlichbraun gefärbt sind. Ganz farblose Krystalle können durch Sublimation erhalten werden, nicht aber ohne dass hierbei eine kleine Menge des Körpers verkohlt. Diese Krystalle zeigen den Schmelzpunkt 188°, welcher sich auch durch wiederholtes Umkrystallisiren nicht weiter ändert. Die Analyse der bei 100° getrockneten Substanz führte zu der Formel des Schwefelcyanmethyls:

---

[1]) Hofmann, Ber. chem. Ges. IV, 132.

[2]) Hofmann, Monatsberichte 1868, S. 481.

C_2H_3NS.

	Theorie		Versuch		
C_2	24	32.88	32.44	—	
H_3	3	4.11	4.23	—	
N	14	19.18	—	19.23	—
S	32	43.83		—	43.53
	73	100.00.			

Die Schwefelbestimmung in diesem Körper bietet einige Schwierigkeit. Selbst nach längerem Erhitzen mit concentrirter Salpetersäure im geschlossenen Rohr ist nur ein kleiner Theil seines Schwefelgehaltes in Schwefelsäure übergegangen. Es bildet sich eine Sulfosäure, wahrscheinlich Methylsulfosäure (methylschwefelige Säure), wie sie ja auch bekanntlich bei der Einwirkung der Salpetersäure auf Methylsulfocyanat entsteht. Die Schwefelbestimmung gelingt aber leicht, wenn man einen analogen Weg einschlägt, wie ich ihn bei der Phosphorbestimmung in den Phosphinen betreten habe[1]). Man löst in Salpetersäure, verdampft einen Theil derselben und übersättigt den Rest mit Natriumcarbonat, verdampft die Lösung in einer Platinschale zur Trockene und erhitzt zum Schmelzen. Die Lösung der Schmelze enthält den ganzen Schwefelgehalt in der Form von Schwefelsäure.

Es braucht kaum darauf hingewiesen zu werden, dass die oben gegebene Formel nicht Ausdruck für die Moleculargrösse des Körpers ist. Schmelzpunkt und Siedepunkt — letzterer liegt so hoch, dass er bisher noch gar nicht genau bestimmt worden ist — weisen unzweideutig auf eine Polymerisation hin, und wenn man die Erfahrungen in der Sauerstoffreihe in Betracht nimmt, so wird man wohl nicht weit von der Wahrheit entfernt sein, wenn man die Formel

$$3C_2H_3NS = C_6H_9N_3S_3$$

gelten lässt, und es wirft sich nunmehr nur noch die Frage auf, ob die Krystalle das einfach polymerisirte Sulfocyanmethyl seien, oder aber, ob sich nicht diese in erster Linie gebildete Verbindung alsbald in den entsprechenden Isokörper verwandelt habe.

[1]) Hofmann, Monatsberichte 1872, S. 96.

In Formeln ausgedrückt, war es der Körper

```
              SCH3                                          NCH3
               \                                             \\
                C                                             C
              // \                                           / \
             N    N                 oder                    S   S
             |    ||                                        |   |
 H3C--S--C    C--S--CH3                          H3C--N==C   C==N--CH3,
             \\  /                                          \ /
               N                                             S
```

welcher vorlag?

Für letztere Annahme schien in der That der schon angezogene leichte Übergang bei den correspondirenden Sauerstoffverbindungen zu sprechen.

Der Versuch hat aber in unzweideutiger Weise zu erkennen gegeben, dass hier eine einfache Polymerisation stattgefunden hat.

Bei der Einwirkung des Wassers (der Salzsäure) bei hoher Temperatur musste aus der ersten Verbindung Methylmercaptan und Cyanursäure, aus der zweiten Schwefelwasserstoff, Kohlensäure und Methylamin entstehen. Der Versuch hat gezeigt, dass die Reaction in dem zuerst angedeuteten Sinne verläuft.

Der neue Sulfocyanursäure-Methyläther zeigt ein in mehr als einer Beziehung bemerkenswerthes Verhalten. Namentlich ist die Einwirkung von Ammoniak nicht ohne Interesse. Mit alkoholischem Ammoniak mehrere Stunden auf 150° erhitzt, geht der Äther in eine in schönen, wohlausgebildeten Krystallen anschiessende Base über, welche mit den Säuren gute Salze bildet, und namentlich ein besonders gut krystallisirendes Platinsalz liefert.

Die Theorie lässt keinen Zweifel über die Körper, welche in dieser Reaction entstehen können, es empfiehlt sich aber, die Andeutungen der Theorie zunächst im Versuche zu prüfen.

Ich beabsichtige diese Untersuchung, bei welcher ich von Hrn. Dr. C. Schotten mit bekannter Geschicklichkeit unterstützt werde, weiter fortzusetzen.

8. Juli. Öffentliche Sitzung zur Feier des Leibnizischen Jahrestages.

Der an diesem Tage vorsitzende Secretar Hr. du Bois-Reymond eröffnete die Sitzung mit einer Festrede, welche nachträglich erscheinen wird.

Hierauf hielten die seit der letzten Leibniz-Sitzung in die Akademie eingetretenen Mitglieder ihre Antrittsreden.

Hr. Schwendener sprach:

Indem ich der akademischen Sitte gemäss einen Rückblick auf meinen eigenen Entwickelungsgang werfe, um damit die Richtung zu motiviren, in welcher ich künftig auf dem Gebiete der botanischen Forschung mich vorzugsweise zu betheiligen gedenke, darf ich wohl zunächst an den Umschwung erinnern, den die Botanik in den vierziger Jahren durch die Anregung Schleiden's und die grundlegenden Arbeiten Nägeli's erfahren hat. War es bis dahin die fertige Architektur der Gewächse, welche die Mikroskopiker hauptsächlich beschäftigt hatte, so trat jetzt die Entwickelungsgeschichte, insbesondere das Studium der Vorgänge beim Aufbau der Gewebe und Organe in den Vordergrund. Diese neuere Richtung hatte bereits festen Boden gewonnen, als es mir vergönnt war, dieselbe unter Nägeli's eigener Leitung näher kennen zu lernen. Für die speciellen Untersuchungen, denen ich mich in der Folge zuwandte, war unter diesen Umständen das Ziel vorgezeichnet: es lag in der Anwendung der neuen Methode auf eine beliebige, bis dahin in dieser Richtung noch nicht untersuchte Pflanzengruppe. Ich wählte die Flechten oder Lichenen, deren Wachsthumsgeschichte ich eine Reihe von Jahren meine Zeit und meine Kräfte widmete. Inzwischen hatte ich Gelegenheit, mich in der Schule Nägeli's auch in anderen Gebieten der mikroskopischen Forschung umzusehen und später als dessen Mitarbeiter die physikalischen Untersuchungen durchzuführen, welche in dem gemeinsam herausgegebenen Werke „Das Mikroskop" niedergelegt sind. Meine Vorliebe für exactwissenschaftliche Arbeiten wurde dadurch nur bestärkt; die bloss beschreibende Anatomie und Entwickelungsgeschichte vermochte mich nicht mehr zu befriedigen. Es war mir Bedürfniss geworden, eine Vertiefung des mikroskopischen Studiums dadurch anzustreben, dass ich es versuchte, für die anatomischen Thatsachen, welche den Bau und die Anordnung bestimmter Gewebe betreffen, das sie beherrschende Princip aufzufinden. Ich glaube auf diesem Wege eines der ausgeprägtesten anatomischen Systeme, dasjenige nämlich, welches die Festigkeit der pflanzlichen Organe bedingt, als eine nach den Grundsätzen der Mechanik ausgeführte und den äusseren Lebensbedingungen angepasste Construction dargestellt und damit nach Bau und Function richtig erkannt zu haben. Es ist dies allerdings nur ein kleiner Schritt nach einem entfernten Ziel; was mir vorschwebt, ist eine in analoger Weise durchgeführte anatomisch-physiologische Betrachtung der sämmtlichen Gewebe-Systeme, mit Einschluss der localen Apparate zu bestimmten Zwecken, in gewissem Sinne also eine Physiologie der Gewebe, welche das zwar stattliche und durch ernste Arbeit zu Stande gebrachte, aber an sich doch todte Lehrgebäude der Anatomie durch die Klarlegung der Beziehungen zwischen Bau und Function zu ergänzen und neu zu beleben, in manchen Einzelheiten wohl auch naturgemässer zu gliedern hätte.

Ich verkenne indessen nicht, dass mit der Einsicht in die Zweckdienlichkeit gegebener Einrichtungen, obschon sie unbedingt höher steht als die blosse Kenntniss unverstandener Thatsachen, doch lange nicht die letzte Stufe naturwissenschaftlichen Erkennens erreicht ist. Was wir anstreben, ist ja nicht bloss eine orientirende Beleuchtung der Lebenserscheinungen, sondern eine Erklärung derselben durch Zurückführung auf einfachere, wo möglich bis zum Anschluss an die bekannten Vorgänge in der unorganischen Natur; es ist mit anderen Worten die Aufdeckung des Causalnexus, einerseits für die Gestaltungsvorgänge bei der Organbildung selbst, andererseits für die damit zusammenhängende Function der Organe und ihrer Theile. Aber während die letztere Kategorie von Erscheinungen schon seit langer Zeit Gegenstand physiologischer Forschung war, pflegte man Form- und Stellungsverhältnisse als morphologisch gegebene, d. h. nicht weiter erklärbare Dinge zu betrachten. Wenn man trotzdem in der einschlägigen Literatur häufig genug von „Erklärungen" sprach, so meinte man im Grunde etwas ganz Anderes, nämlich blosse Deutungen auf der Basis eines eingebildeten Grundplans, wobei die Causalität keine Rolle spielte.

Unter solchen Verhältnissen schien es mir angezeigt, auch auf diesem Gebiete nach geeigneten Punkten zu suchen, von wo aus die Anwendung exactwissenschaftlicher Methoden möglich schien, um die Verkettung von Ursachen und Wirkungen im Verlaufe bestimmter Gestaltungsvorgänge darzulegen. Den ersten Versuch in dieser Richtung bildet meine mechanische Theorie der Blattstellungen, an welchen die kleineren Mittheilungen, die ich der Akademie vorzulegen die Ehre hatte, sich anschliessen. Ich verhehle mir keineswegs, dass eine ähnliche Behandlung morphologischer Fragen vorläufig nur auf einem beschränkten Gebiete möglich ist und dass ebenso die Eingangs erwähnte Wechselbeziehung zwischen Bau und Function nur theilweise, oft nur in wenigen Punkten erkennbar sein wird. Aber nichtsdestoweniger hege ich die Überzeugung, dass die Verfolgung dieser beiden Zielpunkte zu einer wirklichen Förderung und Vertiefung der botanischen Wissenschaft führen muss. Darum, meine Herren, hoffe ich auf Ihre Zustimmung, wenn ich auch fernerhin auf dem eingeschlagenen Wege vorzudringen bestrebt bin. Und indem ich meine Kräfte zur Lösung dieser Aufgabe anspanne, glaube ich am besten den Dank abzustatten, den ich der Königlichen Akademie für die ehrenvolle Aufnahme unter die Zahl ihrer Mitglieder schuldig bin.

Hr. Eichler sprach:

Das erste Wort, welches an diese erlauchte Körperschaft zu richten mir obliegt, soll der Ausdruck des Dankes sein, aufrichtigen und tiefempfundenen Dankes für die hohe Ehre, welcher Sie mich durch die Allerhöchst bestätigte Wahl in Ihre Mitte für würdig erachtet haben. Ich sehe mich hierdurch in einen Kreis von Männern aufgenommen, welchen die Wissenschaft in fast allen ihren Zweigen die glänzendsten Entdeckungen, tiefsten Forschungen, fruchtbarsten Gedanken, kurz die mächtigste Förderung verdankt. Eine solche Auszeichnung muss Jeden mit Stolz erfüllen, der von sich sagen kann, dass er gleichfalls etwas Namhaftes zur Förderung seiner Wissenschaft beigetragen hat. Ich bin nicht so eitel, dies von mir zu glauben; was ich bisher gethan, mag fleissige, mag vielleicht auch nützliche Arbeit gewesen sein; den Preis jedoch, welchen Sie mir zuerkennen, ungesucht und unerwartet, muss ich erst noch verdienen. Ich vermag daher Ihre Wahl nur so aufzufassen, dass Sie mir das Vertrauen schenken, es werde mir solches mit der Zeit gelingen; und dies Vertrauen wird mir dazu der kräftigste Sporn sein.

Es ist die botanische Systematik und Morphologie, welcher bislang meine wissenschaftliche Thätigkeit hauptsächlich zugewendet war. Systematik zwar, so hört man oft, sei eigentlich nicht sowohl eine Wissenschaft, als vielmehr eine dem praktischen Bedürfnisse dienstbare Technik des Pflanzenunterscheidens, Benennens und Beschreibens. So wäre es in der That für den, der an die Constanz der Arten und deren selbständige Erschaffung glaubt; anders jedoch, wenn man, wie der Naturforscher nicht anders kann und darf, auch für die organische Welt eine natürliche Entstehung und damit die Descendenztheorie annimmt. Der Begriff „Verwandtschaft" erlangt alsdann reale Bedeutung, das System wird zum Stammbaum, die Systematik zur Entstehungsgeschichte. Nichts kann wissenschaftlicher sein, als solche Forschung. Imgleichen erhebt sich die Morphologie durch Zugrundelegung der Descendenzlehre von einer schematisirenden Organbeschreibung zur lebendigen Wissenschaft von der Entstehung der Theile und ihrem genetischen Zusammenhang.

Für diese zur Zeit allerdings noch wesentlich idealen Aufgaben werden die Grundlagen nicht beschafft durch Speculation und Conjecturen, sondern nur durch geduldiges, allseitiges Studium dessen, was von der unendlichen Reihe der Pflanzengestalten, lebend oder todt, uns noch erhalten ist. Am nächsten liegt dem Botaniker das, was noch lebt. So viel davon auch bekannt ist, so harren doch noch ganze grosse Florengebiete der Erforschung. Mir haben die Umstände hier Brasilien zugewiesen, dessen botanischer Erschliessung auf Grund der von hunderten von Reisenden dort gesammelten Materialien, unter Beihülfe zahlreicher Fachgenossen, ein grosser Theil meiner wissenschaftlichen Arbeit von Anfang an gewidmet war und, falls der erleuchtete Monarch, der jenes weite Reich beherrscht, auch ferner seine Hand schützend über dem Unternehmen hält, noch längere Zeit zugewendet bleiben wird.

Das Sammeln und Sichten noch unerschlossenen Materials, so wichtig es auch für den Ausbau der Systematik ist, bildet jedoch dafür nicht die Hauptsache. Was uns mehr Noth thut, ist das, was wir bereits besitzen, genauer kennen zu lernen. Wie viele Gruppen des Gewächsreiches giebt es nicht, die ausser nackten Differentialdiagnosen alter oder neuer Species noch so gut wie unbekannt sind!

Und wie viel neue Gesichtspunkte sind für die Systematik durch die Forschungen der letzten Jahrzehnte nicht eröffnet worden! Biologie und Entwickelungsgeschichte, Anatomie und Physiologie sind nach und nach zu ihrem Dienste herangezogen; die Fragen nach dem Ursprung der Formen, ihren Wanderungen, Umgestaltungen, Anpassungen, dies alles und noch mehr drängt sich heute dem systematischen Forscher auf. Monographien, in solchem Sinne ausgeführt, sie sind es, welche vornehmlich die Fortschritte in der Systematik bedingen und welche sich zugleich für die verwandten Disciplinen am fruchtbarsten erweisen. Wenn es mir nicht vergönnt war, meine Arbeiten nach allen diesen Richtungen hin auszubilden, so habe ich doch eine Seite allgemeineren Charakters mir immer besonders angelegen sein lassen und derselben auch sonst viel Mühe gewidmet: die vergleichende Morphologie. Dieselbe, berufen für die Botanik eine ähnliche Rolle zu spielen, wie die vergleichende Anatomie im Thierreich, erscheint mir umfangreich und wichtig genug, um ihr neben jenem erstgenannten Thätigkeitsgebiet auch fernerhin denjenigen Theil meiner Kraft und Zeit zu widmen, welcher von den Verpflichtungen meines Amtes an der Universität und den Königlichen botanischen Anstalten übrig gelassen wird. Möchten die Ergebnisse, die ich hier mit der Zeit zu erzielen hoffe, nicht allzu weit hinter den Anforderungen zurückbleiben, welche an ein Mitglied dieser Akademie gestellt werden müssen; können Vorbilder hierzu etwas beitragen, so wüsste ich nicht, wo ich solche, auch für mein specielles Fach, besser als in Ihrer Mitte hätte finden können.

Hierauf antwortete Hr. du Bois-Reymond als Secretar der physikalisch-mathematischen Klasse:

Seit Linné und die Jussieu in widerstrebendem Verein die Pflanzenwelt ordneten; seit dann die Pflanzenkunde nach der morphologischen, histologischen und physiologischen Richtung auseinanderfiel, konnte längst nicht mehr Ein Kopf, auch der mächtigste nicht, die gesammte Botanik umfassen. Boerhaave war Professor der inneren Klinik, der Chemie und Botanik in einer Person, heute giebt es keinen Botaniker, der sich nicht mindestens zwei Genossen seines Faches wünschte, um mit ihnen das unermessliche Gebiet zu theilen, welches vor kaum hundert Jahren noch Florens liebliches Reich hiess.

Nach einer neueren Definition ist die Pflanze ein Thier mit hoch entwickelten Reductionsorganen. Die Pflanzenzelle ist ein Laboratorium, in welchem ungestört durch unfassbare Variabeln, wie sie in der Thierzelle ihr Wesen treiben, einfachste physikalische Agentien aus vergleichsweise einfachsten Substanzen die verwickelten Bestandtheile unseres eigenen Leibes aufbauen. Hier geschieht im Sonnenlichte noch täglich das Wunder der Urgeschichte unseres Planeten, die Erzeugung belebter aus lebloser Materie. Hier werden, aller Wahrscheinlichkeit nach, die Räthsel des organischen Stoffwechsels ihre Lösung finden, und die Akademie schätzt sich glücklich, dass der berühmte Botaniker, den ihr die Gunst des Geschicks ausser der gewöhnlichen Ordnung der Dinge schenkte, sein biegsames Talent und seinen durchdringenden Scharfsinn neuerlich dieser Klasse grundlegender Untersuchungen zugewendet hat.

Aber sie müsste es lebhaft beklagen, wenn eine andere nicht minder wichtige Art, die Pflanze zu betrachten, selbst nur vorübergehend bei ihr brach läge. Auch die organischen Bildungsgesetze stellen sich an der Pflanze einfacher dar, als am Thier. An der Pflanze gelangten Caspar Friedrich Wolff und Goethe zuerst zur Idee eines alle Wandlungen beherrschenden Bildungstypus. An der Pflanze unterwarfen Schimper und unser unvergesslicher Alexander Braun organische Formen zuerst geometrischer Analyse. An der Pflanze erkannten Robert Brown und Hr. Schleiden das organische Formelement, die Zelle mit ihrem Kern. An Pflanzen endlich, und gerade an solchen, deren Geschlechtsleben Linné für so verborgen hielt, dass er sie Kryptogamen nannte, wohnte Hr. Pringsheim mit leiblichem Auge dem Zusammentreffen des männlichen und des weiblichen Keimstoffes bei.

In dieser Richtung, Hr. Schwendener, setzt die Akademie zunächst ihre Hoffnung auf Sie. Die mechanische Betrachtungsweise, welche Sie in die Morphologie der Pflanze einzuführen streben, würde selbst dann als einer der grössten Fortschritte erscheinen, wenn solche Bemühungen vor der Hand noch erfolglos blieben. Obschon die höchste analytische Mechanik sich neuerlich beschied, nichts Anderes sein zu wollen, als Beschreibung der Bewegungen, trennt doch eine fast unendliche Kluft die Beschreibungen der Morphologie von denen der mathematischen Physik;

aber in beiden nur verschiedene Stufen desselben Untersuchungsganges erkannt, die Nebelgestalten des Vitalismus auch aus diesem letzten Schlupfwinkel mit bewusster Klarheit verscheucht zu haben, wird der dauernde Ruhm unserer Generation von Forschern sein, und mit ganz besonderer Genugthuung sehen wir Sie diesen Standpunkt in unserer Mitte vertreten.

Ihre Entdeckung des parasitären Consortialismus der Algen und Pilze in den bis dahin für einheitliche und selbständige Gewächse geltenden Flechten scheint die Lebenskreise um eine Form ärmer gemacht zu haben. Sie ist aber doch wieder nur ein Beispiel gerade des unerschöpflichen Reichthums der organischen Natur, die stets mit bunten Gaben und neuen Abenteuern überrascht, wo unsere nur mit dem Erfahrenen wuchernde Phantasie sich die Dinge nach hergebrachtem Schema vorstellt. Alte Species zu einer einzigen verschmelzen, wie Sars für Medusen und Strobilen, August Müller für Neunaugen und Querder, Hr. Coste für Palinurus und Phyllosoma thaten, galt längst für ruhmvoller, als neue Species aufstellen. Um wieviel grösser erscheint Ihr Ruhm, der Sie nicht eine einzelne Species, sondern eine ganze Abtheilung vermeintlicher organischer Wesen als eine Art von Diplozoon aus dem System verstiessen. Die Akademie legt den höchsten Werth darauf, diese schöne Entdeckung in ihrem Urheber gleichsam nachträglich sich angeeignet zu haben, und indem sie darin eine Bürgschaft für weitere glänzende Thaten erblickt, heisst sie durch mich Sie als den einen von Alexander Braun's Nachfolgern herzlich willkommen.

Die botanische Systematik, Hr. Eichler, war in der That gleich der zoologischen seit Jahrzehnten einer gewissen Missachtung verfallen. Fast hatte man sich gewöhnt, sie als nothwendiges Übel zu betrachten. Nach Hrn. Schleiden's Ausdruck schien der Systematiker nur noch gut zu sein, um Gärtner und Pharmaceuten mit lateinischen Namen zu versorgen, bestenfalls um den Pflanzenanatomen und -Physiologen neues Material zu schaffen, und ihre Untersuchungsobjecte zu bestimmen. Um die Operationen der Systematiker, das Einrangiren der stets nachströmenden neuen Species in das System, dessen Erweiterung und Umbau, kümmerte man sich kaum ausserhalb des engsten Kreises der Fachmänner, und so dürr erschien nach einem trivialen Ausdruck diese Beschäftigung, wie das Heu der Herbarien.

Ein Zauberschlag des Génies hat diesen Zustand umgewandelt. Indem Hr. Darwin die Systematik im alten Sinne der Idee nach vernichtete, flösste er ihr neues Leben ein. Indem er zeigte, dass es keine Species giebt, wie sie Linné definirte, nicht soviel tausend vom Schöpfungstag her unabänderlich dagewesene Formen, gab er der Frage Raum, woher die Species. Nun erschien die Systematik der lebenden und ausgestorbenen Formen als das Archiv, in welchem die Ergebnisse einer seit unvordenklichen Zeiten vor sich gehenden Entwickelung niedergelegt und in Übersicht gebracht sind. Wo früher ein lebloses Nebeneinander langweilte, wenn es nicht den grübelnden Verstand auf die Folter spannte, entfaltet sich jetzt kaleidoskopisch das reizvollste Spiel der Gestalten. Wegen der besseren Beherrschbarkeit vieler Verhältnisse bei den Pflanzen scheint aber der botanische Garten zugleich die Versuchsstätte zu sein, wo mehrere der wichtigsten Fragen der Biologie zum Austrage gebracht werden können. Der erleichterte Weltverkehr, die Erschliessung neuer Regionen durch die von der Akademie ausgesandten Reisenden lassen jetzt fast ein Übermaass neuer fruchtbarer Aufgaben für die systematische Botanik erwarten. Die Akademie ist lebhaft erfreut, in Ihnen, Hr. Eichler, eine schon bewährte und doch noch jugendliche Kraft gewonnen zu haben, welche, diese grossen der Systematik eröffneten Aussichten im Auge, den alten Ruhm des Berliner botanischen Gartens, dessen Verbindung mit der Akademie, und in deren Schooss die Traditionen Gleditsch's, Wildenow's, Link's, Kunth's, Chamisso's und Klotzsch's zu erneuern verspricht.

Alsdann sprach Hr. Munk:

Wer, wie ich, noch in jüngeren Jahren die so hohe Auszeichnung erfährt, Aufnahme in diesen Kreis zu finden, vermag nicht ohne Befangenheit sich anzuschliessen, wo er so vieles und so glänzendes Verdienst vereinigt sieht. So oft er auch sonst den Abstand zwischen seinem Wollen und Können schon empfunden, hier erscheint dieser ihm besonders gross, wenig nur wiegt ihm die eigene Leistung, und dem Erstrebten allein, nicht dem Erreichten, kann er die Anerkennung zuschreiben, welche Sie ihm haben gewähren wollen. Mir ist aber die innere Bewegung noch besonders tief, da ich an die Seite hochverehrter Lehrer geführt bin, welche den jugendlichen Sinn mit Liebe geleitet, und deren Vorbilder ihn erzogen haben. Nur dass die Verfolgung von Problemen, an welche sie ihre Kraft gesetzt, aus Neigung auch mir zur Lebensaufgabe geworden ist, hebt mir den Muth; dieser glückliche Umstand wird neben der wissenschaftlichen Dankbarkeit des Schülers es mir auch ermöglichen, so hoffe ich, der Akademie meinen tief gefühlten Dank zu bethätigen, indem ich für meinen Theil Bestrebungen fortsetze, welche längst in ihr heimisch, ja zum Theil gerade mit ihr eng verbunden sind.

Was mich besonders angezogen hat, ist die Physiologie des Nervensystems. Der Grosshirnrinde entkleidet, lässt sich das Nervensystem übersehen als ein Complex zahlreicher gleichartiger Zellengebilde, welche durch zahlreiche und wiederum gleichartige Fasern unter einander und mit den Körperorganen in Verbindung gesetzt sind: ein Complex, der, so viel es auch in ihm gähren und brennen mag, zu physiologischen Leistungen es doch nur bringt, wenn Veränderungen der Körperorgane an seinen Enden oder Ernährungsbedingungen an sehr vereinzelten Stellen in seiner Mitte Störungen setzen; und in welchem die Störung, wo sie auch erfolgt ist, regelmässig auf den gegebenen Bahnen sich fortpflanzt, von Faser auf Zelle, von Zelle auf Faser sich übertragend, als gleichartiger Vorgang in allen Fasern, als gleichartiger Vorgang in allen Zellen, bis sie schliesslich unter dem Widerstande, welchen ihre Fortleitung findet, erlischt oder aber an den Endpunkten des Systems, zu welchen sie gelangt, Veränderungen von Körperorganen herbeiführt. Wäre das Zellen-Faser-Netz mit seinen Bahnen und deren Widerständen uns gegeben, und kennten wir dazu noch die Vorgänge, welche der eine in den Fasern, der andere in den Zellen bei der Fortleitung der Störung sich abspielen, so würde das Nervensystem ohne die Grosshirnrinde mit allem seinem staunenswerthen Schaffen, mit seiner Zusammenfassung der vielen Körpertheile zu einem einigen Ganzen, wo jeder Theil in Selbständigkeit das Ganze beeinflusst, aber doch wiederum in Abhängigkeit den Bedürfnissen des Ganzen sich anpasst, uns vollkommen verständlich sein. Und auch die Grosshirnrinde entzieht sich in gewisser Hinsicht dem Verständnisse nicht. Insofern zwar, als in dem Complexe von Zellen und Fasern, als welcher sich auch die Grosshirnrinde darstellt, die Zellengebilde von ganz besonderer Art und überdies unter einander ungleichwerthig sind, so dass Sehen, Hören, Riechen, Schmecken, Fühlen, Vorstellen, Denken an ihre Thätigkeit geknüpft sind, erscheint allerdings die Einsicht ausgeschlossen. Aber eben doch nur durch diese Eigenart der Zellengebilde ist die Grosshirnrinde ausgezeichnet und kommt ihr die bevorzugte Stellung zu; sonst schliesst sie sich dem übrigen Nervensystem auf's engste an, und auf Grund der Kenntniss der Verbindungen aller ihrer Zellen und der besonderen Fähigkeit jeder einzelnen Zelle würden die Leistungen der Grosshirnrinde ebenso wohl verständlich sein, wie die Leistungen z. B. des Rückenmarkes.

Mächtig hat die Arbeit des letzten halben Jahrhunderts, von unserem unvergesslichen Johannes Müller an, das Gebiet gefördert. Nach den grossen Entdeckungen der vierziger und fünfziger Jahre scheint es bloss noch eines letzten glücklichen Schrittes zu bedürfen, um das Wesen des Erregungsvorganges in der Nervenfaser zu erfassen; und wenn der Schritt noch nicht gelungen, so sind vielleicht nur die äusseren Umstände anzuklagen, welche in der neueren Zeit viele selbstlose Bestrebungen von dieser Frage abgelenkt haben. Geradezu erstaunliche Fortschritte hat auch die specielle Kenntniss des Zellen-Faser-Netzes gemacht; mehr und mehr hat sich gelichtet, was zuerst ein undurchdringliches Chaos schien, und auf tausend Bahnen können wir jetzt im Geiste dem Erregungsvorgange folgen, bis in die Grosshirnrinde hinein, durch alle Verschlingungen und Verwickelungen der Centralorgane hindurch. Selbst da, wo die Natur der Dinge die Forschung auf's äusserste erschwert und die Macht des Versuches nur auf Umwegen heranreicht, selbst für das Wesen des Erregungsvorganges in der Ganglienzelle sind bedeutungsvolle Aufschlüsse schon gewonnen.

Indem ich in den letzten Jahrzehnten an der Arbeit mich betheiligte, bin ich, wo ich auch eingriff, ob an den Nerven oder an den Centralorganen, an den Muskeln oder an den elektromotorischen Organen der Pflanzen, überall bestrebt gewesen, nicht einfach das thatsächliche Material zu vermehren, sondern Bindeglieder zwischen den vorhandenen Erfahrungen zu gewinnen und mit der Zusammenfassung das Verständniss zu erweitern oder zu erleichtern. Denn mir hat scheinen wollen, als wären wir bereits von dem einen Extrem in das andere verfallen, als hätte, wo einst die Verirrung der naturphilosophischen Richtung so lange Hemmniss gewesen war, neuerdings öfters eine planlose Häufung von Einzelthatsachen Platz gegriffen, durch welche der Blick mehr verwirrt denn geklärt wird. Wie ich die Dinge sehe, wird mit immer neuen und verwickelteren Methoden, vollends wenn man dann die Erscheinungen in's Detail verfolgt, zur Zeit bloss Kraft vergeudet und ein wirklicher Fortschritt nirgend erzielt; dagegen widersteht das Nervensystem dem beharrlichen Angriffe nicht, wo dieser systematisch auf Grund einfachster Analysen mit möglichst einfachen und durchsichtigen Mitteln erfolgt. Auf die letztere Weise habe ich bisher das Verständniss zu erringen gesucht; und indem ich so weiter thätig zu sein gedenke, hoffe ich das Vertrauen zu rechtfertigen, welches Sie in mich gesetzt haben.

Hierauf antwortete wiederum Hr. du Bois-Reymond Folgendes:

Indem ich Sie, Hr. Munk, in diesem Kreise willkommen heisse, steigt in mir auf das Bild der Zeit, da ich selber in Ihrer heutigen Lage mich befand. Alexander von Humboldt, als achtzigjähriger Greis, stellte hier eine längst entschwundene Periode der Physiologie vor, und konnte aus Volta's und Johann Wilhelm Ritter's Laboratorium erzählen. Johannes Müller erschien in voller Höhe seiner heroïschen Kraft; aber er hatte sich von der Experimental-Physiologie abgewendet, und nur noch die früher von ihm gegebenen Anstösse wirkten fort.

Wie hat sich, in den nahezu dreissig seitdem verflossenen Jahren, die Scene verändert! Wo damals im Gebiet unserer Wissenschaft spärliche Ansiedler weit zerstreut wohnten, Wüsteneien sich dehnten, Erndten jahrelang unverwerthet in der Scheuer lagen, vom altcultivirten Nachbarlande kopfschüttelnd unserem Unternehmen zugesehen wurde, prangt jetzt eine reich angebaute Landschaft, mit blühenden Ortschaften besäht, von Strassen durchzogen, die zwischen allen Theilen, zwischen dem Ganzen und den Grenzländern regen Verkehr unterhalten. Das alte plumpe Geräth ist durch kunstreiche Maschinen ersetzt, der Ertrag des Bodens in's Unübersehbare gesteigert, ein Bild von Sicherheit, Wohlstand und Fortschritt erfreut überall das Auge. Um das Gleichniss zu vollenden, der damals noch hier herrschende Aberglaube ist vor der Tageshelle einer reinen Lehre in unbeachtete Wildniss entwichen.

So ist der Aufschwung, den, unter den theoretischen Naturwissenschaften, die Physiologie im Laufe des letzten Menschenalters nahm. Mit Stolz dürfen wir hinzufügen, dass, wie gross auch Claude Bernard's Talent und schöpferische Arbeitskraft waren, der bedeutendste Antheil an diesem Aufschwunge der deutschen Forschung gehört. Ein Zweig der Physiologie ist es namentlich, dessen neuere Entwickelung von Deutschland ausging, die allgemeine Muskel- und Nervenphysik. Während in England die Experimental-Physiologie fast ganz brach lag, in Frankreich sie sich in Vivisection und Zoochemie bewegte, in beiden Ländern der Vitalismus sie niederhielt, schritt zuerst die deutsche Wissenschaft zur Erforschung der überlebenden Organe besonders des Frosches, wie von der Natur gebauter, höchst verwickelter, aber doch als Maschinen aufzufassender Apparate.

An dieser Erforschung haben Sie sich, Hr. Munk, in rühmlichster Weise betheiligt. Wenn ein neues Feld der Wissenschaft erschlossen wurde, die bahnbrechenden Funde gethan sind, bleibt für eine Reihe von Jahren die minder glänzende, aber nicht minder nöthige und verdienstliche Arbeit des Erweiterns, des Vertiefens, des Begründens, des Verfolgens in's Einzelne, des Ausfüllens von Lücken übrig. Unter der Schaar Ihrer Altersgenossen, welchen diese Arbeit zufiel, nehmen Sie durch die Genauigkeit Ihrer Methoden, die gewissenhafte Zeitigung Ihrer Ergebnisse, die bis zur Grenze des Möglichen getriebene Vollendung Ihrer Arbeiten einen der ersten Plätze ein. Darin liegt der akademische Charakter dieser Arbeiten, denn das Wesen der Akademie ist vor Allem, Hüterin der Methode zu sein.

Aber durch lange Beschäftigung mit einem Zweige der Physiologie, in welchem die grösste Strenge der qualitativen und quantitativen Discussion geübt wird, erwarben Sie zugleich die Schulung, um auf einem anderen Gebiete, wo die Natur der Dinge sonst nur beschränkte Genauigkeit zulässt, mit entscheidender Überlegenheit aufzutreten. Wenn unter den theoretischen Naturwissenschaften die Physiologie insofern die erhabenste ist, als sie das höchste aller Probleme, das Zustandekommen des Bewusstseins, umschliesst: so erscheint wiederum der Theil der Physiologie als der höchste aber auch schwierigste, welcher mit den nächsten Bedingungen des Bewusstseins es zu thun hat. Die nach langer Stockung auch durch deutsche Forscher zuerst wieder in Fluss gebrachte Physiologie der Grosshirnrinde, über welche Ihre mühevollen und tiefgehenden Untersuchungen soviel Licht verbreiten, grenzt unmittelbar an die Erkenntnisstheorie.

Zwar ist grundsätzlich keine Hoffnung, dass uns der ursächliche Zusammenhang zwischen den materiellen Vorgängen im Gehirn und dem Bewusstsein je einleuchte. Dies verhindert nicht, dass wir in die Kenntniss jener Vorgänge tief eindringen, und dass diese Kenntniss von höchster Wichtigkeit und hinreissendem Interesse sei. Als erster Schritt dazu erscheint unserem Verstande, seiner Natur nach, die Localisation der verschiedenen Vermögen, in welche er, wiederum seiner Natur nach, die Seelenthätigkeit systematisirend zerlegt. Diesem Streben entsprang der Grundgedanke der phrenologischen Thorheiten; aber wie so oft barg auch diesmal der wissenschaftliche Aberglaube einen Kern von Wahrheit. In derselben Grosshirnrinde, in welche einst Gall und Spurzheim den Sitz ihrer schlecht ausgewählten fünfunddreissig Seelenvermögen verlegten, cirkelt jetzt Ihre Trepankrone, Hr. Munk, die Sphären ab, in denen die verschiedenen Sinnesnerven ihre Botschaften abgeben, diese zu Vorstellungen umgewandelt und für's Leben aufgespeichert werden. Zum erstenmal ward so im Gebiet des Fühlens und Erkennens eine örtliche Grundlage der Geistesthätigkeit nachgewiesen, wie sie im Gebiet des Wollens schon länger durch Paul Broca's Localisation des Sprechvermögens bekannt war.

Die Akademie freut sich, Hr. Munk, Ihre rüstige Kraft in dem Augenblick sich einverleibt zu haben, wo Sie, in diesen grundlegenden Arbeiten begriffen, mit jedem Ihrer vorsichtigen Schritte eine Schranke niederwerfen, welche uns von der Einsicht in das materielle Substrat des Denkens trennt.

Über die akademischen Preisfragen wurde Folgendes verkündet:

Bericht über die Preisfrage der Steiner'schen Stiftung.

In der öffentlichen Sitzung am Leibniztage des Jahres 1878 ist in Erfüllung der Bestimmungen der Steinerschen Stiftung verkündet worden, dass die Akademie, um die Geometer zu eingehenden Untersuchungen über die Theorie der höheren algebraischen

Raumcurven zu veranlassen, beschlossen habe, zur Concurrenz um den Steinerschen Preis jede Arbeit zuzulassen, welche irgend eine auf die genannte Theorie sich beziehende Frage von wesentlicher Bedeutung vollständig erledigen werde.

Es ist eine Bewerbungsschrift mit dem Motto „Geometrica geometrice“ rechtzeitig (am 29. Febr. d. J.) eingegangen. Die Arbeit ist von bedeutendem Umfange, und der grosse Fleiss, welchen der Verfasser darauf gewendet hat, zeigt sich noch besonders in der sehr sorgfältigen Eintheilung und übersichtlichen Anordnung des behandelten Stoffes. In dem ersten Theile, der etwas mehr als die Hälfte des ganzen Umfanges einnimmt, giebt der Verfasser allgemeine, aus den Grassmannschen Principien hergeleitete Entwickelungen über algebraische Flächen und Raumcurven, deren Ziel die wesentliche, aber wohlbekannte Unterscheidung der Raumcurven nach ihrem Geschlechte ist, oder, wie sich der Verfasser ausdrückt, nach den „ebenen Geschlechtscurven“, auf welche die Raumcurven zu beziehen sind. In dem zweiten, specielleren Theile versucht der Verfasser, wie er selbst in der Einleitung sagt, die allgemeinen Entwickelungen auf diejenigen Raumcurven anzuwenden, welche aus dem Schnitte von Oberflächen zweiter und dritter Ordnung hervorgehen. Indem sich der Verfasser somit bei den Anwendungen seiner allgemeinen Deductionen darauf beschränkte, den Durchschnitt von Flächen bestimmter Grade zu discutiren, anstatt etwa die Curven von bestimmtem Geschlecht rein geometrisch erschöpfend zu behandeln, unterliess er es, im zweiten Theile seiner Arbeit aus den Entwickelungen des ersten für die Stellung naturgemässer Probleme gehörigen Nutzen zu ziehen, und dies war schon für den geringen Erfolg der Untersuchungen entscheidend. Dass die Akademie die Meinung des Verfassers, im ersten Theile seiner Arbeit die Theorie der Raumcurven rein geometrisch begründet zu haben, nicht anerkennt, würde an und für sich die Möglichkeit der Preisertheilung nicht ausgeschlossen haben, aber da die Arbeit in ihrem ersten Theile nur vollkommen bekannte allgemeine Resultate enthält und im zweiten Theile bloss einige specielle Gegenstände behandelt, denen irgend eine wesentliche Bedeutung für die Theorie der algebraischen Raumcurven nicht zuzuerkennen ist, und welche überdies nicht einmal vollständig erledigt werden, so hat die Akademie die einzige eingegangene Bewerbungsschrift mit dem Motto „Geometrica geometrice“ nicht als den in der Preisfrage gestellten Anforderungen entsprechend erachtet, und beschlossen derselben den Steinerschen Preis nicht zu ertheilen. In der Hoffnung aber, dass dem erwähnten Versuche einer Bearbeitung der für dieses Jahr gestellten Preisaufgabe weitere und erfolgreichere folgen möchten, hat es die Akademie für angemessen gehalten, dieselbe zu erneuern, und demgemäss beschlossen,

> „um die Geometer zu eingehenden Untersuchungen über die Theorie der höheren algebraischen Raumcurven zu veranlassen, zur Concurrenz um den im Jahre 1882 fälligen Steinerschen Preis jede Arbeit zuzulassen, welche irgend eine auf die genannte Theorie sich beziehende Frage von wesentlicher Bedeutung vollständig erledigt."

Die ausschliessende Frist für die Einsendung der Bewerbungsschriften, welche in deutscher, lateinischer oder französischer Sprache verfasst sein können, ist der 1. März 1882. Jede Bewerbungsschrift ist mit einem Motto zu versehen, und dieses auf dem Äussern des versiegelten Zettels, welcher den Namen des Verfassers enthält, zu wiederholen. Die Ertheilung des Preises von 1800 M. erfolgt in der öffentlichen Sitzung am Leibniztage im Juli 1882.

Den Statuten der Steinerschen Stiftung gemäss hat ferner die Akademie den diessjährigen Preis derselben Hrn. L. Lindelöf in Helsingfors zuerkannt für seine zuerst im XIV. Bande des Bulletin de l'Académie Impériale des Sciences de St. Pétersbourg veröffentlichte Arbeit, welche den Titel führt: „Propriétés générales des polyèdres, qui, sous une étendue superficielle donnée, renferment le plus grand volume", und welche die vollständige Lösung der von Steiner selbst im XXIV. Bande des Crelleschen Journals S. 236 gestellten Aufgabe enthält: „Sous quelles conditions un polyèdre convexe, déterminé quant à son espèce, et de surface donnée, est-il un maximum?"

Nach Vortrag dieses Berichts wurde der versiegelte Zettel, welcher den Namen des Verfassers der nicht gekrönten Bewerbungsschrift mit dem Motto „Geometrica geometrice" enthielt, den Statuten gemäss in der Sitzung uneröffnet verbrannt.

Bericht über die akademische Preisfrage aus dem Miloszewsky'schen Legat.

„Unter den Einwirkungen, welche die deutsche Philosophie seit Leibniz von der ausserdeutschen Philosophie erfahren hat, ist die der englischen Philosophen — Locke's, Berkeley's, D. Hume's, Shaftesbury's und der übrigen englischen Moralisten, Reid's und seiner Nachfolger in der schottischen Schule — von besonderer Bedeutung. Die neueren Werke über die Geschichte der deutschen Philosophie haben auch diese Thatsache nicht übersehen; aber keines derselben war bis jetzt in der Lage, sie so vollständig an's Licht zu stellen, wie dies durch eine monographische Untersuchung über den Einfluss, welchen die einzelnen deutschen Philosophen von englischen Vorgängern erfuhren, über die Verbreitung, welche die Schriften der letzteren in Deutschland fanden, und über die Spuren, die sie in der deutschen Philosophie zurückliessen, geschehen kann. Um diese Lücke auszufüllen, bestimmt die Kgl. Preussische Akademie der Wissenschaften aus den Mitteln der Miloszewsky'schen Stiftung einen Preis für die Lösung der folgenden Aufgabe:

> Die Akademie verlangt eine in's Einzelne eingehende Untersuchung über den Einfluss, welchen die englische Philosophie auf die deutsche Philosophie des 18ten Jahrhunderts geübt hat, und über die Benützung der Werke englischer Philosophen durch die deutschen Philosophen dieses Zeitraums."

Da diese Aufgabe bis zu dem festgesetzten Termin keinen Bearbeiter gefunden hatte, wurde dieselbe am 5. Juli 1877, unter Erhöhung des Preises auf 300 Ducaten, wiederholt. Jetzt ist nun eine Bearbeitung der Aufgabe eingegangen, mit dem Motto: Iuvat integros accedere fontes. Der Verfasser dieser Arbeit hat eine lange Reihe von philosophischen Schriften des 18. Jahrhunderts mit Fleiss und Sachkenntniss untersucht, um die in ihnen zu Tage tretenden Spuren eines Einflusses der englischen Philosophen, mit deren Lehren und Werken er sich wohl bekannt zeigt, zu ermitteln; und er hat dadurch einen werthvollen Beitrag zur Geschichte der deutschen Philosophie während des bezeichneten Zeitraums geliefert. Aber seine Darstellung zeigt nicht allein materiell einzelne nicht unerhebliche Lücken, und sie ist namentlich der Forderung einer Untersuchung über die Verbreitung, welche die Schriften der englischen Philosophen in Deutschland fanden, nur unvollständig nachgekommen, sondern es ist ihr auch nicht in dem Maasse, wie dies zur befriedigenden Lösung der Aufgabe erforderlich gewesen wäre, gelungen, die Ergebnisse der Einzeluntersuchung zu einem lebendigen Bild des geschichtlichen Herganges zu verknüpfen, und die Bedeutung des Einzelnen für das Ganze der geschichtlichen Entwicklung mittelst einer von allgemeineren Gesichtspunkten geleiteten Würdigung desselben klar hervortreten zu lassen. Auch der Styl der Arbeit ist von Nachlässigkeiten und Incorrectheiten nicht frei. Müssen aber auch diese Mängel die Akademie abhalten, der Abhandlung mit dem Motto: Iuvat integros accedere fontes den Preis zu ertheilen, so glaubt sie doch der sorgfältigen und verdienstlichen Arbeit des Verfassers eine Anerkennung gewähren zu sollen, indem sie demselben einen Theil der als Preis ausgesetzten Summe im Betrag von 100 Ducaten (= 925 Mark) zuerkennt. Dieser Betrag wird ihm eingehändigt, und sein Name auf geeignetem Wege bekannt gemacht werden, falls er im Laufe des nächsten Jahres die Eröffnung des seinen Namen enthaltenden Zettels beantragt.

Bericht über die Preisfrage der Charlottenstiftung.

Nach dem Statut der von Frau Charlotte Stiepel geb. Freiin von Hopfgarten errichteten Charlottenstiftung für Philologie hatte die Kgl. Akademie am Leibniztage des Jahres 1878 folgende Preisaufgabe veröffentlicht:

> Es sind die Grundsätze darzulegen, nach welchen eine neue kritische Textausgabe der ältesten etwa bis zum Jahre 1521 erschienenen deutschen Schriften Luthers herzustellen sein wird.

Auf diese Aufgabe war eine Bewerbungsschrift bezeichnet mit dem Motto:

> Hinn er soell
> er ser um getr
> lof ok lîknstafie
> Hàvamâl

rechtzeitig eingegangen.

Die gestellte Preisaufgabe zielte auf den Anfang einer neuen, würdigen Gesammtausgabe der Werke Luther's, wenigstens seiner deutschen Schriften, an die der heranrückende vierte Säculartag seiner Geburt mahnt. Der Verfasser der vorher bezeichneten Bewerbungsschrift hat sich dieser Aufgabe mit grosser Begeisterung bemächtigt und im ersten Theile seiner Abhandlung den Plan einer Gesammtausgabe im umfassendsten Sinne vorgelegt, dabei aber auch seine Forderungen und Vorschläge mit ebenso richtiger Einsicht als Umsicht im Einzelnen begründet, so dass man im Grossen und Ganzen ihnen nur beistimmen kann und das geplante Werk in einem andern Maasse und nach wesentlich andern Grundsätzen, als den von ihm aufgestellten, nicht wohl zur Ausführung kommen kann.

Im Haupttheile der Abhandlung wird der Preisaufgabe gemäss der Bestand der Überlieferung von 21 in den ersten fünf oder sechs Jahren der schriftstellerischen Thätigkeit Luther's von ihm erschienenen deutschen Schriften dargelegt. Übergangen sind nur eine Anzahl Predigten und Flugblätter aus den Jahren 1519 und 1520, für die das hier am Orte zugängliche Material allein wohl nicht ausreichte, und, was die Preisaufgabe gestattete, die meisten Schriften des Jahres 1521. Aber auch so hat der Verfasser den Beweis einer tüchtigen und starken Arbeitskraft geliefert. Behandelt sind alle wichtigeren, bis 1521 erschienenen Schriften und auf die Feststellung der Reihenfolge der Drucke und die Ermittelung der Autographa ist aller Fleiss und alle Sorgfalt verwendet. Auch da, wo zuletzt die blosse Vergleichung der Varianten entscheidet, lässt der Verfasser Sicherheit der Methode und ein gesundes, gerades Urtheil und auch im Übrigen die specielle philologische Vorbildung für seine Aufgabe nicht vermissen. Seine Auseinandersetzungen gewinnen im Fortschritte der Arbeit zusehends an Präcision und Bündigkeit. Er hat ohne Zweifel einen guten Anfang einer Luther-Bibliographie geliefert, wie sie einer neuen Gesammtausgabe der Luther'schen Werke voraufgehen muss und für sie die Grundlage bildet. Ist daher die Arbeit in ihrer gegenwärtigen Gestalt als ein blosser Anfang auch nicht zur Veröffentlichung geeignet, den von der Stiftung ausstehenden Preis hat sie wohl verdient. Derselbe besteht in dem Genusse der, z. Z. $4\frac{1}{2}$ pCt. betragenden, Zinsen des Stiftungs-Capitals von 30000 Mark für die vier Jahre 1880 bis 1883.

Die Eröffnung des zu der Bewerbungsschrift gehörigen versiegelten Umschlags ergab als Verfasser

Hrn. Dr. phil. Ernst Henrici in Berlin,

und ferner den Nachweis der Erfüllung aller statutenmässig für die Bewerber vorgeschriebenen Bedingungen. Demnach ist der Preis Hrn. Dr. Henrici zuerkannt.

Sodann wurde folgender von der vorberathenden Commission der Bopp-Stiftung abgestattete Bericht verlesen:

„Die unterzeichnete Commission beehrt sich hiermit, gemäss § 12 des Statuts der Bopp-Stiftung, für die bevorstehende Feier des Leibnizischen Jahrestages folgenden kurzen Bericht über die Wirksamkeit der Stiftung im vergangenen Jahre und über den Vermögensstand derselben zu erstatten."

„Da sich der Zinsertrag leider durch die erfolgte Kündigung der bisher innegehabten 5-procentigen Hypothek und durch die Unmöglichkeit das damit frei gewordene Capital von 36000 Mark zu einem 4 pCt. übersteigenden Zinsfusse sicher anzulegen, um jährlich 360 M. verringert hat, so standen für den diesjährigen 16. Mai nur 1350 M. zur Disposition. Die Verwendung dieses Ertrages ist auch diesmal wieder zur Unterstützung junger Gelehrter in ihren sprachwissenschaftlichen Studien beschlossen worden, und zwar wurden dem Dr. Eugen Hultzsch aus Dresden, derzeit in London, 900 M., und dem Dr. L. Garbe, Privatdocent in Königsberg, 450 M. zugetheilt."

„Der Jahresertrag der Stiftung betrug 1851 M., und beträgt fortab zunächst nur 1527 M."

„Lepsius. A. Kuhn. Schmidt. Steinthal. Weber."

Schliesslich trug Hr. Waitz den folgenden Jahresbericht über die Monumenta Germaniae Historica vor.

Wenn ich über den Fortgang der *Monumenta Germaniae* im verflossenen Jahr zu berichten habe, so muss ich zunächst des schmerzlichen Verlustes gedenken, den, wie die Akademie, die Berliner Universität und die historische Wissenschaft überhaupt, auch die Centraldirection durch den Tod ihres Mitglieds, des Professors Nitzsch in den letzten Wochen erlitten hat. War derselbe auch nicht unmittelbar bei der Leitung einer bestimmten Abtheilung thätig, so hat er doch durch lebhafte Theilnahme an den Verhandlungen der Plenarversammlung wie des Localausschusses der Centraldirection sowie an der Redaction des Neuen Archivs sein reges Interesse an dem grossen Unternehmen und sein einsichtiges Urtheil mannigfach bewährt. Auch die auswärtigen Mitglieder der

Centraldirection, denen seine Persönlichkeit besonders werth geworden, haben ihre Theilnahme an dem frühen Hinscheiden des trefflichen Mannes warmen Ausdruck gegeben.

Ein anderer schwerer Verlust war der frühe Tod des Dr. Foltz, Mitarbeiters an der Abtheilung *Diplomata*, der im August des vorigen Jahres bei einer Bergbesteigung verunglückte: eine bedeutende Kraft, die auf ihrem Gebiet sich auf das Beste bewährt hatte, und auf die wir glaubten bei der Fortführung dieser Abtheilung wesentlich rechnen zu können, ist so für die Monumenta und für die Wissenschaft verloren gegangen. Es ist dies um so empfindlicher gewesen, da auch der Leiter der Abtheilung Hofr. Prof. Sickel in Wien von einem längeren Leiden heimgesucht war. Hat dasselbe ihn auch nicht genöthigt seine Thätigkeit für die wichtige, von ihm übernommene Aufgabe, mit welcher auch die Ausgabe der von der k. Preussischen Direction der Staatsarchive veranstalteten umfassenden Sammlung von Facsimiles Deutscher Königs- und Kaiserurkunden in nahem Zusammenhang steht, zu unterbrechen, und ist in dem Dr. v. Ottenthal ein neuer tüchtiger Mitarbeiter gewonnen, so hat doch der Druck der Urkunden der Ottonen in diesem Jahr suspendiert werden müssen; wird aber hoffentlich bald wieder aufgenommen werden können. Eine wichtige Vorarbeit ist der 7. von Sickel's Beiträgen zur Diplomatik, der eingehend über Kanzler und Recognoscenten bis zum J. 953 handelt.

Die Zahl der jüngeren Mitarbeiter ist durch den Eintritt des Dr. Rodenberg aus Bremen bei der Abtheilung *Epistolae* unter der Leitung des Prof. Wattenbach vermehrt. Derselbe hat die Ausgabe der von Pertz vor vielen Jahren aus den Regesten des Vaticanischen Archivs gemachten Abschriften übernommen und diese so weit gefördert, dass mit dem Druck der Briefe Papst Honorius III. eben der Anfang gemacht werden konnte. — Dr. Heller, der älteste unter den Mitarbeitern der Abtheilung *Scriptores*, hat mit Genehmigung der Centraldirection sich zugleich an der hiesigen Universität habilitiert, was selbstverständlich einen Theil seiner Zeit in Anspruch nimmt, ihn aber nicht gehindert hat einige bedeutende Arbeiten für Band XXV der *Scriptores* zu vollenden.

Recht eigentlich auch den *Monumenta* zu gute gekommen ist die grössere Musse, welche dem Prof. Mommsen für seine literarischen Arbeiten gewährt worden ist. Nachdem derselbe im vorigen Herbst die Bibliotheken der Schweiz und Italiens besucht, hat er an die lange sehnlichst erwartete Ausgabe des Jordanis und der kleinen Chroniken Hand gelegt; der Druck des Textes des Jordanis ist vollendet, und nur Vorrede und Register stehen noch aus. Über die verschiedenen Recensionen der Chroniken des Marcellin und Isidor sind der Akademie bereits nähere Mittheilungen gemacht. — In derselben Abtheilung ist die neue Ausgabe des Corippus, unter Benutzung namentlich einer hierher gesandten Handschrift der Madrider Bibliothek, von Dr. Partsch in Breslau als zweite Abtheilung des 3. Bandes ausgegeben worden.

In der Abtheilung *Scriptores* ward der Druck der beiden Bände 25 und 13 fortgesetzt und der erste wenigstens dem Abschluss nahe gebracht. Er umfasst die Deutschen Localchroniken bis zum Ende des 13. Jahrhunderts: eine Reihe bedeutender Werke zur Geschichte Brabants, Hennegaus und Flanderns, die Chronica principum Saxoniae mit den Resten alter Brandenburger Aufzeichnungen, die Chroniken des Sifrid von Balnhausen, der Klöster Rastede und Stederburg, die Fortsetzung der Eichstädter Bischofsgeschichte, die Passauer und Kremsmünsterer Aufzeichnungen über die Geschichte des Bisthums und Klosters wie über die der Herzöge von Baiern und Österreich sind hier den im letzten Jahresbericht aufgeführten Stücken hinzugefügt worden, bearbeitet theils von den Drr. Heller und Holder-Egger, theils von mir. In Band 13, der die erforderlichen Nachträge und Ergänzungen der 12 ersten Bände bringen soll, sind eine Anzahl theils ungedruckter oder doch erst vor Kurzem aufgefundener, theils bisher nicht hinlänglich gewürdigter Annalen, mehrere kleinere Chroniken und Genealogien, dann zum ersten Mal vollständig die Fuldaer Todtenannalen mit einer Fortsetzung aus Kloster Prüm, ausserdem umfassende Auszüge aus Angelsächsischen und Englischen Geschichtswerken dieser Periode, bearbeitet von Dr. Pauli in Göttingen und Dr. Liebermann hier, endlich eine Zusammenstellung aller erhaltenen älteren Bischofs- und Abtskataloge, eine ebenso mühsame wie dankenswerthe Arbeit von Dr. Holder-Egger, gedruckt.

Ausgegeben ward eine neue Octavausgabe von Bruno de bello Saxonico von Prof. Wattenbach und die von mir bearbeitete der verschiedenen Texte und Fortsetzungen der grossen Chronica regia

Coloniensis, der auch eine Anzahl anderer Stücke beigegeben sind, die theils die Geschichte der Stadt im 12. und 13. Jahrhundert, theils den Text jener umfassenden Chronik erläutern, darunter mehreres bisher ungedruckt.

Ausserdem sind die Arbeiten für den Fredegar und die Gesta Francorum von Dr. Krusch, für die Streitschriften des 11. Jahrh. von Prof. Thaner in Innsbruck, für die Magdeburger Bischofschronik von Prof. Schum in Halle, für das Chronicon Altinate von Dr. Simonsfeld in München, für Ottokars Reimchronik von Dr. Lichtenstein in Breslau eifrig fortgesetzt. Und wir dürfen hoffen, dass auch andere die von ihnen übernommenen Arbeiten fördern und zum Abschluss bringen werden.

In der Abtheilung *Leges* hat Dr. Zeumer, von dem in dem nächsten Bande des Neuen Archivs ein grösserer Aufsatz über die Fränkischen Formelsammlungen veröffentlicht wird, die Bearbeitung des Textes derselben im wesentlichen abgeschlossen. Ebenso gedenkt Prof. Boretius in Halle die neue Ausgabe der Capitularia demnächst dem Druck übergeben zu können. Für die Merovingischen Concilien sind Cheltenhamer, Kölner, Münchener und mehrere Pariser Handschriften von Prof. Maassen in Wien verglichen. Mit anderen Theilen der umfangreichen hier vorliegenden Arbeiten sind Prof. Sohm in Strassburg, Prof. Frensdorff in Göttingen, Prof. Weiland in Giessen, der nunmehr die Sammlung der Reichsgesetze übernommen hat, beschäftigt.

In der Abtheilung *Epistolae* unter Leitung des Prof. Wattenbach haben zunächst die für die gesammte Geschichte des Abendlandes so wichtigen Papstbriefe die Thätigkeit der Mitarbeiter in Anspruch genommen. Ausser der schon erwähnten Veröffentlichung aus den Vaticanischen Regesten handelt es sich einmal um eine sehr merkwürdige kirchenrechtliche Sammlung einer Londoner Handschrift, auf welche Pertz wohl schon vor Jahren aufmerksam geworden war, ohne sie jedoch weiter zu benutzen und in ihrer ganzen Wichtigkeit zu erkennen. Eine Abschrift, die der viel erprobten Gefälligkeit des Hrn. Bishop in London verdankt wird, gab Dr. Ewald Gelegenheit im Neuen Archiv eine Reihe interessanter Mittheilungen und scharfsinniger Untersuchungen zu veröffentlichen. Daneben hat derselbe die Vorarbeiten für die Ausgabe der Briefe Gregor d. G. zum Abschluss gebracht, wofür eine wichtige, lange für verloren gehaltene, jetzt in Petersburg wiedergefundene Handschrift von wesentlicher Bedeutung war.

Briefe, Urkunden und Rechtsdenkmäler sind vereinigt in einem Werke, das in diesen Tagen ausgegeben wird: Acta imperii saeculi XIII. inedita, bearbeitet von Hofr. Prof. Winkelmann in Heidelberg. Wenn dasselbe auch nicht unmittelbar zu der langen Reihe der Bände der *Monumenta Germaniae* gehört, so hat doch die Centraldirection einen wesentlichen Antheil daran, da sie sowohl die in ihren Sammlungen enthaltenen Actenstücke zur Reichsgeschichte vom Tode Heinrich VI. bis zum Ende des Interregnums, darunter das in Marseille von Prof. Arndt aufgefundene merkwürdige Registrum K. Friedrich II, vereinigt mit dem was Hofr. Prof. Ficker in Innsbruck und der Herausgeber gesammelt, hier zur Veröffentlichung gebracht, wie auch zu einer Reise des letzteren nach Italien ihre Beihülfe gewährt hat. — Und auch eine andere wichtige Publication darf hier erwähnt werden: die neue von Prof. Ficker geleitete Bearbeitung der Böhmer'schen *Regesta imperii*, die ursprünglich in so nahem Zusammenhang mit den *Monumenta Germaniae* standen und sich erst später zu einem ganz selbständigen Unternehmen ausgebildet haben, ist zu unserer Freude wenigstens insoweit mit jenen in Verbindung geblieben, dass nicht unbedeutendes Material aus ihren Sammlungen dort verwerthet werden konnte. Von dieser neuen Ausgabe sind unlängst die erste Hälfte des nach jetziger Bezeichnung Bandes V, auch die Zeit Philipps bis zum Schluss des Interregnums umfassend, von Ficker selbst bearbeitet, und ebenso des Bandes I, Karolinger bis zum Tode Karl d. Gr. von Dr. Mühlbacher in Wien, erschienen.

Die Geschichte der Karolingischen Zeit erhält eine wesentliche Förderung durch die Sammlung der Gedichte dieser Zeit, mit der Prof. Dümmler in Halle die Abtheilung *Antiquitates* beginnt. Nachdem derselbe im N. Archiv ausführliche Nachricht über die zahlreichen benutzten Handschriften gegeben, ist jetzt der Druck selbst in rüstigem Fortgang begriffen. — In derselben Abtheilung ist eine Sammlung der Necrologien zunächst bis zum J. 1300 in Angriff genommen, als Anfang die der Alamannischen Diöcesen dem Dr. Baumann in Donaueschingen übertragen.

Ein näheres Interesse hat die Centraldirection an der Untersuchung der Petersburger Handschriften durch den Dr. Gillert genommen, zu der auch die k. Preussische Regierung ihre Beihülfe gewährt hat. Ihre Resultate werden im N. Archiv veröffentlicht, das unter Prof. Wattenbach's Leitung fortfährt, wichtiges Material für die Kenntniss und Kritik der Quellen zur Geschichte des Deutschen Mittelalters zu Tage zu fördern.

Zum Schluss ist der Veränderung zu gedenken, die in der Aufbewahrung unserer Sammlungen eingetreten ist. Nachdem mehrere Jahre hindurch die Akademie ihnen bereitwillig ein dankbar anerkanntes, aber freilich nicht voll befriedigendes Unterkommen gewährt, dann einem Theil zur Sicherung gegen Feuersgefahr von dem Director der k. Preussischen Staatsarchive ein Platz in den gewölbten Räumen des hiesigen Staatsarchivs gegeben war, haben jetzt das Reichsamt des Innern und der Reichstag die Mittel zur Beschaffung eines Locals bewilligt, das zugleich einen angemessenen Arbeitsraum darbietet. Würde die Centraldirection auch vorgezogen haben ein solches Unterkommen dauernd in einem öffentlichen Gebäude zu gewinnen, so muss sie doch auch dies als eine wesentliche Verbesserung dankbarst begrüssen.

Zu gleichem Dank ist sie fortwährend dem Auswärtigen Amt, der hiesigen königlichen Bibliothek, zahlreichen auswärtigen Regierungen, Behörden, wissenschaftlichen Anstalten und einzelnen Gelehrten verpflichtet für die Förderung, die sie ihren Arbeiten zu Theil werden lassen. Nur ganz ausnahmsweise wird einmal eine Bitte wegen Übersendung von Handschriften vergebens gestellt. Dann ist aber bei der Leichtigkeit der Reiseverbindungen und den uns durch die Regierungen des Deutschen Reichs und Oesterreichs gewährten Mitteln, die wenigstens bisher auch den wachsenden Bedürfnissen genügt haben, ohne sonderliche Schwierigkeit an Ort und Stelle das Nöthige zu erreichen.

Die neue Centraldirection hat in diesem Jahr ihr erstes Quinquennium zurückgelegt, nicht ohne schmerzliche Verluste und Störungen, wie sie menschlichem Wirken nicht erspart bleiben; aber, wie ich glaube sagen zu dürfen, so dass es auch an guten Erfolgen nicht gefehlt hat und wir mit Vertrauen auf den weiteren Fortgang des Unternehmens hinblicken können, bei dem jetzt so mannigfache und reiche Kräfte betheiligt sind, dass jeder Einzelne seine Arbeit nur als Beitrag zu einem grossen gemeinsamen Werk anzusehen hat.

15. Juli. Gesammtsitzung der Akademie.

Hr. Ewald las über die Grenzen des Magdeburgisch-Köthenschen Grauwackengebirges.

19. Juli. Sitzung der philosophisch-historischen Klasse.

Hr. Curtius las:

Über ein Decret der Anisener zu Ehren des Apollonios.

Seit einem halben Jahre ist das K. Museum im Besitz einer Bronzetafel mit einer wohl erhaltenen Inschrift von 25 Zeilen. Die Tafel ist auf beiden Seiten von korinthischen Halbsäulen eingefasst, auf deren Kapitellen zwei männliche Figuren als Träger des Architravs standen; die eine ist vollkommen erhalten, von der anderen nur die Füsse.

Die Schrift gehört einer Übergangszeit an; die Buchstaben haben z. Th. feste und gerade Linien, wie ΝΓΠΗΧ. Bei Π ist hie und da der eine Schenkel noch kürzer als der andere. Meistens aber sind die senkrechten Linien nach innen gebogen; als Schriftproben dienen die folgenden, in natürlicher Grösse gezeichneten Lettern:

Α Α Β Μ Ν Ν Υ Π

Die convergirenden Linien von Δ und Λ überschneiden sich oben. Bei Ρ ist die senkrechte Linie über die Grundlinie hinunter gezogen. Neben Μ ist die cursive Form Μ vorherrschend, das lange Ο wird nur cursiv geschrieben. Man erkennt überall an den weichlichen Strichen den beginnenden Verfall der Lapidarschrift. Auffallend ist das oben offene Φ (Ψ). Mancherlei Nachlässigkeiten kommen vor, wie ΣΕΦΑΝΟϹ Z. 29 ΑΚΛΗΡΟΜΗΤΟϹ Z. 10 Ἀπολλώνιος kommt mit einfachem und doppeltem Λ vor. Sonst ist die Schreibung, auch der Diphthonge und Vocale, durchaus correct, das iota subscriptum fehlt nur einmal (im Artikel von δήμῳ Z. 20). Im Texte finden sich wohl Spuren späterer Gräcität; indessen wird man nach Maſsgabe des gesammten Schriftcharakters nicht geneigt sein, die Urkunde weiter hinunterzusetzen als in das letzte Jahrhundert vor unserer Zeitrechnung. Damit stimmt auch der plastische Schmuck. Denn, wenn die Pilaster auch roh gearbeitet sind, so zeigt doch die Figur des erhaltenen Gebälkträgers noch einen unverkennbaren Anschluss an die Tradition echt hellenischer Kunst.

Die Inschrift ist ein Dekret der Stadt Anisa, die hier zum ersten Male auf einem klassischen Denkmal vorkommt[1]); die Einwohner heissen 'Ανισηνοί; ein Ethnikon, dessen Suffix von Stephanos Byz. ausdrücklich als ein ungriechisches bezeichnet wird und zwar als ein solches, welches den syrischen Stämmen eigen ist. So bildete "Εδεσσα die Form 'Εδεσσηνὸς κατὰ τοὺς ἐπιχωρίους, während die griechische Form 'Εδεσσαῖος lautete, eben so von Φάλγα die eine Form κατὰ τὸν λόγον, die andere κατὰ τὸ ἐπιχώριον. Epichorisch war also auch Καρρηνοὶ von Karrai in Mesopotamien[2]). Nach Syrien weist auch der Dienst der Astarte, in deren Heiligthum die Tafel aufgestellt war; damit stimmen die barbarischen Namen der Anisener; damit die nahen Beziehungen, in welchen ihre Gemeinde zu der Stadt Eusebeia stand (wahrscheinlich Tyana); damit endlich auch die freilich unverbürgte Nachricht, dass die Tafel aus dem Grenzlande zwischen Kleinasien und Mesopotamien stamme. Es wird also, da an die bei Theophylakt p. 220 ed. Bonn. erwähnten Anisener, deren Gebiet in Kurdistan lag, schwerlich zu denken ist, wahrscheinlich eine syrische Stadt sein, die nach Alexander hellenisirt worden ist; denn sie hat bei mancherlei Spuren einheimischer Nationalität griechisch genannte Bürger, griechisch-makedonische Monate, griechische Feste (des Zeus Soter und Herakles) und Festgebräuche, griechische Verfassung mit selbständiger Finanzverwaltung. Senat und Volk (δῆμος, ἐκκλησία) fassen durch Cheirotonie gemeinsame Beschlüsse; Prytanen, welche wir als Mitglieder des Raths anzusehn haben, berufen die Gemeinde und stellen Anträge. So finden wir in Eretria Polemarchen als Antragsteller (οἱ πολέμαρχοι εἶπαν

---

[1]) Auf seltenen Bronzemünzen, die gewöhnlich nach Lydien gesetzt werden (unser Cabinet hat deren 3 aus Commodus Zeit) findet sich die Umschrift ANINHCIWN. Da in den Grenzdistrikten von Kleinasien und Syrien die Schreibung der Ortsnamen häufig eine schwankende ist (z. B. Tyana, Toana, Tynos, Dana) und denselben Städten verschiedene Namen zukommen (Hierapolis, Bambyce, Edessa), so darf man wenigstens die Möglichkeit andeuten, dass die Anisener und Aninesier identisch seien. Rawlinson hat im Journal of the Royal Geographical Society X p. 74 die Azones bei Plinius N. H. VI, 118 mit den Anisenern bei Theophylakt identificiren wollen. Ich verdanke diese Notiz meinem Collegen Sachau.

[2]) Dieselbe Form findet sich auch bei syrischen Niederlassungen ausserhalb Syrien: "Αστυρα 'Αστυρηνοί, vgl. Δάτον Δατηνοί etc.

C. I. Gr. 2144); in Byzanz die Strategen (2060), in Olbia die Archonten und die Siebenmänner (II p. 88 B). An der Spitze der Gemeinde stehen Demiurgen. Es ist ein Amt, das sich in hellenistischer Zeit aus dem Mutterlande vielfach nach dem Orient verbreitet hat. Demiurgen so gut wie Prytanen finden wir im kilikischen Iatape, Demiurgen ebenfalls in Pamphylien, Pisidien etc.

Man kann aus dem, was von der Verfassung bekannt ist, auf eine durch Steigerung der Beamtenmacht beschränkte Demokratie schliessen, wie solche Einschränkungen überall stattgefunden haben, wo die Herrschaft Roms in die Welt griechischer Republiken eingetreten ist. Von römischem Einflusse scheint auch das ἔδοξε am Ende des Decrets ein Zeugniss abzulegen; denn es entspricht vollkommen der Schlussnotiz *censuere*, der officiellen Angabe, dass eine normale Abstimmung stattgefunden habe. Es ist eine vom Senatsdecrete entlehnte Formel; ἔδοξε und *censuere* finden sich als einander entsprechende Formeln im S. C. de Thisbaeis.

Wenn wir bei griechischen Urkunden die römische Zeit durch römische Namen gekennzeichnet zu sehen gewohnt sind, so ist dies hier nicht der Fall. Wir finden in beiden Städten überwiegend ungriechische Personennamen und zwar erstens solche, bei denen das oben besprochene Suffix wiederkehrt, wie Σινδηνός, Ἀνοπτηνός; zweitens solche, die auch ihrem Stamme nach orientalischen Ursprungs zu sein scheinen, wie Ἄββας (im Genitiv Ἄββα oder hellenisirt Ἄββατος), Παπᾶς (aus dem makedonischen Edessa und pontischen Inschriften bekannt), Βαλάσωπος, Σασαίτας; drittens Namen, die sich auf orientalische Götterdienste beziehen, wie Μαιδάτης (der von der Ma Gegebene?) und Μηνόφιλος.

Eine zweite Gruppe ist die der griechischen Namen, wie Ἀπολλώνιος und Ἀλέξανδρος, welche, mit den fremden Namen verbunden, wie Ἀπολλώνιος Ἄββα, eine allmähliche Hellenisirung der eingeborenen Familien bezeugen. Wenn nun römische Namen durchaus fehlen, römischer Einfluss aber sich zu erkennen giebt, so wird man geneigt sein, die Urkunde der Zeit zuzuschreiben, wo dieser Einfluss sich in den syrischen Ländern durchgreifend geltend zu machen anfing. Dies geschah durch Pompejus a. u. 690. Es liegt also die Vermuthung nahe, dass die Epoche der Anisener dieselbe sei, welche wir von Antiocheia an bis Phönizien und Palästina antreffen. Damit würde die Schriftart wie der Stil des plastischen Schmucks nicht in Widerspruch stehn. Dann würde die Urkunde dem Jahre 58 v. Chr. angehören. Es ist aber die Zahl städtischer Aeren in Syrien zu gross und unsere Kenntniss gleichartiger Stadturkunden dieser Gegend zu gering, als dass über die Zeit der vorliegenden Erztafel für's Erste mit grösserer Sicherheit geurteilt werden könnte.

Die Inschrift lautet:

Ἀγαθῇ τύχῃ· Ἔτους ἑβδόμου μηνὸς Δίου ἐν Ἀνίσοις ἐπὶ δημιουργοῦ Παποῦ τοῦ Βαλασώπου ἔδοξεν Ἀνισηνῶν τῇ βουλῇ καὶ τῷ δήμῳ πρυτανίων εἰπάντων·

Ἐπεὶ Ἀπολλώνιος Ἄββατος ὑπάρχων ἀνὴρ καλὸς κἀγαθὸς διατελεῖ περὶ τὸ ἡμέτερον πολίτευμα, ἄρξας δὲ ἐν τῷ τετάρτῳ ἔτει μετὰ καὶ Ἑτέρωνος καὶ ἀντιποιησάμενος τὴν Σινδηνοῦ τοῦ Ἀπολ(λ)ωνίου ἀκληρο(νο)μήτου οὐσίαν, ὑποστησάμενος δαπάνας τε καὶ κακοπαθίας καλούμενος ἐν Εὐσεβείᾳ ἐπὶ τὴν δικαιοδοσίαν ἐπί τε Μηνοφίλου τοῦ Μαιδάτου ἀρχιδιοικητοῦ κα[ὶ] Ἀλεξάνδρου τοῦ Σασαίτου ἐν Εὐσεβείᾳ ἐπὶ τῆς πόλεως ὑπό τε Ἀνοπτηνοῦ τοῦ Τειρέους τοῦ καὶ ἀντιποιουμένου τὴν κληρονομίαν καὶ ἑτέρων τινῶν πολιτῶν οὐ προέδωκεν τὸν δῆμον, ἀλλὰ σπουδὴν καὶ φιλοτιμίαν εἰσενεγκάμενος περιεποίησεν τῷ δήμῳ κατὰ ἀπόφασιν τὴν κληρονομίαν·

διὸ καὶ δεδόχθαι τῇ βουλῇ καὶ τῷ δήμῳ, μὴ ἀπαρασήμαντον ἐᾶσαι τὴν τοῦ ἀνδρὸς καλοκαγαθίαν, ἀλλὰ κατὰ τὴν γεγενημένην ἐν βουλῇ καὶ ἐκκλησίᾳ χειροτονίαν ὑπάρχειν αὐτὸν εὐεργέτην τοῦ δήμου καὶ στεφανοῦσθαι ἔν τε τοῖς Διοσσωτηρίοις καὶ Ἡρακλείοις καὶ ἐν ταῖς κατὰ μῆνα καὶ κατ' ἐνιαυτὸν δημοτελέσι συνόδοις χρυσῷ στεφάνῳ, τοῦ ἱεροκήρυκος ἀναγορεύοντος κατὰ τάδε· Ὁ δῆμος στεφανοῖ Ἀπολλώνιον Ἄββα εὐεργέτην χρυσῷ σ(τ)εφάνῳ τύχῃ ἀγαθῇ· τοῦ δὲ ψηφίσματος τούτου τὸ ἀντίγραφον ἀναγράψαντα εἰς πλάκα χαλκοῦν ἀναθεῖναι ἐν τῷ προνάῳ τοῦ τῆς Ἀστάρτης ἱεροῦ· ὅπως ἂν καὶ οἱ λοιποὶ θεωροῦντες τὸ τοῦ δήμου εὐχάριστον πειρῶνται ἀεί τινος ἀγαθοῦ παραίτιοι γενέσθαι τῇ πόλει.

Ἔδοξε.

Wir finden in der Inschrift noch eine zweite Stadt genannt, die dem südöstlichen Kleinasien angehört hat, Eusebeia. Es gab aber zwei kappadokische Städte dieses Namens, denn sowohl Mazaka am Argaios als auch Tyana hiessen Eusebeia, drei Tagereisen von einander entfernt. Tyana lag an der alten assyrischen Heerstrasse, den Tauropässen benachbart, die nach Cilicien und Syrien führen (ὑποπεπτωκυῖα τῷ Ταύρῳ τῷ κατὰ τὰς Κιλικίας πύλας, καθ' ἃς εὐπετέστεται καὶ κοινότεται πᾶσίν εἰσιν αἱ εἰς τὴν Κιλικίαν καὶ τὴν Συρίαν ὑπερβολαί Str. 537); man denkt also zunächst an dies Eusebeia, ἡ πρὸς τῷ Ταύρῳ. Der in diesen Gegenden wiederkehrende Name Eusebeia, welchen man bei Mazaka mit dem Beinamen des Ariobarzanes Eusebes in Verbindung gesetzt hat, ist vielleicht ein religiöser Ortsname, welcher, aus einheimischer Sprache in das Griechische übersetzt, einen Priestersitz und Wallfahrtsplatz bezeichnet. Tyana war ein Tempelort des Zeus Asbamaios, dessen heiliger See und Quell (ἀσβαμαῖον ὕδωρ, von W. L. Hamilton 1837 wieder aufgefunden) eine centrale Bedeutung für die Umlande hatte. Von der Verfassung der Stadt erfahren wir die merkwürdige Thatsache, dass ein ἀρχιδιοικητής an der Spitze der Verwaltung stand und neben ihm ein Zweiter, welcher ὁ ἐπὶ τῆς πολεως genannt wurde. Als nun Sindenos, des Apollonios Sohn, vermuthlich ein Verwandter des Anisener Apollonios, ohne natürliche Erben verstorben war und dieser auf die Erbschaft Anspruch erhob, wurde ihm dieselbe von Anoptenos, des Teireus Sohn, und anderen Bürgern von Eusebeia streitig gemacht. Er wurde vor das Gericht nach Eusebeia berufen.

Hier wird also das Kapital gewesen sein, um das es sich handelte. Es scheint aber die ganze Angelegenheit kein gewöhnlicher Erbschaftsprocess gewesen zu sein und keine einfache Privatsache. Denn es ist nicht nur von Geldopfern die Rede, sondern auch von Drangsalen, welche im Stande gewesen wären, weniger energische Charaktere zurückzuschrecken. Apollonios aber unterzog sich allen Unannehmlichkeiten nicht zu eigenem Nutzen, sondern znm Besten seines Vaterlandes. Es war also eigentlich ein Kampf zwischen zwei Nachbarstädten, und da die eine derselben unter dem Schutze der Astarte stand, die andere unter dem des Zeus Asbamaios, so wird dieser Streit wohl durch beiderseitigen Fanatismus genährt worden sein. Cappadocien ist das Gebiet uralter Priesterstaaten. Der des Zeus in Venasa war mit einem Heere von 3000 Tempelsklaven nach Komana der mächtigste in Kleinasien; der dritte unter diesen priesterlichen Grossmächten war der des Zeus Asbamaios bei Tyana, dessen Priesterthum auch ein politisches Machtgebiet gehabt haben muss. Unter diesen Umständen ist es besonders merkwürdig, dass wir in Eusebeia keine öffentlichen Ämter finden, wie wir sie in Städten republikanischer Selbstverwaltung zu finden gewohnt sind, sondern solche, welche auf eine abhängige und von einem anderen Mittelpunkte aus verwaltete Stadtgemeinde schliessen lassen, wie der Art des ἀρχιδιοικητής und des ἐπὶ τῆς πόλεως. Man könnte also auch hier an eine priesterliche Oberhoheit denken, wie diejenige war, unter welcher Ephesos zu Zeiten gestanden hat.

Auf jeden Fall hatte Apollonios als der unerschrockene Vorkämpfer seiner Vaterstadt durch die schliessliche Zuwendung der streitigen Erbschaft an die Anisener auch der Astarte einen Triumph verschafft, so dass das zu seiner Anerkennung verfasste Ehrendenkmal in ihrem Tempel seine Aufstellung erhielt. Die eherne Tafel wird πλάξ genannt (hier ausnahmsweise masculinum). Dieser Gebrauch des Worts wirft auf die lesbische Inschrift im C. I. Gr. 2169 ein neues Licht und bezeugt die Richtigkeit der Erklärung, welche Kaibel Epigr. Gr. p. 339 giebt.

Die Lücke, welche Z. 18 nach Ἄββα sich findet, muss die Vermuthung hervorrufen, dass auch hier Ἄββατος zu lesen sei; doch ist auf der wohl erhaltenen Erztafel keine Spur von Buchstaben in der Lücke vorhanden.

Nachträglich die Notiz, welche ich der Güte des Herrn Dr. Schröder in Constantinopel verdanke, dass die Tafel nach Aussage ihres früheren Besitzers des Herrn Alischan aus Cappadocien stammt. Der verstorbene Dr. Mordtmann soll aber die Landschaft Commagene als Provenienz der Inschrift festgestellt haben.

---

22. Juli. Gesammtsitzung der Akademie.

Hr. **Rammelsberg** las:

Über die Zusammensetzung des Descloizits und der natürlichen Vanadinverbindungen überhaupt.

Vor einiger Zeit erhielt ich von Hrn. Dr. L. Brackebusch, Professor der Mineralogie an der Universidad Mayor de S. Carlos zu Cordoba in Argentinien eine Sendung von Erzen der dortigen Gegend, namentlich aber von Vanadinerzen, unter welchen ich sofort eines der allerseltensten, nämlich den Descloizit, erkannte, von welchem nur einige kleine Stücke früher schon nach Paris gekommen waren und den krystallographisch-chemischen Arbeiten Descloizeaux's und Damour's gedient hatten.

Hr. Websky hat sich der Mühe unterzogen, die Krystalle genauer zu studiren, als dies seinem Vorgänger möglich gewesen ist. Ich aber habe die chemische Zusammensetzung bestimmt und dabei gefunden, dass Damour leider zu einem ganz unrichtigen Resultat gelangt ist, sicherlich wohl deshalb, weil dieser sonst äusserst sorgfältige Forscher nur wenig und dabei nicht reines Material zur Verfügung hatte.

Das zweite Mineral ist der Vanadinit, dessen Analyse mit den früheren Resultaten von Abänderungen aus anderen Gegenden übereinstimmt.

Auf meinen Wunsch, etwas Näheres über die Fundorte und die Art des Vorkommens dieser Erze mitzutheilen, schickte mir Hr. Brackebusch kürzlich einige Zeitschriften und Abhandlungen, und entnehme ich aus einer dieser letzteren, welche den Titel führt: Las especies minerales de la Republica Argentina. Buenos Aires 1879. die folgenden allerdings sehr fragmentarischen Angaben.

Hr. Brackebusch fand diese Erze im Februar v. J. an vier Stellen der Sierra de Cordoba; nämlich auf einem Gang bei Aguadita, nahe dem Pass von Montoya, südlich von Pichana; ferner in grösseren Massen und in schönen Krystallen in der Grube Venus (Departam. de Minas), etwa zwei Leguas südlich von Aguadita, wo der Descloizit von gelben Vanadinitkrystallen begleitet ist.

Minder schön trifft man jenen in den Gruben Bienvenida und Agua de Rubio an. Handschriftlich fügt der Verf. hinzu, dass er den Descloizit in diesem Jahre auch in der Provinz S. Luis, östlich von S. Barbara in Begleitung von Linarit, Bleiglanz, Malachit und Matlockit gefunden habe.

Ich werde an die nachfolgenden Untersuchungen der beiden südamerikanischen Vanadinerze eine Zusammenstellung der natürlichen Vanadate zum Vergleich ihrer chemischen Natur anreihen.

I. Descloizit.

Im J. 1854 beschrieb Des Cloizeaux ein krystallisirtes Mineral aus der Argentinischen Republik, welchem Damour, der dasselbe analysirte und als ein zink- und manganhaltiges Bleivanadat erkannte, den Namen Descloizit gab.[1])

Später fand A. Schrauf am Berge Obir in Kärnthen, d. h. an demselben Orte, wo 1854 Canaval den Vanadinit gefunden hatte, welchen ich 1856 analysirte und dessen Isomorphie mit dem Pyromorphit etc. ich nachwies, ein ähnliches Mineral, welches von Zippe den Namen Vanadit erhielt. Dies gab Schrauf Veranlassung, beide zu vergleichen[2]), indem er die Messungen Des Cloizeaux's mit denen von Grailich und Weiss und mit eigenen an den kärnthnerischen Krystallen zusammenstellte, ihre Übereinstimmung darthat, und mit Recht den Namen Descloizit für beide beibehielt.

Die von Damour und Des Cloizeaux untersuchten Krystalle stammen höchst wahrscheinlich von demselben Fundort, wie die, deren Beschreibung und Analyse der Gegenstand dieser Abhandlung ist.

Damour fand das V. G. = 5,839. Seine Analyse ergab nach Abzug von 9,44 p. C. in Salpetersäure Unlöslichem:

---

[1]) Ann. Chim. Phys. (3) 41,72.

[2]) Pogg. Ann. 116, 355. In dieser Abhandlung ist irrthümlich der Harz als Fundort des Dechenits und Peru als derjenige des Descloizits genannt.

Chlor	0,35
Vanadinsäure	24,80
Bleioxyd	60,40
Zinkoxyd	2,25
Manganoxydul	5,87
Eisenoxydul	1,48
Kupferoxyd	0,99
Wasser	2,43
	98,57

Oder

		At.	
Cl	0,35	0,01	
V	13,95	0,27	
Pb	56,07	0,27	
Zn	1,80	0,03	
Mn	4,55	0,08	0,41
Fe	1,15	0,02	
Cu	0,80	0,01	
aq		0,135	

Da 41 : 27 : 13,5 = 1,5 : 1 : 0,5, so wäre der Descloizit nach Damour ein Drittelvanadat,

$$R^3V^2O^8 + aq,$$

in welchem (Mn , Zn , Fe , Cu) : Pb = 1 : 2 At.

Indessen hat Damour die Analyse in einem anderen Sinn gedeutet. Weil die Krystalle im Innern hell, nach aussen braun und schwarz gefärbt sind, glaubte er, die Oxyde von Mangan, Eisen, Zink und Kupfer seien als färbende Körper beigemengt und das Wasser gehöre ihnen an. Bringt man dies Alles in Abzug, so wäre das Mineral ein Halbvanadat von Blei,

$$Pb^2V^2O^7.$$

Man darf nicht übersehen, dass Damour nur 0,5 Grm. zu jedem der beiden Versuche gehabt hat. Hierzu kommt, dass die von ihm angewandte Methode sehr unvollkommen ist. Er kochte die Vanadinsäure, welche Zink, Mangan und Eisen enthielt, mit Kalilauge, und sagt, die alkalische Flüssigkeit habe beim Stehen an der Luft das Zink als Carbonat (nicht vanadinfrei) fallen lassen. Es ist klar, dass hierdurch unmöglich der Zinkgehalt bestimmt werden konnte, und wir werden weiterhin sehen, dass derselbe in den hellen und den dunklen Krystallen in der That weit grösser und überhaupt ein wesentlicher Bestandtheil des Minerals ist. Wäre das Zinkoxyd als solches vorhanden, so würde es nothwendig als Carbonat auftreten.

Andererseits hätte Damour leicht sich überzeugen können, dass das Wasser nicht den Oxyden von Mangan und Eisen angehören kann. Wären diese nämlich als Manganit und Brauneisenerz vorhanden, so würden

6,52 Manganoxyd	= 0,65	Wasser
1,65 Eisenoxyd	= 0,28	„
	0,93	

erfordern, d. h. die Krystalle hätten 7,17 p. C. von jenem und 1,93 p. C. von diesem enthalten = 9,1 p. C. Verunreinigung (ausser Zink- und Kupferoxyd) und 2,43 — 0,93 = 1,5 p. C. Wasser wären überschüssig; mit anderen Worten, die Krystalle hätten $2\frac{1}{2}$ Mal so viel Wasser enthalten, als jene Oxyde bedürfen. Wir werden sehen, dass auch das Wasser ein wesentlicher Bestandtheil des Descloizits ist.

Die Zusammensetzung des Minerals ist also hiernach noch unbestimmt.

Das Vorkommen in Kärnthen wurde von Tschermak untersucht[1]), welcher die unerwiesene Behauptung aufstellt, Damour habe ein unreines und verändertes Material analysirt. Er fand 54,3 p. C. Bleioxyd und nur eine Spur Zink; der Rest = 45,7 p. C. soll Vanadinsäure sein, allein die von ihm angewandte Methode (Schmelzen mit saurem Kalisulfat) ist principiell falsch, worauf schon Czudnowicz aufmerksam gemacht hat.[2]) Der Schluss, das Mineral sei PbV^2O^6 (die angebliche Formel des Dechenits) ist hiernach keineswegs begründet.

Noch ein anderes Vanadat ist für Descloizit erklärt worden, nämlich ein in graugelben und braunen kugeligen Aggregaten zu Wanlockhead vorkommendes Mineral. Eine chlorfreie Probe, welche Frenzel analysirt hat[3]), gab 72,12 PbO gegen 22,4 V^2O^5 und

[1]) Wien. Ak. Ber. 44, 157.

[2]) Pogg. Ann. 120, 24 (1863).

[3]) Jahrb. f. Min. 1875, 673.

4,7 P^2O^5. Da das Atomverhältniss Pb : V, P = 1 : 1 ist, so ist dieser Körper $Pb^2V^2O^7$ oder vielmehr

$$\left\{ \begin{matrix} 4\,Pb^2V^2O^7 \\ Pb^2P^2O^7 \end{matrix} \right\}$$

also ein Halbvanadat, aber kein Descloizit, der Zink enthält, und, wie wir sehen werden, ein Viertelvanadat ist. Der Irrthum in Betreff des Minerals von Wanlockhead ist selbst in neuere Lehrbücher übergegangen[1]).

Das ausgezeichnete und reiche Material, über welches ich zu verfügen hatte, erlaubte wiederholte Untersuchungen, welche sich sowohl auf die dunkelgefärbten als auch auf die sparsameren hellbraunen Krystalle beziehen.

Mit wenig Salpetersäure erwärmt, nimmt das Pulver die hochrothe Farbe der Vanadinsäure an, welche durch grösseren Zusatz von Säure sich auflöst, während die Flüssigkeit blassgelb erscheint. Ungelöst bleibt eine ganz geringe Menge Quarzsubstanz.

Das V. G. der dunklen Krystalle ist = 6,080, das der hellen = 5,915.

A. Dunkle Krystalle.

I. 2,594, in Salpetersäure aufgelöst, wurden mit Schwefelsäure bis zur Entfernung jener abgedampft. Nach dem Zusatz von Wasser blieben 1,987 $PbSO^4$ zurück. Das gelbe Filtrat wurde mit Na^2CO^3 im Überschuss versetzt, zur Trockne gebracht und geschmolzen. Beim Auskochen blieb ein Rückstand von Zink- und Manganoxyd, welcher in Chlorwasserstoffsäure gelöst, mit kohlensaurem Natron erhitzt und mit Essigsäure im Überschuss versetzt wurde. Das durch Schwefelwasserstoff gefällte Schwefelzink lieferte 0,42 ZnO, während aus dem Filtrat 0,028 Mn^3O^4 erhalten

[1]) Naumann, Elem. d. Min. 10. Aufl. von Zirkel S. 462 (wo statt Phosphorsäure Vanadinsäure zu lesen ist).

wurden. Die vanadinhaltige Flüssigkeit gab, nachdem sie sauer gemacht, mit Ammoniak übersättigt und mit Salmiak stark eingedampft worden, eine Fällung von $AmVO^3$ = 0,593 geschmolzener V^2O^5, während das Filtrat sich frei von Phosphorsäure erwies.

II. 4,803 wurden in gleicher Art analysirt und ergaben 3,752 $PbSO^4$, 0,816 ZnO, 0,043 Mn^3O^4 und 1,094 V^2O^5.

III. 2,277 des getrockneten Pulvers verloren bei schwachem Glühen 0,05 Wasser.

IV. 1,252 gaben 0,031 Wasser.

V. 1,468, in Salzsäure gelöst, gaben 0,014 AgCl; nach Entfernung des Silbers 1,037 $PbCl^2$, 0,244 ZnO, 0,025 Mn^3O^4 und 0,331 V^2O^5.

B. Hellbraune Krystalle.

0,669 = 0,511 $PbSO^4$, 0,14 ZnO, und Spuren von Mn. Das V. wurde nicht bestimmt, auch war für Cl und aq nicht genügend Material vorhanden.

	A.				B
	I. IV.	II. III.	V.	Mittel	
Chlor			0.24	0,24	
Vanadinsäure	22,86	22,80	22.55	22,74	
Bleioxyd	56,38	57,48	55,57	56,48	54,35
Zinkoxyd	16,19	16,98	16,62	16,60	20,93
Manganoxydul	1,08	0.83	1,58	1,16	
Wasser	2,48	2,20		2.34	
				99,56	

Das Mittel von A ergiebt:

		At.	
Cl	0,24	0.7	
V	12,79	25	
Pb	52,43	25,3	
Zn	13,32	20,5	47,4
Mn	0,90	1.6	
H^2O		13	

Da $R:V:H^2O = 1,9:1:0,5$, d. h. $= 2:1:\frac{1}{4}$, so ist der Descloizit

$$R^4V^2O^9 + aq\ ,$$

und besteht aus Viertelvanadaten, wenn man nicht vorzieht, die Formel

$$\left\{\begin{matrix} R^3V^2O^8 \\ R\,H^2O^2 \end{matrix}\right\}$$

zu schreiben d. h. ihn als Drittelvanadat und Basis zu betrachten. Die hellsten Krystalle (B), welche nur Spuren von Mn enthalten, und in denen 50,45 Pb und 16,80 Zn = 1 : 1,06 At. gefunden waren, stellen eine isomorphe Mischung je eines Mol. vanadinsaures Blei und vanadinsaures Zink, beide wasserhaltig, dar.

Berechnet

$$\left\{\begin{matrix} Pb^4V^2O^9 + aq \\ Zn^4V^2O^9 + aq \end{matrix}\right\}$$

2V =	102,8 =	V^2O^5	22,60
2Pb =	414	PbO	55,14
2Zn =	130	ZnO	20,03
9O =	144	aq	2,23
aq =	18		100
	808,8		

In den meist vorherrschenden dunklen Krystallen vertritt Mn einen Theil Zn,

Mn :	12,5 Zn	in I
	17,5	III
	9,3	V.

Der geringe Chlorgehalt von 0,24 p. C. würde den Ausdruck

$$RCl^2 + 35(R^4V^2O^9 + aq)$$

bedingen.

Ausser dem Descloizit sind noch zwei Vanadate von Blei und Zink bekannt, der Eusynchit und der Aräoxen.

Der *Eusynchit*, von Fischer zuerst beschrieben, bildet rothbraune kugelig-faserige Aggregate und ist zu Hofsgrund bei Freiburg i. B. gefunden worden[1]). Er sollte ein V. G. = 4,945 haben und nach Nessler aus 55,7 Bleioxyd, im Übrigen aus Vanadinsäure bestehen. Durch die Güte des Entdeckers wurde ich in den Stand gesetzt, die Analyse zu wiederholen[2]) und fast zu gleicher Zeit theilte auch Czudnowicz eine solche mit[3]). Diese Versuche beweisen die Unrichtigkeit von Nessler's Angaben. Das V. G. ist 5,596 (R) oder 5,53 (C.).

	R.	C.	
	I.	II.	III.
Vanadinsäure	24,22	24,32	20,28
Phosphorsäure	1,14	—	—
Arsensäure	0,50	—	—
Bleioxyd	57,66	58,35	57,06
Zinkoxyd	15,80	17,33	22,66
Kupferoxyd	0,68	—	—
	100	100	100

Das Vanadin ist in allen Fällen aus dem Verlust berechnet.

Die Analysen I und II stimmen ziemlich überein, denn sie geben

$$\begin{array}{rcl} & & R : V \\ I & = & 1,60 : 1 \\ II & = & 1,78 : 1 \end{array}$$

und da das Zinkoxyd, wenigstens in meinem Fall, nicht ganz frei von Vanadin war, so darf man wohl 1,5 : 1 = 3 : 2 annehmen, wonach der Eusynchit aus Drittelvanadaten besteht,

$$R^3V^2O^8.$$

Das Atomverhältniss Zn : Pb ist in I = 1 : 1,38, in II = 1 : 1,2.

---

1) Jahrb. f. Min. 1855, 570.

2) Monatsber. d. Akad. 1864, 39.

3) Pogg. Ann. 120, 25.

Anders ist es mit III, wo R : V = 2,5 : 1 = 5 : 2 und Zn : Pb = 1 : 1 ist, was zu Fünftelvanadaten führen würde,

$$R^5V^2O^{10}.$$

Allein ein solcher einzeln dastehender Versuch erfordert eine Bestätigung.

Abgesehen von ihm wird also der Eusynchit von Hofsgrund vorläufig als

$$\left\{\begin{matrix} 4\,Pb^3V^2O^8 \\ 3\,Zn^3V^2O^8 \end{matrix}\right\}$$

aufzufassen sein.

Berechnung.

14 V	= 719,6	=	V^2O^5	27,32[1])
12 Pb	= 2484	=	PbO	57,12
9 Zn	= 585	=	ZnO	15,56
56 O	= 896			100
	4684,6			

Der Eusynchit besteht mithin aus Vanadaten derselben Sättigungsstufe wie der Vanadinit und lässt sich mit dem Descloizit nicht verwechseln.

Aräoxen wurde von F. v. Kobell im J. 1850 ein Mineral von Dahn bei Nieder-Schlettenbach im Lauterthal genannt[2]), welches braunrothe traubige Parthieen darstellt. Wegen mangelnden Materials blieb die Analyse unvollständig. Später gab Bergemann eine solche[3]).

	I. Kobell	II. Bergemann
Vanadinsäure		16,81
Arsensäure		10,52
Bleioxyd	48,70	52,55
Zinkoxyd	16,32	18,11
		97,99[4])

[1]) Gef. 26,1 R.

[2]) J. f. pr. Chem. 50, 496.

[3]) Jahrb. f. Min. 1857, 397.

[4]) Und 1,34 Verunreinigungen.

In II ist R : V, As = 1,67 : 1, was dem Verhältniss 1,5 : 1 nahe kommt. Da Zn : Pb = 1 : 1 und As : V = 1 : 2, so muss der Aräoxen als bestehend aus Drittelvanadaten und Arseniaten

$$2R^3V^2O^8 + R^3As^2O^8$$

betrachtet werden, wobei das Blei- und das Zinksalz zu gleichen Mol. vorhanden sind. Eine Berechnung in diesem Sinn ergiebt

Vanadinsäure	18,61
Arsensäure	11,72
Bleioxyd	51,11
Zinkoxyd	18,56
	100.

Eusynchit und Aräoxen sind hiernach zwei ähnliche, jedoch durch den Arsengehalt des letzteren verschiedene Mineralien.

Sehr bemerkenswerth bleibt es immer, dass der Fundort des Aräoxens zugleich der des Dechenits ist, welcher äusserlich jenem vollkommen gleicht. Bergemann fand in ihm 53,32 Bleioxyd und 46,63 Vanadinsäure und hat letztere direkt bestimmt. Wenn der Dechenit hiernach einfach vanadinsaures Blei, PbV^2O^6, ist (berechnet: 54,95 PbO und 45,05 V^2O^5), so steht er unter allen natürlichen Vanadaten ganz für sich, da alle übrigen basischer sind. Es wäre von grossem Interesse, wenn seine Zusammensetzung drrch erneute Versuche bestätigt würde.

II. Vanadinit.

Neben dem Descloizit und zum Theil mit ihm verwachsen findet sich Vanadinit in sehr kleinen sechsseitigen Prismen, deren Natur die nachfolgenden Versuche ausser Zweifel setzen.

A. Braune Abänderung.

Sie ist die herrschende, und doch hält es schwer, die sehr kleinen Krystalle frei von Descloizit und anhängendem Quarz auszulesen. Dies ist auch wohl der Grund, dass ihr V. G. nicht höher als 6,635 gefunden wurde.

Der Gang der Analyse war im Allgemeinen der frühere.

I. 1,623 = 1,697 $PbSO^4$. Nach dem Abdampfen und Erhitzen blieben 0,36 unreine Vanadinsäure, aus welcher durch Schmelzen mit kohlensaurem Natron und Auslaugen 0,013 manganhaltiges Zinkoxyd erhalten wurden.

II. 1,058 = 0,104 AgCl.

III. 3,288 = 3,428 $PbSO^4$, 0,064 ZnO, manganhaltig, 0,605 V^2O^5 als $AmVO^3$ abgeschieden, und 0,039 $Mg^2P^2O^7$ = 0,0249 P^2O^5.

B. Gelbe Abänderung.

Hellgelbe Krystalle und krystallinische Parthieen, der Menge nach sehr untergeordnet, und als Material für die Analyse nicht sonderlich rein. V. G. einer etwas quarzhaltigen Probe = 6,373.

I. 0,927 = 0,082 AgCl.

II. 2,011 = 2,028 $PbSO^4$, 0,093 ZnO und Mn^2O^3, 0,42 V^2O^5 und 0,033 $Mg^2P^2O^7$ = 0,0211 P^2O^5.

	A.		B.
	I.	II. III.	I. II.
Chlor		2,36	2,19
Vanadinsäure	21,32	18,40	20,88
Phosphorsäure		0,76	1,05
Bleioxyd	76,96	76,73	74,22
Zinkoxyd (Mn)	0,80	0,94	2,48
		99,19	100

Hier sind die Atomverhältnisse

	Cl : Pb : PbO	PbO : V^2O^5
A.	2 : 1 : 9	1,5 : 1
B.	2 : 1 : 11	1,4 :

Hier ist unter PbO auch ZnO, unter V^2O^5 auch P^2O^5 verstanden, und danach scheint es, als gehöre Zn (und Mn) dem Vanadinit an und sei nicht auf Rechnung beigemischten Descloizits zu setzen, wogegen überdies die Menge desselben besonders in der gelben Abänderung spricht. Übrigens ist Zn (Mn) : Pb in A = 1 : 43, in B = 1 : 11 At., während P : V in A = 1 : 18, in B = 1 : 15 ist.

Somit stimmt der Vanadinit von Cordoba genügend überein mit dem aus Kärnthen, Südafrika und von Beresow, aber auch mit zwei später untersuchten Abänderungen, nämlich von Wanlockhead nach Frenzel [1]) und von Bölet (Undenäs) in Schweden nach Nordström [2]), deren Resultate waren:

	Fr.	N.
Chlor	2,24	2,34
Vanadinsäure	16,92	17,61
Phosphorsäure	2,72	—
Bleioxyd	77,04	79,17
	98,92	99,12

Über die Zusammensetzung der natürlichen Vanadate.

I. Vanadate von Blei.

Ausser dem Dechenit und dem Vanadinit scheint es noch ein selbständiges Bleivanadat zu geben. Es hat nämlich Thomson ein solches untersucht [3]), angeblich aus der Grafschaft Wicklow in Irland stammend, und neuerlich Frenzel [4]) gelbliche oder bräunliche traubige Aggregate von Wanlockhead in Schottland, deren V. G. 6,75 ist.

[1]) Jahrb. f. Min. 1875, 673.
[2]) Geol. Fören. Förh. 4, 267.
[3]) Outl. of Min. 1, 574.
[4]) Jahrb. f. Min. 1875, 679.

	Thomson	Frenzel	
	1.	2.	3.
Chlor	2,44	—	1,22
Vanadinsäure	23,43	22,40	22,04
Phosphorsäure	—	4,70	2,90
Bleioxyd	73,94	72,12	72,96
	99,81	99,22	99,12

Betrachtet man die chlorfreie Substanz (2) als rein, so stellt sie, da Pb : V = 1 : 1, ein Halbvanadat von Blei dar,

$$Pb^2V^2O^7,$$

oder vielmehr eine isomorphe Mischung

$$\left\{\begin{array}{c} 4\,Pb^2V^2O^7 \\ Pb^2P^2O^7 \end{array}\right\}$$

berechnet zu:

Vanadinsäure	23,56
Phosphorsäure	4,58
Bleioxyd	71,86
	100.

Die chlorhaltige Probe (3) ergiebt Pb : V, P = 1,16 : 1. Wenn die Annahme Frenzel's, das Chlor rühre von einer Beimengung von Vanadinit her, richtig ist, so musste diese Probe nahe zur Hälfte aus jenem bestehen. Berechnet man nämlich aus dem Chlorgehalt einen phosphorfreien Vanadinit, so bleibt für den Rest 25,16 V^2O^5, 5,78 P^2O^5 und 69,06 PbO, so dass Pb : V, P = 1,15 : 1 ist. Berechnet man andererseits nach obiger Formel die Menge der chlorfreien Verbindung, so erfordern 2,90 P^2O^5 14,92 V^2O^5 und 45,50 PbO = 63,32 der Verbindung. Dann würde der Rest aus 1,22 Cl, 7,12 V^2O^5 und 27,46 PbO = 35,8 p. C. bestehen, anstatt dass die Vanadinitformel für die gleiche Chlormenge 9,42 V^2O^5 und 38,32 PbO verlangt; d. h. der supponirte Vanadinit würde gegen $PbCl^2$ nicht 3 sondern nur 2 Mol. $Pb^3V^2O^8$ enthalten. Aus diesen Gründen glaube ich schliessen zu dürfen, dass auch der Verbindung $Pb^2(V, P)^2O^7$ wenigstens ein Theil des Chlors angehöre.

Schwerer ist es, über Thomson's Analyse zu urtheilen. Ihr Chlorgehalt erreicht fast den des Vanadinits (2,50 p. C.), allein statt 19,35 V^2O^5 und 78,70 PbO hat sie 23,43 von jener und nur 73,94 von diesem. Nach Abzug des $PbCl^2$ ist Pb : V = 1,5 : 1, d. h. fast ebenso wie in der vorigen (2).

Frenzel hielt das Mineral von Wanlockhead für Descloizit, was natürlich nur möglich war, so lange die Natur des letzteren unrichtig aufgefasst wurde. Sollte sich aber die Existenz eines Halbvanadats von Blei bestätigen, so müsste es mit einem besonderen Namen belegt werden.

II. Vanadate von Blei und Zink.

Hierher gehören:

1) *Descloizit*, $R^4V^2O^9$ + aq, ein wasserhaltiges Viertelvanadat.
2) *Eusynchit*, $R^3V^2O^8$, ein Drittelvanadat.
3) *Aräoxen*, $R^3V^2O^8$ und $R^3As^2O^8$, aus Drittelvanadat und Arseniat bestehend.

III. Vanadate von Blei und Kupfer.

Als solche sind der Psittacinit und der Mottramit zu nennen.

Psittacinit nannte Genth[1]) grüne krystallinische Krusten auf Quarz aus dem Silver Star-Distrikt in Montana, und führte fünf Analysen aus, welche nach Abzug von Quarz und einem Thonerde, Eisen, Kalk und Magnesia haltigen Silikat (deren Menge von 7,6 — 48,8 p. C. betrug) folgende Zahlen gegeben haben:

	1.	2.	3.	4.	5.
Vanadinsäure	18,83	20,61	19,10	19,47	19,61
Bleioxyd	53,19	54,30	51,62	53,01	52,69
Kupferoxyd	18,44	18,03	17,72	19,06	18,69
Wasser	9,54	7,06	11,56	8,46	9,01

Blei und Kupfer sind zu je 1 At. vorhanden, aber der Wassergehalt schwankt, vielleicht weil er z. Th. dem Silikat zugehört,

[1]) Am. J. f. Sc. (3) 12, 35 (1876).

obwohl es dagegen spricht, dass die Versuche No. 2 mit dem Minimum des fremdartigen (7,6 p. C.) und No. 4 mit dem Maximum (48,84) nahe dieselbe Wassermenge für das Vanadat geben.

Das Mol.-Verhältniss ist

	$V^2O^5 : RO : H^2O$
1.	2 : 9,4 : 10
2.	2 : 8,6 : 7
3.	2 · 9,0 : 10,8
4.	2 : 9,6 : 9,4
5.	2 : 9,4 : 10

Hiernach kann man

$$2:9:9$$

annehmen, d. h.

$$R^9V^4O^{19} + 9aq = \left\{ \begin{matrix} Pb^9V^4O^{19} + 9aq \\ Cu^9V^4O^{19} + 9aq \end{matrix} \right\}$$

welche wohl besser

$$\left. \begin{matrix} 2R^3V^2O^8 \\ 3R\ H^2O^2 \end{matrix} \right\} + 6aq$$

geschrieben wird und welche erfordert:

Vanadinsäure	19,36
Bleioxyd	53,14
Kupferoxyd	18,92
Wasser	8,58
	100.

Genth geht von derselben Zusammensetzung aus, denkt sich aber $\frac{2}{3}$ des Kupfers als Hydroxyd[1]).

Mottramit bildet schwarze oder braune Incrustationen auf dem Keupersandstein von Alderley Edge und Mottram St. Andrews in Cheshire. Nach Abzug von 1,06 Kieselsäure und 0,22 hygroskopischem Wasser ist das Mittel zweier Analysen von Roscoe:

---

[1]) Ein braunes Mineral von Mina grande, Chile, welches Domeyko anführt, scheint dieselbe Verbindung, jedoch wasserfrei, zu sein.

Vanadinsäure	17,36
Bleioxyd	51,63
Kupferoxyd	19,35
Eisenoxydul (ZnO, MnO)	2,55
Kalk	2,16
Magnesia	0,27
Wasser	3,68
	97,00

Dies Resultat ist leider wegen des Verlustes von 3 p. C. und des Zweifels, ob die Erden der Verbindung zugehören, für eine sichere Berechnung nicht geeignet. Sind Ca und Mg wesentlich, so ist $V : R : H^2O = 1 : 2,9 : 1$, d. h. das Mineral bestände aus Sechstelvanadaten und wäre

$$R^6V^2O^{11} + 2aq = \begin{Bmatrix} R^4V^2O^9 \\ 2RH^2O^2 \end{Bmatrix}$$

wobei $R : Cu : Pb = 1 : 3 : 3$.

Als reines Kupfer-Bleivanadat hingegen würde es

$$R^5V^2O^{10} + 2aq$$

darstellen, was indessen nicht recht annehmbar erscheint, weil die übrigen Oxyde doch nicht als solche vorhanden sein können. Dennoch erhält man diese Formel auch im ersten Fall, wenn man wagen dürfte, die fehlenden 3 p. C. für Vanadinsäure zu erklären.

IV. Vanadate von Kupfer und Kalk.

Die drei Analysen des Volborthits von Friedrichsrode, welche wir Credner verdanken, ergeben

$$R : V : H^2O = 2 : 1 : \tfrac{4}{3},$$

also Viertelvanadate

$$3R^4V^2O^9 + 4aq \text{ oder } R^4V^2O^9 + aq,$$

d. h. die Formel des Descloizits, nur dass $R = Ca : Cu$ im Verhältniss von $1 : 2,37$ und $1 : 1,5$ ist.

Nun hat Genth später[1]) ein ähnliches Mineral von Woss-

[1]) Am. Phil. Soc. 1877. August.

kressenskoi im Gouv. Perm untersucht, welches jedoch viel ärmer an Vanadin, weit reicher an Wasser ist und Baryt enthält.

Zieht man in Analyse No. 1 7,6 p. C., in No. 2 6,6 p. C. Kieselsäure, Thonerde und Eisenoxyd ab, so hat man

	1.	2.
Vanadinsäure	14,74	14,55
Kupferoxyd	36,84	40,70
Kalk	4,64	4,80
Baryt	4,64	4,60
Magnesia	3,26	1,52
Wasser	35,88	33,83
	100	100

Hier ist $R:V:H^2O = 4,1:1:12,4\ (11,8)$, so dass das Ganze aus Achtelvanadaten bestehen würde

$$R^8V^2O^{13} + aq$$

Ba, Ca, Mg:Cu ist in 1 = 1:2,4, in 2 = 1:3,3.

V. Vanadate von Wismuth.

Pucherit $BiVO^4 = Bi^2V^2O^8$.

Hiernach würden folgende Sättigungsstufen von Vanadinsäure in der Natur gefunden sein.

1) Einfache Vanadate $\overset{\prime\prime}{R}V^2O^6$. Dechenit PbV^2O^6 nach Bergemann bedarf noch der Bestätigung.

2) Halb-Vanadate $\overset{\prime\prime}{R}{}^2V^2O^7$. Bleivanadat von Wicklow nach Thomson, und von Wanlockhead nach Frenzel. $Pb^2V^2O^7$. Auch diese Verbindung ist noch nicht zweifellos.

3) Drittel-Vanadate $\overset{\prime\prime}{R}{}^3V^2O^8$.
   a) Eusynchit $(Pb, Zn)^3V^2O^8$,
   b) Aräoxen $(Pb, Zn)^3(V, As)^2O^8$,
   c) Vanadinit $PbCl^2 + 3Pb^3V^2O^8$,
   d) Pucherit $Bi^2V^2O^8$.

4) **Viertel-Vanadate** $\overset{''}{R}{}^4V^2O^9$.

a) Descloizit $(Pb, Zn)^4V^2O^9 + aq$

oder $\left\{\begin{matrix} R^3V^2O^8 \\ R\,H^2O^2 \end{matrix}\right\}$

b) Volborthit von Friedrichsrode

$(Cu, Ca)^4V^2O^9 + aq$,

oder, analog dem vorigen,

$\left\{\begin{matrix} R^3V^2O^8 \\ R\,H^2O^2 \end{matrix}\right\}$

Unsicher ist die Zusammensetzung von

Psittacinit $(Pb, Cu)^5V^4O^{19} + 9aq$

oder $\left\{\begin{matrix} 2R^3V^2O^8 \\ 3R\,H^2O^2 \end{matrix}\right\} + 6aq$,

Mottramit $(Cu, Pb, Ca)^6V^2O^{11} + 2aq$

oder vielleicht $\left\{\begin{matrix} R^3V^2O^8 \\ 3R\,H^2O^2 \end{matrix}\right\}$,

Volborthit von Perm $R^8V^2O^{13} + 24aq$

oder $\left\{\begin{matrix} R^3V^2O^8 \\ 5R\,H^2O^2 \end{matrix}\right\} + 19aq$

$R = Cu, Ca, Ba, Mg$.

Hr. **Rammelsberg** las ferner:

Über die Zusammensetzung des Pollucits von Elba.
(Zweite Abhandlung.)

In einer früheren Sitzung[1]) trug ich eine Abhandlung über diesen Gegenstand vor, worin ich die Analyse Pisani's als nicht correct bezeichnete und auf Grund eigener Versuche die Behauptung aussprach, das Mineral enthalte 3 p. C. mehr Kieselsäure, 4 p. C. weniger Cäsiumoxyd als der französische Chemiker gefun-

---

[1]) Vom 10. Januar 1878. S. die Monatsberichte.

den hatte, so wie etwas Kali, von dem nur Spuren vorhanden sein sollten.

Die ausserordentliche Seltenheit und Kostbarkeit des Materials erlaubten mir damals nicht, die Säure direkt zu bestimmen. Ich kann dies jetzt nachholen und erneuerte Bestimmungen der Alkalimetalle vorlegen, da ich über mehr als 16grm des reinsten Materials verfügen durfte. Seine Reinheit liess sich schon aus dem V. G. vermuthen, welches an verschiedenen Proben

2,885 — 2,896 und 2,897

gefunden wurde.

I. Da der Pollucit, der Angabe Plattner's[1]) entgegen, durch Chlorwasserstoffsäure sehr schwer zersetzt wird, so wurde das Mineral mit kohlensaurem Natron geschmolzen. Die Kieselsäure wurde durch Fluorwasserstoffsäure auf ihre Reinheit geprüft, und andererseits wurde das saure Filtrat in Platin zur Trockne verdampft und auf einen Rückhalt an Kieselsäure untersucht. Das Resultat waren 46,48 p. C. derselben (Plattner hat 46,20 gefunden), während Pisani nur 44,03 p. C. angiebt.

II. In einem vorangehenden Versuch war das feine Pulver mit Chlorwasserstoffsäure behandelt worden, ohne dass jedoch, wie gesagt, eine vollständige Zersetzung erreicht wurde. Es musste daher das Unlösliche mit Fluorwasserstoffsäure behandelt werden.

III. Analyse durch Fluorwasserstoffsäure.

In II und III wurden die Alkalien nach Abscheidung der Thonerde als Sulfate gewonnen und diese in Chloride verwandelt. Nach Bestimmung ihres Gewichts wurden sie mit Platinchlorid gefällt. Der nicht gefällte Antheil war lithionfreies Chlornatrium.

Nach vorangegangenen Spektralversuchen ist das Cäsium nicht von Rubidium begleitet, der Platinniederschlag besteht blos aus Cäsiumplatinchlorid und einer kleinen Menge Kaliumplatinchlorid. Er wurde in Wasserstoff reducirt, und nachdem das Gewicht von Pt und RCl ermittelt war, ersteres durch Wasser getrennt, wodurch sich die Menge der RCl ergab.

---

[1]) Pogg. Ann. 69. 443 (nicht Bd. 68, wie in der früheren Abh. steht).

Aus dem Verhältniss Pt : RCl lässt sich leicht die Zusammensetzung der Chloride und das Atg. des Gemisches von Cs und K berechnen. Letzteres fand sich in

$$II = 130,07$$
$$III = 129,30$$

100 Th. der RCl enthielten demnach

	II.	III.
CsCl	98,5	98,25
KCl	1,5	1,75

Das Endergebniss der Versuche ist Folgendes:

	I.	II.	III.	früher
Kieselsäure	46,48			
Thonerde		17,24		16,31
Cäsiumoxyd		30,71	30,53	30,00
Kali		0,78	0,41	0,47
Natron		2,31	2,19	2,48
Glühverlust	2,34			2,59

Diese Resultate bestätigen die früheren.

Was den Wassergehalt betrifft, so bemerke ich, dass das Mineral bei 275° kaum 0,2 p. C. verliert. Erst beim Glühen entweicht das Wasser, und dies spricht zu Gunsten der von mir angenommenen Formel, wonach der Pollucit kein Wasser enthält, sondern ein reines Bisilikat

$$\acute{R}^4 Al Si^5 O^{15}$$

ist.

Hieraus las Hr. Websky:

Über die Krystallform des Descloizit.

Anschliessend an den Bericht des Herrn Rammelsberg über die chemische Constitution der Vanadin-Verbindungen, welche in einer vom Professor Brackebusch in Cordoba, La Plata, ihm zugeschickten Sendung von Mineralien vertreten sind, lege ich der Akademie das Ergebniss einer morphologischen Untersuchung der Krystalle der in dieser Sendung reichlich vertretenen Gattung Descloizit vor, zu der ich durch die freigebige Ausstattung des mineralogischen Museums mit den besten Exemplaren der Sendung Seiten des Herrn Rammelsberg in den Stand gesetzt wurde.

Das Resultat weicht von der bisherigen Auffassung der Krystalle ab, und wenn auch die Ungunst des Materials die dadurch aufkommende Controverse zu einer vollkommen präcisen Lösung zu führen verhinderte, so glaube ich doch die von mir adoptirte Hypothese an die Grenze der Wahrscheinlichkeit gebracht zu haben.

Die von Brackebusch eingesandten Stufen sind am Ausgehenden von Bleierzlagerstätten genommen und bestehen theils ganz aus Vanadinblei-Verbindungen, theils aus Gemengen solcher mit manganhaltigen Brauneisenerz und Quarz in verschiedenen Varietäten.

Als Fundort der an Zahl und Qualität überwiegenden Exemplare wird die Grube Venus im Departamento de Minas, Provincia Cordoba, La Plata, angegeben, weniger zahlreich sind die Stücke vom Schurf Agua del Rubio, südlich Pichava, und die von der Grube Bien venida im Departamento de Minas.

An einigen Stücken ist zu erkennen, dass ein Gang-Vorkommen im Gneus vorliegt, von dem noch eine Schaale, aus linsenförmigen Knoten von grauen Quarz und verwitterten Feldspath zwischen hellfarbigen Glimmer-Lagen bestehend, an dem einen Specimen haftet. Das Salband wird von derben, mit dem Nebengestein verwachsenen Quarz gebildet, der weiter in den Gang hinein löcherig wird. Auf ihn lagert sich stellenweise dichtes, Mangan und Vanadin haltendes Brauneisenerz, von feinen, schilfigen, braunen Nadeln bedeckt; über diesen, auf anderen Stufen unmittelbar auf dem löcherigen Quarz, bauen sich wirr durch einander gehende, mit Krystallen besetzte plattenartige Schaalen von Vanadinerzen in hell lederbraunen, röthlichbraunen, schwarzen, selten olivengrünen

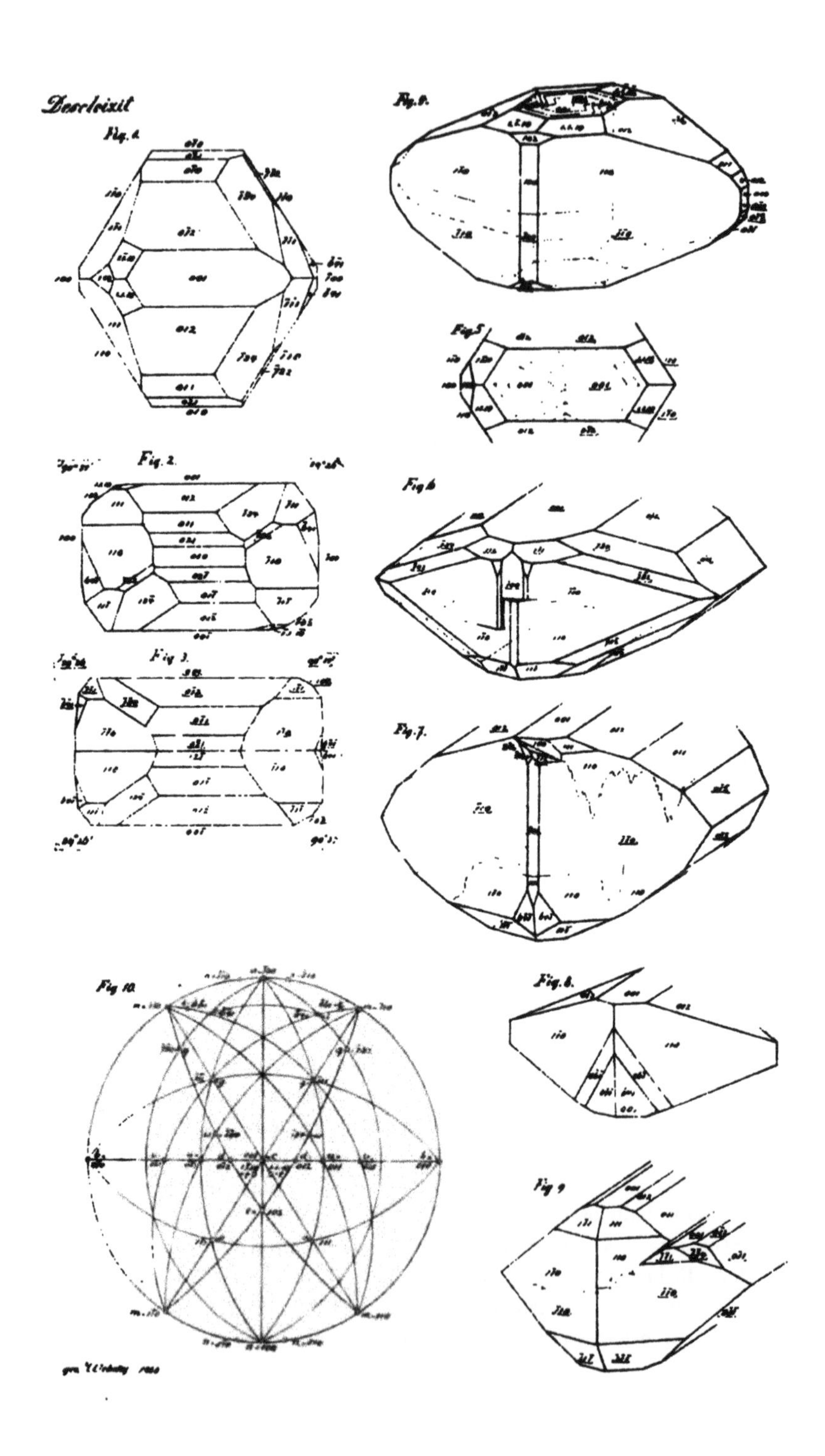
Descloizit
Fig. 1
Fig. 2
Fig. 3
Fig. 4
Fig. 5
Fig. 6
Fig. 7
Fig. 8
Fig. 9
Fig. 10

Farben auf; an einigen Stufen erscheint darüber noch eine Decke eines jüngeren, hornsteinartigen Quarzes mit drusenartigen, von schimmernden Quarzkryställchen bedeckten Hohlräumen, welche die centrale Bildung der Gänge repräsentiren. Die Grenze dieses jüngeren Quarzes gegen die Vanadinerze besteht aus scharfkantig sich schneidenden, ziemlich ebnen Flächen, so dass in diesem jüngeren Quarz eine sogenannte Kastenbildung vorliegt.

Die Vanadinbleierze selbst sind der letzte Umwandlungsrest früher vorhandener Krystalle eines anderen Bleierzes, die auf der unteren Seite des jüngeren Quarzes den Abdruck ihrer Form zurückgelassen haben; man kann wohl als ursprüngliche Minerale: Bleiglanz, manganhaltige Carbonspäthe und, aus einem weiter unten zu erwähnenden Grunde, Eisenkiese vermuthen.

Weniger zahlreich sind die Exemplare, an denen sich die Vanadinbleierze in isolirten Krystallen auf dem löcherigen Quarz angesiedelt haben. Diese letzteren sind dann immer sehr klein, meist unter 0,5^{mm} Grösse, selten 1^{mm} gross; dagegen kann man in den Krusten bis zu 3^{mm} Ausdehnung einzelne Individuen verfolgen, dann aber stets unterbrochen und durchspickt von anderen Individuen.

Der Vanadinit, die zweite unter den Vanadinerzen vertretene Gattung, trennt sich durch seine blass ledergelbe Farbe scharf von dem Descloizit, dem die dunkleren Farben zukommen. Wo sich beide Gattungen begegnen, ist die Grenze deutlich zu erkennen; Vanadinit ist das ältere, Descloizit das jüngere Mineral. An einer ziemlichen Anzahl von Stücken zeigt sich, dass die derberen Partien des Vanadinits — also mit Ausschluss der isolirt aufgewachsenen Krystalle, wiederum Pseudomorphosen sind, deren Formen kaum anders, als auf Anglesit zu deuten sind; dadurch, dass bei der Bildung des Vanadinits die Krystall-Individuen derselben sich so abgelagert haben, dass nahezu eine Krystall-Fläche sich in die Richtung der Flächen des zerstörten Anglesits gelegt hat, ist die Form des letzteren deutlich erhalten; sie wird aber verwischt, wenn auf dem Vanadinit sich Descloizit auflagert, dessen Krystalle keine irgendwie orientirte Stellung annehmen, sich regellos verbreiten und in die Unterlage eindringen; die nur aus Descloizit bestehenden Krusten sind wahrscheinlich vollendete Umwandlungen, aus Pseudomorphosen von Vanadinit nach Anglesit entstanden. Anglesit scheint sich aber aus Bleiglanz nur unter Anwesenheit von in Oxydation begriffenen Eisenkies oder Markasit zu bilden, so dass auch dieser als ursprünglicher Bestandtheil der Gangausfüllung vermuthet werden kann.

Die Gattung Descloizit ist zuerst von Damour (Ann. de chim. et de phys. III Sér. 41, 72) nach einigen Exemplaren in einer Collection argentinischer Mineralien aufgestellt und von Descloizeaux (ibidem 41, 78) krystallographisch untersucht worden.

Aus den dort angeführten Eigenschaften erkennt man zweifellos die Identität des dort bezogenen Minerals mit einigen der vorliegenden Stufen; die Mehrzahl der letzteren entfaltet aber eine ungleich grössere Mannigfaltigkeit der Erscheinung, wogegen allerdings die Krystalle an Grösse jenen nachstehen.

Was zunächst die Farbe anbelangt, so wird dieselbe von Damour als tief schwarz, in kleinen Krystallen olivengrün, verbunden mit einem bronzeartigen Schiller und an den Rändern röthlichbraun durchscheinend bezeichnet; auf dem Bruche zeigen sich lagenweis verschiedene Färbungen, von blassgelb, röthlichbraun und schwarz. Alle diese Merkmale treffen an gewissen hier vorliegenden Proben zu; dagegen zeigen die kleinsten, isolirt auf dem löcherigen Quarz aufgewachsenen Krystalle eine rein hyacinthrothe Farbe, mit steigender Grösse wird die Farbe aber dunkler, geht in den krustenartigen Aggregaten ins Dunkelbraune und zuweilen ins Schwarze über. Die olivengrüne Farbe ist deutlich an den Kryställchen, welche die aus Vanadinit bestehenden Pseudomorphosen nach Anglesit bedecken, mit steigender Grösse zeigen dieselben in durchfallendem Lichte bräunliche Färbungen, im reflectirten einen grünlichen Schimmer behaltend; die olivengrüne Farbe rührt also wahrscheinlich von einer in dünnen Lagen auftretenden oder oberflächlichen Beimengung eines fremden Körpers her.

Eine orientirte Spaltbarkeit ist nicht beobachtet worden, der Bruch ist durchweg kleinmuschlig und von ausgeprägtem Fettglanz; sehr viele Krystalle zeigen aber einen schaalenartigen Aufbau, der sich durch zahlreiche innere, braun gefärbte Reflexe kundgiebt; diese letzteren häufen sich stellenweise so, dass sie einen ins Metallische ziehenden Perlmutterglanz hervorrufen; es finden sich kleine hyacinthrothe Krystalle, welche fleckweise wie vergoldet aussehen; besonders constant ist diese Erscheinung an den Exemplaren von Bien venida, welche auf den ersten Blick einem etwas angewitterten Markasit gleichen.

Die Krystallform ist von Descloizeaux rhombisch aufgefasst worden; in der That entspricht auch der Habitus der dunklen und schwarzen Krystalle — Tafel Fig. 6, 7, 9 — im Grossen und Ganzen dieser Ansicht; unter den kleinen hyacinthrothen Krystallen finden sich aber vereinzelt solche — Tafel Fig. 8 —, welche monosymmetrischen Gestalten entsprechen, und, wenn man auf gewisse, — in den obengenannten Figuren dargestellte Einzelnheiten der Kantenconfiguration Gewicht legt und sie nicht als blosse Wachsthums-Erscheinungen ansieht, drängt sich die Vorstellung auf, dass die Krystalle in der That als monoklinisch mit geringer Axenschiefe aufzufassen seien, und dass durch die Häufigkeit einer Zwillingsverwachsung eine sogenannte rhombische Pseudosymmetrie zu Stande komme. Unterstützt wird diese Auffassung dadurch, dass man wenigstens einen Theil der grossen Schwankungen der Abmessungs-Resultate zwischen Flächen, die bei rhombischer Auffassung einer und derselben einfachen Form angehören würden, durch Beziehen auf monoklinische Axen erklären, die übrigen aber auf gegenseitige Störung des einfachen Aufbaues durch sich beeinflussende Zwillings-Individuen zurückführen kann.

Eine vollkommen präcise Entscheidung dieser Frage macht die ungünstige Oberflächen-Beschaffenheit und die Kleinheit der zur goniometrischen Behandlung geeigneten Krystalle, welche alle weniger als 1^{mm} in ihrer grössten Ausdehnung messen, so wie die Seltenheit der nach zwei diametralen Seiten hin ausgebildeten Krystalle schwierig; Elemente, hinreichend genau, um die Symbole der auftretenden Flächen zu bestimmen, sind dagegen leicht zu erzielen.

Bleibt man bei der von Descloizeaux gewählten Aufstellung, nach welcher ein Prisma von $116° 25'$ als erste Säule $m = (1.1.0)$ aufrecht gestellt wird und das an derselben oben und unten auftretende Octaëder das Zeichen $b^{\frac{1}{2}}$ erhält, so ist bei monoklinischer Auffassung das letztere in zwei Hemipyramiden oder Paare $o = (1.1.1)$ und $g = (\bar{1}.1.1)$ zu zerlegen und mag o über dem Axenwinkel $\beta > 90°$ gedacht sein.

Verfolgt man in diesem Sinne weiter die Formenentwicklung, so kommt die in Tafel Fig. 1 in einer Projection auf eine zur Kante $m \mid m$ senkrechten Ebene dargestellte Combination zu Stande, der in Fig. 2 ein Profil beigefügt ist.

In der Hexaïdzone $[mm']$ sind untergeordnet noch die Hexaïdflächen $a = (1.0.0)$ und $b = (0.1.0)$, so wie einigemal ein Prisma $n = (5.1.0)$ als schmale Flächen getroffen worden, letzteres angedeutet in Fig. 6.

Ungleich präciser, als es an den Krystallen, die Descloizeaux vorlagen, der Fall war, entwickeln die hier beobachteten Exemplare die Flächen der Hexaïdzone $[bc]$, für die Descloizeaux schätzungsweise das brachydiagonale Prisma $e^{\frac{3}{7}}$ als einzige Form annahm.

Man unterscheidet in dieser Zone die Basis $c = (0.0.1)$, selten fehlend, demnächst $d = (0.1.2)$, immer und meist ausgedehnt vorhanden, dann folgt wenig präcis $u = (0.1.1)$, dann klein aber meist gut ausgebildet $v = (0.2.1)$, zuweilen auch $b = (0.1.0)$, wenig ausgedehnt, aber stets vollkommen ausgebildet, die einzige Fläche, welche normale Reflexe lieferte.

Zwischen o und c liegt vorn ein sehr flaches Halboctaëder $t = (1.1.10)$, nach einer approximativen Messung symbolisirt, durch Abrundung der Kante in $c = (0.0.1)$ übergehend.

Auf der hinteren Seite über g und etwas schärfer von der Basis absetzend, liegt ein anderes Halboctaëder $\omega = (\bar{1}.3.4)$, nicht durch Messung, sondern aus dem Zonenverbande symbolisirt, indem an einem Krystall, analog dem in Tafel Fig. 6 dargestellten, erkannt wurde, dass ω in Zone $[d = 0.1.2, m = \bar{1}.1.0]$ und Zone $[u = 0.1.1, m = 1.1.0]$ belegen sei; die Kante $\omega \mid m = \bar{1}.1.0$ ist gelegentlich noch durch das Halboctaëder $q = (\bar{7}.8.2)$ abgestumpft, nach einer approximativen Messung des Bogens $q = \bar{7}.8.2 \mid m = \bar{1}.1.0$ symbolisirt.

Ferner kommen auf der Ecke $m = 1.1.0, m' = 1.\bar{1}.0, g = 1.1.\bar{1}, g' = 1.\bar{1}.\bar{1}$ nicht selten in Rudimenten, einmal am Krystall Tafel Fig. 8 ausgedehnt beobachtet, die Halboctaëder $i = (\bar{6}.4.1)$ und $k = (\bar{8}.6.1)$ vor, aus den gemessenen Bögen $m \mid i$, $m \mid k$ und $i \mid i'$ symbolisirt.

Schliesslich hat sich als ganz kleine Fläche noch die Dodecaïdfläche $e = (1.0.2)$ gefunden, aus dem Bogen $a \mid e$ bestimmt, Fig. 4.

Die hier aufgeführten Flächen-Positionen sind in einer stereographischen Kugelprojection Tafel Fig. 10 dargestellt.

Es wird nun angenommen, dass die so beschriebenen einfachen Krystalle sich in der Mehrzahl der Fälle zu Zwillingen nach dem Gesetze: Zwillingsaxe die Normale auf der Basis, vereinigen. In dem Profile Tafel Fig. 3 ist ein solcher Zwilling in einfacher

Iuxtaposition dargestellt. Je nachdem die Seite des ausspringenden oder die des einspringenden Winkels $a \mid \underline{a}'$ frei ausgebildet ist, zeigen die Krystalle eine verschiedene Formenconfiguration. Die Zwillingsgrenze verläuft nur in der Gegend der Flächen a an den concreten Krystallen einigermaassen gradlinig, in der Richtung nach b zu ist dieselbe oft schwer zu verfolgen, wenn nicht das Auftreten von secundären Flächen ein Anhalten giebt. Die in Tafel Fig. 4, 5, 6, 7, 9 gegebenen Abbildungen entsprechen wirklichen Krystallen, nur sind die secundären Flächen durchschnittlich breiter gehalten, auch in Fig. 6 die Flächen $q = (\bar{7}.8.2)$ hinzugefügt, die an einem anderen analog gebauten Krystall bei dieser Ausbildungsweise durch Messung symbolisirt werden konnte. Der in Fig. 7 abgebildete Krystall lässt erkennen, dass die Zwillingsindividuen deckenartig über einander lagern, und die Vermuthung begründen, dass unter so bewandten Umständen die Ausbildung der freien Oberfläche eines innerlich nur eine minimale Dicke besitzenden Individuums von der Unterlage beeinflusst und zur Ausbildung vicinaler Flächen veranlasst wird.

Mit dieser schaalenartigen Übereinanderlagerung der Individuen steht vielleicht die, den local auftretenden, halb metallischen Oberflächenglanz hervorrufende, innere Absonderung im Zusammenhange.

Um für diese Auffassung zahlenmässige Elemente zu gewinnen, boten sich folgende Abmessungs-Resultate dar.

Zunächst ergaben sich die Normalen-Bogen

$$c \mid d \text{ aus 28 Messungen} = 21°51'49''$$
$$d \mid u \text{ aus 13 Messungen} = 16°27'21''$$
$$u \mid \nu \text{ aus 12 Messungen} = 19°44'18''$$

oder $c \mid \nu = 58°3'28''$; da nun

$$\frac{\cot c \mid d}{\cot c \mid \nu} = 3{,}997 \text{ oder nahezu} = 4$$

ist, konnte angenommen werden, dass der Bogen $c \mid d$, auf den Werth 21°51'30'' abgerundet, innerhalb der Grenze einer halben Minute zuverlässig sei.

An dem Zwilling, Fig. 4, ist der Bogen $a \mid \underline{\acute{a}}$, über die Zwillingsgrenze von $a = 1.0.0$ des Grundindividuums nach $\underline{\acute{a}} = \bar{1}.0.\bar{0}$ des Nebenindividuums, ziemlich präcis auf 1°7'55'' gemessen worden, so dass man $\beta = 90°34'$ setzen kann.

Von den Abmessungs-Resultaten in der Zone [*amb*] kann zu dem vorliegenden Zwecke kein Gebrauch gemacht werden, weil dieselben innerhalb weiter Grenzen schwanken; dieselben ergeben den Normalen-Bogen zwischen *m* und *m'* als zwischen 64°15' und 66°21' liegend und gruppiren sich, wenn man die extremsten Fälle bei Seite lässt, allerdings um die Werthe 65°15' und 65°50'; es lässt sich aber diese Differenz nicht dadurch aufklären, dass man dieselben einerseits als im Bereiche eines Individuums oder anderseits die Zwillinggrenze passirend annimmt, da der desfallsige Unterschied sich bei einem dem rechten Winkel so nahe liegenden Werth von β nur in wenigen Secunden aussprechen könnte; es muss vielmehr angenommen werden, dass hier an Stelle der Säule *m* vicinale Flächen auftreten, auf welche unten noch zurückgekommen werden wird. Aus eben diesem Grunde muss auch von dem Gebrauch der Bogenwerthe, die zwischen *m* und den Flächen *o* resp. *g* aufkommen, Abstand genommen werden.

Es bleiben alsdann nur noch die Abmessungen zwischen aneinandergrenzenden Flächen *o* und *g* übrig; bei der Ähnlichkeit der Configuration und Beschaffenheit beider sind dieselben aber fast nur durch die Bogenwerthe selbst zu unterscheiden; die zwischen angrenzenden, ihrer Lage nach zu *o* oder *g* gehörenden Flächen beobachteten Bogenwerthe ordnen sich in drei Gruppen, nämlich

53°16'14" — 53°17'44"
53°27'5" — 53°30'56"
53°44'36" — 53°50'56"

und zwar traten in vielen Fällen Doppelreflexe auf, welche auf zwei der genannten Abtheilungen führen; diese Doppelreflexe rühren in der Regel von zwei durch einspringende Winkel getrennten Flächen, Fig. 7 und Fig. 9, zuweilen auch von durch eine (Zwillings-) Nath getheilten Flächen her.

Aus diesem Verhalten wurde der Schluss gezogen, dass das Mittel der kleinsten Normalenbogen = 53°17' der Kante *o* | *o'* und das Mittel der grössten Normalenbögen = 53°48' der Kante *g* | *g'* zukomme, während die mittleren Werthe Abmessungen angehören, welche die Zwillings-Grenze zwischen *g* und *o* passiren. Als der zuverlässigste dieser drei Werthe musste der Bogen *o* | *o'* = 53°17' angesehen und als dritter Fundamental-Bogen in Rechnung gestellt werden.

Aus den Fundamental-Bögen

$$c \mid d = 21^\circ 51' 30''$$
$$a \mid \underline{\acute{a}} = 1^\circ\ 8'$$
$$o \mid \acute{o} = 53^\circ 17'$$

ergeben sich die Elemente

$$a : b : c = 0{,}8076222 : 1{,}246347 : 1$$
$$= 0{,}6479916 : 1 \quad : 0{,}8023449$$
$$\beta = 90^\circ 34'.$$

Nach diesen sind die Normalen-Bögen der wichtigsten Zonen folgende:

Es sei $\mu_3 = \frac{h}{l}$, $\nu_3 = \frac{k}{l}$; $\frac{\mu_3}{\nu_3} = \frac{h}{k}$.

Zone $[aec]$; $\cot \eta_3 = \mu_3 . 1{,}238263 + 0{,}0098905$; η_3 ab $a = 1.0.0$ gerechnet; $e = 1.0.2$, $c = 0.0.1$.

$a \mid e = 57^\circ 49' 45''$	gemessen $a \mid e = 57^\circ 30'$,
$e \mid c = 31^\circ 36' 15''$	$c \mid \acute{a}$ = Fundamental-Bogen.
$c \mid \acute{a} = 90^\circ 34'\ 0''$	
$180^\circ\ 0'\ 0''$	

Zone $[bvudc]$; $\cot \eta_3 = \nu_3 \operatorname{num} (\log = 9{,}9043399)$; η_3 ab $b = 0.1.0$ gerechnet; $v = 0.2.1$, $u = 0.1.1$, $d = 0.1.2$.

$b \mid v = 31^\circ 55' 53''$	$d \mid c$ = Fundamental-Bogen,
$v \mid u = 19^\circ 19' 42''$	$d \mid u$ gemessen $= 16^\circ 27'$,
$u \mid d = 16^\circ 52' 55''$	$u \mid v$ desgl. $= 19^\circ 44'$,
$d \mid c = 21^\circ 51' 30''$	$c \mid v = 58^\circ 4' 7''$, gemessen $= 58^\circ 3' 28''$.
$90^\circ\ 0'\ 0''$	

Zone $[anmb]$; $\cot \eta_3 = \frac{\mu_3}{\nu_3} \cdot \operatorname{num} [\log = 0{,}1884518]$; η_3 ab $a = 1.0.0$ gemessen; $n = 5.1.0$, $m = 1.1.0$, $b = 0.1.0$;

$a \mid n = 7^\circ 23'\ 2''$	$n \mid n' = 14^\circ 46' 4''$, gemessen $= 14^\circ 15'$,
$n \mid m = 25^\circ 33' 28''$	$m \mid m' = 65^\circ 53' 0''$, gemess. $= 65^\circ 41' 24''$
$m \mid b = 57^\circ\ 3' 30''$	$- 65^\circ 55' 20''$,
$90^\circ\ 0'\ 0''$	wenn von den auf vicinale Flächen bezogenen Werthen abgesehen wird.

Zone $[b o o' b']$; $\cot \eta_3 = \nu_3 . \text{num} (\log = 9{,}7004204)$; η_3 *ab* $b = 0.1.0$ gemessen; $o = 1.1.1$; $o' = \bar{1}.\bar{1}.1$;

$b \mid o = 63°21'30''$
$o \mid o' = 53°17'\ 0''$ — $o \mid o'$ Fundamental Bogen.
$o' \mid b' = 63°21'30''$
$180°\ 0'\ 0''$

Zone $[b g g' b']$; $\cot \eta_3 = \nu_3 . \text{num} (\log = 9{,}7045966)$; η_3 *ab* $b = 0.1.0$ gemessen; $g = \bar{1}.1.1$, $g' = \bar{1}.\bar{1}.1$;

$b \mid g = 63°\ 8'13''$
$g \mid g' = 53°43'34''$ — $g \mid g'$ gemessen $= 53°44' - 53°51'$.
$g' \mid b' = 63°\ 8'13''$
$180°\ 0'\ 0''$

Zone $[b i i' b']$; $\cot \eta_3 = \nu_3 . \text{num} (\log = 9{,}0300664)$; η_3 *ab* $b = 0.1.0$ gemessen; $i = \bar{6}.4.1$, $i' = \bar{6}.\bar{4}.1$;

$b \mid i = 66°47'47''$
$i \mid i' = 46°24'26''$ — $i \mid i'$ gemessen $46°20'$.
$i' \mid b' = 66°47'47''$
$180°\ 0'\ 0''$

Zone $[a o u g \acute{a}]$; $\cot \eta_3 = \mu_3 . 0{,}9658170 + 0{,}0077140$; η_3 *ab* $a = 1.0.0$ gemessen; $o = 1.1.1$, $u = 0.1.1$, $g = \bar{1}.1.1$; $\acute{a} = \bar{1}.0.0$;

$a \mid o = 45°46'\ 7''$
$o \mid u = 43°47'22''$
$u \mid g = 44°12'58''$
$g \mid \acute{a} = 46°13'33''$
$180°\ 0'\ 0''$

$o \mid g = 88°0'20''$ berechnet.

Zone $[m o t c g' m']$; $\cot \eta_3 = \mu_3 . 1{,}4754573 + 0{,}0083003$; η_3 *ab* $m = 1.1.0$; $o = 1.1.1$, $t = 1.1.10$, $c = 0.0.1$, $g' = \bar{1}.\bar{1}.1$, $m' = \bar{1}.\bar{1}.0$.

$m \mid o = 33°58'43''$
$o \mid t = 47°\ 9'48''$
$t \mid c = 8°22'57''$
$c \mid g' = 56°11'51''$
$g' \mid m' = 34°16'41''$
$180°\ 0'\ 0''$

Wenn unter (m) vicinale Flächen verstanden werden, $(m) \mid o = 32°56' - 33°11'$ gemessen; $c \mid t = 8°18'$ gem.
$o \mid c = 55°32'45''$, $c \mid g' = 56°11'51''$ gemessen $= 55°52' - 55°57'$,
$m \mid c = 89°31'28''$, $(m) \mid c$ gem. $= 88°50'$.

Zone $[m\nu g i' k' m']$; $\cot \eta_3 = \mu_3 . 0{,}8708614 + 0{,}5044325$; η_3 ab $m = 1.1.0$; $\nu = 0.2.1$, $g = \bar{1}.1.1$, $i' = \bar{6}.\bar{4}.1$, $k' = \bar{8}.\bar{6}.1$, $m' = 1.\bar{1}.0$;

$m \mid \nu = 63°13'56''$
$\nu \mid g = 46°53'32''$
$g \mid i' = 57°54'55''$
$i' \mid k' = 3°\ 9'51''$
$k' \mid m' = 8°47'46''$
$180°\ 0'\ 0''$

$i \mid m = 11°57'37''$, gemessen $= 11°49'$
$k \mid m$ gemessen $= 8°22'$

Zone $[m e d' \omega' q' m']$; $\cot \eta_3 = \nu_3 . 1{,}3960724 + 0{,}4994793$; η_3 ab $m = 1.1.0$; $e = 1.0.2$, $d' = 0.\bar{1}.2$; $\omega = \bar{1}.\bar{3}.4$, $q = \bar{7}.\bar{8}.2$, $m' = \bar{1}.\bar{1}.0$;

$m \mid e = 63°27'32''$
$e \mid d' = 37°46'18''$
$d' \mid \omega' = 17°28'25''$
$\omega' \mid q' = 50°10'12''$
$q' \mid m' = 11°\ 7'33''$
$180°\ 0'\ 0''$

$q' \mid m'$, gemessen $= 11°30'$

Zwillingswinkel

$a = 1.0.0 \mid \underline{\acute{a} = \bar{1}.0.0} = 1°14'\ 0'$ Fundamental-Bogen

$o = 1.\bar{1}.0 \mid \underline{g = \bar{1}.\bar{1}.1} = 53°30'36''$, gemess. $= 53°27' - 53°31'$

$o = 1.1.1 \mid \underline{\acute{o} = 1.1.\bar{1}} = 67°57'26''$

$g = 1.1.\bar{1} \mid \underline{g = \bar{1}.\bar{1}.1} = 68°33'21''$

Sieht man von den Bogenwerthen, die sich an die ganz kleinen Flächen anschliessen und schon darum nur approximativ ausfallen können, ab, so entspricht die Rechnung leidlich den Abmessungen; bezüglich der Neigung der Säulenflächen $m = (1.1.0)$ zu einander besagt sie, dass von den verschiedenen Werthen, welche die Abmessungen ergeben haben, die zwischen $65°41'24''$ und $65°55'20''$ fallenden dem wahren Bogen am nächsten kommen; in der That sind diese Winkel auch in den Fällen getroffen worden, wo keine Zwillingsgrenze ins Spiel kam, die Reflexe leidlich präcise auftraten und sich nicht in der Richtung der Säulenkante in Doppelgruppen sonderten.

Der in dieser Beziehung wichtigste Krystall ist in Fig. 4 dargestellt; und er gehört zu den hyacinthroth durchscheinenden Krystallen, bis auf eine Stelle bei $b' = 0.\bar{1}.0$, rundum ausgebildet; er zeigt diametral von dieser Stelle $b = 0.1.0$ als kleine vollkommene Fläche; vorn läuft in der Gegend von a horizontal eine ausspringende Zwillingsgrenze nicht ganz bis nach b zu verfolgen. Die Basis c zeigt eine feine, nur im Lichte des Collimators erkennbare Streifung, in Fig. 5 im Grundriss dargestellt; sie hat die Figur einer deutschen Acht; die äusseren Theile entsprechen der Kante $c \mid t$, die inneren einer Kante $c \mid \omega$, wenn man in der Mitte eine Zwillingsgrenze annimmt; das normal gestellte Individuum bildet also nur etwa den vierten Theil des Krystalls. Das Mittel von vier Abmessungen der Zone $[mb]$ gab folgende Normalenbogen:

$$\text{hinten: } \underline{110} \mid \underline{1\bar{1}0} = 64^\circ 22' 40''$$

$$\text{rechts: } \underline{1\bar{1}0} \mid \begin{cases} 010 \\ \underline{0\bar{1}0} \end{cases} = 57^\circ 2' 7''; \text{ darnach } m \mid m' = 65^\circ 55' 46''$$

$$\begin{matrix} 010 \\ \underline{0\bar{1}0} \end{matrix} \mid \begin{cases} 110 \\ \underline{1\bar{1}0} \end{cases} = 58^\circ 35' 36''; \text{ darnach } m \mid m' = 62^\circ 48' 28''$$

$$\text{vorn: } \begin{cases} 110 \\ \bar{1}\bar{1}0 \end{cases} \mid \begin{cases} 1\bar{1}0 \\ \underline{\bar{1}10} \end{cases} = 64^\circ 25' 23''.$$

Während also hinten die nicht von der Zwillings-Bildung beeinflusste Säulenfläche $m = \underline{1\bar{1}0}$ die von den Elementen geforderte Neigung zu $b = 0\bar{1}0$ nahezu besitzt, weicht die vordere um 1°33′ aus derselben aus. Unter anderen Verhältnissen würde man, namentlich da die Gegend von b am Krystall relativ gute Reflexe gab, das Resultat auf asymmetrische Gestaltung deuten müssen; es sprechen aber hier die Verhältnisse gegen eine solche Auffassung.

Der hier genannte Bogen von 58°35′36″, welcher auf eine Säule von 117°11′32″ vorderen Winkels führen würde, ist die im Sinne der Abflachung der vorderen Säulenkante beobachtete stärkste Abweichung von dem theoretisch geforderten Werthe, alle dazwischen fallenden Winkel sind das Resultat mehr oder minder einseitiger Einwirkung.

Aber auch im entgegengesetzten Sinne eines Schärferwerdens des Säulenwinkels liegt eine Beobachtung vor. Der gleichfalls relativ vollkommene in Fig. 8 abgebildete Krystall zeigte auf beiden Seiten $m = 1.1.0$ und $m' = 1.\bar{1}.0$ tautozonale Doppelreflexe, von denen die inneren um den Bogen 65°47'46", die äusseren 66°21'20" von einander abstehen, während die Abstände der benachbarten 0°16'0" resp. 0°18'34" ausfielen.

Neben diesen in die Zone [*amb*] fallenden vicinalen Flächen treten aber auch solche in der Zone [*moc*] auf. Während die Doppelreflexe der Säulenflächen an dem Krystall von Fig. 4 fast genau den Bogenabstand von $a \mid \underline{a}$ zeigten, gab ein ähnlicher den Abstand von 3°14' dafür aber auch $m \mid o$ = 32°56'. Bezüglich dieser Gruppe giebt der in Fig. 7 dargestellte Zwilling einen bemerkenswerthen Aufschluss; es stossen hier die wellenartig einsetzenden vicinalen Flächen der Zone [*amb*] mit denen der Zone [*moc*] in einer diagonalen Linie aneinander, welche nahezu parallel läuft mit der Kante $m \mid i$ des am unteren Ende hervortretenden Nebenkrystalls, gewissermaassen das Relief des letzteren wiedergebend.

Auf das Vorhandensein dieser vicinalen Flächen sind wohl auch die Differenzen zurückzuführen, welche in den vorliegenden Zahlen gegenüber den Angaben von Descloizeaux aufkommen. Ich gehe, um mit den Zahlen dieses Forschers conform zu werden, zu Winkel-Angaben über und füge noch die von Schrauf und Grailich am Vanadit vom Berge Obir beobachteten hinzu, den Schrauf mit dem Descloizit identificirt. (Vergl. Zippe, Sitzungs-Ber. d. k. Akademie in Wien XLIV. I. 1861. p. 197. — Schrauf, Poggend. Ann. 116. p. 355.)

	Descloizeaux		Websky			Grailich	Schrauf
	berechnet	gemessen		berechnet	gemessen	gemessen	gemessen
$m \mid m$	116°25′	116°30′		114° 7′	117°12′ 114° 5′ 113°39′		
$m \mid b^{\frac{1}{2}}$	147°35′	147°34′	$m \mid o$ $m \mid g$	146° 1′ 145°42′	147° 4′—146°42′		
adjac. $b^{\frac{1}{2}} \mid b^{\frac{1}{2}}$	—	127°10′	$o \mid o$ $g \mid g$	— 126°16′	126°43′ 126°16′—126°9′	125°28′—125°56′	126°—128°
sur m $b^{\frac{1}{2}} \mid b^{\frac{1}{2}}$		115°10′	$o \mid g'$	111°45′	—	113°15′—113°35′	114°30′—115°30′
sur $e^{\frac{3}{2}}$ $b^{\frac{1}{2}} \mid b^{\frac{1}{2}}$	91°42′	—	$o \mid g$	92° 0′		90° 8′— 91°31′	91°—92°

Schon Descloizeaux hat auf die Ähnlichkeit der Krystalle des Descloizits mit denen des Libethenits aufmerksam gemacht und auch bei dieser Gattung hat Schrauf (Zeitschr. f. Kryst. IV. p. 24) eine geringe Axenschiefe nachgewiesen. Die Zahlen der Elemente werden ähnlich, wenn man die Längsaxe von Schrauf vertical stellt und die Einheit der Queraxe verdoppelt; dann lauten sie: $a:b:c = 0,67312:1:0,71225$, $\beta = 90°56'$.

Noch näher treten die Elemente des Niobits nach Schrauf (Wiener Akad. XLIV. 445), wenn man die Einheit der Queraxe halb so gross wie Schrauf nimmt; sie lauten dann: $a:b:c = 0,66934:1:0,8023$; auch für diese Gattung nimmt Jeremejev (Verh. d. k. russ. miner. Ges. 2. Serie. VII. 1872) nach Analogie des Wolfram eine geringe Axenschiefe an.

Merkwürdiger Weise stimmen die Winkelangaben, welche vom Rath (vom Rath und Damour, Bull. de la Soc. minér. de France 1880. p. 113) von den Krystallen des Kentrolits macht, nämlich:

$b^{\frac{1}{2}} \mid b^{\frac{1}{2}}$ adj. $= 125°32'$, $m \mid m = 115°18'$ und $b^{\frac{1}{2}} \mid b^{\frac{1}{2}}$ de coté $= 87°15'$

so genau mit den Winkeln des Descloizit, dass man beide identificiren könnte, wenn nicht die Analyse von Damour den Kentrolit als Silicat dargethan hätte.

Nachschrift.

Inzwischen gelangte das Werk:

Las especies minerales de la República Argentina por el Dor D. Luis Brackebusch, 1879. Buenos Aires.

als Dedication des Verfassers in meine Hände, in welchem p. 85 ein ausführlicher Artikel über den Descloizit enthalten ist. Den rastlosen Bemühungen des genannten Forschers ist es im Monat Februar 1879 gelungen, die Fundorte des genannten Minerals aufzufinden, dasselbe in seinen Eigenschaften wiederzuerkennen, so wie das gleichzeitige Mitvorkommen des Vanadinits zu constatiren. Für die in Aussicht gestellte Monographie werden die Freunde der Wissenschaft in hohem Grade verpflichtet sein.

Berlin, den 12. August 1880. Websky.

29. Juli. Gesammtsitzung der Akademie.

Hr. **Kronecker** las:

Über den vierten Gaufs'schen Beweis des Reciprocitätsgesetzes für die quadratischen Reste.

Gaufs hat im Art. 33 seiner Abhandlung *Summatio quarumdam serierum singularium* (19. September 1808) das Reciprocitätsgesetz für die quadratischen Reste als eine Folge der in den vorhergehenden Artikeln erlangten vollständigen Werthbestimmung jener Reihen, die jetzt als **Gaufs**'sche bezeichnet werden, aufgezeigt, ohne aber die eigentliche Quelle der algebraischen Identitäten anzugeben, welche den Ausgangspunkt der ganzen Entwickelungen bilden. Als nun im Jahre 1837 **Dirichlet** im 17. Bd. des **Crelle**schen Journals die **Gaufs**'schen Reihen mittels bestimmter Integrale summirte und im letzten Paragraphen seines Aufsatzes die **Gaufs**'sche Ableitung des Reciprocitätsgesetzes reproducirte, konnte man wohl in den **Dirichlet**'schen Integral-Betrachtungen eine neue Beweismethode für dieses Fundamentaltheorem der Theorie der quadratischen Reste sehen. Wenige Jahre nach **Dirichlet**, im Jahre 1840, hat aber **Cauchy** im V. Bande des **Liouville**schen Journals pag. 154 sqq. einen Aufsatz veröffentlicht, in welchem er die vollständige Bestimmung der **Gaufs**'schen Reihen aus einer von ihm früher publicirten Formel herleitete und eine werthvolle Bemerkung über einen daraus hervorgehenden Beweis des Reciprocitätsgesetzes daran knüpfte. **Cauchy** sagt in der Einleitung von jener Bestimmung: „... et cette détermination, comme l'ont observé MM. **Gaufs** et **Dirichlet**, est un problème, qui présente de grandes difficultés. Les méthodes à l'aide desquelles on est parvenu jusqu'ici à surmonter cet obstacle, sont celles que M. **Gaufs** a developpées dans son beau Mémoire, qui a pour titre: "summatio serierum quarundam singularium" et celle que M. **Dirichlet** a déduite de la considération des intégrales définies. En réfléchissant sur cette matière j'ai été assez heureux pour trouver d'autres moyens de parvenir au même but; et d'abord il est assez remarquable, que la formule de **Gauss**, qui détermine complètement les sommes alternées avec leur signe, se trouve comprise comme cas particulier dans une autre formule que j'ai donnée en 1817 dans le Bulletin de la Société Philomatique. Cette dernière formule, qui parut digne d'attention à l'auteur de la Mécanique céleste, sert à la transformation d'une somme d'exponentielles dont les exposants croissent comme les carrés des nombres naturels; et lorsqu'on attribue à ces exposants des valeurs imaginaires, on retrouve avec la formule de M. Gauss la loi de réciprocité, qui existe entre deux nombres premiers." Dieser Cauchy'sche Weg zur Bestimmung der Gaufs'schen Reihen führt auf die eigentliche Quelle der Dirichlet'schen Methode; denn die Transformation der θ-Reihen, auf welche sich die Cauchy'sche Entwickelung gründet, wird von Jacobi mittels derselben Methode hergeleitet, welche Dirichlet auf die Summation der Reihen

$$\sum_{i=0}^{i=q-1} \sin \frac{2i^2\pi}{q} \quad , \quad \sum_{i=0}^{i=q-1} \cos \frac{2i^2\pi}{q}$$

anwendet. Da nun bei Cauchy die θ-Reihen an der Grenze der Convergenz benutzt werden, so beschränkt sich der Unterschied zwischen der Cauchy'schen und der Dirichlet'schen Methode nur darauf, dass in der einen der Grenzübergang nach Herleitung der Transformationsformel, in der andern vorher gemacht wird. Aber die von Cauchy zuerst bemerkte Beziehung zwischen der linearen Transformation der θ-Reihen und der Werthbestimmung der Gaufs'schen Reihen ist noch enger, als wohl Cauchy vermuthet hat. Beides ist mit einander vollkommen äquivalent; denn es lässt sich nicht nur, wie bei Cauchy, die Werthbestimmung der Gaufs'schen Reihe aus der θ-Transformation sondern auch umgekehrt diese aus jener ableiten, und wenn dabei wiederum jene andern Entwickelungen Cauchy's zur Verwendung kommen, welche die Grundlagen der Functionentheorie bilden, so ist dies wohl geeignet, die Bedeutung Cauchy'scher Forschungen für den Fortschritt der mathematischen Erkenntniss in ein helles Licht zu setzen. Das Merkwürdige der erwähnten Beziehung zwischen der θ-Transformation und der Werthbestimmung der Gaufs'schen Reihen tritt aber noch mehr hervor, wenn man die nahe Beziehung der letzteren zum Reciprocitätsgesetz ins Auge fasst und darnach erkennt, dass durch die Gaufs'schen Reihen ein Zusammenhang zwischen der Transformationsgleichung der θ-Reihen und der Reciprocitätsgleichung für die quadratischen Reste vermittelt wird, der die beiden auf so ganz verschiedenen Gebieten liegenden Resultate als gewissermaassen äquivalent zu bezeichnen gestattet.

Um den Zusammenhang klar zu legen, werde ich den bekannten Cauchy'schen Satz in Kurzem entwickeln und alsdann auch die θ-Transformation unmittelbar darauf gründen.

Ist $f(x,y)$ eine eindeutige Function, deren erste und zweite Ableitungen in einem von einer geschlossenen Curve umgrenzten Gebiete durchweg endlich sind, so ist das über diese Curve erstreckte Integral $\int df(x,y)$ gleich Null. Wenn nämlich in einem Theilgebiete die Coordinaten x,y eindeutig als Functionen von r und s

$$x = \varphi(r,s)\;,\;\; y = \psi(r,s)$$

ausgedrückt werden, und zwar so, dass das Gebiet durch eine Schaar geschlossener Curven erfüllt ist, von denen jede dadurch charakterisirt ist, dass r fest bleibt und s von 0 bis 1 variirt, während die Schaar entlang r von 0 bis 1 geht, so sind die Punkte $x = \varphi(r,0)$, $y = \psi(r,0)$ durchweg mit den Punkten $x = \varphi(r,1)$, $y = \psi(r,1)$ identisch und die Begrenzung des Gebiets wird durch die beiden Curven

$$x = \varphi(0,s)\;,\;\; y = \psi(0,s)$$

$$x = \varphi(1,s)\;,\;\; y = \psi(1,s)$$

gebildet. Das über jenes Theilgebiet erstreckte Integral

$$\iint \frac{\partial^2 f(\varphi,\psi)}{\partial r\,\partial s}\,dr\,ds$$

wird daher, je nachdem mit der einen oder der andern Integration begonnen wird,

$$\int_0^1 \left(\frac{\partial f}{\partial s}\right)_{r=0}^{r=1} ds \quad \text{oder} \quad \int_0^1 \left(\frac{\partial f}{\partial r}\right)_{s=0}^{s=1} dr\,,$$

und da der Werth von $\dfrac{\partial f}{\partial r}$ für $s = 0$ und $s = 1$ derselbe ist, so folgt, dass der Werth des Integrals

$$\int_0^1 \left(\frac{\partial f}{\partial s}\right)_{r=0}^{r=1} ds \quad \text{oder} \quad \int_0^1 \left(\frac{\partial f}{\partial x}\frac{\partial \varphi}{\partial s} + \frac{\partial f}{\partial y}\frac{\partial \psi}{\partial s}\right)_{r=0}^{r=1} ds$$

oder also des über die ganze Begrenzung des Theilgebietes erstreckten Integrals

$$\int df(x, y)$$

in der That verschwindet. Das ursprünglich gegebene Gesammtgebiet kann nun in lauter solche Theilgebiete zerlegt werden; es kann ferner angenommen werden, dass die Ableitungen $\frac{\partial f}{\partial x}$ und $\frac{\partial f}{\partial y}$ ausserhalb des Gebietes überall den Werth Null haben. In Folge dessen kann jenes Resultat dahin formulirt werden, dass

$$(1) \qquad \int df(x, y) = 0$$

wird, wenn die Integration über die gesammte „natürliche Begrenzung" erstreckt wird, d. h. über eine Linie die alle Flächentheile aus- oder abschliesst und alle Linien und Punkte umschliesst, in denen die ersten und zweiten Ableitungen von f jene Bedingung, endliche Werthe zu haben, nicht erfüllen. Man sieht aber zugleich, dass unbeschadet des Resultats Theile der natürlichen Begrenzung weggelassen werden können, welche einzelne Punkte umschliessen, in denen die ersten Ableitungen von f unstetig aber zugleich endlich sind, und solche, die ganze Linien von endlicher Länge umschliessen, in denen die Bedingung der Endlichkeit der zweiten Ableitungen nicht mehr erfüllt ist, während die Stetigkeit der ersten Ableitungen bestehen bleibt. Für die nachher zu machende Anwendung ist aber noch hervorzuheben, dass für ein Gebiet, in welchem die Punkte durch

$$x = \varphi(r, s) \;,\; y = \psi(r, s) \;;\; r = 0 \text{ bis } 1,\; s = 0 \text{ bis } 1,$$

dargestellt sind, das Resultat

$$\int_0^1 \left(\frac{\partial f}{\partial s}\right)_{r=0}^{r=1} ds = 0$$

sich, wenn

$$\frac{\partial f}{\partial x}\frac{\partial \varphi}{\partial s} + \frac{\partial f}{\partial y}\frac{\partial \psi}{\partial s} = \chi(r, s)$$

gesetzt wird, explicite folgendermaassen darstellt:

$$\text{(II)} \quad \lim_{n=\infty} \frac{1}{n} \sum_{h=0}^{h=n-1} \lim_{r=1} \chi\left(r, \frac{h}{n}\right) - \lim. \frac{1}{n} \sum_{h=0}^{h=n-1} \lim_{r=0} \chi\left(r, \frac{h}{n}\right) = 0 \,,$$

wobei die Reihenfolge der Grenzoperationen besonders zu beachten ist.

Schliesslich ist daran zu erinnern, dass die Cauchy'sche Darstellung der Function einer complexen Veränderlichen z:

$$F(z) = \frac{1}{2\pi i}\int \frac{F(\zeta)}{\zeta - z} d\zeta$$

nur ein Corollar der vorstehenden Entwickelung ist, und dass hieraus wiederum ganz unmittelbar die Sätze folgen, dass wenn $F(z)$ auf der ganzen Begrenzung constant oder wenn es auch im Unendlichen durchweg endlich bleibt, es nothwendig überall constant sein muss.

Dies vorausgeschickt soll nunmehr die lineare Transformation der θ-Reihen mit Hülfe der Cauchy'schen Betrachtungen entwickelt werden.

Bedeutet u eine Grösse, deren absoluter Betrag grösser als Eins ist, so ist die auf alle unendlich vielen Werthe von $\log z$ bezügliche Summe

$$\sum u^{(\log z)^2}$$

eine eindeutige Function von z. Bezeichnet man dieselbe mit $F(z)$, so ist

$$F(z) = \frac{1}{2\pi i}\int \frac{F(\zeta)}{\zeta - z} d\zeta ,$$

wenn die Integration im gewöhnlichen Sinne über einen Kreis mit dem Radius r und im entgegengesetzten Sinne über einen Kreis mit dem Radius $\frac{1}{r}$ erstreckt wird, vorausgesetzt, dass der absolute Betrag von z zwischen r und $\frac{1}{r}$ liegt, und dass $r > 1$ ist. Die Entwickelung nach Potenzen von z ergiebt hiernach als Coëfficienten sowohl für z^n als für z^{-n} für jede nicht negative ganze Zahl n:

$$\frac{1}{2\pi i}\int F(\zeta) \cdot \zeta^{-n} d\log\zeta ,$$

wenn die Integration über den Kreis mit dem Radius r oder also auch über irgend eine den Punkt $\zeta = 0$ umschliessende Curve erstreckt wird. Setzt man

$$-\frac{n}{2\log u} = \log \tau ,$$

so ist

$$\zeta^{-n} F(\zeta) = u^{-(\log \tau)^2} \Sigma u^{(\log \tau \zeta)^2} = e^{-\frac{n^2}{4 \log u}} . F(\sigma \zeta) ,$$

und da

$$\int F(\zeta) d \log \zeta$$

ungeändert bleibt, wenn $\sigma\zeta$ statt ζ gesetzt d. h. über eine andere ebenfalls den Punkt $\zeta = 0$ umschliessende Curve integrirt wird, so erhält man als Coëfficienten von z^n und z^{-n} den Ausdruck

$$\frac{1}{2\pi i} v^{-n^2\pi} \int F(\zeta) d \log \zeta ,$$

wo v mit u durch die Relation $4\pi \log u . \log v = 1$ verbunden ist. Integrirt man in Bezug auf ζ über den Kreis mit dem Radius 1, so geht dieser Ausdruck unmittelbar in folgenden über:

$$v^{-n^2\pi} \int_{-\infty}^{+\infty} u^{-4\pi^2 w^2} dw$$

oder in

$$\frac{v^{-n^2\pi}}{\varphi + \psi i} \int e^{-\pi z^2} dz ,$$

wenn die Quadratwurzel der complexen Grösse $4\pi \log u$ mit $\varphi + \psi i$ bezeichnet, dabei φ positiv genommen und die Integration über die grade Linie $z = w(\varphi + \psi i)$ d. h. über die Linie $x\psi = y\varphi$ erstreckt wird. Der Winkel, den diese Linie mit der x-Axe bildet, ist unter 45°, da der reelle Theil von $\log u$ d. h. also $\varphi^2 - \psi^2$ positiv sein muss. Die Integration kann daher, ohne den Integralwerth zu alteriren, über die x-Axe selbst erstreckt werden, da das Resultat der Integration von $y = 0$ bis $y = x$ bei festem x für wachsende Werthe von x sich der Null nähert. Hiernach führt die Entwickelung von $F(z)$ nach Potenzen von z zu der Gleichung

$$\Sigma u^{(\log z)^2} = (\sqrt{\log v}) \sum_{n=-\infty}^{n=+\infty} v^{-n^2\pi} z^n \int_{-\infty}^{+\infty} e^{-\pi x^2} dx ,$$

aus welcher sich, wenn man $v = e$, $z = 1$ setzt, der Werth des Integrals rechts gleich Eins ergiebt. Setzt man $u = x^{4\pi}$, $v = y^{-1}$, so geht die Gleichung in folgende über:

$$\text{(III)} \qquad \left(\sqrt{\log \frac{1}{x}}\right) \frac{\Sigma x^{-\frac{1}{4\pi}(\log z + 2n\pi i)^2}}{\Sigma y^{n^2\pi} z^n} = 1 ,$$

wo die Summationen auf alle Zahlen von $n = -\infty$ bis $n = +\infty$ zu erstrecken sind und für $\log z$ irgend ein bestimmter Werth des Logarithmus zu nehmen ist. Ferner ist hierbei

$$\log x . \log y = 1 ,$$

der absolute Betrag von x so wie der von y ist kleiner als Eins, und die eingeklammerte Quadratwurzel aus einer complexen Grösse $(\sqrt{r e^{2vi}})$ soll den absoluten Werth von $\sqrt{r}$ multiplicirt mit demjenigen Werthe von e^{vi} bedeuten, bei welchem $-\pi < v \leqq \pi$ ist. Für $z = 1$ reducirt sich die Gleichung (III) auf folgende

$$\text{(IV)} \qquad \left(\sqrt{\log \frac{1}{x}}\right) \frac{\Sigma x^{n^2\pi}}{\Sigma y^{n^2\pi}} = 1 .$$

Ist nun der imaginäre Theil von x rational, also

$$-\log x = w^2 + \frac{\lambda . i}{\mu} ,$$

wo λ und μ ganze Zahlen bedeuten, und lässt man die reelle positive Grösse w sich der Null nähern, so wird

$$\lim_{w=0} (\mu w) \Sigma x^{n^2\pi} = \frac{1}{2} \sum_{k=0}^{k=2\mu-1} e^{-k^2\frac{\lambda\pi i}{\mu}} \int_{-\infty}^{+\infty} e^{-x^2\pi} dx$$

oder also, wenn die über ein vollständiges Restensystem $k \bmod. 2\mu$ erstreckte Summe

$$\Sigma e^{-k^2\frac{\lambda\pi i}{\mu}}$$

mit

$$2G\left(\frac{\lambda . i}{\mu}\right)$$

bezeichnet wird:

$$\text{(V)} \qquad \lim_{W=0} (\mu w) \Sigma x^{n^2\pi} = G\left(\frac{\lambda . i}{\mu}\right) ,$$

da $\int e^{-x^2\pi} dx = 1$ gefunden worden ist. Unter (μw) ist hierbei der absolute Werth von μw zu verstehen. Da nun ferner

$$-\left(1 + \frac{\mu^2 w^4}{\lambda^2}\right) \log y = \frac{\mu^2 w^2}{\lambda^2} + \frac{\mu}{\lambda . i}$$

ist, so wird

(Va) $$\lim_{W=0} (\mu w) \Sigma y^{n^2\pi} = G\left(\frac{\mu}{\lambda i}\right)$$

und also vermöge der Gleichung (IV)

$$\left(\sqrt{\frac{\lambda i}{\mu}}\right) G\left(\frac{\lambda i}{\mu}\right) = G\left(\frac{\mu}{\lambda i}\right),$$

d. h. es gilt für jeden rationalen, rein imaginären Werth von ϱ die Relation

(VI) $$(\sqrt{\varrho}) \frac{G(\varrho)}{G\left(\frac{1}{\varrho}\right)} = 1,$$

welche als Grenzausdruck der Gleichung (IV) angesehen werden kann und welche direkt resultirt, wenn die von Dirichlet zur Summation der Reihe $G\left(\frac{2i}{\mu}\right)$ benutzte Methode auf die allgemeinere Reihe $G\left(\frac{\lambda i}{\mu}\right)$ angewendet wird. — Für die Ermittelung des Grenzwerthes von $\Sigma y^{n^2\pi}$ ist nur noch zu bemerken, dass sich zuvörderst nur $G\left(\frac{\mu}{\lambda i}\right)$ als Grenzwerth von $\mu w \Sigma (\eta y)^{n^2\pi}$ ergiebt, wenn

$$-\log \eta y = \frac{\mu^2 w^2}{\lambda^2} + \frac{\mu}{\lambda i}$$

gesetzt wird, so dass $\log \eta$ von der Ordnung w^4 ist. Alsdann aber lässt sich zeigen, dass durch geeignete Wahl von k die Werthe von jeder der drei Reihen, welche die rechte Seite der Gleichung

$$\sum_{n=-\infty}^{n=+\infty} (\eta y)^{n^2\pi} - \sum_{n=-\infty}^{n=+\infty} y^{n^2\pi} = \sum_{n=-k}^{n=+k} (\eta^{n^2\pi} - 1) y^{n^2\pi} + 2 \sum_{n=k+1}^{n=\infty} (\eta y)^{n^2\pi} - 2 \sum_{n=k+1}^{n=\infty} y^{n^2\pi}$$

bilden, beliebig klein gemacht werden können.

Wenn λ und μ beide ungrade sind, so ist $G\left(\frac{\lambda i}{\mu}\right) = 0$; es sind deshalb nur solche Werthe von ϱ in Betracht zu ziehen, bei denen in der reducirten Form der Zähler oder der Nenner grade ist. Ferner lässt sich der Bruch ϱ stets auf die Form bringen, dass die durch Addition von Zähler und Nenner entstehende ganze complexe Zahl im Dirichlet'schen Sinne primär ist, d. h. dass der reelle Theil den Rest 1 mod. 4 lässt und der imaginäre Theil grade ist. Man hat also nur Summen

$$G\left(\frac{2\lambda i}{\mu}\right), \quad G\left(\frac{\mu}{2\lambda i}\right)$$

zu betrachten, in denen $\mu \equiv 1 \bmod. 4$ ist. Setzt man nun

$$\text{(VII)} \qquad \frac{G\left(\frac{2\lambda i}{\mu}\right)}{(\sqrt{\mu})} = \left(\frac{\lambda}{\mu}\right), \quad \frac{G\left(\frac{\mu}{2\lambda i}\right)}{(\sqrt{2\lambda i})} = \left(\frac{\mu}{\lambda}\right),$$

wo in Folge der obigen Festsetzung unter $(\sqrt{\mu})$, je nachdem μ positiv oder negativ ist, die positiv genommene Quadratwurzel aus dem absoluten Werthe von μ oder dieselbe mit i multiplicirt zu verstehen ist, so sind die Werthe von $\left(\frac{\lambda}{\mu}\right)$ und $\left(\frac{\mu}{\lambda}\right)$ stets gleich ± 1, es ist ferner

$$\left(\frac{\mu}{\lambda}\right) = \left(\frac{\lambda}{\mu}\right)(-1)^{\frac{1}{4}(\gamma-1)(\delta-1)}$$

wenn γ, δ die Vorzeichen von λ, μ bedeuten, endlich stimmt der Werth von $\left(\frac{\lambda}{\mu}\right)$ und für den Fall, dass λ ungrade ist, auch der von $\left(\frac{\mu}{\lambda}\right)$ mit dem des verallgemeinerten Legendre'schen Zeichens überein. Alles dies ist unmittelbar aus den folgenden Haupteigenschaften der Gaufs'schen Reihen G herzuleiten:

$G(\varrho + 2hi) = G(\varrho)$, wenn h eine ganze Zahl ist,

$G(2\lambda i) = 1$, $G\left(\frac{\mu}{2i}\right) = 1 + i$, wenn λ und μ ganz und $\mu \equiv 1 \bmod. 4$ ist,

$G\left(\frac{\lambda i}{\mu\nu}\right) = G\left(\frac{\lambda\nu i}{\mu}\right) G\left(\frac{\lambda\mu i}{\nu}\right)$, wenn λ, μ, ν zu einander prim sind,

$(\sqrt{\varrho})\, G(\varrho) = G\left(\frac{1}{\varrho}\right)$

$G(\varrho n^2) = G(\varrho) = \frac{1}{m}\, G\left(\frac{\varrho}{m^2}\right)$, wenn m zum Zähler von ϱ und n zum Nenner von ϱ prim ist.

So folgt aus der zuletzt erwähnten Eigenschaft von G, dass

$$G\left(\frac{2a\lambda i}{\mu}\right) = G\left(\frac{2\lambda i}{\mu}\right)$$

ist, wenn μ Primzahl und a quadratischer Rest von μ ist, und da überdies

$$\Sigma\, G\left(\frac{2h\lambda i}{\mu}\right) = 0$$

wird, wenn man die Summation auf alle Werthe $h = 1, 2, \ldots \mu - 1$ erstreckt, so muss für jeden quadratischen Nichtrest b offenbar

$$G\left(\frac{2b\lambda i}{\mu}\right) = -G\left(\frac{2\lambda i}{\mu}\right)$$

also allgemein

$$G\left(\frac{2r\lambda i}{\mu}\right) = \left(\frac{r}{\mu}\right) G\left(\frac{2\lambda i}{\mu}\right)$$

werden, wo unter $\left(\frac{r}{\mu}\right)$ das Legendre'sche Zeichen zu verstehen ist. Da also

$$G\left(\frac{2\lambda i}{\mu}\right) = \left(\frac{\lambda}{\mu}\right) G\left(\frac{2i}{\mu}\right),$$

und

$$G\left(\frac{2i}{\mu}\right) = \left(\sqrt{\frac{\mu}{2i}}\right) G\left(\frac{\mu}{2i}\right) = (\sqrt{\mu})$$

ist, so folgt in der That, dass für eine Primzahl μ der Quotient

$$\frac{G\left(\frac{2\lambda i}{\mu}\right)}{(\sqrt{\mu})}$$

mit dem Legendre'schen Zeichen $\left(\frac{\lambda}{\mu}\right)$ übereinstimmt. Ferner folgt aus der dritten Eigenschaft von G, wenn λ ungrade ist,

$$G\left(\frac{\mu}{2\lambda i}\right) = G\left(\frac{-2\mu i}{\lambda}\right) G\left(\frac{\lambda\mu}{2i}\right),$$

und hieraus ergiebt sich, dass auch der Quotient

$$\frac{G\left(\frac{\mu}{2\lambda i}\right)}{(\sqrt{2\lambda i})}$$

für Primzahlen λ mit dem Legendre'schen Zeichen $\left(\frac{\mu}{\lambda}\right)$ identisch wird. Endlich führt eben diese dritte Eigenschaft von G zur Jacobi'schen Verallgemeinerung des Legendre'schen Zeichens.

In den vorstehenden Entwickelungen hat sich als Grenzwerth von

$$\left(\sqrt{\log\frac{1}{x}}\right)\frac{\Sigma x^{n^2\pi}}{\Sigma y^{n^2\pi}}$$

für den Fall, dass der reelle Theil von $\log x$ verschwindet, während der imaginäre einen rationalen Werth ϱ hat, der Ausdruck

$$(\sqrt{\varrho})\frac{G(\varrho)}{G\left(\frac{1}{\varrho}\right)}$$

oder, wenn $\varrho = \frac{2\lambda i}{\mu}$ ist, der Ausdruck

$$\frac{\left(\frac{\lambda}{\mu}\right)}{\left(\frac{\mu}{\lambda}\right)}(-1)^{\frac{1}{4}(\gamma-1)(\delta-1)}$$

ergeben, und es hat sich gezeigt, dass die Zeichen $\left(\frac{\lambda}{\mu}\right)$, $\left(\frac{\mu}{\lambda}\right)$ mit den verallgemeinerten Legendre'schen Zeichen übereinstimmen. Die Transformationsgleichung (IV), welche als Werth dieser Ausdrücke die positive Einheit ergiebt, führt also in der That mittels der Cauchy'schen Grenzbetrachtung sowohl zu der in der Gleichung (VI) enthaltenen Werthbestimmung der Gaufs'schen Reihen G als auch zum Reciprocitätsgesetz für die quadratischen Reste. Aber es lässt sich auch umgekehrt aus der Gleichung (VI) die Gleichung (IV) erschliessen. Denn die auf der linken Seite der Gleichung (IV) stehende Function von x, welche der Kürze halber mit $\Phi(x)$ bezeichnet werden möge, ist ebenso wie jede ihrer Ableitungen im Innern des Kreises mit dem Radius 1 mit Ausschluss des Nullpunkts überall endlich, da die den Nenner bildende Reihe $\Sigma y^{n^2\pi}$, wie z. B. die ebenfalls mit den Cauchy'schen Principien herzuleitende Productentwickelung zeigt, in dem angegebenen Gebiete nirgends verschwindet. Für den Nullpunkt selbst nähert sich $\Phi(x)$ dem reciproken Werthe des von $-\infty$ bis $+\infty$ erstreckten Integrals $\int e^{-u^2\pi}du$, so dass bei dem Cauchy'schen Integral nur die Peripherie des Kreises mit dem Radius 1 als natürliche Begrenzung anzusehen ist. Setzt man nun $x = re^{2si\pi}$, so dass auf der Begrenzung s von 0 bis 1 geht, und nimmt alsdann in der obigen Gleichung (II) für die Function $\chi(r, s)$

$$\frac{\Phi(x)-1}{x-\xi} \quad \text{oder} \quad \frac{\Phi(re^{2s\pi i})-1}{re^{2s\pi i}-\xi},$$

so wird für einen beliebigen Punkt (ξ) im Innern des Kreises

$$\Phi(\xi)-1 = \frac{1}{2\pi i}\lim_{\mu=\infty}\frac{1}{\mu}\sum_{\lambda=0}^{\lambda=\mu-1}\lim_{r=1}\chi\left(r,\frac{\lambda}{\mu}\right),$$

und es ist auf Grund der in der Gleichung VI gegebenen Voraussetzung grade der Grenzwerth

$$\lim_{r=1}\chi\left(r,\frac{\lambda}{\mu}\right),$$

der für jede ungrade Zahl μ gleich Null wird. Hiernach wird also für jeden Punkt ξ im Innern des Kreises $\Phi(\xi)=1$, d. h. die Gleichung (IV) findet für alle Werthe von x im Innern des Kreises statt, und es ergiebt sich dadurch auch wiederum der Werth des für $\Phi(0)$ gefundenen Integrals $\int e^{-u^2\pi}du$ *gleich Eins.* Ferner zeigt sich mit Hülfe derselben Cauchy'schen Principien die Transformationsgleichung (III) als eine Folge der specielleren Gleichung (IV), da die auf der linken Seite der Gleichung (III) stehende Function von z, wie leicht zu sehen ist, für alle und zwar auch für die im Unendlichen liegenden Werthe dieser Variabeln stets endlich bleibt und daher überall einen constanten, durch die speciellere Gleichung (III) zu bestimmenden Werth haben muss. Endlich ist daran zu erinnern, dass die allgemeinste lineare Transformation der θ-Reihen durch wiederholte Anwendung der Gleichung (III) und aber auch direkt wie eben diese Gleichung abgeleitet werden kann. Wird in üblicher Weise die auf alle ungraden (positiven und negativen) Zahlen ν erstreckte Summe

$$\Sigma e^{\frac{1}{4}\pi i(\nu^2\tau+4\nu\zeta-2\nu)}$$

mit $\vartheta(\zeta,\tau)$ bezeichnet, so kommt:

$$\text{(VIII)}\quad \vartheta\left(\frac{\zeta}{\gamma\tau+\delta},\frac{\alpha\tau+\beta}{\gamma\tau+\delta}\right) = C\left(\sqrt{\gamma\tau+\delta}\right)e^{\frac{\gamma\zeta^2}{\gamma\tau+\delta}\pi i}\,\vartheta(\zeta,\tau),$$

wo die ganzen Zahlen $\alpha,\beta,\gamma,\delta$ der Bedingung $\alpha\delta-\beta\gamma=1$ genügen, und der von ζ wie von τ unabhängige constante Factor C bestimmt sich unmittelbar, wenn

$$\zeta = \tfrac{1}{2}(\alpha\tau+\beta+\gamma\tau+\delta)$$

gesetzt, alsdann, je nachdem $\beta+\delta$ ungrade oder grade ist,

$$\tau = iw^2 \text{ oder } \tau = \frac{i}{w^2}$$

genommen und schliesslich zum Grenzwerth $w = 0$ übergegangen wird. Bei dieser Methode findet sich C je nach den beiden Fällen durch die Gaufs'schen Reihen

$$G\left(\frac{\beta i}{\delta}\right) \quad , \quad G\left(\frac{\alpha i}{\gamma}\right)$$

ausgedrückt, deren Werth ja sich oben durch die Transformationsgleichung selbst bestimmt hat, so dass alles für die lineare Transformation Erforderliche aus einer und derselben Quelle herzuleiten ist. — Bei wiederholter Anwendung der Gleichung (III) gelangt man zur Gleichung (VIII) und dabei auch zur Bestimmung von C durch einen Algorithmus, welcher auch von den Hauptgleichungen für die Gaufs'schen Reihen

$$G(\varrho+2hi) = G(\varrho) \quad , \quad (\sqrt{\varrho})\,G(\varrho) = G\left(\frac{1}{\varrho}\right)$$

zu deren Werthbestimmung und damit auch zur Bestimmung des Legendre'schen Zeichens führt. Setzt man

$$\varrho = \frac{n_1 i}{n},$$

so hat man ganze Zahlen $n_2, n_3, \ldots h_1, h_2, \ldots$ so zu bestimmen, dass

$$n + 2h_1 n_1 + n_2 = 0 \quad , \quad n_1 + 2h_2 n_2 + n_3 = 0 \quad , \quad \ldots\ldots$$

also

$$\frac{n_1}{n} = \cfrac{-1}{2h_1 - \cfrac{1}{2h_2 - \cdots - \cfrac{1}{2h_\nu}}}$$

wird. Die Zahlen n sind positiv oder negativ, aber ihrem absoluten Werthe nach mit wachsendem Index abnehmend, und das Vorzeichen von h_k ist dem des Products $n_{k-1}.n_k$ entgegengesetzt. Der Werth von $G(\varrho)$ bestimmt sich hiernach gleich der Quadratwurzel aus dem absoluten Werthe von n multiplicirt mit $e^{\frac{1}{4}r\pi i}$, wo für r die algebraische Summe der Vorzeichen der Zahlen $h_1, h_2, \ldots h_\nu$ zu nehmen ist.

Berichtigungen.

S. 366 Text Z. 4 v. u.: passt nicht zur bonorum possessio.

S. 367 Z. 24: hinter den notae.

S. 368 Z. 27: poss·o = possessio III, 6. VI, 4.

Z. 36: NN = ? VI, 14.

S. 369 Z. 15: auf der Vorderseite stehende.

Verzeichniss der im Monat Juli 1880 eingegangenen Schriften.

Nachrichten von der Königl. Gesellschaft der Wissenschaften und der G. A. Universität zu Göttingen. N. 6—13. 1880. Göttingen. 8.

Leopoldina. Amtliches Organ der K. Leopoldinisch-Carolinischen Deutschen Akademie der Naturforscher. Heft XVI. N. 11. 12. Halle a. S. 1880. 4.

Zeitschrift der Deutschen Geologischen Gesellschaft. Bd. XXXII. Heft 1. Jan. — März. Berlin 1880. 8.

Berichte der Deutschen Chemischen Gesellschaft. Jahrg. XIII. N. 11. 12. 13. Berlin 1880. 8.

Die Fortschritte der Physik dargestellt von der physikalischen Gesellschaft zu Berlin. Jahrg. XXXI. Abth. II. Berlin 1880. 8.

Zeitschrift der Deutschen Morgenländischen Gesellschaft. Bd. 34. Heft II. Leipzig 1880. 8.

Vierteljahrsschrift der Astronomischen Gesellschaft. Jahrg. XV. Heft 1. 2. Leipzig 1880. 8.

Zeitschrift für das Berg-, Hütten- und Salinen-Wesen im Preussischen Staate. Bd. XXVIII. Heft 3. Mit Atlas. Bd. XXVIII. Tafel XVI — XXII. Berlin 1880. 4. fol.

Ergebnisse der Beobachtungsstationen an den Deutschen Küsten über die physikalischen Eigenschaften der Ostsee und Nordsee und die Fischerei. Jahrg. 1880. Heft I. II. Berlin 1880. 4.

Gemeinfassliche Mittheilungen aus den Untersuchungen der Kommission zur wissenschaftlichen Untersuchung der Deutschen Meere. Kiel 1880. 8.

Berichte über die Verhandlungen der Naturforschenden Gesellschaft zu Freiburg i. B. Bd. VII. Heft IV. Freiburg i. B. 1880. 8.

Mittheilungen des Deutschen Archaeologischen Institutes in Athen. Jahrg. V. Heft 2. Athen 1880. 8.

Das Kuppelgrab bei Menidi. Herausgegeben vom Deutschen Archaeologischen Institute in Athen. Athen 1880. 4.

Die Kaiserdenkmünze. — Jubelschrift auf die Stiftung einer Denkmünze zur Erinnerung an den Einzug S. M. des Kaisers Wilhelm I. in Strassburg am 1. Mai 1877, herausgegeben durch K. H. Perrot. Strassburg 1879. 8. Nebst der betr. Denkmünze in Bronze.

Sitzungsberichte der königl. böhmischen Gesellschaft der Wissenschaften in Prag. Jahrg. 1879. Prag 1880. 8.

Mittheilungen der kais. und kön. Geographischen Gesellschaft in Wien. 1879. Wien 1879. 8.

Th. v. Oppolzer, *Einige Bemerkungen über die anomalen Bewegungserscheinungen einiger Kometen und über das Widerstand leistende Medium.* Kiel 1880. 4. Sep.-Abdr.

Programm des evang. Gymnasiums A. B. in Schässburg und der damit verbundenen Lehr-Anstalt. Zum Schlusse des Schuljahres 1879/80. Schässburg 1880. 4.

Erdélyi Muzeum. 7. sz. Évtolyam VII. 1880. Budapest 1880. 8.

E. Czyrniańkiego, *O Pryciąganiu jako objawie dopeł niczym Ruchu chemicznego.* Krakowie 1880. 8.

Viestnik hrvatskoga arkeologičkoga Družtva. Godina II. Br. 3. Zagrebu 1880. 8.

Proceedings of the R. Geographical Society and Monthly Record of Geography. Vol. II. N. 7. May 1880. London. 8.

The Quarterly Journal of the Geological Society. Vol. XXXVI. P. 2. N. 142. London 1880. 8.

The Journal of the Chemical Society. N. CCXII. July 1880. London. 8.

Stonyhurst College Observatory. — Results of meteorological and magnetical Observations. — 1879. Roehampton 1880. 8.

Journal of the Asiatic Society of Bengal. New Series. Vol. XLVIII. P. I. N. 4. 1879. Calcutta 1879. 8.

Bibliotheca Indica. New Series. N. 431. 432. Calcutta 1879. 4. N. 434. Calcutta 1880. 8.

Memoirs of the Geological Survey of India. — Palaeontologia Indica. — Tertiary and upper Cretaceous Fauna of Western India. Ser. XIV. Calcutta 1880. 4.

Account of the Operations of the Great Trigonometrical Survey of India. Vol. V. *Details of the Operations by Captt. J. P. Basevi and W. J. Heaviside, and of their reduction.* Dehra Dun and Calcutta 1879. 4.

J. D. Hooker, *The flora of British India.* Part VII. London 1880. 8.

1880. Victoria. — Mineral Statistics of Victoria for the year 1879. Melbourne 1880. fol.

1880. Victoria. — Report of the Chief Inspector of Mines for the year 1879. N. 12. Melbourne. fol.

1880. Victoria. — Reports of the Mining Surveyors & Registrars. Quarter ended 31st. March 1880. N. 15. Melbourne. fol.

R. Brough Smyth, *The Aborigines of Victoria.* Vol. I. II. London 1878. 8.

Meteorological Observations made at the Adelaide Observatory, during the year 1878. Under the direction of Ch. Todd. Adelaide 1878. fol.

1879. Queensland. — R. L. Jack, *Report to the Honourable the Minister for Mines on the Bowen River Coalfield.* Brisbane 1879. fol.

1879. Queensland. — R. L. Jack, *Report on the geology and mineral resources of the district between Charters Towers goldfields and the coast.* Brisbane 1879. fol.

1879. Queensland. — R. L. Jack, *Geological features of part of the coast range between the Dalrymple and Charters Towers Roads.* Brisbane 1879. fol.

Comptes rendus hebdomadaires des Séances de l'Académie des Sciences. T. XC. 1880. Semestre I. N. 23. 24. 25. 26. Paris 1880. 4. Sem. 2. T. XCI. N. 1. 2. Paris 1880. 4.

Bulletin de l'Académie de Médecine. Sér. II. T. IX. N. 26. 27. 28. 29. Paris 1880. 8.

Bulletin de la Société de Géographie. Mars 1880. Paris 1880. 8.

Bulletin de la Société géologique de France. Sér. III. T. VIII. *Séance générale annuelle et célébration du Cinquantennaire de la Société.* Paris 1880. 8.

Annales des Ponts et Chaussées. Mémoires et Documents. Série V. Anuée X. Cahier 7. 1880. Juillet. Paris. 8.

Bulletin de la Société de Géographie commerciale de Bordeaux. Sér. 2. Année 3. N. 13. 14. Bordeaux 1880. 8.

Annales de la Faculté des Lettres de Bordeaux. Année II. N. 2. Bordeaux 1880. 8.

Mémoires de l'Académie des sciences, belles-lettres et arts de Lyon. — Classe des Sciences. T. XXIII. — *Classe des Lettres.* T. XVIII. Paris. Lyon 1878/79. 8.

Annales de la Société d'Agriculture, d'histoire naturelle et Arts utiles de Lyon. Série IV. T. X. 1877. Série V. T. I. 1878. Lyon. Paris 1878. 1880. 8.

Dr. Saint-Lager. *Réforme de la Nomenclature botanique.* Lyon 1880. 8. Extr.

A. Falsan & E. Chantre. *Monographie géologique des anciens glaciers et du terrain erratique de la partie moyenne du bassin du Rhône.* Atlas. Lyon 1879. fol.

Revue scientifique de la France et de l'étranger. Ser. II. N. 1. 2. 3. 4. Paris 1880. 4.

Polybiblion. — Revue bibliographique univ. — Partie litt. Serie II. T. XII. Livr. 1. — *Partie techn.* Ser. II. T. VI. Livr. 7. Paris 1880. 8.

La Lumière électrique. Journal universel d'Électricité. T. II. N. 12. Paris 1880. 4.

M. Vivien de Saint Martin. *Nouveau Dictionnaire de Géographie universelle.* Fasc. 14. Paris 1880. 4.

A. Couat. *[illegible]* Bordeaux 1880. 8. Extr.

De l'origine du Magnétisme terrestre. — [illegible] New-York Herald. Nancy 1879. 8.

Pubblicazioni del R. Istituto di studi superiori.

Sezione di Filosofia e Filologia.

G. Vitelli. *Intorno ad alcuni luoghi della Ifigenia in Aulide di Euripide.* Firenze 1877. 8.

C. Paoli. *Del Papiro, specialmente considerato come materia che ha servito alla scrittura.* Firenze 1878. 8.

L. A. Milani. *Il Mito di Filottete nella letteratura e nell' arte figurata.* Firenze 1879. 8.

Accademia Orientale.

F. Lasinio. *Il Commento medio di Averroe alla Retorica di Aristotele — pubblicato nel testo arabo.* Fascicoli 2 e 3. pag. 33—96. Firenze 1877—1878. 8.

A. Severini & C. Puini. *Repertorio sinico-giapponese.* Fasc. 3. *[illegible]* Firenze 1877. 8.

L. Nocentini. *La Ribellione di Masakado e di Sumitomo. Testo giapponese.* Firenze 1878. 8.

— —, *Il medesimo tradotto in italiano.* Firenze 1878. 8.

Sezione di Scienze fisiche e naturali.

A. Eccher. *Sulla teoria fisica dell' Elettricità nei nervi.* Firenze 1877. 8.

— —, *Sulle forze elettromotrici sviluppate dalle soluzioni saline.* Firenze 1878. 8.

D. Tommasi, *Ricerche sulle formole di costituzione dei composti ferrici.* Parte 1. Firenze 1879. 8.

G. Cavanna, *Ancora sulla Polimelia nei Batraci Anuri. — Sopra alcuni visceri del Gallo cedrone.* Firenze 1879. 8.

F. Meucci, *Il Globo celeste arabico del secolo XI.* Firenze 1878. 8.

Bullettino della Società Veneto-Trentina di Scienze naturali. Anno 1880. Giugno. N. 4. Padova 1880. 8.

A. Bartoli, *Le leggi delle polarità galvaniche.* Pisa 1880. 8.

— —, *Apparecchio per la determinazione dell' equivalente meccanico del calore.* Pisa 1880. 8.

— —, *Una nuova esperienza sulla elettrolisi con deboli elettromotori.* Sassari 1879. 8.

— —, *4 Estr.* Pisa 1879/80. 8.

J. Cameletti, *Il Binomio di Newton.* Genova 1880. 8.

D. Tommasi, *On the reduction of Chloride of Gold by Hydrogen in the presence of Platinum.* Extr. 8.

— —, *Sur l'Hydrogène naissant.* Extr. 8.

— —, *Réponse a une note de Mr. le Dr. Phipson intitulée on the Nascent State of Bodies.* Florence. 8. Extr.

— —, *Ricerche intorno alla formazione dell' Idrato ferrico.* Torino. 8. Extr.

Catalogo dell' Archivio della Magnifica Comunità di Este. Este 1880. 8.

Bulletin de la Société Impér. des Naturalistes de Moscou. Année 1879. N. 4. Moscou 1880. 8.

Finlands Geologiska Undersökning. — Beskrifning till Kartbladet No. 2 af K. Ad. Moberg. Helsingfors 1880. 8. Nebst 1 Karte in folio.

Nova Acta Regiae Societatis scientiarum Upsaliensis. Ser. III. Vol. X. Fasc. 2. Upsaliae 1879. 4.

Bulletin météorologique mensuel de l'Observatoire de l'Université d'Upsal. Vol. VIII. IX. Année 1876. 1877. Upsal 1877. 1878. 4.

Archives du Musée Teyler. Vol. V. P. II. Haarlem 1880. 8.

Archives Néerlandaises des sciences exactes et naturelles. T. XV. Livr. 1. 2. Harlem 1880. 8.

Natuurkundige Verhandelingen der Hollandsche Maatschappy der Wetenschappen. 3de. Verz. Deel IV. St. 1. Haarlem 1880. 4.

Programma van de Hollandsche Maatschappy der Wetenschappen te Haarlem voor het Jaar 1879. 1880. Haarlem. 4.

Bôrô-Boudour dans l'Ile de Java. Publ. par le Dr. C. Leemans. 2 Ex. (franz. u. holländ.) Leide 1873. 1874. 8. Avec de dessins in fol.

Bulletin de l'Académie R. des sciences de Bruxelles. Année 49. Sér. II. T. 49. N. 5. Bruxelles 1880. 8.

Jahrbuch für Schweizerische Geschichte. Bd. 5. *N. F. des Archivs für schweizerische Geschichte.* Zürich 1880. 8.

J. F. J. Biker, *Supplemento a Collecção dos Tratados etc. celebrados entre a Corôa de Portugal e as mais Potencias desde 1640.* T. XVII. Lisboa 1879. 8.

Franciso da Fonseca Benevides, *Rainhas de Portugal.* T. I. II. Lisboa 1878. 1879. 8.

A Diniz da Cruz e Silva, *O Hyssope. Edição critica por José Ramos Coelho.* Lisboa 1879. 8.

Torquato Tasso. A Jerusalem libertada, vertida em oitava-rima portugueza por José Ramos Coelho. Lisboa 1864. 8.

I. Δεκιγάλλας, Φιλοσοφικαὶ διαλέξεις περὶ τῆς τῷ σώματι οὐσιώδους ἑνώσεως τῆς ψυχῆς. Ἐν Ἑρμουπόλει 1880. 8.

Προσθῆκαι καὶ ἐπιδιορθώσεις εἰς τὰς ὑπὸ I. Δεκιγάλλα φιλοσοφικὰς διαλέξεις. Ἐν Ἑρμουπόλει 1879. 8.

Proceedings of the American Oriental Society. May 1879. Boston 1880. 8.

Memoirs of the Museum of Comparative Zoology at Harvard College. Vol. VII. N. 1. L. Agassiz, *Report on the Florida Reefs.* Cambridge 1880. 4.

The Journal of the Cincinnati Society of Natural History. July 1880. Vol. III. N. 2. Cincinnati 1880. 8.

The American Journal of Science and Arts. Ser. III. Vol. XX. N. 115. July 1880. New Haven 1880. 8.

The American Journal of Otology. Vol. II. N. III. July 1880. New York 1880. 8.

Peabody Institute of the City of Baltimore. Thirteenth Annual Report of the Provost to the Trustees of the Peabody Institute. June 1. 1880. Baltimore 1880. 8.

L. Soldan, *Zeitgeist und Schule. Vortrag gehalten in der öffentlichen Sitzung des 10. deutsch-amerikanischen Lehrertages.* St. Louis 1879. 8.

MONATSBERICHT

DER

KÖNIGLICH PREUSSISCHEN

AKADEMIE DER WISSENSCHAFTEN

ZU BERLIN.

August 1880.

Vorsitzender Secretar: Hr. Auwers.

2. August. Sitzung der physikalisch-mathematischen Klasse.

Hr. Ewald trug vor: Weitere Betrachtungen über das Magdeburg-Köthener palaeozoische Gebirge.

---

5. August. Gesammtsitzung der Akademie.

Hr. Kronecker las folgende von Hrn. Weierstrafs eingesandte Abhandlung:

Über einen functionentheoretischen Satz des Herrn G. Mittag-Leffler.

1.

In den Berichten der Akademie der Wissenschaften zu Stockholm[1]) a. d. J. 1877 hat Herr Mittag-Leffler im Anschluss an meine in den Denkschriften unserer Akademie a. d. J. 1876 veröffentlichten Untersuchungen über die eindeutigen analytischen Functionen einer Veränderlichen einige sehr beachtungswerthe Theoreme

[1]) Öfversigt af Kongl. Vetenskaps-Akademiens Förhandlingar, 1877.

entwickelt. Unter denselben ist von besonderer Wichtigkeit das nachstehende, auf welches näher einzugehen ich aus dem Grunde Veranlassung habe, weil es mir dazu gedient hat, die Ergebnisse meiner Arbeit in mehreren wesentlichen Punkten zu vervollständigen:

„Es seien gegeben

1) eine unendliche Reihe bestimmter endlicher Grössen:

$$a_1, a_2, a_3, \ldots,$$

unter denen keine zwei gleiche sich finden, und die der Bedingung

$$\operatorname{Lim.}_{\nu=\infty} a_\nu = \infty$$

genügen; und

2) eine unendliche Reihe rationaler Functionen einer Veränderlichen (x):

$$f_1(x), f_2(x), f_3(x), \ldots,$$

von denen $f_\nu(x)$ nur an der Stelle $(x = a_\nu)$ unendlich gross wird, und für $x = \infty$ verschwindet.

Dann lässt sich stets eine eindeutige analytische Function $F(x)$ mit der einen wesentlichen singulären Stelle ∞ bilden, welche nur an den Stellen $a_1, a_2, a_3, \ldots$ unendlich gross wird, und zwar so, dass — für jeden bestimmten Werth von ν — die Differenz

$$F(x) - f_\nu(x)$$

an der Stelle $(x = a_\nu)$ einen endlichen Werth hat, und daher innerhalb einer gewissen Umgebung dieser Stelle

$$F(x) \text{ in der Form } f_\nu(x) + \mathfrak{P}(x - a_\nu)$$

dargestellt werden kann."

Herr Mittag-Leffler beweist diesen Satz, indem er zeigt, dass sich aus den gegebenen Functionen

$$f_1(x), f_2(x), f_3(x), \ldots$$

eine Reihe anderer rationalen Functionen:

$$F_1(x), F_2(x), F_3(x), \ldots$$

dergestalt ableiten lässt, dass jede der Differenzen

$$F_1(x) - f_1(x), \quad F_2(x) - f_2(x), \quad F_3(x) - f_3(x), \ldots$$

eine ganze Function von x oder eine Constante ist, und zugleich die unendliche Reihe

$$\sum_{\nu=1}^{\infty} F_\nu(x)$$

innerhalb jedes Bereichs, der keine der Stellen $a_1, a_2, a_3, \dots$ enthält, gleichmässig convergirt, woraus sich folgern lässt, dass dieselbe eine Function $F(x)$ von der angegebenen Beschaffenheit darstellt.

Man kann indess für die Functionen $F_\nu(x)$ eine einfachere Bildungsweise als die von Herrn Mittag-Leffler auseinandergesetzte angeben, und dadurch den Beweis des Satzes erheblich vereinfachen.

Man nehme eine unendliche Reihe positiver Grössen:

$$\varepsilon_1, \varepsilon_2, \varepsilon_3, \dots,$$

deren Summe einen endlichen Werth hat, und ausserdem eine ebenfalls positive Grösse ε, die < 1 ist, willkürlich an.

Ist nun, für einen bestimmten Werth von ν, $a_\nu = 0$, so nehme man

$$F_\nu(x) = f_\nu(x)\,.$$

Wenn aber a_ν einen von Null verschiedenen Werth hat, so entwickle man $f_\nu(x)$ in eine Potenzreihe von x:

$$\sum_{\mu=0}^{\infty} A_\mu^{(\nu)} x^\mu,$$

welche für jeden der Bedingung

$$\left|\frac{x}{a_\nu}\right| < 1$$

genügenden Werth von x convergirt. Dann kann man eine ganze Zahl m_ν so bestimmen, dass für jeden der Bedingung

$$\left|\frac{x}{a_\nu}\right| \leqq \varepsilon$$

entsprechenden Werth von x der absolute Betrag von

$$\sum_{\mu=m_\nu}^{\infty} A_\mu^{(\nu)} x^\mu$$

kleiner als ε_ν ist.[1]) Nach Ermittelung dieser Zahl m_ν nehme man

$$F_\nu(x) = f_\nu(x) - \sum_{\mu=0}^{m_\nu - 1} A_\mu^{(\nu)} x^\mu,$$

wobei zu bemerken, dass $F_\nu(x) = f_\nu(x)$ zu setzen ist, wenn $m_\nu = 0$, und dass man

$$F_\nu(x) = x^{m_\nu} \varphi_\nu(x)$$

hat, wo $\varphi_\nu(x)$ eine rationale Function ist, die ebenso wie $f_\nu(x)$ nur für $x = a_\nu$ unendlich gross wird, und für $x = \infty$ verschwindet.

Nun sei x_0 irgend ein bestimmter endlicher Werth von x, der nicht in der Reihe

$$a_1, a_2, a_3, \ldots$$

enthalten ist, und ϱ eine positive Grösse, die man so klein anzunehmen hat, dass auch unter denjenigen Werthen von x, für die

$$|x - x_0| \leqq \varrho,$$

keine der Grössen $a_1, a_2, a_3, \ldots$ sich findet. Dann kann, wenn δ irgend eine gegebene, beliebig kleine Grösse ist, eine ganze Zahl r so angenommen werden, dass für jeden der eben angegebenen Werthe von x, sobald $\nu \geqq r$,

$$\left|\frac{x}{a_\nu}\right| \leqq \varepsilon$$

und somit

---

[1]) Nach Annahme einer positiven Grösse ε_0, die kleiner als 1, aber grösser als ε ist, bestimme man eine Grösse g so, dass für jeden Werth von x, dessen absoluter Betrag gleich $\varepsilon_0|a_\nu|$ ist,

$$|f(x)| \leqq g.$$

Dann hat man

$$|A_\mu^{(\nu)}| \leqq g \cdot |\varepsilon_0 a_\nu|^{-\mu},$$

und es ist somit, wenn $\left|\frac{x}{a_\nu}\right| \leqq \varepsilon$,

$$|F_\nu(x)| = \left|\sum_{\mu=m}^{\infty} A_\mu^{(\nu)} x^\mu\right| \leqq \left\{ g \sum_{\nu=m}^{\infty} \left(\frac{\varepsilon}{\varepsilon_0}\right)^\mu = \frac{g}{1 - \frac{\varepsilon}{\varepsilon_0}} \cdot \left(\frac{\varepsilon}{\varepsilon_0}\right)\right. .$$

Man kann also für m_ν den kleinsten Werth von m, für den $\frac{g}{1-\frac{\varepsilon}{\varepsilon_0}} \cdot \left(\frac{\varepsilon}{\varepsilon_0}\right)^m$ kleiner als ε_ν ist, wählen.

$$|F_\nu(x)| < \varepsilon_\nu\,,$$

$$\left|\sum_{\nu=r}^{\infty} F_\nu(x)\right| < \delta$$

ist. Die Reihe

$$\sum_{\nu=1}^{\infty} F_\nu(x)$$

convergirt also, und zwar gleichmässig, für alle der Bedingung

$$|x - x_0| \leqq \varrho$$

entsprechenden Werthe von x, und kann daher, nach einem bekannten Satz, für diese auch in der Form einer gewöhnlichen Potenzreihe von $(x - x_0)$ dargestellt werden.

Ist ferner a_λ irgend eine der Grössen $a_1, a_2, a_3, \ldots$, und nimmt man ϱ so klein an, dass sich unter denjenigen Werthen von x, für die

$$|x - a_\lambda| \leqq \varrho\,,$$

ausser a_λ keine der genannten Grössen findet, so ist nach dem Vorstehenden die Reihe

$$\sum_{\nu=1}^{\infty} F_\nu(x) - F_\lambda(x)$$

für die in Rede stehenden Werthe von x gleichmässig convergent und in der Form

$$\mathfrak{P}(x - a_\lambda)$$

darstellbar, so dass man

$$\sum_{\nu=1}^{\infty} F_\nu(x) = F_\lambda(x) + \mathfrak{P}(x - a_\lambda) = f_\lambda(x) + \mathfrak{P}_1(v - a_\lambda)$$

hat. Damit ist bewiesen, dass die Reihe

$$\sum_{\nu=1}^{\infty} F_\nu(x)$$

eine Function $F(x)$ von der in dem angeführten Satze angegebenen Beschaffenheit darstellt.

Hierzu ist noch Folgendes zu bemerken. Ist $G(x)$ eine beliebige (rationale oder transcendente) ganze Function von x, und setzt man

$$\bar{F}(x) = F(x) + G(x)\,,$$

so ist auch $\bar{F}(x)$ eine Function von der in Rede stehenden Beschaffenheit. Und umgekehrt. wenn $F(x)$, $\bar{F}(x)$ irgend zwei solche Functionen sind, so ist die Differenz

$$\bar{F}(x) - F(x)$$

nothwendig eine ganze Function von x.

2.

Nunmehr sei $F(x)$ irgend eine gegebene eindeutige analytische Function von x, welche nur die eine wesentliche singuläre Stelle ∞ besitzt, und an beliebig vielen andern Stellen

$$a_1, a_2, a_3, \ldots$$

gleich ∞ wird, wobei in dem Falle, wo die Anzahl dieser Stellen unendlich gross ist, angenommen werden darf, es seien dieselben so geordnet, dass

$$\operatorname{Lim.}_{\nu=\infty} a_\nu = \infty.$$

Dann lässt sich, wenn a_ν eine l_ν mal zu zählende ∞-Stelle der Function $F(x)$ ist, für die einer bestimmten Umgebung dieser Stelle angehörigen Werthe von x

$$(x - a_\nu)^{l_\nu} F(x) \text{ in der Form } \sum_{\mu=0}^{\infty} C_\mu^{(\nu)} (x - a_\nu)^\mu$$

darstellen; man hat also, wenn

$$f_\nu(x) = \sum_{\mu=0}^{l_\nu - 1} C_\mu^{(\nu)} (x - a_\nu)^{-l_\nu + \mu}$$

gesetzt wird,

$$F(x) = f_\nu(x) + \mathfrak{P}(x - a_\nu),$$

und es ist $f_\nu(x)$ eine rationale Function von x, die nur für $x = a_\nu$ unendlich gross wird, und für $x = \infty$ verschwindet.

Leitet man nun aus den Functionen

$$f_1(x), f_2(x), f_3(x), \ldots$$

auf die in (1) beschriebene Weise die Functionen

$$F_1(x), F_2(x), F_3(x), \ldots$$

ab — wobei man, wenn die Anzahl der ∞-Stellen von $F(x)$ endlich ist, $F_\nu(x) = f_\nu(x)$ setzen kann, so wird die Differenz

$$F(x) - \sum_{\nu} F_{\nu}(x)$$

für keinen endlichen Werth von x unendlich gross, und es ist also

$$F(x) = \sum_{\nu} F_{\nu}(x) + G(x)\,,$$

wo $G(x)$ wieder eine ganze Function von x bedeutet.

Bringt man

$$G(x) \text{ auf die Form } \sum_{\nu} g_{\nu}(x)\,,$$

in der Art, dass $g_1(x)\,, g_2(x)\,, \ldots$ ganze und rationale Functionen von x sind, und setzt

$$\mathrm{F}_{\nu}(x) = F_{\nu}(x) + g_{\nu}(x)\,,$$

so hat man

$$F(x) = \sum_{\nu} \mathrm{F}_{\nu}(x)\,.$$

Es lässt sich also jede eindeutige analytische Function $F(x)$, für die im Endlichen keine wesentliche singuläre Stelle existirt, als eine Summe von rationalen Functionen der Veränderlichen x dergestalt ausdrücken, dass jede dieser Functionen im Endlichen nur eine ∞-Stelle hat.

Dies war bisher nur für die rationalen und für einige bestimmte transcendente Functionen einer Veränderlichen bekannt.

3.

Aus den beiden in (1,2) entwickelten Sätzen leitet man leicht die folgenden ab.

A. Es seien gegeben

1) eine bestimmte Grösse c und eine unendliche Reihe von c verschiedener Grössen:

$$a_1\,, a_2\,, a_3\,, \ldots\,,$$

unter denen keine zwei gleiche sich finden, und die der Bedingung

$$\operatorname{Lim.}_{\nu=\infty} a_{\nu} = c$$

genügen; und

2) eine unendliche Reihe rationaler Functionen:

$$f_1(x)\,, f_2(x)\,, f_3(x)\,, \ldots\,,$$

von denen $f_\nu(x)$ nur an der Stelle $(x = a_\nu)$ unendlich gross wird, und für $x = c$ verschwindet.

Dann lässt sich stets eine eindeutige analytische Function $F(x)$ mit der einen wesentlichen singulären Stelle c bilden, welche nur an den Stellen $a_1, a_2, a_3, \ldots$ gleich ∞ wird, und zwar so, dass

$$F(x) - f_\nu(x)$$

an der Stelle $(x = a_\nu)$ einen endlichen Werth hat.

Diese Function $F(x)$ kann dargestellt werden in der Form

$$\sum_{\nu=1}^{\infty} F_\nu(x),$$

wo $F_\nu(x)$ eine in der Form

$$f_\nu(x) + G_\nu\left(\frac{1}{x - c_\nu}\right)$$

ausdrückbare rationale Function bezeichnet.

B. Jede eindeutige analytische Function $F(x)$ mit nur einer wesentlich singulären Stelle (c) lässt sich als eine Summe von rationalen Functionen der Veränderlichen x dergestalt ausdrücken, dass jede dieser Functionen nicht mehr als eine von c verschiedene ∞-Stelle hat.

Diese Sätze ergeben sich aus den in (1, 2) bewiesenen, wenn man

$$\frac{1}{x - c} = x'$$

setzt, und dann $F(x)$ als Function von x' betrachtet.

Der Satz B reiht sich den in §§ 2, 3 meiner oben angeführten Abhandlung entwickelten Sätzen an.

4.

In der genannten Abhandlung habe ich (§ 7) für eine eindeutige analytische Function einer Veränderlichen x mit n wesentlichen singulären Stellen $(c_1, \ldots c_n)$ zwei allgemeine Ausdrücke aufgestellt, nämlich

$$1)\qquad \frac{\sum\limits_{\lambda=1}^{n} G_\lambda\left(\frac{1}{x-c_\lambda}\right)}{\sum\limits_{\lambda=1}^{n} G_{n+\lambda}\left(\frac{1}{x-c_\lambda}\right)},$$

$$2)\qquad \frac{\prod\limits_{\lambda=1}^{n} G_\lambda\left(\frac{1}{x-c_\lambda}\right)}{\prod\limits_{\lambda=1}^{n} G_{n+\lambda}\left(\frac{1}{x-c_\lambda}\right)}\cdot R^*(x),$$

wo $R^*(x)$ eine rationale Function von x, die nur an den Stellen $c_1, \dots c_n$ Null und unendlich gross wird, bedeutet.

Bezeichnet man mit $F(x;c)$ eine eindeutige analytische Function von x mit der einen wesentlichen singulären Stelle c, so lässt sich der Ausdruck (2) auf die Form

$$(2,\mathrm{a})\qquad \prod_{\lambda=1}^{n} F_\lambda(x;c_\lambda)$$

bringen.

Nun stellt aber auch der Ausdruck

$$(3)\qquad \sum_{\lambda=1}^{n} F_\lambda(x;c)$$

eine eindeutige Function mit n wesentlichen singulären Stellen $(c_1, \dots c_n)$ dar; es konnte aber mit den in der genannten Abhandlung angewandten Hülfsmitteln nicht bewiesen werden, dass jede solche Function, wie ich jetzt mit Hülfe des Satzes (3, A) zeigen will, in der vorstehenden Form (3) ausgedrückt werden kann.

Es sei $F(x)$ irgend eine Function von der in Rede stehenden Beschaffenheit, so zerlege man das Gebiet der Veränderlichen x dergestalt in n Theile, dass im Innern eines jeden eine der Stellen $c_1, \dots c_n$ liegt, und zugleich an der Grenze zwischen zwei Theilen $F(x)$ überall einen endlichen Werth hat. Derjenige Theil, in welchem c_λ liegt, werde mit C_λ bezeichnet. Angenommen nun, es enthalte, für einen bestimmten Werth von λ, C_λ unendlich viele ausserwesentliche singuläre Stellen der betrachteten Function:

$$a_1^{(\lambda)},\ a_2^{(\lambda)},\ a_3^{(\lambda)},\ \dots,$$

so darf vorausgesetzt werden, es seien dieselben so geordnet, dass

$$\mathrm{Lim.}\ a_\nu^{(\lambda)} = c_\lambda\,.$$

Bestimmt man dann eine Reihe rationaler Functionen

$$f_1^{(\lambda)}(x)\ ,\ f_2^{(\lambda)}(x)\ ,\ f_3^{(\lambda)}(x)\ ,\ \ldots$$

dergestalt, dass $f_\nu^{(\lambda)}(x)$ nur an der Stelle $(x = a_\nu^{(\lambda)})$ unendlich gross wird, die Differenz

$$F(x) - f_\nu^{(\lambda)}(x)$$

aber an derselben Stelle einen endlichen Werth hat, und überdies $f_\nu^{(\lambda)}(x)$ für $x = c$ verschwindet; so lässt sich nach (3, A) eine eindeutige Function $F^{(\lambda)}(x)$ mit der einen wesentlichen singulären Stelle c_λ herstellen, welche nur an den Stellen $a_1^{(\lambda)}, a_2^{(\lambda)}, a_3^{(\lambda)}, \ldots$ unendlich gross wird, und zwar so, dass die Differenz

$$F^{(\lambda)}(x) - f_\nu^{(\lambda)}(x)$$

an der Stelle $(x = a_\nu^{(\lambda)})$ einen endlichen Werth hat. Daraus folgt dann, dass die Function

$$F(x) - F^{(\lambda)}(x)$$

im Innern und an der Grenze von C_λ ausser c_λ keine singuläre Stelle besitzt.

Enthält ferner C_λ nur eine endliche Anzahl ausserwesentlicher singulärer Stellen der Function $F(x)$:

$$a_1^{(\lambda)}, a_2^{(\lambda)}, \ldots$$

so setze man

$$F^{(\lambda)}(x) = f_1^{(\lambda)}(x) + f_2^{(\lambda)}(x) + \cdots,$$

wo die Functionen $f_1^{(\lambda)}(x)\ ,\ f_2^{(\lambda)}(x)\ ,\ \ldots$ dieselbe Bedeutung haben wie vorhin, so wird $F^{(\lambda)}(x)$ nur an den Stellen $a_1^{(\lambda)}, a_2^{(\lambda)}, \ldots$ unendlich gross, und es besitzt auch in diesem Falle die Function

$$F(x) - F^{(\lambda)}(x)$$

im Innern und an der Grenze von C_λ ausser c_λ keine singuläre Stelle.

In dem Falle endlich, wo C_λ keine ausserwesentliche Stelle der Function $F(x)$ enthält, setze man

$$F^{(\lambda)}(x) = 0.$$

Sind auf diese Weise die Functionen $F^{(1)}(x)\ ,\ \ldots\ F^{(n)}(x)$ bestimmt, so ist der Ausdruck

$$F(x) - \sum_{\lambda=1}^{n} F^{(\lambda)}(x)$$

eine eindeutige Function von x, die keine andern (wesentlichen oder ausserwesentlichen) singulären Stellen als $c_1, \ldots c_n$ besitzt, und somit (nach § 5 der g. Abhdlg.) in der Form

$$\sum_{\lambda=1}^{n} G_\lambda\left(\frac{1}{x-c_\lambda}\right)$$

dargestellt werden kann, wo $G_\lambda\left(\frac{1}{x-c_\lambda}\right)$ eine ganze Function von $\frac{1}{x-c_\lambda}$ bezeichnet.

Setzt man nun

$$F_\lambda(x\,;c_\lambda) = F^{(\lambda)}(x) + G_\lambda\left(\frac{1}{x-c_\lambda}\right),$$

so ist

$$F(x) = \sum_{\lambda=1}^{n} F_\lambda(x\,;c_\lambda).$$

Da die Functionen $F^{(\lambda)}(x)$, $G_\lambda\left(\frac{1}{x-c_\lambda}\right)$ im Gebiete der Veränderlichen x keine von c_λ verschiedene wesentliche singuläre Stelle besitzen, so gilt dies auch von der Function $F_\lambda(x\,;c_\lambda)$; für diese aber ist in Folge der Voraussetzung, dass $F(x)$ n wesentliche singuläre Stellen besitze, c_λ nothwendig eine solche Stelle.

Zn bemerken ist, dass nicht zwei der Functionen $F_1(x\,;c_1), \ldots$ $\ldots F(x\,;c_n)$ eine gemeinschaftliche ∞-Stelle haben.

Der im Vorstehenden mit Hülfe des in (1) mitgetheilten Mittag-Leffler'schen Theorems begründete Satz ist in meiner Abhandlung bloss für den Fall bewiesen worden, wo die Function $F(x)$ ausserwesentliche singuläre Stellen entweder gar nicht oder nur in endlicher Anzahl besitzt. (S. § 5 d. g. Abhdl.)

Stellt man jede der Functionen $F_\lambda(x\,;c_\lambda)$ in der oben (3, B) angegebenen Gestalt dar, so ergiebt sich ein neuer allgemeiner Ausdruck einer eindeutigen analytischen Function $F(x)$ mit einer endlichen Anzahl wesentlicher singulärer Stellen in der Form einer unendlichen Reihe, deren Glieder sämmtlich rationale Functionen der Veränderlichen x sind. Diese Reihe convergirt gleichmässig für alle Werthe von x, welche einem Bereiche angehören, der weder im Innern noch an der Grenze eine der singulären Stellen der Function $F(x)$ enthält.

9. August. Sitzung der philosophisch-historischen Klasse.

Hr. Droysen las über Friedrich des Grossen Absicht seine Memoiren für die Jahre 1746—1753 fortzusetzen.

---

12. August. Gesammtsitzung der Akademie.

Hr. Weierstraſs hatte die folgende Abhandlung eingesandt, welche von Hrn. Kronecker vorgetragen wurde.

Zur Functionenlehre.

Im Nachstehenden theile ich einige auf unendliche Reihen, deren Glieder rationale Functionen einer Veränderlichen sind, sich beziehende Untersuchungen mit, welche hauptsächlich den Zweck haben, gewisse, bisher — so viel ich weiss — nicht beachtete Eigenthümlichkeiten, die solche Reihen darbieten können und deren Kenntniss für die Functionenlehre von Wichtigkeit ist, klar zu stellen.

1.

Es seien unendlich viele rationale Functionen einer Veränderlichen x in bestimmter Aufeinanderfolge gegeben:

$$f_0(x)\,,\ f_1(x)\,,\ f_2(x)\,,\ \ldots$$

Die Gesammtheit derjenigen Werthe von x, für welche die Reihe

$$\sum_{\nu=0}^{\infty} f_\nu(x)$$

einen endlichen Werth hat, nenne ich den Convergenzbereich dieser Reihe. Lässt sich ferner für eine bestimmte Stelle a dieses Bereichs eine positive Grösse ϱ so annehmen, dass die Reihe für die der Bedingung

$$|x-a| \leqq \varrho$$

entsprechenden Werthe von x gleichmässig[1]) convergirt, so will

[1]) Eine unendliche Reihe

$$\sum_{\nu=0}^{\infty} f_\nu\,,$$

deren Glieder Functionen beliebig vieler Veränderlichen sind, convergirt in einem gegebenen Theile (B) ihres Convergenzbereichs gleichmässig, wenn sich nach Annahme einer beliebig kleinen positiven Grösse δ stets eine ganze Zahl m so bestimmen lässt, dass der absolute Betrag der Summe

$$\sum_{\nu=n}^{\infty} f_\nu$$

ich sagen, die Reihe convergire gleichmässig in der Nähe der Stelle a. Die Grösse ϱ hat dann eine obere Grenze; ist diese R, so möge — in Beziehung auf die betrachtete Reihe — die Gesammtheit derjenigen Werthe von x, für welche

$$|x-a| < R$$

ist, die Umgebung von a, und R deren Halbmesser genannt werden. Nimmt man in dieser Umgebung eine Stelle beliebig an, so ist klar, dass auch in der Nähe der letztern die Reihe gleichmässig convergirt. Daraus ergiebt sich, dass die Gesammtheit der Stellen, in deren Nähe die Reihe gleichmässig convergirt, in der Ebene der Veränderlichen x durch eine einfache[1]) Fläche repräsentirt wird, welche aber aus mehreren, von einander getrennten Stücken bestehen kann.

Angenommen nämlich, es gebe überhaupt Stellen der in Rede stehenden Art, deren Gesammtheit mit A bezeichnet werde, so denke man sich eine von ihnen willkürlich angenommen, in der Umgebung derselben eine beliebige zweite, in der Umgebung die-

---

für jeden Werth von n, der $\geqq m$, und für jedes dem Bereiche B angehörige Werthsystem der Veränderlichen kleiner als δ ist. Soll die Reihe in demselben Bereiche zugleich unbedingt convergent sein, d. h. bei jeder Anordnung ihrer Glieder denselben Werth haben, so muss es, wie man auch δ annehmen möge, stets möglich sein, aus der Reihe eine endliche Anzahl von Gliedern so auszusondern, dass die Summe von beliebig vielen der übrigbleibenden für jedes der betrachteten Werthsysteme der Veränderlichen kleiner als δ ist. Diese Bedingung ist sicher erfüllt, wenn es eine Reihe bestimmter positiver Grössen

$$g_0, g_1, g_2, \dots$$

giebt, für die sich feststellen lässt, dass an jeder Stelle des Bereichs B

$$|f_\nu| \leqq g_\nu, \qquad (\nu = 0, \dots \infty)$$

und die Summe

$$\sum_{\nu=0}^{\infty} g_\nu$$

einen endlichen Werth hat. — Aus der gegebenen Definition der gleichmässigen Convergenz folgt u. A. unmittelbar, dass, wenn die betrachtete Reihe in mehreren Theilen ihres Convergenzbereichs gleichmässig convergirt, dasselbe auch für den aus diesen Theilen zusammengesetzten Bereich gilt.

[1]) d. h. eine Fläche, die durch keinen Punkt mehr als einmal hindurchgeht.

ser eine dritte, u. s. w. Die Gesammtheit der Stellen von A, zu denen man auf diese Weise gelangen kann, ist dann ein in der Ebene der Grösse x durch ein zusammenhangendes Stück derselben repräsentirtes Continuum (A_1), dessen Begrenzung aus einzelnen Punkten, aus einer oder aus mehreren Linien, und auch aus einzelnen Punkten und Linien zugleich bestehen kann. Möglicherweise existiren nun ausserhalb A_1 noch Stellen von A, dann giebt es mindestens noch ein zweites Continuum (A_2) von derselben Beschaffenheit wie A_1, das ebenfalls ein Bestandtheil von A ist und mit A_1 keine Stelle gemeinschaftlich hat — was jedoch nicht ausschliesst, dass die Begrenzungen von A_1 und A_2 theilweise oder ganz zusammenfallen. Existiren ferner noch Stellen von A, die weder in A_1 soch in A_2 liegen, so giebt es mindestens noch ein drittes Continuum (A_3) von derselben Beschaffenheit wie A_1, A_2, das gleichfalls ein Bestandtheil von A ist und mit den beiden ersten keine Stelle gemein hat. U. s. w.

Nachdem so festgestellt ist, wie der Bereich A möglicherweise gestaltet ist, kann leicht an Beispielen gezeigt werden, dass die angegebenen verschiedenen Fälle auch wirklich vorkommen. Es genügt hier die beiden Reihen

$$\sum_{\nu=0}^{\infty} x^{\nu}\,, \quad \sum_{\nu=0}^{\infty}\left(\frac{1}{x^{\nu}+x^{-\nu}}\right)$$

anzuführen. Für die erstere bilden den Bereich A alle diejenigen Werthe von x, die ihrem absoluten Betrage nach kleiner als 1 sind, für die andern ausser denselben Werthen auch alle diejenigen, die ihrem absoluten Betrage nach grösser als 1 sind; es besteht also A in dem ersten Falle aus einem zusammenhangenden Stücke, in dem andern aus zwei solchen Stücken, die keine Stelle gemein haben. Beispiele von Reihen der hier betrachteten Art, für welche der Bereich A aus mehr als zwei Stücken besteht, werden später vorkommen.

Es ist ferner noch Folgendes nachzuweisen.

Angenommen, es convergire die betrachtete Reihe gleichmässig in der Nähe jeder Stelle, die im Innern oder an der Grenze eines gegebenen zusammenhangenden Bereichs (B) liegt, so convergirt sie auch in dem ganzen Bereich gleichmässig.

Sind a, a' irgend zwei Stellen des Bereichs A, von denen a' in der Umgebung von a liegt, und ist R der Halbmesser der letzteren, $D = |a' - a|$ der Abstand der beiden Stellen, so folgt aus den gegebenen Definitionen unmittelbar, dass der Halbmesser (R') der Umgebung von a' nicht kleiner als $R - D$ sein kann. Ist $D < \frac{1}{2}R$, so ist also $R' > \frac{1}{2}R$, uud es liegt a in der Umgebung von a'; mithin muss $R \geqq R' - D$ sein, R' also zwischen

$$R - D \text{ und } R + D$$

liegen. Wenn daher die Stelle a in A ihre Lage stetig ändert, so ändert sich auch der zugehörige Werth von R stetig. Daraus folgt weiter, dass die untere Grenze (R_0) derjenigen Werthe von R, die diese Grösse im Bereiche B annehmen kann, mindestens an einer im Innern oder an der Grenze dieses Bereichs liegenden Stelle wirklich erreicht wird, und dass daher R_0 nicht gleich Null ist. Deshalb kann B in eine endliche Anzahl von Theilen dergestalt zerlegt werden, dass in jedem einzelnen Theile der grösste Abstand zweier Stellen kleiner als R_0 ist. Jeder solcher Theil liegt dann ganz in der Umgebung einer in ihm willkürlich angenommenen Stelle; für die demselben angehörigen Werthe von x convergirt also die betrachtete Reihe gleichmässig, woraus nach dem oben Bemerkten die Richtigkeit des ausgesprochenen Satzes sich unmittelbar ergiebt.

Eine Reihe der in Rede stehenden Art kann so beschaffen sein, dass sie in der Nähe jeder im Innern ihres Convergenzbereichs liegenden Stelle gleichmässig convergirt. Im Folgenden werde ich ausschliesslich Reihen von dieser Beschaffenheit untersuchen. Wenn man nämlich von der Reihe

$$\sum_{\nu=0}^{\infty} f_\nu(x)$$

nur weiss, dass es im Gebiete der Veränderlichen x einen zusammenhangenden Bereich giebt, in welchem die Reihe convergirt, so lässt sich daraus allein nicht einmal folgern, dass ihr Werth in demselben Bereich eine stetige Function von x sei. Macht man aber die angegebene Voraussetzung, so lässt sich zeigen, dass die Reihe in jedem der im Vorstehenden definirten Stücke ($A_1, \ldots$) ihres Convergenzbereichs im Allgemeinen einen eindeutigen Zweig einer monogenen analytischen Function von x, und in besondern Fällen eine solche Function vollständig darstellt.

Hierzu ist ein Hülfssatz erforderlich, den ich zunächst anführen und beweisen will.

2.

„Es seien unendlich viele Potenzreihen einer Veränderlichen x, welche positive und negative Potenzen dieser Grösse in beliebiger Anzahl enthalten, in bestimmter Aufeinanderfolge gegeben:

$$P_0(x)\ ,\ P_1(x)\ ,\ P_2(x)\ ,\ \ldots\ ;$$

und es sei möglich, zwei reelle Grössen $R\,,R'$, von denen $R \geqq 0$, $R' > R$ ist, so anzunehmen, dass für die der Bedingung

$$R < |x| < R'$$

entsprechenden Werthe von x nicht nur jede einzelne der gegebenen Reihen, sondern auch die Summe

$$\sum_{\nu=0}^{\infty} P_\nu(x)$$

convergirt, und zwar die letztere für alle diejenigen Werthe der Veränderlichen, die denselben absoluten Betrag haben, gleichmässig. Dann hat, wenn

$$A_\mu^{(\nu)}$$

der Coëfficient von x^μ in $P_\nu(x)$ ist, die Summe

$$\sum_{\nu=0}^{\infty} A_\mu^{(\nu)}$$

für jeden Werth von μ einen bestimmten endlichen Werth, der mit A_μ bezeichnet werde, und es lässt sich zeigen, dass für jeden Werth von x, dessen absoluter Betrag grösser als R und kleiner als R' ist, die Reihe

$$\sum_\mu A_\mu x^\mu$$

convergirt, und die Gleichung

$$\sum_{\nu=0}^{\infty} P_\nu(x) = \sum_\mu A_\mu x^\mu$$

besteht."

Es sei r irgend eine bestimmte, zwischen R und R' enthaltene positive Grösse, und k eine beliebige andere, so kann in Folge der hinsichtlich der Convergenz der Reihe

$$\sum_{\nu=0}^{\infty} P_\nu(x)$$

gemachten Voraussetzung eine ganze positive Zahl m so angen
men werden, dass für jeden Werth von x, dessen absoluter Bet
gleich r ist, und für jede ganze Zahl n, die $\geqq m$, der absol
Betrag der Summe

$$\sum_{\nu=n}^{\infty} P_\nu(x)$$

kleiner als $\frac{1}{2}k$, und deshalb für jede Zahl n', die $\geqq n$,

$$\left|\sum_{\nu=n}^{n'} P_\nu(x)\right| < k$$

ist. Man hat aber

$$\sum_{\nu=n}^{n'} P_\nu(x) = \sum_{\mu}\left\{\sum_{\nu=n}^{n'} A_\mu^{(\nu)} . x^\mu\right\},$$

und es ist deshalb nach einem bekannten Satze für jeden ga
zahligen Werth von μ

$$\left|\sum_{\nu=n}^{n'} A_\mu^{(\nu)}\right| < kr^{-\mu}.$$

Demgemäss hat die Summe

$$\sum_{\nu=0}^{\infty} A_\mu^{(\nu)}$$

einen bestimmten endlichen Werth, der mit A_μ bezeichnet werde

Nun nehme man zwei positive Grössen r_1, r_2 so an, dass

$$R < r_1 < r < r_2 < R',$$

so kann man der Zahl n einen solchen Werth geben, dass

$$\left|\sum_{\nu=n}^{n'} A_\mu^{(\nu)}\right|$$

auch kleiner als jede der beiden Grössen

$$kr_1^{-\mu}, \quad kr_2^{-\mu}$$

ist; woraus folgt:

$$\left|\sum_{\nu=n}^{\infty} A_\mu^{(\nu)}\right| \leqq kr_1^{-\mu},$$

$$\left|\sum_{\nu=n}^{\infty} A_\mu^{(\nu)}\right| \leqq kr_2^{-\mu}.$$

Hiernach hat man, wenn

$$\sum_{\nu=0}^{n-1} A_\mu^{(\nu)} = A'_\mu\,,\ \sum_{\nu=n}^{\infty} A_\mu^{(\nu)} = A''_\mu$$

t, und der Veränderlichen x ein Werth, dessen absoluter Be-
leich r ist, beigelegt wird,

$$\sum_{\mu=-1}^{-\infty} |A''_\mu x^\mu| \leq k \sum_{\mu=-1}^{-\infty} \left(\frac{r}{r_1}\right)^\mu,$$

$$\sum_{\mu=0}^{+\infty} |A''_\mu x^\mu| \leq k \sum_{\mu=0}^{+\infty} \left(\frac{r}{r_2}\right)^\mu,$$

omit

$$\sum_{\mu=-\infty}^{+\infty} |A''_\mu x^\mu| \leq k \left(\frac{r_1}{r - r_1} + \frac{r_2}{r_2 - r}\right).$$

leihe

$$\sum_\mu A''_\mu x^\mu$$

o unbedingt convergent; und da

$$\sum_{\nu=0}^{n-1} P_\nu(x) = \sum_\mu A'_\mu x^\mu,$$

t dasselbe auch von der Reihe

$$\sum_\mu A_\mu x^\mu.$$

hat ferner

$$\sum_{\nu=0}^{\infty} P_\nu(x) - \sum_\mu A_\mu x^\mu = \sum_{\nu=n}^{\infty} P_\nu(x) - \sum_\mu A''_\mu x^\mu$$

omit

$$\left|\sum_{\nu=0}^{\infty} P_\nu(x) - \sum_\mu A_\mu x^\mu\right| \leq k + k\left(\frac{r_1}{r - r_1} + \frac{r_2}{r_2 - r}\right).$$

ıan nun für jeden bestimmten Werth von x, dessen absoluter
g (r) zwischen R und R' enthalten ist, zunächst r_1, r_2 der
ebenen Bedingung gemäss, und dann k so annehmen kann,

$$k + k\left(\frac{r_1}{r - r_1} + \frac{r_2}{r_2 - r}\right)$$

er ist als eine beliebige gegebene Grösse, so folgt, dass für
der Bedingung

$$R < |x| < R'$$

entsprechenden Werth von x nicht nur die Reihe

$$\sum_\mu A_\mu x^\mu$$

convergirt, sondern auch die Gleichung

$$\sum_{\nu=0}^{\infty} P_\nu(x) = \sum_\mu A_\mu x^\mu$$

besteht; w. z. b. w.

Es sei jetzt

$$F(x) \doteq \sum_{\nu=0}^{\infty} f_\nu(x)$$

irgend eine Reihe von der am Schlusse des § 1 angegebenen Beschaffenheit, und es werde mit A' eins der Stücke bezeichnet, aus denen nach der vorangegangenen Auseinandersetzung der Convergenzbereich der Reihe besteht.

Nimmt man dann in A' eine Stelle a_0 willkürlich an, und beschränkt die Veränderliche x auf die Umgebung von a_0, so lässt sich nicht nur jede der Functionen $f_\nu(x)$, sondern nach dem vorhergehenden Satze auch die Summe derselben durch eine gewöhnliche Potenzreihe von $x - a_0$, die mit

$$\mathfrak{P}_0(x - a_0)$$

bezeichnet werde, und die ich ein „Element“ der Function $F(x)$ nenne, ausdrücken.[1])

Nimmt man ferner in der Umgebung von a_0 eine zweite Stelle (a_1) an, und ist $\mathfrak{P}_1(x - a_1)$ das zu dieser gehörige Element von

---

[1]) Hierzu bemerke ich, dass nach dem Satze des v. § der Coëfficient von $(x - a_0)^\mu$ gleich

$$\frac{1}{\mu!} \sum_{\nu=0}^{\infty} \left[\frac{d^\mu f_\nu(x)}{dx^\mu}\right]_{(x=a_0)}$$

ist. Die Function $F(x)$ hat also in A' Ableitungen jeder Ordnung, und es ist

$$\frac{d^\mu F(x)}{dx^\mu} = \sum_{\nu=0}^{\infty} \frac{d^\mu f_\nu(x)}{dx^\mu}.$$

Es ist ferner leicht zu zeigen, dass auch die Reihe auf der rechten Seite dieser Gleichung in der Nähe jeder Stelle von A' gleichmässig convergirt, und somit dieselbe Beschaffenheit wie die gegebene hat.

$F(x)$, so hat man für diejenigen Werthe von x, die in der Umgebung von a_0 sowohl als von a_1 liegen,

$$\mathfrak{P}_1(x-a_1) = \mathfrak{P}_0(x-a_0)\ ,\ \mathfrak{P}_0(x-a_0) = \sum_{\mu=0}^{\infty} \mathfrak{P}_0^{(\mu)}(a_1-a_0)\frac{(x-a_1)^\mu}{\mu!},$$

wo

$$\mathfrak{P}_0^{(\mu)}(x-a_0) = \frac{d^\mu \mathfrak{P}_0(x-a_0)}{dx^\mu}.$$

Daraus folgt, dass der Coëfficient von $(x-a_1)^\mu$ in $\mathfrak{P}_1(x-a_1)$ mit dem entsprechenden Coëfficienten der Entwicklung von $\mathfrak{P}_0(x-a_0)$ nach Potenzen von $(x-a_1)$ übereinstimmen muss.

Nun kann man, wenn a eine beliebige Stelle in A' ist, zwischen a_0 und a eine Reihe von Stellen

$$a_1\ ,\ a_2\ ,\ \ldots\ a_n$$

so einschalten, dass a_1 in der Umgebung von a_0, a_2 in der Umgebung von a_1, u. s. w. und schliesslich a in der Umgebung von a_n liegt.

Dann hat man, wenn

$$\mathfrak{P}_1(x-a_1)\ ,\ \mathfrak{P}_2(x-a_2)\ ,\ \ldots\ \mathfrak{P}_n(x-a_n)\ ,\ \mathfrak{P}(x-a)$$

die zu den Stellen $a_1, a_2, \ldots a_n, a$ gehörigen Elemente der Function $F(x)$ sind,

$$\mathfrak{P}_1(x-a_1) = \sum_{\mu=0}^{\infty} \mathfrak{P}_0^{(\mu)}(a_1-a_0)\frac{(x-a_1)^\mu}{\mu!}$$

$$\mathfrak{P}_2(x-a_2) = \sum_{\mu=0}^{\infty} \mathfrak{P}_1^{(\mu)}(a_2-a_1)\frac{(x-a_2)^\mu}{\mu!}$$

u. s. w.

$$\mathfrak{P}(x-a) = \sum_{\mu=0}^{\infty} \mathfrak{P}_n^{(\mu)}(a-a_n)\frac{(x-a)^\mu}{\mu!}.$$

Es besteht also in dem Bereich A' zwischen den Elementen der betrachteten Function ein solcher Zusammenhang, dass aus einem beliebig angenommenen Elemente jedes andere durch ein bestimmtes Rechnungsverfahren abgeleitet werden kann. Für die dem genannten Bereich angehörigen Werthe von x ist also die Function völlig bestimmt, sobald irgend eines ihrer Elemente gegeben ist.

Möglicherweise erstreckt sich, wenn die Stelle a der Begrenzung von A' hinlänglich nahe angenommen wird, der Convergenzbezirk der Reihe $\mathfrak{P}(x-a)$ über A' hinaus. In diesem Falle (der sogar der gewöhnliche ist) existiren unendlich viele, aus $\mathfrak{P}_0(x-a_0)$ durch das beschriebene Verfahren ableitbare Potenzreihen $\mathfrak{P}'(x-a')$, deren Convergenzbezirke ganz oder theilweise ausserhalb A' liegen, und aus diesen können dann möglicherweise durch dasselbe Verfahren wieder andere sich ergeben, welche in ihrem Convergenzbezirk auch Stellen von A' enthalten, aber an diesen andere Werthe wie $F(x)$ haben. Alle diese Reihen stellen Fortsetzungen der durch die gegebene Reihe $F(x)$ zunächst für die dem Bezirk A' angehörigen Werthe von x definirten Function dar; sie sind, nach der in meinen Vorlesungen über die Anfangsgründe der allgemeinen Functionenlehre eingeführten Terminologie, sämmtlich Elemente einer monogenen analytischen Function, die eindeutig oder mehrdeutig sein kann, aber als vollständig definirt zu betrachten ist, sobald irgend eines ihrer Elemente gegeben ist.

Wenn der Convergenzbereich der Reihe $\mathfrak{P}(x-a)$, wie man auch a annehmen möge, stets ganz in A' enthalten ist, so kann die durch den Ausdruck $F(x)$ für den Bereich A' definirte Function über die Grenzen dieses Bereichs nicht fortgesetzt werden. Es stellt also in diesem Falle — der wirklich vorkommt, wie weiter unten wird gezeigt werden — die Reihe, wenn die Veränderliche x auf den Bereich A' beschränkt wird, eine eindeutige monogene Function von x vollständig dar.

Hiernach lässt sich das im Vorstehenden Auseinandergesetzte kurz so, wie am Schlusse von § 1 geschehen ist, zusammenfassen.

Hieran knüpft sich nun eine für die Functionenlehre wichtige Frage.

Angenommen, der Convergenzbereich der betrachteten Reihe bestehe aus mehreren Stücken $(A_1, A_2, \ldots)$, so ist es möglich, dass sie in denselben Zweige einer und derselben monogenen Function darstellt. Es fragt sich nun, ob sich dies in allen Fällen so verhält. Muss diese Frage verneint werden, wie dies wirklich der Fall ist, so ist damit bewiesen, dass der Begriff einer monogenen Function einer complexen Veränderlichen mit dem Begriff einer durch (arithmetische) Grössenoperationen ausdrückbaren Abhängigkeit sich nicht vollständig deckt.[1]) Daraus aber folgt dann, dass mehrere der wichtigsten Sätze der neuern Functionenlehre nicht ohne Weiteres auf Ausdrücke, welche im Sinne der ältern Analysten (Euler, Lagrange u. A.) Functionen einer complexen Veränderlichen sind, dürfen angewandt werden.[2])

Ich habe bereits vor Jahren gefunden — und in meinen Vorlesungen mitgetheilt — dass die oben angeführte Reihe

$$F(x) = \sum_{\nu=0}^{\infty} \left(\frac{1}{x^{\nu} + x^{-\nu}} \right),$$

deren Convergenzbereich aus zwei Stücken besteht, zwei verschieden monogene Functionen, und zwar eine jede vollständig darstellt.

Ist nämlich x_0 irgend ein Werth von x, der den absoluten Betrag 1 hat, so lässt sich — mit Hülfe von Sätzen, welche die Theorie der linearen Transformation der elliptischen ϑ-Functionen liefert — zeigen, dass sich sowohl unter denjenigen Werthen von x, für die $|x| < 1$, als auch unter denen, für die $|x| > 1$, in jeder noch so kleinen Umgebung von x_0 solche finden, für die der

---

[1]) Das Gegentheil ist von Riemann ausgesprochen worden (Grundlagen für die allgemeine Theorie der Functionen einer complexen Grösse, § 19, am Schluss), wobei ich bemerke, dass eine Function eines complexen Arguments, wie sie Riemann definirt, stets auch eine monogene Function ist.

[2]) Wenn z. B. zwei Ausdrücke

$$\sum_{\nu=0}^{\infty} f_\nu(x), \quad \sum_{\nu=0}^{\infty} \bar{f}_\nu(x)$$

der hier betrachteten Art gegeben sind, und es lässt sich zeigen, dass es in der Nähe einer bestimmten, im Innern des Convergenzbereichs sowohl des einen als des andern liegenden Stelle unendlich viele Werthe von x giebt, für welche die Ausdrücke gleiche Werthe haben, so ist damit festgestellt, dass innerhalb eines bestimmten zusammenhangenden Bereichs der Veränderlichen x die Gleichung

$$\sum_{\nu=0}^{\infty} f_\nu(x) = \sum_{\nu=0}^{\infty} \bar{f}_\nu(x)$$

besteht; es lässt sich aber nicht behaupten, dass dieselbe an allen Stellen des gemeinschaftlichen Convergenzbereichs der beiden Reihen gelte, wofern nicht der Nachweis geführt werden kann, dass beide Ausdrücke in dem genannten Bereich monogene Functionen sind.

absolute Betrag von $F(x)$ jede beliebig angenommene Grösse übertrifft. Daraus folgt sofort, dass die Reihe in jedem der beiden Stücke ihres Convergenzbereichs eine Function darstellt, die über die Begrenzung des Stückes hinaus nicht fortgesetzt werden kann.

Es blieb indessen, obwohl dies eine Beispiel zur Erledigung der in Rede stehenden Frage ausreichte, noch ein Bedenken übrig.

Die beiden durch die angeführte Reihe ausgedrückten Functionen stehen in einer sehr einfachen Beziehung zu einander, indem

$$F(x^{-1}) = F(x)$$

ist. Es war daher der Gedanke nicht abzuweisen, ob nicht überhaupt in dem Falle, wo ein arithmetischer Ausdruck $F(x)$ in verschiedenen Theilen seines Geltungsbereichs verschiedene monogene Functionen der complexen Veränderlichen x darstellt, unter diesen ein nothwendiger Zusammenhang bestehe, der bewirke, dass durch die Eigenschaften der einen auch die Eigenschaften der andern bestimmt seien. Wäre dies der Fall, so würde daraus folgen, dass der Begriff der monogenen Function erweitert werden müsste.

Um jeden Zweifel über diesen Punkt zu beseitigen, habe ich mir die Aufgabe gestellt, einen Ausdruck

$$F(x) = \sum_{\nu=0}^{\infty} f_\nu(x)$$

von der hier angenommenen Beschaffenheit, der den folgenden Bedingungen genüge, zu bilden: Der Convergenzbereich der Reihe soll aus n Stücken $(A_1, A_2, \ldots A_n)$, wie sie oben definirt worden sind, bestehen, und es soll $F(x)$ in A_1 gleich $F_1(x)$, in A_2 gleich $F_2(x)$, ... in A_n gleich $F_n(x)$ sein, wo $F_1(x)$, $F_2(x)$, ... $F_n(x)$ willkürlich anzunehmende, für das ganze Gebiet der Veränderlichen x, mit Ausnahme von einzelnen Stellen, definirte eindeutige und monogene Functionen bedeuten.

Zur Lösung dieser Aufgabe stelle ich zunächst einen Ausdruck von der angegebenen Form her, welcher in der Nähe jeder Stelle, wo der reelle Theil von x nicht gleich Null ist, gleichmässig convergirt und den Werth

$$+1 \text{ oder } -1$$

hat, jenachdem der reelle Theil von x positiv oder negativ ist. Formeln, die in der Theorie der elliptischen Functionen vorkommen, führen zu einem solchen Ausdruck. Bei der nachstehenden Herleitung desselben habe ich jedoch absichtlich aus der genannten Theorie nichts vorausgesetzt.

4.

Nimmt man zwei endliche und von Null verschiedene complexe Grössen (ω, ω') so an, dass der reelle Theil des Quotienten

$$\frac{\omega'}{\omega i}$$

nicht gleich Null ist, und versteht unter ν, ν' unbeschränkt veränderliche ganze Zahlen, so hat bekanntlich die Summe

$$\sum_{\nu,\nu'}{}' \,|\, 2\nu\omega + 2\nu'\omega' \,|^{-3}$$

einen endlichen Werth, wenn bei der Summation dasjenige Glied, in welchem ν, ν' beide gleich Null sind, fortgelassen wird.[1] Es stellt deshalb — wie in § 2 meiner Abhandlung über die eindeutigen Functionen gezeigt worden ist — die Reihe

$$\frac{1}{u} + \sum_{\nu,\nu'}{}' \left\{ \frac{1}{u - 2\nu\omega - 2\nu'\omega'} \left(\frac{4}{2\nu\omega + 2\nu'\omega'} \right)^2 \right\},$$

welche bei jeder Anordnung ihrer Glieder denselben Werth hat, eine eindeutige analytische Function der Veränderlichen u — mit der einen wesentlichen singulären Stelle ∞ — dar, die hier mit

$$\psi(u, \omega, \omega')$$

bezeichnet werden möge.

Hit Hülfe der bekannten Gleichungen:

[1]) Durch das dem Σ beigefügte Zeichen (′) soll hier und im Folgenden darauf hingewiesen werden, dass unter den Werthen, die der Ausdruck unter dem Summenzeichen annehmen kann, sich einer findet, der $= \infty$ ist und bei der Summation fortgelassen werden muss.

$$\pi \operatorname{ctg} u\pi = \frac{1}{u} + \sum_{\nu}{}' \left(\frac{1}{u-\nu} + \frac{1}{\nu} \right),$$

$$\pi(\operatorname{ctg} u\pi - \operatorname{cotg} a\pi) = \sum_{\nu} \left(\frac{1}{u-\nu} - \frac{1}{a-\nu} \right), \text{ wenn } a \text{ keine ganze Zahl,}$$

$$\left(\frac{\pi}{\sin u\pi} \right)^2 = \sum_{\nu} \frac{1}{(u-\nu)^2},$$

$$\frac{\pi^2}{3} = \sum_{\nu}{}' \frac{1}{\nu^2}$$

lässt sich der vorstehende Ausdruck von $\psi(u, \omega, \omega')$ folgendermaassen umgestalten.

Es ist

$$\psi(u, \omega, \omega')$$

$$= \frac{1}{u} + \sum_{\nu,\nu'}{}' \left(\frac{1}{u - 2\nu\omega - 2\nu'\omega'} + \frac{1}{2\nu\omega + 2\nu'\omega'} + \frac{u}{(2\nu\omega + 2\nu'\omega')^2} \right).$$

Die Summe aller Glieder dieser Reihe, in denen $\nu' = 0$, ist:

$$\frac{1}{2\omega} \left\{ \frac{2\omega}{u} + \sum_{\nu}{}' \left(\frac{1}{\frac{u}{2\omega} - \nu} + \frac{1}{\nu} \right) \right\} + \frac{u}{4\omega^2} \sum_{\nu}{}' \frac{1}{\nu^2} = \frac{\pi}{2\omega} \operatorname{ctg} \frac{u\pi}{2\omega} + \frac{\pi^2}{12\omega^2} u.$$

Ferner die Summe aller Glieder, in denen ν' einen bestimmten, von Null verschiedenen Werth hat:

$$\frac{1}{2\omega} \sum_{\nu} \left(\frac{1}{\frac{u - 2\nu'\omega'}{2\omega} - \nu} - \frac{1}{-\frac{\nu'\omega'}{\omega} - \nu} \right) + \frac{u}{4\omega^2} \sum_{\nu} \frac{1}{\left(-\frac{\nu'\omega'}{\omega} - \nu \right)^2}$$

$$= \frac{1}{2\omega} \left(\operatorname{ctg} \frac{u - 2\nu'\omega'}{2\omega} \pi + \operatorname{ctg} \frac{\nu'\omega'}{\omega} \pi \right) + \frac{\pi^2 u}{4\omega^2 \sin^2 \left(\frac{\nu'\omega'}{\omega} \pi \right)}.$$

Man hat also

$$\psi(u,\omega,\omega') = \frac{\pi}{2\omega}\operatorname{ctg}\frac{u\pi}{\omega} + \frac{\pi}{2\omega}\sum_{\nu'}{}'\left(\operatorname{ctg}\frac{u-2\nu'\omega'}{2\omega}\pi + \operatorname{ctg}\frac{\nu'\omega'}{\omega}\pi\right)$$
$$+\left(\tfrac{1}{3}+\sum_{\nu'}\sin^{-2}\left(\frac{\nu\omega'}{\omega}\pi\right)\right)\cdot\frac{u\pi^2}{4\omega}$$

oder auch, wenn man unter n eine ganze positive Zahl versteht, und

$$\eta = \frac{\pi^2}{\omega}\left(\tfrac{1}{12}+\tfrac{1}{2}\sum_{n=1}^{\infty}\sin^{-2}\left(\frac{n\omega'}{\omega}\pi\right)\right)$$

setzt,

$$\psi(u,\omega,\omega') = \frac{\eta u}{\omega}+\frac{\pi}{2\omega}\operatorname{ctg}\frac{u\pi}{\omega}+\frac{\pi}{2\omega}\sum_{n=1}^{\infty}\left(\operatorname{ctg}\frac{u-2n\omega'}{2\omega}\pi+\operatorname{ctg}\frac{u+2n\omega'}{2\omega}\pi\right).$$

Aus dieser Gleichung ergiebt sich:

$$\psi(u+2\omega,\omega,\omega') = \psi(u,\omega,\omega')+2\eta.$$

Setzt man $u = -\omega$, und bemerkt, dass $\psi(u,\omega,\omega')$ eine ungrade Function von u ist und für $u = -\omega'$ nicht $= \infty$ wird, so giebt die vorstehende Gleichung

$$\eta = \psi(\omega,\omega,\omega'),$$

und man erhält also aus der vorhergehenden Gleichung, wenn man

$$u = \omega'$$

setzt,

$$\omega'\psi(\omega,\omega,\omega') - \omega\psi(\omega',\omega,\omega')$$
$$= -\frac{\pi}{2}\operatorname{ctg}\frac{\omega'\pi}{\omega}+\frac{\pi}{2}\sum_{n=1}^{\infty}\left(\operatorname{ctg}\frac{(2n-1)\omega'}{2\omega}\pi-\operatorname{ctg}\frac{(2n+1)\omega'}{2\omega}\pi\right).$$

Man hat aber, wenn m eine beliebige positive ganze Zahl ist,

$$-\frac{\pi}{2}\operatorname{ctg}\frac{\omega'\pi}{\omega}+\frac{\pi}{2}\sum_{n=1}^{m}\left(\operatorname{ctg}\frac{(2n+1)\omega'}{2\omega}\pi-\operatorname{ctg}\frac{(2n+1)\omega'}{2\omega}\pi\right)$$
$$= -\frac{\pi}{2}\operatorname{ctg}\frac{(2m+1)\omega'}{2\omega}\pi;$$

es ist also der Ausdruck auf der rechten Seite der vorhergehenden Gleichung gleich der Grenze, der sich

$$-\frac{\pi}{2}\operatorname{ctg}\frac{(2m+1)\omega'}{\omega}\pi = \frac{e^{\frac{(2m+1)\omega'}{\omega i}\pi}+e^{-\frac{(2m+1)\omega'}{\omega i}\pi}}{e^{\frac{(2m+1)\omega'}{\omega i}\pi}-e^{-\frac{(2m+1)\omega'}{\omega i}\pi}}\cdot\frac{\pi i}{2}$$

nähert, wenn m unendlich gross wird. Diese Grenze aber hat den Werth

$$\frac{\pi i}{2} \quad \text{oder} \quad -\frac{\pi i}{2},$$

jenachdem der reelle Theil von $\frac{\omega'}{\omega i}$ positiv oder negativ ist.

Es geht ferner aus dem ursprünglichen Ausdruck von $\psi(u,\omega,\omega')$, da derselbe sich nicht ändert, wenn man gleichzeitig

$$\nu' \text{ für } \nu, \text{ und } -\nu \text{ für } \nu'$$

setzt, die Gleichung

$$\psi(u,\omega,\omega') = \psi(u,\omega',-\omega)$$

hervor. Man hat also:

$$\omega'\psi(\omega,\omega,\omega') - \omega\psi(\omega',\omega',-\omega) = \pm\frac{\pi i}{2},$$

wo das obere oder das untere Zeichen gilt, jenachdem der reelle Theil von $\frac{\omega'}{\omega i}$ positiv oder negativ ist.

Es gilt ferner, wenn c eine beliebige Grösse ist, die Gleichung

$$\psi(u,\omega,\omega') = c\psi(cu,c\omega,c\omega'),$$

woraus sich, wenn $c = \frac{1}{\omega}$ gesetzt wird,

$$\psi(\omega,\omega,\omega') = \frac{1}{\omega}\psi\left(1,1,\frac{\omega'}{\omega}\right)$$

ergiebt. Ebenso ist

$$\psi(\omega',\omega',-\omega) = \frac{1}{\omega'}\psi\left(1,1,-\frac{\omega}{\omega'}\right),$$

und man hat also

$$\frac{\omega'}{\omega i}\psi\left(1,1,\frac{\omega'}{\omega}\right)+\frac{\omega i}{\omega'}\psi\left(1,1,-\frac{\omega}{\omega'}\right)=\pm\frac{\pi}{2}.$$

Setzt man nun

$$\frac{\omega'}{\omega i}=x,$$

so dass x eine complexe Grösse ist, welche jeden Werth, dessen reeller Theiler nicht gleich Null ist, annehmen kann, und

$$\chi(x)=\frac{2x}{\pi}\psi(1,1,xi)+\frac{2}{\pi x}\psi\left(1,1,\frac{i}{x}\right),$$

so ist $\chi(x)$ ein in der Form einer unendlichen Reihe:

$$\frac{2}{\pi}(x+x^{-1})$$

$$+\frac{2}{\pi}\sum_{\nu,\nu'}{}'\left\{\frac{x}{(1-2\nu-2\nu'xi)(2\nu+2\nu'xi)^2}+\frac{x^{-1}}{(1-2\nu-2\nu'x^{-1}i)(2\nu+2\nu'x^{-1}i)^2}\right\},$$

deren Glieder sämmtlich rationale Functionen von x sind, dargestellter Ausdruck, und hat den Werth

$$+1 \text{ oder } -1,$$

jenachdem der reelle Theil von x positiv oder negativ ist.

Man nehme nun im Gebiet der Grösse x einen ganz im Endlichen liegenden Bereich (X) so an, dass weder im Innern noch an der Grenze desselben der reelle Theil von x gleich Null wird; so lässt sich leicht zeigen, dass die vorstehende Reihe innerhalb dieses Bereiches unbedingt und gleichmässig convergirt.

Man setze

$$w=2\nu+2\nu'xi,$$

so dass

$$\psi(1,1,xi)=1+\sum_{\nu,\nu'}{}'\frac{1}{(1-w)w^2}$$

ist. Versteht man nun unter k den kleinsten Werth, den der absolute Betrag der Grösse

$$\varepsilon+\varepsilon'(\xi+\xi'i)i$$

für reelle Werthe der Veränderlichen $\varepsilon, \varepsilon', \xi, \xi'$ unter der Bedingung, dass

$$\varepsilon\varepsilon + \varepsilon'\varepsilon' = 1$$

sein und $\xi + \xi' i$ im Innern oder an der Grenze von X liegen soll, annehmen kann; so ist k nicht gleich Null, und man hat

$$|w| \geqq 2k\sqrt{\nu\nu + \nu'\nu'}$$

$$|1-w| \geqq k\sqrt{(2\nu-1)^2 + 4\nu'\nu'}$$

für jeden nicht ausserhalb des Bereichs X liegenden Werth von x. Es ist aber für jede ganze Zahl ν

$$(2\nu-1)^2 \geqq \nu^2,$$

also

$$(2\nu-1)^2 + 4\nu'\nu' \geqq \nu\nu + \nu'\nu',$$

und somit

$$\left|\frac{1}{(1-w)w^2}\right| \leqq \frac{(\nu\nu+\nu'\nu')^{-\frac{3}{2}}}{4k^3}.$$

Hiernach ist jedes Glied der Reihe, durch welche $\psi(1, 1, xi)$ dargestellt wird, seinem absoluten Betrage nach kleiner oder höchstens eben so gross als das entsprechende Glied der Reihe

$$1 + \sum_{\nu, \nu'} \frac{(\nu\nu + \nu'\nu')^{-\frac{3}{2}}}{4k^3},$$

welche bekanntlich eine endliche Summe hat. Damit ist bewiesen, dass die erstgenannte Reihe für die dem Bereiche X angehörigen Werthe von x unbedingt und gleichmässig convergirt.

Es ist aber, wenn x in X angenommen wird, der Bereich der Grösse $\frac{1}{x}$ ebenfalls so beschaffen, dass weder im Innern noch an der Grenze desselben der reelle Theil von $\frac{1}{x}$ gleich Null wird. Daher convergirt auch der Ausdruck von $\psi\left(1, 1, \frac{i}{x}\right)$ für die dem betrachteten Bereiche angehörigen Werthe von x unbedingt und gleichmässig. Dasselbe gilt also auch für die Reihe, durch welche $\lambda(x)$ dargestellt ist.

Es möge noch bemerkt werden, dass man in der Reihe $\psi(1,1,xi)$, weil dieselbe unbedingt convergent ist, je zwei Glieder, in denen ν denselben, ν' aber entgegengesetzte Werthe hat, in eins zusammenziehen kann, wodurch man, wenn unter n eine ganze positive Zahl verstanden wird,

$$\psi(1.1,xi) = 1 + {\sum_{\nu}}' \frac{1}{4\nu^2(1-2\nu)} + \frac{1}{2}\sum_{n,\nu} \left\{ \frac{(6\nu-1)n^2x^2 - (2\nu-1)\nu^2}{(4n^2x^2+(2\nu-1)^2(n^2x^2+\nu^2)^2} \right\}$$

erhält. Die Glieder der so umgeformten Reihe sind rationale Functionen von x, welche rationale Coëfficienten haben, und nur für solche Werthe von x, deren reeller Theil gleich Null ist, unendlich gross werden. Als Summe von ebenso beschaffenen Gliedern lässt sich also auch $\chi(x)$ ausdrücken.

5.

Nun sei x' eine beliebige rationale Function von x, und es werde

$$\chi_1(x) = \chi(x')$$

gesetzt, so dass $\chi_1(x)$ ebenfalls eine Summe von unendlich vielen rationalen Functionen der Veränderlichen x ist. In der Ebene der letzteren Grösse werden dann diejenigen Werthe derselben, für welche der reelle Theil von x' verschwindet, durch eine reelle algebraische Curve repräsentirt, welche die Ebene dergestalt in mehrere Stücke zerlegt, dass der reelle Theil von x' in einigen Stücken überall positiv, in den andern überall negativ ist. In den erstern hat also $\chi_1(x)$ überall den Werth $+1$, in den andern überall den Werth -1.

Nimmt man beispielsweise

$$x' = \frac{\alpha x + \beta}{\gamma x + \delta}$$

an, wo $\alpha, \beta, \gamma, \delta$ Constanten bedeuten, deren Wahl keiner andern Beschränkung unterliegt, als dass $\alpha\delta - \beta\gamma$ nicht gleich Null sein darf, so ist die genannte Curve bekanntlich ein Kreis[1]), und es

[1]) Dies gilt allgemein, wenn man eine unbegrenzte Gerade als einen Kreis mit unendlich grossem Radius betrachtet.

können $\alpha, \beta, \gamma, \delta$ so bestimmt werden, dass dieser Kreis ein gegebener wird und der reelle Theil von x' für einen gegebenen Punkt ein vorgeschriebenes Zeichen hat.

Nun seien $F_1(x)$, $F_2(x)$ irgend zwei eindeutige Functionen von x mit einer endlichen Anzahl wesentlicher singulärer Stellen. Dann lässt sich, wenn

$$\chi_1(x) = \chi\left(\frac{\alpha x + \beta}{\gamma x + \delta}\right),$$

$$\mathfrak{F}_0(x) = \frac{F_1(x) + F_2(x)}{2}, \quad \mathfrak{F}_1(x) = \frac{F_1(x) - F_2(x)}{2}$$

gesetzt wird, der Ausdruck

$$\mathfrak{F}_0(x) + \mathfrak{F}_1(x)\chi_1(x)$$

in eine unendliche Reihe, deren Glieder rationale Functionen von x sind, umformen, und diese stellt in dem einen der beiden Theile, in welche das Gebiet der Veränderlichen x durch den genannten Kreis zerlegt wird, die Function $F_1(x)$, in dem andern Theile dagegen die Function $F_2(x)$ dar.

Nimmt man ferner in der Ebene der Grösse x beliebig viele Kreise (oder unbegrenzte Geraden):

$$K', K'', \ldots K^{(r)}$$

willkürlich an, und bestimmt r lineare Functionen von x

$$x', x'', \ldots x^{(r)}$$

so, dass der reelle Theil von $x^{(\lambda)}$ in der Linie $K^{(\lambda)}$ verschwindet, so wird die Ebene durch die genannten Linien in eine gewisse Anzahl von Stücken dergestalt zerlegt, dass der reelle Theil einer jeden Function $x^{(\lambda)}$ innerhalb eines solchen Stückes überall dasselbe Zeichen hat. Sind dann

$$\mathfrak{F}_0(x), \mathfrak{F}_1(x), \ldots \mathfrak{F}_r(x)$$

eindeutige Functionen von x mit einer endlichen Anzahl wesentlicher singulären Stellen, und setzt man

$$\chi_\lambda(x) = \chi(x^{(\lambda)}), \qquad (\lambda = 1, \ldots r)$$

so kann der Ausdruck

$$\mathfrak{F}_0(x) + \mathfrak{F}_1(x)\chi_1(x) + \mathfrak{F}_2(x)\chi_2(x) + \cdots + \mathfrak{F}_r(x)\chi_r(x)$$

ebenfalls in eine unendliche Reihe, deren Glieder rationale Functionen von x sind, umgeformt werden, und diese Reihe hat dann die Eigenthümlichkeit, dass sie zwar innerhalb eines jeden der Stücke, in welche die Ebene zerlegt ist, einen Zweig einer bestimmten monogenen Function darstellt, in verschiedenen Stücken aber Zweige verschiedener Functionen.

Sind z. B. $K', K'', \ldots K^{(r)}$ Kreise, von denen keiner einen andern umschliesst, so wird durch dieselbe die Ebene in $(r+1)$ Stücke zerlegt; und wenn man die Function $x^{(\lambda)}$ so bestimmt[1]), dass ihr reeller Theil im Mittelpunkt von $K^{(\lambda)}$ positiv ist, so liefert der Ausdruck

$$F_{r+1}(x) + \tfrac{1}{2}\sum_{\lambda=1}^{r}(1 + \chi_\lambda(x))\,(F_\lambda(x) - F_{r+1}(x))\,,$$

der mit dem vorstehenden übereinstimmt, wenn unter $F_1(x), F_2(x), \ldots F_{r+1}(x)$ ebenfalls eindeutige Functionen mit einer endlichen Anzahl wesentlicher singulärer Stellen verstanden werden, eine Reihe von der in Rede stehenden Eigenthümlichkeit, indem dieselbe, wenn x innerhalb der von $K^{(\lambda)}$ begrenzten Kreisfläche angenommen wird, gleich $F_\lambda(x)$, und wenn x ausserhalb aller dieser Flächen liegt, gleich $F_{r+1}(x)$ ist, also innerhalb eines jeden der $(r+1)$ Stücke, worin die Ebene zerlegt ist, einen Zweig einer willkürlich anzunehmenden Function von der hier vorausgesetzten Beschaffenheit darstellt.

Ein anderes Beispiel erhält man, wenn die Kreise $K', K'', \ldots K^{(r)}$ so angenommen werden, dass jeder der $(r-1)$ ersten von dem folgenden umschlossen, und somit die Ebene durch sie gleichfalls in $(r+1)$ Stücke zerlegt wird. Dann hat nämlich der Ausdruck

$$\tfrac{1}{2}(F_1(x) + F_{r+1}(x)) + \tfrac{1}{2}\sum_{\lambda=1}^{r}(F_\lambda(x) - F_{\lambda+1}(x))\,\chi_\lambda(x)$$

die Eigenschaft, dass er innerhalb eines jeden der genannten Stücke gleich einer der Functionen $F_1(x), F_2(x), \ldots F_{r+1}(x)$ ist. (Ein besonderer Fall ist der, wo an die Stelle der r Kreise r einander

---

[1]) Ist r_λ der Radius des Kreises $K^{(\lambda)}$, und a_λ der Werth von x im Mittelpunkt desselben, so kann man

$$x^{(\lambda)} = \frac{r_\lambda - a_\lambda + x}{r_\lambda + a_\lambda - x}$$

setzen.

parallele gerade Linien treten.) Scheidet man ferner aus dem Gebiete der Veränderlichen x alle negativen Werthe (mit Einschluss von 0) aus, so existiren bekanntlich[1]) unendliche, aus rationalen Functionen von x zusammengesetzte Reihen, welche einwerthige Zweige gewisser mehrdeutiger Functionen, wie z. B. $\log x$, x^m (wo m eine beliebige Constante bedeutet) darstellen und in der Nähe jeder Stelle, die nicht zu den ausgeschlossenen gehört, gleichmässig convergiren. Es können nun in dem Ausdruck

$$\mathfrak{F}_0(x) + \mathfrak{F}_1(x)\chi_1(x) + \mathfrak{F}_2(x)\chi_2(x) + \cdots + \mathfrak{F}_r(x)\chi_r(x)$$

$\mathfrak{F}_0(x)$, $\mathfrak{F}_1(x)$, $\mathfrak{F}_2(x)$, ... $\mathfrak{F}_r(x)$ auch solche Reihen sein, und man erhält dann aus ihm eine gleichfalls aus rationalen Functionen gebildete Reihe, welche in jedem der Stücke, in die das Gebiet von x durch die Linien $K^{(\lambda)}$ und die Strecke der negativen Werthe zerlegt wird, einen einwerthigen Zweig einer mehrdeutigen monogenen Function darstellt, in verschiedenen Stücken aber im Allgemeinen Zweige verschiedener Functionen.

Aus diesen Beispielen erhellt zur Genüge, dass die am Schlusse des § 3 aufgeworfene Frage folgendermaassen zu beantworten ist:

> Wenn der Convergenzbereich einer Reihe, deren Glieder rationale Functionen einer Veränderlichen x sind, in der Art in mehrere Stücke zerlegt werden kann, dass in der Nähe jeder im Innern eines solchen Stückes gelegenen Stelle die Reihe gleichmässig convergirt; so stellt dieselbe in jedem einzelnen Stücke einen einwerthigen Zweig einer monogenen Function von x dar, in verschiedenen Stücken aber nicht nothwendig Zweige einer und derselben Function.

6.

Ich habe in meinen Vorlesungen über die Elemente der Functionenlehre von Anfang an zwei mit den gewöhnlichen Ansichten nicht übereinstimmende Sätze hervorgehoben, nämlich:

---

[1]) S. die auf die Gauss'schen Kettenbrüche und die nach Kugelfunctionen fortschreitenden Reihen sich beziehenden Abhandlungen von Thomé im 66sten und 67sten Bande des Borchardt'schen Journals.

1) Dass man bei einer Function eines reellen Arguments aus der Stetigkeit derselben nicht folgern könne, dass sie auch nur an einer einzigen Stelle einen bestimmten Differentialquotienten, geschweige denn eine — wenigstens in Intervallen — ebenfalls stetige Ableitung besitze;
2) Dass eine Function eines complexen Arguments, welche für einen beschränkten Bereich des letzteren definirt ist, sich nicht immer über die Grenzen dieses Bereichs hinaus fortsetzen lasse; mit andern Worten, dass monogene Functionen einer Veränderlichen existiren, welche die Eigenthümlichkeit besitzen, dass in der Ebene der Veränderlichen diejenigen Stellen, für welche die Function nicht definirbar ist, nicht bloss einzelne Punkte sind, sondern auch Linien und **Flächen** bilden.

Da im Vorhergehenden von Functionen einer complexen Veränderlichen, denen die unter (2) genannte Eigenthümlichkeit zukommt, die Rede gewesen ist, so will ich bei dieser Gelegenheit ein leicht zu behandelndes Beispiel einer solchen Function beibringen.

Angenommen, der Halbmesser des Convergenzbezirks einer gewöhnlichen Potenzreihe

$$\sum_{\nu=0}^{\infty} A_\nu x^\nu$$

sei gleich 1, die Reihe convergire aber auch unbedingt und gleichmässig für alle Werthe von x, deren absoluter Betrag gleich 1 ist, so dass, wenn unter t eine reelle Veränderliche verstanden wird,

$$\sum_{\nu=0}^{\infty} A_\nu e^{\nu t i}$$

eine stetige Function von t ist.

Im Innern des Convergenzbezirks der Reihe nehme man eine Stelle x_0 beliebig an und forme die gegebene Reihe in eine Potenzreihe $\mathfrak{P}(x-x_0)$ um. Ist r_0 der absolute Betrag von x_0, so kann der Halbmesser des Convergenzbezirks der Reihe $\mathfrak{P}(x-x_0)$ nicht kleiner als $1-r_0$, wohl aber grösser sein. Ist das Letztere der Fall, so liegt eine Strecke der Begrenzung des Convergenzbezirks der gegebenen Reihe ganz im Convergenzbezirk von $\mathfrak{P}(x-x_0)$, und es besteht, wenn

$$\frac{x_0}{r_0} = e^{t_0 i} \text{ ist, und } x_t = e^{ti}$$

gesetzt wird, für alle Werthe von t zwischen zwei bestimmten Grenzen $(t_0 - \tau, t_0 + \tau)$ die Gleichung

$$\sum_{\nu}^{\infty} A_\nu e^{\nu t i} = \mathfrak{P}(x_t - x_0).$$

Nun hat aber $\mathfrak{P}(x - x_0)$, als Function von x betrachtet, Ableitungen jeder Ordnung; dasselbe gilt also auch von $\mathfrak{P}(x_t - x_0)$, als Function von t betrachtet, für die zwischen $t_0 - \tau$ und $t_0 - \tau$ liegenden Werthe dieser Grösse. Hieraus folgt nun: Wenn sich in einem bestimmten Falle beweisen lässt, dass die Function

$$\sum_{\nu=0}^{\infty} A_\nu e^{\nu t i}$$

in keinem Intervalle der Veränderlichen t Ableitungen jeder Ordnung besitzt, so ist daraus zu schliessen, dass der Convergenzbezirk der Reihe $\mathfrak{P}(x - x_0)$, wie man auch x_0 annehmen möge, ganz in dem Convergenzbezirk der gegebenen Reihe enthalten ist, die Function also, welche durch diese letztere dargestellt wird, über deren Convergenzbezirk hinaus nicht fortgesetzt werden kann.

Nun sei a eine ungerade positive ganze Zahl, b eine positive Grösse, die < 1, und $a_\nu = a^\nu$. Dann erfüllt die Reihe

$$\sum_{\nu=0}^{\infty} b^\nu x^{a_\nu}$$

die oben für die betrachtete Reihe gestellten Bedingungen. Es ist aber von mir der Beweis[1]) geführt worden, dass die Function

$$\sum_{\nu=0}^{\infty} b^\nu \cos a_\nu t,$$

sobald $ab > 1 + \frac{3}{2}\pi$ ist, für keinen Werth von t einen bestimmten Differentialquotienten besitzt. Durch die Reihe

$$\sum_{\nu=0}^{\infty} b^\nu x^{a_\nu}$$

wird also, wenn $ab > 1 + \frac{3}{2}\pi$, eine Function definirt, die nicht über den Convergenzbereich der Reihe hinaus fortgesetzt werden kann.

---

[1]) Dieser Beweis ist von Hrn. P. du Bois-Reymond, dem ich ihn brieflich mitgetheilt hatte, im 79sten Bande von Borchardt's Journal S. 30 veröffentlicht. (Ich berichtige bei dieser Gelegenheit zwei a. a. O. sich findende Druckfehler. Z. 10 v. o. muss es x_0 st. a_0, und Z. 4 v. u. auch st. nicht heissen.)

und also ausschliesslich für solche Werthe von x, deren absoluter Betrag die Einheit nicht überschreitet, existirt.

Es ist leicht, unzählige andere Potenzreihen von derselben Beschaffenheit wie die vorstehende anzugeben, und selbst für einen beliebig begrenzten Bereich der Veränderlichen x die Existenz von Functionen derselben, die über diesen Bereich hinaus nicht fortgesetzt werden können, nachzuweisen; worauf ich jedoch hier nicht eingehe.

Schliesslich möge noch bemerkt werden, dass sich auch in Beziehung auf zusammengesetztere arithmetische Formen, welche eindeutige monogene Functionen einer und mehrerer Veränderlichen oder einwerthige Zweige solcher Functionen auszudrücken geeignet sind. Untersuchungen anstellen lassen, welche der hier für eine der einfachsten Formen durchgeführten analog sind und zu ähnlichen Resultaten führen.

Hr. Jean-Baptiste Dumas in Paris wurde zum auswärtigen Mitgliede der Akademie gewählt und erfolgte die Königl. Bestätigung am 16. August.

Anhang.

Über die Anlage von Blitzableitern.

Die Akademie ist mehrfach zur Abgabe von Gutachten über die Anlage von Blitzableitern veranlasst worden. Eine neuerdings häufig eingetretene Wiederholung von Anfragen über diesen Gegenstand bei der Akademie und einzelnen ihrer Mitglieder hat es wünschenswerth erscheinen lassen, diese Gutachten allgemein zugänglich zu machen. Das erste derselben ist bereits im Monatsbericht 1876 S. 917—919 abgedruckt und hat zu einigen weiteren Erörterungen Anlass gegeben, über welche im Monatsbericht 1877 S. 8—10 und 820—825 berichtet ist. Die späteren Gutachten sind im Folgenden abgedruckt, und es ist gleichzeitig eine durch den Buchhandel zu beziehende Separatausgabe sämmtlicher Gutachten veranstaltet worden.

Gutachten vom 12. Juni 1879.

Auf Veranlassung des vorgeordneten Königl. Ministeriums erstattet.

Die unterzeichneten Verfasser des akademischen Gutachtens vom 14. Dec. 1876 über den Blitzschlag, durch den am 20. April 1876 das Sandberger Schulhaus zu Elmshorn getroffen wurde, sind in der Überzeugung, welche sie bei der Abfassung desselben geleitet hat, durch die von Hrn. Riess dagegen erhobenen Bedenken nicht wankend gemacht.

Der Gegensatz der auf beiden Seiten verfochtenen Ansichten liegt darin, dass, während das akademische Gutachten die zu kleine Grösse der in den Brunnen getauchten Platte als den hauptsächlichsten Grund für die Beschädigungen angiebt, die der Blitzschlag angerichtet hat, Hr. Riess dieselben als ausschliesslich durch die ungenügende und ungleiche Dicke der überirdischen Leitung hervorgerufen erklärt. Hr. Riess glaubt das akademische Gutachten zu widerlegen:

1) durch Aufdeckung eines Fehlers der dort angedeuteten theoretischen Betrachtung,

und 2) durch Anführung mehrerer Blitzschläge, die, ohne schwere Beschädigungen herbeizuführen, Blitzableiter getroffen haben, welche mit noch unvollkommneren Ableitungen zur Erde versehen waren als der Blitzableiter zu Elmshorn.

Jener Fehler soll in der Anwendung von Gesetzen, die für schwache Ströme von künstlicher Elektricität gefunden sind, auf den Blitz bestehen; die Unzulässigkeit dieser Anwendung soll aus Versuchen mit Maschinen-Elektricität folgen, die Hr. Riess selbst vor 21 Jahren bekannt gemacht hat; aus diesen Versuchen soll hervorgehen, dass der Widerstand des Wassers im Brunnen viel zu hoch angesetzt ist, dass nämlich der Widerstand des Wassers für den Blitz viel kleiner ist als der Widerstand desselben für schwache elektrische Ströme.

Durch die genannten Versuche ist gezeigt, dass die Entladung einer Leydener Batterie durch Wasser auf zwei wesentlich verschiedene Arten geschehen kann, continuirlich oder discontinuirlich; bei der ersten Art ist der Widerstand des Wassers sehr viel grösser als bei der zweiten; die erste Art der Entladung findet bei hinreichend schwachen Strömen statt; verstärkt man dieselben, so tritt die zweite ein, die bei hinreichender Stromstärke mit einem leuchtenden und schallenden Funken im Wasser verbunden ist. Hr. Riess hat weiter gezeigt, dass die continuirliche Entladung um so schwerer sich bildet, je besser leitend das Wasser gemacht ist; sie bildet sich auch um so schwerer, je grösser die Elektroden sind. Hr. Riess will nur den Widerstand des Wassers im Brunnen für die discontinuirliche Entladung der Elektricität in Rechnung gezogen wissen, während das akademische Gutachten den Widerstand für die continuirliche Entladung in Rechnung gebracht hat. Die Verfasser des Gutachtens sind dabei von der Ansicht ausgegangen, dass es gerade die Aufgabe bei der Anlage eines Blitzableiters ist, in allen Theilen desselben der Elektricität eine continuirliche Leitung zu ermöglichen. Sie haben Erdplatten von grösseren Dimensionen, als sie üblich sind, anzuwenden empfohlen, damit nicht eine discontinuirliche Entladung im Erdboden oder in dem Brunnen, in den die Platte versenkt ist, stattfinde. Wird dieser Zweck erreicht, so treten auch die Gesetze der continuirlichen Leitung der Elektricität in Geltung. Ist er verfehlt, so sind in der Nähe des Ortes, wo die discontinuirliche Entladung eintritt, Zerstörungen zu erwarten und mehr noch zu fürchten ist die starke Anstauung der Elektricität an dem Ende des metallenen Leiters, die einer solchen Entladung vorangehen muss und in Folge deren ein Abspringen des Blitzes nach benachbarten Gegenständen stattfinden kann. Zwei Blitzschläge, welche Hr. Riess in seinen kritischen Bemerkungen erwähnt, und welche Ableiter trafen, deren Enden ohne Platten in Brunnen versenkt waren, können als Belege hierfür dienen. Bei dem einen wurden zwei Holzplatten von dem Boden des Brunnens in die Höhe geschleudert; bei dem andern sprang ein Theil des Blitzes zu einer 70 Fuss entfernten Kaserne über.

Diese beiden Blitzschläge führt Hr. Riess mit unter denen auf, welche zeigen sollen, dass die Kleinheit der Berührungsfläche des metallenen Leiters mit dem Wasser die Wirksamkeit des Blitzableiters nicht beeinträchtigt. Mit besserm Rechte glauben wir sie zum Beweise des Gegentheils angezogen zu haben; denn der Umstand, auf den Hr. Riess sich stützt, der Umstand, dass der Schaden, den sie anrichteten, nicht gross war, ist ein rein zufälliger, der bei der Beurtheilung der Frage, ob die Blitzableiter ihrem Zwecke entsprochen haben, gar nicht in Betracht kommt. Ohne Zweifel lässt der zuletzt erwähnte Blitzschlag, bei dem ein Abspringen der Elektricität nach einem 70 Schritt entfernten Gebäude stattfand, nur das eine Urtheil zu, dass der betreffende Blitzableiter ungenügend war. Neben diesen zwei Blitzschlägen citirt Hr. Riess zur Stütze seiner Behauptung noch drei andere, bei denen gar keine Beschädigungen vorgekommen sind. Vielleicht waren diese Blitze nur schwach; vielleicht waren hier in der Nähe der Ableiter keine Gegenstände, welche den Blitz anziehen konnten; wie dem auch sei, das negative Ergebniss dieser drei Fälle kann nicht ins Gewicht fallen gegenüber dem positiven eines einzigen Falles.

Bei diesen Erwägungen konnten uns die kritischen Bemerkungen des Hrn. Riess nicht veranlassen, von der in dem Gutachten ausgesprochenen Meinung abzugehen, dass bei dem Blitzableiter in Elmshorn die zu kleine Endplatte ein wesentlicher Fehler war, und dass überhaupt bei der Anlegung von Blitzableitern der Widerstand der Erdleitung mehr, als es jetzt zu geschehen pflegt, verkleinert werden sollte.

Wir glauben hier eine kürzlich erschienene, von Hrn. Karsten veröffentlichte Schrift über Blitzableiter nicht unberücksichtigt lassen zu dürfen, da sie auch die Ansicht des Hrn. Riess vertritt und zu dem Schlusse kommt, „dass die Grösse der Berührungsfläche der metallischen Ableiterendigung mit einer im Boden vorhandenen ausgedehnten Wasserschicht sehr wenig in Betracht kommt".

Hr. Karsten beklagt die seiner Meinung nach übermässigen Dimensionen, die in dem akademischen Gutachten für die Bodenableitungen verlangt worden sind, weil sie Viele, die sich Blitzableiter anlegen wollten, hiervon zurückgehalten haben. Er hält die Rechnung für falsch, auf Grund deren diess Verlangen gestellt ist; die Anwendung der Leitungsgesetze für den galvanischen Strom auf die Elektricität des Blitzes, die in dem Gutachten zu machen versucht ist, würde nach ihm, folgerichtig durchgeführt, zu noch unvergleichlich höheren Forderungen führen und damit allen Erfahrungen widersprechen. Hr. Karsten schliesst hieraus, dass die Anwendung jener Gesetze auf die Elektricität des Blitzes nicht zulässig ist, und dass die Dimensionen, welche der Bodenleitung zu geben sind, nicht nach theoretischen Betrachtungen, sondern allein nach den Erfahrungen beurtheilt werden können, die an Blitzableitern gemacht worden sind. Da nun Blitzableiter mit kleinen Bodenplatten in vielen Fällen Schutz gewährt haben, so erklärt er die Vergrösserung dieser für unnütz.

In dem akademischen Gutachten ist angegeben, dass eine Bodenplatte von 1 Quadratmeter Fläche, die in Brunnenwasser von mittlerer Leitungsfähigkeit taucht, einen Widerstand des Erdbodens gibt, der 20 mal so gross ist, als der Widerstand des metallenen Theiles des Blitzableiters in Elmshorn. Diese Zahl hält Hr. Karsten für falsch. Ihre Berechnung stützt sich, wie es nicht anders sein kann, auf die Gesetze der Verbreitung galvanischer Ströme in nicht cylindrischen Leitern, und diese Gesetze hat Hr. Karsten ausser Acht gelassen. Er sucht ein Urtheil über den Widerstand des Erdbodens zu gewinnen aus dem Satze, dass der Widerstand eines cylindrischen Leiters gleich ist der Länge dividirt durch den Querschnitt und die Leitungsfähigkeit. Als Querschnitt des Erdbodens rechnet er die Oberfläche der Bodenplatte; da die Länge desselben aber nicht angegeben werden kann, so verzichtet er darauf, den Widerstand des ganzen Erdbodens zu ermitteln, und vergleicht den Widerstand eines Cylinders aus Erdmasse von jenem Querschnitt und beliebiger Länge mit dem Widerstande eines gleich langen Theiles der metallenen Leitung. Das Verhältniss dieser ist aber von ganz anderer Grössenordnung als das Verhältniss der Widerstände der ganzen Metallleitung und der ganzen Erde, auf das es ankommt. Um Zahlen zu erhalten von noch abschreckenderer Grösse, als sie diese Rechnung schon gibt, führt Hr. Karsten noch statt der Leitungsfähigkeit des Brunnenwassers die unvergleichlich kleinere des reinen Wassers ein, und kommt so zu dem Schlusse, dass, um die Bodenleitung so gut wie die metallenen Theile des Blitzableiters zu machen, man Erdplatten von 56000 Quadratmeter bis 52 Quadratmeilen Fläche anwenden müsste. „Diess würde," fährt er fort, „die richtige Folgerung sein, welche weil sie jeder Erfahrung an vorhandenen Blitzableitern widerspricht, den Beweis liefert, dass die Hypothese von der Leitung der Flüssigkeiten für den galvanischen Strom keinesfalls auf die Gewitterelektricität angewendet werden darf." (Dass es an der citirten Stelle heisst, „die Hypothese von der Leitung der Flüssigkeiten durch den galvanischen Strom", ist wohl ein Druckfehler.) Wir können diesen Beweis nicht anerkennen. Wir geben zu, dass die jetzt bekannten Gesetze der Bewegung der Elektricität nicht ausreichen, vollständig und sicher die Regeln für die Construction der Blitzableiter aufzustellen, aber ohne Zweifel bieten sie, richtig angewendet, werthvolle Fingerzeige dafür. Die Anwendung, die wir von ihnen gemacht haben, ist nicht im Widerspruch mit der Erfahrung. Dass in vielen Fällen Blitzableiter mit Bodenplatten, die erheblich kleiner waren, als sie nach unserer Vorschrift hätten sein sollen, Schutz gewährt haben, widerlegt nicht die Behauptung, dass eine Vergrösserung derselben in praktisch möglichen Grenzen vom wesentlichsten Nutzen sein würde. Jenen Fällen stehen andere gegenüber, in denen der Schutz versagt ist, und in vielen, vielleicht in der Mehrzahl von diesen trug nach unserer Ansicht gerade die ungenügende Bodenableitung die Schuld.

In dem akademischen Gutachten ist eine Erdplatte von mindestens 5 Quadratmeter Fläche empfohlen. Es lässt sich nicht läugnen, dass dieses Maass innerhalb gewisser Grenzen willkürlich gegriffen ist, und dass unter sonst günstigen Umständen ohne Gefahr etwas von demselben wird nachgelassen werden können, wenn die Rücksicht auf die Kosten der Anlage es gebietet. Es gibt aber auch Wege, diese Kosten zu vermindern, ohne den Widerstand des Erdbodens zu vergrössern. In Beziehung auf diesen Widerstand wirkt ein metallisches Netzwerk als Bodenplatte nahezu wie eine massive Platte von gleicher Grösse; es kann ferner eine Platte von der Fläche 1 ohne Schaden ersetzt werden durch 2 Platten von der Fläche $\frac{1}{4}$, oder durch 3 von der Fläche $\frac{1}{9}$, wenn diese nur in genügender Entfernung von einander in den Erdboden versenkt werden; auch kann statt der Platte ein System von Stäben oder Streifen angewendet werden, die im Erdboden möglichst weit von einander sich entfernen.

Es möge schliesslich ein von Hrn. Siemens ausgeführter Versuch erwähnt werden, welcher sehr deutlich den Einfluss gezeigt hat, den die Grösse der Erdplatte eines Blitzableiters auf den Schutz, den dieser gewährt, haben muss. Der Boden eines cylindrischen, mit Brunnenwasser gefüllten Glassgefässes war mit einer (etwa 1 Quadratdecimeter grossen) zur Erde abgeleiteten Metallplatte bedeckt. Eine gleiche Platte oder eine kleine Metallkugel konnte von oben her in das Wasser gehängt und vermöge derselben durch dieses der Entladungsschlag einer Leydener Flasche, deren äussere Belegung auch zur Erde abgeleitet war, geführt werden. Von dem zur oberen Elektrode führenden Leitungsdrahte gieng ein Astdraht zu der einen Kugel eines Funkenmikrometers, dessen andere Kugel mit der Erde gleichfalls in gut leitender Verbindung stand. Bei der Entladung der Leydener Flasche gieng ein Funken zwischen den Kugeln des Funkenmikrometers über, wenn der Abstand derselben klein genug war. Dieser Abstand musste, wenn der Funken sich bilden sollte, viel kleiner sein, wenn die Platte als obere Elektrode im Wasser diente, als wenn die Kugel an die Stelle dieser gebracht war. Gerade so wird ein Abspringen der Elektricität von einem Blitzableiter viel schwerer eintreten, wenn dieser in einer grossen, als wenn er in einer kleinen Bodenplatte endigt.

Helmholtz. G. Kirchhoff. Siemens.

Gutachten vom 27. Mai 1880.

Erstattet auf Veranlassung des Magistrats zu Landsberg a. W.

Obgleich die Akademie nur Gutachten über Vorlagen, die ihr Seitens des vorgeordneten Ministeriums gemacht werden, abzugeben pflegt, so hat sie in Berücksichtigung des öffentlichen Interesses, welches sich an die Anwendung richtiger Principien bei der Anlage von Blitzableitern knüpft, und der Dringlichkeit der schnellen Beantwortung der ihr von dem geehrten Magistrat vorgelegten Fragen, ihre Commission mit schleuniger Berichterstattung über die Vorlage beauftragt und spricht sich in Übereinstimmung mit derselben dahin aus:

> „dass richtig angelegte Blitzableiter die Sicherheit vor Blitzschaden ganz unzweifelhaft und in sehr beträchtlichem Maasse erhöhen, und dass die Unterlassung einer Blitzableiter-Anlage bei grossen Gebäuden mit bedeutenden Höhenunterschieden, wie bei Kirchen mit hohen Thürmen, sich in der That kaum verantworten lässt."

Den vorliegenden sehr lehrreichen Fall betreffend bedauert die Akademie, dass der ihr mitgetheilte Bericht nicht die factisch vorhandene Erdleitung umfasst, von deren Construction die Wirksamkeit eines Blitzableiters in hohem Grade abhängig ist. Nach dem Verlaufe des Blitzes ist es allerdings in hohem Grade wahrscheinlich, dass die leitende Verbindung der Blitzableitung mit dem Erdboden eine durchaus ungenügende gewesen ist. Aus diesem Grunde wird der Blitz sich in der Nähe des Erdbodens gespalten haben, da die feuchte Kirchenmauer ihm einen zweiten und vielleicht nicht viel mehr Widerstand darbietenden Weg zur Ausbreitung im Erdboden darbot. Wäre die Blitzableitung bis in den benachbarten Brunnen fortgeführt, und wäre in diesem eine hinreichend grosse Aussenfläche der Ableitung mit dem Brunnenwasser in Berührung gewesen, so würde der ganze Blitz unverzweigt in den Brunnen gefahren sein. Die Grösse der Berührungsfläche zwischen Ableitung und Wasser oder feuchtem Erdreich kann niemals zu gross gemacht werden, sollte aber niemals kleiner als ein Quadratmeter sein, wenn Endplatten benutzt werden. Werden anstatt der Endplatten lang ausgestreckte Stangen verwendet, so genügt eine geringere Berührungsfläche. Mit Gas- und Wasserleitungen sollte man Blitzableiter nur dann verbinden, wenn gusseiserne Hauptleitungen in der Nähe sind, welche mit Metall gedichtet sind.

Wie die Erfahrung auch gezeigt hat, genügt die Verbindung der Blitzableitung mit der metallenen Fahnenstange. Doch ist die Leitungsfähigkeit der Metallmasse des Kreuzes selbst entweder zu gering oder die leitende Verbindung desselben mit der Helmstange unvollständig gewesen, wie aus der Verbiegung des Kreuzes durch den Blitzschlag hervorgeht. Eine Verlängerung der Helmstange durch das ganze Kreuz hindurch würde diesem Übelstande sicher abhelfen. Für eine gute leitende Verbindung der Ableitung mit allen Theilen der Zinkbedachung ist jedenfalls zu sorgen. Ob jedoch durch eine solche Verbindung die gleichzeitige Entladung, welche durch die zum Läuten dienende Kette von der Thürmerstube zur Erde gegangen ist, verhütet worden wäre, lässt sich nicht mit Sicherheit behaupten. Die Kette bildete selbst einen — wenn auch mangelhaften — Blitzableiter, der entweder eine Verzweigung des in das Kreuz eingefallenen Blitzschlages hervorrufen konnte, was durch mangelhafte Erdverbindung begünstigt wurde — oder der die im oberen Theile des Thurmes durch Vertheilung Seitens der geladenen Wolke angesammelten Elektricität nach Entladung der Wolke durch den Blitzschlag der Erde zuführte. Letzteres ist wahrscheinlicher, da dieser Blitzschlag verhältnissmässig schwach war, und keine Spuren des Einschlagens in die Thürmerstube zu entdecken war. Um derartige secundäre Blitzschläge zu vermeiden, ist es zweckmässig, solche metallene unvollkommene Ableiter wie die Läutekette zu vermeiden und die Blitzableitung selbst in verschiedenen Höhen mit den Thurm umfassenden Zweigleitungen zu versehen.

Es wird jedenfalls zweckmässig sein auch das Ende des Kirchendaches mit einem Blitzableiter mit Auffangstange zu versehen. Auf die Form und das Material der Spitze dieser Auffangstange kommt es wenig an. Auf der First des Kirchendaches eine Ableitungstange anzubringen, ist zwar als zweckmässig, aber bei der Höhe des benachbarten Thurmes nicht als nothwendig zu bezeichnen. Die Arbeiten dürften von jedem tüchtigen Schlosser ausführbar sein. Es ist bei der Erdleitung aber darauf zu achten, dass das Eisen an der Grenze zwischen Luft und Wasser resp. feuchtem Boden gegen Rost zu schützen ist.

Gutachten vom 5. August 1880.

Auf Veranlassung des vorgeordneten Königl. Ministeriums erstattet.

Die unterzeichnete Commission muss sich dem Antrage des Herrn A. Stolley, dahin gehend: „dass baldthunlichst die zum Schutze der Schulgebäude in Schleswig-Holstein gegen Blitzschläge nothwendigen Maassregeln angeordnet würden“ — unbedingt anschliessen, möchte ihn aber dahin ausdehnen, dass im Allgemeinen die Anlage von Blitzableitern zum Schutze von Gebäuden, namentlich solchen, die durch Construction und Lage als besonders gefährdet erscheinen, thunlichst gefördert werde.

Dass rationell angelegte Blitzableiter, wenn auch nicht ganz unbedingt, so doch in sehr hohem Maasse die Blitzgefahr für die mit ihnen versehenen Baulichkeiten beseitigen, ist eine durch die Erfahrung eines ganzen Jahrhunderts feststehende Thatsache, die kaum noch einer weiteren Begründung bedarf. Dass häufig auch Gebäude, die mit Blitzableitern versehen waren, Blitzschaden erlitten haben, ändert an dieser Thatsache nichts, da in fast allen solchen Fällen die Anlagen mit Fehlern behaftet waren, die zu vermeiden waren, und da auch solche mangelhaft angelegte Blitzableiter fast immer noch die Gefährlichkeit des das Gebäude betreffenden Blitzschlages durch partielle Entladung vermindern. Dass die Ansichten darüber, „wie weit durch Anlage von Blitzableitern ein wirksamer Schutz des Gebäudes gegen Blitzschläge erreicht werden kann, noch sehr schwankend seien“ — wie ein Gutachten der technischen Deputation für das Bauwesen behauptet hat, muss entschieden in Abrede gestellt werden. Über die Frage, welches die beste und welches eine noch ausreichend sichernde Blitzableiter-Anlage ist, können zwar abweichende Anschauungen geltend gemacht werden und es werden absolut gültige Bestimmungen darüber auch kaum zu treffen sein, namentlich deshalb, weil wir bisher keine ausreichende Kenntniss über die Quantität und Spannung der durch die Blitze abfliessenden Elektricitätsmengen haben, doch liegt die wissenschaftliche Grundlage der Blitzableiter-Construction klar vor Augen und es wäre durchaus unberechtigt, darum auf den notorischen Schutz durch Blitzableiter zu verzichten, weil noch Zweifel über die besten Constructions-Details herrschen. Der Antrag des Hrn. Stolley, gerade sämmtliche Schulhäuser der Provinz Schleswig-Holstein mit Blitzableitern zu versehen, scheint uns jedoch nicht motivirt. Liegen die Schulhäuser isolirt auf freien Plätzen oder erscheinen sie durch ihre Bauart oder Form der Blitzgefahr in besonderm Maasse ausgesetzt, so wird die Blitzableiter-Anlage geboten sein. Andernfalls wird die Lebensgefahr für die Kinder nicht grösser sein, wenn sie vereinigt, als wenn sie vertheilt sind. Es sollten aber wo möglich alle besonders hohen oder durch ihre Lage besonders gefährdeten öffentlichen Gebäude mit Blitzableitern versehen werden, theils um die Gefahr für dieselben zu beseitigen, theils um der Bevölkerung als gutes Beispiel für allgemeine Anbringung von Blitzableitern zu dienen. In dem Berichte der Königl. Regierung für Schleswig-Holstein ist mit vollem Rechte hervorgehoben, dass es sehr schwer sein würde, maassgebende Instructionen dafür zu geben, in welchen Fällen ein Gebäude als besonders gefährdet durch seine Construction und Lage anzusehen und daher mit Blitzableitern zu versehen wäre, und es ist dabei die Frage aufgeworfen, ob der relative Stand des Grundwassers dabei in Betracht zu ziehen sei oder nicht. Den letzten Punkt anlangend, wird der Blitz von zwei sich ihm unter sonst gleichen Bedingungen darbietenden Objecten immer dasjenige vorziehen, welches der Vertheilung der Elektricität im Erdboden den geringsten Widerstand darbietet. Da nun das mit Grundwasser gesättigte Erdreich dem Durchgange der Elektricität einen geringern Widerstand entgegensetzt als nur feuchte Erde, so wird ein Gebäude um so mehr gefährdet sein, je näher sein Fundament dem Grundwasserstande ist. Im Übrigen wird die Frage der grösseren oder geringeren Gefährdung von Gebäuden wohl schwerlich durch Reglements präcisirt werden können. Ein physikalisch vollständig gebildeter Sachverständiger, welcher die Blitzableiter-Frage zu seinem Specialstudium gemacht hat, wird aber unter Beihülfe einer geordneten Blitzschaden-Statistik die Frage in jedem vorliegenden Falle beantworten können. Wird solchen Beamten gleichzeitig die Controle der guten Anlage und der Erhaltung der Blitzableiter in gutem Zustande übertragen, so würde diess sicher eine sehr wesentliche Verminderung der Verluste an Leben und Eigenthum durch Blitzschläge zur Folge haben.

Die weiter angeregte Frage, ob die Provinz Schleswig-Holstein durch ihre Lage zwischen zwei Meeren und ihre sonstigen Eigenthümlichkeiten in besonderm Grade der Blitzgefahr ausgesetzt sei, ist mit Sicherheit nur durch statistische Erhebungen zu entscheiden; doch ist anzuerkennen, dass physikalische Betrachtungen es in der That wahrscheinlich machen. Besonders wäre es zur Beurtheilung dieser Frage von grosser Wichtigkeit, wenn umfassendes statistisches Material über die Häufigkeit der Blitzschläge, welche mit Stroh und mit Stein gedeckte Häuser treffen, gesammelt würde, da es nicht unwahrscheinlich ist, dass die verhältnissmässig gut leitende Oberfläche der viel Regenwasser zurückhaltenden Strohbedachung den Blitz mehr anzieht als das besser isolirte Steindach.

Was schliesslich die uns zur Beurtheilung überwiesene Schrift des Hrn. Professor Dr. Karsten in Kiel betrifft, so hat dieselbe die Akademie schon in dem an das Königl. Ministerium erstatteten Berichte vom 12. Juni 1879 beschäftigt, von welchem wir eine Abschrift beilegen. Abgesehen von einigen damals hervorgehobenen wissenschaftlichen Irrthümern ist die Schrift als eine gute Anweisung zur Anlage von Blitzableitern zu betrachten. Nicht einverstanden sind wir mit dem Verfasser der Schrift namentlich in den folgenden Punkten.

1) Er scheint uns zu grosses Gewicht auf die Spitzenwirkung zu legen. Dass durch Spitzen, wie die der Blitzableiter, im Laufe einer oder mehrerer Viertelstunden Mengen Elektricität aus der Luft entladen werden können, die im Verhältniss zur Leistung unserer Elektrisirmaschinen sehr gross erscheinen, ist genügend constatirt; ob diese Mengen aber gegen die colossalen in den Wolken aufgespeicherten Quantitäten in Betracht kommen, ob überhaupt die von der Spitze aus entgegengesetzt geladene Luft schnell zur Wolke hinaufgezogen wird oder die empfangene Elektricität schnell zur Wolke ableiten kann, erscheint höchst zweifelhaft.

Die Gefahr der explosiven Entladungen wird durch einige oder wenige Metallspitzen bei schnell ziehenden und kurz dauernden Gewittern schwerlich erheblich gemindert. Den Blitzschlägen folgt meist unmittelbar eine starke Steigerung des Regens, d. h. jene entstehen wahrscheinlich durch den Umstand, dass in der Höhe durch Mischung verschieden warmer und feuchter, durch einander gewirbelter Luftmassen eine starke Condensation von Dämpfen eingetreten ist, und in dem herabfallenden Regenschauer die Elektricität der Dämpfe condensirt ist. Ehe das herabfallende Wasser noch die Erde erreicht, entladet es seine Elektricität in den Erdboden, und trifft deshalb selbst erst einige Momente später unten ein. Während dieses schnellen Absteigens die ungeheuere Elektricitätsmenge der Wassermasse durch eine Spitze zu entladen, ist wohl wenig Aussicht.

Wir können deshalb die früher ausgesprochene Ansicht über die verhältnissmässig unbedeutende Wirkung der Spitzen nicht zurücknehmen, und glauben das hier hervorheben zu müssen, damit nicht die hohen Preise der Platinspitzen, oder der nach der Theorie der Schutzkreise hoch hinauszuführenden schwer zu befestigenden eisernen Träger derselben der Anwendung von Blitzableitern hemmend in den Weg treten.

2) Was die auf S. 26 bis 30 besprochene Wahl zwischen kupferner und eiserner Leitung betrifft, so müssen wir die in dem frühern Gutachten vom 14. Decbr. 1876 gegebenen Bestimmungen festhalten. Es kommt nicht bloss darauf an, wie Hr. Karsten annimmt, dass in den Leitungen durch eine Blitzentladung die gleiche Wärmemenge entwickelt werde, sondern es kommt auf die Temperatur an, die dadurch in dem Metalle entsteht, und darauf, wie nahe diese dem Schmelzpunkt des Metalls kommt. Damit die Wärmemengen gleich sind, die derselbe elektrische Strom in einer Kupferleitung und einer Eisenleitung von gleicher Länge erzeugt, muss der Querschnitt des Kupfers etwa ein Siebentel von dem des Eisens sein. Sollen die Temperatur-Erhöhungen in beiden gleich sein, so muss aber das Kupfer einen Querschnitt haben, der etwa der $2\frac{1}{2}$ Theil von dem des Eisens ist; und bei diesem Verhältniss der Querschnitte ist die Gefahr, dass eine Schmelzung eintritt, beim Kupfer immer noch grösser als beim Eisen, weil der Schmelzpunkt des Kupfers niedriger als der des Eisens ist.

3) Die von dem Autor auf S. 29 gegebene Vorschrift, dass höhere Gebäude dickere Ableitungen erhalten müssten, scheint uns auf irrigen Voraussetzungen zu beruhen. Nach den sehr ausführlichen und gut übereinstimmenden Versuchen von Hrn. P. Riess ist im Gegentheil jeder einzelne Draht einer Leitung bei einer Batterieentladung desto mehr gefährdet, je kürzer die ganze Leitung ist. Da bei Blitzableitern der grösste Theil des Widerstandes meist in die Erde fallen wird, wird es der Regel nach genügen, wenn man kürzere verticale Leitungen ebenso stark macht, als längere.

4) Über die Irrthümer, welche Hrn. Karsten's Berechnung des Erdwiderstandes zu Grunde liegen, haben wir uns schon in

Bulletin de la Société de Géographie. Avril 1880. Paris 1880. 8.

Bulletin de l'Académie de Médecine. Sér. II. T. IX. N. 30. 31. Paris 1880. 8.

Annales des Mines. Sér. VII. T. XVI. Livr. 6 de 1879. T. XVII. Livr. 1 de 1880. Paris 1879. 1880. 4.

Mémoires de la Société des Sciences, de l'Agriculture et des Arts de Lille. Série IV. T. VII. VIII. Lille 1880. 8.

Revue scientifique de la France et de l'étranger. Année X. Sér. 2. N. 5. 6. Paris 1880. 4.

Atti della R. Accademia dei Lincei. Anno CCLXXVII. 1879—80. Ser. III. Transunti Fasc. 7. Giugno 1880. Vol. IV. Roma 1880. 4.

L. Agrelli di Camillo, *Onoranza a Gaetano Filangieri.* Napoli 1880. 8.

P. Bortolotti, *Del primitivo cubito egizio e de' suoi geometrici rapporti colle altre unità di misura e di peso egiziane e straniere.* Fasc. II. Modena 1879. 4. Extr.

D. Tommasi, *Ossicloruri alluminici. — Osservazioni sull' attuale peso atomico dell' Alluminio.* Firenze 1880. 8. Extr.

A. Tolomei, *La Chiesa Giotto nell' Arena di Padova.* Padova 1880. 8.

Regenwaarnemingen in Nederlandsch-Indie. Jaargang 1. 1879 door Dr. P. A. Bergsma. Batavia 1880. 8.

Levé géologique des planchettes XVI/2,3,9,6 et XXIII/3,4 de la Carte topographique de la Belgique. Par M. le Baron O. van Ertborn, avec la collaboration de M. P. Cogels. Boom. Hoboken. Feuille XXIII. Planchette N. 3. 1 Bl. fol.

Texte explicatif du Levé géologique de la planchette de Boom, par le Baron O. van Ertborn. Bruxelles 1880. 8.

Exposition Nationale de 1880. — Description des produits exposés par M. Gérard à Liège. Liège 1880. 8. 2 Ex.

Beiträge zu einer geologischen Karte der Schweiz. Bl. IV. V. Bern 1880. 1 Bl. fol.

Revista Euskara. Año III. N. 28. Julio de 1880. Pamplona 1880. 8.

Memorias del General O'Leary publicadas por su hijo Simon B. O'Leary. T. III. Caracas 1880. 8.

// MONATSBERICHT

DER

KÖNIGLICH PREUSSISCHEN

AKADEMIE DER WISSENSCHAFTEN

ZU BERLIN.

September & October 1880.

Vorsitzender Secretar: Hr. du Bois-Reymond.

Sommerferien.

---

11. October. Sitzung der philosopisch-historischen Klasse.

Hr. Weber las über das Saptaçatakam des Hâla.

Hr. Conze legte den im Drucke erschienenen Bericht über die Ausgrabungen von Pergamon vor und machte Mittheilungen über die Fortsetzung derselben.

---

14. October. Gesammtsitzung der Akademie.

Hr. Weber las über iranische Sternbilder und Himmelstheilung.

Hr. Dillmann legte folgende Abhandlung des Hrn. Th. Nöldeke vor:

Über den Gottesnamen El (אֵל).

Die älteste Urkunde, welche uns die Aussprache des Gottesnamens אל ganz deutlich zu erkennen giebt, ist meines Wissens die von E. Miller in der Rev. arch. 1870 (S. 109 ff. 170 ff.) herausgegebene und erklärte griechisch-ägyptische Weihinschrift aus der zweiten Hälfte des zweiten Jahrhunderts v. Chr. Sie enthält neben einer überwiegenden Menge griechischer und einem römischen (Γάϊος) viele semitische Namen[1]). Dieselben sind sicher weder jüdisch noch phönicisch. Einige sehen ganz arabisch aus, z. B. Ασαδος[2]) = أَسْعَد. Im anderen zeigt sich aber eine Hinneigung zum Hebräischen. Namentlich ist hier zu beachten Κοσνατανος d.i. „Kos hat gegeben" mit dem unarabischen נתן. Die mehrfache An-

---

[1]) Miller hält einige Namen für griechisch, die mir semitisch zu sein scheinen, z. B. Αλιος = عَلِيّ. Er weist schon darauf hin, dass hier nie der Sohn eines Vaters mit griechischem Namen einen ungriechischen trägt, während das Umgekehrte oft stattfindet und sich einigemal noch Sohn und Vater ungriechisch benennen. Man sieht, war die Tradition der heimischen Namen einmal durchbrochen, so wurde sie nicht wieder aufgenommen. Die Muttersprache der Weihenden war gewiss schon griechisch, ganz wie die der ägyptischen Juden.

[2]) Ich lasse bei diesen Namen nicht bloss die Accente, sondern auch die Hauchzeichen weg, da es sehr fraglich ist, ob die übliche Weise, diese zu ergänzen, die wirkliche Aussprache der Zeitgenossen auch nur im Allgemeinen richtig wiedergiebt. Und wer will entscheiden, ob z. B. שעדו سَعْد durch Σάδος oder durch Σᾶδος genauer ausgedrückt wird?

wendung des als edomitisch bekannten Gottesnamens Κοσ[1]) weist uns vielleicht darauf hin, dass diese Leute ihrer Herkunft nach Edomiter waren, denen man eine solche sprachliche Mittelstellung zutrauen könnte. Doch mögen es immerhin Nabatäer oder andere arabische Nachbarn Ägyptens gewesen sein. Von den mit אל zusammengesetzten Namen tragen besonders Αυδηλος und Αυφηλος ein arabisches Gepräge. Jenes ist عَوْذ + אֵל „Zuflucht zu Êl" (vrgl. عَوْذ مَنَاة und das abgekürzte עודו [sinaitisch], عَوْذ, fem. Αυδη Waddington 2206). Αυφηλος ist عَوْف + אֵל „Augurium Êl's"; das gemeinsemitische *'auf* „Vogel" hat nur im Arabischen die Bedeutung „augurium" (vrgl. Namen wie سَعْد مَنَاة, سَعْد اللات „Glücksconstellation Manât's" u. s. w.; abgekürzt zu שעדו Σαδος سَعْد معـم [Assem. I, 394 ao 313], wie für die Zusammensetzungen mit عوف später das nackte عَوْف üblich ist). Αδδηλος wird man mit Αδδος Waddington 2244 und sonst, fem. Αδδη eb. 2226, zusammenstellen, worin Wetzstein (Ausgewählte griech. und lat. Inschriften, gesammelt ... in den Trachonen ...) S. 339 حَدّ erkennt; الحَدّ erscheint als Eigenname Ibn Doraid 322, 16, wie auch noch andre Ableitungen dieser Wurzel zur Namenbildung dienen. Was diese „Schärfe, Schneide" in Verbindung mit einem Gottesnamen bedeuten sollte, ist nicht klar. Bei der ganz kurzen Andeutung eines Gedankens, welche in den Eigennamen ursprünglich immer liegt, wird es uns ja überhaupt oft unmöglich, jenen Gedanken mit einiger Sicherheit zu fassen; dazu kommt die Vieldeutigkeit des Genitivverhältnisses und endlich, dass in diesen alten Namen

[1]) Ausser dem genannten haben wir hier noch mehrere Κοσμαλαχος (wie schon auf einer assyr. Inschrift ein *Kausmalaka* vorkommen soll, Schrader AT. und KSchr. 57), mehrere Κοσαδαρος, Κοσβανος, Κοσγηρος. Auch auf der Inschrift C. I. 4573c ist wohl Κοσβαραχος zu lesen, und Miller verweist auf Κοσβαρακος C. I. 5149 (Cyrene). — Dieser Gottesname *Κος*, den man weder mit قُزَح noch mit קציר gleichstellen kann, ist sehr dunkel. קוזבל auf dem palmyrenischen Täfelchen de Vogüé nr. 131 gehört kaum hierher; auch ist die Lesung nicht sicher genug.

der eine Theil oft verbal gewesen sein mag, eine den übrigen Semiten ganz geläufige Bildungsweise (יהויתן, נתניהו; ܐܒܕܐ u. s. w.), die aber bei den späteren Arabern nur noch in einzelnen Beinamen (تأبط شرا, برق نحره) vorkommt. Bei Ραββηλος läge es nahe, an רב בל zu denken; da aber Αδδηλος zeigt, dass das Taśdîd auch in der griechischen Umschrift wiedergegeben wird, und da wir bei den Arabern nicht בל, sondern בעל erwarten müssen, das denn auch wirklich in dieser Inschrift in Φασαβαλος erscheint (فصى بعل, wie der Edomiter Φασάηλος פצי אל „Baal erlöst"; فصى hier wie hebr. פצה), so ist der Name רַבְאֵל zu erklären, d. h. „Herr ist Êl" (رَبّ ist „Herr", nicht „gross"). Diese Deutung wird dadurch zur Gewissheit, dass רבאל als Königsname auf nabatäischen Münzen (ZDMG. XIV, tab. I)[1] und sonst noch auf Inschriften von Arabern vorkommt (s. unten S. 763).

Wir haben hier also bei ganzen oder halben Arabern den Gottesnamen אֵל in der Aussprache *êl*. Denn dass η damals nur *ê* war, bezweifelt wohl kein Sachverständiger. Ελ erscheint dagegen in Ελμαλαχος „Êl (ist) König", oder „Êl herrscht"; مَلَكَ (wie oben in Κοσμαλαχος) mag eine Nebenform zu مَلِك, مَلْك oder aber Verbalform مَلَكَ sein. Die Verkürzung ist ganz wie im hebr. אֶלְקָנָה, אֶלְצָפָן. Dass in Eigennamen ganz ungewöhnliche Verkürzungen und Verstümmlungen vorkommen, wird auch der stärkste Anhänger des Dogma's von der „Unverletzbarkeit der Lautgesetze" zugeben. Ob Κωσανελος auf einer ägyptischen Inschrift (Miller, Rev. arch. 1870, S. 181) hierher gehört, steht dahin.

Ferner haben wir eine lange Reihe von Namen mit ηλ auf den griech. Inschriften des Ḥaurân's und der Nachbargebiete aus den ersten christlichen Jahrhunderten. Auch diese Inschriften unterscheiden durchgängig noch streng η = *ê* von ι, ει = *î* und las-

---

[1]) Diese Lesung hat zuerst Blau ZDMG. XVI, 366 gefunden, der auch die Identität des Mannes mit dem Ῥάβιλος des Uranius (bei Steph. Byz. s. v. Μωθώ) erkannte. Vorher las man זבאל, das man mit Ζάβηλος des Joseph. (Antiq. 13, 4, 8) identificirte; dies war um so weniger erlaubt, als die richtige Form dieses Namens Ζαβδιήλ ist 1. Macc. 11, 17, welches nur זבדאל oder זבדיאל geschrieben werden konnte.

sen es nur selten mit *αι*, *ε* = *ä*[1]) wechseln, während *ι* und *ει*, *αι* und *ε* in griech. wie in fremden Wörtern unzähligemal vertauscht werden. Bei Weitem die meisten der Namen auf diesen Inschriften sind deutlich arabisch; doch finden sich neben einigen griechischen und römischen auch aramäische darunter. Von den mit אל gebildeten sind am zweifellosesten arabisch die mit *w* anlautenden, da ja das Hebräische und Aramäische diesen Anlaut meidet. So Ουαβηλος Waddington 2452 (und vielleicht Wtz. 112, wo Waddington 2463[2]) Οὐλπιανός liest), in semitischer Schrift aus derselben Gegend והבאל de Vogüé Syrie centrale, Inscr. sém. tab. XIV, 3. 13 = وَهْبِيل (s. u. S. 768) „Gabe Êl's", und Ουαδδηλος, Ουαδηλος 2372 (vom Jahre 151 n. Chr.) „Liebe Êl's" (vrgl. arab. وُدّ, ידידיה, אֶלְדָּד). Dazu noch folgende Namen:

Ραββηλος 2152 (= Wtz. 135). 2298. Wtz. 157, wofür Ραβηλος 2189 (= Wtz. 150); semitisch geschrieben רבאל de Vogüé XIV, 7 und auf einer neuentdeckten palmyren. Inschrift (Wright im Transactions of the Soc. of Bibl. Arch. VII, 1 [1880]. Siehe oben S. 762 und unten S. 769. — Davon ist zu trennen Ραβιβηλος 2210 = رَبِيبُ אל „von Êl auferzogen"; denn da Waddington ausdrücklich bezeugt, dass die Inschrift wohl erhalten sei, ist die Richtigkeit des *ι* darin nicht wohl anzuzweifeln.

Αζαρηλος 2102 würde man für hebräisch oder phönicisch halten, wenn Namen aus dieser Sprache hier überhaupt anzunehmen wären. Nun ist ja aber عزر = עזר (nicht عذر, wie man nach حمر erwarten sollte) auch arabisch; also „Hülfe Êl's" oder „Êl hilft"; vrgl. عَزْرَة Ibn Dor. 193, 1.

Αιερηλος möchte man zunächst mit Blau אל خَيْر deuten, vrgl.

---

[1]) Der spätere Übergang von *η* in *ί* erklärt sich am leichtesten, wenn es damals ein reines *é* war. Da die Quantität der Vocale in der lebenden Sprache vielfach gewechselt hatte, so steht *αι* auch wohl für kurzes, *ε* für langes *ä*.

[2]) Bei Citaten aus Waddington's Inschriftenwerken gebe ich fortan nur die Nummer. *Wtz* = Wetzstein, Ausgew. Inschriften u. s. w. — Ich verwandle die Genetivform auf *ου* durchweg in die Nominativform auf *ος*, das hier allein in Frage kommt.

das moderne خَيّر. Doch ist hier das grosse Bedenken. خَيْر sonst durch Χαιρος, Χαιρος wiedergegeben wird 2023. 2374, wie denn خ schon auf jener ägyptisch-griech. Inschr Χαύαφαῦτος, Χαλαφᾶτος (zu خلف, als χ erscheint. Hiess b... sen Arabern ‎√ حبر vielleicht wie im Aram. ... noch „bli... schlechtweg, wie es im class. Arabisch „ängstlich blicken, ve... sein" (نظر الى الشيء نغشى وهو يتند نسبيله) heisst? Da... myrenische vornehme ... Αιρα ν. wird doch auch nicht wie „verwirrt" bedeuten sollen! In Palmyra haben wir noch ... 24, vrgl. das hebr.-phönic. ..., ...

Θαιμηλος 2054 (a/o 364) = תימאל تَيْم „Knecht Êl's", wie لات u. a. m. ... تيم Θαιμος, Θεμος ist bei älteren wie neueren ...bern in der Namenbildung sehr beliebt. Es ist specifisch ...bisch.

Ναμηλος aus Petra 2143 (heidnisch) ist sicher נעמאל, w... „Güte, Gnade Êl's", aber auch anders aufgefasst werden Die √נעם wird von verschiedenen Semiten, so auch von den ...ren Arabern in Namen viel verwandt.[1])

Αννηλος 2320 auf der Inschrift, welche der beste Kenner, ...dington, für eine der ältesten oder gar die älteste aller griechischen hält und in's 1. vor- oder nachchristliche Jahrh... setzt, hat in dem begleitenden aramäischen Text חנאל neben Die im Hebr. und Phön. in der Namenbildung viel verwandt... ist auch von den spätern Arabern so gebraucht; wir haben حَنَّة, حُنَيْن, حَنَانة. Die Bedeutung ist im classischen Ar... übrigens mehr „sich sehnen", seltener „sich erbarmen"[2]), w...

[1]) نُعَيْم kann übrigens nicht etwa als Dim. von نُعْم, etwaigen Verkürzung von נעמאל, angesehen werden, denn es kurze Dim. von النُّعْمان (s. meine Tabarî-Übersetzung S. 33 im Original نُعَيْم).

[2]) حَنَان „Erbarmen, Gnadenerweis" ist wohl aram. Le...

doch חנּאל heissen wird „Êl erbarmt sich". Αννηλος ausserdem noch Wtz. 183 (heidnisch). 2437 (3. Jahr des Kaisers Antoninus, wahrscheinlich Pius = 14♀). Dafür 'Ανηλος 2101 (alt).

Αραμηλος 2246 (jedenfalls 2. Jahrh. n. Chr.) ist حَرْمُ אל oder حَرَامُ אל „Heiligthum Êl's", oder dgl. Vergl. den Namen حِرَامٌ, sowie حَرِيمٌ, أَحْرَمُ, حُرَيْمٌ, حَرَمِيّ (Qam.). بنو حَرَامٍ hiess u. A. ein Zweig der ganz nahe bei unserm Gebiete wohnenden Ğudhâm[1]) Ibn. Dor. 154. 187. 224. Unter den Balî (in der Gegend von Medîna) gab es einen حَرَامُ بَرَّاءٍ Muhammed Ben Habîb S. 12.

Γερηλος, Γαιρηλος 2105. 2344; Burton and Drake, Unexplored Syria II, nr. 84 (wo die Vergleichung mit Waddington 2344 die Verbesserung ΓΕΡΗΛΟΥ sichert) = גֵּר־אֵל „Client Êl's". Das classische Arabisch hat جَارٌ, doch brauchen wir vor der Annahme nicht zurückzuschrecken, dass diese Araber eine dem hebr. גֵּר־ näher stehende Aussprache hatten. Das uns bekannte Aramäische hat grade diese Form nicht, sondern sagt גִּיּוֹרָא „Proselyt"[2]).

Νατταρηλος 2351 wird durch נטראל auf zwei nabatäischen Inschriften (de Vogüé Tab. 14, 4; 2mal, um's Jahr 50 v. Chr.) und ZDMG. XIV tab. 1 gesichert. Es läge nahe, den Namen für aramäisch zu halten, da die Bedeutung doch wohl sein muss „Êl bewahrt" (= שמריהו) und zwar نطر „bewahren", نظر aber mehr „beobachten, ansehn" ist. Doch mögen diese Araber immerhin نظر auch in der ersteren Bedeutung gehabt haben, zumal der Name

---

حننا. Aber تَحَنَّنَ „sich gnädig erweisen" scheint ächt arabisch zu sein.

[1]) Der Gedanke, dass dies ein Schimpfname sei, der an ihnen haften geblieben, ist wohl nicht statthaft, wenn anders ابن حرام = حرامزاده überhaupt altarabisch ist.

[2]) In's Syrische (Edessenische) aus dem jüdischen Sprachgebrauch aufgenommen.

مَنْظُور (Qam.; Wüstenfeld Stammt. 13, 32. H 21) doch auch wohl „(von dem Gotte NN) Bewahrt" bedeuten soll[1]).

Σαχρηλος 233 wird sein שُكْر אֵל. شُكْر kommt als Name vor Ibn Dor. 105. Die Bedeutung ist wohl nicht „Dank gegen Êl" (شُكْر الله ist islâmisch gedacht), sondern „Lohn (שכר) von Seiten Êl's". شَكَرَ bedeutet a. O. „die (gute oder schlechte) Pflege lohnen, gedeihen"; es steht von den strotzenden Eutern des Kameels u. s. w. (die Namen شاكر, يَشْكُر heissen also wohl bloss „gedeihend").

Nichts zu machen wage ich mit Ταννηλος 2169, wofür 2213 (so 189) durch Versehen des Steinmetzes TNNHΛOY steht, welches Waddington ausdrücklich constatirt. Dafür steht 2240 TAHNAHΛOY. Ist diese Lesart richtig, so ist wohl auch Wtz. 35 so herzustellen, wo sonst TANAHΛOY näher läge; ist aber dieses correct, so hat man dort TANNAHΛOY zu verbessern. Nichts entscheidet TA... HΛOY 2219. An אֵל + يقنا „Êl eifert" zu denken, ist schon deshalb misslich, weil dieser Gedanke specifisch israelitisch aussähe.[2])

Bedenklich erscheint es, Ιαβνηλος, wie mit Blau ziemlich sicher C. I. 4573c (nach Buckingham) für IABNHAOΣ zu lesen ist, = יבנאל „Êl baut" als arabisch anzusprechen; sicher arabische Eigennamen, in denen das Impf. mit einem Nomen zusammengesetzt ist, sind sonst nicht bekannt; auch erwartete man arabisch eher *Jabnî êl*. Also wohl aramäisch.

Über Ασαρανλος s. unten S. 769 f.

Unsicher ist NΔEΛHΛOY Wtz. 91, was Waddington Νασαηλου lesen möchte. Vielleicht Νασληλου?[3]) Νασλος kommt vor 2062

---

[1]) نَطَرَ „bewachen" ist aram. Lehnwort, wie das schon sehr früh in's Hebr. eingedrungene נטר (echthebräisch נצר).

[2]) Dieser Einwand fiele weg, wenn das palm. ינונאל Mordtmann nr. 16 sicher stände. Τιννος allein 2494.

[3]) E und Σ sind einander auf diesen Inschriften so ähnlich wie Δ und A.

(Wetzstein denkt an نَصْل „Spitze", im Ḥaurân jetzt „Pflugschaar").[1])

Ελ steht für אל wahrscheinlich in dem seltsamen, aber seiner Lesung nach sicheren Νατωμηλος 2127 = Wtz. 152, welches Blau (ZDMG. XV, 448) نظم אל „Ordnung Gottes" erklärt; einstweilen muss man sich wohl damit begnügen. Ferner in Φαδαιηλος 2233 (neben Σαχρηλος) = فدى אל (= פְּדַהְאֵל des A. T., vergl. פדהצור, פדיה) und Φατταιελη 2445 (um 220) = Φαττηελη 1928 (heidnisch), dem Fem. zu dem aus Josephus bekannten Φασάηλος, das ist فصى אל (s. o.). Das αι, ε in diesen Namen entspricht wohl der Imâla, welche auch die Schreibweise فصى, فدى ausdrückt.

Ob das palmyr. Ρεφελου Wood nr. 5 (ad 142) hieher gehört, ist zweifelhaft. Es wird in dem Falle eher رفع אל „Erhebung Êl's", als רְפָאֵל sein; doch kann man auch an رفل „lang sein" denken.[2])

Ganz unsicher ist Lesung und Deutung von ΝΟΝΗΡΟΕΛ 2047.

Οσαιελος 2330 ist wohl ein Diminutiv; man kann mit Wetzstein an أُصَيْل denken; αι = ـَيْـ so auch in Μοαιερος 1980 und öfter = מעירו de Vogüé XIII, 3 = مُعَيْر. So Οαιθελος 2282, das Blau ZDMG. XV, 446 gut als أُوَيْثِل deutet und zu وائلة zieht. Diminutiva sind auch ΣΟΡΑΙΛΟΥ 2182, wofür ich ΣΟΡΑΙΧΟΥ = شُرَيْك lesen möchte (Σοραιχος, Σωραιχος öfter; palmyrenisch שריכו; lateinisch einmal *Suricus* wiedergegeben ZDMG. XII zu S. 212) und ΟΡΑΙΛΟΥ Wtz. 15, was Wetzstein in ΟΡΑΙΔΟΥ zu verbessern vorschlägt, als Dim. zu Αρδος 2457 = حَرْد oder عَرْد. Es könnte auch أُرَيْل, Dim. von وَرَل sein (dessen Plural أَوْرَال als Ortsname in Arabien vorkommt). So gut wie ضَبّة war ja auch wohl die grosse Eidechse *waral* zur Namengebung verwendbar.

---

[1]) Wir übergehen das christliche Εσμαηλος 2247 = ישמעאל. Das palmyr. Ογηλος עגילו ist natürlich Dim. = عُجَيْل.

[2]) Bei dem Namen رُفَيْل kommt man allerdings auf den Gedanken, dass es ein Diminitiv zu einer arabisirten Form des christlichen רפאל sei.

Ein *il* für אל[1]) haben wir wahrscheinlich nur in Αμρειλιος 1907 = Wtz. 80 (2. Jahrh.); Αυβριλιος 1999 (ao 345). 2485 (spät). Da auch א[מיש]אמרש Palm. 2. durch Αμρισαμσου wiedergegeben wird 2587, vgl. das undeutliche אמריש־ Mordtmann [Münchner Sitzungsberichte 1875] nr. 27, so müssen wir annehmen, dass jene Araber امرى *Amri* gesprochen haben; ein solches *amriêl* konnte leicht in *amril* zusammengezogen werden. Immerhin macht aber die Endung ιος die Zusammensetzung mit אל noch etwas fraglich; denn die Graecisirung erfolgt hier sonst immer durch einfaches ος.

Schliesslich erwähnen wir noch טועאל de Vogüé XIII, 6 = طَوْعُ אל „Gehorsam gegen Êl".

Auf alle Fälle steht fest, dass die Araber, welche am westlichen Rand der syrischen Wüste angesiedelt waren, den Gottesnamen אל ziemlich viel gebrauchten und *êl* sprachen.

Aber auch den Bewohnern des eigentlichen Arabiens war dieser Name nicht ganz fremd, wie schon vor 20 Jahren Blau nachgewiesen hat.[2])

Der Name והבאל Ουαβηλος, den wir oben S. 763 hatten, findet sich als وَهْبِيل (Jâqût I, 526) bei den Nacha' (Qam.; Wüstenfeld 8, 18), welche südlich von Mekka wohnten, und damit müssen wir doch wohl den Ortsnamen وَهْبِين identificiren, welcher im Gebiete der Tamîm in der Dahnâ[3]) (auf dem ersten Theil des Weges von Basra nach Mekka) lag, Jaq. II, 451; Bekrî 848 und öfter. Die Endung *în* ist wohl eine Umbildung von *îl*, das den Späteren fremdartig klang.

---

[1]) Der Name Αυσιλ = اوس+אל, den Blau auf einer von Porter copirten Inschrift zu erkennen glaubte, fällt nach der genauen Abzeichnung Waddington's 2130 weg.

[2]) Der Name *Bahrâwîl*, den Blau aus Reiske, Primae lineae 53 genommen hat, ist zu streichen; er beruht nur auf falscher Lesung dessen, was Ibn Qot. 51, 14 steht.

[3]) Die Lage dieses Gebiets sieht man am besten aus Kiepert's Karte zu Wüstenfeld's Abhandlung: Die Strassen von Baçra nach Mekka (Abhh. der Gött. Ges. der Wiss.) 1871. — Die Be-

Der Name رَبِّيل = רבאל Ραββηλος (S. 762 f.) findet sich unter den Ijâd, welche aus der Gegend von Ṭâif nach der Nähe des ʿIrâq gewandert waren, und unter den Ǧudhâm im alten Nabatäerlande Muh. Ben Habib 30, und so heisst noch ein Mann von den Asad (also aus dem Herzen Arabiens), welcher sich bei Qâdisîja auszeichnete, Ṭabarî ed. Kosegarten III, 36, 1. Die Aussprache رِبِّيل (Qam.) beruht auf der Vorschrift der Grammatiker, فِعِّيل, فِعْلِيل statt فَعِّيل, فَعْلِيل zu sprechen, einer Vorschrift, welche in Wirklichkeit immer nur partiell gehalten ist. Dies hat man auch bei den folgenden Namen zu beachten.

قَسْمِيل findet sich bei den Balî, von denen noch heute Einige nicht weit von Medîna wohnen, Wüstenfeld 1, 16. Der Name mag „Antheil Êl's" bedeuten, oder auch „Orakel, Zauberspruch Êl's" (קֶסֶם, ܩܶܣܡܳܐ; vrgl. قَسَمٌ „Eid").

شَهْمِيل bei den über das ganze Arabergebiet zerstreuten Azd (Ghassân) Ibn Dor. 283; Wüstenfeld 11, 20. Das einfache شَهْمٌ kommt auch als Eigenname vor (Qam.); die Bedeutung ist nicht sicher (vrgl. u. A. Hamâsa 383. 699. 781).

In عَبْدِيل „Knecht Êl's" hat schon Ibn Doraid 283 wie in شهميل אל erkannt. Wo dieser Name heimisch ist, kann ich nicht finden.

Der Name عَيْنِيل „Auge Êl's" kommt vor beim Stamme Ašʿar Qam.; Wüstenfeld 8, 14.

شَرَاحِيل ist als himjarischer Name שרחאל schon erwiesen von Osiander, ZDMG X, 54. Derselbe Name findet sich auf der ältesten arabischen Inschrift vom Jahre 568, wo er (mit Auslassung des ا für *â*, wie noch in den ältesten arab. Handschriften)

---

legstelle aus Dhûruinma darf nicht verleiten, den Ort bei Hatra zu suchen, selbst wenn فالحَضْر die richtige Lesart wäre.

سرحيل geschrieben wird. Der griech. Text hat dafür bei Waddington 2464 Αταραηλος; bei Wtz. 110 stehen für den ersten Buchstaben nur ein paar Striche; vielleicht ist also doch bloss Σαραηλος zu lesen. Dieser Name kommt noch mehrfach sonst bei den Arabern vor; so heisst u. A. ein Kelbit (syr. Wüste), s. meine Tabarî-Übersetzung S. 81, und ein Mann von den Dhuhl b. Šaibân (nahe am ʿIrâq), ein Ahn des berühmten Maʿn bei Zâida, welcher so wieder einen seiner Söhne Šarâḥîl nannte, Wüstenfeld B. 21· 30; ferner eine Abtheilung der Madhhiǧ südlich von Mekka Ibn Dor. 243, 3, und ein ذو حُدّان بن شراحيل Qam. s. r. حدّ führt uns wieder in's eigentliche Himjaritengebiet. Die Bedeutung mag etwa sein „Eröffnung, Erleuchtung durch Êl“, vrgl. שרחיחב.

Himjarisch ist auch schon שרחבאל Osiander a. a. O. X, 51, welches als شُرَحْبِيل bei den Arabern nicht selten ist; die Bedeutung von شرحب ist nicht gewiss. Nach Qam. kommt auch das einfache شَرْحَب als Eigenname vor.

Mehrere dieser Namen scheinen also bei den Himjariten heimisch zu sein. Die Verbreitung von شرحبيل auch bei andern Arabern erklärt sich vielleicht daraus, dass so verschiedene Glieder der aus dem Süden stammenden, aber allmählich weit nach Norden ausgebreiteten Phylarchenfamilie der Kinda heissen, Wüstenfeld 4. Fürstliche Namen kommen ja überall leicht in Aufnahme. Ähnlich mag der Name شراحيل verbreitet worden sein. Aber es ist doch immerhin bedenklich, alle diese Namen auf solche Weise vom Himjaritengebiet ausgehen zu lassen. Darauf, dass die Mehrzahl der Geschlechter und Stämme, welche Namen auf ـيل tragen, zu den s. g. jemenischen Stämmen gehört, möchte ich kein grosses Gewicht legen; denn so sicher die Bewohner des tiefen Südens von den andern Arabern sprachlich scharf geschieden waren, so wenig kann man die Beduinenstämme, welche in historischer Zeit vom Süden her nach Norden gewandert waren und daher als Jemenier bezeichnet werden, schon deshalb als eine von den übrigen Arabern ethnologisch und sprachlich getrennte einheitliche Gruppe ansehen. Viel eher darf man das thun bei den von Alters her in der Nachbarschaft Palästina's angesiedelten Arabern wie den Nabatäern u. s. w., also den Völkern, deren wichtigste wenigstens das

A. T. unter dem Namen *Ismael* zusammenfasst; das sind aber grade die Araber, welche uns oben besonders beschäftigt haben.

Dass uns nun der Gottesname אל bei den sonstigen Arabern nur ziemlich selten begegnet, mag daher rühren, dass sie ihn schon seit uralter Zeit vergessen hatten, in welchem Falle die damit zusammengesetzten Personennamen entlehnt sein müssten. Vielleicht hat es aber auch bei ihnen früher und wohl noch zu der Zeit, aus welcher die Masse der ḥaurânischen griech. Inschriften stammt, viel mehr solche Namen gegeben, und ist die Seltenheit solcher wesentlich mit dadurch bedingt, dass zusammengesetzte Namen im Arabischen überhaupt immer mehr den einfachen wichen. Zur Zeit Muḥammed's war allerdings إيل nicht mehr bekannt; schon einer der Väter der Korân-Exegese, ʿIkrima erklärt es für einen syrischen Gottesnamen (Baghawî zu Sura 2, 91 [Ed. Bombay von 1276 S. 40]). Auf alle Fälle ist aber zu beachten, dass Namen wie وهبيل, عبنيل u. s. w. ausnahmelos vor *l* einen *langen Vocal* zeigen. Den Vocal *ê* kann die arabische Schrift natürlich nicht ausdrücken; auch wird die gewöhnliche Aussprache *îl* gehabt haben.

Das die *Himjariten* diesen Gottesnamen kannten, steht seit Osiander fest. Die Aussprache kennen wir nicht. Aus Ἰλάσαρος Strabo 782 = אלשרח[1]), arabisch يلشرح Ibn Doraid 308, 6 (bei Qazwînî II, 33 ليشرح) geschrieben, d. i. das umgekehrte שרחאל شراحيل, auf die Aussprache *il* zu schliessen, ist schon wegen der Unsicherheit der handschriftlichen Überlieferung bedenklich, abgesehen davon, dass Strabo oder seine Gewährsmänner die Laute ungenau könnten aufgefasst haben. Steht dieser Schreibung doch Ἐλησάρων (Var. Ἀλισάρων) Ptol. 6, 7 gegenüber; ferner Ἐλεάζου Periplus (Müller I, 277) und Χαριβαήλ eb. 274.276 = himjar. כרבאל, worin wir doch bei einer Schrift aus dem 1. Jahrh. n. Chr. das η zunächst wenigstens als *ê* in Anspruch nehmen dürfen. Und wenn selbst אל bei den Himjariten *îl* oder gar *il* gesprochen ward, so folgt daraus noch nichts für die ursprüngliche Form des Wortes: was können wir denn von den Vocalveränderungen im Himjaritischen wissen?

Ähnlich steht es auch wohl wenigstens einstweilen mit dem

[1]) Alle diese Identificirungen rühren schon von Osiander ZDMG. X, 54 f. und XX, 237 her. Weitere Untersuchungen habe ich auf diesem Gebiete nicht gemacht.

Assyrischen. Wenn man da den Gottesnamen jetzt *ilu*, *il* liest, so ist erstlich die Frage, ob die Assyrer, deren Schrift die Laute so vielfach unvollkommen unterschied, hier nothwendig ein reines *i* ausdrücken wollten, und zweitens, ob, wenn wirklich *il* oder *îl* zu lesen, dies auch die Urform ist.

Unter den oben behandelten Namen waren nur einer oder zwei, die mit Wahrscheinlichkeit als *aramäisch* angesehen werden durften. Dazu kommt יחיאל „Êl lebt“ auf zwei palmyrenischen Inschriften, nr. 99 (wo Mordtmann das מחיאל de Vogüé's berichtigt) und Wright's neue (s. o. S. 763). Auf uralte Namen wie בתואל und קמואל „den Vater Aram's“ wollen wir keine Rücksicht nehmen. Der Damascener חֲזָאֵל könnte allenfalls kanaanitischer Herkunft gewesen oder nach einem fremden Gott benannt sein. Dagegen wird sich dem ירפאל auf der aramäischen Gemmeninschrift Levy, Siegel und Gemmen I, 2 = de Vogüé, Mél. arch. VI, 25 wohl kaum die aramäische Nationalität abstreiten lassen. Dazu kommt, dass auf solchen Gemmen Namen mit אל, welche entweder Phöniciern oder Aramäern angehören müssen, verhältnissmässig oft vorkommen, während auf sicher phönicischen Denkmälern אל nicht all zu häufig ist; also dürften davon einige Aramäer bezeichnen. Endlich erfahren wir, dass ein Götze in Nisibis im 4. Jahrhundert n. Chr. ܐܒܢܐܝܠ hiess (Efr. III, xxiii sq. = Assem. I, 27), worin jeder sofort אבן אל „Stein Êl's“ erkennt. So fabelhaft die Vita Ephraïm's, worin dies berichtet wird, auch ist, so dürfen wir die Echtheit dieses Götzen doch um so weniger bestreiten, als ܐܒܢܐ „Stein“ im Syrischen sonst obsolet geworden und durch ܟܐܦܐ verdrängt ist. Viel weniger gebe ich auf die unter dem Namen der babylonischen Märtyrer vom Jahre 375 erscheinenden ܐܝܠܝܗܒ und ܝܗܒܐܝܠ (Martyr. I, 144 = Assem. I, 192); hier könnte *él* erst eine neue christliche Zusammensetzung mit dem aus der Bibel wieder bekannt gewordenen אֵל sein, wie ja die Pesh. Ex. 31, 6 ܐܝܠܝܗܒ für אהליאב setzt. Die alte Aussprache dieser Namen wird *Êlîhabh* und *Îhabhêl* sein; die Defectivschreibung in offener, Plenarschreibung in geschlossener Silbe, spricht für den Vocal *é*. Ganz sichere Belege für diese Aussprache von אל im Aramäischen haben wir allerdings nicht, aber es spricht auch nichts dagegen, dass er im Aram. wie im Hebr. *él* lautete, was dann in der späteren westsyrischen Aussprache allerdings *îl* hätte werden müssen. Im eigentlich Syrischen (Edessenischen) wie im Mandäischen war freilich ܐܝܠ ein Fremdwort, wie schon Gesenius sah, aber dass es in anderen Zeiten und Gegenden auch Aramäern nicht unbekannt war, zeigen die obigen Belege.

Das Vorhandensein von אֵל im *Phönicischen* und *Hebräischen* bedarf keines Erweises. Sehr häufig ist es aber, wie schon angedeutet, in phön. Eigennamen nicht. Die Aussprache von אֵל bei den Phöniciern steht nicht fest, da die handschriftliche Überlieferung der griech. Schriftsteller bei den betreffenden Namen, wenigstens nach unsern Ausgaben, zu unsicher und schwankend ist. Aus Ἶλος Euseb. Praep. 1,10 (Philon von Byblos) = אֵל; Ἔνυλος Arrian 2, 20, 1 für den Mann, der sich auf seinen Münzen עינאֵל schreibt (s. Six im Numism. Chronicle XVII, 181 sq.); Βαιτύλια und Βέτυλος Euseb. l. c. = בית אֵל und Ἀβδήλεμος Joseph. c. Ap. 1, 21 (Menander von Ephesus) = עבדאִלִם (Umm el ʿawâmid 1, 1. 2) lässt sich keine Gewissheit für die Vocalaussprache gewinnen!

Für's Hebräische steht אֵל als überlieferte Aussprache fest. Dazu stimmt die griechische und lateinische Tradition, worin ηλ, *el* für das hebräische אֵל so vorherrscht, dass man es als althergebracht ansehen kann. Die Punctation scheint das *ê* des Wortes als ursprüngliche Länge zu behandeln. Hierfür spricht vielleicht אֵלִי־הֶם Ez. 31, 14 im tiber. wie im babylon. Text, das sie, wie u. A. Stade Hebräische Grammatik S. 223 annimmt, wohl von אֵל ableitete, obgleich freilich LXX, Targ, Pesh., Hieron. das Wort als אֱלִיהֶם nehmen. Dass אֵל auch vor Makkef אֵל־ bleibt Ps. 86, 15, ist kein sicheres Zeichen dafür, dass der Vocal als ursprünglich lang aufgefasst wurde, da sich auch שֵׁם־ und בֵּן־ findet. In Wirklichkeit ist die Ursprünglichkeit der Länge durch die arabischen Formen auf ηλ ـيل, sowie durch ܐܝܠ gesichert, denn hier kann nicht von einer Tondehnung die Rede sein, wie im Hebräischen. Die Verkürzung אֶלְקָנָה u. s. w. erklärt sich, wie gesagt, aus der auch sonst bemerkbaren Behandlung längerer Eigennamen; dahin gehören auch Namen wie אֱלִיהוּא, אֱלִימֶלֶךְ u. s. w., welchel zu deuten sind „mein Gott ist Er“, „mein Gott ist König“ u. s. w.

Ist nun אֵל die letzterreichbare Form, so müssen wir es zu den Mand. Gramm. S. 108 f. behandelten, wie דַּן (gerecht) ܕܐܢܐ; בַּת ܒܐܬܐ; שֵׁד ܫܐܕܐ u. s. w. stellen.[1]) Diese Wörter gehören zum

[1]) Das ܐ ist in diesen syr. Wörtern Vocalbuchstab, und sie

grössten Theil zu Wurzeln 'עו oder 'עע; grade bei ihnen haben wir einigemal ein Schwanken zwischen diesen beiden Gestaltungen zweiradicaliger Urwurzeln. Es steht מֵת (syr. ܡܝܬ) neben מית, עֵר (syr. ܥܝܪ) neben עור, לִין neben לוץ, נֵר neben נור, גֵּר neben גיר, זֵר neben זיר u. s. w. — חֵן ܚܢ oder ܚܐܒ (ܚܐܢܐ) neben כון und כֵּן, ܚܡܣܐ[1]) neben חָצָה und חוה, כֵּה ܟܐܡܐ neben כָּצָה und כּוה — ܟܐܡܦ „stammelnd" neben ܦܩܦܩ فق „schwatzen" („lallen")[2]), שֵׁד ܫܐܕܐ neben שדד (שׁוד nicht sicher)[3]). Nur ein aramäisches Wort dieser Art steht neben einer √'פי (oder eigentlich √'פו), nämlich ܙܐܦܐ „falsch" neben יזף „leihen" (wie auch ܝܙܝܦܐ „geborgt" oft „falsch" ist), und eins neben einer √'לי, nämlich ܦܐܪܐ neben פְּרִי[4]). Man sieht, zunächst sind, namentlich bei den hebräischen Wörtern, die 'עו in Anspruch zu nehmen. Nun hat es freilich — das ist auch meine Ansicht — seine grosse und gar oft unüberwindliche Schwierigkeit, der Grundbedeutung einer semitischen Wurzel nahe zu kommen. Aber in unserm Falle liegt doch kaum eine genügende Ursache vor, von der Meinung abzugehen, dass אול, soweit אֵל damit zusammenhängt, zunächst „vorne sein", dann „Herr sein" heisse (s. Gesenius s. v.). So erklärt sich das targûmische אוּלָא (Vocalisation unsicher) etwa „Voransein", أَوَّلُ für أَأْوَلُ (أَفْعَلُ, also in der Bildung von jenem אוּלָא verschieden), אֵלָם „Vorhof", אַיִל „der Führer der Heerde" (Od. IX, 449), آلَ „regiren" (wovon إِيَالَةٌ).[5]) So wird אֵל — man beachte, dass es eine

---

sind natürlich durchaus zu scheiden von den ebenso lautenden mit radicalem ܐ wie ܦܐܪܐ, ܫܐܠ oder ܫܐܠ u. s. w.

[1]) „Gewaltsamkeit", eigentlich „Schneide, Schärfe" (حِدَّة) vom „Reiben".

[2]) So schon J. D. Michaelis.

[3]) Dies Verzeichniss ist durchaus nicht vollständig.

[4]) כֵּלִים gehört nicht hieher; sein St. cstr. כְּלֵי erweist es als regelrechte Bildung von כְּלִי für כְּלְי. Formen wie גְּדָיִים nach Analogie der starken Wurzeln sind weniger ursprünglich.

[5]) Natürlich will ich es aber nicht unternehmen, alle in semitischen Lexiken unter אול aufgeführten Wörter aus dieser Wurzel zu erklären. אַיִל mag ursprünglich den männlichen „Führer"

Bildung wie שַׂר ist — auch den „Führer, Herrn" bedeuten, also ungefähr gleich andern, von den Semiten auf Götternamen angewandten Wörtern wie אדון, בעל, מלך sein. Es ist eigentlich ein Appellativ, wie schon sein Gebrauch im A. T. ergiebt, vrgl. אֵלִי „mein Gott" wie אדני, בעלתי, Μαρνᾶς (מרנא)[1]; dazu kommt der im Phönicischen übliche Plural אֵלִים „Götter", auf den schon Gesenius hinwies, der doch nur erst den Eigennamen Ἀβδήλιμος kannte und noch nicht die Namen כלבאלם, מתנאלם und das Appellativ אלם (in den beiden Opfertafeln). Die Fixirung als Eigenname eines bestimmten Gottes, die wir natürlich auch in עינאל, וחבאל u. s. w. anzunehmen haben, ist also später.

Auch die Redensart „es ist לְאֵל ידי" lässt sich wohl von אול „voransein" herleiten. Der Zusammenhang mit אֱלֹהַּ ist dagegen nicht sicher, aber bei der Gleichheit der Bedeutung und bei der proteusartigen Natur der schwachen Wurzeln ist er doch recht wahrscheinlich. Auch وأل (הואיל) scheint nur eine andre Form der Wurzel zu sein.

Durch diese Darlegungen, welche wenig Anspruch auf Originalität machen, scheint mir Allerlei in der kürzlich erschienenen Behandlung des Wortes אֵל von de Lagarde (Orientalia II, 3 ff.) theils bestätigt, theils widerlegt zu sein. Jedenfalls können sie

---

des Rudels (schwerlich „der Hirsche" s. Hommel, Säugethiere S. 279 f.) bedeuten. آل ist „hingerathen" (die Erklärung durch رجع darf nicht misverstanden werden), was auch vom „vorwärtsgehen" herkommen wird. Aber bei andern Wörtern ist wenigstens kein deutlicher Zusammenhang. Für die Bedeutung „Stärke", welche man der Wurzel wohl beigelegt hat, kann wenigstens آلاتْ „Zeltpfähle" nicht direct herangezogen werden, denn so heisst das Wort nur in einem speciellen Zusammenhange, da es „Geräthe" schlechtweg bezeichnet.

[1]) Auch wohl שדי, dessen Aussprache שַׁדַּי = ἱκανός, als wäre es שֶׁ+דַּי, gewiss erkünstelt ist. Vermuthlich שֵׁדַי oder שָׁדַי (pl.), woran man später Anstoss nahm, da man שֵׁד nur noch als „Abgott" kannte. Es ist mir, als hätte schon sonst jemand diese Ansicht aufgestellt. — Ferner ist der heidnisch-Edessenische Name ܨܪܝܒܐܠܗܐ Assem. I, 393 doch wohl in ܨܪܝܒ+ܐܠܗܐ aufzulösen, also auch ܨܪܝܒ als alter Gottesname anzusehen.

dazu dienen, die Erkenntniss zu fördern, dass auch ein Gelehrter, welcher die weitest gehenden wissenschaftlichen Forderungen stellt, nicht einmal nahe liegende Thatsachen übersieht.

Zum Schluss kann ich es nicht unterlassen, auszusprechen, welche Befriedigung mir auch bei dieser Untersuchung wieder die lexicalischen Arbeiten von Gesenius gewährt haben. Ich glaube fast, sein Thesaurus wird auch dann noch mit Nutzen und Dank gebraucht werden, wenn wenigstens ein Theil der für unentbehrlich erklärten Vorarbeiten zu einem idealen Lexicon fertig sein wird, was ja möglicherweise zur Zeit unserer Urenkel der Fall sein kann.

18. October. Sitzung der physikalisch-mathematischen Klasse.

Hr. **Rammelsberg** las:

Über einige neue Producte der Sodafabrikation.

I. Vanadinhaltiges Natriumfluophosphat.

In der Klassensitzung vom 12. December 1864 gab ich Nachricht von einem neuen Natronphosphat und dem Vorkommen von Vanadin in Sodalaugen.[1] Ich hatte nämlich in der Schöninger Fabrik auf Sodakrystallen aus Laugen von der Darstellung der kaustischen Soda kleine gelbe und rothe Krystalle, oktaëdrische Aggregate aus kleineren Oktaëdern, beobachtet, in welchen Herr Schöne, mein damaliger Assistent, Vanadin fand. Ausserdem aber fand ich in ihnen viel phosphorsaures Natron, besass aber nicht Material genug, um sie von ihrer Unterlage zu trennen. Wurde das Gemenge mit Wasser behandelt, so gab die Lösung schöne grosse farblose Oktaëder, deren Messung und optisches Verhalten sie als reguläre erwies. Nach der Analyse war das Salz $Na^3PO^4 + 10aq$, enthielt also 2 Mol. Wasser weniger als das von Graham untersuchte Trinatriumphosphat, dessen Krystallform auch eine ganz andere ist, und von dessen Zusammensetzung ich mich bei diesem Anlass ebenfalls überzeugte. Ein geringer Vanadingehalt liess sich in dem Salze immer nachweisen.

Bald nachher schrieb Baumgarten seine Dissertation: „Über das Vorkommen des Vanadiums in dem Ätznatron des Handels"[2]. Er untersuchte ebenfalls jene rothen Krystalle und die Produkte ihres Umkrystallisirens, scheint aber meine Versuche nicht gekannt zu haben, da er ihrer nicht erwähnt, und der Meinung ist, er habe das Vanadin und das Phosphat der Sodalaugen zuerst nachgewiesen. Aber er hat das Verdienst, in dem Natronphosphat einen Fluorgehalt erkannt zu haben, der freilich wenig mehr als 2 p. C. beträgt, den ich aber übersehen hatte. In Folge dessen habe ich die betreffenden Versuche wiederholt und dabei den Fluorgehalt constatirt[3]).

---

[1]) Monatsber. d. Akad. 1864, 680.

[2]) Göttingen 1865. [3]) Pogg. Ann. 147, 158 (1866).

Baumgarten hat dem Fluophosphat die Formel

$$(NaFl + 2Na^3PO^4) + 19aq$$

zugetheilt, welche verlangt:

Fluor	2,67
Phosphorsäure	20,00
Natron	30,48
Wasser	48,02
	101,17

Zugleich hat er dasselbe aus gewöhnlichem Natriumphosphat, Ätznatron und Fluornatrium dargestellt. Seine Analysen gaben im Mittel:

1) für das Salz aus den rothen Krystallen,
2) für das direkt dargestellte.

	1.	2.
Fluor	2,22	2,47
Phosphorsäure	20,07[1])	19,42
Natron	30,04	30,46
Wasser	47,97	48,00
	100,30	100,35

Nun hat Briegleb schon früher ein in regulären Oktaëdern krystallisirendes Fluophosphat von Natron beschrieben[2]), welches jedoch doppelt so viel Fluornatrium und 12 Mol. Wasser enthält,

$$(NaFl + Na^3PO^4) + 12aq$$

	gefunden	berechnet
Fluor	4,45	4,50
Phosphorsäure	17,29	16,82
Natron	29,02	29,38
Wasser	52,05	51,18
	102,81	101,88

---

[1]) 0,54 As^2O^5 und 1,01 V^2O^5 als 1,11 P^2O^5 berechnet.

[2]) Ann. Chem. Pharm. 97,25 (1856).

Mein Interesse an den vanadinhaltigen Natronphosphaten der Sodalaugen wurde neuerlich durch eine Sendung derselben wieder erregt, welche Hr. Dr. Reidemeister, der technische Dirigent der Schönebecker Fabrik, mir übermittelte.[1])

Zunächst habe ich die farblosen Oktaëder untersucht, welche a) durch Umkrystallisiren der gelben und rothen sich bilden, b) durch Behandlung von Dinatriumphosphat und Ätznatron mit Fluornatrium entstehen.

	a. früher	a. später	a. zuletzt	b.	b.
Fluor	2,89	2,80	2,66	2,70	2,52
Phosphorsäure	20,36	19,86	20,00	20,00	20,07
Wasser		49,15	47,97	47,93	48,07

In der Säure von a stecken sehr geringe Mengen Vanadinsäure.

Alle diese Proben sind mithin

$$NaFl + 2Na^3PO^4,$$

aber der Wassergehalt könnte sein

	18 aq	19 aq	20 aq
	Berechnet		
Fluor	2,74	2,67	2,60
Phosphorsäure	20,46	20,00	19,45
Natron	31,27	30,49	29,72
Wasser	46,69	48,02	49,31
	101,16	101,17	101,08

In den Zahlen für Fl, P und Na ist wohl keine Entscheidung zu suchen, und der gefundene Wassergehalt stimmt am besten mit 19 aq.[2])

Indem ich versuchte, ein noch fluorreicheres Salz als das von Briegleb erhaltene mittelst eines grösseren Zusatzes von Fluornatrium zu gewinnen, bekam ich ebenfalls deutliche, jedoch nicht

[1]) Diese Krystalle stammen aus sogenannter rother Lauge, d. h. solcher, welche nach dem Auskochen des kohlensauren Natrons aus Rohlauge als Endlauge bleibt.

[2]) Nach den weiterhin anzuführenden Versuchen sind 18 aq vorzuziehen.

so ansehnliche Oktaëder, welche 5,74 Fluor, 13,36 Phosphorsäure und 58,44 Wasser gaben. Doch wurde das Umkrystallisiren wegen möglicher Zersetzung vermieden, daher es nicht als sicher gelten darf, für dieses Salz die Formel

$$(3 NaFl + 2 Na^3 PO^4) + 36 aq$$

anzunehmen, welche 5,17 Fluor, 12,88 Phosphorsäure und 58,80 Wasser verlangt.

Ich komme nun zu den gelben und rothen vanadinhaltigen Oktaëdern, durch deren Umkrystallisiren das farblose Doppelsalz $(NaFl + 2 Na^3 PO^4) + 18 aq$ erhalten war.

A. *Rothe Krystalle.* Sie lösen sich in Wasser mit Zurücklassung von etwas Schwefeleisen farblos auf. Die Lösung giebt mit Silbersalzen einen gelben P und V haltigen Niederschlag, welcher zugleich geringe Mengen Chlor und Schwefel enthält. Auch ein wenig Kohlensäure lässt sich nachweisen. Schon bei gelindem Erhitzen verlieren sie ihre Farbe und werden weiss. Aber sie enthalten auch etwas Kieselsäure, deren Nachweis jedoch erst nach Abscheidung des Fluors gelingt.

B. *Gelbe und orangefarbige Krystalle.* Sie verhalten sich wie die rothen, hinterlassen nur noch weniger Rückstand und enthalten überdies ein wenig Schwefelsäure.

Ergebniss der Analysen:

	A.	B.
Chlor	1,46	0,44
Fluor	2,96	2,94
Schwefel	0,76	0,23
Schwefelsäure	—	0,41
Kohlensäure	0,66	—
Kieselsäure	2,87	2,50
Phosphorsäure	18,45	17,59
Vanadinsäure	1,20	1,28
Natron	29,25	29,35
Wasser	45,25	47,66
	102,86	102,40

Nach Abzug von Chlor, Schwefel, Schwefelsäure und Kohleniure als Natriumverbindungen

	A	B	A (Baumg.)
Fluor	3,14	3,00	2,33
Natrium	3,80	3,66	2,82
Kieselsäure	3,05	2,55	3,72
Phosphorsäure	19,59	17,95	16,98
Vanadinsäure	1,27	1,30	1,96
Natron	22,04	23,87	26,79
Wasser	47,11	47,67	46,16
	100	100	100,76

Fasst man als P^2O^5 auch die V^2O^5 auf, so ist das Mol.-Verıltniss von

	SiO^2	P^2O^5	Na^2O	NaFl	H^2O
A.	1	2,9	7,1	2,3	53
=		1	2,4	1,1	18
B.	1	3,1	9	4	63
=		1	2,9	1,2	20
A. Baumg.	1	2,1	7	2	40
=		1	3,3	1	20

Offenbar macht die Kieselsäure für die Deutung der Natur ır Krystalle die grösste Schwierigkeit; ihre Menge ist grösser, s sie sein könnte, wenn sie (oder Natronsilikat) beigemengt wäre, ıd das Beispiel der Kieselwolframsäuren lässt die Existenz einer ieselphosphorsäure oder Kieselvanadinsäure als möglich erscheiın. Andererseits ist die Analyse solcher Substanzen von gewisn Schwierigkeiten umgeben, so dass die Differenzen der Analyn wohl diesen zuzuschreiben sind. Auch hat Berzelius schon ne feinschuppige Verbindung beschrieben, welche 19,5 p. C. Kielsäure enthielt und der Formel

$$2P^2O^5 + 2V^2O^5 + 3SiO^2 + 6H^2O$$

ıtspricht.

So viel steht fest, dass die Kieselsäure der gefärbten Krystalle ıim Umkrystallisiren nicht in die farblosen Krystalle übergeht, ıd so mag vorläufig

$$(NaFl + 2Na^3PO^4) + 18aq$$

auch für jene angenommen werden. Ihre Farbe verdanken sie aber nicht dem Vanadin, sondern der kleinen Menge Schwefeleisen-Schwefelnatrium, und schon bei gelindem Erhitzen werden sie weiss.

Vergeblich habe ich versucht, durch Zusatz von kieselsaurem Natron zu dem Fluophosphat Krystalle mit Kieselsäure zu erhalten, die oben mitgetheilten Analysen b rühren von solchen Operationen her.

Es ist von Interesse, dass die Salze

$$(NaFl + 2Na^3PO^4) + 18aq$$

und

$$(NaFl + Na^3PO^4) + 12aq$$

und vielleicht auch solche, welche ein anderes Verhältniss des Fluorids und Phosphats enthalten, sämmtlich in derselben Form krystallisiren, und dass dies die Form des Fluornatriums ist.

Um ein solches vanadinhaltiges Fluophosphat darzustellen, wurde 1 Th. wasserfreies kohlensaures Natron in Lösung mit Fluorwasserstoffsäure neutralisirt, dazu 6 Th. $Na^4V^2O^7 + 18aq$ und 6 Th. $HNa^2PO^4 + 12aq$ gesetzt und das Ganze mit HNaO stark alkalisch gemacht. Aus der Lösung schieden sich farblose durchsichtige Oktaëder ab, in welchen Fluor, Vanadin, Phosphor und Wasser bestimmt wurden.

	Gefunden	Berechnet
Fluor	3,17	2,72
Natrium	(3,84)	3,29
Phosphorsäure	17,40	17,39
Vanadinsäure	3,39	3,72
Natron	(26,24)	26,58
Wasser	45,96	46,30
	100	100

Berechnet nach

$$\left\{\begin{array}{l} 6(NaFl + 2Na^3PO^4) + 18aq \\ (NaFl + 2Na^3VO^4) + 18aq \end{array}\right\}$$

In der Lösung war P : V = 1 : 1, in diesen Krystallen sind sie = 6 : 1.

Die Analyse macht auch für die früher untersuchten Krystalle 18 aq wahrscheinlich.

Es drängt sich die Frage auf: woher stammt der Phosphor- und Vanadingehalt sowie das Fluor der Sodalaugen?

Das Vanadin gehört sicherlich auch zu denjenigen Elementen, welche so lange als seltene gelten, als man sie nicht aufsucht oder der Hülfsmittel zu ihrer Entdeckung entbehrt. Phosphor und Vanadin begleiten einander in ihren natürlichen Verbindungen gerade ebenso wie in den zuvor beschriebenen Krystallen. Von den Rohmaterialien der Sodafabrikation können Kochsalz und Schwefelsäure nicht die Quelle des Phosphors und Vanadins in den Laugen sein; es bleibt nur der Kalkstein, von dem wir wissen, dass er sehr häufig phosphorsauren Kalk enthält, sodann die Steinkohle, deren Asche Phosphor enthält und mit der Beschickung zusammenschmilzt; endlich der Thon der Steine, welche das Material für die Öfen liefern. Dass auch im Thon Phosphorsäure enthalten sein kann, ist schon an und für sich wahrscheinlich und wird durch mehr als eine Analyse bewiesen. Aber auch ein Vanadingehalt ist dem Thon nicht fremd, denn Hr. Dr. Seger, einer meiner früheren Schüler, hat gefunden, dass Ziegelsteine mit grünen Flecken Vanadin enthalten und mir eine Anzahl von daraus dargestellten Vanadinpräparaten mitgetheilt.

Weniger glaubhaft erscheint die Annahme, das Vanadin stamme aus den bei der Sodafabrikation benutzten eisernen Geräthen.

Über die Quelle des Fluors bleiben wir so lange im Dunklen, bis die Steinkohlenasche und der Kalkstein auf dieses Element geprüft sind.

II. Künstlicher Gay-Lussit.

Eine Verbindung je eines Mol. Natroncarbonat und Kalkcarbonat mit 5 Mol. Wasser findet sich als Gay-Lussit in zwei- und eingliedrigen Krystallen in der Natur, wie z. B. bei Lagunilla unfern Merida (Maracaibo) auf dem Boden eines kleinen Sees, in Thon eingebettet, über einer Lage von Natronsesquicarbonat (Urao); ähnlich in Nevada.

Bereits vor 50 Jahren beobachtete **Bauer**[1]), dass sich aus einer Lösung von kohlensaurem Natron bei einer dem Gefrierpunkt nahen Temperatur Krystalle dieser Verbindung absetzten, was den Beweis liefert, dass kohlensaurer Kalk unter Umständen in kohlensaurem Natron löslich ist.

Indessen scheint es nicht bekannt zu sein, dass dieses Kalk-Natroncarbonat bei der Verarbeitung von Sodalaugen in den Fabriken in beträchtlicher Menge sich bildet. Nach den mir gewordenen Mittheilungen aus der Schönebecker Fabrik haben sich die Krystalle, welche ich bei der Prüfung als Gay-Lussit erkannte, aus geklärten Sodarohlaugen abgesetzt. Bei einer T. von etwa 40° bilden sich am Boden der Gefässe Krystalle auf einer Unterlage von Eisenoxyd, Schwefeleisen, kohlensaurem Kalk, Kieselsäure und Thonerde; durch Beimengung dieser braunen und schwarzen Massen sind sie selbst gefärbt, aber gut ausgebildet; ihre wässerige Lösung ist öfter gelblich gefärbt, enthält etwas Schwefelnatrium und unterschwefligsaures Natron. Kleinere, aber weisse Krystalle finden sich im Carbonisationsthurm, wo heisse Kohlensäure durch die Laugen geleitet wird, d. h. die Feuergase von Kokes, ein Prozess, dazu bestimmt, das vorhandene Ätznatron in Soda zu verwandeln und durch den Luftüberschuss das Schwefelnatrium zu oxydiren.

Die Krystalle wurden vielleicht schon anderweitig beobachtet, aber für kohlensauren Kalk gehalten, obwohl schon Scheurer-Kestner vermuthete, eine solche Verbindung, wie ich jetzt nachweisen kann, möchte die Ursache von Natronverlusten bei der Sodafabrikation sein.

Hr. Dr. Arzruni hat sich der Mühe unterzogen, die krystallographischen und optischen Constanten der Krystalle zu ermitteln, und theile ich die Resultate seiner Beobachtungen im Nachfolgenden mit.

---

[1]) Pogg. Ann. 24, 368 (1832).

Zwei- und eingliedriges System.

a : b : c = 1,4918 : 1 : 1,4471
β = 78°46′.

I. Aus carbonisirter Lauge.
II. Aus geklärter Sodarohlauge.

	beobachtet I.	beobachtet II.	berechnet	Des Cloizeaux berechnet
011 : $\bar{1}$12	27°24½′	28°17′	27°45½′	27°44′
011 : 110	*42 25	41 9	42 25	42 21
$\bar{1}$12 : 110	69 39½	—	70 10½	70 5
11$\bar{2}$: 110	53 33	54 41½	53 0½	53 10
$\bar{1}$12 : $\bar{1}\bar{1}$2	69 54½	—	69 30½	69 28
001 : 011	54 24	55 17	54 50	54 45
001 : $\bar{1}$12	42 54½	43 21½	43 20	43 20
001 : 110	82 56	84 19½	83 39½	83 30
011 : 0$\bar{1}$1	*109 40	110 8	109 40	109 30
110 : 1$\bar{1}$0	*111 18	—	111 18	111 10

I. Der Habitus der Krystalle ist bedingt durch die ziemlich im Gleichgewicht auftretenden Flächen $\bar{1}$12, 011 und 110. Die Fläche 001 kommt recht selten, und dann immer als ganz schmale Abstumpfung der Kante 011.0$\bar{1}$1 vor. Die drei den Habitus der Krystalle charakterisirenden Formen besitzen gleichen Glanz. Obwohl die Krystalle durch Einschlüsse von Verunreinigungen zu wenig durchsichtig waren, um zu einer optischen Untersuchung zu dienen, so zeigten doch mehrere annähernd nach 010 gemachte Schliffe übereinstimmend mit einander und mit Des Cloizeaux's Angaben, dass die Ebene der optischen Axen normal zur Symmetrieebene steht, und im weissen Licht unter etwa 21° zur Normale von 001 im stumpfen Winkel β geneigt ist.

II. Die vorherrschenden Formen sind 110, 011 und 001, letztere manchmal recht schmal; auch $\bar{1}$12 ist stets sehr klein. Diese Krystalle zeigen besonders auf 110 eine Streifung parallel den Kanten 110, 011 und $\bar{1}$12; die Basis 001 ist meist glatt. Die Unebenheit aller Flächen (bis auf die letztgenannte) bedingt die mangelhafte Übereinstimmung der Messungen unter sich. Die etwas bessere an den Krystallen I mit den berechneten Werthen ist zwar keine befriedigende, dennoch ist die Richtigkeit der Deutung der einzelnen Formen als zweifellos zu betrachten.

Die Analyse der Krystalle hatte schon vorher ihre Natur klargestellt, allein die soeben mitgetheilten Beobachtungen des Hrn. Dr. Arzruni sind deshalb von entscheidendem Werth, weil die Krystalle theils mechanisch beigemengte Verunreinigungen enthalten, welche die Resultate der Analyse modificiren.

Proben der reinsten Krystalle gaben 32,2 — 34,2 — 35,1 kohlensaures Natron, während die Verbindung

$$(Na^2CO^3 + CaCO^3) + 5aq$$

33,8 $CaCO^3$, 35,8 Na^2CO^3 und 30,4 H^2O erfordert.

Aber nicht blos hinterlassen die meisten Krystalle, deren unterer Theil grau gefärbt ist, beim Lösen in Säuren einen kieselsäurehaltigen Rückstand, sondern die Lösung giebt mit Ammoniak einen gelatinösen (Phosphorsäurefreien) Niederschlag von Thonerde und Kalk. Ausserdem hängt ihnen stets kohlensaures Natron an, welches durch kaltes Wasser entfernt werden muss. In den dunkelgefärbten, auf Sodarückstand aufgewachsenen Krystallen sind ausserdem variable Mengen Eisenoxyd, Schwefeleisen etc. enthalten.

Wie schon angeführt, hat die Praxis einen Natronverlust bei der Sodafabrikation durch Bildung unlöslicher Verbindungen längst festgestellt, und es ist bekannt, dass man um so weniger Soda erhält, je mehr Asche die benutzte Kohle (Steinkohle) liefert. Da diese Asche hauptsächlich Kieselsäure, Thonerde und Kalk enthält, so muss im Sodaofen die Bildung von Thonerde-Kalk-Natronsilikaten vor sich gehen, welche in den Rückständen bleiben. Scheurer-Kestner andererseits glaubt gefunden zu haben, dass die Rückstände um so mehr Natron enthalten, je mehr Kalk bei der Sodafabrikation angewendet wird, und er meint, es bilde sich wohl ein Kalk-Natroncarbonat.

Die wirkliche Existenz eines solchen, und zwar schon in den Sodalaugen, ist durch vorstehende Untersuchung jetzt nachgewiesen.

Hr. Rammelsberg las ferner:

Über die Reduktion der Vanadinsäure auf nassem Wege.

Eine saure Auflösung von Vanadinsäure wird bekanntlich durch schweflige Säure, Schwefelwasserstoff und durch Metalle d. h. durch Wasserstoff reducirt, und die hierbei entstehenden niederen Oxyde zeichnen sich durch eine hell- oder dunkelblaue oder grüne Farbe ihrer Lösungen aus.

Vor 17 Jahren schon suchte Czudnowicz[1]) die Zusammensetzung der durch Reduktion entstandenen niederen Oxyde zu bestimmen, indem er eine titrirte Lösung von übermangansaurem Kali benutzte, um diese Oxyde wieder in Vanadinsäure zu verwandeln. Trotz der damaligen falschen Annahmen, bezüglich des Atg. des Vanadins und der Sauerstoffmultipeln seiner Oxyde lassen sich diese älteren Versuche doch leicht auf ihren wahren Werth zurückführen.

Allein erst durch die schönen Untersuchungen von Roscoe ist dieser Theil der Kenntniss von den Vanadinoxyden genauer festgestellt, denn Roscoe hat gezeigt, dass die Vanadinsäure auf nassem Wege zu Dioxyd VO^2, zu Sesquioxyd V^2O^3, selbst zu Monoxyd VO (oder Vanadyl $= V^2O^2$) reducirt werden kann. Zur Bestimmung des Sauerstoffs bediente er sich derselben Methode, wie sein Vorgänger, nämlich des übermangansauren Kalis.

Mit analytischen Untersuchungen über gewisse Verbindungen des Vanadins beschäftigt, sah ich mich veranlasst, die Reduktion der Säure auch meinerseits zu studiren, da zwischen den Resultaten von Czudnovicz und denen von Roscoe sehr wesentliche Differenzen bestehen. Eine gewogene Menge V^2O^5, aus dem Ammoniumsalze dargestellt und geschmolzen, wurde mit kohlensaurem Natron geglüht, die Masse gelöst und die Lösung mit Schwefelsäure übersättigt. Zur volumetrischen Prüfung diente eine Lösung des Permanganats, von welcher 100 cc. 0,11645 grm. Sauerstoff anzeigten. Die Vanadinlösung war in allen Fällen stark verdünnt; dabei zeigte sich, dass wenn die Flüssigkeit zuletzt durch vorsichtiges Zutröpfeln des Permanganats blass roth erschien, die Farbe

---

[1]) Pogg. Ann. 120, 17 (1863).

nach einigen Minuten wieder verschwand, und erst durch einen angemessenen, jedoch immer nur geringen neuen Zusatz bleibend wurde.

I. Reduktion durch schweflige Säure.

0,864 V^2O^5 lieferten eine blaue Flüssigkeit, welche durch Kochen von jeder Spur freier schwefliger S. befreit wurde, und nun 63,4 cc. erforderte, entsprechend 0,073829 Sauerstoff, wobei die Farbe zuerst in grün, dann gelb überging. Hiernach nahmen 100 Th. V^2O^5 nach der Reduktion 8,55 p. C. Sauerstoff auf.

Roscoe erhielt im Mittel (bei seinen Versuchen mit SO^2 und H^2S) 9,03 p. C.

Da 100 V^2O^5 = 54,76 Sauerstoff, so verhalten sich der Sauerstoff des blauen Oxyds und der zur Oxydation desselben erforderliche

bei mir = 4,03 : 1,
bei Roscoe = 3,85 : 1.

also = 4 : 1, so dass das blaue Oxyd = Dioxyd VO^2 ist und der Rechnung nach 8,75 p C. Sauerstoff der Säure hätten ersetzt werden müssen.

II. Reduktion durch Schwefelwasserstoff.

0,657 V^2O^5, in ähnlicher Art behandelt, erforderten zur Wiederoxydation 50 cc. Chamäleonlösung = 0,058225 Sauerstoff oder 8,86 p. C.

Also auch hier war in Übereinstimmung mit Roscoe VO^2 entstanden.

Danach sind die Angaben von Czudnowicz ganz unrichtig. denn nach ihm hätten 100 V^2O^5 nach der Reduktion 16,95 Sauerstoff wieder aufgenommen. Da sich 43,76 — 16,95 = 26,81 : 16,95 = 1,58 : 1 verhält, so müsste die Säure zu Sesquioxyd V^2O^3 reducirt sein, weil $\frac{2}{5}$. 43,76 = 17,5 ist. Fast möchte man glauben, Czudnovicz habe den Sauerstoff seines Permanganats irrthümlich doppelt berechnet, da $\frac{16,95}{2}$ = 8,47 der Wahrheit nahe kommt.

III. Reduktion durch Magnesium.

Bei Anwendung von Magnesium wird die gelbe Lösung der Vanadinsäure erst blau und dann grün und behält diese Farbe auch bei fortgesetzter Einwirkung des Magnesiums und lebhafter Wasserstoffentwicklung.

0,321 V^2O^5 erforderten nach der Reduktion 48 cc. Permanganat = 0,055896 Sauerstoff oder 17,41 p. C.

Da 43,76 — 17,41 = 26,35 : 17,41 = 1,5 : 1 = 3 : 2, so enthält die grüne Flüssigkeit Vanadinsesquioxyd V^2O^3.

Es hätten der Rechnung nach 17,504 Sauerstoff gefunden werden müssen. Roscoe erhielt 17,6 p. C.

IV. Reduktion durch Zink.

In diesem Fall färbt sich die gelbe Flüssigkeit zuerst blau, dann grün, und zuletzt blassblau, wozu indessen eine hinreichend lange fortgesetzte Digestion erforderlich ist.

a) 0,864 V^2O^5 erforderten nach vollendeter Reduktion 168,5 cc. Permanganat = 0,196218 Sauerstoff = 22,30 p. C.

b) 0,631 bedurften 127,5 cc. = 0,14847 Sauerstoff = 23,52 p. C.

c) 0,805 erforderten 118,3 cc. = 0,13776 = 22,77 p. C. Sauerstoff.

Hiernach verhält sich der Sauerstoff des niederen Oxyds zu dem zur Bildung der Säure erforderlichen in

a = 21,46 : 22,30 = 1 : 1,04
b = 20,24 : 23,52 = 1 : 1,16
c = 21,01 : 22,77 = 1 : 1,08.

Also entweder = 1 : 1 oder die zweite Zahl ist etwas grösser. Im ersten Fall ist das niedere Oxyd = V^4O^5, d. h. vielleicht = $V^2O^2 + V^2O^3$; dann mussten 21,88 p. C. Sauerstoff gefunden werden. Da die Zahlen jedoch etwas grösser sind, so kann man

$V^5O^6 = 3VO + V^2O^3 = 22,75$ p. C. O
$V^6O^7 = 4VO + V^2O^3 = 23,34$ „
$V^7O^8 = 5VO + V^2O^3 = 23,76$ „

für wahrscheinlich halten.

Diese Resultate stehen mit denen Roscoe's nicht ganz im Einklang, insofern derselbe 26,53 p. C. Sauerstoff erhielt, so dass die Reduktion bis zur Bildung von VO (V^2O^2) vorgeschritten war. In diesem Fall verhält sich der Sauerstoff des Oxyds zu dem ersetzten = 2 : 3 und der ersetzte Sauerstoff muss 26,3 p. C. betragen.

Ich habe bei meinen Versuchen Zink und Schwefelsäure im Überschuss angewandt, die Flüssigkeit nach mehrtägiger Einwirkung fast zum Sieden erhitzt, und nach dem Verdünnen mit luftfreiem Wasser sofort der volumetrischen Probe unterworfen. Bei der ausserordentlichen Kraft jedoch, mit welcher die Lösung von VO Sauerstoff anzieht, möchte ich, trotz der Übereinstimmung meiner Resultate, glauben, dass auch sie bei vollem Ausschluss der Luft zu VO geführt haben würden. Czudnowicz will bei der Reduktion der Vanadinsäure durch Zink eine grüne Lösung erhalten haben, welche zu ihrer Oxydation im Mittel 13,1 p. C. Sauerstoff bedurfte. Wäre dies richtig, so müsste das Sauerstoffverhältniss = 30,66 : 13,1 = 2,34 : 1 sein. Nimmt man $2\frac{1}{3}$: 1 = 7 : 3 an, so hätte er ein Oxyd = V^4O^7 gehabt, welches 13,13 Sauerstoff verlangt. Höchst wahrscheinlich war jedoch die reducirende Wirkung des Zinks nicht einmal ganz bis V^2O^3 fortgeschritten, welches zu 17,5 Sauerstoff erfordert hätte[1]).

Es ist für jetzt nicht zu erklären, warum Magnesium und Zink (gleichwie Cd oder Na) eine so verschiedene reducirende Wirkung auf Vanadinsäure ausüben, da doch in beiden Fällen die Reduktion vom Wasserstoff herrührt. Schliesslich bedarf es kaum der Erwähnung, dass die vorstehenden Versuche jeden Zweifel an Roscoe's Angaben beseitigen.

---

[1]) Die doppelte Menge Sauerstoff = 26,2 p. C. entspräche der Reduktion zu VO.

Hr. Helmholtz legte folgende Mittheilung des Hrn. C. Wesendonck vor:

Über Spektra der Kohlenstoffverbindungen.

(Eingegangen am 20. August 1880.)

In dem Folgenden erlaube ich mir eine gedrängte Mittheilung über einige spektroskopische Beobachtungen an den Dämpfen einer Anzahl flüssiger Kohlenstoffverbindungen, welche für die Erklärung der Spektra verschiedener Ordnung vielleicht von einiger Bedeutung sein dürften.

Gemäss den Anschauungen, welche die Hrn. Zöllner und Wüllner entwickelt haben, entsteht ein Linienspektrum (Spektrum zweiter Ordnung nach Plücker) stets dann, wenn die elektrische Entladung eine Molekülreihe von sehr geringem Querdurchmesser afficirt, während die Erregung ausgedehnterer Massen ein sogenanntes Bandenspektrum (Spektrum erster Ordnung) zur Folge hat. Das Auftreten eines Funkens sollte daher, ausgenommen den Fall, dass die Dichte des durchsetzten Gases relativ sehr bedeutend ist, immer von einem Spektrum zweiter Ordnung begleitet sein, während umgekehrt das Büschellicht, hier mit Ausnahme sehr grosser Verdünnungen und sehr enger Capillaren, ein Spektrnm erster Ordnung hervorrufen sollte. Hr. Wüllner hat diese Theorie verschiedenen Anfechtungen gegenüber bis in die neueste Zeit aufrecht erhalten, und haben deren Grundlagen speciell ihre experimentelle Bestätigung durch neuere Untersuchungen besonders von Liveing und Deware erhalten. Indessen wird von einer Anzahl hervorragender Forscher eine andere Ansicht vertreten, wonach die Linienspektra Atomspektra, die Bandenspektra dagegen Molekül- oder Atomgruppenspektra sind, und dem Funken nur deshalb zumeist ein Linienspektrum entspricht, weil derselbe die von ihm durchsetzten Substanzen in ihre elementaren Bestandtheile zu zerlegen pflegt.

Nach bekannten und oft angestellten Beobachtungen zeigen nun aber die Dämpfe flüssiger Kohlenwasserstoffverbindungen, wenn sie von elektrischen Funken durchsetzt werden, ein Bandenspektrum, von dem jedoch bisher meines Wissens nicht entschieden war, ob es Wüllner's Auffassung gemäss nur aus verbreiterten Linien besteht, oder ob der Funke ein Spektrum zweiter Ordnung in unserem Falle hervorzurufen überhaupt nicht im Stande ist. Um hierüber entscheiden und auch das Büschellicht näher untersuchen zu können, sann ich auf eine Methode, welche gestattete die Dichte der Dämpfe in ähnlicher Weise zu variiren, wie dies bei Gasen vermittelst der Luftpumpe zu geschehen vermag. Flüssige Kohlenstoffverbindungen wurden in kleine Glaskügelchen eingeschmolzen, diese in Spektralröhren gebracht, die mittelst einer Geissler'schen Quecksilberpumpe möglichst evacuirt und dann von der Pumpe wieder abgeschmolzen wurden. Durch Zerbrechen oder Zersprengen des Kügelchens befreite man die Flüssigkeit nunmehr und stellte die betreffenden Spektralröhren entweder in Kältemischung oder in Wasser, das auf verschiedene Temperaturen gebracht werden konnte, um so dieselben mit Dampf verschiedenster Dichte erfüllen zu können. Zu dem Zwecke des Eintauchens waren die äusseren Enden der Platinelektroden mit an die Spektralröhren seitlich angeschmolzenen Glasröhren umgeben, die aus dem Wasser herausragten und zur Aufnahme der Poldrähte mit Quecksilber gefüllt wurden. Gingen nun die Entladungen eines grösseren Ruhmkorff'schen Funkeninductors durch die Röhre, so zeigte in derselben die Entladung bei Variation der Dampfdensität dieselben Änderungen, welche bei den Gasen vielfach beobachtet sind. Bei grösseren Dichten erschienen Funken, bei geringeren trat das Büschellicht auf, anfangs als feiner Lichtfaden, der sich mit zunehmender Verdünnung immer mehr ausbreitete, schliesslich die ganze Röhre erfüllte und innerhalb wie ausserhalb einer etwa vorhandenen Capillare die Bildung feiner Schichten zeigte. Um den negativen Pol herum zeigte sich blaues Glimmlicht, von der positiven Lichterscheinung durch einen dunkeln Raum getrennt. Indessen konnte ich das Auftreten dieses Glimmlichtes an beiden Elektroden nicht beobachten. Alkohol, Äther, Methylalkohol, Benzin, Anilin, Nitrobenzol, Diäthylamin, Terpentinöl zeigten, wie nach früheren Beobachtungen von vorneherein zu erwarten war, vollständig übereinstimmende Spektralerscheinungen, welche sich allerdings nicht bei allen Substanzen gleich brillant darstellten. Anilin und Terpentinöl gaben die schönsten Erscheinungen. Dem Auftreten eines Funkens innerhalb der Spektralröhre entsprach stets ein Bandenspektrum, welches dem bereits von Swan beobachteten Flammenspektrum sehr ähnlich war, und auch die in letzterem auftretenden Linien sehr schön zeigte. Ich will dieses Spektrum kurzweg das Funkenspektrum nennen. Mit zunehmender Dichte verbreiterten sich die Banden und wurde das Spektrum schliesslich continuirlich bis auf die hellste der Swan'schen Linien, welche allerdings verbreitert sich stets von dem Hintergrunde deutlich abhob. Ein eigentliches Linienspektrum trat unter keinen Umständen auf, der Funken zeigte stets das Bestreben helle Felder zu erzeugen, möglichst ausgedehnte Theile des Gesichtsfeldes zu erhellen. Bei geringen Dichten und nicht zu grossen Quantitäten entladener Elektricität waren die Wasserstofflinien nicht oder kaum sichtbar, ein Zeichen, dass wir es mit einem Verbindungsspektrum zu thun haben. Wurde eine Flasche in Nebenschliessung eingeschaltet, so trat schon bei viel geringeren Dichten, als dies ohne Flasche der Fall gewesen wäre, innerhalb der Spektralröhre die Funkenentladung auf, indessen änderte dies nichts an dem Aussehen des Spektrums. Dem gegenüber zeigte das Büschellicht ein total entgegengesetztes Verhalten. Bei geringen Dichten und in weiten Röhren, welche alsdann von dem Büschellichte ausgefüllt wurden, bestand das Spektrum aus vier hellen Linien, die an der dem blauen Ende zugewandten Seite zwar etwas verwaschen erschienen, aber in keiner Weise als Banden angesehen werden konnten. Mit zunehmender Dichte verbreiterten sich diese Linien, wobei das Büschellicht sich immer mehr zusammenzog, und als es endlich nur noch einen dünnen Faden bildete, war das Spektrum fast continuirlich geworden, wieder mit Ausnahme der hellsten Swan'schen Linie, die bei zunehmender Dichte auch von dem Büschellichte hervorgerufen wird. War dieses Stadium erreicht, so brach sich sehr bald die Funkenentladung Bahn durch den Dampf, und das derselben entsprechende Spektrum machte sich alsdann geltend. Verengert man die Spektralröhre oder vermehrt man die entladenen Elektricitätsmengen, so erhellen sich die Partien zwischen den vier oben genannten Linien und lassen immer mehr Einzelheiten erkennen, während jene immer verwaschen erscheinen, so dass in einer engen Capillare schliesslich ein wirkliches Bandenspektrum zum Vorschein kommt, in dem aber die vier Linien ihre Stellung als ausgezeichnete, scharf begrenzte Lichtmaxima aufrecht erhalten. Dabei treten die Wasserstofflinien, welche anfangs fehlen, nach und nach immer mehr hervor, ebenso die hellste der Swan'schen Linien. Dagegen vermochte ich von einem Stickstoff- oder Sauerstoffspektrum bei den Verbindungen, welche diese Elemente enthalten, nichts zu bemerken. Nimmt man eine Leydener Flasche in Nebenschliessung zu Hülfe, so kann man in der Capillare leicht ein Gemisch des Funken- und Büschellichtspektrums erhalten, oder bei etwas grösserer Dichte das reine Funkenspektrum, während in den weiten Theilen der Spektralröhre nur die vier Linien auftreten. Steht die Flasche in der Hauptschliessung, so sieht man oft abwechselnd Büschellicht- und Funkenentladungen sich bilden, und dem entsprechend bald die vier Linien, bald die Banden des Funkenspektrums aufblitzen. Bei Anwendung einer Flasche in Nebenschliessung trat übrigens das Funkenspektrum bereits auf, bevor noch die eigentliche Funkenentladung eingetreten war. Das Büschellicht bildete alsdann einen sehr hell leuchtenden Strahl zwischen den beiden Elektroden.

Wie man sieht, ist das Verhalten der von mir untersuchten Dämpfe der Zöllner-Wüllner'schen Theorie so widersprechend wie nur möglich, höchstens einige der untergeordneten Veränderungen der Spektra dürften sich aus ihr erklären lassen; zur Herstellung der nothwendigen Bedingungen für das Auftreten der Spektra verschiedener Ordnung ist sie in unserem Falle auf keine Weise ausreichend. Ganz ähnliche Resultate erhielt ich auch bei der Kohlensäure, dem einzigen bis jetzt von mir untersuchten Gase.

Noch will ich mir zum Schlusse erlauben, auf einige Beobachtungen hinzuweisen. Kohlenstofftetrochlorid zeigte von kräftigen Funken durchsetzt ein prachtvolles Linienspektrum. Die meisten der auftretenden Linien erwiesen sich als dem Chlor angehörig, [illegible] die Swan'schen Linien, wie sie das Funkenspektrum der früher erwähnten Substanzen zeigt. Offenbar haben [illegible] mit einem richtigen Zersetzungsspektrum zu thun, und [illegible] die betreffenden Linien wohl als dem Kohlenstoff selbst [illegible] zu betrachten sein. Das Büschellicht zeigte ein Banden- [illegible] das sich als identisch erwies mit den zu Banden ver- [illegible] Linien, die sich bei den früher erwähnten Stoffen [illegible] grösseren Dichten zeigten. Mit zunehmender Dichte [illegible] dieselben die Chlorlinien bemerkbar. Ganz ähn- [illegible] Chloroform und Bromoform, nur zeigten sich [illegible] Swan'schen Linien nicht. Schwefelkohlenstoff [illegible] das continuirliche Schwefelspektrum, im [illegible] spektrum des Schwefels. Die Kohlenlinie konnte [illegible] bemerken.

Hr. W. Peters legte vor eine neue Gattung von Geckonen, *Scalabotes thomensis*, welche Hr. Professor Dr. Greeff in Marburg auf der westafrikanischen Insel St. Thomé entdeckt hat, und sprach über die Stellung von *Elaps Sundevallii* Smith, eine von Wahlberg im Kafferlande gefundene Art von Schlangen.

Scalabotes nov. gen.[1])

Squamae notaei granulatae; pupilla orbicularis, digiti unguiculati; primus muticus tenuis, reliqui phalange antepenultima serie lamellarum transversalium duplici dilatata.

Diese sehr ausgezeichnete neue Gattung der Geckonen schliesst sich zunächst den *Hemidactylus* an, von denen sie dadurch verschieden ist, dass die drei letzten Zehen sowohl an der vorderen als an der hinteren Extremität schmal und nur am drittletzten Gliede durch eine doppelte Reihe von plantaren Querlamellen verbreitert sind. Die erste Zehe ist verkümmert, schmal und mit äusserst kleiner unterer Kralle versehen, die zweite ist kurz und, mit Ausnahme der beiden letzten Glieder, durch zwei Reihen von Querlamellen fast bis zur Basis verbreitert, wie bei *Hemidactylus*. Die vierte Zehe ist auffallend verlängert. Der Körper ist oben und an den Seiten mit kleinen kornförmigen Schuppen bedeckt, während die des Schwanzes ein wenig grösser erscheinen. Wir verdanken diese neue Form Hrn. Professor Dr. Greeff in Marburg, welcher sie nicht selten auf der westafrikanischen Insel St. Thomé fand.

Scalabotes thomensis nov. sp. (Taf. Fig. 1).

Sc. supra olivaceus nigro maculatus, cauda olivaceofusco viridique fasciata, subtus ex viridi flavescens, ingluvie nigra flavidolineata.

Vom Habitus einer kleinen schlanken *Lacerta*, im allgemeinen etwas abgeplattet. Schnauze abgerundet zugespitzt, mit abgerundeten Canthi rostrales und etwas vertiefter Frenalgegend, mit convexen Schüppchen bekleidet, welche grösser als die des Hinterhauptes sind. Rostrale gross, oben umgebogen nach einer mittleren Längsfurche des Schnauzenendes, welche jederseits von zwei grösseren Schildern begrenzt wird. Das vordere derselben be-

---

[1]) σκαλαβώτης.

grenzt das halbmondförmige Nasloch von oben, während dasselbe vorn von dem Rostrale, unten von diesem und dem ersten Supralabiale, hinten von einer kleinen Schuppe begrenzt wird. Neun Supralabialia, von denen die beiden letzten sehr klein sind, und acht Infralabialia, von denen das letzte sehr klein ist. Das Mentale ist gross und dreieckig und stösst an zwei polygonale abgerundete Submentalia, auf welche convexe Schuppen folgen, welche allmählig in die kleineren Kehlschuppen übergehen und an Grösse den Ventralschuppen kaum nachstehen. Die Augen zeigen eine weite runde Pupille, die bei der Contraction vielleicht mehr senkrecht gespalten erscheint; sie werden von sehr kleinen Schuppen kreisförmig umgeben. Die kleine Ohröffnung erscheint senkrecht oval.

Der Körper ist mit kleinen körnerförmigen Schüppchen bedeckt, welche an der Bauchseite in grössere glatte, dachziegelförmig gelagerte Schuppen übergehen. Der Rand der Präanalklappe ist mit ganz kleinen Schüppchen bedeckt.

Die vordere Extremität ragt, nach vorn gelegt, bis zu dem Schnauzenende, die hintere über drei Viertel der Entfernung von jener hinaus. Die vordere Extremität ist ringsum mit granulirten Schüppchen bekleidet. Die hintere Extremität ist an der Aussenseite granulirt, an der vorderen Hälfte der Innenseite mit grösseren glatten Schuppen, an der hinteren mit äusserst feinen Granulationen bedeckt. Hände und Füsse sind einander ähnlich gebaut, abgesehen davon, dass die hintere Extremität länger und grösser, als die vordere ist. Der Daumen und die erste Zehe sind kurz, schmal, scheinbar unbewehrt, aber mit einer äusserst kleinen unteren Kralle versehen. Der zweite Finger und die zweite Zehe haben eine scharfe längere Kralle, die beiden Endglieder schmal, den übrigen Theil aber durch zwei Reihen von Querlamellen verbreitert. Die übrigen Finger und Zehen haben nicht allein die beiden Endglieder, sondern auch die Basalglieder schmal und nur das drittletzte Glied durch zwei Reihen von Querlamellen verbreitert, während die Basalglieder durch eine mittlere Reihe breiterer Schuppen ausgezeichnet sind. Der vierte Finger und die vierte Zehe sind auffallend verlängert und unter dem drittletzten Glied mit fünf doppelten Querlamellen versehen.

Der Schwanz ist glatt, an den Seiten abgerundet, oben und an den Seiten mit kleinen Schuppen bekleidet, welche merklich grösser sind als die des Körperrückens, und längs der Mitte der Unterseite sieht man eine Reihe sehr breiter grosser Schuppen.

Die Farbe ist oben olivenbraun, nach den Seiten hin mehr in's Grüne übergehend, mit kleinen dunkelbraunen Flecken, welche am Halse und Kopfe mehr zu Linien zusammenfliessen, worunter eine Querlinie zwischen den vorderen Enden der Augen und jederseits eine von der Seite des Rostrale ausgehende, durch das Auge nach den Schläfen verlaufende Längslinie bemerkbar ist. Der Schwanz zeigt abwechselnd braune und grünliche Querbinden, während die Gliedmaassen an der Aussenseite des Oberarms und Oberschenkels auf dunkelm Grunde hellere Flecke, auf dem Vorderarm und Unterschenkel mehr braune Querbinden auf grünlichem Grunde zeigen. Die Unterseite ist grünlich gelb, an dem Bauch und unter dem Schwanze mit braun besprengt. Die Lippenränder zeigen auf braunem Grunde hellere Flecke. Die Submentalgegend ist schwarzbraun, mit zwei unregelmässig Vförmigen gelben Zeichnungen.

Totallänge 69^{mm}; bis zu der Analöffnung 31^{mm}; Kopf bis zu der Ohröffnung 8,5^{mm}; vordere Extremität 12^{mm}; Hand 4^{mm}; hintere Extremität 14^{mm}; Fuss 6^{mm}.

Elaps Sundevallii A. Smith.

Unter den mir unbekannten Reptilien war mir immer die von A. Smith in seinen „Illustrations of South Africa, Reptilia, Taf. 66“ gegebene Abbildung von *Elaps Sundevallii* eine der auffallendsten wegen der Pholidosis ihres Kopfes und Körpers, welche letztere von den bisher bekannten *Elaps* Afrikas durch die geringere Zahl der Schuppenreihen, dreizehn, abwich, und eben dadurch mit den *Callophis* Ostindiens übereinstimmte.

Durch die Güte des Directors des Stockholmer Museums, Hrn. Prof. Dr. Smitt, ist mir Gelegenheit gegeben, nicht allein das Originalexemplar dieser Art, sondern auch noch ein zweites jüngeres Exemplar derselben zu untersuchen, welches sich sowohl durch die geringere Entwickelung des Rostralschildes, als durch eine geringere Zahl der Querbinden von jenem unterscheidet. Sonst stimmen sie aber im Wesentlichen mit einander überein. Zu bemerken ist noch, dass die Färbung der breiten Querbinden mehr mit Smith's Beschreibung „chocoladenroth“, als mit der von ihm gegebenen Abbildung, worin sie schwarz erscheint, übereinstimmt. Ich würde sie jetzt mehr als rostbraun bezeichnen.

Das Originalexemplar stimmt in der Zeichnung sonst ganz mit der wohlgelungenen Abbildung überein und zeigt die von ihm angegebene Zahl, zwanzig, von „ochergelben" schmäleren Querbinden. Das jüngere Exemplar zeigt dagegen nur sechzehn schmale gelbe Querbinden.

Die Untersuchung des Gebisses zeigt aber, dass der Oberkiefer nicht allein am vorderen Ende mit einem Giftzahn versehen ist, sondern hinten noch 3 bis 4 solide Zähne trägt. Hierdurch, sowie äusserlich durch die zwischen zwei Schildern liegenden Nasiöcher, den Mangel eines Frenalschildes und die Anwesenheit von nur dreizehn Längsreihen von Körperschuppen, gehört diese Art zu der von Hrn. Barboza de Bocage (Jorn. Scienc. mathem. phys. e natur. 1866 I. p. 70) aufgestellten Gattung *Elapsoidea*, die vielleicht mit meiner Gattung *Hemibungarus* (Monatsbericht Berl. Akad. 1862 S. 637) zu vereinigen ist, was aber erst durch die Untersuchung des Schädels zu entscheiden wäre. Jedenfalls ist aber die vorstehende Art von *Elaps* zu entfernen und zunächst *Elapsoidea Sundevallii* zu benennen.

Erklärung der Abbildungen.

Fig. 1. *Scalabotes thomensis* Ptrs. in natürlicher Grösse; 1a. Kopf im Profil; 1b. derselbe von oben; 1c. derselbe von unten; 1d. vordere Extremität von oben; 1e. dieselbe von unten; 1f. hintere Extremität von oben; 1g. dieselbe von unten; 1h. vierte Zehe von der Seite.

Fig. 2. Kopf der *Elapsoidea Sundevallii* (Smith) jung, in dem Museum zu Stockholm, von der Seite; 2a. derselbe von oben; 2b. derselbe von unten; 2c. Analgegend. Sämmtliche Figuren vergrössert.

Fig. 3. *Geckolepis maculata* Ptrs. (Monatsb. d. Ak. 1880. p. 509) in natürl. Grösse; 3a. Kopf von der Seite; 3b. derselbe von unten; 3c. Hinterfuss von unten; 3d. Hinterzehe von der Seite.

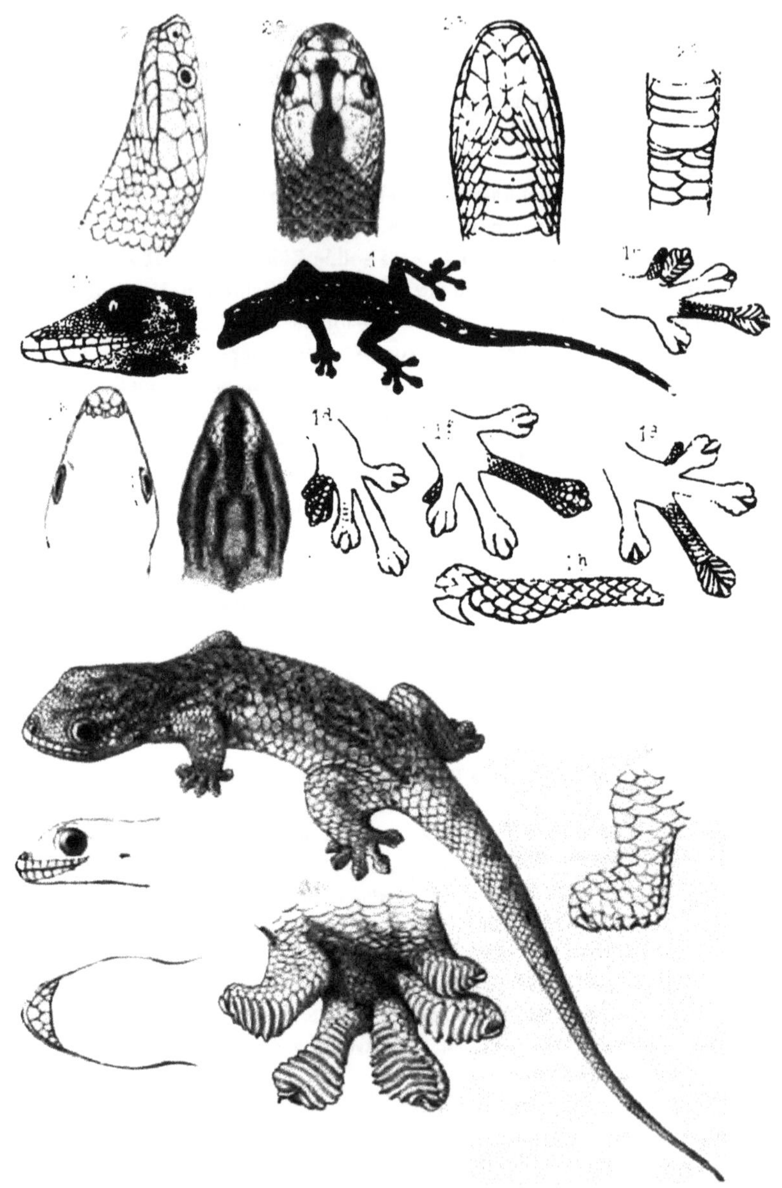

1 Scalabotes thomensis Ptrs 2 Elapsoidea Sundevallii (Smith)
3 Geckolepis maculata Ptrs

Hr. Websky las:

Über die Krystallform des Vanadinits von Córdoba.

Anschliessend an meinen Bericht über die Krystallform des Descloizit von Córdoba, La Plata, (Monatsberichte dieses Jahres d. d. 22. Juli) habe ich einige Beobachtungen über die Krystalle des mit dem Descloizit vorkommenden Vanadinits vorzulegen. Diese letzteren gleichen im Grossen und Ganzen denen des Vanadinits vom Berge Obir in Kärnthen, sind jedoch durchschnittlich unvollkommen ausgebildet und heller von Farbe, blass lederbraun oder bräunlich gelb; es sind kurze hexagonale Säulen der ersten Ordnung, $a = (1.0.\bar{1}.0) = \infty P$ (vergleiche Vrba, Groth's Zeitschrift für Krystallographie, IV. 353), geendet durch die erste hexagonale Pyramide $x = (1.0.\bar{1}.1) = P$ und die Basis $c = (0.0.0.1) = oP$; letztere beiden Flächen zuweilen sauber ausgebildet; seltener tritt klein die Pyramide der zweiten Ordnung $s = (1.1.\bar{2}.1) = 2P2$ auf, und zwar fast immer in Begleitung einer pyramidal-hemiëdrischen Form.

Im Innern eines grösseren körnigen Aggregates, dessen Gefüge hier locker wurde und sich zu kleinen Drusen öffnete, traf ich ziemlich gut ausgebildete 1—2^{mm} lange, 0,5—0,8 dicke Säulen, deren Endigung vorherrschend durch die Flächen des Hemididihexaëders $u = (2.1.\bar{3}.1) = 3P\frac{3}{2}$ gebildet wird; ferner tritt das zweite Prisma $b = (1.1.\bar{2}.0) = \infty P2$ hinzu; es entsteht auf diese Weise nachfolgende Gestaltung:

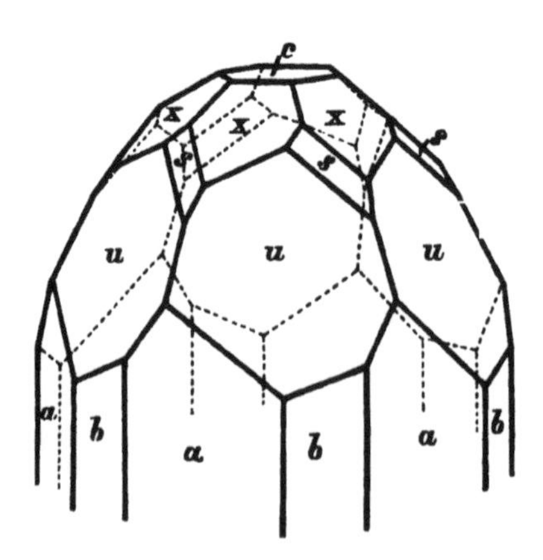

Die Flächen der Formen x und u sind glänzend und geben normale Reflexe; s erscheint nur als schmale Fläche zwischen x und u, so dass bei der Kleinheit ihrer Dimension ihr Reflex nur bemerklich wird, wenn sie sich mit ihrer längeren Ausdehnung in die Richtung der eingestellten Zone legt; die Säulenflächen glänzen auch, haben aber bis 30 Minuten gehende Unregelmässigkeiten; die Neigungen der Polflächen stimmen gut mit den von Vrba angenommenen Elementen, $a : c = 1 : 0712177$;

	berechnet	gemessen
$a = 1.0.\bar{1}.0 \mid u = 2.1.\bar{3}.1 =$	30°49′38″	30°44′24″
$u = 2.1.\bar{3}.1 \mid x = 0.1.\bar{1}.1 =$	40°39′22″	40°37′40″
$x = 0.1.\bar{1}.1 \mid x = \bar{1}.1.0.1 =$	37° 2′ 0″	37° 3′ 2″
$x = \bar{1}.1.0.1 \mid s = \bar{2}.1.1.1 =$	26°37′51″	26°35′45″
$s = \bar{2}.1.1.1 \mid a = \bar{1}.0.1.0 =$	44°51′ 9″	44°40′30″
	180° 0′ 0″	179°41′19″

21. October. Gesammtsitzung der Akademie.

Hr. Mommsen legte ein neu gefundenes Bruchstück eines römischen Volksbeschlusses aus Ateste vor und erläuterte dessen Inhalt.

Hr. Auwers legte folgende Mittheilung vor:

Resultate spectralphotometrischer Untersuchungen,

auf dem Kgl. Astrophysikalischen Observatorium zu Potsdam ausgeführt von Prof. H. C. Vogel.

Im Jahre 1877 ist der Königl. Akademie eine Reihe spectralphotometrischer Untersuchungen[1]) vorgelegt worden, die ich insbesondere zu dem Zwecke angestellt hatte, die Absorption der die Sonne umgebenden Gashülle zu ermitteln und eine Vervollständigung

---

[1]) Sitzungsberichte vom März 1877. Zu den damals gemachten Angaben über das Intensitäts-Verhältniss der Farben in den Spectren der gebräuchlichen Lichtquellen füge ich bei dieser Gelegenheit noch eine Ergänzung durch Mittheilung der Resultate einer Beobachtungsreihe hinzu, welche sich auf das aus Paraffinöl bereitete Gas bezieht. Derartiges Leuchtgas, welches auf dem Observatorium bereitet wird, ist mit Petroleum verglichen und im Mittel aus 15 Doppeleinstellungen von mir, Dr. Müller und Dr. Kempf gefunden:

Wellenlänge Mill. Millim.	Petroleum / Ölgas
673	86
633	91
600	95
555	100
517	104
486	106
464	107
444	106
426	105

Es geht hieraus hervor, dass dieses Gas in den brechbareren Theilen des Spectrums an Intensität hinter Petroleumlicht zurücksteht, sich in dieder früher von mir und Anderen über diesen Gegenstand angestellten Untersuchungen zu geben. Heute erlaube ich mir weitere spectralphotometrische Beobachtungen mitzutheilen, die besonders in Bezug auf die Intensitätsverhältnisse der Farben in den Spectren einiger Fixsterne Neues bieten dürften. Ich beschränke mich hier lediglich auf eine Mittheilung der Resultate, da die Details der Beobachtungen später in den Publicationen des Astrophysikalischen Observatoriums veröffentlicht werden sollen.

Das auf dem Princip, messbare Veränderungen der Lichtintensität durch Polarisation hervorzubringen, basirte Photometer, welches zu den Versuchen diente, ist eine Modification der Apparate von Bohn, Wild und Glan, und unterscheidet sich von diesen hauptsächlich dadurch, dass sich der Apparat leicht, mit einem grösseren Fernrohr verbunden, zu astronomischen Zwecken verwenden lässt. Der ausführlichen Beschreibung, die ich in der früheren Mittheilung gegeben habe, ist nur noch hinzuzufügen, dass mit dem Apparate bleibend eine Petroleumlampe in Verbindung gebracht worden ist, die um zwei senkrecht aufeinander stehende Axen beweglich, mittelst einer Wasserwage eingestellt werden kann. Die Flamme bleibt so von dem Spalt des Spectroskops, auf welche das von ihr ausgehende Licht durch ein totalreflectirendes Prisma geworfen wird, in constanter Entfernung. Der Cylinder der Lampe ist aus schwarzem Eisenblech gefertigt und mit zwei durch Glasplatten verschlossenen Öffnungen versehen, um das Licht der Flamme nach dem Apparate gelangen zu lassen und um mittelst eines kleinen Kathetometers, wie beim Zöllner'schen Photometer, die Höhe der Flamme zu beobachten und zu reguliren.

Durch diese constante Verbindung der Lampe mit dem Apparate hat derselbe ausserordentlich an Vielseitigkeit der Anwendbarkeit gewonnen. Es hat sich durch Versuche mit verschiedenen Petroleumlampen herausgestellt, dass bei einiger Vorsicht, die sich besonders auf Reinigung der Lampe vor dem Gebrauch und stets frische Füllung bezieht, die Intensitätsverhältnisse der Farben in

---

ser Hinsicht also umgekehrt verhält wie gewöhnliches aus Steinkohlen bereitetes Leuchtgas. Dies ist in Übereinstimmung mit der bekannten Thatsache, dass die Hitze der Flamme von sogenanntem Fettgas, in Folge des verhältnissmässig geringen Wasserstoffgehalts, geringer ist als die des wasserstoffreichen aus Steinkohlen bereiteten Gases.

dem Spectrum des Petroleumlichtes nur sehr geringen Schwankungen unterworfen sind, und daher Beobachtungen, die an verschiedenen Tagen angestellt sind, mit einander verglichen werden können[1]).

Die Constanz des Petroleumlichts macht es sogar möglich, auch mit verschiedenen Apparaten ausgeführte Beobachtungen mit einander zu vergleichen. Es ist dabei nicht zu vergessen, dass die Beobachtungen, wie aus den früheren Mittheilungen ersichtlich ist, stets so angestellt werden, dass nicht absolute Intensitäten bestimmt werden, sondern immer nur das Verhältniss der Intensität einer Farbe von bestimmter Wellenlänge in einer Lichtquelle zu derselben Farbe in dem Petroleum-Licht. Mit der Substanz des Prismas ändert sich auch die Dispersion und damit die absolute Intensität einer jeden Farbe. Vergleichbare Resultate über absolute Intensitäten würde man nur dann erhalten, wenn man die bei jedem Apparate gegebenen Dispersions-Verhältnisse reduciren würde auf die des Diffractions-Spectrums, wie es auch Vierordt ganz richtig gethan hat bei der Wiederholung der Fraunhofer'schen Untersuchungen über die Intensitäten der Farben[2]).

---

[1]) Es empfiehlt sich, die Lampe einige Zeit brennen zu lassen, ehe man mit den Beobachtungen beginnt und dann die Beobachtungen so anzuordnen, dass man erst von einem Ende des Spectrums zum andern und dann in umgekehrter Reihenfolge zurück geht, um den Einfluss einer etwaigen Veränderung der Lampe zu eliminiren.

[2]) Vor Kurzem ist von J. W. Draper (Am. Journ. 1879, Vol. 18 No. 103, p. 30) eine Notiz veröffentlicht worden, wonach im Diffractionsspectrum die Intensitäten aller Farben einander gleich sein sollen. Die rohen, auf der ungenausten photometrischen Methode, nämlich der des Verschwindens auf hellem Grunde, basirten Beobachtungen, widersprechen den bisher bekannten Wahrnehmungen. Wohl ist es denkbar, dass bei einer bestimmten Dispersion die von einer Lichtquelle ausgehenden Strahlen verschiedener Brechbarkeit gleiche absolute Intensität besitzen, bei derselben Dispersion wird aber eine andere Lichtquelle von erheblich verschiedener Temperatur eine Gleichheit der Intensität der Farben nicht zeigen können, wie das einfach daraus folgt, dass Lichtquellen verschiedener Temperatur, bei welchen man die Intensitätsverhältnisse der Farbe relativ zu ein und derselben Lichtquelle bestimmt, die grössten Verschiedenheiten zeigen und bei einer derartigen Vergleichung weder die besonderen Dispersionsverhältnisse, noch Absorption und individuelle Verschiedenheit der Augen in Betracht kommen.

I.

Bei den photometrischen Beobachtungen der Fixsternspectra, zu deren Mittheilung ich nun übergehe, bin ich auf sehr grosse Schwierigkeiten gestossen. Zunächst waren es experimentelle Schwierigkeiten, die zu überwinden waren. Weder das Sternspectrum mittelst Cylinderlinse in ein breites Band auszuziehen, noch die Beobachtungen anzustellen, wenn das Spectrum, ohne Anwendung von Cylinderlinse, nahezu linear erschien, stellte sich als vortheilhaft heraus. Im ersten Falle war das Spectrum zu schwach, im andern Falle zeigte es auffällige Intensitätsschwankungen bei der geringsten Veränderung in der Focaleinstellung. Die besten Resultate wurden erhalten, als der Spalt des Spectroskops sich etwas ausserhalb des Focus der Objectivlinse des Fernrohrs befand. Bei dieser Stellung konnte aber eine Vergleichung der Intensitäten der Farben mit der Intensität der entsprechenden Farbe im Petroleumlichte nicht ohne Weiteres ausgeführt werden, sondern es musste noch die mit der Farbe sich verändernde Breite des Sternspectrums in Rechnung gezogen werden. Die Bestimmung dieser Breite in den verschiedenen Farben gelang vollständig befriedigend nicht auf directem Wege, sondern erst vermittelst des in diesen Berichten kürzlich von mir beschriebenen und bei Gelegenheit eben dieser Beobachtungen aufgefundenen Verfahrens, indem die Vereinigungspunkte für die Strahlen der verschiedenen Farben bestimmt und dann durch Rechnung die Breite der betreffenden Stellen des Spectrums für die abweichende Spaltstellung ermittelt wurde.

Die eben besprochene Schwierigkeit würde bei Anwendung eines Spiegelteleskops nicht vorhanden sein, da beim Spiegel alle farbigen Strahlen in einem Punkte vereinigt werden, und das Spectrum eines Sterns immer durch parallele gerade Linien begrenzt sein wird. Die anderen Schwierigkeiten liegen in der Beobachtung selbst und können nicht gehoben werden. Zunächst ist es die Unruhe der Luft, welche dem Sternspectrum ein anderes Aussehen verleiht als dem Vergleichsspectrum des Petroleums. Das unruhige, von unzähligen hin- und herspringenden dunklen Längslinien durchzogene Sternspectrum ist besonders im Gelb äusserst schwer mit dem entsprechenden Theile des Petroleumspectrums zu vergleichen. Auch wird durch das Auf- und Niederspringen des Sternbildes in dem weitgeöffneten Spalt bewirkt, dass Theile des Spectrums zur Beobachtung kommen, welche von dem Vergleichsspectrum verschieden sind. Der Spalt des Spectroskops muss aber verhältnissmässig weit geöffnet werden, damit die Fraunhofer'schen Linien nicht stören. Das hat ferner zur Folge, dass die Farben weniger rein werden und sich schwieriger vergleichen lassen. Bei den vorliegenden Beobachtungen hat endlich unregelmässiger Gang des Uhrwerks oft recht störend und erschwerend gewirkt. Unter diesen Umständen konnte ich mich des Gefühls der Unsicherheit nicht erwehren; jedoch haben die Beobachtungen einiger Sterne eine über Erwarten gute Übereinstimmung gezeigt, auch sind die Unterschiede in den Intensitätsverhältnissen bei den verschiedenen Sternen so beträchtlich, dass diese sich unzweifelhaft und deutlich aussprechen.

Die Beobachtungen sind öfters wiederholt und von mir und Hrn. Dr. G. Müller, welcher sich viel mit photometrischen Beobachtungen beschäftigt, sich schon an den früheren spectralphotometrischen Untersuchungen betheiligte, und ein besonders feines Auffassungsvermögen für kleine Helligkeitsunterschiede besitzt, ausgeführt worden. Gewöhnlich wurden die Beobachtungen so angestellt, dass abwechselnd einer von uns die Einstellungen machte, während der andere den Kreis ablas, wodurch ausser der Annehmlichkeit, dass das Auge des Beobachters nicht durch grelles Licht geblendet wurde, noch eine Präoccupation möglichst vermieden werden konnte. Die Beobachtungen sind graphisch ausgeglichen worden und sind die hier mitgetheilten Zahlen aus den Curven abgeleitete Mittelwerthe.

Wellenlänge Mill. Millimeter	Intensität					
	Petroleum / Sirius	Petroleum / Wega	Petroleum / Capella	Petroleum / Arctur	Petroleum / Aldebaran	Petroleum / Beteigeuze
633	285	270	232	200	218	202
600	200	191	173	153	159	153
555	100	100	100	100	100	100
517	49	50	46	71	70	61
486	24	27	20	57	53	47
464	14	16	14	50	48	39
444	11	9	12	46	41	32

In Bezug auf die Genauigkeit dieser Beobachtungen sei erwähnt, dass bei Sirius die Abweichungen der einzelnen Beobachtungen von der Curve im Mittel 9$\frac{0}{0}$ betragen, bei Wega 11$\frac{0}{0}$, bei Capella schliessen sich alle Beobachtungen auf das Genaueste einer gleichmässig verlaufenden Curve an. Von den rothen Sternen sind die Beobachtungen bei Arctur am unsichersten, die Abweichungen von der Curve betragen im Mittel 13$\frac{0}{0}$, bei Aldebaran 8$\frac{0}{0}$, bei Beteigeuze 9$\frac{0}{0}$. Die Curvenpunkte selbst besitzen eine Genauigkeit von etwa 5$\frac{0}{0}$.

II.

Ich füge diesen Beobachtungen noch solche über die Sonne und über das elektrische Licht[1]) bei, von denen die ersteren, wegen der viel günstigeren Verhältnisse, unter denen die Beobachtungen angestellt werden können, eine grosse Sicherheit besitzen, die letzteren dagegen, wegen der Inconstanz des elektrischen Lichtes, wohl nie einen hohen Grad von Genauigkeit erreichen können. An diesen Beobachtungen hat sich ausser mir und Hrn. Dr. Müller noch Hr. Dr. Kempf betheiligt.

Wellenlänge Mill. Millim.	Intensität	
	$\frac{\text{Petroleum}}{\text{Sonne}}$	$\frac{\text{Petroleum}}{\text{Elektrisches Licht}}$
633	232	190
600	175	149
555	100	100
517	52	64
486	27	43
464	18	32
444	11	25
426	10	20

Abweichungen der Beobachtungen von der Curve bei der Sonne im Mittel 6$\frac{0}{0}$, bei dem elektrischen Licht 16$\frac{0}{0}$. Die Curvenpunkte haben eine Genauigkeit von etwa 4$\frac{0}{0}$ resp. 8$\frac{0}{0}$.

Aus den mitgetheilten Zahlenwerthen lässt sich leicht eine Verwandtschaft der Sterne mit nahezu gleichem Spectrum, Sirius und Wega einerseits, Capella und Sonne andererseits, erkennen, auch

[1]) Das elektrische Licht wurde durch eine kräftige dynamoelektrische Maschine, welche von einer 6-pferdigen Gasmaschine in Bewegung gesetzt wurde, erzeugt.

zeigen die rothen Sterne unter sich nahezu gleiche Intensitätsverhältnisse. Bei den weissen Sternen Sirius und Wega ist deutlich ausgesprochen, dass die brechbareren Theile des Spectrums eine viel grössere Intensität besitzen, als bei den gelblichen Sternen Capella und Sonne und bei den rothen Sternen Arctur, Aldebaran und Beteigeuze. Es ist ferner nicht ohne Interesse, dass die Intensitätsverhältnisse des elektrischen Lichtes im Vergleich zu Petroleum von dem der rothen Sterne wenig abweichen. Wenngleich eine directe Vergleichung nicht statthaft sein dürfte, da das von den Sternen zu uns gelangende Licht in unserer Atmosphäre eine Absorption erlitten hat, die sich vorzugsweise auf die blauen Strahlen erstreckt, und daher sämmtliche Curven für die Sonne und die Sterne ein stärkeres Anwachsen mit abnehmender Wellenlänge zeigen würden, wenn wir den Einfluss der Atmosphäre eliminiren könnten, so lässt sich doch so viel erkennen, dass die rothen Sterne in einem Glühzustand befindlich sind, der sich einigermaassen mit der Temperatur des elektrischen Flammenbogens vergleichen lässt.

Wenn bei der Beobachtung des Spectrums schon der blosse Augenschein die verhältnissmässig grosse Intensität der brechbareren Theile des Spectrums weisser Sterne ergeben hat, so fehlte doch bislang jeder Anhalt über die Grösse der Unterschiede, auch war nicht ohne Weiteres zu entscheiden, in welchem Verhältniss der Glühzustand der Sterne zu dem unserer Sonne stand. Aus den mitgetheilten Beobachtungen geht nun mit Sicherheit hervor, dass die weissen Sterne in einem bedeutend höheren Glühzustande sich befinden müssen als die Sonne, dass die gelben Sterne, mit nahezu gleichem Spectrum wie die Sonne, sich auch in ganz ähnlichem Glühzustande befinden, endlich, dass die Temperatur der rothen Sterne weit unter der Temperatur unserer Sonne gelegen ist. Mittelst der Kirchhoff'schen Function dürfte es dereinst gelingen, aus den Beobachtungen der Intensitätsverhältnisse in den Sternspectren, die wirklichen Temperaturunterschiede der Himmelskörper abzuleiten.

Die mitgetheilten Beobachtungen geben ferner eine Bestätigung der Ansicht, dass sich in den Spectren das Entwickelungs- (Abkühlungs-) Stadium der Sterne abspiegelt, welche Ansicht mich bekanntlich veranlasst hatte, eine etwas andere Classification der Sterne nach ihren Spectren vorzunehmen, als es von Secchi vorgeschlagen worden war (Astron. Nachr. Nr. 2000); auch gewinnt die Annahme, dass ein Theil der Streifen und Bänder, welche wir in den Spectren rother Sterne beobachten, chemischen Verbindungen in den sie umgebenden Atmosphären zuzuschreiben sind, sehr an Wahrscheinlichkeit, da bei Temperaturen, welche die des elektrischen Flammenbogens nicht sehr wesentlich überschreiten, sehr wohl chemische Verbindungen denkbar sind.

Über die Intensitätsverhältnisse im Spectrum des elektrischen Lichtes liegen auch von anderen Beobachtern Resultate vor, so aus jüngster Zeit von O. E. Meyer (Zeitschr. f. angew. Electr. v. Carl). Sie lassen aber keinen directen Vergleich mit unseren Beobachtungen zu, da die genaueren Angaben über die untersuchten Stellen des Spectrums fehlen, und nur die allgemeinen Bezeichnungen, Roth, Gelb u. s. w., angegeben sind.

Eine directe Vergleichung des Sonnenspectrums mit dem elektrischen Lichte ist noch von Hrn. Dr. Müller ausgeführt worden. Die mit dem Apparate verbundene Lampe wurde zu dem Zwecke entfernt, und Sonnenlicht, durch weisses Papier abgeschwächt, auf die eine Hälfte des Spaltes geworfen, während das elektrische Licht, von einer weissen Porzellanschaale reflectirt, auf die andere Hälfte des Spaltes gelangte. Um die Veränderung des Sonnenlichtes beim Durchgang durch weisses Papier zu eliminiren, wurde nachher folgende Beobachtung angestellt. Die eine Hälfte des Spaltes wurde wie vorher durch Sonnenlicht, welches durch dasselbe weisse Papier gegangen war, erhellt, während die andere Hälfte von der matten weissen Schaale reflectirtes Sonnenlicht erhielt.

Die graphisch ausgeglichenen Beobachtungen ergaben:

Wellenlänge Mill. Millim.	$\frac{\text{Sonne}}{\text{Elektr. Licht}}$
633	80
600	83
555	100
517	125
486	159
464	189
444	224

Aus den Vergleichungen beider Lichtquellen mit der Petroleumflamme würde man, in Anbetracht der schon erwähnten grossen

Schwierigkeit der Beobachtung des elektrischen Lichtes in recht befriedigender Übereinstimmung mit diesen Zahlen, erhalten:

Wellenlänge Mill. Millim.	Sonne / Elektr. Licht
633	82
600	85
555	100
517	121
486	159
464	178
444	227

Die Behauptung von O. E. Meyer (a. a. O. p. 325), dass das Sonnenlicht in den mittleren Theilen des Spectrums beträchtlich heller leuchte als elektrisches Licht, während das letztere im Roth und Violett überwiege, haben wir nicht bestätigt gefunden. Es ist unzweifelhaft immer eine stete Zunahme der Intensität des Sonnenlichtes nach Blau gegen das elektrische Licht beobachtet worden, nicht nur durch die Messungen selbst, sondern auch durch den blossen Augenschein, wenn beide Spectra im Roth oder Gelb gleich intensiv gemacht wurden und in der ganzen Ausdehnung nach Blau hin zu übersehen waren.

III.

Spectralphotometrische Beobachtungen am Mond von mir und Hrn. Dr. Müller haben folgende Resultate gegeben:

Wellenlänge Mill. Millim.	Petroleum / Mond
633	220
600	164
555	100
517	62
486	40
464	29
444	22
426	18

Abweichungen der einzelnen Beobachtungen von der Curve im Mittel 6%. Die Genauigkeit der Curvenpunkte ist zu 4% anzunehmen.

Es schien mir nicht uninterressant, zum Vergleich das Verhalten einer Reihe von irdischen Stoffen, welche von der Sonne unter nahezu senkrechter Incidenz beleuchtet wurden, zu untersuchen. Hierbei haben sich folgende Resultate ergeben:

Wellenlänge Mill. Millim.	Rother Ziegelstein	Dolerit	Gelber Lehm	Gelber Sand
633	90	235	175	173
600	76	173	145	145
555	100	100	100	100
517	69	53	68	55
486	55	30	50	32
464	48	22	40	23
444	35	20	36	21

Wellenlänge Mill. Millim.	Ackererde	Gemisch von Erde, Sand und Lehm	Gelblich grauer Sandstein
633	210	178	210
600	159	144	160
555	100	100	100
517	67	67	60
486	49	49	37
464	40	37	24
444	35	30	19

Abweichungen der einzelnen Beobachtungen von der Curve durchschnittlich 7%. Die Sicherheit der Curvenpunkte ist zu 5% anzunehmen.

Nur bei dem rothen Dachziegel wird das Intensitätsverhältniss durch eine sehr unregelmässige Curve, in Folge electiver Veränderung der Reflexion, dargestellt, bei den anderen weniger auffallend gefärbten Substanzen verläuft die Curve ganz gleichmässig, entsprechend einer mehr allgemeinen, über grössere Strecken des Spectrums sich erstreckenden Absorption.

Aus den Beobachtungen geht so viel hervor, dass die Oberfläche des Mondes nur eine schwache Färbung besitzt und sehr wohl aus solchen Substanzen gebildet sein kann, welche auf unserer Erdoberfläche sich vorfinden. Die beste Übereinstimmung zeigt gelblich grauer Sandstein.

IV.

Schliesslich lasse ich noch Beobachtungen über die Intensitätsverhältnisse im Spectrum des diffusen Himmelslichtes bei blauem Himmel und bei völlig bedecktem Himmel im Vergleich zum Spectrum der Petroleumflamme folgen, welche die Mittelwerthe aus zahlreichen Beobachtungen von mir und Dr. Müller sind und grosse Sicherheit besitzen (Abweichungen der einzelnen Beobachtungen von der Curve $6\frac{0}{0}$, die Curvenpunkte sind bis auf etwa $3\frac{0}{0}$ sicher).

Wellenlänge Mill. Millim.	Trüber Himmel $\frac{\text{Petroleum}}{\text{diff. Tageslicht}}$	Klarer Himmel $\frac{\text{Petroleum}}{\text{diff. Tageslicht}}$
673	—	267
633	340	398
600	212	252
555	100	100
517	47	40
486	23	19
464	13	9
444	10	4
426	9	2

Nicht uninteressant wäre es, derartige Beobachtungen in grösseren Höhen und in südlichen Gegenden zu wiederholen, auch glaube ich, dass ähnliche Beobachtungen für die Meteorologie von Wichtigkeit werden könnten, da die Bläue des Himmels vom Gehalte der Atmosphäre an Wasserdampf abhängig ist.

Darauf legte Hr. Helmholtz eine Abhandlung des Hrn. Prof. Kundt in Strassburg, vom October 1880, vor:

Über den Einfluss des Druckes auf die Oberflächenspannung an der gemeinschaftlichen Trennungsfläche von Flüssigkeiten und Gasen und über die Beziehung dieses Einflusses zum Cagniard de la Tour'schen Zustand der Flüssigkeiten.

Da wir nicht im Stande sind, ein Stück der Oberfläche einer Flüssigkeit in Berührung mit dem leeren Raum zu bringen, weil dieser Raum sich sofort mit dem Dampf der betreffenden Flüssigkeit sättigen würde, so ist es experimentell auch nicht möglich, die Spannung (Capillarconstante) der „freien", d. h. vom luftleeren Raum begränzten Oberfläche einer Flüssigkeit zu bestimmen. Was wir bestimmen können, ist immer nur die Oberflächenspannung an der gemeinschaftlichen Gränzfläche zwischen der Flüssigkeit und ihrem Dampf.

Bei den Bestimmungen der Capillarconstante der Flüssigkeiten, wie sie gewöhnlich angestellt werden — (Steighöhen in Röhren oder Tropfen auf flachen Unterlagen) — befindet sich meistens über der Oberfläche der Flüssigkeiten nicht blos der Dampf derselben, sondern noch Luft oder ein anderes Gas. Die Erfahrung hat indess gezeigt, dass die Oberflächenspannung zwischen einer Flüssigkeit und ihrem Dampf durch das Hinzutreten von Luft oder von einem andern Gas bei Atmosphärendruck nicht merklich verändert wird, so lange keine erhebliche Absorption des Gases, wie etwa bei Ammoniak oder Salzsäure, eintritt.

Versuche darüber, ob und wie sich die gemeinschaftliche Capillarconstante einer Flüssigkeit und eines Gases ändert, wenn der Druck des Gases erheblich wächst, scheinen nicht vorzuliegen, wenigstens konnte ich in der mir zugänglichen Literatur keine solche auffinden [1]).

Da wir wissen, dass, wenn eine Flüssigkeit ein Gas in sehr grosser Menge absorbirt, wie z. B. Wasser Salzsäuregas oder Ammoniakgas, eine Erniedrigung der Capillarconstante eintritt, andrer-

---

[1]) Bezüglich der Änderung des sogenannten Randwinkels einer Flüssigkeit durch Druck eines Gases findet sich eine gelegentliche Angabe von Hrn. Quincke, Poggend. Annalen Bd. 160, S. 119.

seits alle Flüssigkeiten in geringerem oder stärkerem Maasse Gas absorbiren, so wird man von vornherein schliessen können, dass bei hinreichend beträchtlichen Gasdrucken Änderungen in der Capillarconstante bei allen Flüssigkeiten eintreten. Zu dem gleichen Schluss und dem weiteren, dass mit immer mehr wachsendem Gasdrucke die gemeinschaftliche Capillarconstante immer mehr abnehmen muss, um schliesslich bei einem bestimmten Druck Null zu werden, kann man aber, ohne auf die Frage nach den zwischen Flüssigkeiten und Gasen etwa vorhandenen Molekularkräften und ihrer Wirkungsweise einzugehen, noch auf anderem Wege kommen.

Seit den Versuchen Cagniard de la Tour's weiss man, dass eine Flüssigkeit, die mit ihrem Dampf in einem geschlossenen Gefäss erhitzt wird, bei einer ganz bestimmten Temperatur (der kritischen Temperatur Andrews') mit ihrem Dampf ein physikalisch homogenes Medium bildet. Während man allmählig die Temperatur steigert, nimmt, wie die directe Beobachtung des Flüssigkeitsmeniskus zeigt, die gemeinschaftliche Capillarconstante zwischen der Flüssigkeit und ihrem Dampf immer mehr ab und ist schliesslich bei der kritischen Temperatur Null; d. h. Flüssigkeit und Dampf sind, wenn man sich so ausdrücken will, vollständig mit einander gemischt.

Zu dieser von Cagniard de la Tour gefundenen Erfahrungsthatsache hat Andrews bei seinen bekannten Untersuchungen über die Kohlensäure eine weitere wichtige hinzugefügt.

Andrews hat gefunden, dass, wenn man ein Gemisch von Luft und Kohlensäure comprimirt, die letztere bei Drucken, bei denen sie für sich lange flüssig sein würde, in Gegenwart der Luft noch gasförmig bleibt[1]). Ein Gemenge von 3 Volumen CO_2 und 4 Vol. N_2 konnte bei 7°6 C. bis zu 283.9 Atmosphären comprimirt werden, ohne dass die Kohlensäure sich condensirte. Das Hauptresultat der Versuche über Compression von Gasgemischen fasst er in die Worte zusammen:

The most important of these results is the lowering of the critical point by admixture with a non condensable gas.

Als nicht condensirbares Gas ist hier ein solches anzusehen,

---

[1]) Phil. Mag. (5) I, S. 78.

welches sich bei der in Betracht kommenden Temperatur über seiner eigenen kritischen Temperatur befindet.

Die Versuche von Andrews über Compression von Gasgemischen sind neuerdings von Cailletet[1]) wiederholt und erweitert worden. Cailletet hat Gemische von Kohlensäure oder Stickoxydul mit Sauerstoff, Wasserstoff und Stickstoff untersucht und an ihnen die Erniedrigung der kritischen Temperatur gezeigt, und beobachtet, dass die verschiedenen Gase in verschiedenem Maasse die Condensation der Kohlensäure verhindern. Sodann beschreibt er folgenden wichtigen Versuch, dessen Gelingen sich übrigens schon aus den Angaben von Andrews erschliessen lässt.

Beim Comprimiren eines Gemisches von 5 Vol. CO_2 und 1 Vol. Luft wird bei Temperaturen unter 26° C. die Kohlensäure leicht condensirt; comprimirt man dann aber weiter auf 150—200 Atmosphären, so wird der Meniscus der Kohlensäure immer flacher, bis derselbe bei zunehmendem Drucke verschwindet, und mit ihm zugleich die Flüssigkeit verschwunden ist. Die Flüssigkeit ist mithin durch blosse Druckzunahme in den Cagniard de la Tour'schen Zustand übergegangen, ist ein Gas geworden oder hat sich, wie Cailletet sich ausdrückt, in dem Gas aufgelöst.

Nimmt man an, dass das, was von Cailletet für CO_2 und N_2O beobachtet ist, für alle Flüssigkeiten gilt, so muss jede Flüssigkeit bei gewöhnlicher Temperatur durch blosses Hinzupumpen eines Gases, welches sich über seiner kritischen Temperatur befindet, bei einem hinreichend hohen Druck selbst über die kritische Temperatur gebracht werden können, d. h. gasförmig werden.

Dabei muss die gemeinschaftliche Oberflächenspannung zwischen Flüssigkeit und Gas von dem ursprünglichen Werth bei zunehmendem Druck des Gases immer mehr abnehmen, bis sie schliesslich Null wird.

Bei Flüssigkeiten, deren kritische Temperatur für sich sehr hoch liegt, wird man voraussichtlich enorme Gasdrucke anwenden müssen, um dieselben bei gewöhnlicher Temperatur in Gaszustand überzuführen; jedenfalls wird man aber schon mit schwächeren Gasdrucken den Beginn der Erscheinung, gewissermassen die Tendenz zur Vergasung der Flüssigkeiten, durch eine Abnahme der

---

[1]) C. R. T. XC. p. 210 (1880) und J. de Physique T. IX p. 192 (1880) 1.

gemeinschaftlichen Oberflächenspannung zwischen Flüssigkeit und Gas nachweisen können.

Da ich, wie bereits bemerkt, in der Literatur keine Beobachtungen der Capillaritätsconstanten von Flüssigkeiten bei höheren Gasdrucken auffinden konnte, habe ich selbst eine Reihe derartiger Beobachtungen ausgeführt. Die ursprüngliche Veranlassung zu denselben gaben Überlegungen, die sich nur auf die älteren Versuche Cagniard de la Tour's und die neueren Andrews' stützten. Meine Versuche waren bereits beendet, als ich Kenntniss erhielt von dem wichtigen und schönen, oben angegebenen Versuch Cailletet's.

Die Versuche wurden in folgender Weise ausgeführt:

Ein Glasrohr von circa 10^{mm} äusserem und etwa $1,8^{mm}$ innerem Durchmesser, unten zugeschmolzen, war mit dem etwas verdickten oberen Ende mit Kautschuk in ein ausgebohrtes Eisenstück luftdicht eingesetzt. Dieses Eisenstück wurde mittelst vier Schrauben an ein mit Flansche versehenes Kupferrohr angeschraubt, welches seinerseits zu den Gascompressions-Apparaten führte. In das Glasrohr wurde ein wenig von der Flüssigkeit gebracht, deren Capillarconstante bestimmt werden sollte, etwa so viel, dass dieselbe 2^{cm} hoch in dem Rohr stand, und in diese Flüssigkeit wurde ein enges Capillarrohr gestellt, in dem die Flüssigkeit aufstieg. Diese Capillarröhren waren aus sorgfältig gereinigten Glasröhren jedesmal frisch vor der Gebläselampe gezogen. Mit einem Kathetometer wurden die Steighöhen der Flüssigkeiten in den Capillaren gemessen. Die Apparate zur Compression der Gase bestanden, wie bei den Versuchen über elektromagnetische Drehung des Lichtes, die Hr. Röntgen und ich zusammen ausgeführt haben [1]), aus einer Gascompressionspumpe, einem cylindrischen Eisenrohr und einer hydraulischen Presse. Zunächst wurde der Apparat nebst dem Eisenrohr mittelst der Compressionspumpe bis zu einem Druck von etwa 20—40 Atmosphären gefüllt, und dann die Erhöhung des Druckes dadurch erzielt, dass in das Eisenrohr mittelst der hydraulischen Presse Glycerin eingepresst wurde. Zur Messung des Druckes war ein Federmanometer eingeschaltet, welches den Druck in Kilogrammen auf das Quadratcentimeter angiebt.

---

[1]) Wiedem. Ann. Bd. VIII, S. 286.

Nachdem der für eine Beobachtung gewünschte Druck hergestellt war, wurde während der Messung der Steighöhe in den Capillaren stets der Apparat mit sammt dem Manometer von den Compressionsvorrichtungen durch einen Hahn abgesperrt. Leider konnte ich nur selten höhere Drucke anwenden, als etwa 150 $\frac{\text{kg}}{\square\text{cm}}$, da die benutzten Glasröhren bei höheren Drucken fast immer sprangen. Auch schon bei Drucken unter 150 $\frac{\text{kg}}{\square\text{cm}}$ sind mir einige Dutzend Glasröhren zersprungen, und wurde es mir hierdurch sehr erschwert, vollständige Beobachtungsreihen, aus denen Capillarconstanten berechnet werden konnten, zu erhalten. Die Dimensionen der Capillaren konnten nämlich, um letztere nicht zu verunreinigen, erst nach dem Versuch bestimmt werden; mit dem Zerspringen des äusseren Glasrohres wurde aber auch jedesmal die Capillare zertrümmert. Der innere, wie äussere Durchmesser der Capillare wurde mit einem mit Ocularmikrometer versehenen Mikroskop ermittelt.

Bedeutet:

r_1 den inneren,
r_2 den äusseren Radius der Capillarröhre,
r_3 den inneren Radius des umschliessenden Rohres,
H die Steighöhe der Flüssigkeit im Capillarrohr,
d die Dichte der Flüssigkeit,
d' die Dichte des Gases in dem Apparat,

so ist:

$$\alpha \cos \omega = \frac{H(d-d')}{2\left[\frac{1}{r_1} - \frac{1}{r_3 - r_2}\right]},$$

wo α die Oberflächenspannung und ω den Randwinkel bedeutet.

Bei den zunächst benutzten Flüssigkeiten Alkohol und Äther ist ω, wenigstens soweit es sich bei mikroskopischer Beobachtung beurtheilen liess, auch für hohe Drucke der Gase jedenfalls sehr nahe $= 0$, so dass für diese Flüssigkeiten:

$$\alpha = \frac{H(d-d')}{2\left[\frac{1}{r_1} - \frac{1}{r_3 - r_2}\right]}.$$

Die Versuche wurden fast durchgehends bei einer Temperatur von ungefähr 21° C. ausgeführt und dem entsprechend die Dichte der Gase für den Druck von 1 Kilogramm auf das Quadratcentimeter genommen für

Luft	0.001162
Wasserstoff .	0.0000805.

Die Dichten wurden den Drucken proportional gesetzt, was für Wasserstoff keinen merklichen Fehler in den berechneten Capillarconstanten giebt, und für Luft gleichfalls nur einen kleinen Fehler, da die Abweichungen vom Mariotte'schen Gesetz bis zu 150 Atmosphären nicht so sehr beträchtlich sind, und nicht die Dichte des Gases selbst in die Formel eingeht, sondern nur die Differenzen der Dichten der Flüssigkeiten und der Gase.

Wird Gas über der Flüssigkeit comprimirt, so ändert sich, da Gas absorbirt wird, auch die Dichte der Flüssigkeit, doch ist diese Änderung jedenfalls so gering, dass dieselbe für die hier vorliegenden Versuche, bei denen es wesentlich darauf ankam, die Erscheinung zunächst im Allgemeinen zu verfolgen, zu vernachlässigen ist.

Die folgenden Tabellen enthalten einige vollständige Beobachtungsreihen mit Äther, Alkohol und einer alkoholischen Chlorcalciumlösung als Flüssigkeiten und Wasserstoff und atmosphärischer Luft als Gasen.

Die Messungen der Steighöhen wurden meistens gemacht, indem man von den niederen Drucken zu höheren überging und dann wieder von den höheren zu niederen abstieg. Daher finden sich in den Tabellen oft Bestimmungen bei nahe an einander liegenden Drucken; von diesen ist meist die eine bei aufsteigendem, die andere bei abnehmendem Drucke gemacht. Geht man von höheren Drucken zu niederen über, so muss man sich sehr sorgfältig überzeugen, dass nicht von dem in der Flüssigkeit absorbirt gewesenen Gas etwas in der Capillare frei geworden und mithin die Flüssigkeitssäule in der Capillare unterbrochen ist.

Bemerken will ich noch, dass das Sinken der Flüssigkeit in der Capillare mit zunehmendem Gasdruck gewöhnlich schon in weniger als einer Minute erfolgt, so dass alsbald nach der Compression die Steighöhe gemessen werden kann.

In den Tabellen haben die r die oben S. 816 angegebene Bedeutung und sind in Millimetern angegeben; d ist die Dichte der benutzten Flüssigkeit bei etwa 21°.

Unter p ist der Druck des Gases in Kilogrammen auf das Quadratcentimenter gegeben, unter H die beobachtete Steighöhe in

Millimetern; die Columnen unter α geben die berechneten Capillarconstanten und die Zahlen unter δ die Abnahmen dieser Constanten für die Druckzunahmen von 1 $\frac{kg}{\square cm}$ berechnet aus zwei auf einander folgenden Bestimmungen. Da die r und H in Millimetern gegeben sind, so hat dem entsprechend α die Dimension $\frac{\text{Milligramm}}{\text{Sec.}^2}$. Meist sind für Flüssigkeiten und ein Gas zwei Beobachtungsreihen mit zwei verschiedenen Capillaren gegeben, deren Resultate fast überall innerhalb der möglichen Beobachtungsfehler hinreichend übereinstimmen.

Wenn die in den Tabellen gegebenen Werthe von α, absolut genommen, in Folge ungenauer Bestimmung der Durchmesser der Röhren auch mit Fehlern behaftet sein können, die sich bis auf die erste Decimale erstrecken, so sind doch die Werthe bis auf drei Decimalen gegeben, da es wesentlich auf die Änderung von α in einer Beobachtungsreihe ankam, und diese unabhängig ist von der Bestimmung der Röhrendurchmesser. Das benutzte Manometer habe ich bisher nicht auf seine Genauigkeit prüfen können; es ist also möglich, dass die angegebenen Drucke dem absoluten Betrage nach um etwas falsch sind.

[Tab. I.]

Äther-Wasserstoff.

$d = 0.730.$

Versuch I.

$r_1 = 0.0813$; $r_2 = 0.232$; $r_3 = 0.8$

p	H	α	δ
1	48.8	1.983	
			0.0031
57	44.7	1.807	
			0.0023
78	43.6	1.758	
			0.0024
111	41.8	1.678	
			0.0010
119	41.6	1.670	

Versuch II.

$r_1 = 0.196$; $r_2 = 0.262$; $r_3 = 0.8$

p	H	α	δ
1	39.3	1.974	
			0.0031
51	36.5	1.823	
55	36.2	1.808	
			0.0029
100	33.7	1.674	
102	33.8	1.679	
			0.0023
152	31.6	1.561	

Alkohol-Wasserstoff.

$d = 0.795.$

Versuch I.

$r_1 = 0.0797;\ r_2 = 0.181;\ r_3 = 0.8$

p	H	α	δ
1	67.3	2.446	0.0034
15	66.1	2.399	0.0029
51	63.4	2.293	0.0021
104	60.6	2.180 }	
107	60.5	2.177 }	0.0020
152	58.3	2.087	

Versuch II.

$r_1 = 0.0832;\ r_2 = 0.226;\ r_3 = 0.8$

p	H	α	δ
1	63.7	2.444	0.0028
51	60.3	2.302 }	
53	60.2	2.298 }	0.0024
102	57.4	2.180 }	
103	57.3	2.177 }	0.0022
155	54.6	2.064	

Alkoholische Lösung von Chlorcalcium-Wasserstoff.

$d = 0.867.$

$r_1 = 0.0997;\ r_2 = 0.257;\ r_3 = 0.8$

p	H	α	δ
1	53.2	2.582	0.0028
50	50.6	2.447 }	
54	50.3	2.432 }	0.0025
105	48.0	2.310	0.0016
156	46.5	2.228	

[Tab. II.]

Äther-Luft.

$d = 0.730.$

Versuch I.

$r_1 = 0.0628;\ r_2 = 0.226;\ r_3 = 0.8$

p	H	α	δ
1	75.7	1.948	0.0101
32	66.8	1.634	0.0070
65	60.8	1.403	0.0061
104	54.3	1.166	0.0054
141	48.3	0.965	

Versuch II.

$r_1 = 0.0759;\ r_2 = 0.240;\ r_2 = 0.8$

p	H	α	δ
1	61.3	1.965	0.0090
51	51.5	1.517	0.0065
103	44.0	1.180	

Alkohol-Luft.

$d = 0.795.$

$r_1 = 0.0680;\ r_2 = 0.226;\ r_3 = 0.8$

p	H	α	δ
1	82.9	2.542	
			0.0078
24	79.6	2.362	
			0.0068
83	72.9	1.969	
			0.0051
156	67.5	1.599	
			0.0038
212	65.2	1.384	

Alkoholische Lösung von Chlorcalcium-Luft.

$d = 0.876.$

Versuch I.

$r_1 = 0.0459;\ r_2 = 0.192;\ r_3 = 0.8$

p	H	α	δ
1	119.0	2.560	
			0.0076
52	108.5	2.172	
			0.0046
102	104.5	1.944	
			0.0031
153	104.6	1.788	

Versuch II.

$r_1 = 0.0548;\ r_2 = 0.228;\ r_3 = 0.8$

p	H	α	δ
1	98.1	2.578	
			0.0066
52	91.7	2.243	
			0.0053
100	87.5	1.991	
			0.0029
151	87.9	1.843	

Ausser den vorstehenden habe ich noch eine grosse Anzahl von Versuchen angestellt, die aber meist wegen Zerplatzens des Apparates unvollständig blieben. Die folgende Tabelle enthält einige derselben. Auch für die folgenden Flüssigkeiten ist ω gleich Null gesetzt.

[Tab. III.]

Schwefelkohlenstoff-Luft.

$d = 1.260.$

Versuch I.

$r_1 = 0.0845;\ r_2 = 0.179;\ r_3 = 0.8$

p	H	α	δ
1	53.0	3.267	
			0.0067
49	50.0	2.943	
			0.0061
106	46.7	2.598	
			0.0063
156	43.2	2.281	

Versuch II.

$r_1 = 0.0567;\ r_2 = 0.259;\ r_3 = 0.8$

p	H	α	δ
13	81.3	3.205	
			0.0080
53	75.9	2.884	
			0.0077
102	69.2	2.503	
			0.0055
152	64.9	2.228	

Chloroform-Luft.

$d = 1.480.$

p	H	α'	δ'
1	58.2	1	
			0.0034
51	50.3	0.830	
			0.0025
102	44.5	0.704	
			0.0020
150	40.1	0.608	

Äther-Kohlensäure.

$d = 0.730.$

Versuch I.

$r_1 = 0.0654$; $r_2 = 0.202$; $r_3 = 0.8$

p	H	α	δ
1	69.9	1.874	
			0.026
24	50.7	1.280	

Versuch II.

p	H	α'
1	49.4	1
27	39.2	0.742

Bei dem Versuch mit Chloroform konnten nur relative Werthe von α berechnet werden, da die Röhren beim Versuch sprangen. Der Werth der Capillarconstante beim Druck 1 $\frac{kg}{\Box cm}$ (α') ist gleich Eins gesetzt.

Ebenso konnten beim Versuch 2 für Kohlensäure nur relative Werthe der Constante berechnet werden.

Auch mit Wasser und Luft wurden eine Anzahl Bestimmungen gemacht. Dieselben stimmten nicht sehr gut unter einander. Aus den zuverlässigsten derselben ergab sich als mittlere Abnahme der Capillarconstante für die Druckzunahme von 1 $\frac{kg}{\Box cm}$ zwischen den Drucken 1 und 150 $\frac{kg}{\Box cm}$

$$\delta = 0.009.$$

Bei Quecksilber schien gleichfalls eine kleine Veränderung von α bis zu Drucken von 200 $\frac{kg}{\Box cm}$ einzutreten, doch bedarf es zur Ermittelung der Grösse derselben einer eingehenderen Untersuchung.

Aus der Gesammtheit der vorstehenden Versuche ergiebt sich:

1) Die gemeinschaftliche Oberflächenspannung zwischen Flüssigkeit und Gas nimmt für Alkohol, Äther, alkoholische Lösung von Chlorcalcium, Schwefelkohlenstoff, Chloroform und Wasser erheblich mit zunehmendem Drucke des Gases ab;

2) diese Abnahme ist bei niederen Drucken grösser als bei höheren;

3) dieselbe ändert sich für eine und dieselbe Flüssigkeit mit der Natur des Gases, welches mit der Flüssigkeit comprimirt wird. Bei Alkohol, Äther, alkoholischer Chlorcalciumlösung bedingt Luft eine grössere Verminderung der Capillarconstante, als Wasserstoff. Dies tritt am deutlichsten hervor, wenn man aus obigen Tabellen die mittlere Erniedrigung der Capillarconstante (δ_{100}) für eine Druckzunahme von 1 auf 100 $\frac{kg}{\square cm}$ berechnet, wie aus folgender Zusammenstellung ersichtlich ist.

Äther-Wasserstoff.	*Äther-Luft.*
$\delta_{100} = 0.0028$	$\delta_{100} = 0.0077$
$\delta_{100} = 0.0030$	$\delta_{100} = 0.0076$
Alkohol-Wasserstoff.	*Alkohol-Luft.*
$\delta_{100} = 0.0027$	$\delta_{100} = 0.0066$
$\delta_{100} = 0.0027$	
Chlorcalciumlösung-Wasserstoff.	*Chlorcalciumlösung-Luft.*
$\delta_{100} = 0.0028$	$\delta_{100} = 0.0061$
	$\delta_{100} = 0.0059$

Ob allgemein die Gase, welche die Constante α stärker beeinflussen, von den Flüssigkeiten auch stärker absorbirt werden, wird sich wohl erst auf Grundlage eines reichhaltigeren Beobachtungsmaterials entscheiden lassen.

4) Die Abnahme der Capillarconstante ist für einige der untersuchten Flüssigkeiten so erheblich (bei Äther und Luft ist α schon bei einem Druck von 140 $\frac{kg}{\square cm}$ auf die Hälfte gesunken), dass vermuthlich schon mit Gasdrucken, die wir ohne zu grosse Schwierigkeiten erreichen können, die Oberflächenspannung Null wird, mithin die Flüssigkeiten bei gewöhnlicher Temperatur in den Cagniard de la Tour'schen Zustand übergehen können.

Bei etwas höherer Temperatur wird voraussichtlich die Capillarconstante mit dem Gasdruck schneller sinken und mithin jener Zustand eher erreicht werden.

Ist einmal die Möglichkeit gegeben, Flüssigkeiten durch Hinzupumpen von Gasen, die sich über ihrer kritischen Temperatur befinden, in Gasform überzuführen, so muss auch die Möglichkeit zugegeben werden, diejenigen festen Körper, welche ihren Schmelzpunkt mit dem Druck erniedrigen, durch blossen Druck eines indifferenten Gases gasförmig zu machen.

Nimmt man ferner als durch die Versuche der Herren Hannay und Hogarth[1]) erwiesen an, dass Substanzen, die in einer Flüssigkeit gelöst sind, beim Übergang der Flüssigkeit in den Cagniard de la Tour'schen Zustand durch Temperaturerhöhung mit in diesen Zustand übergeführt werden, so wird man schliessen, dass auch die Möglichkeit vorliegt, Körper wie Salze oder dergl., die in Flüssigkeiten gelöst sind, bei gewöhnlicher Temperatur durch Gasdruck mit der Flüssigkeit gasförmig zu machen.

Ob es aber je gelingen wird, Gasdrucke herzustellen, die erlauben, diese Schlussfolgerungen experimentell zu prüfen, muss dahin gestellt bleiben.

Schliesslich möge noch erwähnt werden, dass ebenso wie die Capillarconstante einer Flüssigkeit mit zunehmendem Gasdrucke abnimmt, eine andere physikalische Constante der Flüssigkeiten mit wachsendem Drucke abnehmen muss, nämlich die latente Verdampfungswärme.

Es ist erfahrungsmässig festgestellt, dass die Verdampfungswärme der Flüssigkeiten mit der Temperatur abnimmt. Bei der kritischen Temperatur muss dieselbe Null sein.

Hr. Avenarius[2]) hat bereits vor längerer Zeit aus den Regnault'schen Beobachtungen über Abnahme der Verdampfungswärme mit der Temperatur die kritische Temperatur einiger Flüssigkeiten berechnet.

Da die kritische Temperatur durch Hinzutreten eines nicht condensirbaren Gases sinkt, wird bei höheren Gasdrucken die la-

[1]) Proceed. Roy. Soc. 30. p. 178—188.

[2]) Poggend. Ann. Bd. 151, S. 303.

tente Wärme einer Flüssigkeit schon bei niederer Temperatur Null, mithin muss dieselbe allgemein mit zunehmendem Gasdruck abnehmen. Bei hinreichend hohem Gasdruck muss man daher eine Flüssigkeit durch Zuführen einer beliebig kleinen Wärmemenge verdampfen können.

Darauf legte Hr. Zeller folgende Mittheilung des Hrn. Prof. Gerhardt in Eisleben, zwei von ihm neu aufgefundene Leibnizische Manuscripte betreffend, vor:

Während der Sommerferien war ich drei Tage in Hannover, um an Ort und Stelle in den Leibnizischen Manuscripten zu arbeiten. Als nächsten Zweck verfolgte ich hierbei, ob es möglich sei, die bisher vorhandene Lücke in der Ausbildung der Leibnizischen Metaphysik von den Briefen an den Herzog Johann Friedrich von Braunschweig-Lüneburg aus den Jahren 1671 bis 1673 bis zu dem „petit discours de metaphysique", den Leibniz im Jahre 1686 an Antoine Arnauld schickte, auszufüllen. Es gelang mir, die beiden folgenden Manuscripte zu finden, die zwar nicht datirt, sicherlich aber in den ersten Jahren von Leibnizens Aufenthalt in Hannover, vielleicht um das Jahr 1680 geschrieben sind.

In Betreff der mit I. bezeichneten Abhandlung ist es nöthig, einen Blick auf die Lage zu werfen, in welcher sich Leibniz befand, als er am Ende des Jahres 1676 in Hannover eintraf. Der Herzog Johann Friedrich war von der protestantischen zur katholischen Religion übergetreten, ohne jedoch den Fanatismus kundzugeben, der die Convertiten meistens charakterisirt. Eine zahlreiche katholische Geistlichkeit, unter der sich viele Ausländer befanden, umgab ihn. Auf der anderen Seite war fast unmittelbar nach Leibnizens Ankunft in Hannover, seit 1677, einer der ausgezeichnetsten protestantischen Theologen damaliger Zeit, Molanus Abt von Loccum, von dem Herzog Johann Friedrich zum Präsidenten des Consistoriums in Hannover ernannt worden. Es konnte nicht fehlen, dass unter solchen Verhältnissen es nicht selten Veranlassung zu Controversen über Religion gab. Leibniz befand sich demnach damals in Hannover in einer ähnlichen Situation, wie in den Jahren 1667 bis 1672 am churfürstlichen Hofe in Mainz, wo seine Aufmerksamkeit durch seinen Gönner, den katholisch gewordenen Freiherrn von Boineburg, ebenfalls auf religiöse Fragen gelenkt wurde. Aber Leibniz stand, wie er auch im Eingang zu dieser Abhandlung hervorhebt, in Hannover auf ganz anderer Grundlage, als in Mainz; er hatte während seines Pariser Aufenthalts in den Jahren 1672 bis 1676 vorzugsweise mathematische Studien getrieben und auf dem Gebiete der Mathematik die glänzendsten Entdeckungen gemacht. Er war Meister der mathematischen Methode geworden, und hatte die Überzeugung, dass, wenn diese mathematische Methode auch auf andere wissenschaftliche Gebiete, wie in der Theologie und Philosophie, zur Anwendung gebracht würde, diese ebenso fest begründet werden würden, wie die Mathematik. Leibniz setzt weiter hinzu: Agnovimus, quantopere generis humani interſit, naturam ipſam conſuli, legesque figurarum ac motuum constitui quibus nostrae vires augeantur. Sed ut in Republica plerique aliis laboramus, pauci nobis, ita conquiſitis experimentis tantum posteritati materiam colligimus, unde multa post secula veritatis aedificium excitari poſſit. Et video magnos Viros, cum juventutem in mathematicis aut humaniori literatura poſuiſſent, aetatem experimentis naturae aut negotiis impendiſſent, in flexu vitae jam inclinantis ad scientiam Mentis excolendam rediiſſe, qua propriae felicitati conſulitur. Sapienter dictum est a Viro egregio Francisco Bacono, Philosophiam obiter libatam a DEO abducere, profundius haustam reddere Creatori. Idem seculo auguror fore ut pretium sanctioris philosophiae redeuntibus ad se hominibus agnoscatur, et mathematica studia tum ad severioris judicii exemplum tum ad cognoscendam harmoniae ac pulchritudinis velut ideam, naturae vero experimenta ad autoris qui imaginem idealis mundi in senſibili expreſſit admirationem, studia denique omnia ad felicitatem dirigantur. — Leibniz knüpft so an das Frühere an; er erwähnt, dass alles in der Körperwelt, wie es schon von Aristoteles erkannt sei, durch Grösse, Gestalt und Bewegung erklärt werden müsse. Während die Lehre von der Grösse und Gestalt bereits aufs trefflichste angebaut sei, harren noch die Grundgesetze der Bewegung der Aufklärung, namentlich wegen mangelhafter Ausbildung der Metaphysik (neglectu primae philosophiae). Weil das Wesen der Bewegung noch nicht begriffen sei, sei es gekommen, dass bedeutende Philosophen behauptet, das

Wesen der Materie bestehe lediglich in der Ausdehnung, wodurch es geschehen, dass der Begriff des Körpers weder den Erscheinungen der Natur noch den Mysterien des Glaubens genüge. Es muss vielmehr zur Ausdehnung des Körpers noch etwas Anderes hinzukommen; die Undurchdringlichkeit und die Masse reichen nicht aus; um die Idee des Körpers zu vervollständigen, ist ein positiver Begriff nothwendig. Quid ergo tandem, fährt Leibniz fort, extenſioni nos addemus ad absolvendam corporis notionem? quid, niſi quae senſus ipſe testetur. Nimirum tria ille simul renuntiat, et nos sentire, et corpora sentiri, et quod sentitur varium eſſe compoſitumque sive extenſum. Notioni ergo extenſionis sive varietatis addenda actio est. *Corpus* ergo est Agens extenſum ...... Satis autem, setzt er hinzu, ex interioribus metaphyſicae principiis ostendi potest, quod non agit, nec existere, nam potentia agendi sine ullo actus initio nulla est. Dadurch wird nicht nur die natürliche Theologie aufgehellt und die Dunkelheit in Betreff der Mysterien des Glaubens zerstreut, sondern auch die Verbindung zwischen Geist uud Materie hergestellt. — Leibniz begründet hier den Begriff der Substanz, wie er ihn später festgestellt hat.

Die Abhandlung II. handelt vornehmlich über die Methode und die Principien, die Leibniz in der Begründung der Philosophie befolgte. Leibniz geht davon aus, dass nicht alles bewiesen werden kann, vielmehr sind, wie in der Mathematik, Axiome anzunehmen, die keines Beweises bedürfen, z. B. das Princip des Widerspruchs (principium contradictionis), oder dass jeder Satz entweder wahr oder falsch sei. Zu den Sätzen, die wahr sind, gehören zuerst die identischen, die an sich wahr sind und keines Beweises bedürfen, ferner diejenigen, die sich auf identische zurückführen lassen, allgemein jeder wahre Satz, der mit Hülfe von Axiomen und an sich wahren Sätzen und mit Hülfe von Definitionen bewiesen werden kann. Constat ergo, setzt Leibniz hinzu, omnes veritates etiam maxime contingentes probationem a priori seu rationem aliquam cur sint potius quam non sint habere. Atque hoc ipſum est quod vulgo dicunt, nihil fieri sine cauſa, seu nihil eſſe sine ratione. Dieses Axiom, führt Leibniz fort, dass nichts ohne Grund ist (Nihil est sine ratione), ist eines der grössten und fruchtbarsten aller menschlichen Erkenntniss, und es bildet für einen grossen Theil der Metaphysik die Grundlage.

I.

Cum a sacrorum Canonum et divini humanique juris severioribus studiis ad mathematicas disciplinas animi caufa divertiffem, gustáta semel dulcedine doctrinae pellacis prope ad Sirenum scopulos obhaefi. Nam et mira quaedam theoremata se offerebant quae alios fugerant, et aditum videbam dari ad plura et majora, et machinamenta quaedam ludentis animi sub manu nata etiam fructum promittere videbantur. Quanta autem voluptate afficiat theorema pulchrum, illi demum judicant qui harmoniam illam interiorem purgata mente capere poffunt. Saepe tamen solicitabat animum memoria scientiae divinioris, cui parem claritatem atque ordinem deeffe ingemiscebam.

Videbam summos Viros, D. Thomam et S. Bonaventuram et Guilielmum Durandum et Gregorium Ariminenfem et tot alios eorum temporum scriptores non paucas dediffe primae philosophiae propofitiones admirandae subtilitatis, quae severiffime demonstrari possent: agnoscebam Theologiam Naturalem ab illis praeclare excultam caligine barbariei opprimi et confufo vocabulorum ufu inter distinctionum incerta natare, invitatusque novitate nonnunquam in ipfa Theologia Mathematicum agebam, condebam definitiones atque inde ducere tentabam Elementa quaedam nihilo claritate inferiora Euclideis, magnitudine vero fructus etiam superiora. Ita enim mecum ratiocinabar Geometriam figuras ac motus explicare, inde descriptionem terrarum et fiderum vias haberi, et superandis ponderibus machinas natas, unde vitae cultus et gentium moratarum a barbaris discrimen: sed scientiam qua probus improbo distinguatur, qua mentium arcani sinus explicentur, et via ad felicitatem aperiatur, negligi: de Circulo haberi demonstrationes, de animo conjecturas: effe qui motus Leges severitate mathematica scribant, qui parem ad cogitationis arcana scrutanda diligentiam adhibeat, non effe. Hunc effe fontem miseriae humanae, quod de quovis potius quam de summa vitae cogitemus, quemadmodum mercator negligens, qui principio dormitans, crescente jam libro rationum ordinem lucemque horret, nec omnes accepti expenfique tabulas a primis initiis resumere sustinet. Hinc secretum quendam in hominibus Atheismum et horrorem mortis et de animi natura dubitationes et pessimas de DEO sententias aut certe fluctuantes, multosque consuetudine potius aut necessitate quam judicio honestos effe.

Videbam novos quosdam philosophos ingentibus pollicitis ex-

cidisse, quod vel praeoccupata mente scripsissent vel sermone a
thematica severitate, quam ipsi alibi sequebantur, ad popularem
cendi facilitatem traducto applausum potius quam assensum
nuissent. Nam ut unius tantum exemplum adducam, si Exi
certe Vir Renatus Cartesius vel semel sui ipsius causa meditati
in propositiones, dissertationes in demonstrationes convertere con
fuisset, vidisset ipse pleraque hiare. Patuit hoc, cum amici pre
ac tantum non conviciis demonstrationem de existentia DEI m
matico habitu vestitam ei extorsere. Quam si ab ipso pro de
stratione habitam putem, injuriam ejus ingenio me facere autu

Sunt qui mathematicum rigorem extra ipsas scientias
vulgo mathematicas appellamus locum habere non putant. Se
ignorant, idem esse mathematice scribere, quod in forma, ut L
vocant, ratiocinari, et *praeterea* distinctionum captiunculas, q
alioquin tempus teritur, una definitione praevenire. Hoc enim S
lastici vitio laboravere, quod cum plerumque ordinate satis
sic dicam mathematice ratiocinentur, vocabulorum usum reliq
in incerto. Unde pro definitione unica multae distinctiones,
demonstratione irrefragabili multae in utramque partem argutati
natae, quibus divina eorum dogmata et admirandae non raro
templationes ab homine mathematice docto non difficulter purge

Utilem autem hanc operam eo magis putabam, quod gli
viderem in animis hominum sententias periculosas a falsae p
sophiae mathematica quadam larva natas, et omnem scholae d
nam pro nugis explodi. Quotusquisque enim eorum qui ad
morem docti sunt, has ut vocant tricas lectu dignas arbitratur?
juventuti meae gratulor, quae occasionem dedit, haec quoque
cognoscendi, antequam mens imbuta mathematicis, alia fastidiose
nere assuevisset. Sunt quaedam velut periodi studiorum; erat te
cum scholastica Theologia sola principatum obtinebat, cujus l
vix in religiosorum conventibus reliquiae situ marcentes conse
tur. Accensa humaniorum literarum luce itum in contraria e
de syllaba quadam Plauti et Apuleji non minore quam de Ur
salibus aut modali distinctione tumultu certatum. Nunc ab
quoque morbo sanati sumus periculo majoris: Coepimus Viri
et maturescente judicio crepundia posuimus cum praetexta: pe
ac si mundus ex quo a barbarie revixit, paulatim annis sapie
que crevisset. Agnovimus quantopere generis humani intersit
turam ipsam consuli, legesque figurarum ac motuum constitui q

nostrae vires augeantur. Sed ut in Republica plerique aliis laboramus, pauci nobis, ita conquisitis experimentis tantum posteritati materiam colligimus, unde multa post secula veritatis aedificium excitari possit. Et video magnos Viros, cum juventutem in mathematicis aut humaniori literatura posuissent, aetatem experimentis naturae aut negotiis impendissent, in flexu vitae jam inclinantis ad scientiam Mentis excolendam rediisse, qua propriae felicitati consulitur. Sapienter dictum est a Viro egregio Francisco Bacono, Philosophiam obiter libatam a DEO abducere, profundius haustam reddere Creatori. Idem seculo auguror fore ut pretium sanctioris philosophiae redeuntibus ad se hominibus agnoscatur, et mathematica studia tum ad severioris judicii exemplum tum ad cognoscendam harmoniae ac pulchritudinis velut ideam, naturae vero experimenta ad autoris qui imaginem idealis mundi in sensibili expressit admirationem, studia denique omnia ad felicitatem dirigantur.

Interea per anticipationem id agamus, ut animi eorum sanentur, quos blandientis cujusdam philosophiae novitas, mathematicum quiddam ementita, corrupit periculo divinae veritatis. Indubitata res est et Aristoteli quoque agnita, omnia in natura corporea a magnitudine, figura et motu repeti debere. Doctrina de magnitudine et figura egregie exculta est, intima motus nondum patent neglectu primae philosophiae, unde repetenda sunt. Est enim Metaphysicae tractare de mutatione, tempore, continuo, in universum. Motus enim species tantum mutationis. Non intellecta motus natura fecit ut insignes philosophi naturam materiae sola extensione circumscripserint, unde nata est corporis antea inaudita notio non magis naturae phaenomenis quam fidei mysteriis conciliabilis. Nimirum demonstrari potest, extensum, nulla alia accedente qualitate, agendi patiendique incapax esse; omnia summe fluida id est vacua fore; unionem corporum et quam in iis sentimus firmitatem explicari non posse; denique leges motuum ab experientia alienas constitui debere. Quae omnia in Cartesii principiis manifeste apparent, nam et motum fecit pure relativum, et corporis speciem commentus est nihil ab inani differentem, et unionem firmitatemque ex sola quiete petiit, quasi quae semel in contactu mutuo quievere, postea nulla vi separari possint, et decreta circa motus concursusque corporum promulgavit, certissimis experimentis nunc antiquata; fidei autem mysteria artificiose declinavit, philosophari scilicet sibi, non theologari propositum esse, quasi philosophia admittenda sit inconciliabilis religioni aut quasi religio vera esse possit, quae demonstratis alibi veritatibus pugnet. Coactus tamen aliquando de Eucharistia loqui, pro speciebus realibus apparentes introduxit, revocata sententia, theologorum omnium consensu explosa. Sed hoc parum erat, si existentiam ejusdem corporis in pluribus locis philosophia ejus ferre posset. Nam si corpus et spatium eadem, quis ex diversis spatiis sive locis diversa sequi corpora neget?

Qui ad formandam corporis naturam extensioni resistentiam quandam sive impenetrabilitatem aut ut ipsi loquuntur ἀντιτυπίαν molemve addidere, ut Gassendus aliique docti viri, rectius paulo philosophati sunt, sed non exhausere difficultates. Primum enim ad ideam corporis absolvendam opus est notione quadam positiva, qualis non est impenetrabilitas; deinde nondum evictum est penetrationem corporum abesse a natura, argumento est condensatio quae ex quorundam sententia fit penetratione, tametsi aliter explicari posse non diffitear; denique impenetrabilitas absoluta corporum non minus fidei nostrae decretis pugnat quam πολυτοπία, idemque corpus esse in pluribus locis, aut plura in eodem, aeque difficile est.

Quid ergo tandem extensioni nos addemus ad absolvendam corporis notionem? quid, nisi quae sensus ipse testetur. Nimirum tria ille simul renuntiat, et nos sentire, et corpora sentiri, et quod sentitur varium esse compositumque sive extensum. Notioni ergo extensionis sive varietatis addenda actio est. *Corpus* ergo est Agens extensum: dici poterit, esse substantiam extensam, modo teneatur omnem substantiam agere, et omne agens substantiam appellari. Satis autem ex interioribus metaphysicae principiis ostendi potest, quod non agit, nec existere, nam potentia agendi sine ullo actus initio nulla est. Arcus tensi non modica potentia est: at non agit, inquies. Imo vero agit, inquam, etiam ante displosionem, conatur enim: omnis autem conatus actio. Caeterum de natura conatus et agentis principii, sive ut Scholastici vocavere, substantialis formae, multa dici possunt egregia et certa, unde magna etiam naturali theologiae lux accendatur, et discutiantur tenebrae mysteriis fidei a philosophorum objectionibus offusae. Patebit, non tantum mentes, sed ut substantias omnes in loco non nisi per operationem esse, mentes nulla corporum vi destrui posse: omnem agendi vim esse a summa mente, cujus voluntas sit ultima ratio rerum; causa volendi, harmonia universalis: Deum creaturae, mentem materiae uniri posse; imo mentem finitam omnem eſſe incorporatam, ne angelis quidem exceptis, quae sanctorum patrum sententia verae philosophiae conſentanea est. Denique species a substantia differre: πολυτοπίαν nihil repugnans habere, imo nec μετουσιασμόν. Nam quod mirum videri poſſit, consubstantiationem corporum resolvi in transsubstantiationem, et qui corpus sub pane eſſe ajunt, destructam panis substantiam relictis speciebus aſſerere nescientes. Quod illi fatebuntur, qui veram et inevitabilem substantiae notionem aliquando intelligent. Quanti autem momenti sint haec Theoremata ad solida pietatis constituenda fundamenta ad tranquillitatem animi, ad Eccleſiae pacem, intelligentes aestimabunt.

II.

Cum animadverterem plerosque omnes de principiis meditantes aliorum potius exempla quam rerum naturam sequi, et praejudicia etiam cum id maxime profitentur, non satis evitare, de meo tentandum aliquid altiusque ordiendum putavi.

Quoniam autem probando in infinitum iri non potest, consequens est aliqua sine probatione eſſe aſſumenda, non quidem tacita quadam obreptione, diſſimulando hanc indigentiam nostram, quemadmodum fere solent philosophi, sed diſerte admonendo quibusnam velut Aſſertionibus primis utamur, exemplo Geometrarum, qui ut suam bonam fidem testentur, statim ab initio profitentur, quibusnam Axiomatibus aſſumtis sint uſuri, ut sciant omnes sequentia saltem ex his poſitis hypothetice eſſe demonstrata.

Ante omnia aſſumo Enuntiationem omnem (hoc est affirmationem aut negationem) aut veram aut falſam eſſe, et quidem ſi vera sit affirmatio, falſam eſſe negationem; ſi vera sit negatio, falſam eſſe affirmationem. Quod verum eſſe negetur, (vere scilitet) falſum eſſe; et quod falſum eſſe negetur, verum eſſe. Quod negetur affirmari aut affirmetur negari, id negari; quod affirmari affirmetur et quod negari negetur, id affirmari. Similiter quod falſum eſſe verum ſit, aut verum eſſe falſum ſit, id falſum eſſe; quod verum eſſe verum ſit, et quod falſum eſſe falſum ſit, verum eſſe. Quae omnia sub uno nomine *Principii contradictionis* comprehendi solent.

Videndum jam est, quaenam illa sint quae vere affirmari negarique poſſint, unde et contradictoria eorum falſa eſſe intelligatur.

Sunt autem verarum propofitionum primae quae vulgo dicuntur *identicae*, ut A est A; non A est non A; si vera est propofitio L, sequitur quod vera est propofitio L. Et quamvis coccysmus inutilis in his enuntiationibus effe videatur, levi tamen mutatione utilia inde Axiomata nascuntur. Sic ex eo quod A est A, seu quod tripedale verbi gratia est tripedale, manifestum est unumquodque tantum (nunc) effe quantum est, seu effe sibi ipfi aequale. Unde (ut exemplo ufum ostendam identicarum) demonstratum est jam dudum a philosophis, partem effe Minorem Toto, pofita hac definitione: Minus est quod parti alterius (majoris) aequale est. Demonstratio ita absolvitur: Pars est aequalis parti totius (nempe sibi, per axioma identicum); quod parti totius aequale est, id toto minus est (per definitionem minoris); ergo pars toto minor est. Quod erat demonstrandum. Similiter ope propofitionis identicae demonstratur subalternatio seu collectio particularis ex univerfali. Omne A est B, ergo quoddam A est B, suppofito syllogismo primae figurae. Collectio talis est: Omne A est B (ex hypothefi), quoddam A est A (per identicam); Ergo quoddam A est B. Quae etfi non sint hujus loci, tamen exempli caufa affero, ut appareat, identicas quoque suum ufum habere, nullamque veritatem, utcunque tenuis effe videatur, plane sterilem effe; imo fundamenta caeterarum in his contineri mox apparebit.

Nimirum ut Identicae propofitiones omnium primae sunt, omnisque probationis incapaces atque adeo per fe verae, nihil enim utique reperiri potest, quod medii instar aliquid secum ipfo connectat; ita per confequentiam verae sunt virtualiter identicae, quae scilicet per analyfin terminorum (si pro primo termino notio vel aequivalens vel inclufa substituatur) ad identicas formales sive expreffas reducuntur. Manifestumque est omnes propofitiones neceffarias sive aeternae veritatis effe virtualiter identicas, quippe quae ex solis ideis sive definitionibus (hoc est terminorum refolutione) demonstrari seu ad primas veritates revocari poffunt, ita ut appareat, oppofitum implicare contradictionem, et cum identica aliqua sive prima veritate pugnare. Unde et Scholastici notarunt veritates quae sunt abfolutae seu metaphyficae neceffitatis, ex terminis poffe demonstrari, oppofito quippe contradictionem involvente.

Generaliter omnis propofitio vera (quae identica sive per fe vera non est) potest probari a priori ope Axiomatum seu propofitionum per se verarum, et ope definitionum seu idearum. Quotiescunque enim praedicatum vere affirmatur de subjecto, utique censetur aliqua esse connexio realis inter praedicatum et subjectum, ita ut in propositione quacunque A est B (seu B vere praedicatur de A), utique B insit ipsi A, seu notio ejus in notione ipsius B aliquo modo contineatur, idque vel absoluta necessitate in propositionibus aeternae veritatis vel certitudine quadam ex supposito decreto substantiae liberae pendente in contingentibus, quod decretum nunquam omnimode arbitrarium et fundamenti expers est, sed semper aliqua ejus ratio (inclinans tamen, non vero necessitans) reddi potest, quae ipsa ex notionum analysi (si ea semper in humana potestate esset) deduci posset, et substantiam certe omnisciam omniaque a priori ex ipsis ideis suisque decretis videntem non fugit. Constat ergo omnes veritates etiam maxime contingentes probationem a priori seu rationem aliquam cur sint potius quam non sint habere. Atque hoc ipsum est quod vulgo dicunt, nihil fieri sine causa, seu nihil esse sine ratione. Haec tamen ratio utcunque fortis (quanquam qualiscunque sufficiat ad majorem in alterutram partem inclinationem) etsi certitudinem in praesciente constituat, necessitatem tamen in re non ponit, neque contingentiam tollit, quia contrarium nihilominus per se possibile permanet, nullamque implicat contradictionem, alioqui quod contingens esse supposuimus, necessarium potius seu aeternae veritatis foret.

Hoc autem Axioma, quod *Nihil est sine ratione*, inter maxima et foecundissima censendum est totius humanae cognitionis, eique magna pars Metaphysicae, Physicae ac moralis Scientiae inaedificatur, quin et sine ipso nec existentia DEI ex creaturis demonstrari neque a causis ad effecta vel ab effectis ad causas argumentatio institui, neque in rebus civilibus quicquam concludi potest. Adeo ut quicquid non mathematicae necessitatis est (quemadmodum formae Logicae et veritates numerorum), id omnino hinc sit petendum. Exempli causa Archimedes vel quisquis est autor libri de aequiponderantibus assumit, duo pondera aequalia eodem modo in libra respectu centri vel axis sita esse in aequilibrio. Quod corollarium est tantum hujus nostri Axiomatis, cum enim omnia utrinque eodem modo se habere ponantur, nulla ratio fingi potest, cur in alterutram potius partem libra inclinetur. Hoc assumto caetera jam mathematica necessitate ab Archimede demonstrantur.

28. October. Gesammtsitzung der Akademie.

Hr. A. Kirchhoff las:

Über die von Thukydides benutzten Urkunden.

I.

Es ist meine Absicht, im Folgenden die dem Geschichtswerke des Thukydides einverleibten Urkunden einer Prüfung zu unterwerfen, und den Versuch zu machen, festzustellen, wann und auf welchem Wege der Verfasser in den Besitz derselben gelangt ist und in welcher Weise sie von ihm für die Zwecke seiner geschichtlichen Darstellung verwendet worden sind.

Die Stücke, um die es sich hier handeln wird, sind die folgenden:

1. Das Waffenstillstandsinstrument vom Frühjahr Ol. 89, 1 (4, 118. 119).
2. Die Friedensurkunde vom Frühjahr Ol. 89, 3 (5, 18. 19).
3. Der Bundesvertrag zwischen Sparta und Athen von demselben Jahre (5, 23. 24).
4. Der Friedens- und Bundesvertrag zwischen Argos, Mantinea, Elis und Athen aus dem Ende des Jahres Ol. 89, 4 (5, 47).
5. Die Friedenspropositionen der Lakedaemonier an Argos vom Jahre Ol. 90, 3 (5, 77).
6. Der Friedens- und Bundesvertrag zwischen Sparta und Argos von demselben Jahre (5, 79).

7—9. Die drei Bundesverträge der Spartaner mit Persien aus dem Jahre Ol. 92, 1 (8, 18. 37. 58).

Ich bespreche sie in der chronologischen Reihenfolge, in der sie dem Geschichtswerke einverleibt sind, und wende mich zunächst zur Betrachtung von Nr. 1.

Diese Urkunde besteht aus zwei sich deutlich von einander absondernden Theilen, deren erster, wenn wir ihn seinem Inhalte nach zunächst ganz im Allgemeinen charakterisiren sollen, eine Formulirung der Bedingungen enthält, unter denen die Lakedaemonier und ihre Bundesgenossen sich bereit erklären, auf den Abschluss eines einjährigen Waffenstillstandes mit Athen einzugehen, um die Verhandlungen über einen demnächst zu schliessenden definitiven Frieden anzubahnen und zu erleichtern. Den zweiten Theil bildet ein auf Grund jener Propositionen gefasster Beschluss des Demos von Athen nebst einem actenmässigen, auf die Ausführung desselben bezüglichen Anhange.

Was den ersten Theil betrifft, so muss er von Seiten seiner Form betrachtet als ein Schriftstück bezeichnet werden, welches unter den uns bekannten Urkunden ähnlichen Inhaltes geradezu einzig dasteht. Zwar fehlt eine einleitende Formel, welche unmittelbar erkennen liesse, wie die Urkunde zu Stande gekommen ist und als was sie zu gelten hat: indessen scheinen mir die vom Concipienten gewählten Ausdrucksformen so beschaffen zu sein, dass ein Zweifel in Betreff dieser Punkte trotzdem nicht wohl möglich ist. Diejenigen Personen nämlich, welche die in der Urkunde enthaltenen Erklärungen als solche der souveränen Gewalt des Staates der Lakedaemonier und ihrer Bundesgenossen abgeben, sprechen vorwiegend in der ersten Person des Plural und von den Athenern nicht in der dritten, sondern zu ihnen in der Anredeform der zweiten Person: *δοκεῖ ἡμῖν; ὅπως — ἐξευρήσομεν; καὶ ἡμεῖς καὶ ὑμεῖς; ἅπερ νῦν ἔχομεν; μήτε ἡμᾶς — μήτε — πρὸς ἡμᾶς; μήτε ἡμᾶς μήτε ὑμᾶς; ὑμᾶς τε ἡμῖν καὶ ἡμᾶς ὑμῖν; εἰ δέ τι ὑμῖν — δοκεῖ —, διδάσκετε; ὅσα ἂν δίκαια λέγητε; ᾗπερ καὶ ὑμεῖς ἡμᾶς κελεύετε.* Kaum minder häufig lässt aber der Concipient dieselben Personen von den Lakedaemoniern und im Zusammenhang damit auch von den Athenern in der dritten Person sprechen, mitunter auch von der einen in die andere Ausdrucksform unmittelbar übergehen: *τοῖς μὲν Λακεδαιμονίοις ταῦτα δοκεῖ — Βοιωτοὺς δὲ καὶ Φωκέας πείσειν φασίν; περὶ μὲν οὖν τούτων ἔδοξε Λακεδαιμονίοις —, τάδε δὲ ἔδοξε Λακεδαιμονίοις —, ἐὰν σπονδὰς ποιῶνται οἱ Ἀθηναῖοι, ἐπὶ τῆς αὐτῶν μένειν ἑκατέρους ἔχοντας ἅπερ νῦν ἔχομεν; τὴν νῆσον, ἥνπερ ἔλαβον οἱ Ἀθηναῖοι; ξυνέθεντο πρὸς Ἀθηναίους; Λακεδαιμονίους πλεῖν; τοῖς μὲν Λακεδαιμονίοις — ταῦτα δοκεῖ; οὐδενὸς γὰρ ἀποστήσονται — οἱ Λακεδαιμόνιοι.* Es folgt hieraus, dass die Declaranten nicht identisch mit den Lakedaemoniern sein können, ebenmässig aber auch, dass wir in ihnen legitimirte und zur Abgabe dieser Erklärungen bevollmächtigte Vertreter des Staates von Lakedaemon zu sehen haben. Da ferner die Erklärungen wenigstens zum Theil die Form einer Apostrophe an die Athener oder die den souveränen Demos von Athen vertretenden Personen haben, dabei aber durchweg in attischer Mundart gehalten sind, deren sich Lakedaemonische Männer sicher nicht bedient haben, so müssen wir schliessen, dass sie von Lakedaemoniern und zwar mündlich in Athen abgegeben, aber von einem Athener protocollirt worden sind. Die Declaranten sind eben Lakedaemonische Gesandte, der Concipient dagegen ist wahrscheinlich, da Verhandlungen mit den Gesandten auswärtiger Mächte verfassungsmässig zunächst vom Rathe zu führen waren, der Schreiber des Rathes. Näher erläutert sich dies durch einen Passus der Urkunde, welcher gleich zu Anfang begegnet: *τοῖς μὲν Λακεδαιμονίοις ταῦτα δοκεῖ καὶ τοῖς ξυμμάχοις τοῖς παροῦσιν*, welch letzteres nur heissen kann 'und die Bundesgenossen, welche durch die (in Athen und der Rathsitzung) anwesenden Gesandten vertreten sind'. Aus dem weiter unten folgenden Attischen Volksbeschlusse und dessen Anhang wissen wir nämlich, wie sich sogleich herausstellen wird, dass in der Volksversammlung, welche auf Grund der im ersten Theile enthaltenen Declaration Beschluss fasste, Gesandte von Korinth, Sikyon, Megara und Epidauros, also keineswegs aller Bundesgenossen der Lakedaemonier, zugegen waren und nach gefasstem Beschluss noch an demselben Tage den Waffenstillstandsvertrag durch Vollziehung der gebräuchlichen Formalitäten als Bevollmächtigte ihrer Auftraggeber ratificirten. Dieselben Gesandten waren es offenbar, welche in einer vorhergehenden Sitzung des Rathes jene Declaration abgaben, die, von dessen Schreiber protocollirt, sodann die Grundlage der Verhandlungen in der Volksversammlung bildete: die Lakedaemonischen Gesandten als die des Vorortes führten durch ihren Sprecher das Wort, die übrigen assistirten.

Nach Feststellung dieser die Form der Urkunde betreffenden und dieselbe erläuternden Thatsachen kann ich zur Betrachtung ihres Inhaltes übergehen.

Die im Rathe geführten Verhandlungen über die Bedingungen des Waffenstillstandes, zu dessen Abschluss auf beiden Seiten principielle Geneigtheit vorhanden war, bezogen sich zunächst auf die Sicherung des freien Verkehres mit dem Delphischen Heiligthum für Athen, nicht für Sparta und seine Bundesgenossen, denen er der Lage der Dinge nach immer offen gestanden hatte und auch während des Waffenstillstandes ohne besondere Stipulation offen bleiben musste. Dagegen hatte der Kriegszustand Athen factisch von jeder Verbindung mit dem Heiligthume abgeschnitten, da dasselbe auf feindlichem Gebiete lag und auch die dorthin führenden

Strassen ausschliesslich durch feindliches Land, Phokis und Boeotien, führten; auch ein Waffenstillstand würde an sich in diesen Verhältnissen nichts geändert haben, da dem Herkommen gemäss während eines solchen der Verkehr nicht frei gegeben zu werden pflegte und, wie die folgenden Stipulationen beweisen, von demselben abzuweichen in dem vorliegenden Falle nicht beabsichtigt wurde; eine Pythienfeier mit ihrem Gottesfrieden fiel aber nicht in dieses, sondern erst in das übernächste Jahr. Es war also eine besondere Stipulation nöthig, um Athen in dieser Beziehung den Anderen gleichzustellen, und die Lakedaemonischen Gesandten gaben daher in erster Linie die Erklärung ab:

> *περὶ μὲν τοῦ ἱεροῦ καὶ τοῦ μαντείου τοῦ Ἀπόλλωνος τοῦ Πυθίου δοκεῖ ἡμῖν χρῆσθαι τὸν βουλόμενον ἀδόλως καὶ ἀδεῶς κατὰ τοὺς πατρίους νόμους.*

Dass diese Erklärung, abgesehen von der Mundart, genau in der Form protocollirt worden ist, in der sie abgegeben wurde, beweist ihre zweideutige Fassung, im Besonderen das hinterhaltige *ἡμῖν*, in Verbindung mit dem Umstande, dass, wie der gleich folgende Zusatz lehrt, von Athenischer Seite eine genauere Präcisirung sofort verlangt wurde. Waren nämlich unter den 'wir' nur die durch ihre Gesandten vertretenen Staaten verstanden, so konnte die gegebene Zusicherung den Athenern nichts helfen, da gerade Phokis und Boeotien unter ihnen sich nicht befanden. Es wurde also ganz sachgemäss auf Präcisirung gedrungen und die Frage gestellt, ob die vernommene Zusicherung auch im Namen der Phokier und Boeoter abgegeben zu betrachten sei oder nicht. Die Antwort war, dass allerdings nur die durch ihre Gesandten vertretenen Staaten gemeint gewesen seien und die Zustimmung der Phokier und Boeoter noch nicht gesichert sei, dass man aber alles Mögliche thun wolle, sie wenigstens für diesen Punkt zu beschaffen, und zu diesem Zwecke einen Unterhändler von Athen aus an sie zu schicken bereit sei. Dies Erbieten wurde vom Rathe für genügend erachtet, und der Schreiber desselben protocollirte demgemäss das Ergebniss der gepflogenen Erörterungen in folgender Weise:

> *τοῖς μὲν Λακεδαιμονίοις ταῦτα δοκεῖ καὶ τοῖς ξυμμάχοις τοῖς παροῦσιν· Βοιωτοὺς δὲ καὶ Φωκέας πείσειν φασὶν ἐς δύναμιν προσκηρυκευόμενοι.*

Ich bemerke hierzu nur, dass die Wahl des Ausdruckes, die ausdrückliche Hinzufügung nämlich des *προσκηρυκευόμενοι*, keinen

Zweifel daran lässt, dass der Sinn dieser Worte der oben angedeutete ist. Für Unterhändler, welche von den Lakedaemonischen Behörden von Sparta aus direct zu den verbündeten Boeotern und Phokiern gesendet wurden, war die Begleitung durch einen Herold nicht nöthig, da der Weg dahin offen stand, unentbehrlich dagegen für einen Boten, der im Auftrage der Gesandten der in Athen vertretenen Staaten von Athen aus auf directem Wege sich nach Boeotien und Phokis begab, nicht nur so lange er Attisches Gebiet zu passiren hatte, sondern auch bei seinem Austritt aus den Attischen Linien.

Nachdem somit dieser Punkt in einer den Attischen Interessen und Forderungen nach Lage der Umstände Rechnung tragenden Weise erledigt worden war, stellten die Lakedaemonischen Gesandten die Forderung, dass im Interesse der Sicherstellung des Eigenthums des Delphischen Tempels sämmtliche Paciscenten sich verpflichten sollten, während der Waffenruhe Personen, welche dieses Eigenthum geschädigt hätten oder schädigen würden, natürlich jeder innerhalb seiner Competenz, sofern diese Personen sich auf seinem Gebiete aufhalten sollten, ausfindig zu machen und aufzuspüren, damit sie zur Verantwortung gezogen werden könnten; den an den gegenwärtigen Stipulationen nicht Betheiligten solle anheimgestellt bleiben, inwiefern sie freiwillig zur Ausführung dieser Maassregel an ihrem Theile die Hand bieten wollten. Von Athenischer Seite fand man dagegen nichts zu erinnern, und es wurde demnach die folgende Bestimmung in das Protocoll aufgenommen:

> *περὶ δὲ τῶν χρημάτων τοῦ θεοῦ ἐπιμέλεσθαι ὅπως τοὺς ἀδικοῦντας ἐξευρήσομεν ὀρθῶς καὶ δικαίως τοῖς πατρίοις νόμοις χρώμενοι καὶ ἡμεῖς καὶ ὑμεῖς, καὶ τῶν ἄλλων οἱ βουλόμενοι, τοῖς πατρίοις νόμοις χρώμενοι πάντες.*

Der Ausdruck ist so gestellt, dass es zweifelhaft erscheinen kann, ob die Bestimmung sich auf eine thatsächlich erfolgte Schädigung des Tempeleigenthums bezieht, oder nur im Sinne einer Präventivmaassregel für in Zukunft etwa vorkommende Fälle dieser Art zu verstehen ist. Indessen halte ich das Erstere für das bei Weitem Wahrscheinlichere, da meines Erachtens im anderen Falle nicht *τοὺς ἀδικοῦντας*, sondern etwa *ἐάν τινες ἀδικῶσι* zu sagen gewesen sein würde. Die mehr allgemeine und nur andeutungsweise Form, in der der bestimmte Fall alsdann bezeichnet wäre, würde seine genügende Erklärung in der Voraussetzung finden, dass er allgemein bekannt und gewissermaassen notorisch war.

Nach Erledigung dieser amphictionischen Angelegenheiten trat man dem eigentlichen Gegenstande dieser Verhandlungen näher. Die Übergangsformel des Protocolls

> περὶ μὲν οὖν τούτων ἔδοξε Λακεδαιμονίοις καὶ τοῖς ἄλλοις ξυμμάχοις κατὰ ταῦτα· τάδε δὲ ἔδοξε Λακεδαιμονίοις καὶ τοῖς ἄλλοις ξυμμάχοις ἐὰν σπονδὰς ποιῶνται οἱ Ἀθηναῖοι —

verräth ungewöhnliche Vorsicht in der Fassung durch die zweimalige Hinzufügung eines ἄλλοις zu ξυμμάχοις, was offenbar durch den oben besprochenen Zwischenfall veranlasst worden ist. Denn es scheint mir nicht zweifelhaft, dass diese Hinzufügung in der Absicht geschehen ist, ausdrücklich darauf hinzuweisen, dass wie die vorhergehenden, so auch die folgenden Abmachungen als lediglich zwischen den in Athen vertretenen Staaten vereinbart zu betrachten und Phokier und Boeoter an ihnen nicht betheiligt seien. Allerdings waren selbst von den Gliedern des Peloponnesischen Bundes, den Bundesgenossen der Lakedaemonier im engeren Sinne, eine ganze Anzahl nicht vertreten: so fehlten Elis, die Arkadischen Städte, Phlius, Pellene, Troezen, Hermione. Was Troezen betrifft, so hatte dies, wie wir aus den folgenden Bestimmungen über die Demarcationslinie entnehmen, seinen Grund darin, dass diese Stadt mit Athen bereits auf eigene Hand einen Separatwaffenstillstand geschlossen hatte, dessen Stipulationen einfach zu bestätigen waren; in Bezug auf die übrigen Staaten sind wir über die Gründe nicht unterrichtet, welche ihr Fehlen veranlasst haben mögen, und für eine Erklärung auf blosse Vermuthungen angewiesen. Indessen, wie es sich auch damit verhalten möge, für die Athener lag keine Veranlassung vor, diesen Punkt zu urgiren und die Legitimation der Lakedaemonier, im Namen auch dieser nicht vertretenen Staaten abzuschliessen, zu beanstanden, da letztere sämmtlich vermöge ihrer geographischen Lage ohnehin in die zu vereinbarende Demarcationslinie eingeschlossen wurden, und der Waffenstillstand thatsächlich in jedem Falle auch für sie wirksam werden musste, sie mochten nun zustimmen oder nicht.

Was nun die eigentlichen Waffenstillstandsbedingungen betrifft, so schlugen die Lakedaemonier vor und wurde von Athenischer Seite acceptirt, dass der Waffenstillstand auf Grund des militärischen Status quo abgeschlossen werde und beide Parteien sich während

Das letzte Wort kann nicht richtig überliefert sein. Die anwesenden Gesandten der Peloponnesischen Staaten waren, wie nicht nur aus dem Gange der Verhandlungen, sondern namentlich aus dem Umstande deutlich hervorgeht, dass sie später unmittelbar nach Annahme ihrer durch den Rath gebilligten Propositionen durch die Volksversammlung die feierliche Handlung der σπονδή vollziehen, und damit den Vertrag in aller für ihre Auftraggeber bindenden Form vollziehen, mit Vollmacht zum Abschlusse desselben versehen nach Athen gekommen; unmöglich also konnte ihnen gegenüber bei Gelegenheit der Besprechungen im Rathe von Athenischer Seite ein Verlangen gestellt werden, dem bereits entsprochen worden war. War ein solches Verlangen wirklich gestellt worden, so konnte dies nur in einem früheren Stadium der Verhandlungen geschehen sein, welches ihrer Abordnung nach Athen vorangegangen war. Offenbar ist ἐκελεύετε herzustellen und der Sachverhalt der, dass zunächst die Lakedaemonier in Athen sondirt hatten, ob Geneigtheit zum Abschlusse einer Waffenruhe vorhanden sei, dass sie eine entgegenkommende Antwort begleitet von der Aufforderung erhalten hatten, bevollmächtigte Unterhändler nach Athen zu senden, und dieser Aufforderung von ihnen durch Absendung der gegenwärtigen, mit Vollmacht versehenen Gesandtschaft entsprochen worden war. Dass sie nunmehr durch ihre Gesandten eventuell die gleiche Bedingung stellen lassen, ist durchaus erklärlich.

Da der Rath sich mit den gemachten Propositionen einverstanden erklärte und eine Fortsetzung der Unterhandlungen in Sparta für unnöthig erachtete, die Annahme der von ihm empfohlenen Vorschläge durch die Volksversammlung aber kaum einem Zweifel unterliegen konnte, so erübrigte nur noch, die Dauer der abzuschliessenden Waffenruhe zu bestimmen; man einigte sich dahin, dass sie sich auf den Zeitraum eines Jahres erstrecken solle, und der Rathschreiber protocollirte demzufolge zum Schlusse:

αἱ δὲ σπονδαὶ ἐνιαυτὸν ἔσονται.

Dem Protocolle, dessen Text im Vorstehenden analysirt worden ist, ohne weitere Vermittelung angestossen, folgt im letzten Theile des 118. Capitels ein Psephisma des Demos von Athen, dessen Praescripte:

ἔδοξε τῷ δήμῳ· Ἀκαμαντὶς ἐπρυτάνευε, Φαίνιππος ἐγραμμάτευε, Νικιάδης ἐπεστάτει

die den bekannten Volksbeschlüssen des fünften Jahrhunderts eigen-

linien für die Dauer der Waffenruhe nicht frei gegeben war, man den Waffenstillstand aber schloss, um ungestört den Friedensverhandlungen obliegen zu können, welche das Hin- und Herpassiren von Gesandtschaften zur Folge haben mussten, so wurde zur Erleichterung dieses officiellen Verkehres die folgende Vereinbarung getroffen:

κήρυκι δὲ καὶ πρεσβείᾳ καὶ ἀκολούθοις, ὁπόσοις ἂν δοκῇ, περὶ καταλύσεως τοῦ πολέμου καὶ δικῶν ἐς Πελοπόννησον καὶ Ἀθήναζε σπονδὰς εἶναι ἰοῦσι καὶ ἀπιοῦσι, καὶ κατὰ γῆν καὶ κατὰ θάλατταν.

Ferner kam man, dem Herkommen gemäss, auf Vorschlag der Lakedaemonier überein, während der Waffenruhe Überläufern den Zutritt zu versagen und etwaige Streitigkeiten auf gütlichem Wege auszutragen:

τοὺς δὲ αὐτομόλους μὴ δέχεσθαι ἐν τούτῳ τῷ χρόνῳ, μήτε ἐλεύθερον μήτε δοῦλον, μήτε ἡμᾶς μήτε ὑμᾶς. δίκας τε διδόναι ὑμᾶς τε ἡμῖν καὶ ἡμᾶς ὑμῖν κατὰ τὰ πάτρια, τὰ ἀμφίλογα δίκῃ διαλύοντας ἄνευ πολέμου.

Schliesslich erklärten die Lakedaemonischen Gesandten, dass sie ermächtigt und bereit seien, auf diese Bedingungen den Waffenstillstand abzuschliessen; weiter aber reiche ihre Vollmacht nicht, und wenn von Athenischer Seite mehr verlangt werde, so sei darüber in Sparta weiter zu verhandeln, und möchten die Athener in diesem Falle eine Gesandtschaft dorthin abordnen; die Geneigtheit auf billige Forderungen einzugehen, sei bei den Lakedaemoniern und ihren Bundesgenossen vorhanden; doch müsse die Bedingung gestellt werden, dass die Gesandten für den Fall, dass man sich einige, mit Vollmacht zum definitiven Abschluss des Waffenstillstandes versehen seien. Der Rath glaubte seinerseits das Athenische Interesse durch die vereinbarten Bedingungen hinreichend gewahrt, liess aber für den möglichen Fall, dass in der Volksversammlung, in deren Händen die endgültige Entscheidung lag, weitergehende Ansprüche erhoben werden sollten, von dieser Erklärung durch den protocollirenden Schreiber Act nehmen:

τοῖς μὲν Λακεδαιμονίοις καὶ τοῖς ξυμμάχοις ταῦτα δοκεῖ· εἰ δέ τι ὑμῖν εἴτε κάλλιον εἴτε δικαιότερον τούτων δοκεῖ εἶναι, ἰόντες ἐς Λακεδαίμονα διδάσκετε· οὐδενὸς γὰρ ἀποστήσονται, ὅσα ἂν δίκαια λέγητε, οὔτε οἱ Λακεδαιμόνιοι οὔτε οἱ ξύμμαχοι· οἱ δὲ ἰόντες τέλος ἔχοντες ἰόντων, ᾗπερ καὶ ὑμεῖς ἡμᾶς κελεύετε.

Das letzte Wort kann nicht richtig überliefert sein. Die anwesenden Gesandten der Peloponnesischen Staaten waren, wie nicht nur aus dem Gange der Verhandlungen, sondern namentlich aus dem Umstande deutlich hervorgeht, dass sie später unmittelbar nach Annahme ihrer durch den Rath gebilligten Propositionen durch die Volksversammlung die feierliche Handlung der σπονδὴ vollziehen, und damit den Vertrag in aller für ihre Auftraggeber bindenden Form vollziehen, mit Vollmacht zum Abschlusse desselben versehen nach Athen gekommen; unmöglich also konnte ihnen gegenüber bei Gelegenheit der Besprechungen im Rathe von Athenischer Seite ein Verlangen gestellt werden, dem bereits entsprochen worden war. War ein solches Verlangen wirklich gestellt worden, so konnte dies nur in einem früheren Stadium der Verhandlungen geschehen sein, welches ihrer Abordnung nach Athen vorangegangen war. Offenbar ist ἐκελεύσατε herzustellen und der Sachverhalt der, dass zunächst die Lakedaemonier in Athen sondirt hatten, ob Geneigtheit zum Abschlusse einer Waffenruhe vorhanden sei, dass sie eine entgegenkommende Antwort begleitet von der Aufforderung erhalten hatten, bevollmächtigte Unterhändler nach Athen zu senden, und dieser Aufforderung von ihnen durch Absendung der gegenwärtigen, mit Vollmacht versehenen Gesandtschaft entsprochen worden war. Dass sie nunmehr durch ihre Gesandten eventuell die gleiche Bedingung stellen lassen, ist durchaus erklärlich.

Da der Rath sich mit den gemachten Propositionen einverstanden erklärte und eine Fortsetzung der Unterhandlungen in Sparta für unnöthig erachtete, die Annahme der von ihm empfohlenen Vorschläge durch die Volksversammlung aber kaum einen Zweifel unterliegen konnte, so erübrigte nur noch, die Dauer der abzuschliessenden Waffenruhe zu bestimmen; man einigte sich dahin, dass sie sich auf den Zeitraum eines Jahres erstrecken solle, und der Rathschreiber protocollirte demzufolge zum Schlusse:

αἱ δὲ σπονδαὶ ἐνιαυτὸν ἔσονται.

Dem Protocolle, dessen Text im Vorstehenden analysirt worden ist, ohne weitere Vermittelung angestossen, folgt im letzten Theile des 118. Capitels ein Psephisma des Demos von Athen, dessen Praescripte:

ἔδοξε τῷ δήμῳ· Ἀκαμαντὶς ἐπρυτάνευε, Φαίνιππος ἐγραμμάτευε, Νικιάδης ἐπεστάτει

die den bekannten Volksbeschlüssen des fünften Jahrhunderts eigenümliche Fassung zeigen, nur dass an Stelle der gewöhnlichen inleitungsformel *ἔδοξεν τῇ βουλῇ καὶ τῷ δήμῳ*, welche diese zu igen pflegen, sich die kürzere *ἔδοξε τῷ δήμῳ* angewendet findet, elche sonst durch kein anderes Beispiel aus dieser Zeit belegt erden kann. Dass indessen diese Fassung nicht etwa auf eine erderbniss der Überlieferung zurückzuführen ist, sondern durch e besonderen Umstände veranlasst worden, unter denen in esem Falle der Beschluss der Volksversammlung zu Stande kam, hrt der Inhalt des letzteren zur Evidenz. Gleich der erste Paraaph nämlich des von Laches gestellten und von der Volksverammlung angenommenen Antrages:

> *Λάχης εἶπε· τύχῃ ἀγαθῇ τῇ Ἀθηναίων, ποιεῖσθαι τὴν ἐκεχειρίαν, καθ' ἃ ξυγχωροῦσι Λακεδαιμόνιοι καὶ οἱ ξύμμαχοι αὐτῶν καὶ ὡμολόγησαν ἐν τῷ δήμῳ*

sst keinen Zweifel daran, dass seine Formulirung erst während r Verhandlungen in der Volksversammlung selbst erfolgt sein kann, sofern diese Fassung voraussetzt, dass das vorangestellte Procoll von den Prytanen im Auftrage des Rathes der Volksversammng bereits mitgetheilt worden war und die ebenfalls auf Anweing des Rathes der letzteren vorgestellten Gesandten der feindhen Staaten vor versammeltem Volke sich ausdrücklich mündlich dem Inhalte des verlesenen Protocolles bekannt hatten. Nicht inder deutlich weist auf denselben Zeitpunkt als den der Formuung des Beschlusses der folgende Paragraph hin, welcher die irch das Protocoll offen gelassene Frage erledigt, von welchem age an die Waffenruhe in Kraft treten und das Jahr ihrer Dauer rechnet werden solle:

> *τὴν δὲ*[1]) *ἐκεχειρίαν εἶναι ἐνιαυτόν, ἄρχειν δὲ τήνδε τὴν ἡμέραν, τετράδα ἐπὶ δέκα τοῦ Ἐλαφηβολιῶνος μηνός.*

Denn der 'heutige Tag' ist offenbar der der Volksversammng, in welcher der Beschluss gefasst wurde, diese selbst aber d die Verhandlungen mit den Gesandten im Rathe haben schwerh im Laufe eines und desselben Tages Statt gefunden: zwischen iden Acten lagen vielmehr die Festtage der grossen Dionysien der Mitte, und der Rath hatte, da die Sache vor dem Beginn

---

[1]) Diese Partikel fehlt zwar in den Handschriften, ihre Hinzufügung er erscheint so nothwendig, dass ich es mir ersparen zu können glaube, ausführlich zu rechtfertigen.

zogen werden. Der Erfüllung dieses Verlangens stand nichts im Wege, da die Gesandten der Peloponnesier, wie bereits bemerkt worden, in der Versammlung zugegen und mit den nöthigen Vollmachten versehen waren. Auch die in Athen anwesenden Attischen Strategen, welche in dieser Zeit herkömmlich bei solchen Anlässen den Demos von Athen zu vertreten und zu repräsentiren hatten, waren zur Stelle, da sie verfassungsmässig allen Verhandlungen über militärische Angelegenheiten, im Besonderen denen über Krieg und Frieden, beizuwohnen berechtigt und verpflichtet waren. Es kann unter diesen Umständen keinem Zweifel unterliegen, dass der Bestimmung des Volksbeschlusses gemäss verfahren und der Vertrag noch an demselben Tage in Gegenwart der Versammlung perfect geworden ist.

Auf den Text des Psephisma folgt im 119. Capitel derjenige des Protocolls, welches vom Rathschreiber über die Hergänge aufgenommen worden ist, welche in derselben Volksversammlung unmittelbar, nachdem der Beschluss gefasst worden war, in Ausführung desselben Statt gefunden haben. Zwar betrachten die neueren Herausgeber, selbst Bekker, mit seltner Einmüthigkeit den Inhalt dieses Capitels als Worte des Thukydides und deuten dies äusserlich dadurch an, dass sie nur das 118. Capitel in Anführungszeichen einschliessen; nichts ist indessen gewisser, als dass erst mit dem letzten Absatze des 119. Capitels: *ἡ μὲν δὴ ἐκεχειρία αὕτη ἐγένετο, καὶ ξυνῆσαν ἐν αὐτῇ περὶ τῶν μειζόνων σπονδῶν διὰ παντὸς ἐς λόγους* die Erzählung des Geschichtsschreibers von Neuem anhebt, alles Vorhergehende dagegen noch dem Bereiche der urkundlichen Beilage angehört. Zur Rechtfertigung dieser Auffassung wird es meines Erachtens genügen, wenn ich sie durch die ganz analoge Fassung einer anderen uns erhaltenen Urkunde derselben Zeit erläutere. Ich meine den ersten der bekannten Volksbeschlüsse für Methone, C. I. A. I. n. 40. Der Antrag des Diopeithes, welcher als Probuleuma des Rathes an die Volksversammlung gelangt und von dieser zum Beschluss erhoben worden war, ein Hergang, der in üblicher Weise zu Anfang der Praescripte durch die Formel *ἔδοξεν τῇ βουλῇ καὶ τῷ δήμῳ* beurkundet ist, verordnet in seinem ersten Absatze: *δι[α]χειροτονῆσαι τὸν δῆμον αὐτίκ[α μάλα Μ]εθωναίο(ι)ς εἴτε φόρον δοκεῖ τάττειν τὸν δῆμο[ν αὐτίκ]α μάλα ἢ ἐξαρκεῖν αὐτοῖς τελεῖν ὅσον τῇ θε[ῷ ἀπὸ τ]οῦ φόρου ἐγίγ[ν]ετο, ὃν τοῖς προτέροις Πα[ναθηναίοις] ἐτετάχατο φέρειν, τοῦ δὲ ἄλλου ἀτελεῖς εἶνα[ι],* woraus eine Reihe anderer Bestimmungen folgt, welche für unseren Zweck nicht in Betracht kommen. Nachdem nun der Antrag in allen seinen Theilen unverändert zur Annahme gelangt war, war sofort noch in derselben Versammlung jene im ersten Absatze verlangte Diacheirotonie vorzunehmen und es bedurfte zur Vervollständigung der Urkunde eines Vermerkes darüber, dass jene Abstimmung Statt gefunden und welches Resultat sie gehabt habe, da erst durch sie die ganze Angelegenheit endgiltig erledigt wurde. So folgt denn noch auf den Text des Volksbeschlusses der protocollarische Vermerk, den wir erwarten: ἐχειροτόνησεν ὁ δῆμος [Μεθωναίου]ς τελεῖν '[όσο]ν τῇ θεῷ ἀπὸ τοῦ φόρου ἐγίγνε[το, ὃν τοῖ]ς π[ρ]οτέρο[ις] Παναθηναίοις ἐτετάχατο φ[έρειν, τοῦ δὲ ἄ]λλου ἀτε[λεῖς εἶ]ναι. Ganz ähnlich lagen die Dinge auch in unserem Falle. Der zum Beschluss erhobene Antrag forderte die sofortige Vollziehung des Vertrages in der üblichen Form; die Ceremonie wurde denn auch unmittelbar nach geschehener Abstimmung vor versammeltem Volke vorgenommen, das Factum protocollirt und das Protocoll selbst der Urkunde als Anhang hinzugefügt. Nichts anderes als eben dieses Protocoll sind im 119. Capitel die Worte: ξυνετίθεντο δὲ καὶ ἐσπένδοντο Λακεδαιμονίων μὲν οἵδε (drei Namen), Κορινθίων δὲ (zwei Namen), Σικυωνίων δὲ (zwei Namen), Μεγαρέων δὲ (zwei Namen), Ἐπιδαυρίων δὲ (ein Name)· Ἀθηναίων δὲ οἱ στρατηγοί (Namen der drei damals in Athen und der Versammlung anwesenden Mitglieder des Strategencollegiums). Was diesen zu Anfang des Capitels vorangeht, ist gleichfalls ein protocollarischer Vermerk, welcher durch besondere Umstände veranlasst wurde. Der Volksbeschluss hatte, was nothwendig war, aber bisher aus begreiflichen Gründen nicht hatte geschehen können, das Datum des Anfanges der vereinbarten Waffenruhe fixirt und als solches den 14. des Attischen Monats Elaphebolion bestimmt, als den Tag, an welchem der Beschluss gefasst und der Vertrag vollzogen worden war. Hierzu hatten die Peloponnesischen Gesandten nachträglich ihre Zustimmung zu erklären und es war ausserdem nothwendig, dass, um jeden Zweifel und daraus sich später etwa ergebende Weiterungen im Voraus unmöglich zu machen, das Attische Datum auf den in Sparta geltenden Calender in ausdrücklicher und officieller Weise reducirt werde. Dass und wie dies geschehen, war protocollarisch fest zustellen, und so entstand jener erste Absatz des Zusatzprotocolles, freilich nicht in der Fassung, in der er uns jetzt vorliegt; vielmehr hat diese im Laufe der Überlieferung eine Alteration erfahren, welche eine falsche Vorstellung von Einzelheiten des thatsächlichen Herganges hervorzurufen geeignet ist.

Der Text des Absatzes lautet nämlich bei den verschiedenen Herausgebern sehr verschieden; Bekker hat folgende Fassung aufgenommen: *ταῦτα ξυνέθεντο Λακεδαιμόνιοι, καὶ ὡμολόγησαν καὶ οἱ ξύμμαχοι, Ἀθηναίοις καὶ τοῖς ξυμμάχοις μηνὸς ἐν Λακεδαίμονι Γεραστίου δωδεκάτῃ.* Es ist dies die Lesung der Handschriften AE; die diesen sonst sehr nahe stehende F lässt zwar das *καὶ ὡμολόγησαν* fort, allein es ist wohl nicht zu bezweifeln, dass diese Worte und zwar in derselben Fassung wenigstens in der Vorlage von F ebenfalls standen und nur durch ein Versehen des Schreibers ausgelassen worden sind, dessen Augen vom ersten *καί* zum gleich darauf folgenden abirrten. Wie immer, hat Bekker hier richtigen Tact bewährt; denn in der von ihm aufgenommenen Lesung bereiten die Worte wenigstens sachlich keine Schwierigkeit, wenn auch immer der Ausdruck seltsam gewunden erscheint. Allein die übrigen Handschriften BCGM schreiben *καὶ ὤμοσαν* für *καὶ ὡμολόγησαν* und GM lassen darauf noch ein zweites *Λακεδαιμόνιοι* folgen. Dies ist für andere Herausgeber Veranlassung gewesen *καὶ ὤμοσαν* aufzunehmen und die dann sich ergebenden formalen Schwierigkeiten durch Umstellungen in der verschiedensten Weise möglichst aus dem Wege zu räumen. Dabei ist aber die viel grössere sachliche Schwierigkeit übersehen worden, welche die Lesung *καὶ ὤμοσαν* bereitet und die beweist, dass letztere unmöglich richtig sein kann. Unser Waffenstillstandsvertrag ist nämlich ganz augenscheinlich nicht, wie dies bei eigentlichen Friedens- und Bundesverträgen allerdings regelmässig zu geschehen pflegte, von Vertretern der contrahirenden Parteien feierlich beschworen, sondern lediglich durch gemeinschaftliche Vollziehung eines Trankopfers (*σπονδή*) bekräftigt worden; das lehren zur Evidenz die Ausdrücke, deren sich sowohl der Volksbeschluss als auch das Protocoll über dessen Vollziehung übereinstimmend bedienen. Der Volksbeschluss verlangt nämlich *σπείσασθαι αὐτίκα μάλα τὰς πρεσβείας τὰς παρούσας* und das Protocoll bekundet einfach *ξυνετίθεντο δὲ καὶ ἐσπένδοντο Λακεδαιμονίων μὲν — Ἀθηναίων δὲ* u. s. w. Von einer Eidesleistung ist nirgend die Rede. Conservativen Herausgebern kann ich daher nur empfehlen, zu der von Bekker aufgenommenen Fassung zurückzukehren, welche sachlich nicht anstössig und in formaler Hinsicht wenigstens erträglich ist; ich selbst halte auch sie nicht für das Richtige, sondern glaube die Worte *καὶ ὡμολόγησαν*, woraus die andere Lesart erst durch absichtliche oder unabsichtliche Verderbung entstanden sein kann, für den erklärenden Zusatz eines Unberufenen nehmen zu müssen, welcher durch flüchtige Auffassung des im Psephisma begegenden Ausdruckes *καθ' ἃ ξυγχωροῦσι Λακεδαιμόνιοι καὶ οἱ ξύμμαχοι αὐτῶν καὶ ὡμολόγησαν ἐν τῷ δήμῳ* hervorgerufen worden ist, und meine, dass die ächte Fassung der Urkunde einfach die folgende gewesen ist: *ταῦτα ξυνέθεντο Λακεδαιμόνιοι καὶ οἱ ξύμμαχοι Ἀθηναίοις καὶ τοῖς ξυμμάχοις* u. s. w.

Selbstverständlich konnte eine Attische Urkunde von der nachgewiesenen Beschaffenheit der vorliegenden nur in Athen selbst und an keinem anderen Orte zugänglich sein, und da der Volksbeschluss die Publication eines Steinexemplares nicht ausdrücklich verordnet, wie dies, wenn eine solche stattfinden sollte, regelmässig zu geschehen pflegte, wir also folgerichtig anzunehmen haben, dass sie in diesem Falle thatsächlich nicht erfolgt ist, so kann eine Abschrift von der Urkunde sich zu verschaffen nur Jemand in der Lage gewesen sein, dem der Zugang zum Attischen Staatsarchive im Metroon in irgend einer Weise ermöglicht war. Zur Zeit aber, als der Vertrag abgeschlossen wurde, Frühjahr 423, befand sich Thukydides, der während der letzten Monate des vorhergehenden Jahres 424 als Stratege an der Thrakischen Küste thätig gewesen und wegen seines Verhaltens in dieser Stellung nach dem Verluste von Amphipolis zur Verantwortung gezogen worden war, wahrscheinlich nicht mehr in Athen, und selbst wenn dies der Fall war und die Entscheidung seines Processes sich bis in den April 423 hereingezogen hatte, jedenfalls nicht in der Lage und auch nicht in der Stimmung neben anderen für ihn damals weit wichtigeren Dingen archivalischen Studien obzuliegen, um Materialien für seine Geschichtsdarstellung in die Verbannung mitnehmen zu können. Nicht unmöglich ist dagegen, dass er auch in der Fremde während der zwanzig Jahre seines Exils Gelegenheit fand, durch Vermittelung dritter Personen eine Abschrift der Urkunde von Athen zu erhalten, und ebenso möglich, dass er erst weit später, nachdem er in Folge seiner Restitution, wie ich glaube annehmen zu müssen, im Jahre 403 in seine Vaterstadt zurückgekehrt war, Kenntniss von der Urkunde erhielt, welche ihm nunmehr direct zugänglich wurde. Die Entscheidung ist abhängig von der Beantwortung der Frage, ob und in welcher Weise Thukydides das seinem Wortlaute nach mitgetheilte Actenstück für die Darstellung der Ereignisse als Quelle benutzt hat, oder mit andern Worten ob letztere die Kenntniss des Inhaltes der Urkunde zur nothwendigen Voraussetzung hat oder nicht.

Jeder der sich die Aufgabe stellen will, auf Grund der mitgetheilten Urkunde eine Darstellung der Verhandlungen, welche zum Abschluss des Waffenstillstandes führten, zu entwerfen, wird es nicht schwer finden folgende Thatsachen in ihrem Zusammenhange festzustellen: Nach der Einnahme von Amphipolis und der Niederlage der Athener bei Delion wurden von Seiten der Lakedaemonier die früher bereits angeknüpften, aber zunächst erfolglos gebliebenen Friedensverhandlungen wieder aufgenommen. In Athen zeigte man sich jetzt geneigt der veränderten Sachlage Rechnung zu tragen und auf Friedensverhandlungen einzugehen; namentlich war man damit einverstanden, dass zur Erleichterung dieser Verhandlungen eine vorläufige Waffenruhe eintreten solle, und forderte die Lakedaemonier auf, eine mit den nöthigen Vollmachten versehene Gesandschaft abzuordnen, mit der über die Bedingungen des abzuschliessenden Waffenstillstandes verhandelt werden könne. Die Lakedaemonier beriethen sich hierauf zunächst mit ihren Bundesgenossen. Von diesen hatte Troezen bereits einen Separatwaffenstillstand mit Athen abgeschlossen und um so weniger Anlass Einrede zu erheben. Dagegen machten die mittelgriechischen Staaten, im Besondern die Phokier und der Böotische Bund Schwierigkeiten auf einen Waffenstillstand einzugehn, und auch von den Mitgliedern des Peloponnesischen Bundes blieben aus nicht näher bekannten Gründen die Eleer, Arkader, Pellene und Hermione den weiteren Verhandlungen fern. Die übrigen stimmten indessen zu und die Lakedaemonier entschlossen sich im Verein mit diesen ohne weitere Rücksicht auf die anderen mit Athen abzuschliessen, wenn dieses dazu geneigt sein sollte. So gieng denn eine mit Instruction und Vollmacht zum Abschluss einer Waffenruhe versehene Gesandtschaft nach Athen ab, in der ausser Sparta Korinth, Sikyon, Megara und Epidauros vertreten waren, und traf dort etwa um den Anfang des Monates Elaphebolion ein. Die Verhandlungen im Rathe führten bis zum 8. des Monates zu einer Vereinbarung, Inhalts deren zum Zwecke zu eröffnender und zu führender Friedensverhandlungen eine Waffenruhe von einem Jahre auf Grundlage des militärischen Status quo geschlossen werden sollte und zugleich die Demarcationslinien zu Wasser und zu Lande bestimmt wurden, innerhalb deren sich die Contrahirenden während der Dauer desselben halten und die sie nicht überschreiten sollten. Das einfallende Fest der grossen Dionysien unterbrach den Fortgang der Verhandlungen und erst nach Beendigung desselben konnte am 14. Elaphebolion jene Vereinbarung der Volksversammlung zur verfassungsmässigen Genehmigung vom Rathe vorgelegt werden. Die Volksversammlung erklärte sich einverstanden und der Vertrag wurde unmittelbar darauf noch an demselben Tage durch die Gesandten der Peloponnesier und die anwesenden Athenischen Strategen unter Vornahme der herkömmlichen Förmlichkeiten vollzogen. Zugleich ward bestimmt, dass dieser Tag, 14. Elaphebolion, 12. Gerastios des Spartanischen Calenders, als derjenige zu gelten habe, von welchem an die auf ein Jahr normirte Dauer der Waffenruhe zu berechnen sei.

Sehen wir nun, wie Thukydides die Sache darstellt, so finden wir, dass er, nachdem er im 116. Capitel die Erzählung der Ereignisse des Winters 424/23 mit der geläufigen Formel *καὶ τοῦ χειμῶνος διελθόντος ὄγδοον ἔτος ἐτελεύτα τῷ πολέμῳ* zu Ende geführt, unmittelbar darauf im 117. Capitel einfach berichtet *Λακεδαιμόνιοι δὲ καὶ Ἀθηναῖοι ἅμα ἦρι τοῦ ἐπιγιγνομένου θέρους εὐθὺς ἐκεχειρίαν ἐποιήσαντο ἐνιαύσιον*[1]), woran sich in der Form *νομίσαντες Ἀθηναῖοι μὲν — Λακεδαιμόνιοι δὲ* — eine Darlegung der Beweggründe schliesst, welche seiner Ansicht nach die contrahirenden Parteien zu diesem Vorgehen veranlassten. Das ist aber auch Alles; denn der Schlussatz des Capitels *γίγνεται οὖν ἐκεχειρία αὐτοῖς τε καὶ τοῖς ξυμμάχοις ἥδε* dient lediglich zur formalen Einführung der nun folgenden Einlage von 118. 119 und bringt über den Verlauf der Verhandlungen ebensowenig etwas Neues bei, als der entsprechende Schlusssatz des 119. Capitels, der vom Texte der Urkunde zur Fortsetzung der Erzählung hinüberleitet.

Was in diesen Angaben Thatsächliches enthalten ist, nämlich dass ein Waffenstillstand abgeschlossen wurde, dass dies um den

---

[1]) Vgl. 5, 15. *σφαλέντων δὲ αὐτῶν ἐπὶ τῷ Δηλίῳ παραχρῆμα οἱ Λακεδαιμόνιοι — ποιοῦνται τὴν ἐνιαύσιον ἐκεχειρίαν, ἐν ᾗ ἔδει ξυνιόντας καὶ περὶ τοῦ πλείονος χρόνου βουλεύεσθαι.*

Beginn des Frühjahres 423 geschah und dass die Waffenruhe ein Jahr dauerte, ist so beschaffen, dass Thukydides es wissen konnte und musste, auch wenn er die Urkunde, die er mittheilt, nie eingesehen hätte: die Mittheilung dieser Thatsachen verräth folglich keine Benutzung der Urkunde. Was dagegen aus dieser darüber hinaus die Vorgeschichte des Waffenstillstandsabschlusses betreffend zu lernen war, ist für die Darstellung selbst nicht verwerthet, sondern dem Leser aus dem Inhalte des mitgetheilten Actenstückes zu combiniren oder auch nicht zu combiniren überlassen worden. Ein solches Verfahren mag sich für einen Urkundensammler schicken, ein Geschichtsschreiber darf sich dergleichen nicht erlauben, und obwohl es in dem vorliegenden Falle nicht nur zulässig, sondern durchaus zweckmässig war, über die Bedingungen des abgeschlossenen Waffenstillstandes die Leser durch einfache Mittheilung des Vertragsinstrumentes zu verständigen, weil diese Bedingungen aus der Urkunde direct und in authentischer Form zu entnehmen sind, so durfte doch der Geschichtsschreiber, wenn er seiner Aufgabe gerecht werden wollte, sich der Mühwaltung auf keinen Fall entziehen, Alles was allein auf indirectem Wege aus den Angaben der benutzten Urkunde durch Schluss und Combination in zuverlässiger Weise zu ermitteln war, auch wirklich selbst abzuleiten und für seine Darstellung zu verwerthen. Dies ist, wie gesagt, nicht geschehen, ja die Nachlässigkeit geht in dieser Richtung so weit, dass selbst eine Thatsache der Kriegsgeschichte aus der Zeit vor dem Abschlusse des Vertrages, welche, wenn sie ihm sonst unbekannt war, aus dem Zeugniss der Urkunde mit Leichtigkeit zu gewinnen war, die nämlich, dass schon vor dem Frühjahr 423 zwischen Athen und Troezen eine Separatwaffenruhe verabredet worden war und in Wirklichkeit bestand, in der vorhergehenden Darstellung keine Berücksichtigung gefunden hat. Thukydides berichtet zwar 4, 45 die im Sommer 425 erfolgte Festsetzung der Athener auf Methana und die von dieser Stellung aus in der Folgezeit (*τὸν ἔπειτα χρόνον*) ausgeführten Beunruhigungen des Troezenischen Gebietes, erwähnt aber im Verlaufe der Darstellung vom 46. Capitel bis zum 116. mit keiner Silbe der Einstellung der Feindseligkeiten auf Grund eines vertragsmässigen Abkommens der Athener mit Troezen.

Wer also von der Voraussetzung ausgeht, dass Thukydides, als er die Darstellung der Ereignisse dieses und des unmittelbar vorhergehenden Kriegsjahres niederschrieb, die besprochene Urkunde bereits bekannt war und zur Verfügung stand, der wird diese Voraussetzung gegenüber den hervorgehobenen Umständen nur aufrecht erhalten können um den Preis des Zugeständnisses, dass der Geschichtschreiber sein Quellenmaterial in höchst ungenügender und oberflächlicher Weise ausgenutzt hat. Wem dagegen, wie mir, das Letztere unglaublich dünkt, der wird unbedenklich eine Voraussetzung, die zu solchen Consequenzen nöthigt, als irrig aufzugeben geneigt sein und sich zu folgender Auffassung des Sachverhaltes bequemen, welche allein geeignet ist, den vorliegenden Thatbestand in befriedigender Weise genetisch zu erklären:

Als Thukydides in den Jahren zunächst nach seiner Exilirung fern von der Heimath die Geschichte der ersten zehn Kriegsjahre bis zum Frieden des Jahres 421 in einem ersten Entwurfe niederschrieb, war ihm der Text der Waffenstillstandsurkunde noch nicht zugänglich, und er berichtete daher von dem Abschlusse der Waffenruhe in der summarischen, jedes Details ermangelnden Weise, welche die ungenügende Beschaffenheit seiner damaligen Informationen allein möglich machte. Erst sehr viel später, nach seiner Rückkehr in die Heimath, gelangte die Urkunde zu seiner Kenntniss, und als er nun in den Jahren unmittelbar nach 403 daran gieng, die Geschichte des Krieges nach einem erweiterten Plane fortzusetzen und bis zur Capitulation von Athen herabzuführen, und bei dieser Gelegenheit und zu diesem Zwecke die ältere Darstellung der zehn ersten Kriegsjahre einer Umarbeitung unterwarf, legte er die ihm mittlerweile bekannt gewordene Urkunde an der betreffenden Stelle ein. Wenn dies in einer rein äusserlichen Weise geschehen ist und ohne dass das neugewonnene Material gehörig ausgenutzt wurde, so beweist dies eben nur, worauf auch zahlreiche andere Indicien hinführen, dass der Geschichtschreiber mit seiner Arbeit auch nach dieser Richtung nicht eigentlich fertig geworden ist. Anstössig und tadelnswerth kann dergleichen nur Jemandem erscheinen, der sich von der falschen Vorstellung beherrschen lässt, es habe der Torso des Thukydideischen Geschichtswerkes als eine im Sinne seines Urhebers in materieller und formeller Hinsicht vollendete Arbeit zu gelten; verstehen aber kann Thukydides nur und ihm gerecht werden als Historiker wie als Stilist allein, wer begriffen hat, dass die Mängel seines Werkes zum allergrössten Theile nicht auf Rechnung seines Könnens oder Wollens, sondern lediglich des Umstandes zu bringen sind, dass das Verhängniss, zum Unglück für ihn und uns, ihn verhindert hat, seinem Werke diejenige Vollendung zu geben, welche wir ihm wünschen möchten und die ihm zu geben sicherlich in seiner Absicht und nicht ausserhalb der Gränzen seines Könnens gelegen hat.

Hr. Kronecker knüpfte an seine Mittheilung vom 29. Juli d. J. folgende Bemerkungen:

I. Die Cauchy'sche Auffassung der Gaufs'schen Reihen als Grenzwerthe der θ-Reihen zeigt sich als naturgemäss und bedeutungsvoll namentlich darin, dass sich hierbei grade jene wichtige Vorzeichenbestimmung, bei welcher Gaufs „auf ganz unerwartete Schwierigkeiten traf“ (vgl. Gaufs' Werke Bd. II, p. 156), ganz unmittelbar ergiebt, ja — so zu sagen — in Evidenz tritt. Setzt man nämlich den absoluten Werth der Summen der Gaufs'schen Reihen als bekannt voraus, so gilt für jeden rationalen, rein imaginären Werth von ϱ die Relation

$$\text{(VIa)} \qquad \varrho \cdot \left\{ \frac{G(\varrho)}{G\left(\frac{1}{\varrho}\right)} \right\}^2 = 1,$$

welche nichts Anderes ist als die quadrirte Relation (VI). Hieraus folgt nun das Bestehen der quadrirten Gleichung (IV), nämlich

$$\text{(IVa)} \qquad \log\frac{1}{x} \cdot \left\{ \frac{\Sigma x^{n^2\pi}}{\Sigma y^{n^2\pi}} \right\}^2 = 1,$$

auf Grund eben jener Betrachtungen, welche die Gleichung (IV) selbst als eine Folge der Gleichung (VI) erkennen liessen, und welche nur noch durch die Bemerkung vervollständigt werden mögen, dass aus dem Verhalten der Function $\Phi(x)$ in der Nähe von $x = 0$ auch deren Eindeutigkeit hervorgeht; denn die verschiedenen Werthe von $\log x$ können keine Werthänderung der Function $\Phi(x)$ zur Folge haben, da $\Phi(x)$ bei jeder beliebigen Art der Annäherung an $x = 0$ gegen einen und denselben festen Werth convergirt. Es ist ferner hervorzuheben, dass die eingeklammerte Quadratwurzel eindeutig bestimmt ist und auch in eindeutiger Form dargestellt werden kann, indem offenbar

$$(\sqrt{a}) = \int_{-\infty}^{+\infty} e^{-\frac{u^2}{a}\pi} du$$

ist, wenn a eine complexe Grösse bedeutet, deren reeller Theil positiv ist. — Die eindeutige Function von x, welche die linke Seite der Gleichung (IVa) bildet, ist das Quadrat von $\Phi(x)$; die Function $\Phi(x)$ selbst kann daher nur den Werth $+1$ oder -1 haben, und von diesen beiden Alternativen wird die letztere dadurch ausgeschlossen, dass $\Phi(x)$ für $x=0$ sich dem reciproken Werthe des von $-\infty$ bis $+\infty$ erstreckten Integrals $\int e^{-u^2\pi}du$, also einer offenbar positiven Grösse nähert. Hieraus folgt aber, dass auch der Grenzwerth, dem sich $\Phi(e^{-w^2-\varrho})$ für $w=0$ nähert, d. h. der Werth von

$$(\sqrt{\varrho})\frac{G(\varrho)}{G\left(\frac{1}{\varrho}\right)}$$

gleich $+1$ ist, dass also die mit (VI) bezeichnete Gleichung besteht, welche die vollständige Werthbestimmung der Gaufs'schen Reihen in sich schliesst. Diese Deduction führt also, nur von dem absoluten Werthe der Summen der Gaufs'schen Reihen ausgehend, zur Transformation der θ-Reihen und mit Hülfe derselben alsdann auch zur Bestimmung des Vorzeichens der Quadratwurzel, welche bei der Summation der Gaufs'schen Reihen erscheint. Die dabei benutzte Schlussweise lässt sich ganz übersichtlich darstellen, wenn man, wie oben, den Ausdruck

$$\left(\sqrt{\log\frac{1}{x}}\right)\frac{\Sigma x^{n^2\pi}}{\Sigma y^{n^2\pi}},$$

in welchem $\log x . \log y = 1$ ist, mit $\Phi(x)$ bezeichnet, so dass

$$\lim_{w=0}.\Phi(e^{-w^2-\varrho}) = (\sqrt{\varrho})\frac{G(\varrho)}{G\left(\frac{1}{\varrho}\right)} \qquad \left(\varrho=\frac{\lambda i}{\mu}\right)$$

wird. Dann ist nämlich die Voraussetzung, von welcher ausgegangen wird, in der Gleichung

$$\lim_{w=0}.\Phi(e^{-w^2-\varrho}) = \pm 1$$

enthalten, und aus dieser folgt mit Hülfe der Cauchy'schen Principien, dass

$$(\Phi(x))^2 = 1, \text{ also } \Phi(x) = +1 \text{ oder } \Phi(x) = -1$$

sein muss. Da aber $\lim_{x=0}.\Phi(x) > 0$ ist, so resultirt die Gleichung

$$\Phi(x) = 1,$$

welche die Transformation der θ-Reihen enthält, und hieraus ergiebt sich schliesslich die Vorzeichenbestimmung in der Gleichung welche den Ausgangspunkt bildete, nämlich

$$\lim_{w=0} .\Phi(e^{-w^2-\varrho}) = +1\,,$$

und eben damit auch die Vorzeichenbestimmung für die Werth der Gaufs'schen Reihen.

II. Der absolute Werth der Gaufs'schen Reihen, welche bei vorstehender Deduction zu Grunde gelegt worden, lässt sich ermitteln, ohne die Existenz der primitiven Congruenzwurzeln zu Hülfe zu nehmen, also ohne über die Sphäre der quadratischen Reste hinauszugehen. Zuvörderst sind nämlich mittels der Gleichung (vgl. S. 694)

$$G\left(\frac{\lambda i}{\mu\nu}\right) = G\left(\frac{\lambda\nu i}{\mu}\right) G\left(\frac{\lambda\mu i}{\nu}\right),$$

in welcher λ, μ, ν als zu einander prim vorausgesetzt sind, alle Gaufs'schen Reihen auf diejenigen zurückzuführen, in welchen der Nenner eine Primzahlpotenz p^α ist. Wenn nun ferner $\mu = p^\alpha$ und in der Gaufs'schen Reihe

$$\sum_k e^{-k^2 \frac{\lambda\pi i}{\mu}}$$

$k = mp^{\alpha-1} + n$ genommen wird, so wird hierdurch der Werth der Gaufs'schen Reihe für $\mu = p^\alpha$ ganz unmittelbar auf den Werth der Gaufs'schen Reihe für $\mu = p^{\alpha-2}$ zurückgeführt. Ist endlich μ eine ungrade Primzahl p, und bezeichnet man mit a die quadratischen Reste von p und mit b die Nichtreste, so ist

$$G\left(\frac{r\lambda i}{p}\right) = \sum_{k=0}^{k=p-1} e^{-k^2\frac{r\lambda\pi i}{p}} = 1 + 2\sum_a e^{-\frac{ar\lambda\pi i}{p}}$$

und

$$1 + 2\sum_a e^{-\frac{ar\lambda\pi i}{p}} + 1 + 2\sum_b e^{-\frac{br\lambda\pi i}{p}} = 0\,,$$

also

$$G\left(\frac{r\lambda i}{p}\right) = \left(\frac{r}{p}\right) G\left(\frac{\lambda i}{p}\right),$$

wo $\left(\frac{r}{p}\right)$ das Legendre'sche Zeichen d. h. gleich $+1$ oder -1 ist, je nachdem r zu den Zahlen a oder b gehört. Da nun ferner

$$G\left(\frac{\lambda i}{p}\right) G\left(\frac{-\lambda i}{p}\right) = \sum_h \sum_k e^{(h^2-k^2)\frac{\lambda\pi i}{p}} = \sum_r \sum_s e^{rs\frac{\lambda\pi i}{p}}$$

ist, wo für die Summationsbuchstaben h, k, r, s alle Werthe von 0 bis $p-1$ zu nehmen sind, so resultirt die Gleichung

$$\left(\frac{-1}{p}\right)\left(G\left(\frac{\lambda i}{p}\right)\right)^2 = p,$$

mit Hülfe deren die Bestimmung des absoluten Werthes der Gaufs-schen Reihen vollendet wird.

III. Die Herleitung der Productentwickelung der ϑ-Reihen, welche oben S. 696 erwähnt worden ist, geschieht durch den Nachweis, dass der Quotient jener für

$$q = e^{\tau\pi i}\,,\ z = e^{\zeta\pi i}$$

mit $\vartheta(\zeta, \tau)$ übereinstimmenden Reihe

$$\sum_{\nu} q^{\frac{1}{4}\nu^2}(-iz)^{\nu}$$

und des Products

$$-iq^{\frac{1}{4}}(z-z^{-1})\prod_{n=1}^{n=\infty}(1-q^{2n})(1-q^{2n}z^2)(1-q^{2n}z^{-2})\,,$$

gleich *Eins* ist. Es ist nämlich zuvörderst klar, dass dieser Quotient für alle, auch für unendlich grosse Werthe von z stets endlich bleibt und also von z unabhängig sein muss. Es ist ferner zu sehen, dass dieser Quotient ungeändert bleibt, wenn q^4 für q gesetzt wird, indem sowohl für die Reihe als auch für das Product die Relation

$$\text{(IX)} \qquad \vartheta(\tfrac{1}{2}, \tau) = 2e^{\frac{1}{4}\tau\pi i}\vartheta(\tfrac{1}{2}-\tau, 4\tau)$$

fast unmittelbar erhellt. Der Quotient hat also für jedes q denjenigen Werth, welchen er für unendlich kleine Grössen q erhält, d. h. eben den Werth *Eins*. — Ganz ebenso ist auch die auf S. 691 mit (III) bezeichnete Transformationsgleichung zu verificiren. Denn die auf der linken Seite stehende Function von x und z muss — wie schon oben S. 697 ausgeführt ist — von z unabhängig sein, oder, was damit übereinkommt, es muss der Quotient

$$-i(\sqrt{-\tau i})\,e^{\zeta^2\tau\pi i}\cdot\frac{\vartheta(\zeta\tau, \tau)}{\vartheta\left(\zeta, -\frac{1}{\tau}\right)}$$

von ζ unabhängig sein. Setzt man hierin

erstens $\zeta = \frac{1}{2\tau}$,

zweitens 4τ an Stelle von τ und dann $\zeta = -\frac{1}{4} + \frac{1}{8\tau}$,

so ist leicht zu zeigen, dass die beiden resultirenden Werthe jene Quotienten mit einander übereinstimmen. In der That bedarf e dazu ausser der Gleichung (IX) nur noch der ebenso unmittelba sowohl aus der Reihenform als auch aus der Productentwickelun von ϑ hervorgehenden Relation

$$\text{(X)} \qquad e^{\frac{1}{4}(3\tau-1)\pi i}\vartheta(2\tau, 4\tau) = \vartheta(\tfrac{1}{4}+\tfrac{1}{4}\tau, \tau),$$

welche gewissermassen die „transformirte" der Relation (IX) is Da nun jener Quotient seinen Werth nicht ändert, wenn τ in 4 verwandelt wird, so ist der Werth constant, nämlich derjenige, de für $\tau = \infty$ oder $q = 0$ eintritt, und dieser constante Werth er giebt sich unmittelbar gleich *Eins*, wenn $\tau = i$ und $\zeta = \frac{1}{2}(1+i$ genommen wird.

Ich bemerke noch, dass ebenso wie die Gleichung (IX) auc andere Transformations-Relationen der θ-Reihen benutzt werde können, und dass Hr. Rausenberger in einer mir neulich al Beitrag zum Journal für Mathematik eingesandten Arbeit, von de Productentwickelungen ausgehend, eine Herleitung der einfache linearen Transformation mittels Functional-Gleichungen, die de Transformation 2ter und 3ter Ordnung entstammen, gegeben hat.

IV. Die allgemeinste lineare Transformation der θ-Reihe kann, wie schon auf S. 697 angedeutet worden, genau in derselbe Weise wie die speciellere, die durch die Gleichung (III) ausge drückt ist, oder auch mit Hülfe dieser Gleichung aus der Ent wickelung von

$$e^{-\gamma\zeta\zeta'\pi i}\vartheta(\zeta', \tau')$$

nach Potenzen von $e^{\zeta\pi i}$ hergeleitet werden. Die Transformations gleichung erscheint alsdann in folgender Gestalt:

$$\text{(XI)} \qquad \vartheta(\zeta', \tau') = \left(\sqrt{\frac{\gamma\tau+\delta}{\gamma i}}\right) e^{(\gamma\zeta\zeta+\phi)\pi i} G_{\kappa,0}\left(\frac{\alpha}{\gamma i}\right) \vartheta(\zeta, \tau),$$

und es bedeuten hier α, β, γ, δ beliebige ganze Zahlen, welch die Bedingung $\alpha\delta - \beta\gamma = 1$ erfüllen, es ist ferner

$$\tau' = \frac{\alpha\tau+\beta}{\gamma\tau+\delta} \quad , \quad \zeta' = \frac{\zeta}{\gamma\tau+\delta}$$

$$\phi = \tfrac{1}{2}(\alpha\delta-\gamma)(1-\delta) + \tfrac{1}{4}\beta\delta + \tfrac{1}{4}\alpha\gamma(1-\delta)^2$$

und

$$G_{\eta,0}\left(\frac{\alpha}{\gamma i}\right) = \sum_{n=1}^{n=\gamma}(-1)^{\eta n} e^{n^2\frac{\alpha\pi i}{\gamma}} \quad , \quad \eta = \alpha(\beta+\delta)\,.$$

Die Constante C in der Gleichung (VIII) bestimmt sich demgemäss durch die Bedingung

$$C(\sqrt{\gamma i}) = e^{\phi\pi i} G_{\eta,0}\left(\frac{\alpha}{\gamma i}\right).$$

Geht man zu einem rationalen Grenzwerthe von τ über, so nimmt auch τ' einen rationalen Grenzwerth an, und wenn der erstere in reducirter Form mit $-\frac{\lambda}{\mu}$, der letztere mit $-\frac{\lambda'}{\mu'}$ bezeichnet wird, so ist

$$\lambda' = \alpha\lambda - \beta\mu \quad , \quad \mu' = -\gamma\lambda + \delta\mu\,.$$

Es ist nun in diesem Falle auch für 2ζ ein rationaler Bruch mit dem Nenner μ zu nehmen, weil für alle andern Werthe von 2ζ der Grenzwerth von

$$w\,.\,\vartheta\left(\zeta\,,\,w^2 i - \frac{\lambda}{\mu}\right)$$

für $w = 0$ verschwindet. Demgemäss seien $p\,,\,q$ beliebige ganze Zahlen, und es sei

$$2\zeta = p+1+(q+1)\frac{\lambda}{\mu} \quad , \quad 2\zeta' = p'+1+(q'+1)\frac{\lambda'}{\mu'}$$

$$p'+1 = \alpha(p+1)+\beta(q+1) \quad , \quad q'+1 = \gamma(p+1)+\delta(q+1);$$

es bedeute ferner $G_{p,q}\left(\frac{\lambda i}{\mu}\right)$ den Ausdruck

$$\tfrac{1}{2}\, i^{-pq(q+1)} \sum_{n=1}^{n=2\mu}(-1)^{np}\, e^{-(n-\frac{1}{2}q)^2\frac{\lambda\pi i}{\mu}}\,.$$

Alsdann geht die Transformationsformel (XI) in folgende über:

$$\text{(XII)} \qquad \frac{e^{t'\pi i}G_{p',q'}\left(\frac{\lambda' i}{\mu'}\right)}{e^{t\pi i}G_{p,q}\left(\frac{\lambda i}{\mu}\right)} = \left(\sqrt{\frac{\mu'}{\mu\gamma i}}\right) e^{\phi\pi i} G_{\eta,0}\left(\frac{\alpha}{\gamma i}\right),$$

wo η, ϕ die oben angegebene Bedeutung haben, während t und t' der Abkürzung halber für die Grössen

$$\tfrac{1}{2}pq^2 + \tfrac{1}{4}(p-1)(q+1)\ ,\ \tfrac{1}{2}p'q'^2 + \tfrac{1}{4}(p'-1)(q'+1)$$

gesetzt sind. Für ungrade Werthe von p und q wird $G_{p,q}$ gleich Null und für beliebige ganze Zahlen h, k wird

$$G_{p+2h,\,q+2k} = G_{p,q}\ ,$$

so dass in Wahrheit nur die drei verschiedenen Reihen

$$G_{00}\ ,\ G_{01}\ ,\ G_{10}$$

zu betrachten sind, von denen die erste mit derjenigen übereinstimmt, welche oben mit G ohne Indices bezeichnet worden ist. Die Formel (XII) liefert die Werthe der Reihen G sowie die allgemeinste Reciprocitäts-Beziehung zwischen Legendre'schen Zeichen $\left(\frac{\lambda}{\mu}\right)$ und $\left(\frac{\lambda'}{\mu'}\right)$, von denen das eine durch lineare Transformation aus dem andern entstanden ist. Für den speciellen Fall $\alpha = \delta = 0$ und $\beta = -\gamma = 1$ kommt analog der obigen Gleichung (VI)

$$(\sqrt{\varrho})\, G_{p,q}(\varrho) = G_{q,p}\left(\frac{1}{\varrho}\right),$$

wenn $\varrho = \dfrac{\lambda i}{\mu}$ ist, und auch aus dieser specielleren Gleichung allein folgen schon die Werthe der Reihen G.

Ich bemerke schliesslich, dass ich die auf S. 690 bis 695 gegebene Ausführung Cauchy'scher Betrachtungen bereits im Februar 1868 in der Akademie, und schon im December 1867 sowie von da ab regelmässig in meinen Universitäts-Vorlesungen vorgetragen habe. Die weitere auf S. 696 und 697 angeschlossene Entwickelung habe ich zuerst im Februar d. J. in meinen Universitäts-Vorlesungen mitgetheilt.

Berichtigung.

Auf S. 691 Zeile 3 von unten soll es heissen:

Setzt man $x = u^{-4\pi}$, $y = v^{-1}$,

Hr. W. Peters legte vor:

Übersicht über die während der Reise S. M. S. Corvette Gazelle um die Erde 1874—76 gesammelten Echinoiden

von Dr. Th. Studer, Professor in Bern.

Die Ausbeute, welche die Reise der Gazelle an Echinoiden geliefert hat, ist nicht eine sehr grosse, es sind im Ganzen 41 Arten, worunter 7 für die Wissenschaft neu sind. Davon sind einige antarktische Arten, sowie die Gattung *Schleinitzia* mit *Schleinitzia crenularis* und *Astropyga elastica* schon früher, 1876, vom Verfasser kurz charakterisirt worden, sie werden hier ausführlicher beschrieben und abgebildet. Für die übrigen Arten sind zum Theil neue, genaue Fundorte bekannt geworden, wovon namentlich die in der Gegend des Neu-Britannischen Archipels gelegenen Interesse verdienen, als Zwischenstationen für die zugleich im indischen und stillen Oceane vorkommenden Arten, zugleich war es möglich aus der Beobachtung einige biologische Notizen beizufügen. Tiefseeformen wurden nur sehr wenige erlangt. Einer der interessantesten Funde ist derjenige eines lebenden Vertreters der sonst nur aus der Secundärzeit bekannten Gattung *Catopygus*, der zweiten lebenden Art, die im Laufe eines Jahres bekannt wird, die erste wurde von Agassiz aus dem reichen vom Challenger mitgebrachten Material beschrieben.

Dem Direktor der zoologischen Sammlung des Königlichen Museums in Berlin, Hrn. Professor Peters, den HHrn. Professoren Dr. von Martens und Dr. Dames spreche ich hier meinen Dank aus für die mannigfache Unterstützung, mit welcher sie meine Arbeit fördern halfen.

I. Desmosticha (Haeckel). Agass. Revis. of the Echin.

A. *Cidaridae* Müll. 1854.

Goniocidaridae Haeckel.

Cidaris L.

1. *C. metularia* Lmk.

Wurde bei Mauritius aus 28 Faden lebend gefischt. Der Grund bestand aus weissem Kalksande und Knollen von rothen Korallinen. Die Art scheint häufig bei Mauritius in seichtem

Wasser ausserhalb des Korallenriffs zu leben. Ich erhielt sie ebendaher von Robillard. Die Art hat eine weite Verbreitung im indischen Ocean. Peters fand sie bei Mossambique, Hemprich und Ehrenberg im rothen Meer, v. Martens bei Amboina und in der südchinesischen See, an letzterem Ort in 40 Faden.

2. *C. tribuloides* (Lam.) Blainv.

Von dieser Art, welche sich durch die sehr breiten mit Miliartuberkeln besetzten Felder zwischen den Interambulacraltuberkeln auszeichnet, fanden sich zwei todte Schalen bei Ascension in 60 Faden Tiefe. Es wird hierdurch ein neuer Fundort dieser über den atlantischen Ocean so weit verbreiteten Art bekannt. Nach A. Agassiz kommt sie in West-Indien in Tiefen von 80—120 Faden vor. Ausserdem auch an den Cap Verdischen Inseln nach Exemplaren in der Pariser Sammlung. Rathbun führt die Art von Bahia, Rio de Janeiro, Fernando Noronha und S. Carolina an.

3. *C. membranipora* Stud. *Goniocidaris membranipora* Stud. S. Monatsber. d. K. Akad. d. W. Berlin. Juli 1876. *Cidaris nutrix* W. Thomson. The Atlantic 2. Bd.

Bei Kerguelen in 80 Faden Tiefe in grosser Anzahl gefischt. Über die eigenthümliche Brutpflege dieser Art s. Wyv. Thomson l. c., ferner zoolog. Anzeiger 1880 Nr. 67. 68, wo ich den eigenthümlichen Geschlechtsdimorphismus dieser Art darstellte.

Dorocidaris Ag.

4. *D. papillata* Leske. Von B. 4°4′ N. L. 9°16′ O.

Cap Verdische Inseln. Die Structur ist von der der Mittelmeerform nicht verschieden. Die Färbung der Schale ist weisslich, die der Ambulacren und Scrobicularspinen purpurroth.

Schleinitzia Studer.

S. Monatsb. d. K. Ak. d. W. Berlin. Juli 1876. S. 463.

Als ich im Jahre 1876 diese Gattung auf das Vorhandensein von crenulirten Stachelwarzen, welche sie mit der fossilen Gattung *Rhabdocidaris* Desor gemeinsam hat, begründete, war mir noch kein lebender Cidaride mit crenulirten Warzen bekannt.[1]) Ich

[1]) Die Arbeit von Loriol Mem. Soc. Sc. nat. de Neuchâtel T. V Mai 1873, worin er zwei Cidarisarten mit theilweiser Crenulirung der Stachelwarzen beschreibt, war mir damals nicht bekannt.

glaubte die Art nicht der Gattung *Rhabdocidaris* Des. einreihen zu dürfen, weil die Stacheln nicht die Entfaltung der fossilen Arten dieser Gattung erlangen und der Apicalapparat abweichend von dem der übrigen in die Gruppe der *Leiocidaris* und *Rhabdocidaris*[1]) gehörenden Cidariden angeordnet ist. Seither wurde von Troschel Arch. f. Naturg. 1877. 2. Hft. S. 127 ein fernerer Cidaride mit crenulirten Stachelwarzen als *Rhabdocidaris recens* Troschel beschrieben. Später veröffentlichte Troschel in den Sitzungsberichten der Niederrhein. Gesellschaft vom 10. December 1877 einen Fall von crenulirten Stachelhöckern bei *Cidaris baculosa* Lam. und erkannte die Identität seiner *Rhabdocidaris recens* mit der schon von Lamarck aufgestellten kurz charakterisirten *Cidaris bispinosa*, welche dann Loriol in den Mémoires de la soc. des Sc. nat. de Neuchâtel T. V. 1873 ausführlich beschrieben hat.

Zugleich theilte Troschel eine briefliche Mittheilung von de Loriol mit, wonach derselbe crenulirte Stachelwarzen bei *Cidaris annulifera* Ltk., *Lütkeni* de Loriol, und *Dorocidaris papillata* L. beobachtet hat.

Im Königl. Museum zu Berlin befindet sich endlich die von Stacheln entblösste Schale einer *Goniocidaris*-Art, wahrscheinlich *G. tubaria*, an welcher ich einzelne Stachelwarzen mit radiärer Crenulirung fand.

Aus allen diesen Beobachtungen geht hervor, dass die Crenulirung auch bei den jetzt lebenden Seeigeln entweder constant oder individuell vorkommen kann, und zwar bei durch alle anderen Charaktere von einander generisch zu trennenden Arten. Es möchte daher auch dieser Charakter als Gattungskennzeichen kaum zu verwerthen sein.

Betrachten wir die Verhältnisse der Arten mit crenulirten Stachelwarzen genauer, so sehen wir, dass die Crenulirung überall da vorkommt, wo die Stacheln eine bedeutende Entwickelung zeigen und einen gewichtigen Anhang an dem Körper darstellen. Die Stacheln werden nur durch eine Art Kapselband, welches vom Rande des Warzenhofes entspringend das Gelenk und den Stachel-

---

[1]) S. über diese Beibehaltung der Gattung *Leiocidaris* Dames Echin. Palaeontogr. XXV 3. Folge Bd. I., dessen darüber ausgesprochene Ansichten ich vollkommen theile.

hals umfasst, gehalten und durch radiäre Muskelbündel, die sich an der Basis des Stachels festsetzen, bewegt. Je schwerer nun der Stachel ist, um so kräftiger müssen die Muskeln, die ihn bewegen, sein, und diese Muskeln bewirken durch ihre grössere Entwickelung eine kräftigere Entwickelung der Ansatzstellen, welche dann als Muskelleisten an dem betreffenden Skelettstück hervortreten. So sehen wir bei Wirbelthieren die Entwickelung der Muskelleisten im geraden Verhältniss zu der Stärke des Muskels stehen, der sich an sie ansetzt. Die radiären Muskeln der Stacheln werden auch radiäre Vorsprünge veranlassen. Bei den lebenden Cidariden, wo die Crenulirung vorkommt, sehen wir diese meist unsymmetrisch nur am abactinalen Rande der Warze auftreten. Dieses kommt daher, dass diejenigen Muskelbündel, welche der natürlichen Schwere des Stachels entgegenwirken müssen, am meisten entwickelt sind. Geben wir nun nach dem Gesagten zu, dass die Crenulirung nur der stärkeren Entwickelung der Stacheln, resp. der sie bewegenden Muskulatur ihre Entstehung verdankt, so muss dieser Charakter der Ausdruck sein für diese Stacheln selbst. Auf diese aber Gattungen zu begründen, würde zu einem längst aufgegebenen künstlichen Systeme führen.

Desor trennte 1858 diejenigen *Cidaris*-Arten, deren Porenpaare durch Furchen mit einander verbunden sind, von denjenigen ab, bei welchen die Porenpaare nicht ganz parallel liegen und der Verbindungsfurchen entbehren. Zu letzteren gehören die Gattungen *Cidaris, Goniocidaris, Dorocidaris* u. a., zu letzteren *Leiocidaris* Des. und *Rhabdocidaris* Des., von denen sich letztere Gattung durch die crenulirten Stachelwarzen von ersterer unterscheidet. Diese beiden Gattungen sind in ihrem geologischen Horizonte wohl geschieden, und ich möchte schon aus praktischen Gründen und ohne genaue Revision der fossilen Arten keine Verschmelzung der beiden Gattungen beantragen. Anders ist es mit den lebenden Arten, welche de Loriol und Troschel unter *Rhabdocidaris* stellen möchten. Bei diesen ist die Entfaltung der Stacheln nicht eine so ausgeprägt charakteristische, wie bei den jurassischen *Rhabdocidaris*. Die Crenulirung beschränkt sich nur auf einzelne Stachelwarzen und betrifft nur einen Theil der Stachelbasis, dagegen hat *Rhabdocidaris bispinosa* Lmk. mit meiner neu aufgestellten *Schleinitzia crenularis* den Charakter gemeinsam, dass das Abactinalfeld sehr gross ist. Die Genital- und Ocellartäfelchen sind zusammen in einer Reihe angeordnet, so dass die Genitaltäfelchen bis zu ihrer Basis durch die Ocellartäfelchen getrennt sind. Das Afterfeld ist sehr gross und mit kleinen warzenbedeckten Tafeln besetzt, welche, wenigstens bei *Schleinitzia crenularis*, gegen einander beweglich sind. Der After liegt etwas excentrisch.

Für diese Formen möchte ich die Gattung *Schleinitzia* zu Ehren des um die Wissenschaft so verdienten Commandanten der deutschen Corvette „Gazelle", Capitän z. S. Freiherrn v. Schleinitz, beizubehalten vorschlagen.

5. *Sch. crenularis* Stud. Taf. I. Fig. 1—1g.

Die Schale ist rund, an beiden Polen abgeplattet, nur das Periproct etwas erhaben; die Ambulacralfelder sind schmal, wenig wellig, das Mittelfeld mit zwei Aussenreihen von grösseren Tuberkeln, die kleine Höfe haben, versehen, dann folgen zwei Reihen kleinerer Wärzchen, dazwischen Miliartuberkel an zwei unregelmässig alternirenden Reihen. Porenzone fast so breit wie die Ambulacralzone, die Poren durch deutliche Furchen verbunden, diese selbst durch scharfe, niedere Rippen von einander getrennt.

Interambulacralfelder mit zwei Reihen von Warzen, die in der Zahl von 8 eine meridianale Reihe bilden. Die Warzenhöcker sind vorspringend, die Basis an mehreren Warzen, namentlich in denen der zweiten und dritten Reihe crenulirt. Die Crenulirung betrifft gewöhnlich nur die obere Peripherie der Warzenbasis, selten geht sie um die ganze Basis rings herum, in welchem Falle immer die Crenulirung der oberen Hälfte stärker ist. Die Warzenhöfe sind quer oval, wenig vertieft, der Rand von einem Kranze grösserer Tuberkel umgeben. Der übrige Theil der Interambulacralplatten ist mit sehr feinen Körnchen bedeckt. Die Platten sind durch feine Furchen von einander abgesetzt.

Der Apicalapparat ist breit, fast kreisförmig; sein Durchmesser verhält sich zu dem der Schale wie 1 : 2,5 und ist grösser, als der der Buccalöffnung. Die Genitaltäfelchen sind schildförmig, stumpf fünfeckig, und bilden mit den dreieckigen Ocellarplatten einen Kranz um das breite fünfeckige Analfeld. Die Genital- und Ocellartafeln sind mit gleichmässigen Körnern besetzt, die nur eine glatte Randzone frei lassen. Die Afterplatten sind klein, polygonal, mit grösseren Wärzchen besetzt und gegen einander wenig verschiebbar. Der After ist wenig excentrisch. Die Stacheln der

Interambulacralzonen sind sehr verschieden gestaltet: die obersten sind in der Regel stabförmig, nach dem Ende sich etwas zuspitzend, mit kurzem glattem Halstheil (Fig. 1d). In ihrer Längsrichtung verlaufen Reihen von dornigen Wärzchen. Ihre Länge erreicht nicht die des Querdurchmessers der Schale.

Die Stacheln der mittleren Warzen sind lang, über doppelt so lang, als der Durchmesser der Schale, 80—90^{mm}, und entspringen mit breitem Gelenktheil, der sich ohne halsartige Partie unmittelbar in dem langen Stabtheil fortsetzt (Fig. 1c). Am Ende sind sie entweder einfach abgestumpft oder laufen in zwei bis drei spitze Stacheln aus. Sie zeigen Reihen von scharfen Kerben. Nach dem unteren Pole zu werden die Stacheln wieder kürzer, cylindrisch mit etwas verdicktem Ende, dessen Ränder röhrig vorgegangen sind (Fig. 1f). Um die Mundhaut sind die Stacheln platt, spatelförmig an den scharfen Rändern mit stumpfen Zähnchen versehen (Fig. 1g). Die kleinen Stacheln, welche die Warzenhöfe umgeben, sind platt lanzettförmig, die des Afterfeldes feine platte, nach innen gerichtete Stachelchen.

Von Pedicellarien beobachtete ich in den Ambulacralreihen nur eine Form, welche zu den Pédicellaires armés von Perrier gehören. (S. Perrier, Recherches sur les Pédicellaires et Ambulacres des Asterides et Oursins 2 part. Echinides Ann. Sc. nat. 5 Série, Zoologie 4. 13. 1870.)

Sie gleichen am meisten den von Perrier abgebildeten Pedicellarien von *Cidaris baculosa* Lam., nur erscheinen die Köpfe noch schlanker (Fig. 1c).

Die Köpfchen sind lang gestielt, die Klappen wenig perforirt, ihr freier Rand ist geradlinig von unten bis oben fein gezähnt, die Spitze in einen starken Haken gebogen, davor ein Ausschnitt, vor dem zwei bis drei etwas längere, scharfe Zähne stehen.

Die Farbe der Schale ist im Leben hellroth, die der Ambulacren purpurn. Die kleinen Stacheln, welche die interambulacralen Warzenhöfe umgeben, sind gelblichgrün, die Stacheln hellroth, mit violetten Ringen.

Die Art unterscheidet sich von *Sch. bispinosa* Lmk. durch die Farbe, die Form der Stacheln und die Ambulacralwarzen. Fand sich in drei Exemplaren am Eingang des Mc. Cluergolfes, West-Neuguinea in 28 Faden Tiefe auf Grund von grauem Sand, mit Muschelfragmenten.

Goniocidaris.

6. *G. canaliculata* Ag. *G. vivipara* Stud. *Antarct. Echinod.*

Eine genauere Vergleichung meiner Exemplare mit *G. canaliculata* Ag., welche sich im Berliner Museum befindet, zeigte, dass *G. vivipara* als eigene Art nicht unterschieden werden kann.

Über die Brutpflege dieser Art s. W. Thomson, The Atlantic Bd. 2; über diese wie den Geschlechtsdimorphismus s. Zoolog. Anzeiger, wo ich die bei Männchen und Weibchen verschiedenen Genitalplatten abgebildet habe.

B. *Arbaciadae* Gray 1855.

Arbacia Gray.

7. *A. Dufresni* Bl. Tf. I. Fig. 2.

Zahlreiche Exemplare aus 30 und 60 Faden Tiefe von der Ostküste Patagoniens. (S. antarkt. Echinodermen l. c.) Philippi führt diese Art von Chili an, Cunningham von der Magellansstrasse, die Angabe, dass diese Art auch an der Westküste Afrikas vorkomme, möchte auf Verwechslung beruhen. Die Pedicellarien dieser Art stehen als langgestielte dreiklappige Zangen zahlreich auf den Ambulacren, gleichgebildete Zangen auf kurzen, muskulösen Stielen stehen in der Umgebung des Mundes. Die Klappen der Zangen sind löffelförmig, an den Rändern tief eingebuchtet, am Ende erweitert und abgerundet. Die Ränder tragen feine Zähnchen, das Ende der Klappen ist hackenförmig eingebogen. Fig. 2.

8. *A. alternans* Troschel. (Famil. der Echinocidariden, Archiv f. Naturg. XXXVIII 1873 und XXXIX 1874.) Taf. I. Fig. 3.

In der Magellansstrasse, Tuesday-Bay. Den getrockneten Originalexemplaren der Berliner Sammlung, auf welche Troschel diese Art begründete, fehlen die Stacheln. Die Schale selbst gleicht sehr der der vorigen Art, mit welcher sie die grüne Farbe gemein hat, auch die Stacheln sind gleich gefärbt, sind aber bedeutend schlanker.

Die Stacheln von *A. Dufresni* zeigen ganz die Verhältnisse derer von *A. punctulata* Lam. Die Länge des allmählig spitz zulaufenden, am Ende etwas abgeplatteten Stachels in der Peripherie verhält sich zur Länge der Schale wie 0,75 : 1, ihre Dicke an der Basis beträgt 1,5^{mm}. Die Stacheln von *A. alternans* sind spitzer.

Die Dicke beträgt an der Basis kaum 1^{mm}, die Länge zum Durchmesser der Schale 0,65 : 1, die nackten Platten des Sterns zeigen eine feine Skulptur und am unteren Rande häufig kleine Miliartuberkel. Auf diesen stehen gestielte Pedicellarien, welche reihenweise in Abständen auf dem Stern angeordnet sind. Ähnliche fehlen bei *A. Dufresni*. Die Pedicellarien sind von denen der *A. Dufresni* sehr verschieden gestaltet (Fig. 3.). Die Klappen der Zangen sind länglich dreieckig, an den Rändern kaum ausgebuchtet, am Ende nicht verbreitert. Die freien Ränder sind nur schwach gezähnt, die Spitze wenig umgebogen.

Die Zangenklappen, der Mund, Ambulacral und Interambulacralpedicellarien sind gleich gestaltet. Beim Eierlegen beobachtete ich, dass die winzigen Eier, welche in continuirlichen Massen den Genitalporen entströmten, zunächst auf die nackten Interambulacralplatten gelangten und dort sich vertheilten. Sie blieben hier auf der Schalenoberfläche an der Sculptur der Schalen haften. Wahrscheinlich dienen die Pedicellarien dazu, die Umgebung des Eierlagers rein zu erhalten.

C. *Diadematidae* Peters.

Diadema Gray.

9. *D. setosum* Gray.

Von dieser weitverbreiteten Art, deren Verbreitung als äquatoriale bezeichnet werden darf, wurden Exemplare gefunden bei Amboina, Carteret Harbour, Neu-Irland, Neu-Britannien.

Sie kam nicht auf Korallen vor, sondern meist in seichtem Wasser auf Sandgrund innerhalb von Riffen oder am Pfahlwerk von Hafenbauten wie in Amboina. Die Exemplare von Amboina zeigen gelblich rothe Ambulacralzonen von ebenderselben Farbe, auch die Ambulacralstacheln, das übrige dunkelviolett, die Exemplare von anderen Fundorten sind dunkelviolett.

Echinothrix Peters.

10. *E. calamaris* Pall.

Kam in Amboina neben der vorigen vor. Ein Exemplar hat hellrothe nicht mit farbigen Ringen versehene Stacheln.

Astropyga Peters.

11. *A. elastica* Studer. Taf. I. Fig. 4. Monatsb. d. K. Ak. d. W. z. Berlin. Juli 1876.

Die Hauptunterschiede der mit *A. radiata* nahe verwandten Art bestehen in der Kürze der Stacheln (dieselben verhalten sich zum Durchmesser der Schale fast wie 1 : 6), die fein, nadelartig sind, der lang dreieckigen Form der Genitalschilder und der Anordnung der Afterplatten. Das Afterfeld ist umgeben von drei unregelmässig angeordneten Reihen kleiner dreieckiger bis polygonaler Platten, deren äusserste Reihe die grössten trägt. Die Platten sind von einander getrennt durch Zwischenräume, die aus einer weichen Haut gebildet werden. Einige Platten tragen Wärzchen. Bei *A. radiata* finde ich nur einen unregelmässigen Kranz von Platten um das Afterfeld. Die übrigen Platten der Schale sind gegeneinander verschiebbar. Bei dem frischen Exemplar war dieses so weit der Fall, dass ein Druck auf eine Seite genügte um die in der Leibeshöhle befindliche Flüssigkeit in die andere Seite zu treiben und diese blasenartig aufschwellen zu lassen, wobei die Kalkplatten weit auseinander treten. Die ganze Schale war mit einer dicken gallertigen Epidermis überzogen, Durchmesser der Schale 180^{mm}. Fand sich bei Neu-Britannien in 1 Faden Tiefe auf Sand.

D. *Echinometradae.*

Podophora Ag. *Colobocentrotus* Brdt.

12. *P. atrata* L.

Fand sich auf den Riffen von Mauritius und an anderen Punkten im indischen Ocean. Sie bohrt nicht in Felsen, wie das Cailla ud (Observat. sur les oursins perforants de la Bretagne) vermuthet, sondern sitzt frei, meist ziemlich hoch, am Aussenrande des Riffes. Die grosse Entwicklung der mit breiten Saugscheiben versehenen Füsschen am Actinalpol lässt sie Widerstand finden gegen die anstürmenden Wellen.

Acrocladia Ag. *Heterocentrotus* Brdt.

Die Acrocladien theilen das Vorkommen mit *Podophora*. Man trifft sie gewöhnlich am Aussenriff, wo sie mit ihrer ausgedehnten Actinalfläche angeheftet sind. Auch diese Seeigel sah ich nie in

Fels bohrend. Beide Arten scheinen im ganzen äquatorialen Theil des indischen und stillen Oceans vorzukommen, soweit die Korallenriffe reichen.

13. *A. trigonaria* Klein. Im Mc. Cluer-Golf, West-Neu-Guinea, an den Lucipara-Inseln, Neu-Irland, Anachoreten.
14. *A. mamillata* Lam. Mauritius, Lucipara, Anachoreteninseln, Neu-Hannover, Neu-Irland.

Auch diese beiden Arten, auf welche von A. Agassiz sämmtliche unter verschiedenen Namen beschriebenen Formen reducirt werden, zeigen Zwischenformen, welche beide verbinden. So fanden sich auf den Anachoreteninseln Formen mit den Primärstacheln der *A. mamillata*, bei welchen mehrere Secundärstacheln statt der plattenartigen eine mehr gestreckte und zugespitzte Form zeigen.

Echinometra Breyn.

Die zahlreichen Arten, welche in dieser Gattung aufgestellt worden sind, sind von A. Agassiz mit Recht auf wenige reducirt worden. Bei einer grossen Individuenreihe sieht man, dass die zahlreichen verschiedenen Formen, die in Bezug auf die Form der Stacheln und der Schale sich unterscheiden lassen, durch Übergangsglieder mit einander verbunden sind, schliesslich bleiben nur wenige Formenreihen übrig, welche constante gemeinsame Merkmale zeigen.

Es sind dieses zwei Arten, welche dem äquatorialen Theil des atlantischen Oceans eigenthümlich sind, zwei, vielleicht drei Arten, die der indopacifischen Region angehören und eine von der Westküste Amerikas. Die grosse Variabilität innerhalb einer Art erklärt sich einestheils aus der ausserordentlichen Vermehrung, welche eine grosse Individuenzahl bedingt, andererseits aus der eigenthümlichen Lebensweise.

Bezüglich dieser finde ich eine genauere Angabe nur bei Rathbun (List of Brasilian echinoderms, Trans. Conn. Acad. V. v. 1879), welcher eine Angabe von Hartt über die *Echinometra subangularis* von der brasilianischen Küste wiedergiebt.

Derselbe sagt, „dieser Seeigel bohrt in verschiedene Arten von Felsen, welche oft so durchbohrt sind, dass sie der Gewalt der Wogen nicht mehr widerstehen können“.

Eine fernere darauf bezügliche Notiz bringt Verrill (in Notes on Radiata 1867. Echinod. of Panama and W. Coast of America). Er berichtet von seiner *E. rupicola,* nach Agassiz, *E. van Brunti* Ag., sie pflege tiefe Höhlungen in Felsen zu graben, auf ähnliche Weise wie *Echinus lividus.*

Dieselbe Fähigkeit beobachtete ich an *E. subangularis* an der Insel Ascension und an *E. lucunter* im indischen Ocean.

In den Felsen, welche den Landungsplatz von George Town umsäumen, waren in der Wasserlinie ovale Löcher eingebohrt, gerade tief genug, um eine *Echinometra* zu bergen, welche im Grunde des Loches mit den Stacheln sich anstemmte und nur dadurch erlangt werden konnte, dass man den Fels mit dem Hammer zertrümmerte. Das Gestein ist eine harte Augitlava. Nach den Beobachtungen von Caillaud über die Fähigkeit des *Strongylocentrotus lividus* Ag. in Kalk, Sandstein und Granit zu bohren (Observat. sur les oursins perforants de la Bretagne), ist es wahrscheinlich, dass die Löcher von dem Thiere selbst gegraben werden. Den directen Beweis, dass die Echinometren im Gestein bohren, erhielt ich auf den Korallenriffen im indischen Ocean. Es zeigten sich hier in Blöcken von Korallenkalk, häufig in dem compacten Kalk, welcher den Aussenwall des Riffes bildet, Gänge von 35—40^{cm} Länge, in deren Grund der Seeigel, die Actinalseite nach dem blinden Ende des Ganges richtend und die Stacheln an die Wände stemmend, sass. Das Thier arbeitet den Gang mit seinen Zähnen aus, die weite nackte Mundhaut ist so beweglich, dass der Zahnapparat weit vorgezogen werden kann und im Stande ist, in der ganzen Peripherie des Körpers zu arbeiten. Ich schlug einen Gang, welcher den Seeigel enthielt, mit dem Hammer von dem Felsen los, so dass das blinde Ende an dem Felsen blieb und ich so den offenen Gang mit dem Seeigel hatte. Sogleich drehte sich das Thier, das mit seiner Hauptachse parallel der Achse des Ganges lag, in einem rechten Winkel und fing an, an der Wand des Ganges mit seinen Zähnen zu arbeiten. Man sah die Kiefer sich öffnen und den Kalk angreifen. Junge Thiere sind entweder noch nicht eingebohrt oder man trifft sie auch wohl in älteren, weiteren Gängen. Grössere Thiere haben meist kürzere und dickere Stacheln; einmal in den Gang eingebohrt, werden sich die Stacheln wenig mehr in der Längsrichtung entwickeln. Die in der Lava bohrenden Echinometren zeichnen sich durch kräftigere Stacheln aus, als ihre amerikanischen Verwandten, welche wohl meist im Corallenkalk bohren; auch sind ihre Stacheln am Ende abgestumpft und wie abgescheuert.

15. *E. subangularis* Desh.

Ich erhielt diese Art von S. Jago auf den Cap Verdischen Inseln und von Ascension. Die ersteren haben dieselbe Lebensweise, wie sie von Ascension geschildert wurde. Auch hier ist das Gestein eine Augitlava. Bei beiden ist die Farbe der Stacheln ein dunkles Violett, ohne hellere Ringe. Es scheint hier eine Art Mimicry vorzukommen, indem die Farbe mehr dem dunklen Gestein angepasst ist.

16. *E. lucunter* Lmk.

Diese Art wurde in allen möglichen Varietäten an den Corallenriffen des indischen Oceans gefunden, so bei Mauritius, den Riffen von Atapupu in Timor, Neu-Hannover, Bougainville im Salomons-Archipel, Matuka auf Fidji.

Eine constante Varietät dieser Art, mit fleischfarbenen, ziemlich dicken, in der Mitte etwas angeschwollenen Stacheln und einer tiefvioletten Schale glaubte ich auf die *E. oblonga* Blv. zurückführen zu können. Bei genauerer Vergleichung mit Exemplaren dieser Art aus der Südsee, welche sich im Berliner Museum befinden, und einer reichen Suite der *E. lucunter*, welche durch E. v. Martens gesammelt wurde, zeigte sich aber, dass es sich nur um eine Varietät der *E. lucunter* handle, von deren typischen Exemplaren Übergänge existiren. Vorwiegend diese Varietät war es, welche sich tief eingebohrt fand; es ist wahrscheinlich, dass bei dieser Lebensweise die Stacheln in ihrem Längenwachsthum gestört werden und dafür an Dicke zunehmen.

Es fand sich diese Varietät in Neu-Irland, den Anachoreten-Inseln, im Naturaliste Channel an der Westküste von Australien, im Museum von Berlin sind Exemplare von Nord-Celebes, Batjan, den Philippinen, Timor.

17. *E. molare* A. Ag.

Ein Exemplar von Atapupu, Timor; es fand sich am Corallenriff. A. Agassiz (Revis. Echin.) bezieht auf diese Art die Fig. 5 Taf. XIII. in Rumph, Amboin. Rarität.-Kammer, welche von Rumph als *Echinometra setosa* bezeichnet wird. Die Abbildung von Rumph ist ziemlich unklar; im Text wird gesagt, dass stricknadeldicke und daneben haarförmige Stacheln vorkommen. Es scheint sich daher hier eher um eine *Echinothrix* zu handeln, deren Art nach der gegebenen Figur schwerlich je wird bestimmt werden können.

E. *Echinidae* Agass.

Temnopleuridae Des.

Salmacis Agass.

18. *S. rarispina* Ag. Moretonbay, Ost-Australien.

In flachem Wasser auf Sand. Die Schalen fanden sich am Strande ausgeworfen. Die Höhe der Schalen scheint zu variiren. Bei der Dünne der Schale scheinen häufig Verletzungen vorzukommen, die ausgebessert werden, aber der Schale dann ein unsymmetrisches Aussehen geben.

18. *S. sulcata* Ag. In der Mermaidstreet, West-Australien.

Aus 2½ Faden in Sandgrund. Die Schale grünlich, die Stacheln weisslich mit breiten, braunrothen Ringen, die der Abactinalfläche am Ende abgeplattet.

Im Museum von Berlin befinden sich zwei *Salmacis* von konischer Gestalt, wie *S. rarispina*, aber in der Vertheilung und Grösse der Stachelwarzen mit *S. sulcata* verwandt. Troschel bestimmte sie als *S. conica*, unter welchem Namen sie von von Martens (Ostas. Echinodermen) beschrieben wurden. Agassiz hält die Art für identisch mit *S. sulcata*. Es möchte vorläufig noch gerathen erscheinen, die *S. conica* Trschl. als eigene Art aufrecht zu erhalten, bis Zwischenglieder zwischen der mehr deprimirten Form von *sulcata* und der konischen von *conica* sich nachweisen lassen.

Amblypneustes.

20. *A. grossularia* n. sp. Taf. I. Fig. 5.

Das geringe Material, über welches man gegenwärtig noch betreffs dieser Gattung verfügt, giebt noch keine genügende Übersicht über die Formenreihen, welche innerhalb einer Art vorkommen; man wird daher genöthigt sein, von den vorhandenen Artbeschreibungen abweichende Formen noch als eigene Species zu beschreiben. Die vorliegende Art aus Neuseeland, nördlich den Three King Islands, in 95 Faden Tiefe gefischt, passt auf keine der von Agassiz festgestellten und in neuerer Zeit von Bell weiter charakterisirten Arten. Das einzige Exemplar wird hier unter eigenem

Namen beschrieben, trotzdem ich die Möglichkeit offen behalte, dass sie nur den Jugendzustand einer schon bekannten Form repräsentirt.

Schale dünn, annähernd sphärisch, der grösste Durchmesser etwas unter dem Äquator (sit venia verbo). Das Actinostom wenig vertieft, klein, der Apicalapparat etwas erhaben. Die Ambulacralfelder schmal. Die Tuberkel sind fast nur grössere Primär-Tuberkel und lassen in der oberen Hälfte der Schale ein Mittelfeld in jedem Raume frei.

Die Interambulacral-Tuberkel sind kaum etwas grösser, als die der Ambulacralfelder. Im Interambulacralraum trägt jede Platte drei parallel stehende Primär-Tuberkel, so dass sechs eine Querreihe bilden; nach oben verschwinden die inneren und äusseren Tuberkel. so dass auf jeder Platte schliesslich nur zwei Längsreihen übrig bleiben, welche einen nackten Raum zwischen sich lassen bis zum Apicalapparat. Zwischen den Primär-Tuberkeln stehen auf der Unterseite nur wenige Secundärwarzen. Im Ambulacralfeld stehen in der unteren Hälfte nur drei Tuberkel in einer Reihe, von denen nach oben der mittlere schwindet. Die Suturalporen sind nur in der Ambulacralzone deutlich und an der Plattennaht in der Zahl von 4 vorhanden; von ihnen aus gehen seichte Furchen in die Platten, sonst ist die Oberfläche der Platten ganz nackt, ohne jede Skulptur. Von Ambulacralporen kommen auf jede Platte vier Paare, wovon die drei ersten eine, die vierte die zweite Reihe bildet. Der Apicalapparat besteht aus einem Kranze von Genital- und Ocellarplatten, die Madreporenplatte ist doppelt so gross, wie die übrigen Genitalplatten. Das Afterfeld ist mit unregelmässigen Schuppen bedeckt, der After excentrisch. Die Spinen sind klein und spitz, ähnlich wie bei *Salenia*. Farbe der Schale weiss, die Warzenhöcker roth, ebenso die Basis der Stacheln, die auf der Unterseite im oberen Theile weiss, auf der Oberseite grünlich sind. Vielleicht ist diese Art identisch mit der von Hutton (Trans. N. Z. Inst. Vol. XI, 1878 p. 306) angeführten *Arbacia globator*, von welcher Hutton genau die gleiche Färbung angiebt, welche von der der supponirten Art bedeutend abweicht.

Diam.	Höhe	Abactinalsystem	Actinalsystem	Poriferenzone.
20.	18.	4.	7.	1.

Spinen	Coronalplatten
5.	18.

Triplechinidae A. Ag.

Echinus Rond. L.

21. *E. magellanicus* Ag.

Fand sich reichlich bei Punta Arenas in der Magellausstrasse an Tang.

22. *E. margaritaceus* Blv. Tf. I. Fig. 6.

An der Küste von Ostpatagonien in 60 Faden Tiefe und 30 Faden auf Sand; an letzterem Ort jung in grosser Menge.

23. *E. diadema* Stud. Taf. I. Fig. 7.

S. Antarkt. Echinodermen l. c.

So ähnlich die beiden Arten *E. margaritaceus* und *diadema* in ihrem äusseren Ansehen sind, so lassen sich doch ausser den schon früher hervorgehobenen Unterschieden noch die Arten an der Form der Pedicellarien unterscheiden. Die Mundpedicellarien zeigen bei *E. diadema* breite Klappen, die durchlöchert sind. Die Ränder sind gegen die Basis eingebuchtet, am Rande sehr fein gesägt, die Spitze nach innen hackig umgebogen, vor der Spitze ein dreieckiger fein gesägter Lappen. (Fig. 7.) Bei *E. margaritaceus* sind die Klappen schmaler, wenig eingebuchtet. Die Zähnelung des Randes ist gröber, der Lappen vor der Spitze doppelt. (Fig. 6.)

24. *E. miliaris* Blv.?

Die Schale eines jungen Thiers, wahrscheinlich zu dieser Art gehörend, fand sich bei den Cap Verdischen Inseln in 38 Faden Tiefe.

25. *E. elegans* Dub. Kor.?

An demselben Orte die Schale eines ganz jungen Thiers, mit rothen meridionalen Streifen in der Ambulacralzone. Die Interambulacralzone gelb.

26. *E.* ? jung.

Ein junger Echinus von blassgrüner Farbe mit spärlichen feinen Stacheln wurde östlich von Neuseeland in 597 Faden gefischt. Die spärlichen Aftertäfelchen, die gerade Anordnung der Ambulacralporen, die wenig zahlreichen Warzenhöcker, von denen zwei Reihen in der schmälern Ambulacralzone und zwei in der Interambulacralzone stehen, deuten auf ein junges Thier. Die Warzen des Interambulacralfeldes sind grösser, vielleicht ist es ein junger *Evechinus*.

Hipponoe Gray.

27. *H. variegata* Leske.

Überall häufig auf den Korallenriffen des indischen Oceans. Sie fand sich in der Regel in seichtem Wasser auf sandigem Boden innerhalb des Riffes, bald in der dunklen Varietät, häufiger mit rothen Ambulacral- und dunkel violetten Interambulacralfeldern, so namentlich auf den Anachoreteninseln. Häufig sieht man sie Blätter von Seegräsern oder Tang auf ihren abactinalen Stacheln tragen, eine Gewohnheit, welche auch bei unseren nordischen Echiniden, namentlich bei *Echinus esculentus* und *Strongylocentrotus lividus*, beobachtet wird.

II. Clypeastridae (Haeckel).

A. *Euclypeastridae* Haeckel.

Echinocyamus Van Phel.

28. *E. pusillus* Müll.

Bei Madeira in 60 Faden Tiefe, ferner an den Cap Verdischen Inseln, wo in der Tiefe von 47 Faden der Sand zum Theil aus seinen leeren Schalen bestand.

Clypeaster Lam.

29. *C. scutiformis* Gmel.

Von Corallenriffen, so von Atapupu bei Timor, wo er lebend in etwas schlammigem Grund innerhalb eines Corallenriffes vorkam und auf den Anachoreten-Inseln, wo die Schalen häufig im Sande angeschwemmt sich fanden.

B. *Scutellidae* Ag.

Rotula Klein.

30. *R. Augusti* Klein.

Diese Art wurde in grosser Menge lebend bei Monrovia (Liberia) im Sande aus 6—10 Faden erlangt. Das ganze Netz war davon erfüllt. Alle Exemplare scheinen noch jung zu sein, keines erreicht die von Agassiz in der Revis. of Echin. dargestellten Maasse. Das grösste der gesammelten Exemplare erreicht kaum 30^{mm} im Durchmesser. Dagegen zeigen die kleinen Exemplare die Entwicklung der Form, wie sie Agassiz geschildert hat.

Das kleinste Exemplar hat einen Durchmesser von vorn nach hinten von 16mm.

Die beiden hinteren Loben sind vorhanden, ihr Rand zeigt je 3 seichte Einschnitte, wodurch er in vier stumpfe Lappen zerfällt. In den vorderen Interradialräumen sind noch keine Längsspalten zu erkennen, dagegen zeigt der ventrale Theil der Schale an der betreffenden Stelle zwei längliche Vertiefungen, welche aber die Schale noch nicht durchdringen. Ein Individuum von 18mm zeigt schon zwei feine, beide Schalen durchsetzende Spalten, die sich bei grösseren Individuen dann mehr verlängern und etwas verbreitern. Die Farbe der lebenden Thiere mit den Stacheln war grün. Die Stacheln sind auf beiden Seiten feine haarartige Borsten, die fein geringelt erscheinen. Die der Unterseite sind etwas länger und stärker. An den vorderen Spalten legen sich die Stacheln, sich gegenseitig kreuzend, quer über die Öffnungen.

III. Petalosticha Haeckel.

A. *Cassidulidae* Ag.

Echinoneus Leske.

31. *E. cyclostomus* Leske.

Nach den im Berliner Museum unter verschiedenen Namen aufbewahrten Exemplaren, die nach A. Agassiz, welcher dieselben selbst durchsah, alle der obengenannten Art angehören, zeigt diese zahlreiche Formvarietäten von flach deprimirten zu schmalen seitlich comprimirten. Die Form, welche im Berliner Museum als *E. minor* Leske bezeichnet ist, erhielt ich lebend bei Timor. Das Thier mit den Stacheln ist hellbraun, auf der Unterseite dunkler, die Füsschen in der Umgebung des Mundes dunkelroth. Die Buccalhaut ist mit kleinen Kalktäfelchen besetzt, als Mund dient eine kleine Öffnung in der Mitte derselben, von einem wulstigen Rand umgeben. Das Afterfeld weicht etwas ab von der Schilderung, welche Agassiz für diese Art gegeben hat. Der After ist fast in der Mitte der Aftermembran, hinter der Afteröffnung liegen 6 grössere Kalkplatten, die die Ränder der Afterhaut bis zur Mitte einnehmen und sich in der Mittellinie hinter dem After berühren; sie tragen kleine Stacheln. Vor dem After liegen in 3 Reihen grössere rhombische Schildchen.

Die Art fand sich auch am Strande in Neu-Hannover.

B. *Nucleolidae* Agass.

Catopygus Ag.

32. *C. Loveni* n. sp. Taf. II. Fig. 1—1d.

Bis vor kurzem erschien noch die Gattung *Catopygus* auf die Kreideformation beschränkt, bis A. Agassiz eine Art dieser Gattung aus der Tiefsee beschrieb (Prelim. Report on the Echini of the Challenger. Proc. Amer. Academy May 1879), welche von der Expedition des Challenger bei Australien in 129 Faden erlangt worden war. Eine zweite lebende Art der Gattung fand ich unter den Thieren, welche von der Gazelle südlich vom Cap der guten Hoffnung mit dem Schleppnetz aus 117 Faden gefischt worden waren. Es sind zwei Exemplare, beide todt, doch die Schale ist zum Theil noch mit kleinen Stacheln besetzt und die Mund- und die Afterhaut vorhanden. Beide sind bloss 6^{mm} lang und wahrscheinlich junge Thiere, welche aber die Gattungs-Charaktere unverkennbar zur Schau tragen. Die Schale ist hoch konisch, ihre Peripherie birnförmig, nach vorn abgerundet, nach hinten etwas verlängert und verschmälert. Die Länge zur Breite ist wie 6 : 5, die Höhe 10^{mm}. Die Gestalt erinnert an *Galerites* und *Echinoconus*. Der Genitalapparat liegt etwas vor dem höchsten Theil der Schale und besteht aus 5 Genitaltäfelchen, welche vor und seitwärts von der mit feinen Granulationen bedeckten Madreporenplatte liegen. 4 Genitalporen, von denen der linke vordere sehr fein, fast obliterirt ist. Hinter dem Genitalapparat ist eine längliche seichte Grube, welche von quer darüber sich legenden kurzen Stacheln bedeckt wird. Die Ambulacren sind auf der Abactinalseite sehr eng und schwer zu erkennen. Sie laufen vom Scheitel bis zum Rande und zeigen über dem Rand nach einer schwachen Erweiterung nur eine schwache Einschnürung. Die ganze Oberseite ist mit sehr feinen Granulationen bedeckt. Die Unterseite zeigt einen wulstigen Rand, ein stumpfer Kiel läuft vom After zum Actinostom; das Actinostom ist fünfeckig, etwas in die Breite verzogen und wenig vor der Mitte; es ist mit einer nackten Membrane ausgefüllt, in deren Mitte eine runde Öffnung. Der Rahmen, welcher den Actinostomrand umgiebt, zeigt an jeder Leiste zwei Höcker; aus dem Zwischenraum von je zwei solchen Höckern (Fig. 1c) entspringt ein Stachel, der sich radiär über die Mundhaut legt. Vom Actinostom strahlt eine deutliche Floscelle bis nahe an den Ambitus mit zwei Reihen deutlich conjugirter ovaler Poren. Das Periproct liegt über dem Rande an dem etwas ausgezogenen Hinterende. Die Aftermembran, aus deren Mitte der röhrenförmige After hervorragt, zeigt am Rande einen Kranz von grösseren polygonal länglichen Platten, welche ein körniges Feld umgeben, in welchem der röhrenförmige After entspringt (Fig. 1d).

Diese Art halte ich für specifisch verschieden von dem durch eine kurze Beschreibung charakterisirten *Catopygus recens* Ag. Letzterer hat nur drei Genitalporen, und die Gegenwart der Grube hinter dem Apicalapparat wäre von Agassiz unzweifelhaft hervorgehoben worden.

C. *Spatangidae.*

Spatangina Gray.

Spatangus Klein.

Sbg. *Loncophorus* Laube. (Beitrag z. Kenntn. d. Echinoderm. des vicent. Tertiärgebietes. Abh. d. K. Ak. d. W. Wien 1868).

Auf *Spatangus loncophorus* Menegh. einer Spatangide aus dem Tertiär von Verona gründete Laube die Gattung *Loncophorus*; ich betrachte *Concophorus*, wie Laube schreibt, als einen Druckfehler. (S. darüber Dames, Echin. d. vicent. u. veron. Tertiärablagerungen. Palaeontographica XXV. 3. Folge. Bd. I.) Es zeichnet sich dieser Spatangide aus durch die feine Granulation, mit der das Abactinalfeld an der Stelle der grossen Tuberkel bei den anderen Spatangusarten bedeckt ist. Diesen Charakter zeigt in ganz analoger Weise eine lebende Art, welche ich aus 30 Faden Tiefe an der Küste Westaustraliens erhielt. Auf den Charakter der blossen feinen Granulirung der Oberseite der Schale, welche bei dem Original-Exemplar des *Spatangus loncophorus* allein erhalten erscheint, eine neue Gattung zu gründen, hätte ich für überflüssig gehalten, wie auch Dames die Art einfach bei *Spatangus* liess, wenn nicht bei der lebenden Art noch andere Charaktere vorhanden wären, welche die Aufstellung wenigstens eines Subgenus rechtfertigen. Dieser Charakter besteht in dem Vorhandensein von Poren am Rande des von der Fasciole eingeschlossenen Subanalfeldes, von welchen Furchen nach der Mittellinie des Feldes hinlaufen, so dass das Subanalfeld ganz den Charakter des entsprechenden Feldes bei dem zu *Brissus* gehörenden Subg. *Metalia* hat. Ob die fossile Art diesen Charakter ebenfalls besitzt, müssen fernere Funde zeigen. Die

Übereinstimmung der Oberseite beider Formen berechtigt vorläufig, durch Zusammenstellung in eine Untergattung, ihre nahe Verwandtschaft anzudeuten.

Nahe verwandt mit den beiden Vertretern der Untergattung, doch mit ganz verstrichener unpaariger Ambulacralfurche und ohne die Poren auf dem subanalen Felde, scheint die *Maretia elliptica* Bolau (Neue Spatangiden des Hamburger Museums. A. f. Naturg. XXXX. Jahrg. I. Bd. S. 175) zu sein.

33. *L. interruptus* n. sp. Taf. II, Fig. 2—2b.

Die Schale ist flach, ähnlich der von *Maretia*, die Peripherie länglich oval, ein vorderer Einschnitt nur schwach entwickelt. Die grösste Breite ist in der Gegend des Scheitels, welcher wenig vor die Mitte fällt. Vom Scheitel läuft eine stumpfe, kielartige Erhabenheit bis zum Periproct. Die vordere Ambulacralfurche stellt nur eine relativ breite, flache Vertiefung dar, welche bis zum Rande sich erstreckt. Von den beiden paarigen Ambulacren ist das vordere Paar etwas kürzer, als das hintere, und mehr divergirend; das hintere ist lanzettförmig mit wenig welligen Rändern, das vordere läuft vom Apex zum Rande spitz zu; seine grösste Breite ist gegen den Apex zu. Die Porenzonen sind wenig vertieft, die Zwischenporenfelder breit, so hoch wie das Niveau der Interambulacralfelder. Die Poren sind oval, je zwei conjugirt. Am Ende erscheinen die Ambulacren nicht ganz geschlossen. Die Porenreihen beider Ambulacren laufen nicht bis zum Apex, sondern verschwinden 2—4^{mm} vom Apicalapparat, am vorderen Ambulacrum verschwindet die vordere Porenreihe noch früher, 6^{mm} vom Apicalapparat, so dass die vorderen paarigen Ambulacren unvollständig erscheinen. Eine Vorstufe zu den Verhältnissen, wie sie *Nacopatangus* Ag. zeigt. In ähnlicher Weise, wenn auch weniger auffallend, verhalten sich schon die Ambulacren bei *Spatangus purpureus* Müll.

Der Apicalapparat zeigt nur drei Genitalporen; der rechte vordere ist obliterirt. Die ganze Abactinalfläche ist mit feinen Miliarwärzchen in den Ambulacral- und Interambulacralzonen bedeckt, nur am Rande der Furche für das unpaarige Ambulacrum sind grössere Wärzchen, die perforirt sind und einen kleinen Hof besitzen.

Die Actinalseite ist flach, bis auf das Actinalschild (Actinalplastron Ag.), welches leistenartig vorspringt. Seine Form ist ein langes spitzwinkliges Dreieck, mit der Spitze vor der Mundlippe aufhörend, Es verhält sich ähnlich wie bei typischen Spatangen. Die Ambulacralfelder verlaufen als rechtseitige Zonen convergirend zum Actinostom. Die Subanalfasciole umschliesst einen breit herzförmigen Schild, dessen Mittellinie stumpf kielartig vorspringt; von diesem aus divergiren nach den Rändern je 4 Furchen, die an der Fasciole in kleinen Poren endigen. Das Periproct ist gross queroval, von dem lippenartigen Oberrande der Schale überragt, wie bei *Spatangus*. Die Mundlippe liegt im Niveau der unteren Schalenfläche und ist halbmondförmig. Die Interambulacralfelder und das mittlere Actinalfeld sind mit grösseren, von Höfen umgebenen, Stachelwarzen bedeckt, welche von kleinen Miliaren umgeben sind; ebenso trägt das Subanalfeld Miliaren. Die Stacheln sind auf der Abactinalseite kurze haarartige Borsten, etwas gebogen, gleichförmig, und nur auf der unpaaren Ambulacralfurche etwas kräftiger, auf der Unterseite kräftiger, gebogen, und am Ende wenig verdickt. Farbe braun, Stacheln der Oberseite graulich weiss, glänzend.

Länge 30^{mm}, Breite 25^{mm}, Höhe 14^{mm}.

Lovenia Des.

34. *L. elongata* Gray.

Aus der Mermaidstreet, Nordwest-Australien, lebend im Sande in 7½ Faden. In dem ungemein vertieften Warzenhof der Primärtuberkel, welcher nach innen der Schale zu die sogenannten Ampullen bildet, heften sich die kräftigen Radiärmuskeln an, welche die Stacheln bewegen.

Breynia Des.

35. *B. Australasiae* Leach.

Fand sich ungemein häufig in der Mermaidstreet, Nordwest-Australien im Sande, 1—3 Faden tief.

Brissina.

Hemiaster Des.

36. *H. cavernosus* Phil. (*Abatus cordatus* Verr., *Tripylus cavernosus* Phil., *australis* Phil.)

Bei Kerguelensland sehr häufig von 5 Faden bis 60 Faden. Nach Agassiz kommt er bis 400 Faden Tiefe vor. An der Ostküste Patagoniens in 63 Faden.

Über die Geschlechtsdifferenzen und Brutpflege s. Zool. Anzeiger. 1880.

37. *H. florigerus* n. sp. Taf. II, Fig. 3—3e.

Diese Art zeigt in der äusseren Form, der Beschaffenheit der Ambulacren und der Peripetalfasciole die nächste Beziehung zu *Brissopsis*, nur entbehrt sie der Subanalfasciole. Sie zeigt damit wieder die von Agassiz hervorgehobene nahe Verwandtschaft der beiden Formenreihen.

Die Schale ist sehr dünn und zerbrechlich; ihre Form, von oben gesehen, ist länglich oval. Die grösste Breite ist in der Mitte der Peripherie, welche in die Linie des Apicalapparates fällt. Der vordere Ausschnitt ist kaum angedeutet. Das von der Peripetalfasciole umschlossene Feld ist nahezu eben, von da wölbt sich die Schale gleichmässig dem Rande zu, nur nach hinten ist sie schärfer abgestutzt.

Das vordere unpaarige Ambulacrum liegt in einer breiten, seichten Furche, welche sich über den Ambitus bis zum Actinostom erstreckt. Die paarigen Ambulacra sind schwach vertieft, lanzettförmig. Die grösste Breite actinalwärts von der Mitte. Die vorderen Ambulacra sind kürzer, wenig divergirend, die hinteren bilden einen spitzeren Winkel, als die vorderen. Die Porenzonen sind breit, je ein Paar durch breite Furchen verbunden; die Poren selbst stellen länglich ovale Öffnungen dar. Das vordere unpaarige Ambulacrum besitzt zwei Reihen Poren, durch welche sehr grosse Füsschen treten, welche sich am Ende in strahlenförmige Lappen zertheilen, wie bei anderen Spatangen die Mundkiemen. Diese Füsschen sind fleischroth gefärbt und breiten sich im Leben blüthenartig auf dem vorderen Theile des Thieres aus. Die Peripetalfasciole, von dunkelrother Farbe, verhält sich ganz wie bei *Brissopsis lyrifera*, sie umschreibt ein stumpf sechseckiges Feld, dessen Ränder in den Interambulacralräumen etwas eingezogen sind. Der Apicalapparat ist compact; 4 Genitalporen, von denen die beiden hinteren etwas grösser sind. (Fig. 3d.) In sie münden die kurzen Ausführungsgänge von zwei grossen Ovarien, deren Schläuche direct unter dem Apicalapparat liegen. In die kleinen Poren münden zwei Geschlechtsausführungsgänge, die von zwei kleineren Drüsen kommen, welche am vorderen unpaarigen Ambulacrum in der Hälfte seiner Erstreckung liegen. (Fig. 3c.) Die ganze Oberseite ist mit kleinen Miliaren bedeckt, welche erst gegen den Ambitus etwas grösser werden und, von einem kleinen Hof umgeben, durchbohrt sind. Die Actinalseite ist in der Mitte etwas eingezogen, gegen das Periproct springt das Mittelfeld als erhabenes Plastron vor. Das Sternum ist dreieckig, mit der Spitze nach dem Actinostom gerichtet, mit der Basis nach dem Hinterrande des Ambitus; es ist mit grösseren, von Höfen umgebenen, durchbohrten Warzen besetzt, wie auch die actinalen Interanalfelder. Die nackten Radialfelder sind schmal, mit parallelen Rändern. Das Actinostom ist ziemlich weit vorgerückt, von einer wenig vorspringenden Lippe bedeckt. Das Periproct liegt am oberen Rande des abgestutzten Hinterrandes. Es trägt eine Afterhaut, welche mit drei concentrischen unregelmässigen Reihen von polygonalen wärzchentragenden Plättchen besetzt ist. Der After liegt etwas über der Mitte des Feldes und springt röhrenförmig vor. Die Stacheln auf der Oberseite sind feine borstenartige Gebilde, am Rande und auf der Unterseite sind sie grösser, am Ende etwas verbreitert. (Fig. 3e).

Farbe der Schale und Stacheln weiss, durchscheinend, die Füsschen fleischroth, die Fasciole dunkelroth.

Länge 24^{mm}, Breite 21^{mm}, Höhe 13^{mm}.

Brissus Klein.

Subg. *Metalia* Gray.

38. *M. africana* Verrill.

Die Schale eines noch jungen Thieres von 31^{mm} Länge, das unzweifelhaft zu dieser Art gehört, fand sich bei Monrovia an der Küste von Liberia in 3 Faden Tiefe. Die von Verrill gegenüber der *M. pectoralis* Ag. hervorgehobenen Unterschiede lassen sich bei dem jungen Exemplar leicht erkennen. Die Schale ist weniger abgeplattet, der Ambitus mehr gerundet, als bei der amerikanischen Art. Die Ambulacralfasciole ist weniger eckig, sondern mehr oval; ferner zeigt sie die von Verrill hervorgehobene Knickung des die vorderen Interambulacralfelder begrenzenden Theiles. Die vorderen Ambulacren zeigen eine grössere Divergenz, als bei der amerikanischen Art. Das Analfeld zeigt in der von Verrill angegebenen Weise 3—4 Kreise von kleinen polygonalen Täfelchen. Die grossen Tuberkel in der abactinalen Interambulacralzone, so weit diese von der Fasciole eingeschlossen wird, sind wohl entwickelt, nur in geringerer Zahl vorhanden als beim erwachsenen Thier und unregelmässig angeordnet.

Schizaster Ag.

39. *Sch. Philippii* Gray.

Zwei grosse Exemplare von 78mm Länge und 60mm Breite wurden in 47° S. an der Ostküste Patagoniens aus 60 Faden lebend gefischt. Die Farbe ist dunkelbraun, mit dunkelpurpurnen Fasciolen.

40. *Sch. capensis* n. sp. Taf. II. Fig. 4.

Diese Art, von der leider nur ein Exemplar südlich vom Cap d. g. H. in 34° S. B. aus 117 Faden gedredgt wurde, gehört in die Gruppe der *Sch. Philippii* und *fragilis*, und zwar stellt sie gewissermassen eine Zwischenform von beiden dar.

Der äussere Habitus stimmt am meisten mit *Sch. Philippii* Gr. überein, nur erscheint der Körper mehr deprimirt und der Quere nach verbreitert. Die Bildung der Ambulacren, namentlich die stärkere Verkürzung der hinteren Ambulacrenpaare erinnert mehr an *Sch. fragilis*.

Der Umriss des Körpers ist breit herzförmig, vorn tief ausgeschnitten, breiter als lang. Die grösste Breite in der Linie des Apicalapparates nahe der Mitte. Die Seiteninterambulacralfelder wenig gewölbt, nur das hintere unpaare zeigt in der Mitte eine stumpfe, kielartige Erhabenheit, die bis zum oberen Rand des Periprocts verläuft. Der Apicalapparat klein, gedrungen, drei Genitalporen. Der rechte vordere obliterirt, die beiden linken sind so nahe aneinander gerückt, dass die Ränder beider verschmelzen. Nur zwei Ovarien. Die vordere Ambulacralfurche breit und tief, von fast rechtwinkligem Querschnitt, wie bei *Sch. fragilis*. Die vorderen paarigen Ambulacra lang, bis nahe zum Ambitus spitz lanzettförmig mit geraden Rändern, die hinteren kurz, am Ende zugerundet, halb so lang, wie die vorderen, aber nicht so stark verbreitert wie bei *Sch. fragilis*. Die Unterseite weicht nicht ab von den genannten Formen, nur erscheint das Actinostom weiter nach vorn gerückt, als bei den beiden genannten Arten. Das Periproct am abgestutzten Hinterende. Die Membran mit polygonalen Plättchen besetzt, welche ziemlich die gleiche Grösse haben, während bei *Sch. Philippii* ein äusserer grösserer Kranz erscheint.

Die Oberseite ist mit feinen, dicht stehenden Miliaren bedeckt, die nur an den Rändern der Ambulacralfurchen etwas grösser sind, auf der Unterseite sind grössere Tuberkel. Die Stacheln auf der Oberseite fast haarartig fein, auf der Unterseite gröber.

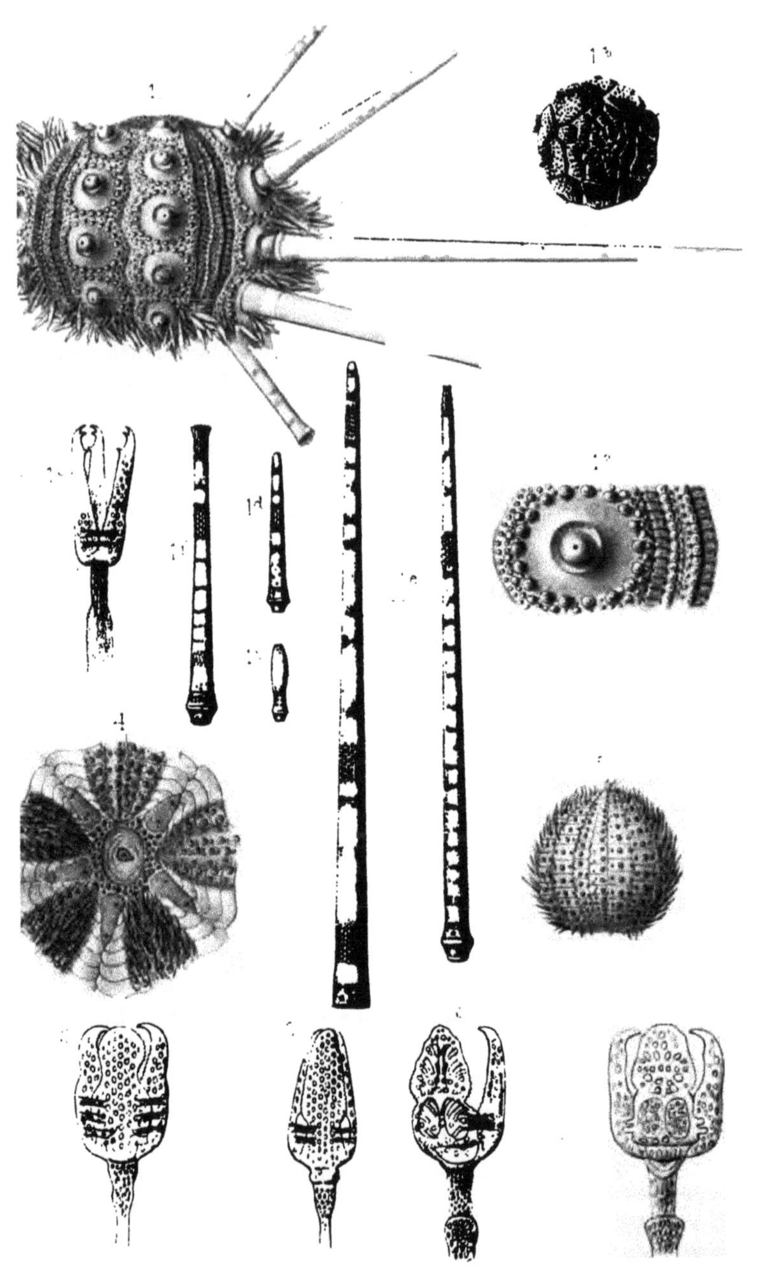

1 - 1g Schleinitzia crenularis Stud. 2. Arbacia Dufresnii Bl.
3. A. alternans Tr. 4. Astropyga elastica Stud. 5. Amblypneustes grossularia
6. Echinus margaritaceus Bl. 7. E. diadema Stud.

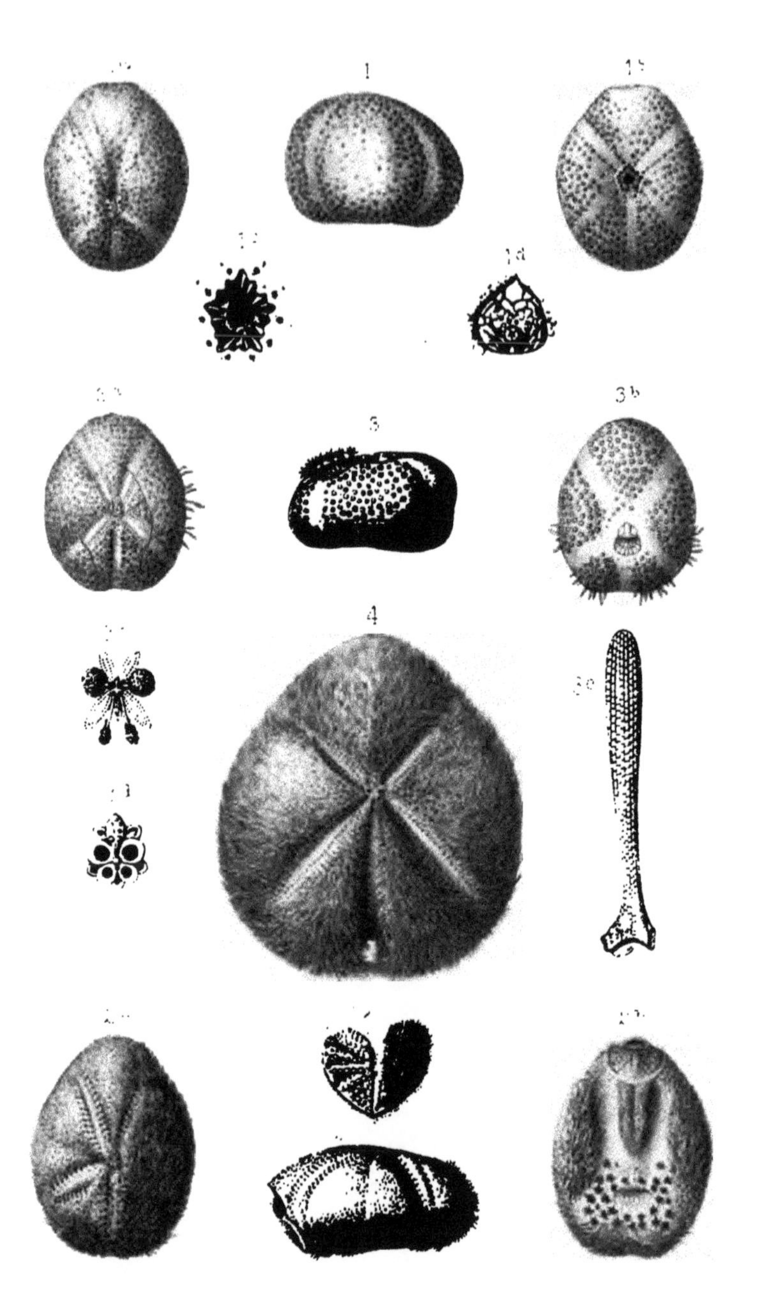

1 - 1d Catopygus Loveni Stud _ 2 - 2e Lonchophorus interruptus Stud
3 - 3e Hemiaster florigerus Stud _ 4 Schizaster Capensis Stud

Farbe hellgelblich. Die Mundkiemen und Fasciolen purpurn. L. 43^{mm}, B. 45^{mm}.

Erklärung der Abbildungen.

Taf. 1. Fig. 1. *Schleinitzia crenularis* Stud., natürl. Grösse, 1a. eine Stachelwarze derselben, vergrössert; 1b. Analgegend, mit Umgebung von derselben natürl. Grösse; 1c. Pedicellarie derselben, vergr.; 1d—1g. Stacheln derselben, nat. Grösse.

Fig. 2. *Arbacia Dufresnii* Bl., Mundpedicellarie, vergrössert.

Fig. 3. *Arbacia alternans* Troschel, Mundpedicellarie, vergr.

Fig. 4. *Astropyga elastica* Stud., Analgegend mit Umgebung, ½ nat. Grösse.

Fig. 5. *Amblypneustes grossularia* Stud., nat. Gr.

Fig. 6. *Echinus margaritaceus* Lesson, Pedicellarie, vergr.

Fig. 7. *Echinus diadema* Stud., dieselbe.

Taf. 2. Fig. 1. *Catopygus Loveni* Stud., von der Seite; 1a. derselbe von oben; 1b. derselbe von unten; 1c. Mundgegend desselben; 1d. Analgegend desselben. Fig. 1—1b 4mal, 1c u. d 10mal vergrössert.

Fig. 2—2b. *Loncophorus interruptus* Stud., nat. Gr.

Fig. 3. *Hemiaster florigerus* Stud., von der Seite, 3a. von oben, 3b. von unten; 3c. Eierstöcke desselben: 3d. Genital- und Ocellarplatten desselben; 3e. Stachel desselben.

Fig. 4. *Schizaster capensis* Stud., von oben.

Verzeichniss der im Monat September und October 1880 eingegangenen Schriften.

Leopoldina. Amtliches Organ der kaiserl. Leop.-Carol. deutschen Akademie der Naturforscher. Heft XVI. N. 15. 16. 17. 18. Halle 1880. 4.

Sitzungsberichte der philos., philolog. und histor. Classe der k. b. Akademie der Wissenschaften zu München. Jahrg. 1880. Heft II. III. München 1880. 8.

Sitzungs-Berichte der math.-phys. Classe der k. b. Akademie der Wissenschaften zu München. Jahrg. 1879. Heft IV. München 1880. 8.

Zeitschrift der Deutschen Geologischen Gesellschaft. Bd. XXXII. Heft 2. Berlin 1880. 8.

Elektrotechnische Zeitschrift. Herausgegeben vom Elektrotechnischen Verein. Jahrg. I. 1880. Heft 8. 9. 10. Berlin 1880. 4.

Berichte der Deutschen Chemischen Gesellschaft. Jahrg. XIII. N. 14. Berlin 1880. 8.

Vierteljahrsschrift der Astronomischen Gesellschaft. Jahrg. 15. Heft 3. Leipzig 1880. 8.

Abhandlungen für die Kunde des Morgenlandes, herausgegeben von der Deutschen Morgenländischen Gesellschaft. Bd. VII. N. 3. Leipzig 1880. 8.

Zeitschrift der Deutschen Morgenländischen Gesellschaft. Bd. 34. Heft III. Leipzig 1880. 8.

Jahrbücher der K. Akademie gemeinnütziger Wissenschaften zu Erfurt. Neue Folge. Heft X. Erfurt 1880. 8.

Neues Archiv der Gesellschaft für ältere deutsche Geschichtskunde. Bd. VI. Heft 1. Hannover 1880. 8.

Jahresbericht des Vereins für Naturwissenschaften zu Braunschweig für das Geschäftsjahr 1879/80. Braunschweig 1880. 8.

Jahresbericht des physikalischen Vereins zu Frankfurt am Main für das Rechnungsjahr 1878—1879. Frankfurt a. M. 1880. 8.

4ter Jahresbericht des Naturwissenschaftlichen Vereins zu Osnabrück. Für die Jahre 1876—1880. Osnabrück 1880. 8.

Verhandlungen des historischen Vereines von Oberpfalz und Regensburg. Bd. 34. Stadtamhof 1879. 8.

19ter Bericht der Oberhessischen Gesellschaft für Natur- und Heilkunde. Giessen 1880. 8.

Zeitschrift für das Berg-, Hütten- und Salinen-Wesen im Preuss. Staate. Bd. XXVII. 1. statist. Heft. Berlin 1880. 4.

Landwirthschaftliche Jahrbücher. Bd. IX (1880). Heft 4. 5. Supplem. Berlin 1880. 8.

Ergebnisse der Beobachtungsstationen an den Deutschen Küsten über die physikalischen Eigenschaften der Ostsee und Nordsee und die Fischerei. Jahrg. 1880. Heft III. IV. Berlin 1880. 4.

Zeitschrift des K. Preussischen Statistischen Büreaus. Jahrg. XX. 1880. Heft I. II. Berlin 1880. 4.

Preussische Statistik. Herausgegeben in zwanglosen Heften vom K. Statistischen Büreau in Berlin. Heft 41. 53. 54. 55. Berlin 1880. 4.

Verhandlungen der vom 16. bis 20. September 1879 in Genf vereinigten Permanenten Commission der Europäischen Gradmessung und Jahresbericht für 1879. Berlin 1880. 4.

Publication des K. Preuss. Geodätischen Instituts. C. A. F. Peters, *Bestimmung des Längenunterschiedes zwischen den Sternwarten von Göttingen und Altona.* Kiel 1880. 4.

—. A. Westphal, *Winkel- und Seitengleichungen.* — W. Werner, *Über die Beziehung der bei der Stations-Ausgleichung gewählten Nullrichtung.* — Berlin 1880. 4.

Mittheilungen der Deutschen Gesellschaft für Natur- und Völkerkunde Ostasiens. Heft 20. Juni 1880. Berlin. 4.

Geologische Karte der Provinz Preussen. Sect. 14. Heiligenbeil. Berlin. 1 Bl. fol.

*W. Holtz, *Über die Zunahme der Blitzgefahr uud ihre vermuthlichen Ursachen.* Greifswald 1880. 8.

Die Baudenkmäler im Regierungsbezirk Wiesbaden. Bearbeitet von Dr. W. Lotz. Herausgegeben von Fr. Schneider. Berlin 1880. 8.

R. Clausius, *Über die Anwendung des electrodynamischen Potentials zur Bestimmung der ponderomotorischen und electromotorischen Kräfte.* Bonn 1880. 8. Sep.-Abdr.

1. *Mineralogische Mittheilungen. (Neue Folge.) Von G. vom Rath. — 2. Über den Kentrolith, eine neue Mineralspecies. Von A. Damour und G. vom Rath.* Leipzig 1880. 8. Sep.-Abdr.

G. vom Rath, *Vorträge und Mittheilungen.* Bonn 1880. 8. *(Sep.-Abdruck aus den Sitzungsberichten der Niederrheinischen Gesellschaft für Natur- und Heilkunde zu Bonn.)*

Danzig in naturwissenschaftlicher und medizinischer Beziehung. Danzig 1880. 8.

Das Haus Wittelsbach und seine Bedeutung in der Deutschen Geschichte. Festrede zur Feier des Wittelsbach'schen Jubiläums, gehalten von J. v. Döllinger. München 1880. 4.

Die Pflege der Geschichte durch die Wittelsbacher. Akademische Festschrift zur Feier des Wittelsbacher Jubiläums. Verf. von Dr. L. Rockinger. München. 4.

A. Kölliker, *Die Entwicklung der Keimblätter des Kaninchens.* Würzburg 1880. 8. Sep.-Abdr.

L. Dieffenbach, *Völkerkunde Osteuropas.* 2. Bd. 1. Halbband. Darmstadt 1880. 8.

Jahrbuch der K. K. geologischen Reichsanstalt. Jahrg. 1880. Bd. 30. N. 2. 3. Wien 1880. 8.

Verhandlungen der K. K. geologischen Reichsanstalt. N. 15. 1879. N. 6-11. Wien 1880. 8.

Jahrbücher der K. K. Central-Anstalt für Meteorologie und Erdmagnetismus. Jahrg. 1878. N. F. Bd. XV. Theil I. Jahrg. 1879. N. F. Bd. XVI. Th. I. Wien 1880. 4.

Mittheilungen der anthropologischen Gesellschaft in Wien. Jahrg. 1880. Bd. X. N. 1—4. 5—7. Wien 1880. 8.

Berichte des naturwissenschaftlich-medizinischen Vereines in Innsbruck. X. Jahrg. 1879. Innsbruck 1880. 8.

Acta Imperii inedita Seculi XIII. — Urkunden und Briefe zur Geschichte des Kaiserreichs und des Königreichs Sicilien in den Jahren 1198 bis 1273. Herausgegeben von E. Winkelmann. Innsbruck 1880. 8.

Mittheilungen der K. K. Central-Commission zur Erforschung und Erhaltung der Kunst- und histor. Denkmale. Neue Folge. Bd. VI. Heft 3. Wien 1880. 4.

Öffentliche Vorlesungen an der K. K. Universität zu Wien im Winter-Seme- 1880/81. Wien 1880. 4.

Archiv des Vereines für siebenbürgische Landeskunde. Neue Folge. Bd. XIV. Heft 3. Bd. XV. Heft 1. 2. 3. Hermannstadt 1878—1880. 8.

Jahresbericht des Vereines für siebenbürgische Landeskunde für das Vereinsjahr 1877/78 und 1878/79. Hermannstadt. 8.

Programm des Evangelischen Gymnasiums A. B. etc. zu Hermanstadt für das Schuljahr 1877/78 und 1878/79. Hermannstadt 1878/79. 4.

Der Hermannstädter Musikverein. Zusammengestellt von W. Weiss. Hermannstadt 1877. 8.

Erdélyi Muzeum. 8. sz. VII. évtolyam. 1880. Budapest 1880. 8.

Rad Jugoslavenske Akademije znanosti i umjetnozti. Knjiga LI. LII. LIII. Zagrebu 1879. 1880. 8.

Bullettino di Archeologia e Storia Dalmata. Anno II. N. 9—12. 1879. Anno III. N. 1—8. 1880. Spalato. 8.

Philosophical Transactions of the Royal Society of London. Vol. 170. P. I. II. Vol. 171. P. I. London 1879/80. 4.

The Royal Society, 1st December 1879. 4.

Proceedings of the Royal Society. Vol. XXIX. N. 197. 198. 199. Vol. XXX. N. 200—205. London. 8.

Proceedings of the R. Geographical Society. Vol. II. N. 9. 10. London 1880. 8.

Proceedings of the London Mathematical Society. N. 161. 162. London 1880. 8.

Monthly Notices of the R. Astronomical Society. Vol. XL. N. 8. London 1880. 8.

Journal of the R. Microscopical Society. Vol. III. N. 4. 5. London 1880. 8.

The Quarterly Journal of the Geological Society. Vol. XXXVI. P. 2. N. 143. London 1880. 8.

Journal of the Chemical Society. N. CCXIII. CCXIV. CCXV. London 1880. 8.

Transactions of the Zoological Society of London. Vol. XI. P. II. London 1880. 4.

Proceedings of the scientific meeting of the Zoological Society of London for the year 1880. P. II. London 1880. 8.

The Transactions of the Linnean Society of London. Ser. II. *Botany.* Vol. I. P. VII. VIII. IX. London 1880. Ser. II. *Zoology.* Vol. II. P. I. London 1879. 4.

The Journal of the Linnean Society. Vol. XVII. N. 103—105. Vol. XVIII. N. 106—107. *Botany.* London 1879/80. 8. Vol. XIV. XV. N. 80—83. *Zoology.* London 1879/80. 8.

List of the Linnean Society of London. November 1st. 1879. 8.

Illustrations of typical specimens of Lepidoptera Heterocera in the Collection of the British Museum. P. IV. *North-American Tortricidae by Lord Walsingham.* London 1879. 4.

Catalogue of Oriental Coins in the British Museum. Vol. V. London 1880. 8.

Results of Astronomical Observations made at the Radcliffe Observatory, Oxford, in the year 1876. Vol. XXXVI. Oxford 1880. 8.

G. G. Stokes, *Mathematical and physical papers.* Vol. I. Cambridge 1880. 8.

The Madras Journal of Literature and Science for the year 1879. Edited by G. Oppert. Madras & London 1880. 8.

G. Oppert, *Lists of Sanskrit Manuscripts in private Libraries of Southern India.* Vol. I. Madras 1880. 8.

— —, *On the Weapons, Army organisation, and Political Maxims of the ancient Hindus.* Madras & London 1880. 8.

The Calcutta Review. Vol. LXXI. 1880. Calcutta. 8.

W. B. Livingstone, *An essay on the celebrated Achilles and Tortoise problem, in Logic.* Calcutta 1879. 8.

Transactions and Proceedings and Report of the Philosophical Society of Adelaide, South Australia, for 1878—79. Adelaide 1879. 8.

Comptes rendus hebdomadaires des séances de l'Académie des Sciences de l'Institut de France. T. XCI. 1880. Sem. II. N. 5. 6. 7. 8. 9. 10. 11. 12. 13. 14. 15. Paris 1880. 4.

Bulletin de la Société mathématique de France. T. VIII. N. 5. Paris 1880. 8.

Bulletin de la Société zoologique de France. Pour l'année 1879. Part. 5. 6. Paris 1880. 8.

Bulletin de la Société de Géographie. Mai, Juin 1880. Paris 1880. 8.

Bulletin de l'Académie de Médecine. Sér. II. T. IX. N. 32. 33. 34. 35. 36. 37. 38. 39. 41. 42. Paris 1880. 8.

Bulletin de la Société Philomatique de Paris. Série VII. T. III. N. 3—5. T. IV. N. 1—3. Paris 1879. 1880. 8.

Liste des Membres de la Société Philomatique. 8.

Statuts de la Société Philom. Paris 1879. 8.

Bulletin officiel de l'institution éthnographique. N. 24. (*No. supplementaire.*) Septembre 1880. Paris. 8.

Journal de l'École Polytechnique. T. XXVIII. Cah. 46. Paris 1879. 4.

Annales des Ponts et Chaussées. Mémoires et Documents. Série V. Année X. Cah. 3. 9. Paris 1880. 8.

Mémoires de la Société des Sciences physiques et naturelles de Bordeaux. Sér. II. T. IV. Cah. I. Paris & Bordeaux 1880. 8.

Bulletin de la Société de Géographie commerciale de Bordeaux. Sér. II. Année III. N. 15. 16. 17. 18. 19. 20. Bordeaux 1880. 8.

Mémoires de l'Académie de Stanislas. 1879. Année. CXXX. Série IV. T. XII. Nancy 1880. 8.

Revue scientifique de la France et de l'étranger. N. 7. 8. 9. 10. 11. 12. 15. 16. 17. Paris 1880. 4.

Polybiblion. Revue bibliogr. univ. Part. litt. Sér. II. T. XII. Livr. 2. 3. 4. *Part. techn.* Sér. II. T. VI. Livr. 8. 9. 10. Paris 1880. 8.

A. Lavallée, *Arboretum Segrezianum. Icones selectae Arborum et Fruticum in Hortis Segrezianis collectorum.* Livr. 1. Paris 1880. fol.

J. Lawrence Smith, *Note sur un remarquable spécimen de siliciure de fer.* Paris 1880. 4. Extr.

— — —, *Sur la météorite tombée, le 10 Mai 1879, pres d'Estherville.* Paris 1880. 4. Extr. und 2 Extr. in 8.

— — —, *Mémoire sur le fer natif du Groenland et sur la Dolérite qui le renferme.* Paris 1879. 8. Extr.

P. de Tchihatchef, *Espagne Algérie et Tunisie. Lettres a Michel Chevalier.* Paris 1880. 8.

J. Oppert, *La méthode chronologique.* Extr.

— —, *L'Ambre jaune chez les Assyriens.* Paris 1880. 8.

— —, *Les tablettes juridiques de Babylone.* Paris 1880. 8.

Robinski, *De l'influence des eaux malsaines sur le développement du Typhus exanthématique.* Paris 1880. 8.

Noticia biographica do Conselheiro Ildefonso-Leopoldo Bayard com varios documentos comprovantes. 1856. Pariz. 8.

Atti dell' Accademia Pontificia de' Nuovi Lincei. Anno XXXIII. Sessione II. II. IV. 1880. Roma 1880. 4.

Memorie della Regia Accademia di Scienze, Lettere ed Arti in Modena. T. XIX. Modena 1879. 4.

Atti della Accademia fisico-medico-statistica di Milano. Anno XXXVI della fondazione. 1880. Milano 1880. 4.

Bullettino di Archeologia cristiana del Commendatore G. B. de Rossi. — Serie III. Anno V. N. I. II. Roma 1879. 8.

Atti della R. Deputazione sovra gli studi di Storia Patria per le Antiche Provincie e la Lombardia dalla sua fondazione (20. Aprile 1833) al 1° Agosto 1880. Torino 1880. 8.

P. Ricardi, *Biblioteca matematica italiana.* P. II. Fasc. III e IV (ultimo). Modena 1880. 4.

B. Boncompagni, *Bullettino di Bibliografia e di Storia delle Scienze matematiche e fisiche.* T. XII. *Indici degli Articoli e dei Nomi.* Roma 1879. 4.

Pubblicazioni del R. Osservatorio di Brera in Milano. N. XVI. (G. Schiaparelli e P. Frisiani, *Sui temporali osservati nell' Italia superiore durante l'anno 1877.* Milano 1880. 4.)

G. Ferrari, *Monoglottica. Considerazioni storico-critiche e filosofiche intorno alla ricerca di una lingua universale.* 2e. ediz. Modena 1877. 8.

Sylloge Inscriptionum latinarum aevi Romanae rei publicae usque ad C. Julium Caesarem plenissima. Edidit R. Garruccius. Augustae Taurinorum. 1875. 8.

A. Todaro, *Hortus botanicus Panormitanus.* T. I. Fasc. 9. Panormi 1878. fol.

Fr. Battaglia-Rizzo, *Pochi Cenni intorno ad un nuovo fossile rinvenuto nell' ex Castello Termini-Imerese.* 4.

A. Reumont, *Margherita d'Austria, Duchessa di Parma.* Firenze 1880. 8.

Bulletin de l'Académie Imp. des Sciences de St. Pétersbourg. T. XXVI. Feuilles 9—21.) St. Pétersbourg 1880. 4.

Acta Horti Petropolitani. T. VI. Fasc. II. Petropoli 1880. 8.

E. Regel, *Descriptiones plantarum novarum et minus cognitarum.* Fasc. VII. Petropoli 1879. 8.

H. Abich, *Ein Cyclus fundamentaler barometrischer Höhenbestimmungen auf dem Armenischen Hochlande.* Sep.-Abdr. St. Petersburg 1880. 4.

Meddelanden af Societas pro Fauna et Flora Fennica. Femte Häftet. Helsingfors 1880. 8.

Öfversigt af K. Vetenskaps Akademiens Förhandlingar. 1880. 39. Årg. N. 1—4. Stockholm 1880. 8.

Entomologisk Tidskrift. Bd. I. Häft. 2. Stockholm 1880. 8.

S. C. Snellen van Vollenhoven, *Pinacographia.* P. 9. Afl. 9. S'Gravenhage 1880. 4.

Verhandelingen van het Bataviaasch Genootschap van Kunsten en Wetenschappen. Deel XXXVI. XXXIX, St. I. II. XLI, St. 1. Batavia 1872. 1877. 1880. 4.

Notulen van de Algemeene en Bestuursvergaderingen van het Bataviaasch Genootschap van Kunsten en Wetenschappen. Deel XVII. 1879. N. 2. 3. 4. Batavia 1879. 1880. 8.

Register op de Notulen der Vergaderingen van het Bataviaasch Genootschap van Kunsten en Wetenschappen over de Jaaren $1867\frac{t}{m}$ *1878 door J. A. van der Chijs.* Batavia 1879. 8.

Tijdschrift voor Indische Taal-, Land- en Volkenkunde. Deel XVIII. Ser. 6. Deel I. Afl. 4. 5. 6. — Deel XX. Ser. 7. Deel I. Afl. 2. 3. 4. 5. 6. Deel II. Afl. 1. — Deel XXIII. Afl. 2. 3. 4. 5. 6. — Deel XXIV. Afl. 1. 2. —

Deel XXV. Afl. 4. 5. 6. — Deel XXVI. Afl. 1. Batavia. S' Hage 1868 —1872. 1871—1879. 1880. 8.

Publications de la Section historique de l'Institut R. Grand-Ducal de Luxembourg. Année 1880. XXXIV. Luxembourg 1880. 8.

Bulletin de l'Académie R. des Sciences de Belgique. Année 49. Série II. T. 50. N. 6. 7. 8. Bruxelles 1880. 8.

Coutumes des Pays et Comité de Flandre. — Coutumes du Franc de Bruges. Par L. Gilliodts van Severen. T. II. Bruxelles 1879. 4.

Commission R. pour la Publication des anciennes Lois et Ordonnances de la Belgique. — Procès-verbaux des Séances. Vol. VI. Cah. VII. Bruxelles 1879. 8.

Levé géologique des planchettes XV/2, 3, 5, 6 et XXIII/3, 4 de la Carte topographique de la Belgique. Par M. le Baron O. van Ertborn, avec la collaboration de M. P. Cogels. — Beveren. Anvers, Feuille XV, 2. 3. Liberre, Feuille XVI, 5. Malines, Feuille XXIII, 4. Putte-Heyst-op-den Berg, Feuille XXIV, 1. 2. 6 Bll. fol.

O. van Ertborn, *Texte explicatif du levé géologique de la planchette de Beveren ... de Malines ... d'Anvers ... de Liberre ... de Putte ... de Heyst. Avec la collaboration de M. P. Cogels.* Bruxelles 1880. 8.

M. Jolivat, *Base de la réligion scientifique. — L'Ontologie ou la Science nouvelle. — Cours élémentaire.* Bruxelles 1880. 8. 6 Ex.

Nivellement de précision de la Suisse exécuté par la commission géodésique fédérale sous la direction de A. Hirsch et E. Plantamour. Livr. 7. Genève, Bâle, Lyon 1880. 4.

Revista Euskara. Año III. N. 29. Pamplona 1880. 8.

J. F. J. Biker, *Supplemento á Collecção dos Tratados e Actos publicos celebrados entre a Corôa da Portugal e as mais potencias.* T. XXIV. Lisboa 1880. 8.

A. de Saldanha da Gama, *Memoria historica e politica sobre o commercio da Escravatura entregue no dia 2 de novembro de 1816 ao Conde Capo d'Istria.* Lisboa 1880. 8. 2 Ex.

Πέτρος Ν. Παππαγεώργιος, Κριτικὰ καὶ ἑρμηνευτικὰ εἰς τὰ ἀποσπάσματα τῶν Ἑλλήνων τραγικῶν ποιητῶν. Ἐν Λειψίᾳ 1880. 8.

Πρακτικὰ τῆς ἐν Ἀθήναις ἀρχαιολογικῆς ἑταιρίας ἀπὸ Ἰανουαρίου 1879 μέχρι Ἰανουαρίου 1880. Ἐν Ἀθήναις 1880. 8.

Εἰρήνης Σεβαστοκρατορίσσης ἀνέκδοτον ποίημα (1143) (ἐκ χειρογράφου τῆς ἐν Πάτμῳ Βιβλιοθήκης) ἐκδιδόντος Μανουὴλ Ι. Γεδεών. Ἀθήνησι αωοθ' 1880. 8.

Proceedings of the American Philosophical Society. Vol. XVIII. N. 104. 105. Philadelphia 1879. 8.

Proceedings of the American Academy of Arts and Sciences. New Series. Vol. VII. P. 2. Boston 1880. 8.

Bulletin of the Philosophical Society of Washington. Vol. I. II. III. Washington 1874. 1875—1880. 1878—1880. 8.

Proceedings of the Academy of Natural Sciences of Philadelphia. 1879. P. I. II. III. Philadelphia 1880. 8.

Occasional Papers of the Boston Society of Natural History. III. *Contributions to the Geology of Eastern Massachusetts by W. O. Crosby.* Boston 1880. 8.

Proceedings of the Boston Society of Natural History. Vol. XX. P. I. II. III. Boston 1879/80. 8.

Memoirs of the Boston Society of Natural History. — W. T. Brigham, *Historical Notes on the Earthquakes of New England. 1838—1869.* Boston 1871. 4.

Memoirs of the Boston Society of Natural History. Vol. III. P. I. N. III. Boston 1879. 4.

The Transactions of the Academy of Science of St. Louis. Vol. IV. N. 1. St. Louis 1880. 8.

Publications Missouri Historical Society, St. Louis. N. I. II. III. IV. St. Louis 1880. 8.

The Journal of the Cincinnati Society of Natural History. Vol. III. N. 3. October 1880. Cincinnati 1880. 8.

The American Journal of Science and Arts. Ser. III. Vol. XX. N. 116. 117. 118. New Haven 1880. 8.

Annual Report of the Board of Regents of the Smithsonian Institution for 1878. Washington 1879. 8.

Smithsonian Contributions to Knowledge. Vol. XXII. Washington 1880. 4.

Smithsonian Miscellaneous Collections. Vol. XVI. XVII. Washington 1880. 8.

Report of the Superintendent of the United States Coast Survey showing the progress of the work for the fiscal year ending with June, 1876. Washington 1879. 2 Voll. 4.

Astronomical Observations made at the U. S. Naval Observatory, during the years 1851 and 1852. Washington 1867. 4.

Washington Astronomical Observations for 1876. — Appendix I. — E. Holden, *A Subject-Index to the Publications of the United States Naval Observatory, 1845—1875.* Washington 1879. 4.

Catalogue of the Library of the U. S. Naval Observatory, Washington. — Part. I. *Astronomical Bibliography. By E. S. Holden.* Washington 1879. 4.

Annals of the Astronomical Observatory of Harvard College. Vol. IV, 2. 1859—60. VII. VIII, 1. 2. X. XIII. Cambridge 1871. 1877. 1880. 4.

W. A. Rogers, *Catalogue of 618 Stars observed at the Astronomical Observatory of Harvard College.* Cambridge 1880. 4. Extr.

Bulletin of the Museum of Comparative Zoology at Harvard College. Whole Series, Vol. VII. (Geological Series, Vol. I.) Cambridge 1880. 8.

U. S. Northern Boundary Commission. — L. Boss, *Declinations of Fixed Stars.* 1879. 4.

Department of the Interior. — *Report of the U. S. Geological Survey of the Territories.* Vol. XII. Washington 1879. 4.

Ch. D. Sigsbee, *Deep-Sea sounding and dredging. A description and discussion of the methods and appliances used on board the Coast and Geodetic Survey Steamer „Blake".* Washington 1880. 4.

G. Hinrichs, *Report of the Iowa Weather Service for the Months of May, June, July and August 1878.* Des Moines, Iowa 1879. 8.

First Biennial Report of the Central Station. Des Moines 1880. 8.

Bulletin I. W. S. N. 73—77. 79—85. 1880. 4.

S. W. Burnham, *Report of the Trustees of the „James Lick Trust" of observations made on Mt. Hamilton with reference to the location of Lick Observatory.* Chicago 1880. 4.

Boletin de la Sociedad de Geografia y Estadistica de la República Mexicana. 3e. Época. T. V. Núm. 1, 2 y 3. México 1880. 8.

Anales del Museo Nacional de México. T. I. Entrega 7a. T. II. Entrega 1a. (2 Ex.) Mexico 1879/80. 4.

La Naturaleza. — *Periodico cientifico de la Sociedad Mexicana de Historia Natural.* T. IV. Entrega núm. 16. 17. 18. 19. 20. Mexico 1879/80. 4. N. 16, 17 doppelt.

Memorias del General O'Leary publicadas por su hijo Simon B. O'Leary. T. IV. V. VI. Caracas 1880. 8.

R. Villavicencio, *La Republica de Venezuela bajo el punto de vista de la Geografia y Topografia medicas y de la Demografia.* Caracas 1880. 8.

MONATSBERICHT

DER

KÖNIGLICH PREUSSISCHEN

AKADEMIE DER WISSENSCHAFTEN

ZU BERLIN.

November 1880.

Vorsitzender Secretar: Hr. du Bois-Reymond.

---

4. November. Gesammtsitzung der Akademie.

Hr. Olshausen legte vor:

Erläuterungen zur Geschichte der Pahlavî-Schrift.

Zuerst wurde an die Verschiedenheit des aramaeischen Schriftcharakters erinnert, die sich in den Parallel-Inschriften der ersten Sâsâniden zeigt. Eine Varietät jener Schrift scheint von Babylon und Ktesiphon aus nach Medien übergegangen zu sein, die andere von Susiana her nach der Persis. In ganz ähnlicher Weise herscht denn auch in beiden keine Übereinstimmung hinsichtlich der Verwendung aramaeischer Ausdrücke für einen und denselben Gegenstand. So wird in der persischen Varietät der Pfeil durch das aramaeische Wort *'hatjâ* ausgedrückt, in der medischen durch ein anderes, ebenfalls ohne Zweifel aramaeisches Wort, das man *'hararjâ* zu lesen pflegt. Den Sinn der Präposition vor drückt die persische Varietät durch לְעֵינֵי vor den Augen aus, die medische durch קדמיתה. Eine der êrânischen Adelsclassen wird in jener mit ihrem êrânischen Namen *vazarkân* bezeichnet, in dieser mit dessen aramaeischem Äquivalent *rabbân*, die Grossen. Es geht hieraus deutlich hervor, dass wie der Schriftcharakter, so auch der Sprachgebrauch in den verschiedenen Gegenden, aus welchen aramaeische Elemente für die Schrift in Êrân entlehnt wurden, ein verschiedener war. Nähere Auskunft über die Unterschiede im Sprachgebrauche innerhalb des aramaeischen Sprachgebiets zu geben, sind wir leider nicht mehr im Stande. Die érânische Sprache aber wurde von solchen Divergenzen überhaupt nicht berührt, da die Érânier, — wie jetzt wohl allgemein anerkannt wird, — die fremden Wörter beim Lesen gar nicht aussprachen, sondern sie durch érânische ersetzten. Dieselben waren für sie rein ideographische Zeichen geworden.

Um die seltsame Erscheinung zu erklären, dass man in Érân mit der fremden Lautschrift zugleich eine Menge fremder Wörter, bloss für den schriftlichen Gebrauch, übernahm, wurde an der Ansicht festgehalten, dass dies nur die Folge eines regen und dauernden Verkehrs sein könne, zwischen einer mit dieser Schrift seit lange vertrauten Bevölkerung und einer solchen, die bis da einer analogen Lautschrift entbehrte und sich erst allmählich an den Gebrauch jener gewöhnte. Ein Verkehr dieser Art war aber zwischen Aramaeern und Érâniern unvermeidlich, da beide der staatlichen Verhältnisse und der Handelsinteressen halber vielfach in engster Vermischung mit einander zu wohnen genöthigt waren, und zwar auf dem érânischen Hochlande sowohl, als im aramaeischen Tieflande. — Bei dieser Gelegenheit wurde auch auf den Namen hingewiesen, den Ptolemaeus VI, 2, 6 dem südlichsten, an die Persis angrenzenden Theil Mediens beilegt: ἡ Συρομηδία.

Entschiedene Einsprache wurde gegen die Muthmaassung einiger Gelehrten erhoben, die wunderliche Einmischung vieler semitischer Wörter in érânische Schriftstücke möge ursprünglich zur Bildung einer Art Geheimschrift der zoroastrischen Priester gedient haben. Nichts in der zoroastrischen Religion deutet auf ein Bedürfniss der Geheimhaltung hin; im Gegentheil verlangt sie ihrem ganzen Charakter nach, dass die Kenntniss ihres gesammten Inhalts unter ihren Bekennern eine möglichst weite Verbreitung finde, und diesem Bedürfnisse gerecht zu werden, war man jederzeit bestrebt. Die Priesterschaft hatte über die Ausführung des Gesetzes nur als Vertreterin des érânischen Staates zu wachen, und sie in der Vollziehung der gottesdienstlichen Handlungen irgendwie stören zu wollen konnte niemandem in den Sinn kommen.

Von Anfang an begegnen wir auch der Thatsache jener eigenthümlichen Vermischung in érânischen Schriftstücken, die ihrer Natur nach mit dem Priesterthum nichts zu thun haben, sondern nur von der obersten Staatsgewalt, von den Grosskönigen, ausgehen konnten und für die Öffentlichkeit bestimmt waren, — auf Münzen, die dem täglichen Verkehr dienen, und auf Steindenkmälern, die an denkwürdigen Punkten, jedermanns Augen zugänglich, von jedem des Lesens Kundigen auch wirklich gelesen werden sollten. In éränischer Landessprache abgefasst, wurden sie ausgeführt in Schriftzügen verschiedener Art, in specieller Berücksichtigung des Bedürfnisses der Bevölkerung verschiedener Landestheile, anders für die aus Medien, anders für die aus der Persis stammende. Wurden doch unter den ersten Sâsâniden bekanntlich selbst für die in Érân noch zurückgebliebenen Griechen griechische Parallel-Inschriften beigefügt.

Auch aus der gesammten, uns erhaltenen Pahlavî-Litteratur geht hervor, dass der in die Schrift aufgenommene Bestand an aramaeischen Wörtern überaus Weniges befasst, das sich auf Religion und Priesterthum bezieht, während die Gegenstände des Interesses der ganzen Bevölkerung Érâns in ihren Wohnsitzen und Beschäftigungen nach allen Richtungen hin vertreten sind. Ebenso verhält es sich insbesondere auch mit den Pahlavî-Glossaren, die uns durch die Parsen in Indien bekannt geworden, aber keineswegs erst dort entstanden sind. Von aramaeischem Sprachgut wird darin so gut wie nichts aufgeführt und erklärt, das mit der Religion zu thun hätte, wohl aber in reichem Maasse Gegenstände der sichtbaren Welt jeglicher Art, Menschen und Thiere sammt deren einzelnen Gliedern, Pflanzen und Früchte, Geld und Metalle, Kleidung, Kriegs- und Schreibgeräth, die verschiedenen Zustände und Handlungen, häusliche Verrichtungen, Jagd, Ackerbau. — Das Alles möchte doch wohl zwingen, von einer Bestimmung des sonderbaren Wörtergemisches für eine priesterliche Geheimschrift ein- für allemal abzusehen, wenn sich auch das, was uns aus der Pahlavî-Litteratur bekannt geworden ist, fast ausschliesslich an das Avesta und dessen Inhalt anlehnt; denn leider ist ja, was sonst von der Litteratur des éränischen Mittelalters existierte, bis auf geringe Überreste für uns verloren gegangen und nur noch seinem Inhalte nach zum kleinsten Theile aus secundären Quellen erkennbar.

Die Entstehung einer umfangreichen mitteléränischen Litteratur war unzweifelhaft bedingt durch die Existenz eines bequemeren Schriftcharakters, als die älteren Schriftvarietäten darboten. Es bedurfte dazu einer Cursivschrift, wie eine solche sich in den Zeiten der letzten Sâsâniden ausgebildet hat und uns jetzt in allen Schriftwerken der Parsen-Litteratur vorliegt. Wenn aber auch die Schrift durch die Umwandlung für den Schreibenden ungleich bequemer geworden ist, für den Lesenden wurde sie leider nicht deutlicher. Im Gegentheil wurde das Lesen durch das Zusammenschrumpfen einer erheblichen Anzahl ganz verschiedener Schriftzüge zu einem einzigen, nunmehr vieldeutigen Zeichen, und überdies durch die Einführung zahlreicher Ligaturen in dem Maasse erschwert, dass man mancher Schriftgruppe rathlos gegenüber stehen würde, wenn nicht in der Tradition der Parsen wenigstens einiger Anhalt zu finden wäre, obgleich kein zuverlässiger. Denn auch dieser Leitfaden führt nur zu oft irre, und es bedarf in jedem einzelnen Falle einer sorgfältigen Erwägung aller in Betracht kommenden Umstände, um sich klar zu machen, welchen Grad des Vertrauens man der Überlieferung schenken dürfe. Dass die Zuverlässigkeit derselben sich im Laufe der Jahrhunderte verringert hat, ist ja leicht begreiflich, auffällig aber das Verschwinden eines richtigen Verständnisses der älteren Schriftvarietäten schon zur Zeit der allmählichen Ausbildung der Cursivschrift, wie sich solches mit Sicherheit nachweisen lässt. Der Gegenstand ist für die Benutzung und Beurtheilung der Cursivschrift von grosser Bedeutung, und es sollen deshalb hier einige besonders interessante und wichtige Punkte näher besprochen werden, bei denen uralte Missdeutungen und Verwechselungen das Verständniss der Cursivschrift auf das Schwerste beeinträchtigt haben.

Schon bei der ersten Verwendung semitischer Schrift für den Ausdruck éránischen Sprachguts mussten die Éránier den Mangel einer eigenen Bezeichnung der Vocale in derselben schwer empfinden. Zwar konnte man sich in Betreff der Laute *i* und *u* ebenso helfen, wie es die Semiten ihrerseits nach Bedürfniss thaten, und die Zeichen für die Consonanten *j* und *v* zugleich für *i* und *u* verwenden. Anders aber verhielt es sich mit dem wichtigsten aller Vocale, dem *a*, welchem in analoger Weise ein verwandter Consonant auch bei den Semiten nicht zur Seite stand. Man that daher, was nöthig war, und bestimmte für diesen Vocal ein, wie es scheint, aus einer Form des semitischen א entstandenes und zugleich zur Wiedergabe eines schwächeren Hauchlautes geeignetes Zeichen, das Zeichen ـυ oder ᴎ. Unentbehrlich war dasselbe für das Schreiben éránischer, mit *a* anlautender Wörter; desgleichen zur

Bezeichnung diphthongischer Laute, wie *ai* (é) und *au* (ó). Geeignet schien das Zeichen zum Ausdruck des langen *a* auch im In- und Auslaute, und so begegnet man demselben in unzähligen éránischen Wörtern. Beim Schreiben semitischer Wörter fand das Zeichen ebenfalls Verwendung, theils wo man den mit א bezeichneten Anlaut als *a* auffasste, theils, wenn auch in beschränktem Maasse, zum Ausdruck des langen *a* im Auslaute. So finden wir das bekannte *malkâ* beständig geschrieben; so in der persischen Varietät der Inschrift von 'Hâǵî-âbâd *'hatjâ*, der Pfeil, *barâ*, draussen, hinaus; in der medischen *alahâ*, der Gott, *'hararjâ*, der Pfeil, *lebarâ*, hinaus, *j'dâ*, die Hand. Vereinzelt erscheint es auch im Inlaut, wie in *hakâimut*.

Allein neben diesem gewöhnlichen Zeichen für *a* zeigt sich in jeder der beiden Parallel-Inschriften eine andere Form, die das lange *a* im Auslaute ausdrückt; so besonders in den mit der Determinativ-Endung versehenen aramaeischen Nenn- und Fürwörtern. Die in der persischen Varietät übliche Form [illegible] ist wesentlich identisch mit dem א der Estrangeloschrift und ihrer nächsten Verwandten, wie — soviel bekannt — zuerst von dem Dr. Andreas bemerkt wurde. Die Entlehnung von dort scheint kaum einem Zweifel begegnen zu können. In der medischen Varietät tritt an die Stelle dieses Zeichens ein anderes, — [illegible] —, das nur eine entfernte Ähnlichkeit mit jenem hat, dagegen mit dem bei den Nestorianern üblichen für ה durchaus übereinstimmt; beide hat auch schon M. A. Levy in seinen Beiträgen zur aramaeischen Münzkunde Érâns, ZDMG. XXI Taf. III, zusammengestellt. Auch Dr. Andreas erkannte bei mündlicher Besprechung des Gegenstandes die Ähnlichkeit wohl an, zog es jedoch vor, sowohl die medische, als die persische Form von semitischem א abzuleiten, während umgekehrt der kundige Palaeograph Euting in seiner semitischen Schrifttafel beide dem ה gleich stellt. Keiner von beiden Gelehrten möchte wohl ganz Recht haben, sondern vielmehr die persische Form vom א, die medische vom ה entlehnt sein. Die Annahme scheint nicht fern zu liegen, dass ein Theil der semitischen Population des Tieflandes auslautendes *â* durch א, ein anderer — einst wenigstens — in Übereinstimmung mit dem Gebrauche in der hebräischen Schrift in ähnlichen Fällen durch ה ausdrückte.

Wie dem aber auch sei, die gleiche Bestimmung beider Zeichen. auslautendes *â* in aramaeischen Wörtern zu bezeichnen, kann nicht zweifelhaft sein. Beide finden sich in den Parallel-Inschriften von 'Hâgî-âbâd in dem Pronomen *z'nâ* = aram. דְּנָא oder דְּנָה; ausserdem in der persischen Varietät in den Wörtern בְּרָא der Sohn, רַגְלָא der Fuss, יְדָא die Hand, wofür, wie schon bemerkt wurde, der medische Text *j'dâ* mit dem gemein üblichen Zeichen für *a* darbietet; ferner in dem Pronominalsuffix von לְנָא, statt dessen die medische Schriftart die abgekürzte Form לַן wiedergiebt. Letztere liefert uns noch אַתְרָא der Ort. Ausser diesen in regelrechter aramaeischer Schreibweise auf א ausgehenden Beispielen lesen wir in beiden Parallel-Inschriften noch das Adverb *tammâ*, welches im Biblischen Aramaeisch תַּמָּה geschrieben wird, sonst aber im Aramaeischen durch die Form תַּמָּן vertreten ist.

Wenn es sich in allen hier aufgeführten Fällen um die Andeutung eines auslautenden *â* handelte, so zeigt sich doch in einem andern Beispiele, dass wenigstens das in der persischen Varietät gebrauchte Zeichen als Äquivalent von א auch da dienen konnte, wo ein solches *â* gar nicht vorhanden war. Wie sich im Aramaeischen und Hebräischen das Pronomen הוּא eignet, im Satze unter Umständen die sog. Copula zu vertreten, so wird dasselbe auch in gleicher Weise in Pahlavi-Schriftstücken häufig verwendet und dann in dem persischen Texte mit dem diesem eigenthümlichen Zeichen geschrieben, welches also hier unzweifelhaft nicht den Vocal *â* andeutet, sondern das in dem *û* ruhende א wiedergiebt. — Nicht ganz klar ist es dagegen, weshalb der in dem medischen Texte vorkommenden Präposition קֳדָמַת vor ein ת angehängt wurde, obgleich es unzweifelhaft ist, dass auch hier ein vocalischer Auslaut — etwa *é* — durch das ת ausgedrückt werden sollte. Ebenso verhält es sich mit der in anderen Pahlavî-Schriftstücken gebrauchten Präposition לוֹתה bei, hinzu, = aram. לְוָת. Ein räthselhafteres Problem liegt noch in einem Pronomen vor, das in Pahlavî-Schriften häufig vorkommt und in dem persischen Texte von 'Hâgî-âbâd ורא oder ולֹא geschrieben wird.

So auffallend nun auch der gleichzeitige Gebrauch der beiden älteren Zeichen neben dem gewöhnlichen *a* der Pahlavî-Schrift sein mag, scheint doch die feststehende Thatsache keineswegs unerklärlich. Es möchte sich damit so verhalten. Bei der Wiedergabe solcher aramaeischer Wörter, deren Beibehaltung in der Schrift nöthig war oder angemessen schien, liegen ohne Zweifel Quellen zweierlei Art zum Grunde. Vermuthlich kamen meistens ganz naturgemäss solche Wortformen zum Ausdruck, die man durch das Ohr vernahm; auf Grund mündlicher Mittheilung durch Semiten wurden sie niedergeschrieben. Dabei kam für das *a* jenes gewöhnliche Zeichen zur Anwendung, dessen Unentbehrlichkeit für die Érânier vorhin nachgewiesen wurde. In anderen Fällen stützte man sich nicht ausschliesslich auf das Gehör, sondern benutzte schriftliche Vorlagen, in denen die Eigenthümlichkeiten der älteren Schriftarten berücksichtigt wurden. Wahrscheinlich ohne zu ahnen, dass die erwähnten beiden Zeichen der älteren Schrift in der Regel dasselbe *a* andeuten, welches in der neueren bereits durch ein anderes Zeichen vertreten war, begnügte man sich damit, für die veralteten Formen Äquivalente einzuführen, die sich den aramaeischen Formen für א und ה eng anschlossen. Dass diese Äquivalente im Verlaufe der Zeit nicht unverändert geblieben sind, und dass sich namentlich aus der Form des א in der persischen Schriftvarietät, welche unter den Sâsâniden ein entschiedenes Übergewicht über die medische gewann, eine neue Form entwickelt hat, ist bei fortschreitender Entfremdung zwischen Érâniern und Semiten für das Verständniss der Pahlavî-Schrift verhängnissvoll geworden.

Die für eine Cursivschrift an sich wenig geeignete Form des א, welche uns die persische Varietät kennen lehrt, wurde in der Art verändert, dass das rechte Bein oder fulcrum mit einiger Abrundung erst abwärts, dann rechts herum wieder aufwärts geführt wurde, so dass sich der einzelne Strich in eine Schleife verwandelte, mittels welcher eine bequeme Verbindung mit dem oberen Ende des linken fulcrum gewonnen war. So entstand die Form [illegible], welche wohl nirgend treuer und deutlicher wiedergegeben ist, als in der geschickt ausgeführten Abbildung der Münzen von Tapûristân auf der Tafel zu Olshausen's Pahlavî-Legenden, sub no. 2—4, auf dem Avers am Rande hinter dem Kopfe der muslimischen Statthalter aus dem zweiten Jahrhundert der Flucht. Durch die Bildung jener Schleife erhielt das rechte fulcrum eine Form, die der des *m* in der Cursivschrift sehr ähnlich war, und sobald das linke fulcrum einen Zug von nur geringer Schwenkung nach links bildete, wie in dem Zeichen [illegible] in no. 1 der erwähnten Tafel, konnte dieser Zug leicht mit dem einfachen Verticalstriche verwechselt werden, der in der Cursivschrift das *n* bezeichnet. Ohne Zweifel ist es diese zwiefache Ähnlichkeit, welche veranlasste, dass die späteren Parsen in dem ursprünglichen א am Ende vieler Wörter die Gruppe ꞔ *mn* zu erkennen glaubten, welche jetzt so häufig an Stelle des א steht und man gelesen wird. Weder mit der Form, noch mit der Bedeutung der aramaeischen Wörter, denen sie angehängt wird, hat diese Sylbe das Geringste zu thun; sie ist in der Regel durch den Laut *â* zu ersetzen, mit Ausnahme der wenigen, vorhin erwähnten Fälle, in denen ein Auslaut anderer Art zum Ausdruck kommen müsste. Natürlich ist die unrichtige Schreibart und Lesung auch in die Pahlavî - Glossare übergegangen, soweit für diese ältere Aufzeichnungen benutzt wurden. Der bei weitem grösste Theil der aramaeischen Nomina ist indessen in dieser Beziehung nach richtiger mündlicher Überlieferung gestaltet und zeigt die Endung *â* mit dem auch sonst gewöhnlichen Schriftzeichen. Höchstens ein Siebentel jener Nomina erscheint in der falschen Schreibung, und niemals finden sich bei einem und demselben Worte beide Schreibweisen neben einander; die eine schliesst eben die andere aus.

Grosse Unklarheit ist in die Cursivschrift durch zwei andere Übelstände gebracht: die wesentliche Gleichheit der Zeichen für *r* und *l*, und die völlige Gleichheit desjenigen für *n* und *v*, welches letztere zugleich den Vocal *u* zu vertreten dient. An diesen Punkten lässt sich durch genaue Beachtung der geschichtlichen Entwickelung der Pahlavî-Schrift noch Manches aufhellen, das bisher dunkel geblieben ist, obgleich der eine, wie der andere Punkt bei den Forschern keineswegs ganz unbeachtet gelassen war. Das Einzelne, was hier besonders in Betracht kommt, ist dieses.

Die érânische Sprache entbehrte ursprünglich, wenn nicht in allen ihren Zweigen, so doch sicher in den meisten derselben, des Sprachlautes *l* gänzlich. Als die Érânier mit ihren aramaeischen Nachbaren in Verkehr traten, waren sie unfähig, die bei diesen hinreichend unterschiedenen Laute des *r* und des *l* auch ihrerseits deutlich zu unterscheiden, und verwechselten sie in Folge dessen unaufhörlich mit einander. Dies möchte wohl niemandem unbegreiflich scheinen, der Gelegenheit gehabt hat zu bemerken, wie oft die Franzosen, welche gewohnt sind das *r* mit einer energischen Vibration auszusprechen, die in der Regel ungleich weichere, schlaffere Aussprache des *r* im Munde der Deutschen als ein *l* auffassen. Nun hatten die Semiten natürlich für jeden der beiden Laute ein eignes Zeichen; sobald aber die Érânier die semitische Schrift auch ihrerseits anzuwenden begannen, liefen ihnen nur zu leicht die Schriftzeichen ebenso zusammen, wie die Sprachlaute, und beide wurden als gleichwerthig gebraucht. So sehen wir schon in der persischen Varietät der Inschrift von 'Hâǵî-âbâd, dass bei semitischen Wörtern das Zeichen für *l* meistens auch semitischem *l* entspricht, in einigen Fällen jedoch die Stelle eines semitischen *r* einnimmt. So in dem Worte *barâ*, draussen, hinaus, und in dem Verbum *r*ᵉ*mâ*, sowie in dem Anlaute des Wortes *raglâ*, der Fuss, welches dadurch das Aussehen von *laglâ* erhält. Sonst pflegt semitischem *r* auch das semitische Zeichen für *r* zu entsprechen, das in einem oben nach links gekrümmten Häkchen besteht. So in *bar, berâ*, Sohn, und in *achar*, nachher, nachdem. Endlich aber begegnen wir dem semitischen Zeichen für *l* anstatt des *r* auch in érânischen Wörtern, in denen sicherlich niemals ein *l* gesprochen ist; so in *schatrdarân*, die Landesverwalter, Provinzialverwalter, — zweimal (in beiden Sylben) — und in *bérûnî*, ausserhalb. — Anders freilich ist das Verfahren in der medischen Varietät der Inschrift von 'Hâǵî-âbâd. Érânisches *r* ist hier niemals durch das semitische Zeichen für *l* ausgedrückt, und auch in aramaeischen Wörtern wird dieses regelmässig nur für den Laut des *l* verwendet; dagegen wird hier in einem einzigen Beispiele, nemlich in dem Worte *raglén*, einer Dualform von *raglâ*, das anlautende *r* durch ein *n* ersetzt, so dass das Wort in der Form von *naglén* erscheint. Die Umwandlung des Anlauts kann in diesem Falle wohl nur von einer Corruption der Aussprache in einem der aramaeischen Dialecte herrühren. Im übrigen lässt die Verschiedenheit des Verhaltens der beiden Parallel-Inschriften hinsichtlich der Zeichen für *l* und *r*, wie mir scheint, vermuthen, dass die später allgemein gewordene Confusion beider Schriftzüge vom Süden ausgegangen ist, als die persische Varietät durch die Sâsâniden das Übergewicht über die medische gewann.

Man kann leicht auf den Gedanken kommen, dass die Vermischung des Werthes jener beiden Zeichen überhaupt wesentlich auf dialectischen Verschiedenheiten in der Aussprache aramaeischer Wörter beruhe, dass man also z. B. das gewöhnliche *raglâ* in gewissen Gegenden in *lagrâ* verwandelt habe, grade so wie im Spanischen miraculum zu milagro geworden ist, periculum zu peligro, parabola zu palabra. Solche Veränderungen können allerdings sehr wohl vorgekommen sein, zumal wo *r* und *l* in einem Worte zusammentrafen; allein für die Érânier war dergleichen völlig gleichgültig, da sie die aramaeischen Wörter gar nicht aussprachen, sondern sie durch êrânische ersetzten, und für die Wissenschaft kann die Sache nur Bedeutung haben, falls sich anderweit sichere Beispiele von dialectischen Verschiedenheiten dieser Art finden. Soweit dies nicht der Fall ist, wird man wohl thun, ausschliesslich die bekannten, wohl beglaubigten Formen fest zu halten, und nicht etwa auf Grund unzuverlässiger Pahlavî-Schriftstücke bald *raglá* zu schreiben, bald *lagrá*, oder gar *laglá*. Will man durchaus auch den Unterschied in der Schrift bemerklich machen, so lassen sich für diesen Zweck ausreichende Kennzeichen ja leicht anbringen, im Druck z. B. die Cursivschrift inmitten des sonst gebrauchten Schrifttypus verwenden.

Während nun einerseits die Verwendung des semitischen Zeichens für *l* bei den Éràniern auch für die Bezeichnung des Sprachlautes *r* in Gebrauch kam, zeigte sich andrerseits bei weiterem Eindringen des Sprachlautes *l* in das Érânische auch wieder das Bedürfniss, jenes Zeichen, je nachdem es diesen oder jenen Werth ausdrücken sollte, zu unterscheiden. Man machte zu dem Ende den Laut des *l* durch Hinzufügung eines kleinen Merkmals an dem oberen Theile des langgestreckten Schriftzeichens kenntlich, entweder eines nach links hin abwärts gewendeten Strichleins, oder eines an der rechten Seite angeknüpften schleifenartigen Zuges. Diese dem Zwecke recht wohl entsprechende Modification ist indessen nicht in der Ausdehnung und Consequenz angewendet worden, die wünschenswerth gewesen wäre und es hätte unbedenklich erscheinen lassen können, das alte Zeichen gar nicht mehr zum Ausdruck des Lautes *r* zu gebrauchen, wie das schliesslich in der Cursivschrift wirklich der Fall gewesen ist.

Das alte Zeichen für *r* gänzlich zu verdrängen, wirkte wesentlich ein anderer Umstand mit, der die Deutlichkeit der Schrift allerdings in hohem Grade beeinträchtigte: eine durch eine zwiefache Veränderung herbeigeführte Identität des Zeichens für *r* und desjenigen für *v*, welches zugleich für das *u* diente. In anderen aramaeischen Schriftarten sind *r* und *v* hinreichend deutlich unterschieden und auch in der medischen Varietät der Pahlavî-Schrift nicht mit einander zu verwechseln. Das *v* bezeichnet in derselben ein Verticalstrich, der oben stets mit einer kurzen Rundung nach links umgebogen ist. Die Abrundung ist dabei ein so wesentliches Element, dass von dem Schaft oft nur der kleinere obere Theil vorhanden ist und das Ganze mehr einem nach unten geöffneten Halbkreise ähnlich wird. Bei dem *r* dagegen fehlt der Verticalstrich nie, und an dessen oberem Ende wendet sich mit einer wenig abgerundeten Ecke ein längerer Horizontalstrich nach links. Anders ist aber das Verhalten in der persischen Varietät, welche wie gesagt unter den Sâsâniden einen überwiegenden Einfluss auf die weitere Entwickelung der Pahlavî-Schrift überhaupt gewonnen hat. Hier gleichen die Zeichen für *r* und *v* einander vollständig. Sie erscheinen in einer Form, die unserem heute üblichen Zahlzeichen für zwei überaus ähnlich ist, indem bei beiden dem Verticalstriche unten nach rechts hin ein kurzer grader Horizontalstrich angefügt, bei dem *r* aber der obere Theil zugleich aus einem Horizontalstrich in einen kurzen gerundeten Haken verwandelt ist, grade so, wie ihn das *v* zeigt.

Diese ungeschickte zwiefache Neuerung ist wieder für die richtige Erkenntniss der érânischen Lautverhältnisse im Mittelalter verhängnissvoll geworden, indem sie später, insbesondere in der Zeit, wo bei Anwendung der Cursivschrift die genauere Kenntniss der älteren Pahlavî-Schriftarten mehr und mehr verschwunden war, überaus häufig zur Verwechselung der beiden Werthe des jetzt für *r* und *v* gemeinsamen Zeichens Anlass gab. In der Cursivschrift wurde nun, wo man schriftlichen Vorlagen folgte, in denen die Vermischung der Zeichen bereits durchgeführt war, an die Stelle desselben, es mochte *r* oder *v* auszudrücken bestimmt sein, ein anderes, sehr vereinfachtes gesetzt, das aus einem einzigen Verticalstrich besteht. Dadurch wäre an der bereits bestehenden Unzuträglichkeit an sich nichts geändert worden; sie wäre geblieben, aber nicht verschlimmert, wenn nicht unglücklicher Weise das neue Zeichen wieder zu neuen Verwechselungen hätte Anlass geben müssen. Dieses aber war in der That der Fall; denn in der Cursivschrift wurde jener grade Verticalstrich in Folge der Umwandlung eines anderen Schriftzeichens älterer Pahlavî-Schrift auch noch anderweitig, und zwar für den Sprachlaut *n*, verwendet und dadurch die Unklarheit der Lautbezeichnung noch um Vieles vergrössert. Bei der Veränderung dieses anderen Schriftzuges ist, wie es scheint, wiederum nicht an die medische Varietät angeknüpft; denn obwohl in dieser der grade Strich vorkommt, — und zwar mit dem doppelten Werthe eines ז und eines ר, — ist doch das Zeichen für dieselben Laute gar nicht in die Cursivschrift übernommen, sondern durch zwei verschiedene Zeichen ersetzt, welche eine Verwechselung weder unter einander, noch mit der neuen Bezeichnung für das ältere *r* und *v*, veranlassen können. Möglich bleibt es indessen, dass das Zeichen der medischen Varietät für *n*, — ein grader Verticalstrich mit einer schlanken Fortsetzung unten nach links hin, — durch Abschneidung dieser letzteren zu der Neugestaltung des *n* in der Cursivschrift führte; nur ist es mit Rücksicht auf den ganzen Verlauf jener Schriftveränderungen wahrscheinlicher, dass die neue Form auch in diesem Falle von der persischen Varietät ausging. In dieser kommt der einfache Strich ebenfalls vor, aber als Zeichen für י, und da an dessen Statt in der Cursivschrift ein ganz anderes getreten ist, so kann von einer directen Herübernahme behufs der Bezeichnung des *n* nicht die Rede sein. Dagegen konnte das *n* selbst, welches in der persischen Varietät für ein rasches Schreiben weniger bequem war, leicht auf einen graden Verticalstrich reducirt werden. Es zeigt dort einen schmalen, länglichen Schriftzug in der Richtung von oben nach unten, welcher einigermaassen einem compress geschriebenen grossen lateinischen *E*, wie wir dasselbe zu bilden pflegen, ähnlich ist. Beide Enden sind unter Abrundung der Ecken nach rechts hin kurz umgebogen und in der Mitte des Schriftzuges findet sich eine sanfte Einbucht nach rechts. Die ganze schmale Figur konnte gewiss bei raschem Schreiben leicht in einen einfachen graden Strich übergehen.

So war also in der Cursivschrift ein und dasselbe Zeichen an die Stelle der schon in der älteren persischen Varietät mehrdeutigen Bezeichnung von *r* und *v* getreten und zugleich den Laut des *n* auszudrücken bestimmt. Alle diese Laute kommen in der érânischen Sprache, wie in der aramaeischen häufig vor, und es ist klar, dass es umfassender und genauer Sprachkenntniss bedurfte, um eine so geartete Schrift richtig zu lesen und zu verstehen; aber den Parsen sind solche Kenntnisse schon längst und in dem Maasse abhanden gekommen, dass ihnen von der ursprünglichen Geltung des in Rede stehenden Zeichens für den Laut des *r* gar keine Erinnerung geblieben ist, und dass sie statt dessen entweder *v* oder *n* lesen, je nachdem sie eine unzuverlässige Tradition das eine oder das andere wählen lässt. Für das *r* blieb ihnen nur das aus dem semitischen ל entstandene Zeichen; da indessen dieses auch für die Bezeichnung des semitischen *l* zu dienen fortfuhr, so bestand bei aramaeischen Wörtern immer noch die Möglichkeit einer doppelten Auffassung, die jedoch nur für die Schrift von Bedeutung war. Zur Erläuterung diene ein Beispiel. Das aram. חֲמָרָא = hebr. חֲמוֹר, arab. حِمَار, wurde — ohne eine im Aramaeischen überflüssige Andeutung des naturlangen Vocals der vorletzten Sylbe — einfach mit vier Zeichen der Pahlavî-Schrift wiedergegeben, einem א im Anlaut, abgeschwächt aus dem harten ח, dann *m*, *r* und wieder א im Auslaut zur Andeutung des langen *á*. Wurden nun diese Buchstaben nach medischem Muster mit dem aus ל entstandenen *r* gestrichen, so konnte dieses auch *l* ausdrücken, und man schrieb, diese Lesung zuweilen durch ein Merkzeichen verdeutlichend, *amlá*; lag dagegen ein Muster der persischen Varietät vor, so wurde deren *r* irrig als *n* aufgefasst, und man schrieb *amná*. Keines von beiden ist, soviel wir wissen, jemals von Aramaeern gesprochen, die Érânier aber sprachen dafür das richtige entsprechende érânische Wort خَر Esel. War hier richtiges *r* in *l* und *n* entstellt, so sehen wir anderswo richtiges aram. *l* durch Missdeutung als *r* aufgefasst und dieses auf Grund einer Vorlage in persischer Schriftart in *n* verwandelt. So z. B. in גַּמְלָא Kamel, jetzt in den Glossaren *ǵamná*, mit Erweichung des *g* in *ǵ*. In den zahlreichen Fällen, wo Erscheinungen dieser Art wiederkehren, darf an eine wirkliche Veränderung der Sprachlaute nicht gedacht und ein Anzeichen von dialectischen Verschiedenheiten innerhalb der aramaeischen Sprache nicht gefunden werden; die Wissenschaft kann sich nur an die wohlbeglaubigten aramaeischen Sprachformen halten.

In besonders auffälliger Weise zeigt sich die Unkunde und Urtheilslosigkeit der Parsen im Lesen der Cursivschrift bei manchen Wörtern, die ihrer eignen Sprache angehören und jedem von ihnen geläufig sind, wie z. B. *pursîdan*, fragen, *chursand*, zufrieden, u. s. w. Unglücklicher Weise fanden sie nun das *r* auf Grund der erwähnten Veränderungen der Schrift oftmals durch jenes Zeichen ausgedrückt, welches auch für das *n* gilt, lasen darnach dieses anstatt des *r* und transscribierten demgemäss *punsîdan, chunsand*, u. s. w. Mit der Geschichte der Schrift seit Jahrhunderten unbekannt, hielten sie solche Formen für verschollene Wörter aus dem Altérânischen; sie nahmen sie als einer Erklärung (Uzvâresch) bedürftig in ihre Glossare auf und empfahlen, an ihrer Statt das zu lesen, was ohnehin ursprünglich gemeint war. Ebenso machten sie es mit Eigennamen, deren allein richtige Gestalt nicht dem geringsten Zweifel unterliegt, wie denn z. B. der Name Artaxerxes, altpersisch *Artachsatrâ*, im Dînkard *Antachšatar* gelesen wird. Ja, sogar die ihnen theuern und jedem geläufigen Namen von Wesen höherer Art, ihren hochverehrten Genien, werden beim Lesen der Cursivschrift auf die abscheulichste Weise entstellt. So wird das Feuer und sein Genius, im Avesta *âtar*, neupersisch *âdar* und *âdur*, in der Pahlavî-Schrift *âtûn* gelesen, und darnach die Feuerstätte *âtûngâh*, das Land *Âdarbâigan* dem entsprechend *Âtûnpâtakân*. Mithra, einst vielleicht *Mathra*, erscheint hier als *Matûn*, *Schahrêvar* als *Schatrîn*, u. s. w. Solche Monstra sind natürlich in der lebenden Sprache der Érânier aller Zeiten und Provinzen unerhört gewesen und hätten einer Anweisung, wie man dafür auszusprechen habe, niemals bedürfen sollen. Ist doch selbst der Name des Ormuzd nicht verschont geblieben und eine sehr gewöhnliche abgekürzte Schreibart desselben von den Parsen *anhumâ* gelesen, statt *ôharmazd* = dem *ahura mazdâo* des Avesta.

Es braucht kaum bemerkt zu werden, dass über verschiedene der hier erörterten Punkte schon von anderen Forschern Ansichten ausgesprochen wurden, die mit vorstehender Darlegung mehr oder weniger übereinstimmen. Das specielle Verdienst eines jeden von ihnen konnte an dieser Stelle nicht ausdrücklich hervorgehoben werden; geschmälert sollte und konnte dasselbe dadurch nicht werden.

Hr. G. Kirchhoff legte vor:

Neue Untersuchungen über Newton'sche Ringe von L. Sohncke und A. Wangerin.

Vor vierzehn Jahren hatte der eine von uns die Theorie der Newton'schen Ringe zu vervollständigen gesucht und war dabei zu der Folgerung geführt worden, dass die Ringe eine excentrische Lage hätten[1]). Doch waren die damals von ihm angestellten

[1]) Wangerin: „Die Theorie der Newton'schen Farbenringe.“ Pogg. Ann. Bd. 131, S. 497—523.

Messungen nicht ausreichend, um die angebliche, sehr geringe, Excentricität ausser Zweifel zu setzen. Diese Lücke versuchte der andre von uns im December 1879 auszufüllen, erkannte dabei aber bald, dass die Erscheinung in manchen Beziehungen eine wesentlich andre ist, als man bisher gemeint hatte, namentlich dass die bisherige Vorstellung über den Ort, an welchem die Interferenz zu Stande kommt, der Natur nicht entspricht. Indem er nämlich die Newton'schen Ringe, die vermittelst einer convexen Linse und einer horizontal darauf liegenden planparallelen Glasplatte im gelben Natriumlicht erzeugt waren, durch ein Mikroskop beobachtete, welches eine gewisse Neigung gegen den Horizont hatte, überzeugte er sich von folgender Thatsache: Das Mikroskop sei so gestellt, dass irgend ein Theil eines der schwarzen Ringe so scharf als möglich gesehen wird; will man nun auch die andern Ringe, oder selbst nur andre Theile desselben Ringes, bei derselben Mikroskopneigung deutlich sehen, so genügt es nicht, das Mikroskop parallel mit sich in unveränderter Höhe über die horizontal liegende Platte hinzuführen, sondern man muss es an gewissen Stellen tiefer senken, an andern höher erheben, um die Interferenzerscheinung wieder in möglichster Schärfe zu sehen. Daraus folgt, dass die Ringe nicht in einer horizontalen Ebene (etwa in der oberen Grenzfläche der erzeugenden Luftlamelle) liegen, sondern dass sie eine gewisse andre Lage im Raume haben.

Die eben mitgetheilte Beobachtung veranlasste uns, das Phänomen der Newton'schen Ringe sowohl in experimenteller, als in theoretischer Hinsicht von Neuem eingehend zu untersuchen. In diese Untersuchung theilten wir uns in der Weise, dass Sohncke den experimentellen Theil, Wangerin den theoretischen bearbeitete. Dabei arbeiteten wir zunächst unabhängig von einander, so dass die meisten Beobachtungen schon vor Aufstellung der Theorie und nicht etwa nur zur Bestätigung der von der Theorie gefundenen Resultate angestellt wurden. Erst nach dem Abschluss der beiden getrennt geführten Untersuchungen wurde eine eingehende Vergleichung von Theorie und Beobachtung gemeinsam durchgeführt, und diese ergab, dass die Erscheinungen durch die Theorie nicht nur qualitativ, sondern auch quantitativ in durchaus befriedigender Weise dargestellt wurden. Die Resultate unsrer gemeinsamen Arbeit erlauben wir uns im Folgenden mitzutheilen.

I.

Die experimentelle Untersuchung der Lage der Ringe geschah mittelst einer Vorrichtung, durch welche das Mikroskop bei constanter (übrigens beliebig zu wählender) Neigung horizontal nach allen Richtungen verschoben, sowie längs seiner Axe vor- und zurückgezogen werden konnte, und welche zugleich die Grösse aller dieser Bewegungen zu messen gestattete. Zur Ausführung und Messung der horizontalen Verschiebung des Mikroskops dienten zwei Mikrometerschrauben, deren Axen zu einander senkrecht standen. Die dritte Verschiebung, längs der Mikroskopaxe, geschah dadurch, dass das Instrument in seiner Hülse hin- und hergeschoben und der jedesmalige Stand an einer auf dem cylindrischen Mikroskoprohre angebrachten Theilung mittelst einer Lupe abgelesen wurde; dabei konnten noch Zehntel eines Millimeters geschätzt werden. Objectiv und Ocular des Mikroskops, dessen Vergrösserung eine 25-fache war, blieben stets in derselben Entfernung von einander. Um die Aufmerksamkeit auf die Mitte des Gesichtsfeldes zu concentriren, wurde das letztere durch ein am Orte des Fadenkreuzes angebrachtes Diaphragma auf ein schmales, liegendes Rechteck beschränkt.

Zur Hervorbringung der Ringe diente eine planconvexe Linse, auf deren convexer Fläche eine planparallele Glasplatte lag; die obere Fläche der letzteren wurde genau parallel zu den Axen der oben genannten beiden Schrauben gestellt. Auf diese Gläsercombination fiel gelbes Natriumlicht, das durch eine Linse (nahezu) parallel gemacht war. Die Axe des auffallenden Bündels von Parallelstrahlen hatte dieselbe Neigung gegen den Horizont, wie die Mikroskopaxe; auch ging diese Axe ungefähr durch den Berührungspunkt von Linse und Platte, und die Einfallsebene war der einen Schraubenaxe parallel. Das an der oberen Fläche der planparallelen Platte reflectirte Licht, das zur Erzeugung der Ringe nichts beiträgt, wurde immer durch ein passend aufgestelltes, verticales, undurchsichtiges Blättchen mit horizontaler Unterkante abgeblendet. Beobachtet wurde in folgender Art: Das Mikroskop wurde so eingestellt, dass ein Punkt eines dunklen Ringes in der Mitte des Gesichtsfeldes möglichst deutlich war; dann wurde das Mikroskop horizontal verschoben, so dass ein andrer Punkt (desselben oder eines andern Ringes) in die Mitte des Gesichtsfeldes trat. Damit dieser möglichst deutlich gesehen würde, musste das Mikroskop in seiner Hülse verschoben werden. Diese Verschiebung wurde abgelesen und ergab, um wie viel der zweite betrachtete Punkt in der Richtung der Mikroskopaxe höher oder tiefer zu liegen schien, als der zuerst beobachtete. So wurden also die Coordinaten der Orte, an denen die verschiedenen Ringpunkte sich zu befinden schienen, bestimmt in einem Coordinatensystem, von dem zwei Axen horizontal und parallel den oben genannten Schraubenaxen waren, die dritte Axe parallel der Mikroskopaxe, also gegen den Horizont geneigt. Für sämmtliche Punkte aller Ringe ergaben sich bestimmte Orte, an denen die Interferenz stattzufinden schien. Nur für den schwarzen Fleck in der Mitte war keine bestimmte Einstellung des Mikroskops möglich; auch bei den ersten Ringen war für die scharfe Einstellung ein etwas grösserer Spielraum vorhanden.

Aus den eben beschriebenen Messungen liessen sich nun folgende Schlüsse ziehen:

1) In der durch das Centrum der Ringe gehenden Einfallsebene (der centralen Einfallsebene) liegen die scheinbaren Interferenzorte auf einer geraden Linie, die nach der Seite hin ansteigt, von wo das Licht kommt. Sie heisse die Hauptgerade. Ihre Neigung ω gegen die Horizontale hängt vom Einfallswinkel ϑ ab. Für ω wurden folgende Werthe ermittelt:

$\vartheta = 28\frac{3}{4}°$	$\vartheta = 45°$	$\vartheta = 54\frac{3}{4}°$	$\vartheta = 72°$
$\omega = 13°28'$	$\omega = 18°18'$	$\omega = 19°28'$	$\omega = 14°41'$.

Die Neigung der Hauptgeraden nimmt also mit zunehmendem Einfallswinkel anfänglich zu, jenseits $\vartheta = 54\frac{3}{4}°$ aber wieder ab.

Dass das einfallende Licht nahezu parallel gemacht war, hatte auf die Erscheinung in der centralen Einfallsebene keinen Einfluss. Bei freier Flamme war die Erscheinung dieselbe.

Die obigen Resultate waren sämmtlich mit derselben Linse und derselben planparallelen Glasplatte erhalten. Für den Einfallswinkel $\vartheta = 54\frac{3}{4}°$ wurden noch Beobachtungen mit zwei andern Linsen und andern Glasplatten angestellt; diese ergaben für ω denselben Werth, so dass sich die Neigung der Hauptgeraden als unabhängig von dem Radius der Linse und der Dicke der planparallelen Platte erwies.

2) Da der Mittelpunkt der Ringe innerhalb der planparallelen Platte erscheint, und da die Hauptgerade von diesem Punkte an auf der dem Lichte zugewandten Seite steigt, so muss in der centralen Einfallsebene ein gewisser Ring gleichzeitig mit der Oberseite

der Glasplatte deutlich gesehen werden. Um letztere scharf einstellen zu können, wurde die Platte schwach mit Lycopodium bestreut. Für die Nummer h dieses Ringes ergaben sich im Mittel folgende Werthe:

$\vartheta = 28\frac{3}{4}°$	$\vartheta = 45°$	$\vartheta = 54\frac{3}{4}°$
$h = 101$	$h = 24,2$	$h = 9,5$.

Der Kugelradius r war dabei 2100^{mm}, die Dicke d der Glasplatte 5^{mm}, ihr Brechungsindex $n = 1,54$.

3) Verschiebt man das Mikroskop in einer Ebene, die auf der Einfallsebene senkrecht steht und durch den Mittelpunkt der Ringe geht, nachdem man das Instrument zuvor auf einen Ring scharf eingestellt hat, so bedarf es zum deutlichen Sehen der neu erscheinenden Ringe keiner Verschiebung des Mikroskops in seiner Hülse. Also liegen in dieser Ebene, welche die centrale Querebene heissen soll, alle Interferenzorte in gleicher Tiefe; sie besetzen eine horizontale Gerade, die Quergerade. Diese geht ohne Schnitt unter der Hauptgeraden vorbei. Der in Richtung der Mikroskopaxe gemessene Abstand beider wächst mit wachsendem Einfallswinkel. Dieser Abstand war bei $\vartheta = 28\frac{3}{4}°$ nur 0,1 bis $0,2^{mm}$, bei $\vartheta = 54\frac{3}{4}°$ gegen 2^{mm}, bei $\vartheta = 75\frac{1}{2}°$ aber $3,78^{mm}$, wobei n, d, r dieselben Werthe, wie in 2) hatten.

Übrigens werden in der Querrichtung die Ringe bald undeutlich, um so mehr, je grösser der Einfallswinkel ist, und bei freier Flamme mehr, als bei nahezu parallelem Lichte. In der Querrichtung sind stets weniger Ringe deutlich sichtbar, als in der centralen Einfallsebene.

4) Was die Lage der Ringe ausserhalb der genannten beiden Geraden (Hauptgerade und Quergerade) betrifft, so wurden zunächst die Coordinaten der Interferenzorte ohne Rücksicht auf die Ringzahl gemessen. Daraus ergab sich, wenn man Hauptebene diejenige Ebene nennt, die durch die Hauptgerade senkrecht zur centralen Einfallsebene sich legen lässt, folgendes Resultat: Die Gesammtheit der scheinbaren Interferenzorte befindet sich auf einer gewissen Oberfläche, welche die Interferenzfläche heissen soll. Dieselbe wird von der centralen Einfallsebene in der obigen Hauptgeraden geschnitten und von der centralen Querebene in einer unter der Hauptgeraden hindurchgehenden geraden Linie, der Quergeraden. Abgesehen von der Hauptgeraden liegt der lichtferne Theil der

Interferenzfläche unterhalb der Hauptebene, der lichtnahe Theil nur in der Nachbarschaft der Quergeraden unterhalb, sonst aber oberhalb der Hauptebene. Die Abweichung der Interferenzfläche von der Hauptebene ist, soweit die Interferenzen überhaupt noch leidlich sichtbar sind, im lichtfernen Theile grösser, als im lichtnahen. Durch eine zur centralen Querebene parallele Ebene wird die Interferenzfläche in einer Curve geschnitten, welche, wenn sie der lichtfernen Hälfte angehört, mit zunehmender Entfernung immer tiefer unter die Hauptebene sinkt (am tiefsten nahe bei der Quergeraden), wenn sie aber der lichtnahen Hälfte angehört, immer höher über die Hauptebene steigt. Durch eine seitliche Einfallsebene wird die Interferenzfläche in einer Curve geschnitten, welche, von der Lichtferne zur Lichtnähe hin verfolgt, zunächst immer tiefer unter die Hauptebene sinkt, bis sie dies- oder jenseits der Quergeraden wieder steigt und sich schliesslich über die Hauptebene erhebt. Die Grössen der Senkungen und Hebungen betragen bei grösseren Einfallswinkeln mehrere Millimeter.

In voller Schärfe zeigt sich die Interferenzerscheinung nur in der centralen Einfallsebene; sie wird um so verschwommener, je weiter man sich von dieser Ebene entfernt; die lichtnahe Hälfte der Erscheinung ist nicht so deutlich, als die lichtferne.

Aus der Gestalt der Interferenzfläche folgt, dass der einzelne schwarze Ring eine Curve doppelter Krümmung ist. Dieser Schluss findet seine Bestätigung durch directe Messung der Hebungen oder Senkungen für verschiedene Punkte desselben Ringes. Die lichtferne Ringhälfte liegt stets ganz unterhalb der Hauptebene, am tiefsten in der Nähe der Quergeraden. Für kleinere Einfallswinkel kann auch der ganze Ring unterhalb der Hauptebene liegen. Für $\vartheta = 28\frac{3}{4}°$ findet dies noch für den 40ten Ring statt.

5) Über die Maassverhältnisse der Ringe ergab sich Folgendes: Die Hauptdurchmesser aller Ringe (d. h. die auf der Hauptgeraden liegenden Durchmesser) haben ihren Halbirungspunkt im Centrum des schwarzen Flecks, sind also concentrisch, nicht excentrisch. Dasselbe gilt von den Querdurchmessern. Die Mittelpunkte der Hauptdurchmesser und Querdurchmesser fallen aber nicht zusammen, da die beiden Linien, auf denen die einen und die andern liegen, sich nicht schneiden.

Projicirt man irgend einen Hauptdurchmesser durch Parallele

zur Mikroskopaxe auf eine Horizontale, so ist die Länge der Projection gleich dem Querdurchmesser desselben Ringes.

Die Querdurchmesser der dunklen Ringe verhalten sich, wie bekanntlich alle früheren Messungen ergeben haben, wie die Quadratwurzeln der ganzen Zahlen. Dasselbe gilt daher auch für die Hauptdurchmesser. Für die letzteren folgt dasselbe Resultat übrigens auch direct aus den beobachteten Zahlen; und diese Beobachtung ist deshalb von Interesse, weil man in der Hauptgeraden viel mehr Ringe sieht, als in der Querrichtung.

II.

Zur Erklärung der im vorigen Abschnitt gefundenen Thatsachen muss man die bisherige Theorie der Newton'schen Ringe dahin erweitern, dass man auf die Ausdehnung der Lichtquelle Rücksicht nimmt, dass man also das auffallende Licht nicht mehr als von einem Punkte herrührend ansieht. Auch das durch eine Linse nahezu parallel gemachte Licht enthält nicht rein parallele Strahlen. Nur der im Brennpunkt der Linse liegende leuchtende Punkt giebt Strahlen, die zur Axe der Linse parallel sind. Die benachbarten leuchtenden Punkte ergeben Strahlenbündel von allen möglichen der Axe sehr nahen Richtungen. Diesen Umstand hat schon Hr. Feussner[1]) bei Betrachtung der an einem keilförmigen Blättchen entstehenden Interferenzstreifen in Rechnung zu stellen gesucht. Aber abgesehen davon, dass von den Erscheinungen an einem keilförmigen Blättchen kein directer Schluss gezogen werden kann auf die complicirtere Erscheinung der Newton'schen Ringe, muss man, um hier zum Ziele zu gelangen, für das Zusammenwirken aller interferirenden Strahlen ein ganz andres Princip zu Grunde legen, als es Hr. Feussner thut.

Der Gedankengang unsrer Entwickelung ist folgender: Die Lamelle sei dadurch gebildet, dass eine planparallele Platte auf einer Linse liegt. Es werde nun zunächst angenommen, dass rein paralleles Licht auf die Lamelle fällt. Dann haben wir zwei Strahlensysteme zu betrachten, 1) die an der Vorderseite der Lamelle (der Unterfläche der planparallelen Platte) reflectirten Strahlen, die unter

---

[1]) Sitzungsberichte der Ges. z. Beförd. d. ges. Naturw. zu Marburg; 1880. Nr. 1 S. 1—22.

einander parallel sind, 2) die nach einmaliger Reflexion an der Kugelfläche aus der Lamelle ausgetretenen Strahlen, die unter einander und mit den vorigen kleine Winkel bilden. Beide Systeme betrachten wir nach der Brechung an der oberen Fläche der planparallelen Platte. Durch jeden Punkt des Raumes geht dann, nöthigenfalls rückwärts verlängert, je ein Strahl eines der beiden Systeme. Denken wir nun das Mikroskop auf einen bestimmten Punkt eingestellt, so vereinigen sich die beiden durch jenen Punkt gehengen Strahlen auf der Netzhaut mit derselben Wegdifferenz, die sie in dem betrachteten Punkte hatten. Der Punkt erscheint also dunkel, wenn jene beiden Strahlen eine Wegdifferenz von einer ganzen Zahl von Wellenlängen hatten. Dies kann man erreichen, in welcher Entfernung von der Lamelle man auch den betrachteten Punkt annimmt. Man müsste daher die Ringe bei jeder Einstellung des Mikroskops sehen können. Das ist aber nicht der Fall, sondern nur bei einer bestimmten Einstellung sieht man die Ringe deutlich. Es erklärt sich dies, wenn man nicht blos eine einfallende Wellenebene, sondern unzählig viele von allen möglichen nahen Richtungen in Betracht zieht; und die Berechtigung dazu ist oben gezeigt. Man muss aber festhalten, dass nur solche Strahlen interferiren, die aus derselben Wellenebene entstanden sind. Durch jeden Punkt des Raumes gehen daher jetzt unzählig viel Paare von interferirenden Strahlen. Im Allgemeinen haben diese Paare ungleiche Wegdifferenzen; wenn auch ein Paar ein Minimum der Intensität ergiebt, wird dies bei den andern Paaren nicht der Fall sein. Die Interferenz wird daher im Allgemeinen undeutlich erscheinen. Um nun zu bestimmen, für welche Punkte die Interferenz am deutlichsten ist, muss man beachten, dass alle in's Auge fallenden Strahlen symmetrisch um die Mikroskopaxe vertheilt sind, dass daher vor Allem diese Axe in Betrachtung zu ziehen ist. Längs der Axe aber gelangen zwei Strahlen in's Auge, die nicht mit einander interferiren, sondern die zwei verschiedenen Paaren angehören, den Hauptpaaren. Diese müssen vor Allem, und zwar beide in gleicher Weise, berücksichtigt werden. Daraus ergiebt sich als natürlichste Annahme über das Zusammenwirken aller interferirenden Paare die folgende: Die dunklen Ringe sind am deutlichsten bei der Einstellung auf diejenigen Punkte, für welche die Wegdifferenz jedes einzelnen der beiden Hauptpaare eine ganze Anzahl von Wellenlängen beträgt. Berechnet man diese Wegdifferenzen, ausgedrückt durch die Coordinaten des betrachteten Punktes, so stimmen beide nur überein in den Gliedern, welche die gewöhnliche, angenäherte Theorie angiebt. Die Glieder der nächsten Ordnung dagegen haben entgegengesetztes Zeichen. Soll daher jede der beiden Wegdifferenzen gleich einer ganzen Zahl von Wellenlängen sein, so sind zwei Gleichungen zu erfüllen. Die erste derselben ist im Wesentlichen die der gewöhnlichen Theorie; die zweite giebt an, wie weit von der Lamelle derjenige Punkt entfernt ist, auf den man einstellen muss, um irgend einen Ringpunkt möglichst deutlich zu sehen. Es lässt sich endlich beweisen, dass die so erhaltenen Gleichungen durch Berücksichtigung der wiederholten Reflexionen innerhalb der Lamelle nicht geändert werden.

Die Discussion der Gleichungen, deren Ableitung eben angegeben ist, liefert nun folgende Resultate, die mit den Beobachtungen völlig übereinstimmen.

1) Für senkrechte Incidenz ist die bisherige Theorie der Newton'schen Ringe in aller Strenge richtig, die scheinbaren Interferenzorte liegen in der Oberfläche der Lamelle; für andere Einfallswinkel (Mikroskopstellungen) bildet jene Theorie nur eine erste Näherung.

2) Für den Einfallswinkel ϑ bilden die Interferenzorte in der durch den Berührungspunkt von Kugel und Glasplatte gelegten (der centralen) Einfallsebene eine gerade Linie, die zum Lichte hin ansteigt, und deren Neigungswinkel gegen die Horizontale (ω) durch die Gleichung bestimmt ist:

$$tg\,\omega = \frac{\sin\vartheta \cdot \cos\vartheta}{1 + \cos^2\vartheta}.$$

Es ist dies die schon im ersten Abschnitt gefundene Hauptgerade. Ihre Neigung, die für $\vartheta = 54°44'$ ein Maximum hat, ist unabhängig vom Kugelradius und von der Beschaffenheit der planparallelen Platte. Aus der Gleichung für $tg\,\omega$ folgen die Zahlenwerthe:

$\vartheta = 28\frac{1}{4}°$	$\vartheta = 45°$	$\vartheta = 54°45'$	$\vartheta = 72°$
$\omega = 13°25'$	$\omega = 18°28'$	$\omega = 19°28'$	$\omega = 15°1'$.

Die Differenzen zwischen den berechneten und beobachteten (cf. Abschn. I Nr. 1) Werthen von ω betragen nur einige Minuten, für den letzten Werth 20 Minuten.

3) Die in der centralen Einfallsebene, also auf der Hauptgeraden, gelegenen Ringdurchmesser haben alle denselben Mittelpunkt P. Projicirt man diese Durchmesser auf die Horizontalebene durch Parallele zur Mikroskopaxe, so ist die Projection des $h$ten Durchmessers

$$D_h = 2\sqrt{\frac{h\lambda r}{\cos\vartheta}}$$

(λ Wellenlänge, r Kugelradius).

4) In der Oberfläche der planparallelen Platte liegt der in der centralen Einfallsebene befindliche Punkt desjenigen Ringes, dessen Ordnungszahl

$$h = \frac{4d^2}{\lambda r}\,\frac{\cos^5\vartheta}{n^2\sin^2\vartheta\cos^6\vartheta_1}$$

ist. Darin ist d die Dicke der planparallelen Platte, n ihr Brechungsindex, ϑ_1 der zum Einfallswinkel ϑ gehörige Brechungswinkel in der Platte. Die Formel liefert für die bei den Beobachtungen benutzten Werthe von r, d etc. folgende Zahlen, die mit den directen Messungen gut übereinstimmen (cf. Abschn. I Nr. 2):

$\vartheta = 28\frac{1}{4}°$	$\vartheta = 45°$	$\vartheta = 54\frac{1}{4}°$
$h = 103,9$	$h = 24,5$	$h = 8,8.$

5) Hat man das Mikroskop auf den in 3) genannten Punkt P eingestellt, schiebt es dann längs seiner Axe um das Stück

$$PQ = z_1 = \frac{(n^2-1)\,tg^2\vartheta_1}{n\cos\vartheta_1}\cdot d$$

tiefer, legt ferner durch den so erhaltenen Punkt Q eine Senkrechte zur Einfallsebene, so trifft diese alle Ringe. Es ist die Quergerade des Abschnitts I. Die auf der Quergeraden liegenden Querdurchmesser haben alle Q zum Mittelpunkt und sind gleich den projicirten Hauptdurchmessern D_h (Nr. 3). Die obige Formel liefert für PQ folgende Werthe:

$\vartheta = 28\frac{1}{4}°$	$\vartheta = 54\frac{1}{4}°$	$\vartheta = 75°$
$PQ = 0,5^{mm}$	$PQ = 2,05^{mm}$	$PQ = 3,76^{mm}$;

und diese Zahlen stimmen gut überein mit den im Abschnitt I unter 3) mitgetheilten Zahlen.

6) Die beiden in Rede stehenden Punkte P und Q haben folgende physikalische Bedeutung. Die von dem Berührungspunkt der

Kugel und der planparallelen Platte ausgehenden, der Mikroskopaxe sehr nahen Strahlen schneiden sich nach der Brechung an der Oberseite der planparallelen Platte nicht mehr in einem Punkte, sondern bilden zwei sehr kleine Brennlinien; von diesen geht die verticale durch Q (welcher Punkt senkrecht über dem Berührungspunkt liegt), die horizontale, zur Einfallsebene senkrechte, durch P.

7) Während man, um irgend einen Ring in der Einfallsebene deutlich zu sehen, auf einen bestimmten Punkt einstellen muss, ist ein Gleiches für das dunkle Centrum nicht nöthig. Auf welchen Punkt der Linie PQ man auch einstellen mag, die Intensität ist stets ein Minimum.

8) Projicirt man die Ringe durch Parallele zur Mikroskopaxe auf eine horizontale Ebene, so erhält man concentrische Kreise. In Wirklichkeit bildet aber jeder einzelne Ring eine Curve doppelter Krümmung. Alle Ringe liegen auf der Fläche:

$$x(x^2+y^2)\sin\vartheta - 2z(x^2+y^2\cos^2\vartheta) - 2z_1\cdot y^2\cos^2\vartheta = 0\,.$$

Das hierbei zu Grunde gelegte Coordinatensystem hat den obigen Punkt P zum Anfangspunkt, x und y sind horizontal, und zwar x in der Einfallsebene, z ist parallel der Mikroskopaxe, z_1 ist schon oben in 5) bestimmt. Die Fläche ist eine Regelfläche dritter Ordnung und hat die begrenzte Linie PQ zur Doppellinie. Durch jeden Punkt von PQ gehen zwei der erzeugenden Geraden, zu denen auch die Hauptgerade und die Quergerade gehören. Ausser diesem System von Geraden enthält die Fläche noch eine weitere gerade Linie, welche der Quergeraden parallel ist und auf der dem Lichte zugewandten Seite der Fläche liegt. Mit Hülfe dieser letzten Linie ergiebt sich eine leichte Construction der Fläche.

Die Discussion der Gestalt dieser Fläche giebt für die Erhebung der Punkte, auf welche man das Mikroskop einstellen muss, Resultate, die mit den im ersten Abschnitt unter Nr. 4 mitgetheilten Beobachtungen völlig übereinstimmen; und diese Übereinstimmung erstreckt sich nicht nur auf den allgemeinen Charakter der Erscheinung, sondern die aus der Flächengleichung berechneten Werthe von z stimmen auch numerisch so gut mit den gemessenen überein, wie die Messungsmethode es nur irgend erwarten lässt.

9) Die Theorie vermag noch von einer weiteren Thatsache Rechenschaft zu geben, davon nämlich, dass die verschiedenen Punkte eines und desselben Ringes nicht gleich deutlich erscheinen.

Die Undeutlichkeit der Interferenz entsteht durch diejenigen Paare interferirender Strahlen, die ausser den Hauptpaaren in das Mikroskop gelangen. Es lässt sich nun beweisen, dass diese anderen Paare die Erscheinung in keiner Weise beeinträchtigen, wenn das Mikroskop auf Punkte der centralen Einfallsebene eingestellt ist. Für Punkte ausserhalb dieser Ebene dagegen machen jene Paare die Erscheinung mehr oder weniger undeutlich; namentlich gilt dies auch für Punkte der Quergeraden. Für die Beurtheilung der Undeutlichkeit lässt sich ein mathematischer Ausdruck aufstellen, dessen Folgerungen den Beobachtungen vollkommen entsprechen.

Hr. W. Peters machte eine Mittheilung über die von der chinesischen Regierung zu der internationalen Fischerei-Ausstellung gesandte Fischsammlung aus Ningpo.

Die für die internationale Fischerei-Ausstellung d. Js. von der chinesischen Regierung übersandten Fische wurden dem deutschen Fischerei-Verein übergeben, welcher letztere dieselben dem zoologischen Museum überliess, von dem die Aufstellung und vorläufige Ordnung mit Aufwendung nicht unerheblicher Kosten gemacht worden war. Eine genaue wissenschaftliche Bestimmung war wegen der Kürze der Zeit vor der Ausstellung nicht ausführbar und ist erst jetzt möglich gewesen.

1. *Percalabrax japonicus* Cuv. Val.
2. *Niphon spinosus* Cuv. Val.
3. *Serranus moara* Schlegel.
4. *Priacanthus japonicus* Langsdorff.
5. *Hapalogenys nigripinnis* Schlegel.

Silberig, Kopf und Binden dunkel, von letzteren eine vor der Rückenflosse hinter den Brustflossen herabsteigend und an der Bauchseite sich verlierend, eine andere von dem 4. bis 8. Rückenstachel ausgehend sich bogenförmig nach hinten wendend und auf der oberen Hälfte des Schwanzes verlaufend.

6. *Hapalogenys mucronatus* Eydoux et Souleyet.

Wie die Figur von Richardson (Voy. Sulphur Fish. Tf. 43 Fig. 3) zeigt, mit fünf dunkeln Querbinden, eine vor der Rückenflosse, zwei vor dem Stacheltheile, eine vor dem Weichtheile derselben, und eine hinter derselben.

7. *Synagris sinensis* Lacépède.
8. *Pagrus tumifrons* Schlegel.
9. *Pagrus cardinalis* Lacépède.
10. *Centridermichthis fasciatus* Heckel.
11. *Platycephalus punctatus* Cuv. Val.
12. *Platycephalus insidiator* Forskål.
13. *Trigla kumu* Lesson.
14. *Latilus argentatus* Cuv. Val.
15. *Pseudosciaena amblyceps* Bleeker.
16. *Corvina semiluctuosa* Cuv. Val.
17. *Otolithus Fauvelii* n. sp.

D. 9 —1, 29; A. 2,7. Lin. lat. 50.

Kopflänge zu der Körperlänge wie $1:3\frac{2}{3}$, zu der Körperhöhe wie $1\frac{1}{3}:1$; Augendurchmesser etwas kleiner als die Schnauzenlänge, $5\frac{1}{2}$mal in der Kopflänge enthalten. Oberkiefer ragt nach hinten über das Auge hinaus. In jeder Seite des Zwischenkiefers eine äussere Reihe längerer Zähne, welcher eine Reihe etwas kleinerer des Unterkiefers entspricht, die aber nach innen von einer Reihe kurzer Zähnchen steht.

In der Seitenlinie 50 Schuppen mit verzweigten erhabenen Linien; über derselben ungefähr 96, unter derselben 85 Querreihen von Schuppen.

Silberig. Rückenflosse mit Längsreihen schwarzer Flecke.

18. *Collichthys lucidus* Richardson.
19. *Trichiurus japonicus* Schlegel.
20. *Auxis Rochei* Risso.
21. *Cybium niphonium* Cuv. Val.
22. *Stromateus argenteus* Bloch.
23. *Trachurus trachurus* Lacépéde.
24. *Caranx maruadsi* Schlegel.
25. *Seriola Dumerilii* Risso, var. *rubescens* Schlegel.
26. *Gobius ommaturus* Richardson.
27. *Triaenophorichthys barbatus* Günther.
28. *Boleophthalmus pectinirostris* Gmelin.
29. *Eleotris (Philypnus) sinensis* Lacépède.

30. *Eleotris obscura* Schlegel.

Vier Exemplare, welche in den Proportionen und in der Zeichnung ganz mit einem Exemplar aus Japan (Yokuhama) übereinstimmen. Alle, auch die aus Japan, haben in der ersten Rückenflosse 8 Stacheln, in der zweiten Rückenflosse dagegen haben sie 1, 10 (11), in der Analflosse 1, 7 (8) Strahlen, während das aus Yokuhama in der Rückenflosse 1, 8 (9), in der Analflosse 1, 6 (7) Strahlen hat. In der Seitenlinie zähle ich 38 bis 42, zwischen der zweiten Rückenflosse und der Analflosse 12 bis 13 Schuppen. Es finden sich übrigens auch an der Basis der Brustflosse ein Paar brauner oder schwarzer Flecke, von aussen und innen sichtbar, wie Günther dieses (Cat. Fish. III. p. 558) von seiner *Eleotris potamophila* angibt. Ausserdem muss ich bemerken, dass eins der beiden von Hrn. v. Martens aus Shanghai erhaltenen Exemplare 8, das andere aber nur 6 Stachelstrahlen in der ersten Rückenflosse zeigt. Es ist mir daher nicht unwahrscheinlich, dass auch diese Art mit *E. obscura* zu vereinigen ist.

31. *Amblyopus hermannianus* Lacépède.
32. *Trypauchen vagina* Schneider.
33. *Lophius setigerus* Vahl.
34. *Mugil haematochilus* Schlegel (non Gthr. *M. Joyneri* Gthr.?).
    Auge ohne Fetthaut.
35. *Mugil cephalotus* Cuv. Val.
    Auge mit Fetthaut.
36. *Polyacanthus opercularis* Linné.
37. *Ophiocephalus argus* Cantor.
38. *Pseudorhombus olivaceus* Schlegel.
39. *Cynoglossus abbreviatus* Gray.
    D. 114; A. 92. Lin. lat. 140 ad 150.

Bei den vorliegenden Exemplaren ist der Interorbitalraum zwischen den Augen bei den kleineren Exemplaren mehr als ein, bei den grösseren gleich drei Augendurchmessern. Die Zahl der Längsschuppenreihen zwischen der oberen und mittleren Seitenlinie in der Postabdominalgegend variirt von 20 bis 24, zwischen der unteren und mittleren Seitenlinie von 25 bis 31. Da die Gestalt, auch die weisse Säumung der dunkeln senkrechten Flossen zu *C. abbreviatus* passt, ziehe ich sie zu dieser Art, mit welcher der *C. trigrammus* Gthr. zu vereinigen sein dürfte.

40. *Silurus asotus* Linné.

41. *Macrones (Pseudobagrus) Vachellii* (Richardson).
42. *Macrones (Pseudobagrus) fulvidraco* (Richardson).
43. *Macrones (Liocassis) longirostris* Günther.
44. *Arius falcarius* Richardson.
45. *Saurida argyrophanes* Richardson.
46. *Harpodon nehereus* Hamilton-Buchanan.
47. *Cyprinus carpio* Linné.
48. *Carassius auratus* Linné.

Distoechodon nov. gen.[1])

Schlundzähne 7.3-3.7, messerförmig. Schuppen mässig gross, Seitenlinie unter der Mittellinie verlaufend. Rückenflosse kurz mit einem glatten Knochenstachel und wenigen (7) verzweigten Strahlen, den Bauchflossen gegenüber beginnend; Analflosse kurz. Schnauze wulstig vorspringend, Oberkiefer versteckt, die davon ausgehende lappenförmige Haut die von den Zwischenkiefern ausgehende vorstreckbare scharfrandige, in der Mitte winklig eingebuchtete Oberlippe deckend. Unterlippe mit einer schmalen scharfen Kante sich an den Rand der Oberlippe legend. Mundöffnung ganz an der Unterseite, quer. Keine Bartfäden. Vier Kiemen; freie kammförmige Pseudobranchien; Rechenzähne zahlreich, kurz und zugespitzt.

Durch die Bildung und Stellung der Rücken- und Analflosse schliesst sich diese Gattung an *Xenocypris*, durch den Habitus, die Schnauzen- und Mundbildung mehr an *Oreinus* an, während die Zähne in der Form denen von *Rhodeus* ähnlich sind, aber in zwei Reihen stehen.

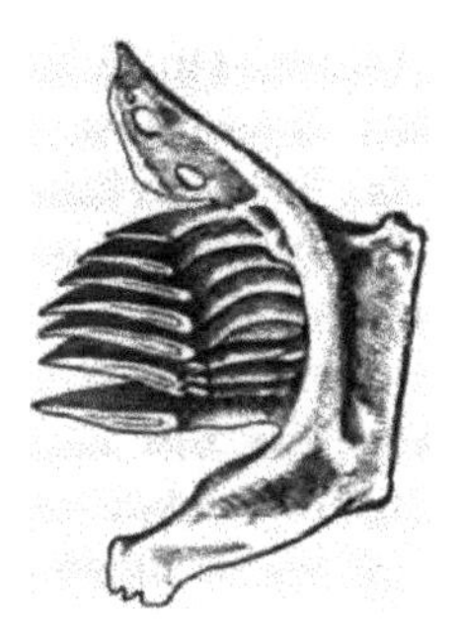

---

[1]) διστοιχος, οδών.

49. *Distoechodon tumirostris* n. sp.

D. 2, 7; A. 2, 9. Lin. lat. 75—80; tr. 12/9—13/10.

Körperhöhe zur Länge wie 1 : 4¾. Kopf kaum länger als die Körperhöhe. Augendurchmesser 1⅓mal in der Schnauzenlänge, 4½mal in der Kopflänge enthalten. Oberkiefer ganz versteckt, bis unter das hintere Nasloch reichend. Körperschuppen mittelgross, Seitenlinie über dem untersten Körperdrittel, durch 6 Schuppen von der Bauchflosse, 12 bis 13 von der Rückenflosse getrennt, am Schwanze in der Mitte verlaufend.

Der Anfang der Rückenflosse in der Mitte zwischen Schnauzenende und Schwanzflosse und gegenüber dem Anfang der Bauchflossen. Der Anfang der Analflosse in der Mitte zwischen den Bauchflossen und der Schwanzflosse, mit mehr Strahlen, aber nicht längerer Basis als die Rückenflosse.

Silberig, nach dem Rücken hin schwärzlich. Rückenflosse, Ende der spitzen Brustflosse und der gabelförmigen Schwanzflosse schwärzlich, Bauch- und Analflosse gelblich.

50. *Sarcochilichthys sinensis* Bleeker.

51. *Pseudorasbora parva* Schlegel.

Mylopharyngodon nov. gen.[1])

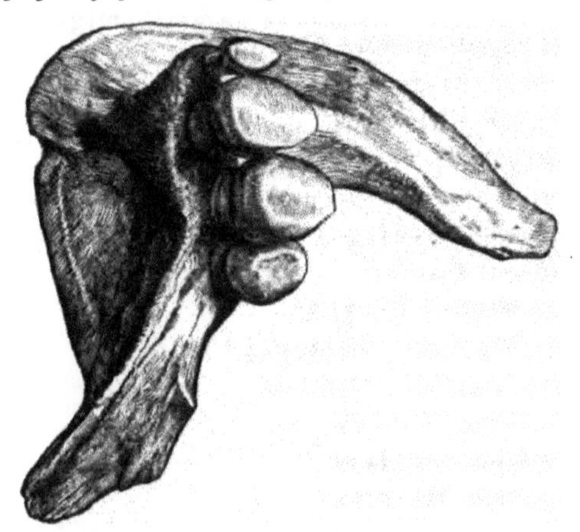

Die in einer einzigen Reihe stehenden grossen abgerundeten Backzähne, 4-4, sind von einer so eigenthümlichen, von denen des *Leuciscus* verschiedenen Gestalt,

[1]) μύλος, φάρυγξ, ὀδών.

dass es nicht gerechtfertigt erscheint, die hierher gehörige Art mit ihnen zusammenzulassen.

52. *Mylopharyngodon aethiops* (Basilewsky).

1855. *Leuciscus aethiops*, Basilewsky, Nouv. Mém. Soc. Moscou. X. p. 233. Taf. 6. Fig. 1.

1871. *Leucissus aethiops*, Bleeker, Mém. sur les Cyprinoides de Chine. p. 45. Taf. 14. Fig. 1.

53. *Ctenopharyngodon idellus* (Cuv. Val.)

54. *Achilognathus (Parachilognathus) imberbis* Günther.

1868. *Achilognathus imberbis*, Günther, Cat. Fish. Brit. Mus. VII. p. 278.

1871. *Parachilognathus imberbis*, Bleeker, l. c. p. 37. Taf. 4. Fig. 1.

Hr. Dr. Günther giebt D. 12; A. 12 an, während ich, wie Bleeker, in der Dorsale 2, 12 bis 2, 13, in der Anale 2, 9 bis 2, 10 Strahlen finde.

55. *Hypophthalmichthys nobilis* (Richardson).
56. *Elopichthys bambusa* (Richardson).
57. *Parabramis bramula* (Cuv. Val.).
58. *Culter ilishaeformis* Bleeker.
59. *Misgurnus anguillicaudatus* Cantor.
60. *Coilia nasus* Schlegel.
61. *Clupea Reevesii* Richardson.
62. *Pellona elongata* Bennett.
63. *Monopterus javanensis* Lacépède.
64. *Anguilla japonica* Schlegel.
65. *Conger vulgaris* Cuvier.
66. *Muraenesox cinereus* Forskål.
67. *Triacanthus brevirostris* Schlegel.
68. *Monacanthus monoceros* Osbeck.
69. *Tetrodon ocellatus* Osbeck.
70. *Tetrodon rubripes* Schlegel.
71. *Polyodon gladius* Martens.
72. *Carcharias gangeticus* Müller et Henle.
73. *Sphyrna zygaena* (Linné).
74. *Mustelus manazo* Bleeker.
75. *Odontaspis americanus* (Mitchell).
76. *Notidanus (Heptanchus) indicus* Cuvier.

77. *Cestracion Philippii* (Lacépède).
78. *Acanthias vulgaris* Risso.
79. *Rhinobatus Philippii* Müller et Henle.
80. *Raja Kenojei* Müller et Henle.
81. *Platyrhina sinensis* (Lacépède).
82. *Trygon walga* Müller et Henle.

8. November. Sitzung der philosopisch-historischen Klasse.

Hr. Weber legte eine Abandlung des Hrn. Kuhn über Spuren des periodischen Mondmonats aus indogermanischer Zeit vor.

Hr. Kiepert legte eine Abhandlung des Hrn. Sachau vor: über die Lage von Tigranocerta.

Hr. Conze berichtete über die neusten Ausgrabungen in Pergamon.

11. November. Gesammtsitzung der Akademie.

Hr. Reichert las: Zur vergleichenden Anatomie des Schädels der Säugethiere mit Beziehung auf normale und anomale Hörnerbildung (Fortsetzung).

---

15. November. Sitzung der physikalisch-mathematischen Klasse.

Hr. Kummer las:

Über die cubischen und biquadratischen Gleichungen, für welche die zu ihrer Auflösung nöthigen Quadrat- und Cubikwurzelausziehungen alle rational auszuführen sind.

Wenn man eine cubische Gleichung mit rationalen Coefficienten, welche eine rationale Wurzel hat, nach der Cardanischen Formel auflöst, um diese rationale Wurzel zu finden, so können zwei verschiedene Fälle eintreten, nämlich entweder lassen sich die zur Auflösung nöthigen Wurzelausziehungen (einer Quadratwurzel und zweier Cubikwurzeln) alle für sich rational ausführen, so dass man die gesuchte Wurzel unmittelbar als rationale Zahl erhält, oder diese Wurzelausziehungen lassen sich nicht in rationaler Form ausführen, so dass man die gesuchte rationale Wurzel nur durch irrationale Wurzelgrössen ausgedrückt erhält. Es handelt sich nun darum, genau unterscheiden zu können, wie die cubische Gleichung beschaffen sein muss, damit der eine oder der andere Fall Statt habe.

Es sei α die rationale Wurzel der cubischen Gleichung, so müssen, damit die cubische Gleichung durch die Cardanische Formel in realer Form auflösbar sei, die beiden anderen Wurzeln conjugirt imaginär sein, also von der Form $m+ni$ und $m-ni$. Die drei Coefficienten der cubischen Gleichung sind demnach

$$\alpha+2m\ ,\ m^2+2\alpha m+n^2\ ,\ \alpha(m^2+n^2)$$

Da dieselben nach der Voraussetzung rational sein sollen, so folgt zunächst aus dem ersten Coefficienten, dass ausser α auch m rational sein muss, und sodann aus dem zweiten, dass auch n^2 rational sein muss.

Betrachtet man nun zunächst die Quadratwurzel, welche in der Cardanischen Formel unter den beiden Cubikwurzeln steht, so hat dieselbe, wenn die drei Wurzeln der cubischen Gleichung mit a, b und c bezeichnet werden, den Werth

$$\sqrt{\omega}=\frac{3\sqrt{-3}}{2}(a-b)(a-c)(b-c)$$

(m. s. die Abhandlung von C. G. J. Jacobi: Observatiunculae ad theoriam aequationum pertinentes. Crelle's Journal Bd. 13 S. 341). Für $a = \alpha$, $b = m + ni$, $c = m - ni$ hat man daher

$$\sqrt{\omega} = 3\sqrt{3}((a+m)^2 + n^2)n.$$

Damit diese Wurzel rational sei, muss $n\sqrt{3}$ rational sein, also wenn $n = \gamma\sqrt{3}$ gesetzt wird, muss γ rational sein; schreibt man nun noch für das rationale m das Zeichen β, so erhält man für die drei Wurzeln a, b, c die Ausdrücke

$$a = \alpha \ , \ b = \beta + \gamma\sqrt{-3} \ , \ c = \beta - \gamma\sqrt{-3} \ ,$$

wo α, β, γ rationale Grössen sind, und demgemäss wird

$$\sqrt{\omega} = 9((\alpha - \beta)^2 + 3\gamma^2)\gamma .$$

Wenn nun in dieser Weise die innere Quadratwurzel $\sqrt{\omega}$ rational gemacht ist, so ist die Bedingung, dass auch die beiden Cubikwurzeln sich rational ausziehen lassen, von selbst erfüllt. Bezeichnet man nämlich diese beiden Cubikwurzeln mit

$$\sqrt[3]{\upsilon \pm \sqrt{\omega}} \ ,$$

so ist

$$\upsilon = \tfrac{1}{2}(2a - b - c)(2b - c - a)(2c - a - b)$$

und für die obigen Werthe der drei Wurzeln

$$\upsilon = (\alpha - \beta)^3 + 27(\alpha - \beta)\gamma^2$$

$$\upsilon \pm \sqrt{\omega} = (\alpha - \beta)^3 \pm 9(\alpha - \beta)^2\gamma + 27(\alpha - \beta)\gamma^2 \pm 27\gamma^3$$

$$\upsilon \pm \sqrt{\omega} = (\alpha - \beta \pm 3\gamma)^3$$

also

$$\sqrt[3]{\upsilon + \sqrt{\omega}} = \alpha - \beta + 3\gamma$$

$$\sqrt[3]{\upsilon - \sqrt{\omega}} = \alpha - \beta - 3\gamma .$$

Demgemäss hat man den Satz:

Alle cubischen Gleichungen mit rationalen Coefficienten, welche eine rationale Wurzel haben, die nach der Cardanischen Formel sich so finden lässt, dass alle nöthigen Wurzelausziehungen rational ausgeführt werden, haben die drei Wurzeln von der Form

$$\alpha\ ,\ \beta+\gamma\sqrt{-3}\ ,\ \beta-\gamma\sqrt{-3}$$

und sind demnach alle in der Form

$$x^3-(\alpha+2\beta)x^2+(2\alpha\beta+\beta^2+3\gamma^2)x-\alpha(\beta^2+3\gamma^2)=0$$

enthalten, wo α, β, γ rationale Grössen sind.

Die hier für die cubischen Gleichungen gelöste Aufgabe lässt sich in ähnlicher Weise auch für die biquadratischen Gleichungen stellen und lösen. Zu diesem Zwecke ist zunächst zu zeigen, dass, wenn eine Gleichung vierten Grades eine rationale Wurzel hat, welche nach den bekannten Methoden der Auflösung der Gleichungen vierten Grades sich so finden lässt, dass alle dazu nöthigen Quadrat- und Cubikwurzelausziehungen sich rational ausführen lassen: dieselbe nothwendig noch eine zweite rationale Wurzel haben muss. Die Auflösung der cubischen Hülfsgleichung ist für die allgemeine Auflösung der Gleichungen vierten Grades unentbehrlich, darum müssen alle Wurzelausziehungen, welche in derselben vorkommen, sich rational ausführen lassen, und sie muss eine rationale Wurzel r haben. Aus dieser rationalen Wurzel muss sich auch die Quadratwurzel rational ausziehen lassen; denn diese kommt in der Darstellung der Wurzel einer biquadratischen Gleichung nothwendig vor. Vermittelst dieser Quadratwurzel aus r, welche rational ist, kann man aber die biquadratische Gleichung in zwei Factoren zweiten Grades zerlegen, deren Coefficienten rational sind. Der eine dieser beiden Factoren muss die eine nach der Voraussetzung rationale Wurzel der Gleichung vierten Grades enthalten, welche mit α bezeichnet werden soll, die andere Wurzel dieser Gleichung zweiten Grades, deren Coefficienten rational sind, welche mit β bezeichnet werden soll, muss darum ebenfalls rational sein. Die biquadratische Gleichung muss also nothwendig zwei rationale Wurzeln, α und β, haben.

Ich setze nun die beiden anderen Wurzeln vorläufig gleich $m+n$ und $m-n$, so ist die Summe der vier Wurzeln gleich $\alpha+\beta+2m$, woraus folgt, dass $m=\gamma$ rational sein muss. Ferner ist der Coefficient des zweiten Gliedes, die Summe der Producte je zweier Wurzeln, gleich $\alpha\beta+2(\alpha+\beta)m+m^2-n^2$ rational, woraus weiter folgt, dass n^2 rational sein muss; man hat also, wenn die vier Wurzeln der biquadratischen Gleichung mit a, b, c, d bezeichnet werden

$$a = \alpha\ ,\ b = \beta\ ,\ c = \gamma + n\ ,\ d = \gamma - n.$$

Die innere Quadratwurzel $\sqrt{\omega}$, welche unter den beiden Cubikwurzelzeichen steht und nach den Bedingungen der Aufgabe rational sein muss, hat aber den Werth

$$\sqrt{\omega} = 96.\sqrt{-3}(a-b)(a-c)(a-d)(b-c)(b-d)(c-d)$$

(m. s. die genannte Abhandlung von Jacobi S. 343); derselbe giebt für die angegebenen Werthe von a, b, c, d

$$\sqrt{\omega} = 96\sqrt{-3}(\alpha-\beta)2n(\alpha^2-2\gamma\alpha+\gamma^2-n^2)(\beta^2-2\gamma\beta+\gamma^2-n^2)$$

und weil in diesem Ausdrucke alles ausser $\sqrt{-3}.n$ rational ist, so muss diese Grösse auch rational sein, also n von der Form $n = \delta\sqrt{-3}$, wo δ rational ist. Man hat daher für die gesuchte biquadratische Gleichung die nothwendige Bedingung, dass ihre vier Wurzeln von der Form

$$a = \alpha\ ,\ b = \beta\ ,\ c = \gamma + \delta\sqrt{-3}\ ,\ d = \gamma - \delta\sqrt{-3}$$

sein müssen, wo $\alpha, \beta, \gamma, \delta$ rationale Grössen sind.

Die nothwendige Bedingung für die Lösung der gestellten Aufgabe, dass die vier Wurzeln der biquadratischen Gleichung diese Formen haben müssen, ist somit gefunden, und es bleibt nur noch zu zeigen, dass diese Bedingung auch die hinreichende ist, oder dass für diese Formen der Wurzeln alle in der allgemeinen Auflösung der Gleichungen vierten Grades vorkommenden, zur Auffindung der beiden rationalen Wurzeln α und β nöthigen Quadrat- und Cubikwurzeln sich rational ausziehen lassen. Diese sind erstens die beiden Cubikwurzeln von der Form

$$\sqrt[3]{v \pm \sqrt{\omega}}$$

in welchen

$$\sqrt{\omega} = 64.9(\alpha-\beta)\delta((\alpha-\gamma)^2+3\delta^2)((\beta-\gamma)^2+3\delta^2)$$

und

$$\begin{aligned} v = 32.&(2(ab+cd)-(ac+bd)-(ad+bc)) \\ .&(2(ac+bd)-(ad+bc)-(ab+cd)) \\ .&(2(ad+bc)-(ab+cd)-(ac+bd)) \end{aligned}$$

(m. s. Jacobi's Abhandlung, Crelle's Journal S. 343, wo diese Formel, mit einem leicht zu verbessernden Druckfehler behaftet, aufgestellt ist). Für die gegebenen Werthe von a, b, c, d erhält man

$$v = 64\left\{K^3 + 27(\alpha-\beta)^2\delta^2 K\right\}$$

wo Kürze halber gesetzt ist

$$K = (\alpha-\gamma)(\beta-\gamma) + 3\delta^2;$$

durch diese Grösse K lässt sich aber der oben gefundene Ausdruck des $\sqrt{w}$ auch so darstellen:

$$\sqrt{w} = 64\left\{9(\alpha-\beta)\delta K^2 + 27(\alpha-\beta)^3\delta^3\right\}.$$

Man ersieht hieraus unmittelbar, dass $v+\sqrt{w}$ und $v-\sqrt{w}$ vollständige Cuben sind, und dass

$$\sqrt[3]{(v\pm\sqrt{w})} = 4\left\{K \pm 3(\alpha-\beta)\delta\right\}$$

ist.

Es sind nun zur vollständigen Auflösung der biquadratischen Gleichung noch drei Quadratwurzeln auszuziehen, welche in der Form

$$\sqrt{\frac{s + h\sqrt[3]{v+\sqrt{w}} + h^2\sqrt[3]{v-\sqrt{w}}}{3}}$$

enthalten sind, für $h=1$, $h = \frac{-1+\sqrt{-3}}{2}$, $h = \frac{-1-\sqrt{-3}}{2}$, welche ich kurz mit $\sqrt{A}$, $\sqrt{B}$, $\sqrt{C}$ bezeichnen will, worin

$$s = (a+b-c-d)^2 + (a-b+c-d)^2 + (a-b-c+d)^2,$$

(m. s. die Abhandlung von Jacobi, wo jedoch zwei Druckfehler in den Vorzeichen zu verbessern sind); also für die gegebenen Werthe von a, b, c, d

$$s = 3\alpha^2 + 3\beta^2 - 2\alpha\beta - 4\alpha\gamma - 4\beta\gamma + 4\gamma^2 - 24\delta^2$$

demnach erhält man für $h=1$

$$\sqrt{A} = \alpha + \beta - 2\gamma,$$

also rational, die beiden anderen Wurzeln $\sqrt{B}$ und $\sqrt{C}$ lassen sich zwar nicht rational ausziehen, weil B und C selbst die irrationale Grösse $\sqrt{-3}$ enthalten, aber diese beiden Wurzeln sind auch nicht nothwendige Bestandtheile des Ausdrucks der Wurzeln der biquadratischen Gleichung. In den Ausdrücken der vier Wurzeln, wie sie Jacobi in der genannten Abhandlung gegeben hat, enthalten die beiden ersten Wurzeln a und b nur die Summe $\sqrt{B}+\sqrt{C}$, welche man auch so darstellen kann:

$$\sqrt{B}+\sqrt{C}=\sqrt{B+C+2\sqrt{BC}}$$

in welchem Ausdrucke beide Quadratwurzelausziehungen sich rational ausführen lassen, denn man erhält

$$\sqrt{BC}=(\alpha-\beta)^2+12\delta^2,$$

und

$$B+C=2(\alpha-\beta)^2-24\delta^2,$$

also

$$\sqrt{B+C+2\sqrt{BC}}=2(\alpha-\beta).$$

Es lassen sich also auch die zur Auffindung der beiden ersten Wurzeln der biquadratischen Gleichung nothwendigen Wurzelausziehungen vollkommen rational ausführen. Ich bemerke hierbei, dass auch die Quadratwurzeln $\sqrt{B}$ und $\sqrt{C}$ einzeln sich so darstellen lassen, dass sie keine andere Irrationalität enthalten, als $\sqrt{-3}$, denn man erhält

$$\sqrt{B}=\alpha-\beta+2\delta\sqrt{-3}$$

$$\sqrt{C}=\alpha-\beta-2\delta\sqrt{-3}$$

Da nun alle zur Auffindung der beiden rationalen Wurzeln nöthigen Wurzelausziehungen rational ausgeführt sind, so hat man den Satz:

> Alle biquadratischen Gleichungen mit rationalen Coefficienten, welche eine rationale Wurzel haben, die nach der allgemeinen Methode der Auflösung der Gleichungen vierten Grades sich so finden lässt, dass alle nöthigen Wurzelausziehungen rational ausgeführt werden können, haben ausser dieser einen noch eine zweite rationale Wurzel, und erfüllen die nothwendige und hinreichende Bedingung, dass ihre vier Wurzeln von der Form

$$\alpha\,,\ \beta\,,\ \gamma+\delta\sqrt{-3}\,,\ \gamma-\delta\sqrt{-3}$$

sind, wo α, β, γ, δ rationale Grössen bezeichnen; sie sind demnach alle in der Form

$$x^4 - (\alpha+\beta+2\gamma)x^3 + (\alpha\beta+2\alpha\gamma+2\beta\gamma+\gamma^2+3\delta^2)x$$
$$- ((\alpha+\beta)(\gamma^2+3\delta^2)+2\alpha\beta\gamma)x + \alpha\beta(\gamma^2+3\delta^2) = 0$$

enthalten.

Hr. Kronecker machte folgende Mittheilung „über die symmetrischen Functionen“:

Bei meinen Universitäts-Vorlesungen über die Theorie der algebraischen Gleichungen bin ich darauf geführt worden, eine erzeugende Function für die ganzen symmetrischen Functionen von n Veränderlichen zu bilden, welche vor jener von Borchardt im Monatsbericht vom März 1855 aufgestellten Function nicht nur die weit grössere Einfachheit sowie das voraus hat, dass die dem Gegenstande ferne Determinanten-Theorie nicht mit hereingezogen wird, sondern überdies den wesentlicheren Vorzug besitzt, dass die einzelnen symmetrischen Functionen ohne Zahlenfactoren als Entwickelungscoëfficienten auftreten. Denn dass bei dem a. a. O. mit θ bezeichneten Ausdrucke die symmetrischen Functionen, mit überflüssigen Zahlenfactoren behaftet, als Entwickelungscoëfficienten erscheinen, macht sich in der angeführten Notiz selbst als ein Übelstand geltend, indem beinahe die Hälfte derselben dem Nachweise gewidmet ist, dass jene Zahlenfactoren in den Entwickelungscoëfficienten der erzeugenden Function als Theiler enthalten sind.

I. Bedeuten $\mathfrak{f}_1, \mathfrak{f}_2, \dots \mathfrak{f}_m$ die durch die Gleichung

$$x^m + \mathfrak{f}_1 x^{m-1} + \mathfrak{f}_2 x^{m-2} + \cdots + \mathfrak{f}_m = \prod_{i=1}^{i=m} (x + x_i)$$

definirten „elementaren“ symmetrischen Functionen von $x_1, x_2, \dots x_m$ und $\mathfrak{g}_1, \mathfrak{g}_2, \dots \mathfrak{g}_n$ die elementaren symmetrischen Functionen von $y_1, y_2, \dots y_n$, so ist

$$\text{(A)} \prod_{k=1}^{k=n} (1+\mathfrak{f}_1 y_k + \mathfrak{f}_2 y_k^2 + \cdots + \mathfrak{f}_m y_k^m) = \prod_{i=1}^{i=m} (1+\mathfrak{g}_1 x_i + \mathfrak{g}_2 x_i^2 + \cdots + \mathfrak{g}_n x_i^n),$$

da das eine wie das andere dieser beiden Producte aus der Entwickelung des Doppelproducts

$$\prod_h \prod_k (1 + x_i y_k) \qquad (i=1,2,\ldots m\,;\,k=1,2,\ldots n)$$

hervorgeht, je nachdem die Multiplication in Beziehung auf i oder in Beziehung auf k ausgeführt wird.

Bei der Entwickelung des Products auf der linken Seite der Gleichung (A) treten alle jene einfachsten Typen symmetrischer Functionen von Grössen y, aus denen sich alle symmetrischen Functionen additiv zusammensetzen lassen, als Factoren der verschiedenen Glieder

$$\mathfrak{f}_a^\alpha \mathfrak{f}_b^\beta \mathfrak{f}_c^\gamma \ldots \qquad (a<b<c<\ldots \leqq m)$$

auf. Der Factor eines solchen Gliedes ist nämlich die Summe aller derjenigen Producte von Potenzen der Grössen y, welche aus

$$(y_1 y_2, \ldots y_\alpha)^a (y_{\alpha+1} y_{\alpha+2} \cdots y_{\alpha+\beta})^b (y_{\alpha+\beta+1} y_{\alpha+\beta+2} \cdots y_{\alpha+\beta+\gamma})^c \ldots$$

durch Permutation von $y_1, y_2, \ldots y_n$ entstehen und unter einander verschieden sind, also eine ganze ganzzahlige symmetrische Function der Grössen y, welche mit

$$\mathfrak{S}\begin{pmatrix} a, b, c, \ldots \\ \alpha, \beta, \gamma, \ldots \end{pmatrix}$$

bezeichnet werden soll.

Das Product auf der rechten Seite der Gleichung (A) muss, als Function der m Grössen x betrachtet, ebenso wie das Product auf der linken Seite eine ganze ganzzahlige Function der m elementaren symmetrischen Functionen dieser Grössen x sein. Es müssen also auch die einzelnen ganzen ganzzahligen Functionen der Grössen x, welche als Factoren der verschiedenen Glieder

$$\mathfrak{g}_r^\rho \mathfrak{g}_s^\sigma \mathfrak{g}_t^\tau \ldots$$

in der Entwickelung des Products rechts auftreten, ganze Functionen der elementaren symmetrischen Functionen $\mathfrak{f}_1, \mathfrak{f}_2 \ldots \mathfrak{f}_m$ sein. Doch bedarf es für diese Schlussfolgerung des Nachweises, dass jene verschiedenen Glieder $\mathfrak{g}_r^\rho \mathfrak{g}_s^\sigma \mathfrak{g}_t^\tau \ldots$ von einander linear unabhängige Functionen der Grössen y sind, d. h. dass die elementaren symmetrischen Functionen selbst von einander unabhängig sind. Nimmt man überdies als bewiesen an, dass die verschiedenen Producte von Potenzen der elementaren symmetrischen Functionen auch im Sinne der Congruenz für irgend einen ganzzahligen Modul von einander linear unabhängig sind, dass also eine ganze ganzzahlige Function von $\mathfrak{f}_1, \mathfrak{f}_2, \ldots \mathfrak{f}_m$ nur dann eine durch die Zahl p

theilbare ganze ganzzahlige Function von $x_1, x_2, \dots x_m$ sein kann, wenn auch alle Coëfficienten der einzelnen Glieder $\mathfrak{f}_a^\alpha \mathfrak{f}_b^\beta \mathfrak{f}_c^\gamma \dots$ durch p theilbar sind, so folgt, dass jene Factoren der Glieder

$$\mathfrak{g}_r^\rho \mathfrak{g}_s^\sigma \mathfrak{g}_t^\tau \dots,$$

als ganzzahlige Functionen der Grössen x auch ganzzahlige Functionen der Grössen f sein müssen. Das Product auf der rechten Seite der Gleichung (A) lässt sich daher ebenso wie das auf der linken in ein Aggregat von Gliedern

$$\mathfrak{f}_a^\alpha \mathfrak{f}_b^\beta \mathfrak{f}_c^\gamma \dots$$

entwickeln; die Coëfficienten erscheinen aber hier als ganze ganzzahlige Functionen der n Grössen $\mathfrak{g}$ und ergeben also die allgemeinsten symmetrischen Functionen der Grössen y, welche die Coëfficienten der Entwickelung links bilden, durch die n elementaren symmetrischen Functionen $\mathfrak{g}$ als ganze ganzzahlige Functionen derselben ausgedrückt.

Dass eine ganze Function der elementaren symmetrischen Functionen nicht gleich Null und dass eine ganze ganzzahlige Function derselben auch nicht für irgend einen ganzzahligen Modul congruent Null werden kann, folgt zunächst durch Inductionsschluss. Denn wenn eine ganze Function der $m+1$ elementaren symmetrischen Functionen von $x_0, x_1, x_2, \dots x_m$

$$x_0 + \mathfrak{f}_1 \,,\; x_0 \mathfrak{f}_1 + \mathfrak{f}_2 \,,\; \dots \,,\; x_0 \mathfrak{f}_{m-1} + \mathfrak{f}_m \,,\; x_0 \mathfrak{f}_m$$

gleich oder congruent Null sein soll und deren Glieder höchster Dimension (d) bilden das Aggregat

$$\Sigma C_{r,s,t,\dots} (x_0 + \mathfrak{f}_1)^r (x_0 f_1 + \mathfrak{f}_2)^s (x_0 \mathfrak{f}_2 + \mathfrak{f}_3)^t \dots,$$

in welchem $r = d - s - t - \dots$ ist, so muss

$$\Sigma C_{r,s,t,\dots} \mathfrak{f}_1^s \mathfrak{f}_2^t \dots$$

als Coëfficient der höchsten Potenz von x_0 gleich oder congruent Null sein, und es muss also, da die zu beweisende Eigenschaft für die Functionen von m Grössen $x_1, x_2, \dots x_m$ vorausgesetzt werden kann, auch jeder einzelne Coëfficient C selbst gleich oder congruent Null sein. Eben diese Eigenschaft lässt sich auch ganz einfach erschliessen, wenn

$$x_i = v^{g^{i-1}}$$

und g hinreichend gross (bei den obigen Bezeichnungen grösser als n) genommen wird. Dann gehen nämlich die einzelnen Ausdrücke

$$\mathfrak{f}_a^\alpha \mathfrak{f}_b^\beta \mathfrak{f}_c^\gamma \ldots$$

in ganze ganzzahlige Functionen von v über, welche von lauter verschiedenen Graden sind und sämmtlich als Coëfficienten der höchsten Potenz von v die Einheit haben.

Es verdient hervorgehoben zu werden, dass sich die obige Entwickelung noch vereinfacht, wenn man die Darstellbarkeit der symmetrischen Functionen mittels der elementaren für weniger als n Grössen voraussetzt. Nimmt man nämlich $m = n - 1$, so folgt dann unmittelbar, dass die rechte Seite der Gleichung (A), als symmetrische Function der $(n-1)$ Grössen x, sich als ganze ganzzahlige Function der Grössen $\mathfrak{f}$ und $\mathfrak{g}$ darstellen lässt. Die Entwickelung dieser Function ergiebt alle jene symmetrischen Functionen der n Grössen y als Factoren der einzelnen Glieder $\mathfrak{f}_a^\alpha \mathfrak{f}_b^\beta \mathfrak{f}_c^\gamma \ldots$. Dass hierbei nur solche symmetrische Functionen auftreten, in denen die Exponenten $a, b, c, \ldots$ kleiner als n sind, thut der Allgemeinheit keinen Eintrag, da jede ganze Function einer der Grössen y mittels der identischen Gleichung

$$y_k^n - \mathfrak{g}_1 y_k^{n-1} + \mathfrak{g}_2 y_k^{n-2} - \cdots \pm \mathfrak{g}_n = 0$$

auf den $(n-1)$ten Grad zu reduciren ist. Die Gleichung (A) enthält hiernach einen sehr einfachen Inductionsbeweis für den Satz, dass jede symmetrische, ganze, ganzzahlige Function von $y_1, y_2, \ldots y_n$ sich als ganze ganzzahlige Function der n elementaren symmetrischen Functionen $\mathfrak{g}$ darstellen lässt.

II. Substituirt man in der Gleichung (A) für x_i den Werth $v^{g^{i-1}}$, so erweist sich das Product

$$\text{(B)} \qquad \Pi\left(1 + \mathfrak{g}_1 v^{g^i} + \mathfrak{g}_2 v^{2g^i} + \cdots + \mathfrak{g}_n v^{ng^i}\right) \qquad (i = 0, 1, 2, \ldots)$$

als eine erzeugende Function der symmetrischen Functionen von $y_1, y_2, \ldots y_n$ in dem Sinne, dass jene einfachsten Typen symmetrischer Functionen der Grössen y, welche oben mit

$$\mathfrak{S}\begin{pmatrix} a, b, c, \ldots \\ \alpha, \beta, \gamma, \ldots \end{pmatrix}$$

bezeichnet worden sind, durch die elementaren symmetrischen Functionen $\mathfrak{g}$ ausgedrückt, als Coëfficienten der Entwickelung nach denjenigen ganzen Functionen von v erscheinen, welche aus

$$\mathfrak{f}_a^\alpha \mathfrak{f}_b^\beta \mathfrak{f}_c^\gamma \ldots$$

durch die Substitution $x_i = v^{g^{i-1}}$ hervorgehen.

Der Exponent der niedrigsten Potenz von v in $\mathfrak{f}_a^{\alpha}\,\mathfrak{f}_b^{\beta}\,\mathfrak{f}_c^{\gamma}\ldots$ ist

$$\frac{1}{g-1}(\alpha g^a+\beta g^b+\gamma g^c+\cdots-\alpha-\beta-\gamma-\cdots)\,,$$

und der Coëfficient dieser Potenz von v ist gleich Eins. Diese Exponenten sind für verschiedene Systeme $\binom{a,b,c,\ldots}{\alpha,\beta,\gamma,\ldots}$ von einander verschieden, und man kann daher die Functionen

$$\mathfrak{S}\binom{a,b,c,\ldots}{\alpha,\beta,\gamma,\ldots}$$

nach der Grösse dieser Exponenten geordnet annehmen. Nun hat, wenn das Product (B) nach Potenzen von v entwickelt wird, eben jene Potenz, deren Exponent

$$\frac{1}{g-1}(\alpha g^a+\beta g^b+\gamma g^c+\cdots-\alpha-\beta-\gamma-\cdots)$$

ist, als Factor eine ganze lineare ganzzahlige Function von Functionen $\mathfrak{S}$, in welcher

$$\mathfrak{S}\binom{a,b,c,\ldots}{\alpha,\beta,\gamma,\ldots}$$

selbst den Coëfficienten Eins hat, und im Übrigen nur solche Functionen vorkommen, welche bei der angenommenen Reihenfolge der Function $\mathfrak{S}\binom{a,b,c,\ldots}{\alpha,\beta,\gamma,\ldots}$ vorangehen. Wird dieser Factor mit

$$S\binom{a,b,c,\ldots}{\alpha,\beta,\gamma,\ldots}$$

bezeichnet, so bilden die Functionen S offenbar eine Reihe von symmetrischen Functionen der Grössen y, welche die Reihe der Functionen $\mathfrak{S}$ vollständig zu ersetzen geeignet ist, da jede ganze ganzzahlige symmetrische Function der Grössen y als ganze ganzzahlige lineare Function der Functionen S dargestellt werden kann. Das unendliche Product (B) erweist sich daher schliesslich auch in dem gewöhnlichen Sinne des Wortes als eine „erzeugende Function“ der symmetrischen Functionen, indem bei der Entwickelung nach Potenzen von v die sämmtlichen zur linearen Darstellung aller symmetrischen Functionen erforderlichen und ausreichenden Functionen S als Factoren bestimmter Potenzen von v auftreten.

Das angegebene Resultat gewinnt an Übersichtlichkeit, wenn man das Glied von $\mathfrak{S}\binom{a,b,c,\ldots}{\alpha,\beta,\gamma,\ldots}$, aus welchem die übrigen durch

Permutation entstehen, mit $y_1^{q_1} y_2^{q_2} \ldots y_n^{q_n}$ bezeichnet, so dass einfach

$$\mathfrak{S}\binom{a, b, c, \ldots}{\alpha, \beta, \gamma, \ldots} = \sum_{(i)} y_{i_1}^{q_1} y_{i_2}^{q_2} \ldots y_{i_n}^{q_n}$$

wird, wo $i_1, i_2, \ldots i_n$ irgend eine Permutation der Zahlen $1, 2 \ldots n$ bedeutet und die Summation auf alle diejenigen Permutationen (i) zu erstrecken ist, bei welchen die zu summirenden Glieder von einander verschieden sind. Die Beziehung zwischen den Bezeichnungsweisen auf den beiden Seiten der Gleichung ist die, dass $n - \alpha - \beta - \gamma - \ldots$ Exponenten q den Werth Null, α Exponenten q den Werth a, ferner β den Werth b haben u. s. f. Setzt man nun formaler Vereinfachung wegen

$$v = u^{g-1},$$

so sind bei der Entwickelung des Products (B) die symmetrischen Functionen

$$\sum_{(i)} y_{i_1}^{q_1} y_{i_2}^{q_2} \ldots y_{i_n}^{q_n},$$

und zwar als ganze Functionen von $\mathfrak{g}_1, \mathfrak{g}_2, \ldots \mathfrak{g}_n$ ausgedrückt, mit ganzen Functionen von u multiplicirt, die nach steigenden Potenzen geordnet mit dem Gliede

$$u^{-n + g^{q_1} + g^{q_2} + \ldots + g^{q_n}}$$

anfangen. Eben diese Potenzen von u sind es ferner, welche, wenn das Product (B) nach steigenden Potenzen von u entwickelt wird, mit symmetrischen Functionen von der Form

$$\sum_{(i)} y_{i_1}^{q_1} y_{i_2}^{q_2} \ldots y_{i_n}^{q_n} + C' \sum_{(i)} y_{i_1}^{q'_1} y_{i_2}^{q'_2} \ldots y_{i_n}^{q'_n} + C'' \sum_{(i)} y_{i_1}^{q''_1} y_{i_2}^{q''_2} \ldots y_{i_n}^{q''_n} + \cdots$$

multiplicirt erscheinen, wo die Coëfficienten $C', C'', \ldots$ ganze Zahlen sind und bei der durch die Grösse der Zahlen

$$g^{q_1} + g^{q_2} + \cdots + g^{q_n}$$

bestimmten Reihenfolge die Exponentensysteme $(q'), (q''), \ldots$ dem Exponentensystem (q) vorangehen. Genau dieselbe Reihenfolge der Exponentensysteme wird durch die Folge der Zahlen

$$q_1 + q_2 h + q_3 h^2 + \cdots + q_n h^{n-1}$$

bestimmt, wenn die einzelnen Exponenten q so geordnet sind, dass stets $q_k \leqq q_{k+1}$ ist, und wenn h grösser als der grösste in den zu vergleichenden Systemen vorkommende Exponenten-Werth angenommen wird.

Die Entwickelung des unendlichen Products (B) ergiebt die Reihe

$$\sum_{\nu_0}\sum_{\nu_1}\sum_{\nu_2}\dots \mathfrak{g}_{\nu_0}\mathfrak{g}_{\nu_1}\mathfrak{g}_{\nu_2}\dots v^{\nu_0+\nu_1 g+\nu_2 g^2+\dots},$$

wo jede der unendlich vielen Summationen auf die Werthe $\lambda = 0, 1, 2, \dots n$ zu erstrecken und $\mathfrak{g}_0 = 1$ zu setzen ist. Nimmt man die Grösse g gleich $n+1$, so repräsentirt der Ausdruck

$$\nu_0 + \nu_1 g + \nu_2 g^2 + \cdots$$

alle ganzen Zahlen $0, 1, 2, 3, \dots$ in dem Zahlensystem mit der Grundzahl $(n+1)$ d. h. also in dem Zahlensystem, wo 10 die Zahl $1+n$ bedeutet, und die Zahlen $\nu_0, \nu_1, \nu_2, \dots$ bilden die einzelnen Ziffern der dargestellten Zahl. Hiernach ist der Factor jeder einzelnen Potenz von v in der Entwickelung des Products (B) einfach durch die Ziffern zu bestimmen, aus denen der Exponent, wenn er in dem System $(10 = 1+n)$ dargestellt wird, besteht. Sind nämlich ϱ Ziffern gleich r, ferner σ Ziffern gleich s, ferner τ Ziffern gleich t u. s. f., so ist jener Factor

$$\mathfrak{g}_r^\varrho \mathfrak{g}_s^\sigma \mathfrak{g}_t^\tau \cdots .$$

Wenn andrerseits das Product (B) nach den verschiedenen Functionen

$$\mathfrak{g}_{\nu_0}\mathfrak{g}_{\nu_1}\mathfrak{g}_{\nu_2}\cdots$$

entwickelt wird, so ist jede derselben mit einer Reihe von allen denjenigen Potenzen von v multiplicirt, deren Exponenten, in dem Zahlensystem $(10 = 1+n)$ dargestellt, aus genau denselben Ziffern bestehen. Der kleinste dieser Exponenten ist derjenige Ausdruck

$$\nu_0 + \nu_1 g + \nu_2 g^2 + \cdots,$$

in welchem $\nu_0 \geqq \nu_1 \geqq \nu_2 \geqq \dots$ ist. Bestimmt man diesen Bedingungen genügende Zahlen ν so, dass

$$\begin{array}{llll}
\nu_0 = \nu_1 = \cdots = \nu_{a-1}, & \nu_{a-1} - \nu_a & = \alpha & \\
\nu_a = \nu_{a+1} = \cdots = \nu_{b-1}, & b_{b-1} - \nu_b & = \beta & \\
\quad\vdots & & & (a<b<c<\dots<l) \\
\nu_k = \nu_{k+1} = \cdots = \nu_{l-1}, & \nu_{l-1} & = \lambda &
\end{array}$$

also

$$\nu_{a-1} = \alpha + \beta + \gamma + \cdots + \lambda\,,\ \nu_{b-1} = \beta + \gamma + \cdots + \lambda\,,$$
$$\nu_{c-1} = \gamma + \cdots + \lambda\,,\ \ldots\ldots\ \nu_{l-1} = \lambda$$

wird, so sind $\nu_0, \nu_1, \ldots \nu_{l-1}$ die Ziffern der im Zahlensysteme $(10 = 1 + n)$ dargestellten Zahl

$$\frac{1}{g-1}(\alpha g^a + \beta g^b + \gamma g^c + \cdots - \alpha - \beta - \gamma - \cdots),$$

d. h. des Exponenten derjenigen Potenz von v, welche die oben mit

$$S\binom{a, b, c, \ldots l}{\alpha, \beta, \gamma, \ldots \lambda}$$

bezeichnete symmetrische Function der Grössen y zum Factor hat. Diese Functionen S sind daher, durch die elementaren symmetrischen Functionen $\mathfrak{g}$ ausgedrückt, gleich einfachen Producten

$$\mathfrak{g}^{a}_{\alpha+\beta+\gamma+\ldots+\lambda}\ \mathfrak{g}^{b-a}_{\beta+\gamma+\ldots+\lambda}\ \mathfrak{g}^{c-b}_{\gamma+\ldots+\lambda}\ \cdots\cdots\ \mathfrak{g}^{l-k}_{\lambda},$$

und jede ganze ganzzahlige symmetrische Function der Grössen y ist daher als ganze ganzzahlige lineare Function solcher Producte von $\mathfrak{g}_1, \mathfrak{g}_2, \ldots$ darstellbar.

Geht man von den durch die obige Gleichung

$$\mathfrak{S}\binom{a, b, c, \ldots l}{\alpha, \beta, \gamma, \ldots \lambda} = \Sigma y_{i_1}^{q_1} y_{i_2}^{q_2} \ldots y_{i_n}^{q_n}$$

bestimmten Exponenten q aus, so sind die Zahlen ν dadurch zu definiren, dass für $r = 1, 2, \ldots l$ stets genau $\nu_{r-1} - \nu_r$ Exponenten q den Werth r haben und dass $\nu_l = 0$ sein soll.

Die Festsetzung einer durch ein gewisses Princip bestimmten Ordnung und Reihenfolge für die ganzen Functionen mehrer Variabeln ist einer der wesentlichsten Punkte in den vorstehenden Entwickelungen. Sie schliessen sich damit jenen Betrachtungen an, mittels deren Gauss im 4. Abschnitt seiner am 7. Dec. 1815 der Göttinger Societät überreichten Abhandlung (Bd. III. S. 36. der gesammelten Werke) den Nachweis geführt hat, dass jede ganze ganzzahlige symmetrische Function sich als ganze ganzzahlige Function der elementaren symmetrischen Functionen darstellen lässt, und ich will diesen Zusammenhang mit den Gauss'schen Betrachtungen sowie die eigentliche Quelle derselben durch näheres Eingehen auf die dabei leitenden allgemeineren Gesichtspunkte noch im Folgenden klar legen.

III. Die verschiedenen Systeme von je m Elementen, welche aus m Reihen von Elementen dadurch zu bilden sind, dass das $k$te Element jedes Systems aus der $k$ten Reihe entnommen wird, können in einer Weise geordnet werden, bei der einerseits die Aufeinanderfolge der Elemente innerhalb jeder einzelnen Reihe, andrerseits die Aufeinanderfolge der m Reihen massgebend ist, nämlich so, dass von zwei Systemen dasjenige dem andern vorangeht, dessen erstes Element das innerhalb der ersten Reihe voranstehende ist, und falls die ersten $(k-1)$ Elemente des einen Systems mit den entsprechenden des andern übereinstimmen, dasjenige, dessen $k$tes Element innerhalb der $k$ten Reihe voransteht.

Die Elemente jeder einzelnen Reihe werden unter einander verschieden vorausgesetzt, aber die Elemente der verschiedenen Reihen können ganz oder theilweise mit einander identisch sein. Werden die Elemente der $k$ten Reihe mit $a_k, b_k, c_k, \ldots$ bezeichnet, so lässt sich die angegebene Anordnung von Systemen

$$(a_1, a_2, a_3, \ldots), (a_1, a_2, b_3, \ldots), (a_1, b_2, a_3, \ldots), (a_1, b_2, b_3, \ldots), \ldots$$

einfach als die lexikographische oder alphabetische charakterisiren. Wenn aber jede der m Reihen aus den g ganzen Zahlen $0, 1, 2, \ldots g-1$ besteht, so erscheinen die Systeme von m Zahlen

$$(r_1, r_2, r_3, \ldots r_m) \qquad (r_1, r_2, \ldots r_m = 0, 1, \ldots g-1)$$

bei jener Anordnung nach der Grösse der Werthe von

$$r_1 g^{-1} + r_2 g^{-2} + r_3 g^{-3} + \cdots + r^m g^{-m}$$

oder von

$$r_1 g^{m-1} + r_2 g^{m-2} + r_3 g^{m-3} + \cdots + r_m$$

geordnet, also nach der Grösse der in dem Zahlensystem mit der Grundzahl g durch die Ziffern $(r_1 r_2 \ldots r_m)$ repräsentirten Zahlen.

IV. Geht bei der dargelegten Anordnung ein System ganzer nicht negativer Zahlen $(r_1 r_2 \ldots r_m)$ einem andern Systeme $(s_1 s_2 \ldots s_m)$ voran, so kann füglich der erstere der beiden Ausdrücke

$$x_1^{r_1} x_2^{r_2} \ldots x_m^{r_m}, \quad x_1^{s_1} x_2^{s_2} \ldots x_m^{s_m}$$

als der von niederer Ordnung, der letztere als der von höherer Ordnung gelten. Die Ordnung einer beliebigen ganzen Function von $x_1, x_2, \ldots x_m$ d. h. also eines Aggregates von einzelnen Gliedern

$$x_1^{k_1} x_2^{k_2} \ldots x_m^{k_m}$$

möge durch diejenige des Gliedes höchster Ordnung und demnach durch dessen Exponenten-System bestimmt sein. Dann sind die Ordnungen symmetrischer Functionen durch Exponenten-Systeme

$$(t_1 t_2 \dots t_m)$$

bestimmt, bei denen $t_1 \geqq t_2 \geqq t_3 \geqq \dots \geqq t_m$ ist.

Ist irgend eine ganze Function $f(x_1, x_2, \dots x_m)$ von der Ordnung $(t_1 t_2 \dots t_m)$, und wird die ganze Zahl g so gross gewählt, dass die Function f in Bezug auf jede der Variabeln x von niederem Grade als g ist, so geht bei der Substitution

$$x_h = z_h v^{g^{m-h}} \qquad (h = 1, 2, \dots m)$$

$f(x_1, x_2, \dots x_m)$ in eine ganze Function von v vom Grade

$$t_1 g^{m-1} + t_2 g^{m-2} + \dots + t_m$$

über, und die verschiedenen einzelnen Glieder

$$x_1^{k_1} x_2^{k_2} \dots x_m^{k_m} ,$$

aus denen $f(x_1, x_2, \dots x_m)$ zusammengesetzt ist, liefern ebenso viel verschiedene Potenzen von v, da für je zwei verschiedene Systeme

$$(r_1, r_2, \dots r_m) \ , \ (s_1, s_2, \dots s_m)$$

auch die Zahlen

$$r_1 g^{m-1} + r_2 g^{m-2} + \dots + r_m \ , \ s_1 g^{m-1} + s_2 g^{m-2} + \dots + s_m$$

von einander verschieden sind.

V. Sind $\psi_1, \psi_2, \dots \psi_\nu$ ganze ganzzahlige Functionen von ν Elementen $\varphi_1, \varphi_2, \dots \varphi_\nu$, so kann man die beiden Elementen-Systeme als äquivalent bezeichnen, wenn die Substitutions-Determinante gleich Eins ist, und also auch die Elemente φ als ganze ganzzahlige lineare Functionen der ν Elemente ψ darzustellen sind. Ist im Besonderen

$$\psi_\alpha = \varphi_\alpha + \sum_\beta c_{\alpha\beta} \varphi_\beta \quad (\alpha = 1, 2, \dots \nu \, ; \, \beta = 1, 2, \dots \alpha - 1),$$

und sind die Coëfficienten c ganz, so erhellt unmittelbar, dass die Elemente φ als ganze ganzzahlige lineare Functionen von $\psi_1, \psi_2, \dots \psi_\nu$ darstellbar sind. Nimmt man nun für die Elemente φ die verschiedenen einzelnen Glieder $x_1^{k_1} x_2^{k_2} \dots x_m^{k_m}$, welche in einer bestimmten ganzen ganzzahligen Function $f(x_1, x_2, \dots x_m)$ vorkommen, so sind die Elemente ψ des andern Systems als ebensoviel ganze ganzzahlige Functionen der verschiedenen Ordnungen

$(k_1 k_2 \dots k_m)$ zu charakterisiren, in denen das Glied der höchsten Ordnung d. h. das für die Ordnung massgebende Glied den Coëfficienten Eins hat. Wenn ferner

$$k_1, k_2, \dots k_m$$

lauter Systeme von Zahlen bedeuten, für welche $k_1 \geqq k_2 \geqq k_3 \geqq \dots \geqq k_m$ ist, und zwar sowohl ein bestimmtes solches System

$$t_1, t_2, \dots t_m$$

als auch die sämmtlichen Systeme, welche diesem vorangehen, so sind die beiden Systeme symmetrischer Functionen

$$\sum_{(i)} x_{i_1}^{k_1} x_{i_2}^{k_2} \dots x_{i_m}^{k_m} \quad \text{und} \quad \mathfrak{f}_1^{k_1-k_2} \mathfrak{f}_2^{k_2-k_3} \dots \mathfrak{f}_m^{k_m}$$

einander äquivalent und beziehungsweise für die Systeme φ und ψ zu nehmen, vorausgesetzt, dass die Summation nur auf alle diejenigen Permutationen (i) der Zahlen $1, 2, \dots m$ erstreckt wird, für welche die einzelnen Glieder von einander verschieden sind. Für jedes bestimmte Exponenten-System $(k_1, k_2, \dots k_m)$ ist nämlich die Differenz

$$\mathfrak{f}_1^{k_1-k_2} \mathfrak{f}_2^{k_2-k_3} \dots \mathfrak{f}_m^{k_m} - \sum_{(i)} x_{i_1}^{k_1} x_{i_2}^{k_2} \dots x_{i_m}^{k_m}$$

eine ganze ganzzahlige symmetrische Function niedrigerer Ordnung, also eine ganze ganzzahlige lineare Function von Ausdrücken

$$\sum_{(i)} x_{i_1}^{h_1} x_{i_2}^{h_2} \dots x_{i_m}^{h_m},$$

deren Exponenten-Systeme $(h_1, h_2, \dots h_m)$ dem Systeme $(k_1, k_2, \dots k_m)$ vorangehen. Dies ist die oben erwähnte Gauss'sche Deduction, und die Reihenfolge der symmetrischen Functionen

$$\sum_{(i)} x_{i_1}^{k_1} x_{i_2}^{k_2} \dots x_{i_m}^{k_m},$$

auf der sie beruht, kann nach den im II. Abschnitt enthaltenen Ausführungen auch durch die Grössenfolge der Werthe von

$$g^{k_1} + g^{k_2} + \dots + g^{k_m}$$

charakterisirt werden, wenn $g > m$ genommen wird. Die Deduction selbst lässt sich aber einfach dahin zusammenfassen, dass durch

$$\mathfrak{f}_a^{\alpha} \mathfrak{f}_b^{\beta} \mathfrak{f}_c^{\gamma} \dots$$

symmetrische Functionen aller Ordnungen von $x_1, x_2, \dots x_m$, in denen der Coëfficient des Gliedes höchster Ordnung gleich Eins ist, dargestellt werden, dass also die Reihe dieser symmetrischen Functionen zu der Reihe der Functionen

$$\sum_{(i)} x_{i_1}^{k_1} x_{i_2}^{k_2} \dots x_{i_m}^{k_m}$$

in der Beziehung der Äquivalenz steht, und zwar in derjenigen, welche oben für die Reihe der Functionen ψ und φ im Besonderen hervorgehoben worden ist.

Für die wirkliche Darstellung symmetrischer Functionen von $x_1, x_2, \dots x_m$ als Aggregate von Gliedern

$$\mathfrak{f}_1^{k_1-k_2}\mathfrak{f}_2^{k_2-k_3}\dots\mathfrak{f}_m^{k_m}$$

sei noch bemerkt, dass wenn die darzustellende Function homogen ist, für alle Systeme $k_1, k_2, \dots k_m$ die Summe gleich der Dimension sein muss. Es kommen also, wenn die Ordnung der darzustellenden Function durch $(t_1, t_2, \dots t_m)$ bestimmt ist, nur solche Glieder vor, bei denen die Zahlen k, welche für die Ordnung bezeichnend sind, den Bedingungen

$$k_1 g^{m-1} + k_2 g^{m-2} + \dots + k_m \leqq t_1 g^{m-1} + t_2 g^{m-2} + \dots + t_m$$

$$k_1 + k_2 + \dots + k_m = t_1 + t_2 + \dots + t_m$$

$$k_1 \leqq k_2 \leqq k_3 \leqq \dots \leqq k_m$$

genügen, d. h. nur solche Glieder, bei denen die mit der Grundzahl g gebildeten Ordnungszahlen nicht grösser sind als diejenige für die darzustellende Function, während deren Ziffern ihrer Grösse nach auf einander folgen und dieselbe Summe haben. So können z. B. bei der Darstellung der Function

$$(x_1 - x_2)^2 (x_2 - x_3)^2 (x_3 - x_1)^2,$$

welche die Dimension 6 und, wenn $g = 10$ genommen wird, die Ordnung 420 hat, nur Glieder mit den Zahlen

420, 411, 330, 321, 222

vorkommen, da die vier letzteren Zahlen die einzigen unter 420 sind, deren Ziffern der Grösse nach auf einander folgen und die Summe 6 haben. Die zugehörigen Glieder selbst sind

$$\mathfrak{f}_1^2\mathfrak{f}_2^2, \quad \mathfrak{f}_1^3\mathfrak{f}_3, \quad \mathfrak{f}_2^3, \quad \mathfrak{f}_1\mathfrak{f}_2\mathfrak{f}_3, \quad \mathfrak{f}_3^2,$$

und die numerischen Coëfficienten bei der Darstellung jenes quadratischen Differenzen-Products lassen sich einfach durch Annahme specieller Werthsysteme für x_1, x_2, x_3 ermitteln.

VI. Die im I. Abschnitte benutzte Eigenschaft der elementaren symmetrischen Functionen $\mathfrak{f}$, dass zwischen den verschiedenen Gliedern $\mathfrak{f}_a^\alpha \mathfrak{f}_b^\beta \mathfrak{f}_c^\gamma \dots$ keine lineare Relation besteht, kann natürlich auch daraus erschlossen werden, dass die Functionaldeterminante der m Functionen $\mathfrak{f}$ von Null verschieden ist. Setzt man

$$\mathfrak{F}(x) = \mathfrak{f}_0 x^m - \mathfrak{f}_1 x^{m-1} + \mathfrak{f}_2 x^{m-2} - \dots \pm \mathfrak{f}_m = \mathfrak{f}_0 \prod_{h=1}^{h=m} (x - x_h)$$

und differentiirt nach x_r, so kommt, wenn die Ableitung von $\mathfrak{f}_h$ nach x_r mit $\mathfrak{f}_{hr}$ bezeichnet und $\mathfrak{f}_{0r} = 0$ genommen wird:

$$\text{(C)} \qquad \sum_{h=1}^{h=m} (-1)^h \mathfrak{f}_{hr} x^{m-h} = \frac{\mathfrak{F}(x)}{x_r - x},$$

so dass

$$\mathfrak{f}_{hr} = \mathfrak{f}_0 x_r^{h-1} - \mathfrak{f}_1 x_r^{h-2} + \mathfrak{f}_2 x_r^{h-3} - \dots \pm \mathfrak{f}_{h-1}$$

oder auch $(-1)^{h-1}\mathfrak{f}_{hr} = \mathfrak{f}_h x_r^{-1} - \mathfrak{f}_{h+1} x_r^{-2} + \dots \pm \mathfrak{f}_m x_r^{h-m-1}$

wird. Setzt man in der Gleichung (C) für x den Werth x_s, so kommt:

$$\sum_h (-1)^h \mathfrak{f}_{hr} x_s^{m-h} = -\delta_{rs} \mathfrak{F}'(x_r), \qquad (h, r, s = 1, 2, \dots m)$$

wo $\delta_{rr} = 1$, für $r \gtrless s$ aber $\delta_{rs} = 0$ ist, und hieraus folgt die correspondirende Gleichung

$$\sum_s \frac{(-1)^k \mathfrak{f}_{ks} x_s^{m-h}}{\mathfrak{F}'(x_s)} = -\delta_{hk} \qquad (h, k, r, s = 1, 2, \dots m),$$

welche auch die Euler'schen Formeln enthält, sowie die Determinanten-Gleichung:

$$|\mathfrak{f}_{hk}|^2 = \mathfrak{f}_0^m \prod_h \mathfrak{F}'(x_h) \qquad (h, k = 1, 2, \dots m).$$

Dabei ist zu bemerken, dass die Grössen $\mathfrak{f}_h$, wie die beiden verschiedenen Ausdrücke derselben zeigen, ganze algebraische Functionen von $\mathfrak{f}_0, \mathfrak{f}_1, \dots \mathfrak{f}_m$ sind, und dass also das Quadrat der Determinante $|\mathfrak{f}_{hk}|$, da die sämmtlichen Glieder der ersten Verticalreihe $\mathfrak{f}_0$ sind, eine durch $\mathfrak{f}_0^2$ theilbare ganze ganzzahlige Function von $\mathfrak{f}_0, \mathfrak{f}_1, \dots \mathfrak{f}_m$ sein muss.

---

18. November. Gesammtsitzung der Akademie.

Hr. Siemens las:

Die dynamoelektrische Maschine.

Mit dem Namen „dynamoelektrische Maschine“ bezeichnete ich in einer Mittheilung, welche der Akademie von meinem verehrten Lehrer und Freunde Martin Magnus am 17. Januar 1867 gemacht wurde, ein Maschinensystem, bei welchem die bis dahin bei Inductionsmaschinen zur Erzeugung elektrischer Ströme verwendeten Stahl- oder dauernd magnetisirten Elektromagnete durch solche Elektromagnete ersetzt waren, deren Drahtwindungen einen Theil des Stromlaufes der inducirten Drahtspiralen bildeten. Ich wies in dieser Mittheilung nach, dass bei jeder elektromagnetischen Kraftmaschine, wenn sie durch äussere Kräfte in entgegengesetztem Sinne gedreht wird, als der, in welchem sie sich durch eine in ihren Stromkreis eingeschaltete galvanische Kette bewegt, eine fortlaufende Verstärkung des in ihren Windungen circulirenden Stromes eintreten muss. Ich zeigte ferner, dass bei zweckentsprechender Construction der Maschine der im Eisen zurückbleibende Magnetismus ausreicht, um bei hinlänglich schneller Drehung diesen Steigerungsprocess einzuleiten, so dass eine einmal thätig gewesene Maschine für immer die Eigenschaft gewonnen hat, elektrische Ströme zu erzeugen, deren Stärke eine Function der Drehungsgeschwindigkeit ist. Endlich wies ich schon in dieser Mittheilung darauf hin, dass durch diese Combination das bisher bestandene Hinderniss der Erzeugung sehr starker Ströme durch Aufwendung von Arbeitskraft hinweggeräumt sei, und sprach die Erwartung aus, dass viele Gebiete der Technik durch die ihr von nun an zu Gebote stehenden, leicht und billig zu erzeugenden, starken Ströme einen wichtigen Antrieb zu weiterer Entwickelung finden würden.

Es bedurfte eines Zeitraumes von vierzehn Jahren, bis die letztere Erwartung ersichtlich in Erfüllung ging. Gegenwärtig benutzt die Hüttenindustrie bereits dynamoelektrische Maschinen, welche täglich Tonnen Kupfers galvanisch in chemisch reinem Zustande niederschlagen und es dabei von den Edelmetallen, die es enthielt, trennen. Durch dynamoelektrische Maschinen erzeugte Ströme speisen bereits hunderttausende von elektrischen Lichtern, und diese beginnen schon in vielen Fällen die älteren Beleuchtungsarten zu verdrängen. Eine kaum übersehbare Tragweite scheint aber in neuerer Zeit die Übertragung und Vertheilung von Arbeitskraft durch dynamoelektrische Maschinen und namentlich die Fortbewegung von Personen und Lasten durch den elektrischen Strom zu gewinnen.

Obgleich ich an dieser Entwickelung der dynamoelektrischen Maschine und ihrer Anwendung stets thätigen Antheil genommen habe, fand ich doch keine Veranlassung, der Akademie über diese Arbeiten zu berichten, da es weniger wissenschaftliche als technische Aufgaben waren, die gelöst werden mussten, um die Maschine selbst und die Hülfsorgane derselben für ihre technische Verwendung zweckentsprechend auszubilden.

Nachdem jedoch gegenwärtig hierin ein gewisser Abschnitt erreicht ist, bitte ich die Akademie, mir zu gestatten, ihr zunächst eine Übersicht des Ganges dieser Entwickelung und der Richtungen, in welchen weitere Verbesserungen anzustreben sind, und demnächst eine Arbeit des Dr. Frölich vorzulegen, in welcher derselbe die zahlreichen von mir veranlassten Versuche mit dynamoelektrischen Maschinen zusammengestellt und eine Theorie ihrer Wirkung und ihrer Benutzung zur Kraftübertragung entwickelt hat.

Bei der ursprünglich von mir construirten dynamoelektrischen Maschine bestand der bewegliche Theil aus meinem rotirenden Cylindermagnete, dessen Construction im Jahre 1857 von mir publicirt wurde [1]). Die Wechselströme, welche in den Leitungsdrähten dieses Cylindermagnetes bei seiner Rotation zwischen den ausgehöhlten Polen eines starken Elektromagnetes auftreten, wurden durch einen Commutator mit Schleiffedern gleich gerichtet und durchliefen dann die Windungen des fest stehenden Elektromagnetes. Es stellte sich bei dieser Maschine der unerwartete Umstand ein, dass die Erwärmung des rotirenden Ankers eine viel grössere war, als die Rechnung ergab, wenn man nur den Leitungswiderstand des Umwindungsdrahtes und die Stromstärke in Betracht zog. Als Ursache dieser grösseren Wärmeentwickelung ergab sich bald, dass das Eisen des Ankers selbst sich bedeutend erwärmte. Zum Theil war diese Erwärmung den Strömen zuzuschreiben, welche der Magnetismus des festen Magnetes im Eisen des rotirenden Ankers erzeu-

---

[1]) Poggend. Ann. Bd. 101. p. 271.

gen musste (den sogen. Foucault'schen Strömen); doch sie blieb auch zum grössten Theile noch bestehen, als der Anker aus dünnen Eisenblechen mit isolirenden Zwischenlagen, die den Foucault-schen Strömen den Weg versperrten, hergestellt war. Es musste daher eine andere Ursache der Wärmeentwickelung im Eisen wirksam sein. Eine nähere Untersuchung der Erscheinung ergab in der That, dass das Eisen bei sehr schnellem und plötzlichem Wechsel seiner magnetischen Polarität sich erhitzt, wenn die Magnetisirung sich dem Maximum der magnetischen Capacität des Eisens nähert. Dieser Übelstand der Erhitzung des rotirenden Ankers machte es nothwendig, denselben bei längerem Gebrauche der Maschine durch einen Wasserstrom zu kühlen, um die Verbrennung der Umspinnung der Drähte und anderer durch Erhitzung zerstörbarer Theile derselben zu verhindern. Die Unbequemlichkeit dieser Kühlung und der durch die Umwandelung von Arbeit in Wärme bedingte beträchtliche Arbeitsverlust bildeten jedoch ein grosses Hinderniss der Anwendung der dynamoelektrischen Maschine. Die Beseitigung desselben wurde angebahnt durch den magnetelektrischen Stromgeber, welchen Pacinotti im Nuovo Cimento 1863 publicirte. Derselbe bestand aus einem Eisenringe, welcher seiner ganzen Länge nach mit einer Drahtspirale umwunden war und der zwischen den ausgehöhlten Polen eines permanenten Magnetes rotirte. Durch magnetische Vertheilung bildeten sich in diesem Eisenringe Magnetpole, welche den entgegengesetzten Polen des festen Magnetes gegenüberstanden und ihre Lage auch dann beibehielten, wenn der Eisenring rotirte. Da hierbei die äusseren Theile der Drahtwindungen des Ringes continuirlich die beiden feststehenden magnetischen Felder zwischen den Magnetpolen und dem Eisenringe durchliefen, so mussten in dem in sich geschlossenen Umwindungsdrahte entgegengesetzt gerichtete elektromotorische Kräfte auftreten, die keinen Strom erzeugen konnten, weil sie gleich gross waren. Verband man aber die einzelnen Drahtwindungen oder gleichmässig auf der Ringoberfläche vertheilte Gruppen dieser Windungen leitend mit Metallstücken, die concentrisch um die Rotationsaxe des Ringes gruppirt waren, und liess man diese unter zwei feststehenden Schleiffedern fortgehen, welche sich in gleichem Abstande von beiden Magnetpolen gegenüberstanden, so vereinigten sich die beiden entgegengesetzten Ströme der Drahtwindungen, welche nun eine Ableitung fanden, zu einem einzigen continuirlichen Strome durch den die Schleiffedern verbindenden Stromleiter. Ich hatte zwar schon viel früher eine ähnliche Combination benutzt, um continuirliche Ströme mit Hülfe einer in sich geschlossenen Inductionsspirale zu erzeugen[1]), der Pacinotti'sche Ring hat aber vor dieser den Vorzug grösserer Einfachheit, und dass der allmählig vor sich gehende Polwechsel im Eisen weniger Wärme entwickelt. Dem Anschein nach hat Pacinotti seine Ringmaschine nur zur Herstellung kleiner magnet-elektrischer Stromerzeuger und kleiner elektromagnetischer Maschinen verwendet. Gramme in Paris hatte zuerst, im Jahre 1868, den glücklichen Gedanken, dynamoelektrische Maschinen mit Hülfe des Pacinotti'schen Ringes auszuführen und dadurch die lästige Erhitzung des Eisens der rotirenden Cylindermagnete zu beseitigen.

Der Gramme'schen dynamoelektrischen Maschine haftet aber noch der Mangel an, dass nur die die magnetischen Felder durchlaufenden äusseren Theile der Drahtwindungen der inducirenden Wirkung unterliegen, während die innere Hälfte derselben ohne

---

[1]) Eine derartige Maschine zur Hervorbringung continuirlicher hochgespannter Ströme für telegraphische Zwecke war von Siemens & Halske in der Londoner Industrieausstellung von 1855 ausgestellt und befindet sich gegenwärtig im hiesigen Postmuseum. Sie besteht aus einem flachen Conus oder Teller, welcher auf einer ebenen Fläche sich abrollt. War der Rand der Mantelfläche des Conus mit kleinen Elektromagneten besetzt, deren Windungen einen in sich geschlossenen Leitungskreis bildeten, während die ebene Fläche mit Stahlmagneten armirt war, so näherte sich bei dem Fortrollen des Tellers die Hälfte der Elektromagnetpole den Polen der Stahlmagnete, während sich die andere Hälfte von denselben entfernte. Der gemeinsame Umwindungsdraht communicirte zwischen je zwei der Hufeisen-Elektromagnete, die sich in radialer Lage befanden, mit Contactstücken, die im Kreise um die Welle angebracht waren, welche den Teller drehte, d. i. rollen liess. Zwei mit der Welle verbundene isolirte Schleiffedern waren so eingestellt, dass sie stets die Contactstellen berührten, welche zu dem den Stahlmagneten nächsten und zu dem ihnen fernsten Elektromagnete führten. Da bei der Annäherung und Entfernung der Elektromagnete von den permanenten Magneten Ströme entgegengesetzter Richtung in den Windungen der ersteren inducirt werden, so vereinigen sich dieselben in den Schleiffedern zu einem continuirlichen, bei gleichmässiger Drehung constanten Strome. Sollte die Maschine als elektromagnetische Kraftmaschine benutzt werden, so wurde ein eiserner Conus verwendet und die Elektromagnete in die ebene Fläche gesetzt.

wesentliche Wirkung bleibt und den Widerstand der Strombahn nur nutzlos erhöht. v. Hefner-Alteneck beseitigte denselben bei der nach ihm benannten dynamoelektrischen Maschine zum grossen Theile dadurch, dass er den rotirenden Ring oder auch einen massiven Eisencylinder nur an der Aussenseite mit Windungen versah, welche gruppenweise, wie bei der Gramme'schen Maschine, mit Contactstücken und Schleiffedern oder Drahtbürsten communicirten. Die Gramme'sche und die v. Hefner'sche Maschine sind vielfach in wissenschaftlichen und technischen Schriften dargestellt und erörtert worden, ich werde daher hier auf eine specielle Beschreibung derselben nicht eingehen. Sie bilden gegenwärtig die typischen Grundformen für Maschinen zur Erzeugung starker elektrischer Ströme für technische Zwecke und werden diesen entsprechend in den verschiedensten Formen und Grössen ausgeführt. So besitzen z.B. die Maschinen v. Hefner'scher Construction, welche zur Kupferraffinirung in der Kupferhütte zu Oker benutzt werden und von denen eine jede täglich in zwölf hinter einander geschalteten Zellen ca. 300^{kg} Rohkupfer auflöst und galvanisch in Plattenform wieder niederschlägt, Umwindungsdrähte von $13^{\square cm}$ Querschnitt, während Maschinen zur Erzeugung vieler elektrischer Lichter und zur Kraftübertragung Umwindungsdrähte vom Gewichte mehrerer Centner haben.

Diese in Vergleich mit früheren elektrischen Apparaten colossalen Leistungen und Dimensionen werden jedoch noch bedeutend überschritten werden, wenn die neuerdings angebahnte Anwendung der dynamoelektrischen Maschine zur Kraftübertragung allgemeiner geworden ist.

Wenn man zwei dynamoelektrische Maschinen in denselben Kreislauf bringt und die eine mit constanter Geschwindigkeit dreht, so muss die andere sich als elektromagnetische Maschine in umgekehrter Richtung drehen, wie schon aus der Betrachtung folgt, dass eine dynamoelektrische Maschine eine in umgekehrter Richtung gedrehte elektromagnetische Maschine ist. Der Gegenstrom, den diese durch den Strom rotirende Maschine erzeugt, schwächt nun den durch die primäre dynamoelektrische Maschine erzeugten Strom und vermindert dadurch zugleich auch die Arbeit, welche zur Drehung der letzteren erforderlich ist. Hätte die secundäre Maschine weder innere noch äussere Arbeit zu verrichten, so würde sich ihre Geschwindigkeit so weit steigern, bis ihre elektromotorische Gegenkraft der der primären Maschine das Gleichgewicht hielte. Es würde dann kein Strom mehr durch die Leitung gehen, aber auch weder Arbeit consumirt noch geleistet. Vollständig kann dieser Gleichgewichtszustand natürlich niemals erreicht werden, weil die secundäre Maschine innere Widerstände zu überwinden hat und weil die primäre Maschine eine von ihrer Construction abhängende Geschwindigkeit erreichen muss, bevor der dynamoelektrische Verstärkungsprocess des Stromes seinen Anfang nimmt. Wird der secundären Maschine nun eine Arbeitsleistung aufgebürdet, so vermindert sich dadurch ihre Geschwindigkeit. Mit dieser vermindert sich die von der Rotationsgeschwindigkeit abhängige Gegenkraft, und es durchläuft nun beide Maschinen ein der Differenz ihrer elektrischen Kräfte entsprechender Strom, dessen Erzeugung Kraft verbraucht und der seinerseits in der secundären Maschine die ihr auferlegte Arbeit leistet. Ich habe bereits an anderen Orten[1]) darauf hingewiesen, dass der bei dieser Kraftübertragung erzielte Nutzeffect keine constante Grösse ist, sondern von dem Verhältnisse der Geschwindigkeit beider Maschinen abhängt und dass er mit der Rotationsgeschwindigkeit derselben wächst. Durch die nachfolgend beschriebene Untersuchung hat sich dies innerhalb gewisser Grenzen bestätigt. Praktisch ist bisher ein Nutzeffect bis zu 60 Procent der aufgewendeten Arbeit erzielt worden, und es sind mit den grössten zur Verwendung gekommenen Maschinen, — die allerdings nicht speciell für Kraftübertragung, sondern für Beleuchtungszwecke construirt waren, — bis zu 10 mit dem Prony'schen Zaume gemessene Pferdekräfte übertragen worden, mit einem Nutzeffecte von durchschnittlich 50 Procent. Es wird hiernach bei der elektrischen Kraftübertragung bisher nur etwa die Hälfte der aufgewendeten Arbeit als Nutzarbeit wieder gewonnen, während die Hälfte zur Überwindung der Maschinen- und Leitungswiderstände verbraucht und in Wärme umgewandelt wird. Die Grösse dieses Kraftverlustes ist offenbar von der Construction der Maschine abhängig. Wäre keine Aussicht vorhanden, durch Verbesserung dieser Constructionen eine wesentliche Verminderung desselben herbeizuführen, so würde die technische Verwendung der elektrischen Kraftübertragung eine einigermassen beschränkte bleiben. Es ist daher von Wichtigkeit, die in der Maschinenconstruction

---

[1]) Zeitschrift des elektrotechnischen Vereins. Februarheft 1879.

liegenden Ursachen des Kraftverlustes festzustellen und dann in Betracht zu ziehen, ob und auf welchem Wege eine gänzliche oder theilweise Beseitigung dieser Verlustquellen anzubahnen ist. Es könuen hierbei die rein mechanischen Kraftverluste durch Reibungen, Luftwiderstände, Stösse etc. in den Maschinen ausser Betracht gelassen werden. Sie bilden nur einen kleinen Theil des Verlustes, und ihre möglichste Verminderung ist durch Anwendung bekannter Constructionsgrundsätze herbeizuführen.

Die wesentliche und niemals ganz zu beseitigende physikalische Ursache des Kraftverlustes ist die Erwärmung der Leiter durch den elektrischen Strom. Da bei den Maschinen, bei welchen kein plötzlicher Wechsel des Magnetismus stattfindet, auch keine merkliche unmittelbare Erwärmung des Eisens der Elektromagnete eintritt, so braucht bei diesen überhaupt nur diese Erwärmung der Leiter durch die sie durchlaufenden Ströme in Betracht gezogen zu werden. Diese Leiter sind hier nicht nur die Leitungsdrähte der Maschinen und die leitende Verbindung derselben, sondern auch die bewegten Metallmassen der Maschinen, in welchen Ströme inducirt werden, die sie erwärmen (die sogenannten Foucault'schen Ströme). Als wesentlicher Grundsatz für die Construction der dynamoelektrischen Maschinen ergiebt sich hiernach, dass

1. alle ausserwesentlichen Widerstände der Maschine, d. i. hier alle diejenigen Leitungsdrähte, welche nicht elektromotorisch wirken, möglichst beseitigt oder doch vermindert werden.
2. Dass die Leitungsfähigkeit aller Leiter, auch der elektromotorisch wirksamen, möglichst gross gemacht wird.
3. Dass durch die Anordnung der Metallmassen, in welchen durch bewegte Stromleiter oder Magnete Foucault'sche Ströme erzeugt werden können, diesen die Strombahn möglichst abgeschnitten wird.
4. Dass der in den Elektromagneten erzeugte Magnetismus möglichst vollständig und direct zur Wirkung kommt.
5. Dass die Abtheilungen der Windungen des inducirten Drahtes, welche von Strömen wechselnder Richtung durchströmt werden, möglichst klein, die Zahl der Abtheilungen mithin möglichst gross gemacht wird, damit der beim Stromwechsel eintretende Extracurrent möglichst klein wird.

Betrachten wir die beiden diesen Betrachtungen zu Grunde liegenden Maschinensysteme, das Gramme'sche und das v. Hefner'sche, vom Standpunkte dieser Constructionsbedingungen aus, so finden wir, dass dieselben bei beiden nur in unvollkommener Weise erfüllt werden.

Bei beiden Maschinen wirkt der Magnetismus nicht direct inducirend auf die bewegten Drähte des Ankers, sondern es geschieht dies im Wesentlichen erst indirect durch den im Gramme'schen Ringe oder dem v. Hefner'schen äusserlich umwickelten Eisencylinder durch die ausgehöhlten Magnetpole der festen Magnete erregten Magnetismus. Dass die directe inducirende Wirkung der ausgehöhlten Magnetpole auf die rotirenden Drähte nur gering ist, ergiebt das Experiment, wenn man bei der v. Hefner'schen Maschine den Eisencylinder durch einen Cylinder aus nicht magnetischem Material ersetzt. Es folgt dies aber auch schon aus der Betrachtung, dass auf einen bewegten Draht nur diejenigen Theile des ausgehöhlten Magnetpoles in gleichem Sinne wie der Magnetismus des inneren Cylinders inducirend einwirken, welche ausserhalb der der Drehungsaxe parallelen, durch den rotirenden Draht gelegten Ebene liegen, die senkrecht auf dem Drehungsradius des Drahtes steht, während die innerhalb dieser Ebene liegenden Theile der ausgehöhlten Pole eine entgegengesetzte Wirkung ausüben. Es muss daher bei beiden Maschinen zur Herbeiführung einer bestimmten Inductionswirkung ein weit stärkerer Elektromagnet zur Wirkung kommen, wie unter günstigeren Bedingungen erforderlich wäre. Um diesen stärkeren Magnetismus zu erzeugen, muss ein grösserer Theil des zur Maschine verwendeten Leitungsdrahtes auf Kosten der Länge des inducirten Drahtes zur Magnetisirung des festen Magnetes verwendet werden.

Zur Beseitigung der Foucault'schen Ströme im rotirenden Eisenringe wird letzterer sowohl bei der Gramme'schen wie bei der v. Hefner'schen Maschine aus übersponnenen oder lackirten Eisendrähten gewickelt. Der Kreislauf dieser Ströme wird hierdurch auf den Umfang der Eisendrähte eingeschränkt, mithin auch der Wärmeverlust durch dieselben sehr klein gemacht. Dagegen bieten die ausgehöhlten Magnetpole diesen Strömen noch grössere geschlossene Strombahnen dar, welche Wärmeverluste bedingen.

Bei dem Pacinotti'schen Ringe der Gramme'schen Maschine liegt, wie schon hervorgehoben, ein grosser Kraftverlust, durch nutzlose Verlängerung des Umwindungsdrahtes, in dem Umstande, dass nur die äusseren Theile des Umwindungsdrahtes elektromotorisch wirken, während die im Inneren des Ringes liegenden Theile desselben nur als Leiter auftreten und nutzlos erwärmt werden müssen. Bei dem nur äusserlich umwickelten v. Hefner'schen Eisencylinder ist dies Verhältniss wesentlich günstiger, doch bilden auch bei diesem die die Stirnflächen der Cylinder bedeckenden Drahtstücke todte Widerstände. Ist die Länge des Cylinders, wie gewöhnlich der Fall, ein Vielfaches des Durchmessers, so ist der durch die nicht inducirend wirksamen Drähte erzeugte Verlust an Leitungsfähigkeit allerdings weit geringer, wie bei der Gramme'schen Maschine. Dagegen hat diese aber den Vorzug einer einfacheren Drahtführung, welche die Möglichkeit gewährt, eine grössere Zahl kleinerer Windungsabtheilungen einzuführen, wodurch der Kraftverlust durch den beim Wechsel der Stromrichtung eintretenden Extracurrent und die zum Theil von diesem abhängige lästige Funkenbildung vermindert wird.

Von noch grösserer Bedeutung, wie diese Verlustquellen, welche alle auf unnütze Vergrösserung der zur Erzielung eines bestimmten Effectes erforderlichen Maschine und ihres Leitungswiderstandes hinführen, ist aber, wie aus der Zusammenstellung unserer Versuche durch Dr. Frölich hervorgeht, der rückwirkende Einfluss der die Drähte der Maschine durchlaufenden inducirten Ströme selbst. Dieser Einfluss ist bei beiden hier betrachteten Maschinensystemen ein doppelter, nämlich einmal die Verschiebung der Lage der magnetischen Pole des Pacinotti'schen Ringes, resp. des v. Hefner'schen Cylinders, und zweitens die Herabdrückung des magnetischen Maximums, sowohl der festen Magnetpole, wie des Ringes, durch Magnetisirung des Eisens im Sinne der inducirten Ströme, mithin senkrecht auf die Richtung des wirksamen Magnetismus. Die inducirten Ströme suchen den Ring, resp. den Cylinder, derart zu magnetisiren, dass die Polebene senkrecht auf der Polebene der festen Magnete steht, es muss die wirkliche Polebene daher die Resultante der beiden, senkrecht auf einander stehenden, magnetisirenden Einflüsse sein. Es ergiebt sich dies auch daraus, dass man die Schleiffedern beim Gange der Maschine um einen von der Stärke des inducirenden Stromes abhängigen Betrag nachstellen muss, um das Maximum der Wirkung zu erhalten. Durch diese Magnetisirung in einer zur Richtung des inducirenden Magnetismus senkrechten Richtung wird nun ein Theil der hypothetischen magnetischen Eisenmoleküle in Anspruch genommen; es muss daher die Magnetisirung des Ringes durch den festen Magnet entsprechend kleiner werden. Aus dem Umstande, dass man die Contactfedern oder Bürsten bei schnellerer Rotation des Cylinders mehr wie bei langsamerem Gange nachstellen muss, auch wenn durch äussere eingeschaltete Widerstände die Stromstärke constant erhalten wird, ergiebt sich ferner, dass entweder ein Mitführen des im Ringe oder Cylinder durch die feststehenden Magnetpole erzeugten Magnetismus durch das rotirende Eisen stattfindet, oder dass Zeit zur Ausführung der Magnetisirung erforderlich ist, die Ringmagnetisirung mithin um so kleiner wird, je grösser die Rotationsgeschwindigkeit des Ringes ist.

Diesen Ursachen ist auch die auffallende Erscheinung zuzuschreiben, dass die Stromstärke der in sich geschlossenen Dynamomaschine nach Beendigung des Steigerungsprocesses der Drehungsgeschwindigkeit nahe proportional ist, während das dynamoelektrische Princip an sich (d. h. ohne Berücksichtigung der Erwärmung der Drähte, der secundären Wirkung der inducirten Ströme u. s. w.) bei jeder Drehungsgeschwindigkeit ein Ansteigen des Stromes bis zu derselben unendlichen Höhe bedingt, wenn der Magnetismus der Stromstärke proportional ist.

Ob und in wie weit eine Vervollkommnung der Construction der dynamoelektrischen Maschinen die geschilderten Mängel derselben zu beseitigen im Stande ist, lässt sich theoretisch nicht feststellen. Auf die Pläne, durch welche eine solche Vervollkommnung angestrebt wird, hier einzugehen, würde zwecklos sein. Um jedoch das Bild der gegenwärtigen Sachlage zu vervollständigen, will ich noch einige meiner Versuchsconstructionen beschreiben, welche den Ausgangspunkt zu diesen Bestrebungen bilden. Dieselben hatten den directen Zweck, Maschinen für chemische Zwecke herzustellen, bei welchen geringe elektromotorische Kraft ausreichend, aber sehr geringer innerer Widerstand erforderlich ist.

Die eine dieser Versuchsconstructionen, die sogenannte Topfmaschine, hat als Grundlage meinen schon früher beschriebenen Cylindermagnet oder Doppel-T-Anker (Siemens armature). Wenn man einen solchen transversal umwickelten Magnet, dessen Polflächen Theile eines Cylindermantels sind, mit parallelen Leitern umgiebt, die an einem Ende sämmtlich mit einander leitend verbunden sind, und dieselben um den Cylindermagnet rotiren lässt, so werden in denjenigen Drähten, welche sich gerade über der einen Polfläche befinden, positive, in den über der anderen befindlichen negative Ströme inducirt, welche sich durch passend angebrachte Schleifcontacte, welche alle in gleichem Sinne inducirten Drähte oder Kupferstäbe leitend mit einander verbinden, zu Strömen grosser Stärke vereinigeu, da der Widerstand der Maschine ein ausserordentlich geringer ist.

Die Potentialdifferenz der beiden Schleifcontacte konnte der Kürze der inducirten Leiter wegen selbstverständlich nur eine geringe sein. Sie erreichte bei der grössten zulässigen Rotationsgeschwindigkeit noch nicht ein Daniell, was aber ausreichend für galvanoplastische Zwecke ist.

Durch Anbringung eines Mantels aus isolirten Eisendrähten lässt sich die Stärke der magnetischen Felder und damit die elektromotorische Kraft des Stromes noch beträchtlich verstärken. Bei dieser Construction der dynamoelektrischen Maschine wirkt der Magnetismus direct inducirend; es fällt daher bei ihr eine Reihe der oben erörterten Constructionsfehler fort. Sie bildet daher den Ausgangspunkt für verbesserte Constructionen von dynamoelektrischen Maschinen, über welche ich mir weitere Mittheilungen vorbehalte.

Eine zweite Construction ruht auf einer ganz abweichenden Grundlage, nämlich auf der sogenannten unipolaren Induction. Bekanntlich entsteht in einem Hohlcylinder, welchen man um das Nord- oder Südende eines Magnetstabes rotiren lässt, ein Stromimpuls, der sich durch einen Strom in der leitenden Verbindung von Schleiffedern an den beiden Enden des rotirenden Cylinders kundgiebt. Es wurde nun ein Hufeisen mit langen cylindrischen Schenkeln so placirt, dass die Polenden nach oben gerichtet waren. Das untere Drittheil der Schenkel wurde mit Drahtwindungen von sehr grossem Querschnitt (etwa 20 □cm) umgeben. Um die oberen zwei Drittel der Länge der Schenkel rotirten zwei Hohlcylinder aus Kupfer, deren untere Enden mit den oberen Anfängen der unter sich verbundenen Spiralen durch ein System von Schleiffedern communicirten, während die an dem oberen Ende derselben angebrachten Schleiffedern isolirt waren. Die rotirenden Cylinder waren mit einem eisernen Mantel umgeben, welcher den Zweck hatte, den Magnetismus des Elektromagnetes, resp. die Stärke der cylindrischen magnetischen Felder, in denen die Kupfercylinder arbeiteten, zu vergrössern. Es gelang bei den allerdings bedeutenden Dimensionen dieser Maschine, durch unipolare Induction einen Strom zu erzeugen, welcher in einem äusserst geringen Widerstande thätig war und eine elektromotorische Kraft von ca. 1 Daniell besass. Trotz dieser verhältnissmässig bedeutenden Leistungen war der Nutzeffect dieser Maschine nicht befriedigend, da die Reibung der Schleiffedern zu gross war und die Leistung der Grösse der Maschine nicht entsprach.

Ich will hier noch bemerken, dass mein Freund G. Kirchhoff mir einen beachtenswerthen Vorschlag machte, um die elektromotorische Kraft dieser Maschine durch Vergrösserung der Länge des inducirten Leiters zu vermehren.

Er schlug vor, die Wände der rotirenden Hohlcylinder durch Längsschnitte zu trennen und sie dann mit isolirenden Zwischenlagen wieder zu einem Hohlcylinder zusammenzufügen. Jedes Ende eines der so gebildeten isolirten Stäbe sollte mit einem isolirten Schleifringe leitend verbunden werden. Durch die im Kreise anzuordnenden Schleiffedern konnten dann die Enden der Stäbe beider Cylinder derartig verbunden werden, dass sie in demselben Sinne elektromotorisch wirkten. Technische Schwierigkeiten haben die Durchführung dieses beachtenswerthen Vorschlages bisher verhindert, es ist aber nicht unwahrscheinlich, dass dieselben zu überwinden sind. Auffallend ist bei dieser Maschine, dass der Magnetismus des grossen Hufeisenmagnetes viel früher von der Proportionalität mit dem (primären) Strom abweicht, als zu erwarten war. In der nachfolgenden Tabelle enthält die erste Colonne die Stärke des magnetisirenden Stromes in Stromeinheiten, die zweite die Spannungsdifferenz an den Schleiffedern in Daniells, die dritte die Umdrehungszahl der Kupfercylinder. Wäre der Magnetismus der Stärke des primären Stromes proportional, so müssten die Zahlen der vierten Colonne denen der ersten proportional sein, — was ersichtlich nicht der Fall ist. Ebenso wenig ist bei dem durch einen Widerstand geschlossenen Leitungskreise die in der letzten Colonne angegebene Stromstärke in demselben dem Producte aus Stromstärke des primären Kreises in die Tourenzahl, dividirt durch den eingeschalteten Widerstand, proportional.

Unipolare Maschine

Primärer Strom in $\frac{\text{Dan.}}{\text{S. E.}}$	S-Spannung an den Polen in Dan.	v-Touren	$\frac{S}{v}$ 100	Äusserer Widerstand in $\frac{\text{S. E.}}{\text{Mill.}}$	Stromstärke in $\frac{\text{Dan.}}{\text{S. E.}}$
119	0.74	760	0.0974	∞	0
113	.73	810	.0901	„	„
102	.70	810	.0864	„	„
91	.69	825	.0836	„	„
83	.68	830	.0819	„	„
74	.68	840	.0810	„	„
65	.67	840	.0798	„	„
57	.66	850	.0776	„	„
43	.63	810	.0778	„	„
0	.10	820	.0012	„	„
42	.040	700		18	2.3
65	.036	660		18	2.1
90	.047	680		18	2.7
105	.052	680		18	3.0
124	.052	720		18	3.6
95	.128	670		160	0.8

Dass die Magnetschenkel, die aus Eisenröhren von 16^{cm} äusserem, 9^{cm} innerem Durchmesser und 116^{cm} Länge bestanden, schon bis zum Maximum magnetisirt gewesen waren, ist schon aus dem Grunde nicht anzunehmen, weil der schwache rückbleibende Magnetismus bereits etwa ein Achtel der stärksten Spannung gab, wie aus der 10. Versuchsreihe hervorgeht. Es ist aber möglich, dass der Magnetismus nicht gleichmässig auf der Peripherie der feststehenden Magnetschenkel vertheilt war, und dass daher die augenblicklich in schwächeren magnetischen Feldern befindlichen Theile der rotirenden Cylinder eine Nebenschliessung für die in stärkeren Feldern inducirten Ströme bildeten. Bei Durchführung des Kirchhoff'schen Vorschlages würde dies fortfallen.

Hr. Siemens legte ferner vor:

Beschreibung der Versuche des Etablissements von Siemens & Halske über dynamoelektrische Maschinen und elektrische Kraftübertragung und theoretische Folgerungen aus denselben von O. Frölich.

Den Anlass zu den im Nachfolgenden beschriebenen Versuchen und theoretischen Betrachtungen gab die im Etablissement von Siemens & Halske immer dringender auftretende Nothwendigkeit, über die elektrische Kraftübertragung eine ausgedehnte Reihe von Versuchen anzustellen, welche durch das beinahe vollständige Fehlen von Versuchsmaterial und die Unsicherheit der bisher aufgestellten theoretischen Betrachtungen begründet war. Im Verlauf der Versuche nun, die über elektrische Kraftübertragung angestellt wurden, stellte es sich bald heraus, dass die Anzahl von Umständen, welche auf diese Übertragung von wesentlichem Einflusse sind, eine bedeutende ist, und dass in Folge dessen die Versuche in sehr grossem Umfange angestellt werden müssten, wenn es nicht gelänge, eine einfache Theorie zusammenzustellen, welche die Vorgänge im Wesentlichen wiedergibt, und mittelst welcher dann auch auf Fälle geschlossen werden könnte, welche nicht im Bereich der angestellten Versuche liegen. Die Aufstellung einer solchen Theorie bedingte wiederum genaue Kenntniss der bei der einfachen dynamo-elektrischen Maschine auftretenden Vorgänge und ihrer Ursachen; kurz, es erwies sich bald als Bedürfniss, das ganze Gebiet dieser Vorgänge systematisch durchzuarbeiten, um die Fragen des Technikers mit einer für die Praxis genügenden Schärfe zu beantworten.

Das Nachstehende gibt in gedrängter Darstellung die Resultate dieser Versuche:

Die bis dahin publicirten Versuche über dynamo-elektrische Maschinen sind zwar ziemlich zahlreich (bez. Literatur s. Meyer und Auerbach Wied. Ann. Bd. 8 S. 494) und theilweise mit grossem Fleisse und Sorgfalt durchgeführt; wir konnten jedoch nur wenig Nutzen aus denselben ziehen, da die bezüglichen Verfasser sich meist darauf beschränkten, für eine specielle Maschine Stromcurven zu ermitteln, ohne das derselben anhaftende Individuelle und das sämmtlichen dynamo-elektrischen Maschinen zukommende

Allgemeine zu trennen, und ohne die verschiedenen Ursachen des Stromes zu zergliedern.

In Bezug auf Eine Frage, welche wir im Nachfolgenden nicht berühren, welche bereits Herwig, Wied. Ann. Bd. 7 S. 193, behandelt hat, besitzen wir ebenfalls Versuche und Theorie, nämlich diejenige des „Angehens" von Maschinen; wir behalten uns die Beschreibung der bez. Resultate auf eine spätere Gelegenheit vor.

I. Der Strom der dynamoelektrischen Maschine.

a) Gleichung des dynamoelektrischen Gleichgewichts.

Wenn man das Ohm'sche Gesetz auf den Strom einer mit äusserem Widerstand verbundenen Magnetmaschine (Maschine mit permanenten Magneten) anwendet, so erhält man

$$J = \frac{nMv}{W} \quad . \quad . \quad . \quad . \quad . \quad . \quad . \quad . \quad 1)$$

hier ist J der Strom, v die Tourenzahl, W der Gesammtwiderstand des Kreises, n die Anzahl der Windungen auf dem Anker und M eine Grösse, welche wir als das Verhältniss der elektromotorischen Kraft zur Tourenzahl definiren und als den „wirksamen Magnetismus" bezeichnen. Diese letztere Grösse ist die Summe der elektromotorischen Kräfte, welche die permanenten Magnete und das Eisen des Ankers auf Eine Windung des Ankers bei der Tourenzahl Eins ausüben.

Dieselbe Gleichung gilt auch für die dynamoelektrische Maschine; nur tritt bei dieser die Beziehung hinzu, dass dieselbe ihre Magnete selbst erzeugt, oder dass

$$M = f(J), \quad . \quad . \quad . \quad . \quad . \quad . \quad . \quad . \quad 2)$$

während bei der Magnetmaschine M eine beinahe constante Grösse ist.

Die Gleichung 1) ist zugleich diejenige des dynamoelektrischen Gleichgewichts; denn beim „Angehen" der Maschine, d. h. beim Ansteigen des Stroms vor der Erreichung des stationären Zustandes, ist der vom augenblicklich vorhandenen Magnetismus erzeugte

Strom $\frac{nMv}{W}$ stets grösser, als der zum Aufrechterhalten jenes Magnetismus nöthige Strom, und beide Stromgrössen werden erst gleich im stationären Zustand oder im dynamoelektrischen Gleichgewicht.

Die Gleichung 1) in der Form geschrieben:

$$\frac{J}{nM} = \frac{J}{f(J)} = \frac{v}{W}$$

enthält den wichtigen Satz, dass die Stromstärke nur eine Funktion des Verhältnisses der Tourenzahl zum Gesammtwiderstand ist. Dieser Satz gilt für sämmtliche dynamoelektrische Maschinen und für beliebige Stellung des Commutators, und bildet daher die Grundgleichung dieser Maschinen.

Die Gleichung 1) gibt auch Aufschluss über die invid uelle Leistungsfähigkeit der einzelnen Maschine.

Die einzige Grösse, welche die Individualität einer Maschine kennzeichnet und welche zu deren Kennzeichung auch ausreicht, ist das Product des wirksamen Magnetismus M mit der Windungszahl n des Ankers. Ist diese letztere Zahl gegeben und der wirksame Magnetismus als Function der Stromstärke für eine bestimmte Maschine und bestimmte Commutatorstellungen bekannt, so lässt sich stets die Stromstärke aus Tourenzahl und Gesammtwiderstand berechnen.

Gleichung 1) zeigt aber auch, welche Form diese Function haben muss, um die Maschine möglichst leistungsfähig zu machen.

Wäre der wirksame Magnetismus einfach proportional der Stromstärke, so hätte Gleichung 1) keinen Sinn mehr; es gibt in diesem Falle im Allgemeinen keinen stationären Zustand mehr, der Strom würde ins Unendliche anwachsen. Es tritt also nur dynamoelektrisches Gleichgewicht ein, wenn der Magnetismus von der Proportionalität mit der Stromstärke abweicht, was in Wirklichkeit stets der Fall ist.

Setzen wir $nM = cJ - \varphi(J)$, wo $\varphi(J)$ diese Abweichung vorstellt, so gibt Gleichung 1):

$$\frac{v}{W} = \frac{1}{c - \frac{\varphi(J)}{J}};$$

hieraus folgt, dass für eine bestimmte Stromstärke die Tourenzahl um so kleiner ist, je kleiner die Abweichung des Magnetismus von der Proportionalität ist. Eine dynamoelektrische Maschine ist also um so vollkommener, je näher der wirksame Magnetismus der Proportionalität mit der Stromstärke kommt.

b) Prüfung der Gleichgewichtsgleichung.

An einer dynamoelektrischen Maschine der grössten Sorte von Siemens & Halske (Modellbezeichnung D_0) wurden ausgedehnte Versuche über die Gültigkeit der Hauptgleichung angestellt, indem Tourenzahl und Widerstand in möglichst weiten Grenzen variirt und die zugehörigen Stromstärken gemessen wurden.

Die Strommessung geschah an einem Elektrodynamometer, wie es in meinem Buch über Elektricität und Magnetismus S. 402 beschrieben ist; die Constante desselben war durch Kupferniederschläge bestimmt. Die Strommessungen sind in der Einheit $\frac{\text{Daniell}}{\text{Siemens Einheit}}$ ausgedrückt, indem das Daniell mit Kohlrausch als diejenige elektromotorische Kraft definirt wird, welche in 1 Siem. Einh. einen Strom erzeugt, der in der Stunde 1.38 Gramm Kupfer niederschlägt.

Die Maschine wurde nach einander in drei verschiedenen Wickelungen geprüft, deren Daten nachstehend folgen:

	Schenkel			Anker		
	Mittlerer Abstand der Windungen vom Eisen	Anzahl der Windungen	Widerstand	Anzahl der Windungen	Widerstand	Gesammtwiderstand der Maschine
Wickelung:	r	m	s	n	a	$a+s$
	mm	E			E	E
I	10.5	456	0.290	288	0.145	0.435
II	21	856	0.580	288	0.145	0.725
III	14	1960	4.14	1296	3.00	7.14

Der äussere Widerstand bestand aus einem mit Unterabtheilungen versehenen System von Flacheisen, welches frei in der Luft ausgespannt war und auch durch die hier auftretenden starken Ströme verhältnissmässig wenig erwärmt wurde; der jeweilen eingeschaltete äussere Widerstand wurde nach jeder einzelnen Messung bestimmt.

Die Stellung der Bürsten am Commutator konnte beliebig verändert werden; sie wurde bei jedem Versuch so gewählt, dass der Strom ein Maximum war.

Nachstehende Tabellen I, II, III enthalten die Versuchsresultate für die Wickelungen I, II, III. Die Tabellen enthalten: die Tourenzahl per Minute v, den Gesammtwiderstand W in S. E., die Stromstärke J in $\frac{\text{Dan.}}{\text{S. E.}}$, das Verhältniss $\frac{v}{W}$ und den wirksamen Magnetismus $M = \frac{JW}{nv}$.

Die Figur 1 enthält dieselben Versuche aufgetragen (J als Function von $\frac{v}{W}$); die punctirten Linien stellen die weiter unten zu besprechenden Interpolationsformeln vor. In Curve III sind die Werthe von $\frac{v}{W}$ in zehnfach grösserem Mafsstab aufgetragen.

Tabelle I. *Wickelung I.*

v Touren	W Gesammt-Widerstand	J Stromstärke	$\frac{v}{W}$	$M = \frac{JW}{nv}$
506	2.82	30.1	179	0.000583
608	2.91	35.3	209	587
712	2.98	41.5	239	604
791	3.03	45.6	261	611
902	3.11	49.2	290	590
1017	3.17	54.7	322	590
112	2.77	0.30	40.4	0.000026
203	2.78	0.58	73.0	28
301	2.79	7.18	108	0.000233
400	2.81	19.9	143	486
390	2.83	19.9	138	500
510	2.70	32.0	189	587
610	2.69	40.2	227	615
709	2.74	44.7	259	601
812	2.80	50.4	290	604
919	2.71	55.7	339	569
105	2.47	0.29	42.5	0.000024
194	2.51	1.20	77.3	54
307	2.52	15.5	122	0.000441
399	2.54	25.9	157	573
105	1.95	0.38	53.9	0.000024
203	2.01	1.88	101	65
300	2.02	23.7	148	0.000556
401	2.04	33.9	197	601
501	2.14	41.5	234	615
608	2.18	48.6	279	604
704	2.22	53.4	317	583
822	2.22	59.9	370	563

v Touren	W Gesammt-Widerstand	J Stromstärke	$\frac{v}{W}$	$M = \frac{JW}{nv}$
111	1.47	0.88	75.5	0.000042
198	1.57	14.7	126	000403
301	1.55	33.6	194	0.000601
401	1.57	45.9	255	625
498	1.65	52.0	302	597
601	1.70	58.8	354	576
728	1.74	67.6	418	559
109	1.25	1.06	87.2	0.000042
212	1.31	27.5	162	0.000590
309	1.33	41.5	229	629
413	1.37	53.4	302	615
592	1.43	65.6	414	549
493	1.46	58.5	338	601
114	0.92	6.9	124	194
207	0.94	39.5	220	622
313	0.97	58.4	323	629
415	1.01	71.1	411	601
497	1.02	79.8	487	569
109	0.65	27.5	168	566
194	0.72	50.9	269	656
293	0.73	71.3	401	618
424	0.73	95.2	581	569
105	0.48	38.8	219	615
194	0.56	63.0	346	632
294	0.56	88.2	525	583

Tabelle II. *Wickelung II.*

v Touren	W Gesammt-Widerstand	J Stromstärke	$\frac{v}{W}$	$M = \frac{JW}{nv}$
201	3.10	10.4	64.8	0.000556
415	3.14	24.0	132	646
609	3.24	33.9	188	625
812	3.31	46.4	245	656
206	2.12	18.4	97.2	656
408	2.12	40.9	192	736
607	2.08	62.9	292	750
195	1.27	32.1	154	726
399	1.29	67.7	309	760
207	3.24	10.4	63.9	566

Tabelle III. *Wickelung III.*

v Touren	W Gesammt-Widerstand	J Stromstärke	$\frac{v}{W}$	$M = \frac{JW}{nv}$
202	19.0	7.95	10.6	0.000577
304	19.2	12.6	15.9	612
199	22.7	5.95	8.77	524
301	23.0	10.2	13.1	601
405	23.3	13.6	17.4	604

Aus den Versuchen ergibt sich, dass im Wesentlichen die Stromstärke nur eine Function des Verhältnisses $\frac{v}{W}$ ist, wie es nach Gl. 2. der Fall sein soll; wären v und W Variabeln, welche beide unabhängig von einander die Stromstärke beeinflussen, so liessen sich die Stromstärken nicht mehr durch eine einzelne Curve darstellen; die Darstellung durch eine einzelne Curve genügt aber offenbar den Beobachtungen, und die Abweichungen derselben von dieser Curve tragen den Charakter von Versuchsfehlern.

Streng richtig ist dies jedoch nicht. Wäre J nur eine Function von $\frac{v}{W}$, so müsste, wenn für eine bestimmte Commutatorstellung und bestimmte Werthe von v und W eine bestimmte Stromtärke auftritt, dieselbe sich nicht verändern, wenn Tourenzahl und Gesammtwiderstand in demselben Verhältniss verändert werden. Dies ist nicht genau der Fall, sondern man muss, wenn v und W beide gleichmässig vergrössert werden, den Commutator ein wenig im Sinne der Drehung des Ankers drehen, um dieselbe Stromstärke zu erhalten, wie vorher. Diese Erscheinung jedoch, welche auf eine Verschleppung des Magnetismus des Ankers durch die Drehung deutet, ist praktisch von wenig erheblichem Einfluss; wir lassen dieselbe daher im Folgenden unberücksichtigt, obschon bei der Einstellung des Commutators stets darauf Rücksicht genommen wurde.

Es bleibt noch zu erörtern, ob die Versuchsreihe von Meyer und Auerbach, welche an einer Gramme'schen Maschine angestellt wurde und die ausgedehnteste der bisher veröffentlichten ist, mit der Grundgleichung stimmt.

Meyer und Auerbach haben allerdings die Gl. 1) aufgestellt, scheinen dieselbe jedoch nicht auf allgemeine Gültigkeit geprüft zu haben. Stellt man nach der von M. und A. gegebenen Schlusstabelle J als Function von $\frac{v}{W}$ dar, so erhält man Curve IV Fig. 2[1]). Dieselbe zeigt allerdings, dass die Abweichungen der Beobachtungen von der resultirenden Curve grösser sind, als nach der Ge-

[1]) Die Versuche mit ganz geringer Stromstärke sind weggelassen, weil in denselben die Maschine offenbar noch als Magnetmaschine mit dem remanenten Magnetismus, noch nicht als dynamo-elektrische Maschine arbeitete.

nauigkeit der Beobachtungen erwartet werden sollte; die Erklärung dieser Abweichung dürfte jedoch darin liegen, dass bei diesen Versuchen der Commutator stets dieselbe Stellung einnahm. Im Wesentlichen zeigt sich auch hier die Stromstärke nur als eine Function des Verhältnisses $\frac{v}{W}$.

Die Art der Abhängigkeit der Stromstärke von dem Verhältniss der Tourenzahl zum Widerstand geht aus der Fig. 1) deutlich hervor; dieselbe ist natürlich nur ein individuelles Merkmal der untersuchten Maschinen, das von der Construction, der Wickelung u. s. w. abhängt.

Die bei der ersten, verhältnissmässig schwachen Wickelung der Schenkel erhaltene Curve I stimmt in ihrer Form mit der von Meyer und Auerbach und Anderen gefundenen Curven überein: einem anfänglichen, ziemlich plötzlichen Steigen folgt bald eine längere Periode, in welcher die Curve beinahe genau geradlinig verläuft, während sie später sich von dieser Geraden allmählich entfernt.

Die bei der zweiten, beinahe doppelt so starken Wickelung erhaltene Curve II dagegen, die allerdings auf viel weniger und schlechteren Beobachtungen beruht, ergibt im Wesentlichen eine Gerade, ebenso Curve III.

Nun erstreckt sich aber der Bereich der für diese Maschine beim praktischen Gebrauch vorkommenden Stromstärken höchstens von 20—50 $\frac{\text{Dan.}}{\text{S. E.}}$ bei den Wickeluugen I u. II; innerhalb dieses Bereiches lässt sich auch der Curve I eine Gerade unterschieben; wir gehen also nicht zu weit, wenn wir behaupten, dass für die Praxis die Stromstärke als lineare Function des Verhältnisses Tourenzahl / Widerstand anzusehen ist.

Dieses Resultat, welches im Wesentlichen für alle Maschinen des Systems v. Hefner-Alteneck und auch für die von Meyer und Auerbach untersuchte Gramme'sche Maschine gilt, und welches alle auf diese Maschinen bezüglichen Fragen wesentlich vereinfacht, setzt die Dynamomaschine in eine eigenthümliche Parallele zu der Magnetmaschine. Trotzdem der wirksame Magnetismus der ersteren mit dem Strome fortwährend wächst (in den Grenzen der Praxis), während derjenige der letzteren beinahe constant bleibt, ist bei beiden Maschinen das Wachsthum der Stromstärke proportional dem Wachsthum des Verhältuisses Tourenzahl / Widerstand. Es herrscht nur der wichtige Unterschied zwischen beiden Maschinen, dass die Magnetmaschine auch bei der langsamsten Drehung Strom gibt, während die Dynamomaschine erst von einem bestimmten Werth des Verhältnisses $\frac{v}{W}$ an, welchen wir im Folgenden die „todten Touren" nennen, Strom gibt.

Der Fehler, den wir durch diese Darstellung gegenüber der Wirklichkeit begehen, lässt sich an der Hand der beschriebenen Curven beurtheilen; derselbe ist für die praktischen Verhältnisse ohne Einfluss.

c) Der wirksame Magnetismus.

Die Abhängigkeit des wirksamen Magnetismus von der Stromstärke wird durch die Curven V, VI, VII. Fig. 3, bez. für die Wickelungen I, II, III nach den Tabellen I, II, III dargestellt (w. Magnetismus Ordinate, Stromstärke Abscisse); Curve VIII. Fig. 4 zeigt den Verlauf des aus den Versuchen von Meyer und Auerbach berechneten wirksamen Magnetismus, welcher durchaus demjenigen der obigen Curven ähnlich ist. Diese Abhängigkeit ist bei den oben genannten Maschinen im Allgemeinen dadurch charakterisirt, dass zu Anfang der wirksame Magnetismus proportional der Stromstärke ist, dann aber immer mehr von der Proportionalität abweicht und asymptotisch in ein Maximum übergeht. Für noch stärkere Ströme muss der Magnetismus sogar allmählich von diesem Maximum herabsinken; denn, wenn die Schenkel bis zum Maximum magnetisirt sind, muss die Einwirkung des Stromes auf den Magnetismus des Ankers, welche in Verdrehung und Schwächung besteht, immer noch zunehmen, der ganze „wirksame Magnetismus" also abnehmen; indessen findet dies nur für Stromstärken statt, welche die in der Praxis vorkommenden weit übersteigen. Wenn wir uns daher auf die Darstellung der praktischen Verhältnisse beschränken, können wir annehmen, dass der wirksame Magnetismus schliesslich ein constantes Maximum erreicht.

Die beiden Merkmale der anfänglich auftretenden Proportionalität und des schliesslich erreichten Maximums sind die Ursache davon, dass die Stromstärke eine lineare Function von $\frac{v}{W}$ ist. Denn, umgekehrt, setzen wir

$$\frac{v}{W} = a + bJ,$$

also

$$J = \frac{1}{b}\left(\frac{v}{W} - a\right), \quad \ldots\ldots \quad 3)$$

wo a die todten Touren und $\frac{1}{b}$ der Proportionalitätsfaktor, so folgt für M

$$M = \frac{1}{n}\frac{J}{\frac{v}{W}} = \frac{J}{a + bJ}; \quad \ldots\ldots \quad 4)$$

hier ist $\frac{1}{a}$ der Faktor der anfänglichen Proportionalität zwischen M und J, und $\frac{1}{b}$ der Maximumswerth des w. Magnetismus.

Die oben gegebenen, für den w. Magnetismus gefundenen Curven zeigen nun, dass das für die Leistungsfähigkeit der Maschinen so schädliche Maximum bei den oben genannten Constructionen doch verhältnissmässig früh eintritt, und es handelte sich darum, die Ursache dieses frühen Eintrittes klarzulegen.

Es war zu vermuthen, dass diese Ursache namentlich in der magnetisirenden Einwirkung des Stromes in den Ankerdrähten liege. Denn diese Einwirkung wirkt der von den Schenkeln ausgehenden magnetisirenden Kraft entgegen, und es wird in Folge dessen sowohl die magnetische Axe des Ankers gedreht, als die stromerzeugende Kraft desselben geschwächt, im Ganzen also der wirksame Magnetismus verringert; es muss daher das Maximum dieses letzteren früher eintreten, als es ohne diese Einwirkung der Fall wäre.

Um die beiden gegen einander wirkenden Ursachen des wirksamen Magnetismus, die magnetisirende Kraft der Schenkelwickelung und diejenige der Ankerdrähte, zu trennen, wurde der Strom einer zweiten Dynamomaschine durch die Schenkelwickelung geschickt, der durch hohen Widerstand geschlossene Anker gedreht und die an seinen Polen auftretende Potentialdifferenz mittelst des sog. Torsionsgalvanometers (s. elektrotechn. Zeitschrift

1880 Juni) gemessen. Der Commutator wurde wieder auf da
Maximum der Spannungsdifferenz eingestellt und gelangte dadurc
beinahe in die demselben zukommende natürliche Lage, d. h. in di
Ebene, welche durch die beiden, in keinem magnetischen Feld be
findlichen Stellen des Ankers geht. Den wirksamen Magnetismu
erhielt man, indem man die elektromotorische Kraft oder Potentialdifferenz an den Polen durch die Tourenzahl und die Windungs
zahl des Ankers dividirte.

Diese Versuche, für alle Wickelungen der Schenkel durchgeführt, ergeben die in den Tabellen IV, V, VI und den Curven IX
X, IX (Fig. 5) enthaltenen Resultate.

Tabelle IV. *Wickelung I.*

v Touren	J Primärer Strom	E Elektromotorische Kraft	$M = \frac{E}{n v}$ Wirksamer Magnetismus
164	4.91	11.8	0.000243
200	10.3	19.3	333
202	8.78	18.8	323
303	13.7	41.9	483
296	16.8	44.6	524
288	18.8	47.3	569
405	28.1	77.9	667
420	26.0	78.5	649
430	24.4	78.5	635
415	21.2	71.8	601
440	12.8	56.4	444
506	15.5	72.5	497
503	17.6	77.9	538
494	21.2	83.9	590
485	24.8	88.4	632
498	28.7	95.3	663
486	33.8	97.3	694
488	33.6	98.7	701
486	33.3	94.0	670
492	34.1	95.3	674

r Touren	J Primärer Strom	E Elektromotorische Kraft	$M = \frac{E}{n\,r}$ Wirksamer Magnetismus
550	40.0	114	0.000719
587	43.6	122	722
578	42.1	121	726
570	41.1	115	698
610	32.5	121	691
625	26.6	122	677
634	27.8	119	653
595	20.7	99.3	580
708	24.8	127	625
680	30.5	130	663
680	34.1	134	681
698	39.0	144	715
760	45.4	162	740
808	47.0	175	750
828	48.0	178	747
804	47.0	170	733
830	42.3	175	729
792	33.0	153	691
806	31.0	152	656
832	25.3	149	622
790	19.1	121	531

Tabelle V. *Wickelung II.*

v Touren	J Primärer Strom	E Elektromotorische Kraft	$M = \frac{E}{nv}$ Wirksamer Magnetismus
205	13.4	32.0	0.000542
193	19.0	36.0	649
192	27.7	40.0	722
202	30.8	45.0	774
403	13.8	70.4	608
400	18.9	78.0	677
399	27.6	86.0	750
399	30.8	88.6	771
823	13.8	151.2	635
816	18.9	158.0	674

Tabelle VI. *Wickelung III.*

v Touren	J Primärer Strom	E Elektromotorische Kraft	$M = \frac{E}{nv}$ Wirksamer Magnetismus
246	12.6	230	0.000721
237	11.0	215	700
240	9.00	209	672
236	7.50	193	631
232	5.30	163	542
265	3.95	159	463
256	2.40	105	316
254	1.75	66.7	203

Diese Resultate lassen sich durch die Interpolationsformel 4 mit durchaus genügender Genauigkeit darstellen.

Wir stellen nun die Interpolationsformeln zusammen, indem wir den wirksamen Magnetismus mit Strom im Anker mit M, denjenigen ohne Strom im Anker mit M' bezeichnen.

Bei Wickelung I ist für M zuerst eine Interpolationsformel egeben, welche den w. Magnetismus im ganzen Verlauf richtig arstellt mit Ausnahme des Anfangs, der für praktische Zwecke icht in Betracht kommt.

Wickelung I	Wickelung II	Wickelung III
$M = \frac{J}{26600 + 367J + 14{,}3J^2}$; für $20 < J < 50$:		
$M = \frac{J}{8070 + 1440J}$;	$M = \frac{J}{5180 + 1310J}$,	$M = \frac{J}{3200 + 1380J}$,
$M_{\max} = 0.000694$;	$M_{\max} = 0.000763$;	$M_{\max} = 0.000725$;
$M' = \frac{J}{14400 + 1040J}$;	$M' = \frac{J}{9100 + 1010J}$,	$M' = \frac{J}{5100 + 930J}$,
$M'_{\max} = 0.000962$.	$M'_{\max} = 0.000990$.	$M'_{\max} = 0.001080$.

Hieraus geht deutlich hervor, wie stark die Einwirkung d[es] Stromes im Anker das Maximum herabdrückt, nämlich bei all[en] Wickelungen um etwa $\frac{1}{4}$ des Werthes. Die das Maximum bestim[-] menden Coëfficienten b bei den verschiedenen Wickelungen sin[d] wenig verschieden (diejenigen für den Magnetismus ohne Strom i[m] Anker müssen streng genommen gleich sein); die Coëfficienten [a] dagegen, deren reziproke Werthe einen Ausdruck für die „Kra[ft] der Wickelung" bilden, zeigen bedeutende Unterschiede.

Diese Resultate lassen sich auch benutzen, um die Einwirkung des Stromes im Anker auf den Magnetismus gesetzmässig festzustellen, wenigstens in erster Annäherung. Diese Einwirkung ist gleich der Differenz $M' - M$; dieselbe ist proportiona[l] der Anzahl n der Windungen auf dem Anker, nimmt mit zunehmender Stromstärke zu, dagegen mit zunehmendem Magnetismu[s] M' ab. Wir setzen

$$M' - M = n\gamma \frac{J}{M'};$$

da nun für M' zu setzen ist:

$$M' = \frac{J}{a' + b'J},$$

so wird

$$M' - M = n\gamma(a' + b'J)$$

und

$$M = \frac{J}{a' + b'J} - n\gamma(a' + b'J) \quad . \quad . \quad . \quad . \quad 5)$$

Wir haben diese Formeln mit den oben gegebenen Interpolationsformeln und mit andern Versuchen verglichen, in welchen die Schenkel einfach parallel geschaltet waren, also der Strom im Anker doppelt so stark war als in den Schenkeln, und fanden genügende Übereinstimmung; der Werth von γ beträgt im vorliegenden Falle $\frac{4}{3} \times 10^{-11}$.

Die beschriebenen Versuche geben auch die Mittel an die Hand, um den Einfluss der Schenkelwickelung auf den w. Magnetismus zu untersuchen.

Von den beiden Coëfficienten unserer Interpolationsformel für M' ist der eine, b', unabhängig von der Schenkelwickelung, da $\frac{1}{b'}$ das Maximum des Magnetismus bedeutet, welches bei jeder Wickelung schliesslich eintreten muss; der andere dagegen, a', der reziproke

Faktor der anfänglichen Proportionalität zwischen Strom und Magnetismus, ist wesentlich abhängig von der Wickelung, sowohl von der Anzahl der Windungen als von ihrer Entfernung vom Eisenkern.

Aus den Versuchen mit den drei verschiedenen Wickelungen ergibt sich nun, dass a', dessen reziproken Werth $\frac{1}{a'}$ wir „die Kraft der Wickelung“ nennen möchten, nur abhängig ist von der Anzahl der Windungen, nicht von dem Durchmesser des Drahtes oder dem Abstand der Windungen vom Eisenkern; natürlich gilt dies vorläufig nur für die Eisenconstruction der v. Hefner'schen Maschine. Es zeigt sich nämlich, dass

$$a' = \frac{\alpha}{m^q},$$

wo m die Anzahl der Windungen auf den Schenkeln, α und q Coëfficienten.

Aus den Versuchen ergeben sich die Werthe:

$$\alpha = 126000 \quad , \quad q = 0.729 .$$

Hieraus erhalten wir als Schlussresultat für den wirksamen Magnetismus unserer Maschine:

$$M = \frac{J}{\frac{\alpha}{m^q} + b'J} - n\gamma\left(\frac{\alpha}{m^q} + b'J\right) . \quad . \quad . \quad . \quad 6)$$

Diese Formel gestattet, für jede beliebige Wickelung der hier behandelten Maschine den wirksamen Magnetismus zum Voraus zu berechnen.

d) Die Arbeitskraft der dynamoelektrischen Maschine.

Nach dem Joule'schen Gesetz ist die von der Maschine in der Sekunde verbrauchte Arbeit

$$A = cJ^2W = cJE ,$$

wo $c = 0.00181$ nach Kohlrausch (Leitf. d. pr. Ph. S. 199 und 215), wenn die Arbeitskraft in Pferdekräften, die elektromotorische Kraft in Daniell, die Widerstände in Siem. E., die Stromstärken in

$\frac{\text{Dan.}}{\text{S. E.}}$ ausgedrückt werden. Die Tabelle VII enthält eine Reihe von Versuchen, in welchen die Arbeitskraft mittelst eines Arbeitsmessers von v. Hefner-Alteneck direkt gemessen wurde; (die Arbeit des Leergangs ist in Abrechnung gebracht.)

Tabelle VII. *Wickelung I.*

v Touren	W Gesammt-Widerstand	J Stromstärke	E Elektromotorische Kraft	Arbeitskraft (beob.)	$c. J. E$	$c'. J. E + pE^2$
129	„	14.5	13.6	0.21	0.357	0.34
141	„	20.5	18.2	0.62	0.675	0.64
167	„	29.4	24.9	1.27	1.32	1.25
180	„	32.5	28.7	1.60	1.69	1.59
200	„	37.7	34.8	2.27	2.37	2.25
250	„	46.4	42.1	3.57	3.54	3.34
298	„	53.7	47.7	4.74	4.64	4.39
350	„	59.9	53.3	6.09	5.78	5.46
393	„	65.6	62.3	7.36	7.40	7.01
401	„	66.8	62.4	7.65	7.54	7.14
450	„	72.8	69.2	9.26	9.12	8.64
489	„	74.4	71.8	10.42	9.67	9.17
168	1.35	17.3	22.4	0.63	0.70	0.74
216	„	23.5	31.1	1.33	1.32	1.40
247	„	27.9	36.9	1.89	1.86	1.97
302	„	36.5	49.3	3.21	3.26	3.44
351	„	42.8	58.1	4.37	4.50	4.76
401	„	48.0	66.3	5.53	5.76	6.11
449	„	52.3	73.4	6.82	6.95	7.37
508	„	57.2	82.3	8.39	8.52	9.35

Die beiden letzten Spalten enthalten die theoretisch berechneten Arbeitswerthe und zwar die vorletzte die Berechnung nach dem Joule'schen Gesetz, die letzte mit Hinzufügung einer Correction, welche von den sog. Foucault'schen oder den im Eisenkern des Ankers inducirten Strömen herrührt. Berücksichtigt man nämlich diese Ströme, so erhält man

$$A = cJE + pE^2 \quad . \quad . \quad . \quad . \quad . \quad . \quad 8)$$

und die Versuche über Kraftübertragung zeigen, dass für den vorliegenden Fall p den Werth 0.0009 habe, und ferner, dass es, um diese Versuche gut darzustellen, nöthig ist, den Werth von c von 0.00181 auf 0.00163 $= c'$ herabzusetzen.

Wenngleich die in der vorletzten Spalte berechneten Arbeitswerthe besser mit den beobachteten übereinstimmen als diejenigen der letzten Spalte, so halten wir doch die letztere Berechnungsweise für richtiger, weil die viel zahlreicheren und meistens sorgfältigeren Beobachtungen über Kraftübertragung für dieselbe sprechen.

II. *Die elektrische Kraftübertragung.*

Elektrische Kraftübertragung entsteht, wenn der Strom einer dynamoelektrischen Maschine, der primären, in eine zweite dynamoelektrische Maschine, die secundäre, geleitet wird; der Anker dieser letzteren wird alsdann in entgegengesetztem Sinn in Drehung gesetzt und leistet eine Arbeit.

Nimmt man an, dass der Kommutator in beiden Maschinen gleich stehe, so muss, da in beiden dieselbe Stromstärke herrscht, der wirksame Magnetismus in beiden gleich stark sein. Unter dieser Voraussetzung erhält man folgende Formeln (der Index 1 bezieht sich auf die primäre, 2 auf die secundäre Maschine, E bedeutet die elektromotorische Kraft, J die Stromstärke, W den Gesammtwiderstand, M den wirksamen Magnetismus, v die Tourenzahl, n die Windungszahl des Ankers, A die Arbeitskraft, S die vom Strom im ganzen Kreis erzeugte Wärme, N den Nutzeffekt):

$$E_1 = nMv_1 \quad , \quad E_2 = nMv_2 ;$$

$$J = \frac{E_1 - E_2}{W} = M\frac{v_1 - v_2}{W} ,$$

$$A_1 = cE_1J = cJ^2W\frac{v_1}{v_1 - v_2} , \quad A_2 = cE_2J = cJ^2W\frac{v_2}{v_1 - v_2} ,$$

$$S = cJ^2W,$$

$$A_1 = S + A_2,$$

$$N = \frac{A_2}{A_1} = \frac{v_2}{v_1} = \frac{E_2}{E_1}.$$

Vergleicht man diese Formeln mit den Beobachtungen, so ergibt sich eine entschiedene Nichtübereinstimmung.

Dies fällt namentlich auf beim Nutzeffekt N. Nach der obenstehenden Formel müsste derselbe sehr hohe Werthe erlangen, etwa 90 pCt.; denn nach derselben wäre der Nutzeffekt gleich dem Verhältniss der Geschwindigkeiten, und die Geschwindigkeit der secundären Maschine kann ansteigen bis zu der Differenz der Geschwindigkeit der primären Maschine und den (für den betr. Widerstand geltenden) todten Touren, welche letzteren bei höheren Geschwindigkeiten nur einen kleinen Theil der ersteren ausmachen. In Wirklichkeit beträgt aber der Nutzeffekt 40—60 pCt. und zeigt bei constantem v_1 stets ein Maximum für einen bestimmten Werth von v_2, was nicht mit obiger Formel übereinstimmt.

Man findet ferner, dass namentlich die geleistete Arbeit A_2 in Wirklichkeit kleiner, dagegen die secundäre elektromotorische Kraft E_2 grösser ist als nach obiger Theorie; und dies findet um so mehr statt, je kleiner die geleistete Arbeit ist.

Die Erklärung dieser Abweichungen liegt in den sog. Foucault'schen Strömen, d. h. den Inductionsströmen, welche im Eisen des Ankers entstehen.

Die Hauptursache dieser Ströme liegt in der Wirkung, welche der Magnetismus des Schenkels auf das rotirende Eisen des Ankers ausübt; es müssen in Folge dessen in diesem Eisen Ströme in ähnlicher Weise entstehen, wie in den Ankerdrähten.

Diese Ströme sind nun bei der primären Maschine den Strömen in den Ankerdrähten gleichgerichtet, dieselben schwächen daher, wie jene, den wirksamen Magnetismus und die elektromotorische Kraft E_1 und vermehren die gebrauchte Arbeit A_1.

In der secundären Maschine, deren Anker sich in umgekehrter Richtung dreht, sind diese Ströme denjenigen in den Ankerdrähten entgegengesetzt gerichtet; dieselben verstärken daher den wirksamen Magnetismus und die elektromotorische Kraft E_2 und verringern die geleistete Arbeit A_2.

Wir nehmen zunächst an, dass der Commutator in beiden Maschinen gleich stehe. Dann hat man, wenn i_1, i_2 die in dem Eisen der bez. Anker inducirten Ströme, u der Widerstand, in welchem jeder derselben kreist, M_1, M_2 die bez. w. Magnetismen, so ist in erster Annäherung:

$$M_1 = M - \varepsilon i_1 \quad , \quad M_2 = M + \varepsilon i_2 \,,$$

$$i_1 = \frac{M_1 v_1}{u} = \frac{1}{n}\frac{E_1}{u} \quad , \quad i_2 = \frac{M_2 v_2}{u} = \frac{1}{n}\frac{E_2}{u} \,;$$

hier bedeutet M den wirksamen Magnetismus, welcher bei Abwesenheit der Ströme im Eisen herrschen würde, ε einen nur von der Eisenconstruction abhängigen Coëfficient.

Setzt man $\frac{\varepsilon}{u} = \eta$, so wird

$$M_1 = M(1 - \eta v_1) \;,\; M_2 = M(1 + \eta v_2) \;.\;\;.\;\;.\;\;. \qquad 9)$$

ferner

$$E_1 = n M_1 v_1 = n M(1 - \eta v_1) v_1 \,,\, E_2 = n M_2 v_2 = n M(1 + \eta v_2) v_2 \qquad 10)$$

$$J = \frac{E_1 - E_2}{W} = \frac{nM}{W}\left\{v_1 - v_2 - \eta(v_1^2 + v_2^2)\right\} \;.\;\;.\;\;. \qquad 11)$$

Für die Arbeitsgrössen hat man

$$A_1 = cnJM_1v_1 + ci_1M_1v_1 \quad , \quad A_2 = cnJM_2v_2 - ci_2M_2v_2 \,,$$

oder, wenn wir $\frac{c}{n^2 u} = p$ setzen,

$$\left.\begin{array}{c} A_1 = cJE_1 + pE_1^2 \;,\; A_2 = cJE_2 - pE_2^2 \\ N = \dfrac{A_2}{A_1} = \dfrac{E_2}{E_1}\left\{1 - \dfrac{p}{cJ}(E_1 + E_2)\right\} \\ S = cJ(E_1 - E_2) \quad , \quad F_1 = pE_1^2 \quad , \quad F_2 = pE_2^2 \,, \\ A_1 = A_2 + S + F_1 + F_2 \;; \end{array}\right\} \;.\;\;. \qquad 12)$$

hier bedeutet S die Stromwärme, F_1, F_2 bez. die Arbeit der sog. Foucault'schen Ströme.

Drücken wir sämmtliche Grössen durch J, W, v_1, v_2 aus, so kommt:

$$\left.\begin{aligned}
A_1 &= cJ^2W\frac{v_1}{v_1-v_2}\left\{1+\gamma v_2\frac{v_1+v_2}{v_1-v_2}+\frac{pW}{c}\frac{v_1}{v_1-v_2}\right\},\\
A_2 &= cJ^2W\frac{v_2}{v_1-v_2}\left\{1+\gamma v_1\frac{v_1+v_2}{v_1-v_2}-\frac{pW}{c}\frac{v_2}{v_1-v_2}\right\},\\
N &= \frac{v_2}{v_1}\left\{1+\gamma(v_1+v_2)-\frac{pW}{c}\frac{v_1+v_2}{v_1-v_2}\right\},\\
S &= cJ^2W;\ F_1 = pJ^2W^2\frac{v_1^2}{v_1-v_2},\ F_2 = pJ^2W^2\frac{v_2^2}{v_1-v_2}
\end{aligned}\right\}\quad 13)$$

Praktisch besonders wichtig sind die Formeln 12.); dieselben gestatten, aus den leicht bestimmbaren elektrischen Grössen E_1, E_2, J die Arbeitsgrössen mit Sicherheit zu berechnen; dieselben gelten für jede Stellung des Commutators und jede Grösse und Construction der Maschinen, wie man sich leicht überzeugen kann, wenn man die vorstehende Betrachtung wiederholt, die Stellung der beiden Commutatoren aber beliebig annimmt.

Nach den Formeln 13.) lassen sich die Arbeitsgrössen aus Strom, Widerstand und den Tourenzahlen berechnen, aber nur, wenn die Commutatoren gleich stehen.

Die nachstehend in Tab. VII enthaltenen Versuche, welche in grosser Ausdehnung unternommen wurden, sind mit zwei Maschinen D_0 (mit Wickelung I) ausgeführt.

Die Arbeitsmessungen geschahen an der primären Maschine vermittelst eines von Hefner'schen Arbeitsmessers, an der secundären vermittelst eines Prony'schen Zaumes. Von elektrischen Grössen wurden gemessen: die Stromstärke durch ein Elektrodynamometer, und die Spannungsdifferenzen an den Polen der beiden Maschinen durch das Torsionsgalvanometer; von diesen drei Grössen ist eine die Folge der beiden anderen, eine Kontrolle, welche die Güte der Messung beurtheilen lässt. Aus der Spannungsdifferenz an den Polen lässt sich vermittelst einer Correction leicht die bez. elektromotorische Kraft der Maschine berechnen. Die genannte Controlle erhält man am zweckmässigsten, wenn man vermittelst der aus den Spannungsdifferenzen berechneten elektromotorischen Kräfte die Grösse $\frac{E_1 - E_2}{W}$ berechnet und

dieselbe mit der beobachteten Stromstärke J vergleicht (s. Spalte 6 der Tabelle).

Der Commutator an beiden Maschinen wurde so gestellt, dass die bez. elektromotorischen Kräfte im Maximum waren; durch eine besondere Versuchsreihe war nämlich festgestellt worden, dass in diesem Fall auch der grösste Nutzeffekt erreicht wurde.

Jeder der angestellten Versuche ist ein Mittel aus wenigstens 2 Einzelversuchen; die zu einem Versuch gehörigen Messungen wurden gleichzeitig angestellt, wozu 6 verschiedene Beobachter nöthig waren.

Die von den sog. Foucault'schen Strömen abhängigen Constanten η und p sind aus denjenigen Versuchen berechnet, in welchen sämmtliche Grössen gemessen wurden, was bei den Versuchen mit höherer Tourenzahl nicht der Fall ist, da in diesen die primäre Arbeit nicht mehr gemessen werden konnte; und zwar wurde η aus den elektromotorischen Kräften, p aus den Arbeitsgrössen bestimmt.

Die für η und p gefundenen Werthe sind:

$$\eta = 0.00014 \quad , \quad p = \frac{7.5}{n^2}.$$

Es fand sich ausserdem, dass der von Kohlrausch gegebene Werth von c (0.00181) herabgesetzt werden muss, um die Beobachtungen möglichst gut darzustellen; wir haben desshalb den Werth $c' = 0.00163$ benutzt. Hiemit ist durchaus nicht ausgesprochen, dass jener Werth theoretisch unrichtig sei, sondern es kann dies seinen Grund auch in einer noch nicht berücksichtigten, secundären Erscheinung haben. Die Berechnung der Arbeitsgrössen aus den elektrischen Grössen geschah nach den Formeln 12).

Die Übereinstimmung zwischen den Versuchen und der Theorie ist eine befriedigende.

25. November. Gesammtsitzung der Akademie.

Hr. Müllenhoff las über die älteste Verbreitung und Stellung der Finnen im nördlichen und nordöstlichen Europa.

Als Verfasser der mit dem Motto: „Iuvat integros accedere fontes" bezeichneten, in Beantwortung der von der Akademie gestellten Preisaufgabe:

> eine in's Einzelne eingehende Untersuchung über den Einfluss, welchen die englische Philosophie auf die deutsche Philosophie des 18ten Jahrhunderts geübt hat, und über die Benützung der Werke englischer Philosophen durch die deutschen Philosophen dieses Zeitraums anzustellen

eingegangenen Preisschrift (Monatsbericht 1880 Juli S. 636. 637), welchem durch die Verkündigung in der Sitzung vom 8. Juli d. J. ein Theil der dafür festgesetzt gewesenen Summe zuerkannt worden ist, hat sich Hr. Dr. G. Zart, Gymnasiallehrer in Fürstenwalde, genannt.

Verzeichniss der im Monat November 1880 eingegangenen Schriften.

Leopoldina. Amtliches Organ der kaiserl. Leop.-Carol. deutschen Akademie der Naturforscher. Heft XVI. N. 19. 20. Halle a. S. 1880. 4.

Abhandlungen der historischen Classe der K. Bayerischen Akademie der Wissenschaften. Bd. XV. Abth. II. München 1880. 4.

L. Rockinger, *Die Pflege der Geschichte durch die Wittelsbacher. Akademische Festschrift.* München. 4. 2 Ex.

J. v. Döllinger, *Das Haus Wittelsbach und seine Bedeutung in der Deutschen Geschichte. Festrede.* München 1880. 4. 2 Ex.

K. A. Zittel, *Über den geologischen Bau der libyschen Wüste. Festrede.* München. 4. 2 Ex.

Jahrbuch über die Fortschritte der Mathematik. Bd. X. Jahrg. 1878. Heft 2. Berlin 1880. 8.

Elektrotechnische Zeitschrift. Herausgegeben vom Elektrotechnischen Verein. Jahrg. I. 1880. Heft 11. November. Berlin 1880. 8.

Berichte der Deutschen Chemischen Gesellschaft. Jahrg. XIII. N. 15. 16. 17. Berlin 1880. 8.

Verhandlungen des naturhistorischen Vereines der preussischen Rheinlande und Westfalens. Jahrg. 37. Hälfte 1. 2. Bonn 1880. 8.

Zeitschrift der Gesellschaft für Beförderung der Geschichts-, Alterthums- und Volkskunde von Freiburg, dem Breisgau und den angrenzenden Landschaften. Bd. V. Heft 2. Freiburg i. B. 1880. 8.

Ergebnisse der Beobachtungsstationen an den Deutschen Küsten über die physikalischen Eigenschaften der Ostsee und Nordsee und die Fischerei. Jahrg. 1880. Heft V. Mai. Berlin 1880. 4.

Mittheilungen aus der Zoologischen Station zu Neapel. Bd. II. Heft II. Leipzig 1880. 8.

Mittheilungen der Deutschen Gesellschaft für Natur- und Völkerkunde Ostasiens. August 1880. Berlin-Yokohama 1880. 4.

Geschichte der Wissenschaften in Deutschland. Neuere Zeit. Bd. 18. Abth. 1. R. Stintzing, *Geschichte der Deutschen Rechtswissenschaft.* Abth. I. München & Leipzig 1880. 8.

Symbolae Joachimicae. — Festschrift des K. Joachimsthalschen Gymnasiums. Th. II. Berlin 1880. 8.

A. Reumont, *Nascita e Patria di Margherita d'Austria.* Aquisgrana 1880. 8. Extr.

J. Thomsen, *Chemische Energie und electromotorische Kraft verschiedener galvanischer Combinationen.* Leipzig 1880. 8. Sep.-Abdr.

— —, *Die Constitution des Benzols.* Leipzig 1880. 8. Sep.-Abdr.

— —, *Thermochemische Untersuchungen über die Theorie der Kohlenstoffverbindungen.* Berlin 1880. 8. Sep.-Abdr.

— —, *Über Constitution isomerer Kohlenwasserstoffe.* Berlin 1880. 8. Sep.-Abdr.

R. Sturm, *Über die ebenen Curven dritter Ordnung.* 4. Sep.-Abdr.

Sitzungsberichte der math.-naturw. Classe der K. Akademie der Wissenschaften in Wien. Jahrg. 1880. N. XX. XXI. XXII. Wien. 8.

Jahrbuch des naturhistorischen Landes-Museums von Kärnten. Heft XIV. Klagenfurt 1880. 8.

Bericht über das naturhistorische Landes-Museum. 1878. 1879. Sep.-Abdr. 8.

Erdélyi Muzeum. 9. sz. VII. évtolyam. 1880. Budapest. 8.

H. Payer, *Bibliotheca Carpatica.* Igló 1880. 8.

Viestnik hrvatskoga arkeologičkoga Družtva. Godina II. Br. 4. Zagrebu 1880. 8.

Proceedings of the scientific meetings of the Zoological Society of London for the year 1880. P. III. May & June. London. 8.

Journal of the Chemical Society. N. CCXVI. Nov. 1880. London. 8.

Monthly Notices of the Royal Astronomical Society. Vol. XL. N. 9. London 1880. 8.

Proceedings of the Royal Geographical Society. Vol. II. N. 11. November 1880. London. 8.

Proceedings of the Royal Irish Academy. Vol. II. Ser. II. N. 1. Vol. III. Ser. II. N. 4. Dublin 1879. 1880. 8.

The Transactions of the Royal Irish Academy. Vol. XXVI. *Science.* Dublin 1879. 4. — *Irish Manuscript Series.* Vol. I. P. I. Dublin 1880. 4.

The Scientific Proceedings of the Royal Dublin Society. Vol. I. P. I. II. III. Vol. II. P. I—VI. Dublin 1877—1880. 8.

The Journal of the Royal Dublin Society. N. XLV. Vol. VII. Dublin 1878. 8.

The Scientific Transactions of the Royal Dublin Society. Vol. I. (New Series.) N. I—XII. Vol. II. (New Series.) N. 1. (2 Hefte.) Dublin 1877—1880. 4.

Astronomical and Magnetical and Meteorological Observations made at the Royal Observatory, Greenwich, in the year 1878. London 1880. 4.

Aeneidea, or critical, exegetical, and aesthetical remarks on the Aeneis by J. Henry. Vol. II. (Continued.) Dublin 1879. 8.

Schliemann, *Ilios.* London 1881. 8.

Rájendralála Mitra, *The Antiquities of Orissa.* Vol. II. Calcutta 1880. fol.

1880. — Victoria. — Reports of the Mining Surveyors and Registrars. — Quarter ended 30th June 1880. Melbourne. fol.

Comptes rendus hebdomadaires des séances de l'Académie des Sciences de l'Institut de France. T. XCI. 1880. Sem. II. N. 17. 18. 19. Paris 1880. 4.

Bulletin de l'Académie de Médecine. Sér. II. T. IX. N. 44. 45. Paris 1880. 8.

Bulletin de la Société Géologique de France. Sér. III. T. 6. 1378. N. 9. 10. Sér. III. T. 7. 1879. N. 6. Paris 1880. 8.

Bulletin de la Société de Géographie. Juillet, Août 1880. Paris 1880. 8.

Académie des Sciences et Lettres de Montpellier. Mémoires de la Section des Sciences. T. IX. Fasc. III. Année 1879. — *Mémoires de la Section des Lettres.* T. VI. Fasc. IV. Années 1878—1879. — *Mémoires de la Section de Médecine.* T. V. Fasc. II. Années 1877—1879. Montpellier 1879. 1880. 4.

Bulletin de la Société de Géographie commerciale de Bordeaux. Sér. II. N. 21. 22. Bordeaux 1880. 8.

Annales des Ponts et Chaussées. Mémoires et Documents. Série V. Année X. Cah. 10. Paris 1880. 8.

Journal de l'École Polytechnique. T. XXVIII. Cah. 47. Paris 1880. 4.

Revue scientifique de la France et de l'étranger. N. 18. 19. 20. Paris 1880. 4.

Polybiblion. — Revue bibliographique univ. — Partie litt. Série II. T. XII. Livr. 5. — *Partie techn.* Sér. II. T. VI. Livr. 11. Paris 1880. 8.

H. d'Arbois de Jubainville, *Les assemblées publiques de l'Irlande.* Parit 1880. 8.

— — —, *La versification irlandaise.* Extr. 8.

R. Istituto Lombardo di Scienze e Lettere. Rendiconti. Ser. II. Vol. XII. Milano 1879. 8.

Memorie del R. Istituto Lombardo di Scienze e Lettere. — Classe di Lettere e Scienze morali e politiche. Vol. XIV.—V. della Seria III. Fasc. I. Milano 1880. 4.

Memorie dell' Accademia delle Scienze dell' Istituto di Bologna. Ser. III. T. X. Fasc. 3. 4. 4.

Atti della Società Toscana di Scienze Naturali residente in Pisa. Memorie. Vol. IV. Fasc. 2. Pisa 1880. 8.

Atti della Società Italiana di Scienze naturali. Vol. XXII. Fasc. 1. 2. Modena 1879. 8.

Tommasi, *Réponse à une note de M. A. Riche sur la réduction du Chlorure d'Argent par la lumière.* Extr. 8.

—, *Sopra una nuova modificazione isomera del Trudrato alluminico.* Torino 1880. 8.

G. Barone, *Epimenide di Creta e le credenze religiose de' suoi tempi.* Napoli 1880. 8.

Mémoires de l'Académie Impér. des Sciences de St. Pétersbourg. Sér. VII. T. XXVII. N. 2. 3. 4. T. XXVIII, N. 1. St. Pétersbourg 1879/80. 4.

Bulletin de l'Académie Imp, des Sciences de St. Pétersbourg. T. XXVI. N. 3 et dernier. St. Pétersbourg 1880. 4.

Mélanges Gréco-Romains tirés du Bulletin de l'Académie Imp. des Sciences de St. Pétersbourg. T. IV. Livr. 4. St. Pétersbourg 1880. 8.

Bulletin de la Société Imp. des Naturalistes de Moscou. Année 1880. N. 1. Moscou 1880. 8.

Acta Societatis Scientiarum Fennicae. T. XI. Helsingforsiae 1880. 4.

Observations météorologiques publiées par la Société des Sciences de Finlande. Année 1878. Helsingfors 1880. 8.

Bidrag till Kännedom af Finlands Natur och Folk utgifna af Finska Vetenskaps-Societeten. Häftet 32. Helsingfors 1879. 8.

XXVe Anniversaire de la Société entomologique de Belgique. — Assemblée générale extraordinaire convoquée pour la commémoration de la fondation de la Société — 16 Octobre 1880. Bruxelles 1880. 8.

M. J. Plateau, *Une application des images accidentelles.* Bruxelles 1880. 8. Extr.

Bulletin de la Société des Sciences naturelles de Neuchâtel. T. XII. Cah. 1. Neuchâtel 1880. 8.

Verzeichniss der Incunablen der Stiftsbibliothek von St. Gallen. Herausgegeben auf Veranstaltung des katholischen Administrationsrathes des Kantons St. Gallen. St. Gallen 1880. 8.

Schweizerische meteorologische Beobachtungen. Jahrg. XIV. 1877. Lief. 7 nebst Titel und Beilagen. Jahrg. XV. 1878. Lief. 5. Jahrg. XVI. 1879. Lief. 4. Zürich. 4.

Revista Euskara. Año Tercero. N. 30. Octubre de 1880. Pamplona 1880. 8.

J. F. J. Biker, *Supplemento á Collecção dos Trotados e Actos publicos celebrados entre a Corôa de Portugal e as mais potencias.* (T. XI de suppl.) T. XIX. Lisboa 1880. 8.

The American Journal of Science. Ser. III. Vol. XX. N. 119. New Haven 1880. 8.

The American Journal of Otology. Vol. II. N. IV. New York 1880. 8.

U. S. Geological and Geographical Survey of the Territories. — Miscellaneous Publications. N. 12. J. A. Allen, *History of North American Pinnipeds.* Washington 1880. 8.

Iowa Weather Service. Press Bulletin, N. 86. 87. 4.

Boletin de la Sociedad de Geografia y Estadistica de la República Mexicana. Epoca III. T. V. Num. 4. 5. 6. México 1880. 8.

MONATSBERICHT

DER

KÖNIGLICH PREUSSISCHEN

AKADEMIE DER WISSENSCHAFTEN

ZU BERLIN.

December 1880.

Vorsitzender Secretar: Hr. du Bois-Reymond.

2. December. Gesammtsitzung der Akademie.

Hr. Curtius las über die Altäre von Olympia.

6. December. Sitzung der philosopisch-historischen Klasse.

Hr. Zeller las über die äussere Bezeugung einiger platonischer und aristotelischer Schriften.

Am 10. December starb

Hr. Carl Georg Bruns,

ordentliches Mitglied der philosophisch-historischen

13. December. Sitzung der physikalisch-mathematischen Klasse.

Hr. Weierstrafs las über die Zerlegung algebraischer Functionen.

Hr. Virchow las:

Über die Sakalaven.

Unter den sehr mannichfaltigen Sendungen, welche Hr. J. M. Hildebrandt von Madagaskar geschickt hat, befinden sich sieben Schädel von Sakalaven. Die Besprechung und Beschreibung derselben dürfte um so mehr angezeigt sein, als die Zahl der aus Madagaskar bekannten Schädel überhaupt eine sehr kleine ist, und als die Frage von der Herkunft und Verwandtschaft der madegassischen Stämme wegen der mannichfaltigen Beziehungen der Bevölkerung dieser grossen Insel zu einer ganzen Reihe sehr verschiedenartiger Rassen eine besonders verwickelte ist.

Schon seit langer Zeit besteht die Meinung, dass durch eine Succession von Einwanderungen, welche von sehr verschiedenen Gegenden her erfolgt seien, die ursprüngliche Bevölkerung der Insel entweder auf wenige Punkte zurückgedrängt, oder vielleicht überhaupt aufgerieben worden sei. Als Reste des eigentlichen Urvolkes sind von mehreren Reisenden die Vazimbas angegeben. Daneben wird eine zwerghafte Bevölkerung, die Kimos, erwähnt (Prichard Researches into the physical history of mankind. London 1847. Vol. V. p. 196.). In wie weit beide Bezeichnungen sich auf dieselbe Urbevölkerung beziehen, ist zweifelhaft. Hr. Bordier (Mém. de la soc. d'anthropologie de Paris. 1878. Sér. II. T. I. p. 477.) glaubt freilich, auf Grund der vorhandenen Nachrichten, eine Verwandtschaft der Urbevölkerung mit den Buschmännern und anderen Zwergrassen des afrikanischen Festlandes annehmen zu können, indess scheint mir noch Vieles an einem solchen Nachweise zu fehlen. Derselbe würde erst dadurch zu geben sein, dass eine Untersuchung der noch zahlreich auf der Insel, namentlich in Imerina, vorhandenen, unter dem Namen der Vazimbas-Gräber bekannten Steinkegel ein entsprechendes Resultat ergäbe, oder dass lebende Reste der Vazimbas noch irgendwo aufgefunden würden. Letzteres liegt nach einer Angabe des Rev. Sibree (Journ. of the anthropol. Institute of Great Britain and Ireland. 1879. Vol. IX. p. 49) nicht ausserhalb der Möglichkeit: dieser Missionär spricht davon, dass Überreste des Stammes noch in den Südwest-Provinzen vorhanden sein sollten. Nach den ihm gewordenen Mittheilungen seien die Vazimbas von kleinerem Wuchs, als die anderen Rassen, gewesen, hätten abgeplattete, lange und schmale Köpfe gehabt und den Gebrauch des Eisens nicht gekannt. Allein alle diese Angaben erheben sich nicht über blosse Möglichkeiten.

Hr. Grandidier, der neuerlichst die Insel am genauesten durchforscht hat, betrachtet die Urbevölkerung als einen Bestandtheil der grossen Gruppe negroider Bevölkerungen Oceaniens (Revue scientifique 1872. Sér. II. T. II. p. 1085). Obwohl er kein Präjudiz über die Art ihrer Verbreitung aussprechen wolle, so hält er doch dafür, dass gewisse Merkmale, namentlich Gesichtszüge, Sitten und Sprache, diese Auffassung rechtfertigten. Er sagt: Tête grosse, cheveux en tête de vadrouille, figure plate et ronde, lèvres épaisses, nez aplati à la naissance, tout rappelle ces nègres océaniens qui peuvent être considérés comme issus du mélange de la race éthiopienne avec la race mongole. Abgesehen von dieser Mischung, aus welcher die Urbevölkerung entstanden sei, hält Hr. Grandidier für unzweifelhaft, dass seit den entferntesten Zeiten, sehr lange vor der christlichen Zeitrechnung, Chinesen, wie nach Afrika, namentlich zu der Sofala-Küste, so zu einigen Häfen im Süden und Südwesten von Madagaskar gekommen seien. Noch jetzt könne man bei den Antandruis und den Mahafalen im südlichen Theil der Insel, ebenso wie bei gewissen ostafrikanischen Stämmen, die Spuren einer Mischung zwischen Autochthonen und Chinesen deutlich erkennen (Ebendas. p. 1077). Es mag sein, dass diese Auffassung sich auf wohl beobachtete Eigenthümlichkeiten stützt; trotzdem möchte ich glauben, dass es geboten sei, erst weitere und genauere Thatsachen abzuwarten, ehe man ein solches, immerhin gewagtes System der Interpretation annimmt.

Unter den besser begründeten Einwanderungen ist, wenn man die mehr vereinzelten Zugänge von Europäern, Arabern, Afrikanern aus neuester Zeit abrechnet, die sicherste die des jetzigen Herrscherstammes, der Hovas, welche hauptsächlich das centrale Gebirgsland bewohnen. Nach der allgemeinen Annahme sind sie malayischen Ursprunges. Bekanntlich gilt schon seit Wilhelm v.

Humboldt die Zugehörigkeit der madegassischen Sprache[1]) zu dem malayischen Sprachstamme als ausgemacht. Aber man weiss weder, zu welcher Zeit, noch von wo sie eingeführt worden ist.

Die Hovas haben erst seit Anfang dieses Jahrhunderts in langsamem Fortschritt ihre dominirende Stellung gewonnen; wie es scheint, haben sie sich vom südöstlichen Theil der Insel aus nach und nach gegen Westen und Norden vorgeschoben (Prichard l. c. p. 200). Allein diese ganz moderne politische Entwickelung hindert in keiner Weise, ihre erste Einwanderung in eine sehr frühe Zeit zurückzuverlegen. Dass dieselbe aus einem malayischen Lande erfolgt sei, bezweifelt niemand. Man streitet nur darüber, ob sie von Java oder einer der Sunda-Inseln, oder von den Philippinen, oder von dem Festlande ausgegangen sei. Jedenfalls scheint es nach den von Waitz (Anthropologie der Naturvölker. 1860. II. S. 431) zusammengestellten historischen Thatsachen, dass Malayen (oder, wie Ibn Said sagte, „Brüder der Chinesen") schon zu Anfang des 12. Jahrhunderts angesiedelt waren. Ob diese Malayen aber die Vorfahren der Hovas waren, ist keineswegs ausgemacht.

Hr. Grandidier nimmt neben dieser altmalayischen Besiedelung eine jüngere Einwanderung aus Indien an, welche von der Ostküste her in Madagaskar eingedrungen sei und welche ausser der Kunst des Schmiedens und der Bearbeitung des Eisens den Gebrauch der Astrologie, des Sikidy-Spieles und zahlreicher Talismane eingeführt habe. In Bezug auf diese Einwanderung wirft er folgende Frage auf (l. c. p. 1085): Ces Indiens, dont descendent les rois Marouséranànes et Andrévoules qui règnent sur toute la région occidentale, ainsi que les Louha Vouhitses ou notables Mahafales, Antiféhérenanes et Sakalaves, sont-ils venus à la suite des premiers Arabes qui ont fondé des colonies sur la côte sud-est, ou bien au contraire les ont-ils précédés et ont-ils dû abandonner leurs établissements primitifs devant l'invasion de nouveaux arrivants? Diese Alternative sei schwer zu entscheiden. Als sicher betrachtet er mit Flacourt, dass zwei auf einander folgende, aber durch einen Zwischenraum von Jahrhunderten getrennte Einwanderungen

[1]) Der Rev. Sibree hält dafür, dass das malayische Element in der Sprache das dominirende sei; ihm seien viele rein arabische (nicht Suaheli) Worte beigemengt, aber es gebe noch ein drittes, weder malayisches, noch afrikanisches Element darin.

von Arabern in Madagaskar stattgefunden hätten, eine vo
Küste Malabar, eine zweite von der Westküste von Afrika, w
eine gewisse Zeit verweilt habe. Letztere sei wahrscheinlich
das 15. Jahrhundert angelangt; ihre Nachkommen seien die
muren, welche in Matetanane wohnen. Die erstere dagegen, vo
cher die Zafi-Raminia abstammten, setzt er in die Zeit nach dem
treten Mahomed's und der dadurch herbeigeführten Umwälz
welche einen Theil der Bevölkerung Arabiens nach Indien
von da sei wahrscheinlich später ein Rückfluss nach Ost-
gaskar erfolgt, der zugleich Indier mit sich zog. Letztere
dort ein kleines Reich gegründet. Ihre Nachkommen hiessen
Anteisakas (Bewohner von Klein-Saka). Sie hätten sich s
wahrscheinlich in Folge der zweiten arabischen Einwanderun
zwei Theile getrennt, von denen der eine seine Sitze am Men
behalten habe, während der andere quer durch die Insel nac
Westküste ausgewandert sei und dort das Reich Sakalava (
Saka) gegründet habe.

Diese Auffassung differirt in vielen Stücken von dem
sonst angenommen wird. Jedenfalls waren die Sakalaven
klaven) bis zu der Zeit, wo der Primat der Hovas begründet w
das herrschende Volk der Westküste, welche sie von der Nord
bis zur St. Augustin-Bucht einnahmen. Sie sind noch jet
Hauptrepräsentanten der schwarzen Rasse auf der Insel, und
gleich viele Autoren ihnen malayische und arabische Beimisch
zuschreiben, so geht doch die Meinung überwiegend dahin,
eine nähere Beziehung zu den Schwarzen des gegenüberlieg
Festlandes, sei es zu den Kaffern oder anderen Völkern des B
Stammes, sei es zu weiter nördlicher wohnenden Völkern de
küste oder von Zanzibar zu bringen.

Hr. Hildebrandt, ein guter Kenner der Ostafrikaner, ha
dieser Meinung angeschlossen (Zeitschr. d. Gesellsch. f. Erdk
1880. Bd. XV. S. 103). Er sagt, die Sakalaven glichen in
physischen Äussern und in vielen ihren Sitten den „Kaffern"
er fügt ausdrücklich hinzu: „Ich gestehe offen, dass ich k
durchgreifenden Unterschied zwischen einem Vertreter solcher St
(d. h. der ostafrikanischen Nomadenstämme) und einem Sakala
machen weiss." Er beschreibt die erste Gruppe von Sak
Kriegern, auf welche er stiess, als Leute von meist schla
sehnig-kraftvollen, durchschnittlich übermittelgrossen, tiefbr

Körperformen. Mitleidig würde ein solcher Mann den weissen Gelehrten anschauen, der seine Nation eine Pygmäen-Rasse genannt habe.

Damit stimmt die Beschreibung von Ellis (bei Prichard l. c. p. 202): Physically considered they (the Sakalavas) are the finest race in Madagascar. In person they are tall and robust, but not corpulent; their limbs are well-formed, muscular and strong. On them a torrid sun has burnt its deepest hue, their complexion being darker than that of any others in the island. Their features are regular, and occasionally prominent; their countenance open and prepossessing; their eyes dark and their glances keen and piercing; their hair black and shining, often long, though the crisped or curly hair occurs more frequently among them than the inhabitants of other provinces. Their aspest is bold and imposing, their step firm though quick, and their adress and movements often graceful and always unembarrassed. Auch die von Prichard angeführten Schilderungen von Le Gentil und de Pagès lassen afrikanische Züge hervortreten.

Ganz besonders bemerkenswerth ist das Zeugniss von Pickering. Er erzählt (United States exploring expedition during the years 1838—1842. Philad. 1848. Vol. IX. p. 181), er habe bei der Ankunft in St. Helena sich unter Lascars, mehr oder weniger mit Negern gemischt, zu befinden geglaubt, sei aber höchlichst erstaunt gewesen zu erfahren, dass alle diese Leute vor Jahren von Madagaskar gebracht seien. Andererseits habe er nicht eine Spur einer Beimischung von Telinga-Blut unter einer grösseren Zahl von Madegassen, die er in Zanzibar sah, wahrnehmen können; dieses seien aber ausschliesslich Leute aus dem Lande Sakalava gewesen. Er bezieht daher seine Erfahrung von St. Helena wesentlich auf die östlichen Stämme der Insel. Die Angaben eines so geübten Beobachters verdienen jedenfalls besondere Berücksichtigung.

Es ist selbstverständlich, dass die modernen Beimischungen, wie sie durch den sehr entwickelten Handelsverkehr gerade an der Westküste herbeigeführt werden müssen, für die Untersuchung über die Herkunft der Sakalaven nicht in Betracht kommen. Hr. Hildebrandt traf Suaheli-Leute an vielen Punkten der Küste. Es ist daher sehr natürlich, wenn gegenwärtig mehr und mehr ostafrikanische Charaktere in der Bevölkerung hervortreten. Für die Feststellung der eigentlichen Stammes-Eigenthümlichkeiten können jedoch nur weit zurück liegende Einflüsse in's Auge gefasst werden. Dabei scheint mir in erster Linie die Sprache von Wichtigkeit zu sein. Hat diese auch bei den Sakalaven, wie ich nach den vorliegenden Berichten annehmen muss, wesentlich malayische Grundlagen, so wird man kaum zugestehen können, dass die Sakalaven, wie Hr. Grandidier will, indischen Ursprunges, und zwar von verhältnissmässig junger Herkunft seien; man wird vielmehr nicht umhin können, sie entweder als ein malayisches Volk zu nehmen, oder mit Waitz u. A. als ein Mischvolk von Malayen mit Schwarzen anzusehen. Da der dominirende Einfluss der Hovas, namentlich auf der Westküste, ganz neu ist, so kann die Einführung der malayischen Sprache daselbst nicht ihnen zugeschrieben werden. Vielmehr scheint mir nichts übrig zu bleiben, als die Annahme einer starken malayischen Einwanderung schon in älterer Zeit auch für die Westküste.

Neben einer solchen Einwanderung wird aber auch ein zweite Element für den Aufbau des Volkes nicht entbehrt werden können Alle Beobachter stimmen darin überein, dass die Sakalaven wahr Schwarze seien, sowohl der Hautfarbe, als den Haaren nach. Frei lich kommen vielfache Variationen vor. Le Gentil nennt die Rass très-noire; sie habe de la laine à la tête, comme on dit; c'est-à dire des cheveux courts et très crépus. Nach de Pagès haben si crisped locks; ihre Hautfarbe sei fast schwarz, wenig verschiede von derjenigen der Eingebornen der Malabar-Küste. Ellis erklär sie, wie schon angeführt, für das dunkelste Volk der Insel; ih glänzendes schwarzes Haar sei oft lang, jedoch komme krause (crisped) oder welliges (curly) Haar öfter unter ihnen vor, als be den Bewohnern der anderen Bezirke.

Hr. Hildebrandt selbst nennt die Hautfarbe tiefbraun. I seiner, schon früher (Monatsberichte 1879. Juli. S. 550) der Aka demie vorgelegten Liste über die physischen Eigenthümlichkeite von 6 Sakalaven giebt er 3mal die Nummer 28 der Pariser Farben tafel, 2mal die Nummern 28 und 29, 1mal die Nummern 28 und 4 an. Keine dieser Nummern enthält wahres Schwarz oder auc nur die dunkelste Nuance der betreffenden Farbenreihe; im Allge meinen sind es rothbraune oder schwarzbraune Nuancen. Dass di Farbe nicht immer schwärzer ist, als sie auch sonst auf der Insel vor kommt, geht daraus hervor, dass Hr. Hildebrandt dieselbe Farb auch von einem Betsimisaraka und einem Antanká angiebt. Trotz dem mag es richtig sein, dass die Sakalaven häufiger oder regelmässiger eine dunklere Farbe besitzen, als die anderen Madegassen.

In Bezug auf die Haare führe ich eine Angabe des Hrn. Aurel Schulz (Zeitschr. für Ethnologie. 1880. Verhandl. der anthropol. Gesellsch. S. 190) an, welche mir besonders deshalb werthvoll erscheint, weil Hr. Schulz in Port Natal geboren ist und einen grossen Theil von Südafrika durchstreift hat. Er sagt von den Sakalaven, welche er am St. Augustin-Fluss (Ong Lähé), also an ihrer Südgrenze kennen lernte, ihre Haare seien zum Unterschiede von allen Afrikanern wellenförmig-kraus. In jedem Falle, wo er spiralkrauses Haar in Madagaskar sah, habe er sich überzeugen können, dass der Träger afrikanischen Ursprunges war. Es würden von der Ostküste Afrikas viele Sklaven (Mokua) nach Madagaskar verkauft.

Glücklicherweise hat Hr. Schulz von seiner Expedition auch Haarproben mitgebracht, und zwar acht von Sakalaven verschiedenen Alters, eine von einem Mahafali-Mädchen. Von Hrn. Hildebrandt selbst ist bis jetzt nur eine einzige Haarprobe eingegangen, und zwar von dem in seiner früheren Mittheilung (Monatsberichte 1879. S. 547) unter Nr. 8 aufgeführten Sakalaven, dem einzigen, von dem ich schon damals vermuthete, dass er von mehr gemischter Rasse gewesen sei, da er allein unter den gemessenen Personen dolichocephal war und sich durch ein mehr gerades Gesichtsprofil und eine wenig breite Nase auszeichnete.

Zur Vergleichung stehen mir sieben, gleichfalls von Hrn. Schulz mitgebrachte Proben des Kopfhaares von Zulus, sowie ein theilweise noch mit Haar bedeckter Schädel eines in dem letzten Kriege mit Ketschwayo getödteten Zulu-Kriegers zur Verfügung. Ebenso acht verschiedene, schon früher von Hrn. Hildebrandt geschickte Haarproben von Somals.

Diese Proben bestätigen vollständig die von Hrn. Schulz angegebenen Unterschiede des Sakalaven-Haars gegenüber dem Zulu-Haar. Schon die Gesammtanordnung ist ganz verschieden. Das Zulu-Haar ist ausgemachtes Wollhaar[1]): es besteht aus klei-

[1]) Nach den Angaben des Hrn. G. Fritsch (Die Eingebornen Süd-Afrika's. Breslau 1872. S. 126) kommt es freilich auch bei jungen Zulu-Burschen vor, dass ihr Haar „wild um den Kopf in dünnen verfilzten Strähnen liegt“. Unter den mir vorliegenden Proben findet sich keine der Art.

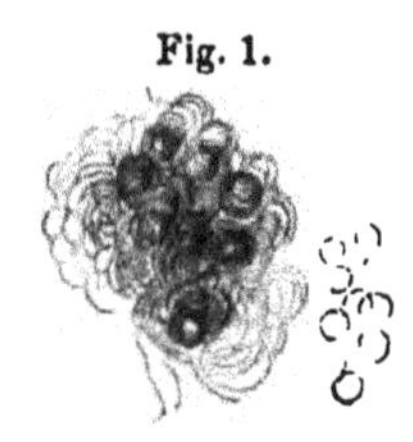
Fig. 1.

nen, niedrigen, dicht an einander stehenden Röllchen von Büscheln eng aufgerollter, verhältnissmässig feiner und kurzer Haare. Auch die kleinsten Abschnitte der letzteren (Fig. 1) bilden enge Ringe oder offene Curven. Ganz anders das Sakalaven-Haar, welches lang und etwas stärker ist und im Grossen wellig erscheint. Freilich ist dasselbe vielfach verfilzt und verwirrt, aber nirgends zeigt es auch nur die geringste Neigung zur Rollenbildung. Die einzelnen, bis zu 20^{cm} (Fig. 2) langen Büschel, um nicht zu sagen, Locken lassen sich leicht strecken; ja in einem Falle, bei einem 8jährigen Knaben, ist das Haar fast gerade und nur ganz leicht gebogen (Fig. 3). Das Sakalaven-Haar hat unverkennbar eine gewisse Ähnlichkeit mit dem Australier-Haar, dessen wellige und meist verzottelte Beschaffenheit so viele Streitigkeiten darüber hervorgerufen hat, ob es kraus oder blos lockig oder gar glatt sei. Auch das Sakalaven-Haar ist mehr zottelig und wellig, als im engeren Sinne kraus. Nur die von Hrn. Hildebrandt eingesendete Probe, welche von der rechten Kopfseite eines Mannes entnommen ist, zeigt eine gewisse Annäherung an Wollröllchen; es ist sehr dunkel und besitzt engere und häufigere Windungen, als alle anderen Proben. Nichts desto weniger sind weder die einzelnen Haare so fein, noch die Röllchen so dicht und vollkommen geringelt, wie an dem Zulu-Haar. Natürlich wird es weiterer Proben bedürfen, um zu ent-

Fig. 2.

Fig. 3.

scheiden, wie es sich mit dem Haar der nördlichen Sakalaven verhält. Möglicherweise besteht eine wirkliche Verschiedenheit desselben von dem Haar der südlichen Sakalaven, für dessen Beurtheilung die jetzt vorliegenden Proben ein meiner Meinung nach ganz ausreichendes Material darbieten.

Das Somal-Haar steht einigermaassen in der Mitte zwischen dem Zulu und Sakalaven-Haar: es ist stärker gedreht, oft geradezu spiralig, aber zugleich lang, und es hat nicht das Mindeste vom eigentlichen Wollhaar an sich. Man kann es eben höchstens kraus nennen; einzelne Proben lassen sogar nur die Bezeichnung „lockig" zu. Schraubenförmige Windungen zeigt nur das Haar eines 25 jährigen Somali (Fig. 4). Im Ganzen steht daher das Somal-Haar dem sakalavischen näher, als dem Zulu-Haar.

Fig. 4.

Von einem 20 jährigen Mabafali-Mädchen liegt eine aus schwarzem, kräftigem, krausem Haar bestehende Locke von 21^{cm} Länge vor, welche von einzelnen Locken der Sakalava-Mädchen sich nur durch ihre etwas glattere Beschaffenheit und ihre schwärzere Färbung unterscheidet.

In Bezug auf die Farbe steht das Sakalaven-Haar zwischen dem Somal- und Zulu-Haar. Während das Somal-Haar für das blosse Auge ein reines, nur in zwei Proben ganz schwach gebräuntes Schwarz zeigt, welches schon bei 15 jährigen Burschen stark entwickelt ist, erscheint das Zulu-Haar durchweg nicht rein schwarz, sondern mehr schwarzbraun, oder, vielleicht besser ausgedrückt, dunkelbraunschwarz. Allerdings wird diese Schattirung, namentlich bei verheiratheten Frauen, sehr verstärkt durch die Gewohnheit, eine fettige, mit rothem Thon vermischte Schmiere in grosser Menge in die Haare einzureiben. Aber auch schon bei ganz zarten Kindern findet sich dieselbe Schattirung. Ich besitze Kopfhaar von einem einjährigen Zulu-Mädchen und von 5- und 7-jährigen Kindern: bei allen ist das Haar wollig, ganz dicht und kurz, und von braunschwarzer Farbe. Mit zunehmendem Alter steigt die Dichtigkeit der Färbung und damit das „Schwarz".

Bei den Sakalaven ist der Gesammteindruck etwas dunkler zuweilen fast rein schwarz. Aber die Mehrzahl der Proben zeigt bei genauerer Betrachtung ein mehr braunschwarzes Aussehen, und bei einigen haben die Spitzen geradezu eine braunröthliche oder noch hellere Färbung. Dies gilt namentlich von einem 10jährigen Knaben, dessen Locke über 9^{cm} lang ist und bei dem sich die Lichtung bis über die Hälfte der Längenausdehnung des Haares erstreckt. Auch bei einem 12jährigen Mädchen ist die braune Farbe der Spitzen sehr auffällig. Ob dies die Wirkung der Luft und des Lichtes ist, wie so oft bei unseren Kindern, oder ob eine künstliche Ätzung, wie sie bei vielen Naturvölkern Sitte ist, stattgefunden hat, wage ich nicht zu entscheiden. Indess bin ich um so weniger geneigt, die zweite Alternative für wahrscheinlich zu halten, als die lichtere Färbung sich nur auf die Spitzen der verhältnissmässig langen Haare beschränkt. Übrigens finden sich bei der mikroskopischen Untersuchung auch unter den dunklen Haaren der Erwachsenen, z. B. denen eines 34jährigen Mannes, hellere, ja geradezu gelbliche Exemplare. Die Farbe des Sakalaven-Haares variirt aber in gewissen Grenzen. So besitze ich eine besonders schöne, wellige, (gestreckt) 19^{cm} lange Locke eines 22jährigen Mannes, die rein schwarz erscheint, während die gleichfalls 13^{cm} lange Locke eines 29jährigen Mannes mehr braunschwarz aussieht.

Die mikroskopische Untersuchung bestätigt diese Thatsache, nicht nur insofern, als, wie schon erwähnt, zerstreut lichtere Haare unter den dunkleren vorkommen, sondern auch insofern, als in denjenigen schwarzen Haaren, welche nicht ganz undurchsichtig sind, zwischen den schwarzkörnigen Stellen ein brauner Ton hervorschimmert. Diejenigen Haare, welche stark abgeplattet sind, sehen schwarz oder braunschwarz aus, wenn sie auf der Kante stehen, dagegen rein braun oder hellbraun, wenn sie auf der breiten Fläche liegen.

Auf Querschnitten sieht man jedesmal das körnige Pigment in den Rindentheilen dichter gehäuft; es bildet daher einen Ring, innerhalb dessen bei nicht zu dünnen Schnitten das hellere Centrum als ein durch feinere Körnchen gleichfalls bräunlich oder gelblich gefärbter Raum erscheint. Die Pigmentkörnchen sind demnach mehr vertheilt im Querschnitt, in der Peripherie etwas weniger reichlich, als bei manchen anderen dunklen Haaren, in der Mitte dagegen reichlicher. Zuweilen sieht auch der peripherische Ring gelbbraun aus. Ein Markraum ist nur zuweilen vorhanden; wo er sich findet, ist er häufig discontinuirlich. Das Mark selbst ist manchmal schwarz, manchmal — in lichten Haaren — ganz farblos oder gelbbraun.

Auch bei dem Mahafali-Mädchen kommen braune Färbungen vor, jedoch sind sie stets sehr dunkel. Der corticale Pigmentring ist sehr dick, das farblose Centrum verhältnissmässig eng.

Bei den Somals sind die Haare in der Regel ganz schwarz und undurchsichtig; nur bei wenigen Personen finden sich einzelne bräunlich durchschimmernde. Auf Querschnitten ist die Pigmentirung allerdings auch hier in der Peripherie stärker, aber auch das Centrum ist gewöhnlich nicht frei, sondern mit einzelnen Körnern durchsetzt. Die Grundsubstanz erscheint farblos. Das Pigment ist in der Regel schwarz, in nicht wenigen Fällen aber auch braun, zuweilen selbst gelbbraun. Ein Markkanal ist in der Seitenansicht selten wahrzunehmen; in Durchschnitten zeigt er sich in nicht seltenen Fällen als ein stark pigmentirter, aber sehr feiner Fleck.

Endlich das Zulu-Haar erscheint vielfach gemischt. Bei Kindern sind die Haare schmal, theils hell, theils dunkel, manchmal mit unterbrochenen, jedoch schwarzen Markstreifen; bei Erwachsenen zeigt zuweilen dasselbe Haar, welches im Ganzen dichtschwarz und undurchsichtig ist, lichtere, mehr braune Stellen. Auf feinen Querschnitten ist die Grundsubstanz farblos; die Pigmentkörner, welche allerdings am Rande in dichterer Anhäufung sich befinden, sind doch im Ganzen mehr zerstreut durch die ganze Substanz, so dass kein eigentlich freier Raum vorhanden zu sein pflegt. Ihre Farbe ist vielfach schwarz, aber in nicht wenigen Fällen roth- oder gelbbraun.

Es ist schliesslich über die Form des mikroskopischen Querschnittes zu sprechen. Derselbe ist bei allen diesen Völkern queroval oder abgeplattet, so jedoch, dass merkbare Unterschiede in der Häufigkeit und Stärke dieser Eigenschaft hervortreten. Unterschiede kommen übrigens auch in den einzelnen Volksstämmen vor. Bei den Sakalaven finden sich, z. B. bei dem 8jährigen Mädchen, ganz abgeplattete, schmale Haare, während sie bei einem anderen Mädchen dicker, unregelmässig viereckig (trapezoid) sind. Ein 29-jähriger Mann zeigt mehr rundlich eckige Querschnitte, ein 34jähriger fast bohnenförmige, wobei die convexe Seite stärker pigmentirt ist, als die concave. Im Ganzen ist das Sakalaven-Haar stärker und weniger bandartig, als das Neger-Haar. Auch bei dem

Mahafali-Haar wechseln länglich abgeplattete und rundlich eckige Formen.

Bei den Zulus sind die Querschnitte viel constanter abgeplattet, und zwar zuweilen so regelmässig von beiden Seiten her, dass das Haar bandförmig wird. Häufig ist jedoch auch hier die eine Seite mehr platt, die andere schwach gewölbt. Gerundete Formen, überhaupt dickere Haare zeigen sich nur ganz vereinzelt. Auch hat die Mehrzahl der Durchschnitte geringere Durchmesser.

Bei den Somals sind gleichfalls abgeplattete Querschnitte vorwiegend, jedoch ist die Abflachung geringer, und die Breitseite hat fast immer eine gewisse Wölbung, so dass der reine Querschnitt linsenförmig aussieht. Rundliche oder eckige Formen sind seltener, kommen aber doch bis zu ähnlicher Dicke vor, wie bei den Sakalaven.

Alles zusammengerechnet, wird man daher nicht umhin können zuzugestehen, dass das Sakalaven-Haar afrikanische Eigenthümlichkeiten an sich hat, jedoch weniger die der Zulu-Kaffern und der Bantu-Stämme, als vielmehr die der Nordost-Afrikaner. Ob man dies durch blosse Sklaven-Einfuhr erklären darf, möchte bezweifelt werden. Eine solche, und zwar durch Araber, ist auch schon von Leguével de Lacombe angegeben, aber schwerlich ist sie jemals so stark gewesen, um die ganze Rasse zu beeinflussen. Auch hat Waitz (a. a. O. S. 428) mit Recht darauf hingewiesen, dass die Kaffern aller Schifffahrt und selbst des Schwimmens unkundig sind, also schwerlich auf eigene Hand ausgewandert sein würden. Man darf daher die Kaffern und die Bantu-Stämme in Zukunft von der Erörterung ausschliessen, und es würde nur die Frage bleiben, ob nicht Ostafrikaner von der äthiopischen Gruppe in grösserer Zahl eingewandert sind. An diese erinnern die Haarbeschreibungen von Ellis und Schulz in hohem Maasse.

Dagegen wird es kaum möglich sein, das „wellenförmig-krause“ Haar als eine malayische Erbschaft anzusehen. Aber bei der Annahme einer malayischen Beimischung zu einer afrikanischen Rasse erklärt sich nicht nur die allgemeine Stammes-Eigenschaft, sondern auch die individuelle und vielleicht locale Variation am leichtesten. Waren die Malayen, wie noch heute (auch nach Hrn. Hildebrandt) die Hova[1]), straffhaarig und verhältnissmässig hell, so müssen sie

[1]) Hr. Grandidier (l. c. p. 1085) beschreibt sie folgendermaassen: des

Elemente einer dunkleren kraushaarigen Rasse in sich aufgenommen oder sich denselben beigemischt haben. Dies konnte eine schon vorhandene, eigenthümliche Urbevölkerung sein; es konnten aber auch Afrikaner, ja möglicherweise auch Südaraber (Himyariten) sein. Denn es ist bekannt, dass diese nicht blos „wellig-krause" Haare, sondern auch eine recht dunkle Haut besitzen. Ja, es lässt sich nicht leugnen, dass alle diese Elemente neben oder nach einander in die Mischung eintreten konnten, und die Aufgabe der weiteren Forschung würde es sein, nicht blos diese verschiedenen Elemente auseinanderzulösen, sondern auch die Stärke ihrer Beimischung zu bestimmen.

Hier möchte ich zunächst bemerken, dass scheinbar gar kein Grund vorliegt, die Beimischung einer Zwergrasse bei den Sakalaven anzunehmen oder diese Leute mit Hrn. Bordier für klein zu erklären. Alle die angeführten Beschreibungen sprechen dagegen, und die von Hrn. Hildebrandt genommenen Körpermaasse haben für 6 Männer ein Mittel der Körperhöhe von 1654^{mm} (in maximo 1760, in minimo 1555^{mm}) ergeben, — freilich kein besonders hohes Maass, aber doch genügend, um jeden Gedanken an Pygmäen auszuschliessen. Nimmt man zu dem, was Hr. Schulz anführt, dass sie besonders breite Schultern haben[1]), die andere Thatsache, welche aus der Hildebrandt'schen Tabelle hervorgeht, dass unter 6 Sakalaven 4 gut entwickelte Waden hatten, so gewährt das sicherlich das Bild kräftig entwickelter Leute von mittlerer Grösse.

Damit stimmen auch die Schädel überein. Bevor ich auf die Beschreibung derselben übergehe, will ich erwähnen, dass meines Wissens nur in Paris noch Sakalaven-Schädel existiren. Hr. Pruner-Bey (Mém. de la soc. d'anthrop. de Paris. 1865. T. II. p. 432) hat in einer Tabelle die gemittelten Maasse von 5 solchen Schädeln (ausser den Schädeln von 2 Frauen von Madagaskar und 3 Hovas) gegeben. Die sonst sehr detaillirten Angaben des Hrn. Bordier (l. c. p. 489) enthalten leider keine Mittheilung über die specielle Herkunft der von ihm gemessenen madegassischen Schädel. Dagegen

---

yeux allongés, des pommettes saillantes, des cheveux lisses et roides, un teint jaune, ne permettent pas le moindre doute sur leur origine asiatique.

[1]) Aus der Tabelle von Hrn. Hildebrandt berechnet sich eine Schulterbreite von 445^{mm} im Mittel, wobei freilich dreimal Zahlen von 422, 422 und 427^{mm} vorkommen.

haben die HHrn. de Quatrefages und Hamy (Crania ethnica. Paris 1878—1879. Liv. IX. p. 384, 386) wiederum die gemittelten Maasse der 5 Schädel von männlichen Sakalaven veröffentlicht. Sie führen an, dass einer dieser Schädel den wahren Bantu-Typus zeige, zwei andere sich der Hova-Form annähern. Leider haben sie nicht die einzelnen Messungen, sondern nur die Mittel gegeben, und zwar auch diese nicht rein, vielmehr unter Hinzunahme eines Schädels von einem Antschianaka. Sie führen dabei an, dass letzterer Stamm nördlich von den Hovas im Innern der Insel lebe und den Sakalaven (nach Macé-Descartes) sehr ähnlich sei. Sowohl die Messungen, als die Abbildungen (Pl. XL. Fig. 3, 4) zeigen jedoch, dass dieser Schädel ungewöhnlich dolichocephal ist; sein Index wird zu 71,4 angegeben. Ich kann daher nicht umhin zu sagen, dass durch diese Zusammenrechnung die erlangten Mittelzahlen stark beeinflusst sein müssen und dass dadurch der Werth dieser Mittelzahlen ein sehr problematischer wird.

Von den sieben, durch Hrn. Hildebrandt übersendeten Schädeln sind Nr. 1—3 schon in einem früheren Berichte desselben (Monatsberichte 1880. Febr. S. 214) erwähnt worden. Sie wurden von ihm im December 1879 einer Gräberhöhle der zwischen Nosibé und dem Festlande, mehr gegen das Nordostende Madagaskar's gelegenen Felseninsel Nosi-Komba entnommen. Diese Höhle befindet sich in den Strandfelsen dicht oberhalb der Brandung an einer möglichst unzugänglichen Stelle. Jedes Skelet war mit der Hälfte einer in der Mitte durchschnittenen Lakka (eines Baumkahnes) bedeckt, deren Durchschnitt durch einen hölzernen Schieber verschlossen war. Nur eines war in eine Hülle aus brettartig geflachten Bambusstreifen, welche dem Königlichen Museum übergeben worden ist, eingelegt. Die anderen 4 Schädel (Nr. 5—7) stammen nach der Inschrift gleichfalls von Nosi-Komba, sind jedoch erst im Januar 1880 gehoben; aller Wahrscheinlichkeit nach sind sie aus derselben Höhle, da sich nach dem Berichte des Hrn. Hildebrandt 20 Gerippe in derselben befanden.

Einer dieser Schädel (Nr. 3), ein sehr jugendlicher, bei dem die Synchondrosis sphenooccipitalis noch ganz, die Synchondroses condyloideae noch zum Theil offen sind, zeigt deutliche Einwirkungen einer occipitalen Abplattung und ist daher von einer Reihe vergleichender Betrachtungen auszuschliessen. Von den übrigen sind 4 (Nr. 1, 5, 6, 7) senil und zeigen zum Theil so beträchtliche Veränderungen, namentlich eine so weit gehende Atrophie der Kieferknochen, dass die Gesichtsmaasse nur mit grosser Vorsicht zu benutzen sind. Die zwei übrigen (Nr. 2 und 4) haben, nach dem wenig abgenutzten Zustande ihrer Zähne zu urtheilen, Leuten aus jüngeren Jahren angehört, indess sind alle Synchondrosen an ihnen geschlossen, und manche Erscheinungen, z. B. bei Nr. 2 eine Synostose der seitlichen Theile der Kranznaht, scheinen darauf hinzudeuten, dass die Leute älter waren, als man nach dem Zustande ihrer Zähne schliessen möchte. Zum mindesten dürften sie das Ende der zwanziger Jahre erreicht haben. Immerhin kann man sagen, dass Schädel von Leuten aus den mittleren Lebensjahren überhaupt nicht darunter gefunden sind, und die Verwerthung der gefundenen Zahlen ist somit eine beschränkte. Künftige Beobachtungen werden möglicherweise erhebliche Correcturen bringen.

Meiner Auffassung nach sind zwei von diesen Schädeln (Nr. 1 und 4) männliche, vier (Nr. 2, 5, 6, 7) weibliche. Den deformirten jugendlichen wage ich nicht zu deuten. Immerhin ergiebt sich schon aus dieser Aufzählung, dass die gefundenen Maasse kleiner sein dürften, als sie dem Mittel der Bevölkerung entsprechen.

Die Erhaltung der Schädel ist im Ganzen eine gute. Nur dem deformirten Schädel (Nr. 3) fehlt das ganze Gesicht. Alle anderen, mit Ausnahme von Nr. 1, haben keinen Unterkiefer, und da der einzige, scheinbar zu Nr. 1 gehörige Unterkiefer durch senilen Schwund auf das Äusserste verkleinert ist, so lässt sich über die Gesammterscheinung des Gesichtes wenig Genaues sagen. Ich bemerke nebenbei, dass im Innern mehrerer der Schädel sich eine grosse Menge dicht an einander gelegter und fest an die innere Schädelfläche angeklebter Eier befanden, welche nach der Meinung des Hrn. v. Martens entweder von Landschnecken oder von Geckonen herstammen müssen.

Die Capacität der sämmtlichen Schädel ist eine geringe, bei den weiblichen sogar zum Theil eine sehr kleine. Sie ergiebt im Mittel 1249 Ccm., für die 2 männlichen 1327, für die 4 weiblichen 1202. Das Maximum, 1370 Ccm., findet sich bei dem weiblichen Nr. 7, das Minimum 1120 Ccm., bei den beiden weiblichen Schädeln Nr. 5 und 6. Dem gegenüber fanden die HHrn. de Quatrefages und Hamy für 6 männliche Schädel 1525 Ccm., also ein so beträchtliches Maass, dass wir dadurch gehindert werden, die von mir gefundene Capacität als zutreffenden Ausdruck der Rasseneigenthümlichkeit anzusprechen. Rechnet man sämmtliche 13 Schädel zusammen, so würde die mittlere Capacität 1376 Ccm. betragen.

Was die Form angeht, so ergiebt sich zunächst ein Längenbreitenindex von

Männer	Weiber	Mittel
79,3	75,0	76,4.

Die Pariser Schädel lieferten einen gemittelten Index von 74,72, also nahezu 75. Sie hätten also als dolichocephal zu gelten, wenn nicht das vorher erörterte Bedenken bestände. Von meinen Schädeln zeigt Nr. 1 (♂) das grösste Maass = 80,0, Nr. 5 (♀) das geringste = 72,0. Die Hälfte, nämlich ein männlicher und zwei weibliche, sind mesocephal, nur ein weiblicher ist dolichocephal, ein anderer weiblicher steht auf der oberen Grenze der Dolichocephalie, ein männlicher auf der unteren Grenze der Brachycephalie.

Vergleichen wir damit die Messungen des Hrn. Hildebrandt an Lebenden, so sind dieselben der Annahme, dass die Sakalaven ein dolichocephaler Stamm seien, eben so wenig günstig. Nach seinen Zahlen berechnet sich im Mittel von 6 Männern ein Index von 82,2, also ein brachycephales Maass. Nur einer seiner Leute, und gerade derjenige, der auch sonst zu Zweifeln an seiner Reinheit Veranlassung bot (Nr. 8), war dolichocephal. Da überdies drei von den Leuten am Kopf rasirt waren, so kann man kaum annehmen, dass ein erheblicher Irrthum untergelaufen ist; gerade diese rasirten Leute hatten Indices von 85,2, 81,2 und 83,9. Diesen Verhältnissen stehen die Indices der beiden männlichen Schädel von Nosi-Komba (80,0 und 78,6) ganz nahe.

Erwägt man nun, dass wahrscheinlich das Mittel der Pariser Schädel durch den Index des einen, Bantu-ähnlichen und des hinzugenommenen Antschianaka-Schädels sehr heruntergedrückt ist, so erscheint es correct, die Schädelform der Sakalaven als eine mehr mesocephale, vielleicht sogar zur Brachycephalie neigende anzunehmen.

Ungleich mehr harmoniren die Höhenverhältnisse. Ich erhalte einen Längenhöhenindex von

für Männer	Weiber	Mittel
76,8	73,9	74,8,

während die HHrn. de Quatrefages und Hamy 75,27 angeben.

Für die Vergleichung mit den Lebenden kann einigermaassen die auriculare Schädelhöhe (senkrechter Abstand des äusseren Gehörloches vom Scheitel) dienen. Ich erhalte einen Ohrhöhenindex von

für Männer	Weiber	Mittel
65,5	64,0	64,5.

Hr. Hildebrandt hat die auriculare Schädelhöhe in seiner Tabelle unter Nr. 14 gegeben. Darnach berechnet sich der Ohrhöhenindex für

Nr. 1	auf	65,6
„ 2	„	69,6
„ 3	„	77,0
„ 5	„	71,0
„ 7	„	67,9
„ 8	„	66,8
im Mittel	auf	69,6.

Diese Zahlen sind sicherlich zu gross, um mit denjenigen vereinigt werden zu können, welche am nackten Schädel gewonnen wurden. Immerhin sprechen sie gleichfalls für eine nicht geringe Schädelhöhe, und es ist sehr wahrscheinlich, dass man in diesem Sinne die Sakalaven-Schädel als orthocephal zu nehmen hat.

Für den Breitenhöhenindex erhalte ich

bei Männern	Weibern	im Mittel
99,4	98,4	98,7,

jedoch mit nicht unbeträchtlichen Schwankungen. Die beiden männlichen Schädel ergeben 94,4 und 104,4, die 4 weiblichen schwanken zwischen 96,9 und 101,5. Für die Pariser Schädel ist die Zahl 100,73 angegeben. Dies sind sehr mässige Unterschiede.

Wenn schon bei den Indices eine nicht geringe individuelle Variation bemerkbar wird, so ist dies noch viel mehr der Fall bei den Umfangsmaassen. Ich will in dieser Beziehung hauptsächlich auf die sagittalen Umfangsmaasse hinweisen. Hier zeigt sich eine so grosse Abwechselung in Betreff der einzelnen, das Schädeldach zusammensetzenden Knochen, dass es kaum möglich ist, eine Regel aufzustellen. Bei dem deformirten Schädel Nr. 3 kommt noch der Umstand hinzu, dass er am Lambdawinkel ein grosses Os apicis besitzt, dass also die Länge der Pfeilnaht und der Umfang der Hinterhauptsschuppe überhaupt nicht als maassgebend bezeichnet werden können. Berechnet man die Bruchtheile, mit denen die drei grossen Schädeldachabschnitte an der Bildung der Sagittalcurve sich betheiligen, letztere = 100 gesetzt, so ergiebt sich folgende Tabelle:

Schädel	Stirnbein	Scheitel-bein	Hinter-haupt
Nr. 1 . . .	36,0	31,5	32,3
„ 2 . . .	33,5	36,9	29,5
„ 3 . . .	34,7	—	—
„ 4 . . .	34,4	35,7	29,4
„ 5 . . .	35,0	32,4	32,4
„ 6 . . .	34,8	37,7	27,6
„ 7 . . .	35,8	32,9	31,2
Mittel . . .	34,8	34,5	30,5.

Daraus erhellt die Häufigkeit grosser Verschiebungen in dem Verhältniss von Scheitelbein und Hinterhauptsschuppe, während das Stirnbein ein relativ constantes Maass zeigt. Im Ganzen aber ist der Umfang der Hinterhauptsschuppe oder anders ausgedrückt, ihre Höhe durchschnittlich gross, dagegen der Mittelkopf verhältnissmässig kurz.

Offenbar ist dafür eine Compensation in der Breite eingetreten. Fast alle Breitendurchmesser des Schädels ergeben hohe Zahlen, am meisten die Tubera parietalia. Die grösste Breite liegt regelmässig unterhalb der Tubera, jedoch nur dreimal an der Schläfenschuppe (*t*). Der Frontaldurchmesser ist durchaus günstig und unter allen Maassen am meisten constant. Der Temporaldurchmesser erweist sich in merkbarer Weise bei den Männern grösser, als bei den Weibern. Dasselbe gilt von dem Auricular- und dem oberen (an der Basis des Fortsatzes gemessenen) Mastoidealdurchmesser. Nur der anscheinend weibliche Schädel Nr. 7 kommt den männlichen in letzterer Beziehung gleich.

Indem ich die übrigen Verhältnisse übergehe und deswegen auf die beifolgende Tabelle verweise, wende ich mich zu einer kurzen Besprechung der beiden, durch die Senescenz am wenigsten berührten Gesichtsregionen: der Nase und der Augenhöhlen.

Was zunächst die Nase betrifft, so berechnet sich der Nasenindex

	für Männer	Weiber	Mittel
	auf 56,3	52,9	54,0,

er ist demnach platyrrhin. Indess sind die Schwankungen sehr erheblich. In Wirklichkeit sind von den 6 Schädeln 4 mesorrhin, und nur 2 (Nr. 1 und 2) ausgesprochen platyrrhin, diese jedoch so stark, nämlich 60,7 und 55,8, dass dadurch das ganze Mittel hinaufgerückt wird. Es scheint mir, dass hier senile Einflüsse, namentlich am unteren Umfange der Apertur, mitgewirkt haben. Auch die HHrn. de Quatrefages und Hamy haben 52,94, also ein auf der Grenze zur Platyrrhinie stehendes Maass.

Die Schädel von Nosi-Komba zeigen im Ganzen eine ziemlich übereinstimmende Nasenbildung. Nur einer (Nr. 2) macht eine erhebliche Abweichung, die wohl individueller Natur ist, indem hier die Nasenbeine in hohem Maasse verkümmert sind (Taf. I. Fig. 1). Ich werde später die genauere Beschreibung geben. Bei den übrigen sind die Nasenbeine breit und kräftig; der Rücken ist mehr oder weniger, bei Nr. 1 stark, bei Nr. 4 nur wenig eingebogen und gegen das untere Ende hervorragend. Sehr charakteristisch ist der hohe Ansatz am Stirnbein; fast bei allen bildet die Sutura nasofrontalis einen über die Sutura maxillofrontalis hinauftretenden Vorsprung. Bei Nr. 7 ist diese Naht gebogen, bei Nr. 1 und 6 eben und breit.

Hr. Hildebrandt beschreibt die Nase der Sakalaven im Norden in drei Fällen als platt und breit, in einem als breit und stumpf, in einem als stumpf und nur in einem als wenig breit. Nur bei diesem letzteren giebt er das Gesichtsprofil als gerade, bei allen anderen als negroid an. Hr. Schulz sagt von den Sakalaven des Südens, ihre Nase sei breit, aber prominirend; sie hätten nicht die flachen Nasen, wie man sie bei den Süd-Afrikanern finde. Auch seien ihre Lippen nicht so breit und wulstig, wie man es gewohnt sei, sie bei Kaffern zu sehen. Wenn auch hierin Hr. Hildebrandt scheinbar abweicht, indem er in allen sechs Fällen dicke Lippen und fünfmal einen grossen Mund verzeichnet, so ist dabei in Betracht zu ziehen, dass Hr. Schulz nicht die Dicke der Lippen an sich bestreitet, sondern sie nur für geringer hält, als bei den Kaffern. Immerhin wird man daher eine breite Nase und relative dicke Lippen als Eigenthümlichkeiten der Sakalaven annehmen dürfen. Damit nähern sie sich wenigstens einigermaassen den Afrikanern.

Jedenfalls ist von einem stärkeren Prognathismus an den Schädeln von Nosi-Komba nichts zu bemerken. Da die Mehrzahl von ihnen senile sind und die Atrophie des Alveolarfortsatzes am Oberkiefer auch die Gegend des Nasenstachels mit betroffen hat, so will ich auf den Gesichtswinkel (Ohrloch, Nasenstachel, Nasenwurzel) kein zu grosses Gewicht legen. Derselbe ist durchweg ein spitzer, und gerade bei dem ganz normalen Schädel Nr. 4 erreicht er nur 70°. Hr. Hildebrandt giebt freilich durchweg eine prognathe Kieferstellung an, indess mag er ausser der Stellung der Knochen auch die der Lippen in Betracht gezogen haben. Die beiden einzigen Schädel, welche einen vollen Alveolarfortsatz besitzen, zeigen einen schwach vorspringenden Kieferrand (Taf. I und II. Fig. 3); da der Alveolarfortsatz aber eine sehr mässige Höhe hat, nämlich nur 14^{mm}, so zeigt die Seitenansicht durchaus nichts Negerartiges.

Der Orbitalindex ergiebt in den Mittelzahlen sehr constante Resultate, nämlich für

Männer	Weiber	Mittel
85,8	85,7	85,9,

dagegen schwanken die Individualzahlen recht beträchtlich: bei den Männern zwischen 79,5 (bei Nr. 1) und 92,1 (bei Nr. 4), bei den Frauen zwischen 80 (bei Nr. 5) und 90 (bei Nr. 6). Die Pariser Zahl lautet 89,74, nähert sich also derjenigen meiner Schädel Nr. 4 und 6. Nach meiner Eintheilung würde der sakalavische Orbitalindex im Ganzen ein hypsikoncher sein.

Dabei muss ich einer Eigenthümlichkeit gedenken, welche die Fissura orbitalis inferior (sphenomaxillaris) darbietet. Dieselbe ist bei der Mehrzahl der Schädel von ungewöhnlicher Grösse und Gestalt. Sie beginnt hinten schmal, erweitert sich dann, namentlich von der Einmündung des Infraorbitalkanals an, mehr und mehr, um schliesslich mit einer, bis zu 5 und 6^{mm} breiten, zuweilen noch wieder mit kleineren secundären Ausläufern versehenen Ausbuchtung nach vorn zu endigen. Dem entsprechend zeigt sowohl der Oberkiefer an seiner sphenomaxillaren Fläche, als auch das Wangenbein eine tiefe Einkerbung. Die äussere untere Wand der Augenhöhle gewährt in Folge davon einen sehr abweichenden, wie durchlöcherten Anblick, der durch eine stärkere Ausbiegung der Augenhöhle gegen das Wangenbein hin noch erhöht wird.

Über die Gesichtsform im Ganzen zu urtheilen, ist nach der Beschaffenheit der Schädel, namentlich bei dem Mangel guter

Unterkiefer und bei der eminent senilen Veränderung der meisten Schädel, unmöglich. Beschränkt man sich auf die zwei Schädel von jüngeren Erwachsenen, so erhält man einen Mittelgesichtsindex (Malarbreite = 100) für Nr. 2 von 70,4, für Nr. 4 von 68,0. Die Betrachtung der Vorderansicht (Taf. I und II. Fig. 1) lehrt, dass das Mittelgesicht (Nasenwurzel bis Alveolarrand) eine mässige Höhe und Breite hat. Die beträchtliche Schädelhöhe drückt das Gesicht entschieden, und da zugleich die hohen Augenhöhlen einen grossen Theil des Raumes wegnehmen, so bleibt für den maxillaren Antheil ein verhältnissmässig beschränkter Platz. Die Jochbogen stehen stark hervor und sind beträchtlich gebogen; die Seitentheile des Gesichtes werden dadurch um ein Beträchtliches verbreitert.

Sehr charakteristisch scheint mir der harte Gaumen zu sein. Leider ist bei der Mehrzahl der Schädel von Nosi-Komba von einer Form des Gaumens nichts mehr zu erkennen, da der senile Schwund gerade diesen Theil in stärkster Weise getroffen und verändert hat. Die beiden gut erhaltenen Schädel (Nr. 2 und 4) geben einen Gaumenindex von 68,6 und 61,1, sind also leptostaphylin. Auch die Pariser Schädel lassen eine niedrige Zahl, 70,1, berechnen. Unser Schädel Nr. 7, obwohl in Folge der Altersveränderungen nicht unbeträchtlich verändert, und daher nicht zum Messen geeignet, lässt doch noch deutlich dieselbe lange, gestreckte Gestalt des Gaumens erkennen. Die Gaumenplatte liegt tief zwischen den Zähnen. Letztere sind gross und sehr regelmässig. Sie bilden eine gestreckte Curve, welche nach vorn regelmässig gewölbt ist, während ihre Schenkel lang und gestreckt sind. Bei Nr. 2 (Taf. I. Fig. 5) nähern sich die hinteren Enden der Schenkel einander ein wenig; bei Nr. 4 (Taf. II. Fig. 5) verlaufen sie fast parallel. Durch diese Eigenthümlichkeit unterscheiden sich diese Schädel wesentlich von den australischen, nähern sich dagegen den afrikanischen. Beiläufig will ich hinzufügen, dass an den Flügelfortsätzen des Keilbeins die äussere Lamelle meist stark ausgebildet ist. Bei Nr. 1 bildet sie auf der rechten Seite ein sogenanntes Foramen Civinini.

Die Basis cranii erscheint im Ganzen mehr breit, als lang. Namentlich ist das Hinterhaupt kurz und dick (Taf. I und II. Fig. 5); seine horizontale Länge beträgt bei 3 Schädeln mehr als ein Viertel der grössten Länge, bei drei anderen weniger, im Mittel 25,8 pCt.:

Schädel Nr. 1	. . . .	24,4
„ „ 2	. . . .	27,5
„ „ 4	. . . .	23,7
„ „ 5	. . . .	27,4
„ „ 6	. . . .	29,4
„ „ 7	. . . .	22,7.

Sonderbarer Weise sind die Maasse der männlichen Schädel (Nr. 1 und 4) kleiner, als die der meisten weiblichen. Der hinten abgeplattete kindliche Schädel ergiebt nur 21,8 pCt.

Die vordere Länge der Basis (Foramen magnum bis Nasenwurzel) ist merkwürdig constant. Bei 4 Schädeln misst sie 99, bei einem 97, bei einem 101 und bei einem 103^{mm}. Ihr Verhältniss zur Gesammtlänge des Schädels beträgt im Mittel 56,6 pCt., also etwas mehr als die Hälfte. Die Einzelmaasse sind folgende:

Schädel Nr. 1	. . . .	55,0
„ „ 2	. . . .	56,9
„ „ 3	. . . .	58,5
„ „ 4	. . . .	58,3
„ „ 5	. . . .	54,3
„ „ 6	. . . .	56,0
„ „ 7	. . . .	57,2.

Schon aus der Vergleichung dieser Maasse mit den vorher aufgeführten occipitalen folgt eine relative Länge des Foramen magnum. In der That ist dasselbe nicht blos bei den meisten Schädeln lang, sondern auch breit. Nur Nr. 6 macht eine Ausnahme davon; es ist ungewöhnlich eng und sein Index erreicht die hohe Zahl von 96,9. Bei Nr. 2 und 4 (Taf. I und II. Fig. 5) und bei Nr. 5 hat das Loch hinter den Gelenkhöckern eine mehr gerundete, bei Nr. 1 und 7 eine ovale, ausgezogene Form. Namentlich bei Nr. 7 ist das Loch ungemein lang gestreckt; sein Index beträgt nur 76,9. Der mittlere Index ist 85,8. Bei Quatrefages und Hamy berechnet sich derselbe auf 83,7.

Dabei ist noch besonders zu erwähnen, dass die Gelenkhöcker des Hinterhauptes durchweg sehr kräftig entwickelt sind und bedeutend vortreten; sie sitzen bei allen weit nach vorn am Umfange des Hinterhauptsloches und haben grosse, stark gewölbte, besonders nach hinten sehr ausspringende Flächen.

Es würde vermessen sein, aus den mitgetheilten Thatsachen schon jetzt bestimmte Schlüsse in Bezug auf die Rassenangehörigkeit und die ethnologische Mischung der Sakalaven zu folgern. Die Zahl der Völker, welche in Betracht kommen, ist zu gross, um bei der mangelhaften Kenntniss über die physischen Merkmale mehrerer derselben diejenigen sicher zu bezeichnen, welche hauptsächlich in Vergleich zu ziehen wären. Das jedoch lässt sich bestimmt aussagen, dass die Sakalaven, vielleicht vereinzelte Fälle ausgenommen, trotz ihrer dunklen Hautfarbe keine nähere Verwandtschaft zu den Kaffern und den Bantu-Völkern überhaupt zeigen. Weder ihr Haar, noch ihr Schädel stimmt damit überein.

Dasselbe gilt, soweit ich sehe, auch gegenüber den Makuas, deren Name sich nach der früher erwähnten Angabe des Hrn. Schulz an die importirten Sklaven knüpft. Nach den Mittheilungen der HHrn. de Quatrefages und Hamy (Crania ethnica. Liv. IX. p. 381) befinden sich 5 Schädel von diesem Stamme, der in den Gebirgen nördlich vom Zambeze wohnt, in den Pariser Sammlungen. Einer derselben ist von ihnen abgebildet (Pl. XL. Fig. III—IV). Es ist ein langer Schädel, dessen Hinterhaupt ganz entschieden von dem unserer Sakalaven verschieden ist. Die grosse Breite der Stirn und der Nasenwurzel, die tiefe Stellung der Nasenbeine im Verhältniss zur Stirn, die Länge des Mittelhauptes sind weitere, recht auffällige Unterscheidungsmerkmale. Die Pariser Gelehrten rechnen die Makuas zu den Bantu-Stämmen. Sie erkennen die Verschiedenheit der Sakalaven von den Stämmen jenseits des Kanals an: die Köpfe der ersteren seien etwas kürzer und breiter (un peu plus raccourcis et plus dilatés), wenigstens in gewissen Punkten ihres Querumfanges; auch böten die Gesichtsknochen gewisse, wenngleich secundäre Unterschiede dar.

Dagegen sind manche Anzeichen einer Verwandtschaft der Sakalaven mit den weiter nördlich wohnenden, ostafrikanischen Stämmen zu verzeichnen gewesen. Haut, Haar und Knochenbau haben uns Anhaltspunkte für eine solche Auffassung geliefert. Wie viel arabische Beimischungen beigetragen haben, muss um so mehr dahingestellt bleiben, als derartige Beimischungen auch bei den Ostafrikanern nicht abgewiesen werden können, ohne dass es bis jetzt auch bei diesen gelungen wäre, die einzelnen Elemente aus einander zu lösen.

Noch viel zweifelhafter ist die Frage über die Betheiligung

malayischer Elemente. Es lässt sich nicht in Abrede stellen, dass der Einfluss einer glatthaarigen Rasse auf eine kraushaarige wesentlich dazu beigetragen haben mag, das Sakalaven-Haar zu strecken. Denn es ist eine Erfahrung, die mir Hr. Peters nach seinen Erfahrungen in Ostafrika namentlich für die Mischung von Indiern mit Negern bestätigt, dass die Mischlinge aus einer solchen Verbindung den indischen Einfluss viel stärker zeigen, als es bei Mischlingen aus der Verbindung von Europäern mit Negern in Bezug auf den europäischen Einfluss der Fall zu sein pflegt. Auch im Schädelbau nähert sich der Sakalave den malayischen Stämmen. Wenn ich daher die aus linguistischen Gründen so nahe liegende malayische Beimischung als möglich anerkenne, so möchte ich doch vorläufig über diese Möglichkeit nicht hinausgehen.

Wüssten wir genau, wie sich die Verhältnisse bei den Hovas darstellen, so würde auch für die übrigen Stämme ein etwas sichererer Anhalt gewonnen sein. Indess fehlt es namentlich an Hova-Schädeln in empfindlichem Maasse. Nur in Paris giebt es 4 Stück davon; da jedoch einer derselben eine occipitale Abplattung besitzt, so beschränkt sich das messbare Material auf 3 (de Quatrefages et Hamy l. c. p. 385), nämlich auf 2 weibliche und einen männlichen. Bei beiden Geschlechtern ist der Längenbreiten- und Längenhöhenindex gleich, 76,74 für den männlichen, 78,08 für die weiblichen. Der Nasenindex beträgt 69,76 für den männlichen, 57,44 für die weiblichen Schädel; der Orbitalindex 94,73 für den ersten, 89,18 für die weiblichen. Diese Zahlen stehen den von mir für die Sakalaven gefundenen sehr nahe; selbst der Umstand, dass auch unter den Schädeln von Nosi-Komba einer mit starker occipitaler Abplattung versehen ist, trifft in auffälliger Weise zu. Wenn die HHrn. de Quatrefages und Hamy dem gegenüber finden, dass die Betsimsarakas mehr Neger seien, als die Sakalaven, und ihnen Hypsistenocephalie, Verschmälerung der Stirn, relative Parietalweite zuschreiben, so muss ich vorläufig die Allgemeingültigkeit dieses Resultates beanstanden, weil die sexuellen Differenzen der fünf, in Paris befindlichen Betsimsarakas-Schädel zu grosse sind, um ein sicheres Mittel zu gewähren. Wo der weibliche Schädel im Mittel aus 2 Exemplaren 76,30, der männliche nach 2 Exemplaren 71,89 als Längenbreiten-, dagegen der erstere 71,67, der letztere 76,21 als Längenhöhenindex ergeben, da lässt sich über die typische Form nicht wohl ein Urtheil abgeben. Der einzige, in Paris befindliche Schädel eines Antanka (vom Norden der Insel), der einen Längenbreitenindex von 77,45, einen Längenhöhenindex von 73,98 besitzt, scheint mir, im Zusammenhalt mit den übrigen Thatsachen, nur zu beweisen, dass mesocephale Formen unter allen Stämmen Madagaskars reichlich vertreten sind, und dass daher analoge Einflüsse sich auf sie alle, wenigstens soweit sie bis jetzt bekannt sind, erstreckt haben.

Chinesische oder überhaupt mongolische Beimischungen habe ich nirgends zu erkennen vermocht. Auch indo-arische Einflüsse lassen sich nicht direct erkennen. Trotzdem möchte ich mir darüber das Urtheil vorbehalten; ich kann nicht leugnen, dass im Schädel- und Gesichtsbau Anklänge an indische Formen bemerkbar sind.

Neben solchen Anklängen noch weitere oceanische Elemente aufzusuchen, dürfte gewagt sein. Polynesische Formen kommen hier überhaupt nicht in Betracht, da sie der malayischen Rasse angehören und als besondere nicht erkannt werden würden. Es würden also nur melanesische oder Negritoformen zur Erörterung stehen. Darauf einzugehen, muss ich so lange verschieben, bis bestimmte Punkte bezeichnet sind, welche eine derartige Zumischung wahrscheinlich machen. Auf die Ähnlichkeit des Sakalaven-Haares mit dem australischen habe ich hingewiesen, aber ebenso bestimmt muss ich jede Vergleichung des Sakalaven-Schädels mit dem australischen von der Hand weisen. In Bezug auf die Negritos und ihre Anverwandten finde ich gar keine Vergleichungspunkte.

Was endlich die vermutheten Autochthonen anbetrifft, so wissen wir von ihren physischen Eigenthümlichkeiten trotz der sehr bestimmten Behauptungen des Hrn. Grandidier noch gar nichts. Ein praktisches Bedürfniss, auf sie zurückzugehen, um die Besonderheit der Sakalaven zu erklären, liegt nicht vor. Die angeführten Rassen genügen mehr als erforderlich, um aus ihnen einen Mischtypus dieser Art hervorgehen zu lassen, und es ist eine alte Forderung der Naturwissenschaft, über das Bedürfniss hinaus keine neuen Prämissen für die Interpretation aufzustellen. —

Zum Schluss gebe ich noch eine kurze Beschreibung der beiden, in den Abbildungen dargestellten Schädel:

1) Nr. 2 (Taf. I). Ein weiblicher, verhältnissmässig schwerer, recht wohl erhaltener Schädel ohne Unterkiefer, sonst bis auf den Mangel der Schneide- und einiger linker Backzähne vollständig un-

versehrt. Seine Farbe ist weisslich, an der linken Seite fleckig bräunlich; am unteren Theile des linken Parietale, über dem Ohr, zeigt sich ein hellgrüner, rundlicher, diffuser Fleck, etwa 2,5^{cm} im Durchmesser, offenbar von einem Kupfer- oder Messingzierrath herrührend. Die Zähne waren, einschliesslich der Weisheitszähne, vollständig; ihre Kronen sind so wenig angegriffen, dass man das Individuum für jünger halten müsste, wenn nicht die Synchondrosis sphenooccipitalis ganz geschlossen und ausserdem eine umfangreiche temporale Synostose ohne grössere Verengerung der Schläfengegend vorhanden wäre; letztere Synostose betrifft beiderseits die Sutura sphenofrontalis, den unteren Theil der Coronaria und die Sutura sphenoparietalis. Die einzige sonstige Abweichung dieser Region ist eine grubige Vertiefung, welche sich jederseits in der Gegend des obliterirten Augulus parietalis zeigt, — eine schwache Andeutung von Stenokrotaphie. Alle anderen Nähte sind intact und verhältnissmässig einfach; nur in der seitlichen hinteren Fontanellgegend liegen jederseits einige, in die Hinterhauptschuppe eingreifende Schaltknochen. Das rechte Emissarium parietale fehlt, das linke ist erweitert und der Pfeilnaht genähert; dafür sind an der Squama occipitalis anomale Emissarien, namentlich nahe dem Foramen magnum und hinter dem linken Warzenfortsatz.

Der Schädel hat kaum 1200 Ccm. Inhalt, ist also kleiner, als er erscheint. Seiner Form nach ist er hypsi-mesocephal, wenngleich der Dolichocephalie nahe stehend. Sein Breitenindex beträgt 75,9, sein Höhenindex 77,0. Zieht man die starken temporalen Synostosen in Betracht, so liegt die Vermuthung sehr nahe, dass er ohne dieselben dolichocephal geworden wäre. Auch andere Verhältnisse, namentlich des Gesichtes, deuten auf eine stärkere Dosis afrikanischer Beimischung hin.

In der Oberansicht (Fig. 4) erscheint der Schädel lang oval, nach hinten etwas verjüngt, nur wenig phaenozyg. Die Seitenansicht (Fig. 3) zeigt eine nach vorn verlängerte, ziemlich flache Scheitelcurve. Die Vorderstirn ist niedrig und voll, ohne alle Glabellarvertiefung und mit schwach vortretenden Tubera; Supraorbitalwülste fehlen gänzlich, nur die Gegend über der Nase ist mehr gewölbt. Hier erkennt man Reste der alten Stirnnaht. Jenseits der Tuberallinie tritt eine schnelle Biegung der Curve ein, obwohl noch ein langes Stück Hinterstirn sich anschliesst. Ebenso schliesst nach hinten die parietale Tuberallinie; von da tritt ein schneller

Abfall ein: das Hinterhaupt springt wenig vor, seine stärkste Ausbiegung liegt an der Spitze der Oberschuppe. Die Plana temporalia sind sehr ausgedehnt; die stark abgesetzte Schläfenlinie schneidet die Scheitelhöcker und erreicht die Lambdanaht. Trotzdem beträgt die Distanzcurve zwischen denjenigen Punkten der beiden Schläfenlinien, welche sich einander am meisten nähern, noch immer 130^{mm}. Die Schläfenschuppen sind stark abgeplattet.

In der Hinteransicht sieht der Schädel leicht fünfeckig aus. Die Tubera parietalia treten stark vor, das Schädeldach zwischen ihnen ist breit gewölbt, die Seitentheile unterhalb der Tubera ziemlich gerade abfallend, nach unten schwach convergirend, die untere Linie fast horizontal. Die Oberschuppe tritt hoch herauf, obwohl der Lambdawinkel sehr stumpf, ja fast flach ist. Eine eigentliche Protuberanz fehlt, dagegen sind die Lineae occip. super. et infer. sehr deutlich und namentlich der Raum zwischen ihnen stark vertieft. Einen Fingerbreit über der Gegend der Protuberanz liegt eine flache Grube, darüber eine Querfurche (Taf. I. Fig. 2).

In der Unteransicht (Fig. 6) überwiegt der Eindruck der Kürze und Breite. Sämmtliche Fortsätze, namentlich Warzen-, Griffel- und Flügelfortsätze kräftig, letztere mit stark verlängerter äusserer Lamelle. Foramen magnum gross, nur durch die sehr stark vortretenden, weit nach vorn gelegenen Gelenkhöcker etwas verengt; sein hinterer Abschnitt breit und gerundet. Der Rand ist hinten stark hyperostotisch, vorn dagegen durch eine rundliche Furche verdünnt. Apophysis basilaris mehr flach gelegen, breit und abgeplattet. Sehr tiefe Gelenkgruben für den Unterkiefer.

Das Mittelgesicht (Fig. 1) ist eher kurz und schmal. Durch die Grösse der Augenhöhlen wird es noch mehr gedrückt. Die Jochbogen treten wenig vor, dagegen erscheint in der Vorderansicht die (frontale) Scheitelcurve sehr hoch und dadurch der eigentliche Gehirnantheil des Schädels gegen den Gesichtstheil sehr bevorzugt. Die Augenhöhlen sind gross, auch hoch, etwas schräg nach aussen und unten erweitert, hinter dem Eingang weiter, als in demselben. Die Incisura supraorbitalis fehlt beiderseits, dagegen ist eine Incisura infraorbitalis, fast senkrecht über dem Foramen infraorbitale, im Rande des Oberkiefers vorhanden. Der Eingang zum Thränenkanal ist weit. Ebenso sind beide Fissuren sehr weit, namentlich die untere, welche sich nach vorn hin zu einer ganz breiten Spalte erweitert, die bis in das Wangenbein eindringt und hier mit einer secundären, nach oben und hinten gerichteten Spitze endigt.

Die Nase ist, wie schon erwähnt, ganz abnorm, wegen der defecten Beschaffenheit der Nasenbeine. Letztere sind oben am Frontalansatz, wo sich noch ein kleiner spitzer Schaltknochen einschiebt, zusammen nur 2^{mm} breit. Der Rücken ist ganz tief eingebogen und erhebt sich erst gegen das Ende wieder. Die gerade Entfernung der Spitze von dem Ansatz misst nur 15^{mm}, die gerade Breite am Ende 10^{mm}. Dem entsprechend schiebt sich eine Ausbuchtung der Apertur noch eine ganze Strecke weit zwischen den Stirnfortsätzen des Oberkiefers hinauf (Fig. 1). Es handelt sich hier also um eine wirkliche Mikrorrhinie. Wäre die Nase nicht absolut zu niedrig, so würde bei der verhältnissmässigen Schmalheit der Apertur keineswegs ein so platyrrhiner Nasenindex sich berechnen, als es hier der Fall ist, nämlich 55,8.

Der Oberkiefer im Ganzen ist eher klein zu nennen. Nur seine Frontalfortsätze sind breit und greifen hoch in das Stirnbein ein. Sehr abweichend ist die hohe Lage der Foramina infraorbitalia, welche ganz nahe unter dem Orbitalrande, und zwar unter der erwähnten Incisur, liegen. Die Fossae caninae sind tief, jedoch ganz ausserhalb des Bereiches der Foramina infraorbitalia. Der Alveolarfortsatz, obwohl kurz, tritt doch stark vor und zeigt sehr grosse Schneidezahn-Alveolen. Die Zähne überhaupt sind gross. Ihre Curve ist lang und leicht divergirend; nur in der Gegend der Weisheitszähne nähern sich die Schenkel einander wieder um ein Geringes. Die Gaumenplatte liegt tief und ist sehr uneben; ihre Form ist mehr lang und schmal.

Das Wangenbein ist zierlich und tritt nur wenig vor. Das einzig Abweichende ist ein schmaler Fortsatz, der sich längs des unteren Orbitalrandes bis in die Nähe der erwähnten Incisur vorschiebt.

2) Der Schädel Nr. 4 (Taf. II) ist gleichfalls sehr weiss und schwer, und nur an der gewölbten Fläche mit braunen Anflügen bedeckt. Es ist ein offenbar männlicher Schädel von kräftiger Bildung, jedoch mässiger Capacität (1305 Ccm.), durchweg gut erhalten, nur sind die Schneidezähne nachträglich ausgefallen und der Unterkiefer fehlt. Die Zähne waren alle vorhanden, aber ihre Spitzen sind fast gar nicht abgenutzt. Die ganze muskelfreie Fläche des Schädeldaches ist mit weisser, porotischer Hyperostose über-

zogen; Zeichen derselben finden sich auch an den Stirnwülsten, den Jochbeinen u. s. w. Die Form des Schädels ist ausgemacht hypsimesocephal (Breitenindex 78,6, Höhenindex 82,1).

Die Nähte sind durchweg erhalten, wenig gezackt, die Coronaria etwas klaffend. Die Pfeilnaht kurz. An der Lambdaspitze ein kleiner dreieckiger Fontanellknochen. Nur das rechte Emissarium parietale vorhanden und der Naht sehr genähert, dagegen grosse Gefässlöcher hinter dem Foramen magnum und den Warzenfortsätzen.

In der Oberansicht (Fig. 4) erscheint der Schädel etwas schief, namentlich hinten und rechts etwas gedrückt. Er bildet ein stumpfes breites Oval und ist ausgemacht phaenozyg.

In der Seitenansicht (Fig. 3) sieht der Schädel sehr hoch, dagegen etwas kurz aus. Die Stirn etwas zurückgelehnt, aber hoch; die Vorderstirn breit und voll, ohne Glabellar-Vertiefung, mit schwachen Supraorbitalwülsten, dagegen flach vorgewölbtem Nasentheil. Tubera frontalia mehr verstrichen. Hinterstirn lang und ansteigend, daher die Coronaria stark zurückgeschoben. Die Schläfentheile des Stirnbeins etwas vorgewölbt. Die Scheitelcurve ist stark gewölbt; schon vor der parietalen Tuberallinie beginnt der Abfall zum Hinterhaupt, dessen stärkste Vorwölbung an der Spitze der Oberschuppe liegt. Die Plana temporalia sind sehr gross; die Linea semic. tempor. schneidet das Tuber pariet. und überschreitet die Lambdanaht. Die Schläfenschuppe ganz platt, die Ala temporalis gross, namentlich breit.

In der Hinteransicht (Fig. 2) ist die Höhe noch auffälliger. Der Durchschnittscontour ist leicht ogival: die Tubera parietalia treten deutlich vor, zwischen ihnen ist das Schädeldach jederseits etwas abgeflacht, unter ihnen liegen die ziemlich platten, leicht convergirenden Seitenflächen, welche nur gegen die Warzengegend hin sich etwas verdicken. Die Hinterhauptsschuppe ist hoch und breit, die Protuberanz schwach, die Linea semic. superior dagegen stark und auch die suprema erkennbar.

Die Unteransicht (Fig. 5) lässt die Kürze und Breite der Bildung mehr hervortreten. Die Warzenfortsätze sind kräftig, die Gelenkhöcker gross, weit nach vorn angesetzt, mit ihren Gelenkflächen nach aussen und hinten gewendet. Das Foramen magnum ist gross und sein hinterer Abschnitt fast kreisförmig (Index 87,5). Apophysis basilaris flach gestellt und abgeplattet, mit einer trichterförmigen Öffnung in der Gegend der geschlossenen Synchondrosis sphenooccipitalis. An den kräftigen Flügelfortsätzen des Keilbeins sehr weit ausgelegte und mit grossen Haken versehene äussere Blätter. Tiefe Gelenkgruben für den Unterkiefer.

In der Vorderansicht (Fig. 1) dominirt auch hier der Gehirnantheil, der hoch und breit hervortritt. Die stark ausgebogenen Jochfortsätze geben zugleich dem Gesicht mehr Breite. Sonst ist ist das Mittelgesicht weder breit, noch ungewöhnlich hoch (Index 68); auch hier nehmen die sehr grossen, namentlich hohen Orbitae viel von dem Raume weg. Letztere haben einen Index von 92,1. Die Incisura supraorbitalis ist jederseits, links sogar doppelt vorhanden, dagegen fehlt die bei Nr. 2 angetroffene Incisura infraorbitalis [1]). Die Fissura sphenomaxillaris ist sehr weit, namentlich von der Abzweigung des Infraorbitalkanals an; ihr vorderes Ende bildet eine weite Bucht, welche bis in das Os zygomaticum eingreift.

Die Nase ist gross, namentlich hoch (52^{mm}), die Nasenbeine sind breit und lang (22^{mm} in gerader Richtung), der Rücken nur wenig eingebogen, am Ende vortretend, aber mehr gerundet. Die Sutura naso-frontalis breit und hoch, weit über die Sutura maxillo-frontalis hinaufreichend. Grosse, besonders hohe Apertur. Daher hat dieser Schädel den kleinsten Nasenindex (51,9) unter allen.

Der Oberkiefer ist sehr kräftig und in allen Theilen stark ausgebildet. Der Stirnfortsatz ist breit, die Fossa canina sehr voll. Die Ausmündung des Infraorbitalkanals ungewöhnlich in die Breite gezogen und ganz nahe unter dem unteren Orbitalrande. Der Alveolartheil sehr kräftig und besonders in der Mitte, trotz sehr niedriger Höhe (14^{mm}), stark vortretend. Der horizontale Umfang des Zahnrandes beträgt 155^{mm}. Die Zähne sind gross, namentlich die Eckzähne. Von den Molaren ist I am grössten. Aussen sind die Zahnkronen mit einem dicken schwärzlich-braunen Anfluge versehen. Der Gaumen liegt sehr tief, er ist wesentlich lang, aber leptostaphylin (Index 61,1). Die Zahncurve ist sehr lang, vorn gut gewölbt, hinten mit ganz schwach divergirendem, fast parallelem Verlauf der Schenkel.

---

[1]) Dieselbe ist auch sonst bei keinem anderen der Sakalaven-Schädel vorhanden.

Tabelle I. Direkte Messzahlen.

Sakalaven-Schädel	1. ♂ senil	2. ♀	3. deformirt kindlich	4. ♂	5. ♀ senil	6. ♀ senil	7. ♀ senil
Capacität	1350 Ccm.	1200 Ccm.	1280 Ccm.	1305 Ccm.	1120 Ccm.	1120 Ccm.	1370 Ccm.
Grösste Länge	180 Mm.	174 Mm.	169 Mm. !	173 Mm.	182 Mm.	173 Mm.	180 Mm.
Grösste Breite	144 „	132 „	136 „ !	136 „	131 „ (*t*)	130 „ (*t*)	139 „ (*t*)
Aufrechte Höhe	136 „	134 „	132 „	142 „	127 „	127 „	136 „
Auricular-Höhe	112 „	114 „	118 „ !	119 „	112 „	110 „	116 „
Horizontalumfang	502 „	484 „	477 „	495 „	490 „	481 „	497 „
Querer Vertikalumfang	320 „	308 „	305 „	320 „	290 „	288 „	310 „
Sagittalumfang des Stirnbeins	127 „	117 „	120 „	122 „	123 „	120 „	125 „
„ der Scheitelbeine	111 „	129 „	110 „ !	125 „	114 „	129 „	115 „
„ der Hinterhauptsschuppe	114 „	103 „	29, 86 } 115 „	103 „	114 „	95 „	109 „
Ganzer Sagittalbogen	352 „	349 „	345 „	350 „	351 „	344 „	349 „
(Unterer) Frontaldurchmesser	96 „	92 „	94 „	93 „	92 „	93 „	95 „
Temporaldurchmesser	118 „	112 „	105 „	123 „	102 „	106 „	110 „
(Lateraler) Parietaldurchmesser	127 „	121 „	125 „	125 „	115 „	120 „	127 „
Occipitaldurchmesser	104 „	102 ? „	106 „	108 „	103 „	101 „	102 „

Sakalaven-Schädel	1. ♂ senil	2. ♀	3. deformirt kindlich	4. ♂	5. ♀ senil	6. ♀ senil	7. ♀ senil
Mastoidaldurchmesser, Basis	117 Mm.	112 Mm.	106 Mm.	118 Mm.	112 Mm.	110 Mm.	118 Mm.
" Spitze	100 "	94 "	95 "	100 "	92 "	96 "	102 "
Auriculärdurchmesser	112 "	104 "	98 "	109 "	101 "	102 "	103 "
Jugaldurchmesser	131 "	123,5 "	—	134 "	124 "	122,5 "	129 "
Horizontale Länge des Hinterhaupts	44 "	48 "	37 " !	41 "	50 "	51 "	41 "
Entfernung der Nasenwurzel vom Ohrloch	102 "	102 "	93 "	104 "	104 "	99 "	107 "
" der Nasenwurzel vom For. magnum	99 "	99 "	99 "	101 "	99 "	97 "	103 "
" des Nasenstachels vom Ohrloch	105 "	106 "	—	111 "	107 "	101 "	102 "
" des Nasenstachels vom For. magnum	85 "	91 "	—	96 "	93 "	91 "	82 "
" des Alveolarrandes vom Ohrloch	—	111 "	—	120 "	—	101 " !	—
" des Alveolarrandes vom For. magnum	—	97 "	—	101 "	—	91 "	—
des Kinnes vom							

Entfernung des Kinnes vom For. magnum	108 Mm.	— Mm.	—	— Mm.	— Mm.	— Mm.	— Mm.
Höhe des Mittelgesichts (Nasenwurzel bis Alveolarrand)	54,5 „	62 „	—	68 „	55,5 „ !	60 „ !	53 „
Malarbreite (Sutura zygom. maxill.)	94 „	88 „	—	100 „	87 „	90 „	94 „
Orbita, Höhe	35 „	34 „	—	35 „	32 „	36 „	37 „
„ Breite	44 „	40 „	—	38 „	40 „	40 „	42 „
Nase, Höhe	51 „	43 „	—	52 „	46 „	48 „	48 „
„ Breite	31 „	24 „	—	27 „	24 „	25 „	25 „
Gaumen, Länge	40 „ !	51 „	—	54 „	41 „ !	47 „ !	— „
„ Breite	34 „	35 „	—	33 „	40 „	38 „	— „
Distanz der Unterkieferwinkel	87 „	—	—	—	—	—	—
Gesichtswinkel (Ohr, Nasenstachel, Nasenwurzel)	79° !	78°	—	70°	78° !	70° !	79° !
Foramen magnum occipitis, Länge	38 Mm.	36 Mm.	—	40 Mm.	36 Mm.	33 Mm.	39 Mm.
„ „ Breite	33 „	30 „	—	35 „	30 „	32 „	30 „

Tabelle II. Berechnete Indices.

Sakalaven-Schädel.	1. ♂ senil	2. ♂	3. deformirt kindlich	4. ♂	5. ♀ senil	6. ♀ senil	7. ♀ senil
Längenbreitenindex	80,0	75,9	80,5 !	78,6	72,0	75,1	77,2
Längenhöhenindex	75,5	77,0	78,1 !	82,1	69,8	73,4	75,5
Breitenhöhenindex	94,4	101,5	97,0 !	104,4	96,9	97,6	97,8
Ohrhöhenindex	62,2	66,7	69,8 !	68,8	61,5	63,6	64,4
Mittelgesichtsindex	—	70,4	—	68,0	—	—	—
Orbitalindex	79,5	85,0	—	92,1	80,0	90,0	88,0
Nasenindex	60,7 !	55,8	—	51,9	52,1	52,0	52,0
Gaumenindex	—	68,6	—	61,1	—	—	—
Index des Foramen magnum occipitis	86,8	83,3		87,5	83,3	96,9	76,9

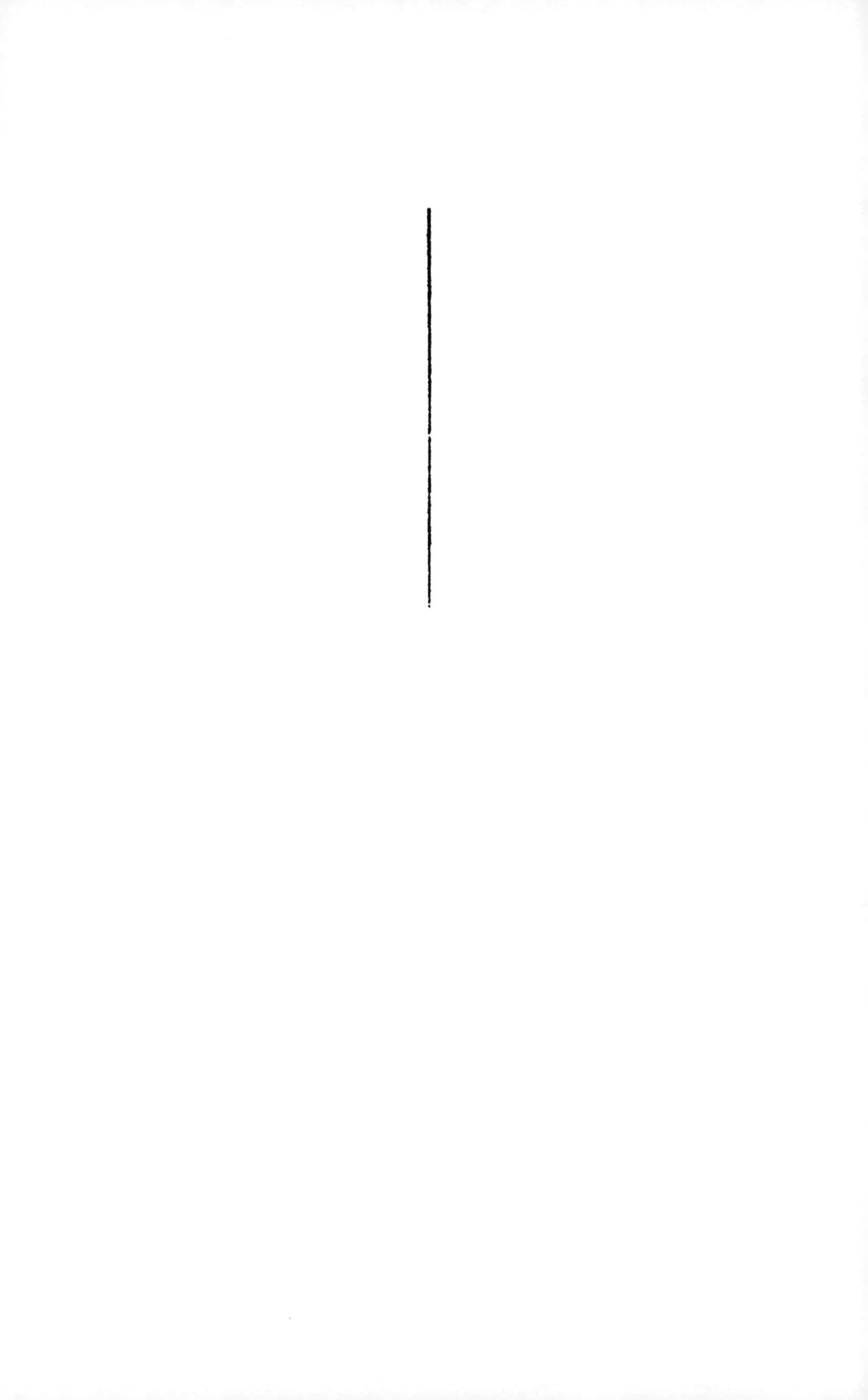

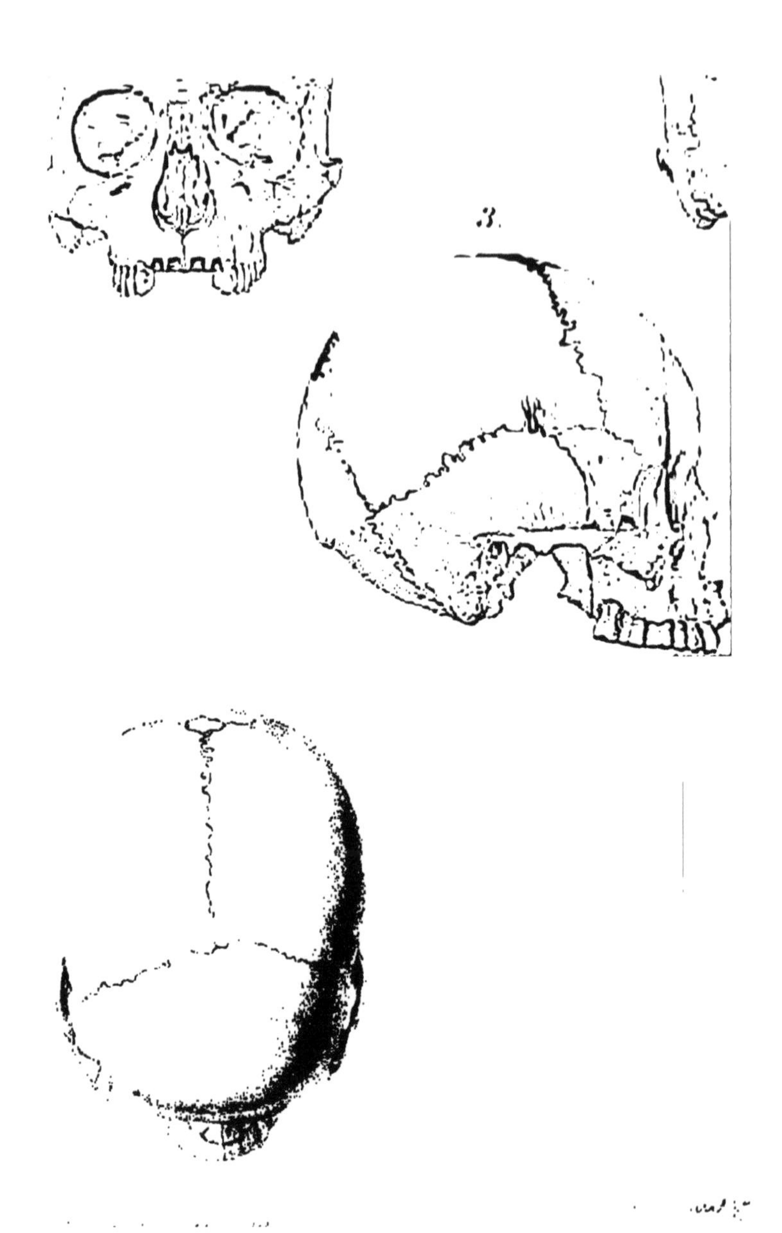
3.

Erklärung der Abbildungen.

Taf. I. Schädel (Nr. 2) einer Sakalavin aus der Höhle von Nosi-Komba, einer Felseninsel an der NW-Küste von Madagaskar.

Taf. II. Männlicher Schädel (Nr. 4) von eben daher.

Sämmtliche Abbildungen sind von Hrn. Emil Eyrich nach der geometrischen Methode gezeichnet, dann auf ein Drittel reducirt und, soweit thunlich, durch Schattirung etwas mehr plastisch ausgeführt.

Hr. W. Peters las über eine Sammlung von Fischen, welche Hr. Dr. Gerlach in Hongkong gesandt hat.

Hr. Dr. Gerlach zu Hongkong hatte dem Fischereiverein eine Sendung von Fischen gemacht, welche auf der internationalen Fischerei-Ausstellung gezeigt und schliesslich dem zoologischen Museum übergeben wurden. Diese Sammlung enthält zwar nur vierzehn Arten, ist aber sehr bemerkenswerth, da die Hälfte derselben wissenschaftlich noch nicht bekannt geworden zu sein scheint. Es sind meistens zu den Cyprinoiden gehörige Süsswasserfische, über deren genaues Vorkommen uns bisher keine Mittheilung zugekommen ist. Wahrscheinlich stammen sie aber aus einem süssen Gewässer des Continents, da sie schwerlich sämmtlich auf der kleinen Insel Hongkong vorkommen werden. Es sind folgende Arten:

1. *Echeneis remora* Linné.
2. *Cranoglanis sinensis* n. gen.
3. *Cyprinus carpio* Linné.
4. *Cirrhina chinensis* Günther.
5. *Labeo decorus* n. sp.
6. *Semilabeo notabilis* n. gen.
7. *Barbus (Labeobarbus) brevifilis* n. sp.
8. *Barbus Gerlachi* n. sp.
9. *Pseudogobio productus* n. sp.
10. *Xenocypris argentea* Günther.
11. *Ochetobius elongatus* Kner.
12. *Hemiculter dispar* n. sp.
13. *Tetrodon Honkenii* Bloch.
14. *Carcharias melanopterus* Quoy et Gaimard.

Cranoglanis n. gen.[1])

Oberseite des Kopfes granulirt gepanzert. Kiemenspalten gross, die Kiemenhaut nicht mit dem Isthmus verwachsen. Augenlid kreisförmig frei. Nasenlöcher weit von einander entfernt stehend, die hinteren mit einem Bartfaden, ausserdem zwei Maxillar- und vier Mandibularfäden. Sammetförmige Zähne an den Kiefern, keine am Gaumen. Dorsale vor den Ventralia, kurz (mit 1 Stachel und 6 verzweigten Strahlen); Fettflosse kurz; Pectorale mit einem schwach gezähnelten Stachel; Anale ziemlich lang; Ventralia mit 12 Strahlen; Schwanzflosse gabelförmig. Ein Achselporus. Schwimmblase nicht von Knochen umschlossen.

Diese Gattung schliesst sich durch den zahnlosen Gaumen zunächst den amerikanischen Bagarinen an, ist aber durch die zahlreichen Strahlen der Ventrale, durch die kurze Fettflosse und die bepanzerte Oberseite des Kopfes von *Amiurus*, *Noturus* u. a. unterschieden.

Cranoglanis sinensis n. sp. (Fig. 1).

B. 8; D. 1, 6; P. 1, 12; V. 12; A. 36.

Kopflänge $3\frac{4}{5}$, Körperhöhe $5\frac{1}{3}$ mal in der Totallänge (ohne die Schwanzflosse). Augendurchmesser $4\frac{1}{2}$ mal in der Kopflänge, $1\frac{3}{4}$ mal in der Schnauzenlänge. Interorbitalraum convex, zwei Augendurchmesser breit. Kopfbreite grösser als die Kopfhöhe, $1\frac{2}{3}$ mal in der Kopflänge. Zwischenkiefer überragt den Unterkiefer. Breite der Mundspalte etwas grösser als der Augendurchmesser. Oberkopf, Operkel und Humeralfortsatz rauh, Occipitalfortsatz $2\frac{1}{2}$ mal länger als breit, mittlere Längsgrube fast bis zu der Verticallinie des hinteren Opercularrandes reichend. Der Bartfaden des hinteren Nasenloches reicht bis zum hinteren Augenrande, der Maxillarfaden bis zu der Rückenflosse, der äussere Mandibularfaden bis zu der Basis der Brustflosse, während der innere von gleicher Länge des Nasalfadens ist. Stachel der Brustflosse so lang wie der der Rückenflosse und wie die Kopflänge von dem hinteren Nasenloch an; er reicht bis zur Verticallinie des hinteren Endes der

---

[1]) κράνος (Helm), γλάνις (Wels).

Rückenflosse, aber nicht bis zu der Bauchflosse. Beide Stacheln sind hinten mit wenigen, feinen Widerhaken bewaffnet. Analöffnung in der Mitte zwischen Anal- und Bauchflossen. Bauchflossen mit 2 unverzweigten und 10 verzweigten Strahlen, reicht über den Anfang der Analflosse, welche 7 unverzweigte und 29 verzweigte Strahlen hat. Fettflosse so hoch wie lang, über dem vierten Fünftel der Analflosse. Caudalflosse gabelförmig, der obere Lappen der längere, so lang oder etwas länger als der Kopf, mit 15 verzweigten Strahlen.

Körperseiten silberig, am Rücken grünlich. Brustflossen oben schwärzlich, Rücken-, Anal- und Schwanzflosse am Rande dunkler.

Ein Exemplar, 28^{cm} lang.

Labeo decorus n. sp. (Fig. 2).

D. 4, 11; V. 2, 8; A. 3, 5; L. lat. 43, tr. 9/9.

Körperhöhe zur Länge (ohne Schwanzflosse) wie 1 : $3\frac{3}{4}$, Kopflänge zu derselben wie 1 : $4\frac{1}{4}$. Auge in der Mitte der Kopflänge, gleich $\frac{1}{5}$ derselben. Maul breit, quer, unterhalb; Lippen dick, ineinander übergehend, die obere in der Mitte glatt, an den Seiten gefranzt, die Unterlippe gefranzt und warzig, mit einer sehr deutlichen, inneren, am Rande knorpeligen Querfalte, Rechenzähne ziemlich kurz, spitz. Schlundzähne 5. 4. 2—2. 4. 5, von gewöhnlicher Gestalt, zwei Maxillarfäden.

Körperschuppen im allgemeinen mässig gross, zwischen der Seitenlinie und Rückenflosse 9, zwischen derselben und der Bauchflosse 6 Schuppen; nur an der Brust sind sie sehr viel kleiner.

Die Rückenflosse steht mit ihrem 3. verzweigten Strahl dem Anfang der Bauchflosse gegenüber; sie hat zwei kurze Dornen, zwei einfache gegliederte und 11 verzweigte Strahlen, von denen der letzte doppelt ist. Brustflosse zugespitzt, so lang wie der Kopf. Bauchflossen reichen bis zu der Analöffnung. Analflossen um die doppelte Länge ihrer Basis von der Schwanzflosse entfernt, mit 3 einfachen gegliederten und 5 verzweigten Strahlen, von welchen der letzte doppelt ist; ihr Rand ist, wie der der Rückenflosse, concav.

Die Schuppen erscheinen in der Mitte goldig, am Rande dunkel.

Das einzige Exemplar hat eine Totallänge von 33^{cm}.

Semilabeo nov. gen.

Schlundzähne 5. 4. 2—2. 4. 5, ähnlich wie bei *Labeo*. Mundränder grade, etwas verhärtet; Oberlippe sehr entwickelt, ähnlich wie bei *Labeo*, beide Mundränder deckend. Unterlippe fehlend. Die ganze Submentalgegend durch ein hinten dreieckiges, von der Postmentalgegend nicht abgesetztes Feld ausgezeichnet, welches ganz mit Fimbrien bedeckt ist.

Analflosse sehr kurz, Rückenflosse ziemlich kurz (nur 8 verzweigte Strahlen) ohne starken Knochenstrahl, über den Bauchflossen stehend. Seitenlinie längs der Mitte verlaufend, Schuppen mässig gross.

Die Lippenbildung der hierher gehörigen Art ist eigenthümlich, während sie sonst durch die meisten Merkmale mit *Labeo*, auf der anderen Seite durch die kürzere Rückenflosse mit *Tylognathus* und *Discognathus* übereinstimmt.

Semilabeo notabilis n. sp. (Fig. 3).

D. 3, 8; V. 2, 8; A. 3, 5; L. lat. 46 ad 47, tr. 7/6.

Körperhöhe gleich der Kopflänge, 4¾ Mal in der Körperlänge ohne Schwanzflosse enthalten. Auge in der hinteren Hälfte des Kopfes gelegen, sein Durchmesser 5½ Mal in der Kopflänge enthalten. Schnauzenende mit Wärzchen versehen, welche an der Spitze vertieft sind. An jeder Seite ein Bartfaden, der wenig kürzer ist, als der Augendurchmesser. Die quere Maulöffnung liegt ganz an der unteren Seite und ist doppelt so breit, wie der Augendurchmesser, an den Rändern knorpelartig zugeschärft, von der dicken oberen, zurückgeschlagenen Lippe ganz bedeckt, die jederseits in eine hohe, scharfrandige, seitliche Falte übergeht, welche in eine tiefe Grube zurückgezogen werden kann. Unterlippe fehlend oder von der Submentalgegend nicht abgesetzt. Der ganze Rand der Oberlippe, die innere Wand der Seitenlappen und eine damit zusammenfliessende grosse, dreieckige Fläche des Kinns sind mit zusammengedrückten, papillenförmigen Blättchen bedeckt, welche mehr oder weniger zu Platten zusammentreten. Kiemenöffnung bis unter die Mitte des Vordeckels und zu der Verticallinie des hinteren Augenrandes gespalten. Pseudobranchien wohl entwickelt. Rechenzähne kurz, nicht gedrängt stehend. Schlundzähne 5. 4. 2—2. 4. 5.

Körperschuppen ziemlich gross; Seitenlinie etwas unter der Körpermitte verlaufend, oberhalb derselben bis zu der Rückenflosse 6½, unterhalb bis zur Ventrale 3½ Schuppen.

Rückenflosse steht mit ihrem vierten verzweigten Strahl dem Anfang der Bauchflossen gegenüber und zur Hälfte vor derselben; der erste Strahl ist sehr kurz, der dritte einfache und der erste verzweigte Strahl sind viel länger als die Basis der Flosse, der letzte ist doppelt und ein wenig länger als die vorletzten, so dass der obere Flossenrand concav ist. Die viel kürzere Analflosse, deren letzter Strahl ebenfalls doppelt ist, liegt um zwei Fünftel weiter von den Bauchflossen als von der Schwanzflosse entfernt.

Goldig mit etwa neun dunkeln, zwischen den Schuppen verlaufenden Längslinien. Sämmtliche Flossen, mit Ausnahme der Analflosse, am Rande schwärzlich.

Ein Exemplar, 34^{cm} lang.

Barbus (Labeobarbus) brevifilis n. sp. (Fig. 4).

D. 4, 8; V. 2, 8; A. 3, 5. Lin. lat. 45—46, tr. 5—6/5—6.

Höhe zu der Länge (ohne Schwanzflosse) wie 1 : 4⅔; Kopf nicht ganz viermal in derselben enthalten. Augendurchmesser gleich ¼ der Kopflänge, in der Mitte des letzteren gelegen.

Oberkiefer, Zwischenkiefer und Unterkiefer mit wohl entwickelten Hautlappen; Bartfäden, namentlich der obere, sehr kurz. Zwischenkiefer den Unterkiefer überragend. Schlundzähne hakenförmig: 5 . 3 . 2 — 2 . 3 . 5. Körperschuppen mässig gross, in der Pectoralgegend klein; in der Seitenlinie 45 — 46 Schuppen, zwischen ihr und der Rückenflosse 5½, bis zu den Bauchflossen 4 Schuppen.

Die Rückenflosse steht mit ihrem zweiten verzweigten Strahl über dem Anfang der Bauchflossen, mit ihrem Anfang der Schnauzenspitze viel näher, als der Schwanzflosse; sie hat zwei sehr kurze dornähnliche und dann zwei einfache gegliederte Strahlen, von denen der letzte hinten stark gezähnelt ist. Die Analflosse ist viel kürzer als die Rückenflosse und steht um die Hälfte weiter von den Bauchflossen als von der Schwanzflosse entfernt.

Silberig, am Rücken grünlich.

Zwei Exemplare von 12^{cm} Totallänge.

Barbus Gerlachi n. sp. (Fig. 5).

D. 4, 8; V. 2, 9; A. 3, 5. Lin. lat. 49, tr. 7/6.

Höhe zur Länge wie 1 : 4; Kopflänge fünfmal in der Totallänge (ohne Schwanzflosse). Auge so lang wie die Schnauze, ein wenig mehr von dem hinteren Opercularrande als von dem Schnauzenende entfernt. Schnauze abgerundet, das Maul überragend. Maulspalte im geschlossenen Zustande ganz unten liegend, quer, an den Winkeln nach hinten gekrümmt. Keine Bartfäden. Kiemenöffnung bis zu dem hinteren Rande des Präoperculums gespalten. Rechenzähne kurz; Pseudobranchien wohl entwickelt. Schlundzähne 5.3.2 — 2.3.5, hakenförmig gekrümmt.

Schuppen mässig gross, 48 bis 49 in der Seitenlinie, zwischen ihr und der Rückenflosse 6½, bis zu der Bauchflosse 4½ Schuppen; die Schuppen in der Brustgegend sind um die Hälfte kleiner. Der Anfang der Rückenflosse steht dem Schnauzenende um ⅟ näher, als der Schwanzflosse und ihr zweiter verzweigter Strahl steht über dem Anfange der Bauchflossen; sie hat zwei kurze dornförmige Strahlen, den vierten dicken Knochenstrahl stark gezähnelt, und acht verzweigte Strahlen. Die Bauchflossen haben neun verzweigte Strahlen. Die Analflosse steht weiter von der Bauchflosse, als von der Schwanzflosse entfernt; die Distanz von der letzteren ist gleich ihrer doppelten Basallänge. Das einzige Exemplar hat in der Analflosse zwei kurze unverzweigte und sechs verzweigte Strahlen, indem abnormer Weise schon der dritte Strahl, aber weniger als der folgende vierte, verzweigt ist.

Silberig, am Rücken grünlich.

Totallänge 165^{mm}.

Xenocypris argentea Günther.

D. 3, 7; A. 3, 10. Lin. lat. 59, tr. 9½/7½.

Die vor uns liegenden Exemplare stimmen ziemlich genau mit der von Hrn. Günther gegebenen Beschreibung überein, so dass sie zu der vorstehenden Art gehören dürften, obgleich die Zahl der Schlundzähne in der äussersten der drei Reihen nur 5 statt 6 ist.

Pseudogobio Bleeker.

Diese Gattung ist von *Sarcochilichthus* Blkr. nicht nur durch die nackte Brustgegend, die Anwesenheit von Bartfäden und das weiter vorn liegende Präorbitale, sondern auch in sehr bemerkenswerther Weise durch die Lage der Analöffnung nahe hinter der

Analflosse ausgezeichnet, und daher nicht, wie Hr. Günther gethan, damit zu vereinigen.

Pseudogobio productus n. sp. (Fig. 6).

D. 3, 8; V. 2, 7; A. 3, 6. Lin. lat. 49 (50), tr. 12 (—13).

Sehr ähnlich dem *Pseudogobio esocinus* Schlegel, aber mehr gestreckt. Körperhöhe zur Totallänge ohne Schwanzflosse wie 1 : 6½, Kopflänge zu derselben wie 1 : 4½. Augendurchmesser gleich einem Viertel der Kopflänge, etwas mehr als die Hälfte der Schnauzenlänge, welche spitzer und schmäler als bei *Ps. esocinus* erscheint. Zwei wohl entwickelte Bartfäden. Lippenbildung ähnlich wie bei *Ps. esocinus*, gefaltet und gefranzt, aber nicht so dick. Pseudobranchien wohl entwickelt. Schlundzähne 5—5, hakenförmig gekrümmt.

Körperschuppen ziemlich gross, in der Seitenlinie 49 bis 50, zwischen ihr und der Rückenflosse 5½, bis zu der Ventralflosse 2½ Schuppen. Pectoralgegend nackt, schuppenlos. Die Analöffnung liegt, wie bei den anderen Arten dieser Gattung, gleich hinter der Bauchflosse und weit entfernt von der Analflosse, was sehr bemerkenswerth ist.

Die Rückenflosse steht dem Schnauzenende um mehr als die Hälfte näher, als der Schwanzflosse, und zum grössten Theil vor der Ventralflosse. Sie hat einen kurzen Dorn, zwei dünne einfache gegliederte und acht verzweigte Strahlen. Die Analflosse ist nur halb so lang wie die Rückenflosse, mit ihrem Anfange weiter von der Bauchflosse als von der Schwanzflosse entfernt; sie hat drei rasch zunehmende unverzweigte und sechs verzweigte Strahlen. Die Brustflosse reicht bis zu der Mitte zwischen dem Anfange der Rücken- und der Bauchflosse.

Einfach silberig oder goldig und die Flossen ungefleckt.

Totallänge von zwei Exemplaren 175^{mm}.

Hemiculter dispar n. sp. (Fig. 7).

D. 2, 7; V. 2, 8; A. 3, 17. Lin. lat. 50, tr. 9/3.

Körperform ganz ähnlich wie bei *Hemiculter leucisculus* Blkr. (Cyprin. de Chine, Taf. 2, Fig. 1). Körperhöhe gleich der Kopflänge, 4½ mal in der Totallänge (ohne Schwanzflosse) enthalten. Augendurchmesser kürzer, als die Schnauze, 3¾ mal in der Kopflänge. Oberkiefer reicht bis hinter die Verticale des Naslochs. Kiemenspalte nur bis zu dem Vordeckel reichend. Rechenzähne kurz;

Pseudobranchien frei, kammförmig. Schlundzähne 5.4.2 — 2.4.5, hakenförmig.

Körperschuppen gross, 8 zwischen Linea lateralis und Rückenflosse, eine zwischen ihr und der Bauchflosse. Die Seitenlinie steigt in einem Bogen nach unten und bildet noch vor dem Ende der Brustflosse einen Winkel, um dann grade fortzulaufen und gleich hinter der Analflosse in einem Bogen nach oben zu steigen, um in der Mitte des Schwanzes grade zum Ende zu gehen. Bauch hinter den Bauchflossen deutlich gekielt.

Brustflossen zugespitzt, etwas kürzer als der Kopf. Anfang der Rückenflosse in der Mitte zwischen Schnauzenende und Schwanzflosse, unmittelbar hinter der Basis der Bauchflossen; ihr zweiter starker Stachelstrahl ist glatt und so lang wie die Entfernung der Schnauzenspitze von dem hinteren Rande des Vordeckels. Die Basis der Analflosse ist etwas kürzer, als ihre Entfernung von den Bauchflossen, ihr erster einfacher Strahl sehr kurz, der letzte verzweigte doppelt. Die Schwanzflosse ist gabelförmig und länger als der Kopf.

Die vorstehende Art steht dem *Culter leucisculus* Kner und *Hemiculter leucisculus* Bleeker sehr nahe, unterscheidet sich aber sogleich durch die spitzere und längere Schnauze und die grössere Zahl der verzweigten Strahlen der Analflosse. Bleeker behauptet zwar, dass seine Art am Bauche abgerundet sei, während Kner ausdrücklich einen Kiel hinter den Bauchflossen angibt, wie auch ich denselben bei Exemplaren aus Shanghai finde, die ich für diese Art halte. Es ist jedoch zu bemerken, dass bei den beiden kleinen Exemplaren der Kiel nur mit einiger Aufmerksamkeit wahrzunehmen ist. Jedenfalls weicht sie durch diesen Kiel, den eigenthümlichen Verlauf der Seitenlinie, durch die engere Kiemenspalte und die verschiedene Zahnformel von *Chanodichthys*, mit der Günther jene Art vereinigt hat, sowie von *Culter* durch die kurzen Rechenzähne und die gebogene und tief unten verlaufende Seitenlinie ab. Ich vereinige die vorstehende Art daher mit *Hemiculter* Bleeker um so mehr, da sich vermuthen lässt, dass an den beiden nur 136—143^{mm} langen Bleeker'schen Exemplaren der Bauchkiel nur undeutlich war. Man könnte auch an *Eustira* Günther denken, welche eine ähnliche Seitenlinie zu haben scheint, die Rückenflosse aber vor den Bauchflossen stehen, die Rechenzähne lanzettförmig und die Wangen durch die Suborbitalknochen bedeckt hat.

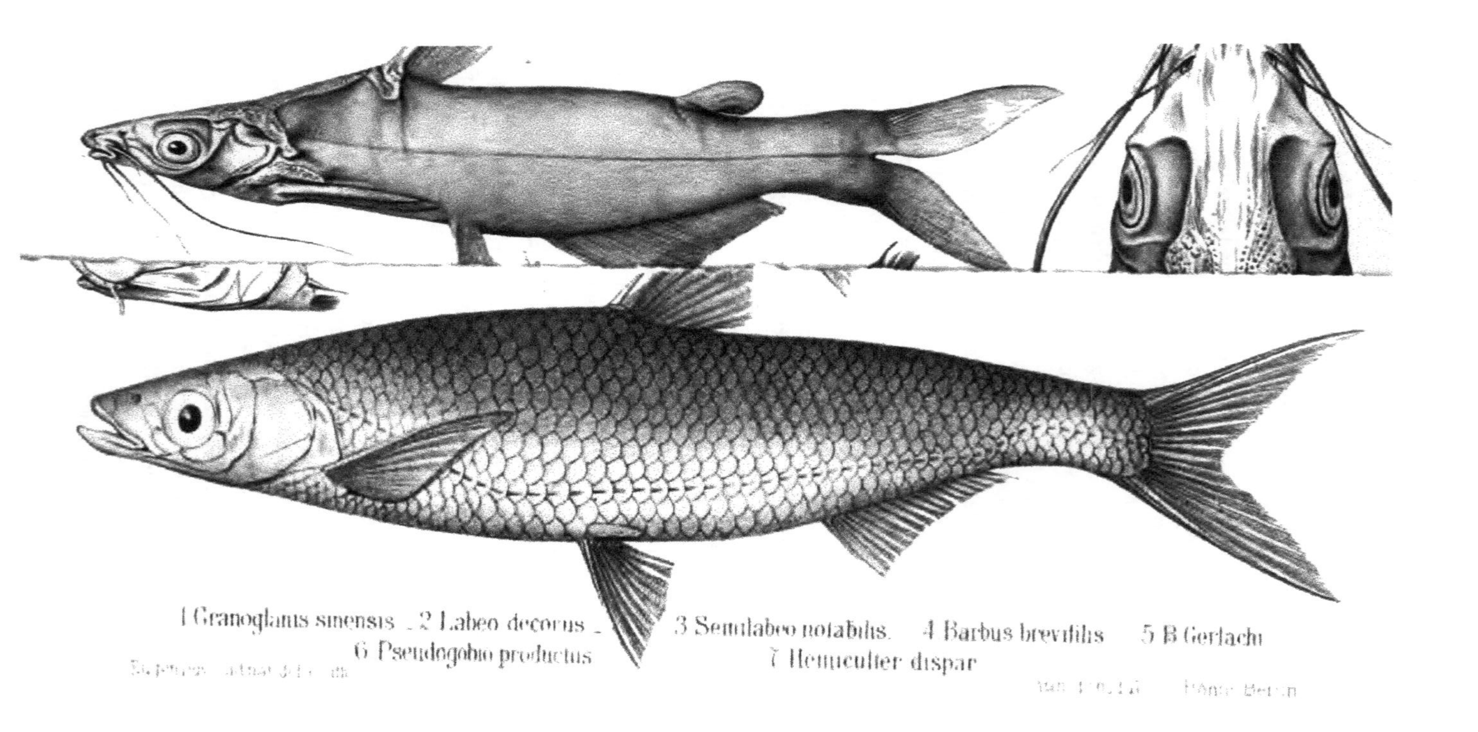

1 Granoglanis sinensis _ 2 Labeo decorus _ 3 Semilabeo notabilis. 4 Barbus brevifilis 5 B Gerlachi
6 Pseudogobio productus 7 Hemiculter dispar

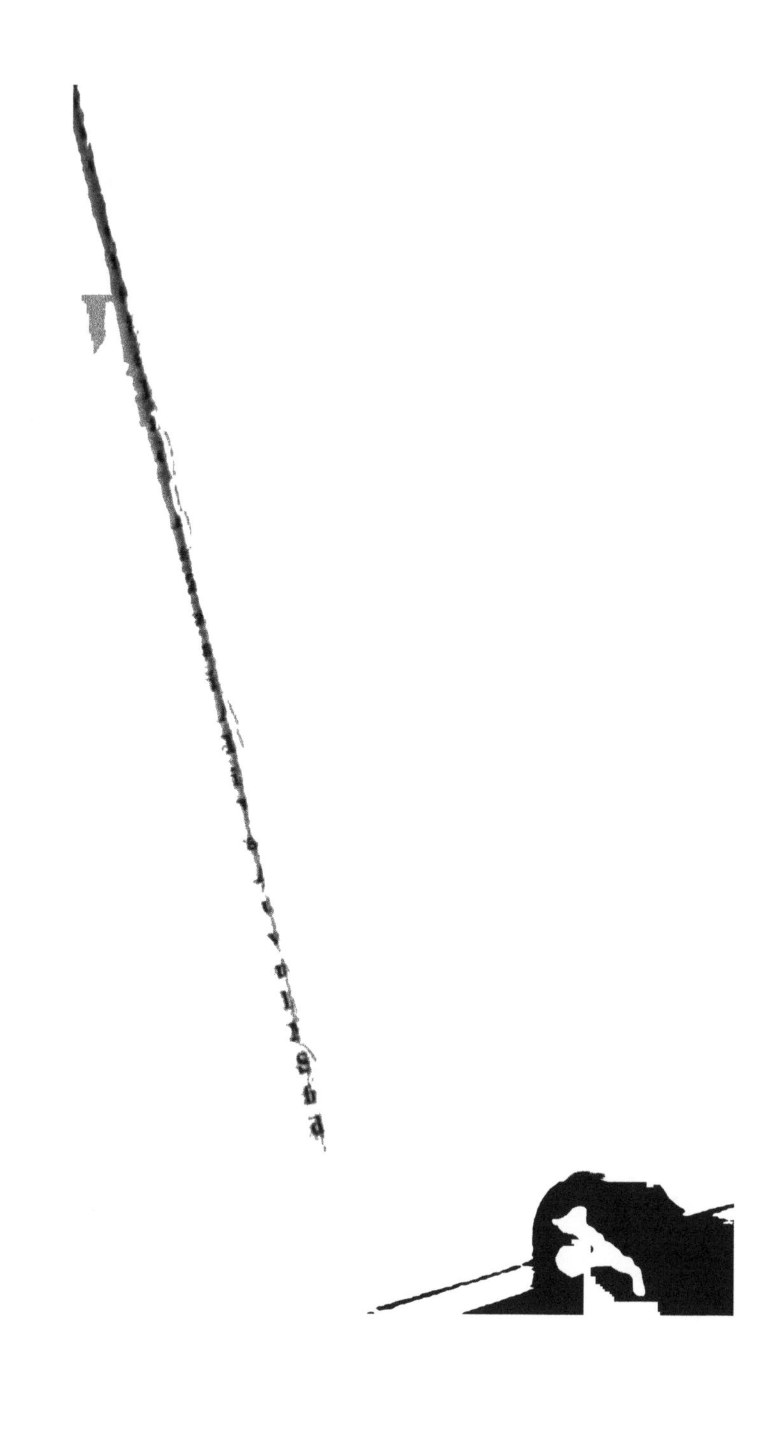

Erklärung der Abbildungen.

Fig. 1. *Cranoglanis sinensis* Ptrs., ½ nat. Grösse; 1a Kopf im Profil, 1b derselbe von oben in nat. Grösse.

Fig. 2. *Labeo decorus* Ptrs., Mund von unten.

Fig. 3. *Semilabeo notabilis* Ptrs., Kopf von der Seite; 3a derselbe von unten; 3b Schlundzähne.

Fig. 4. *Barbus (Labeobarbus) brevifilis* Ptrs.

Fig. 5. *Barbus Gerlachi* Ptrs.; 5a Schlundzähne.

Fig. 6. *Pseudogobio productus* Ptrs.; Kopf von der Seite.

Fig. 7. *Hemiculter dispar* Ptrs.; natürliche Grösse.

16. December. Gesammtsitzung der Akademie.

Hr. A. W. Hofmann machte folgende Mittheilungen:

1) Noch einige weitere Beobachtungen über das Amidophenylmercaptan;

2) Zur Kenntniss des Amidonaphtylmercaptans und seiner Derivate;

3) Einwirkung des Schwefels auf das Toluylbenzamid;

4) Einwirkung des Ammoniaks auf den tertiären Sulfocyansäure-Methyläther;

5) Apparat zur Veranschaulichung der Schwefelsäure-Fabrication.

Sodann machte Hr. Schrader eine Mittheilung über

eine angeblich antike Dariusstele

aus Serpentinstein, 0,34 M. hoch, 0,27 M. breit und 0,04 M. dick, auf dem Avers wie auf dem Revers eine bildliche Darstellung in Relief enthaltend und neben einer hieroglyphischen Inschrift (Königsschild) eine Keilinschrift in babylonischer Schrift und Sprache bietend. Dieselbe, vor Kurzem in Eisenach ans Licht getreten, erweist sich, unangesehen den Inhalt der Keilinschrift, aus archäologischen gleicherweise wie aus paläographischen Gründen als eine dreiste Fälschung und zwar der allerjüngsten Zeit. Der Vortragende spricht die Vermuthung aus, dass das Fabrikat deutschen Ursprungs ist.

Die HH. Ferd. Keller in Zürich, Franz Kielhorn in Poonah und Vatroslav Jagić in St. Petersburg wurden zu correspondirenden Mitgliedern der philosophisch-historischen Klasse gewählt.

Hr. Carl Johann Malmsten, Staatsrath in Upsala, wurde zum Ehrenmitgliede gewählt, und erfolgte die Allerhöchste Bestätigung am 15. December 1880.

Am 8. November starb

Hr. Leonhard Spengel

in München, correspondirendes Mitglied der philosophisch-historischen Klasse.

Am 18. December starb

Hr. Michel Chasles

in Paris, auswärtiges Mitglied der physikalisch-mathematischen Klasse.

Verzeichniss der im Monat December 1880 eingegangenen Schriften.

Leopoldina. Amtliches Organ der K. Leop. Carol. Deutschen Akademie der Naturforscher. Heft XVI. N. 21. 22. Halle a. S. 1880. 4.

Abhandlungen der K. Bayerischen Akademie der Wissenschaften. Mathemat.-physik. Classe. Bd. XIII. Abth. 3. *Philos.-philol. Classe.* Bd. XV. Abth. 2. München 1880. 4. 2 Ex.

Berichte der Deutschen Chemischen Gesellschaft. Jahrg. XIII. N. 18. Berlin 1880. 8.

Schriften der physikalisch-ökonomischen Gesellschaft zu Königsberg. Jahrg. 18. 1877. Abth. 2. Jahrg. 19. 1878. Abth. 1. 2. Jahrg. 20. 1879. Abth. 1. 2. Königsberg 1878—80. 4.

57ster Jahresbericht der Schlesischen Gesellschaft für vaterländische Cultur. Breslau 1880. 8.

Jahrbücher des Nassauischen Vereins für Naturkunde. Jahrg. XXXI. XXXII. Wiesbaden 1878/89. 8.

Verhandlungen des naturhistorisch-medicinischen Vereins zu Heidelberg. Neue Folge. Bd. II. Heft 5. Heidelberg 1880. 8.

Jahresbericht des historischen Vereines von Unterfranken und Aschaffenburg für 1879. Würzburg 1880. 8.

Haupttitel und Inhaltsverzeichniss zum 23. Bande des Vereins-Archivs. Würzburg 1876. 8.

L. Fries, *Die Geschichte des Bauernkrieges in Ostfranken.* Lief. 4. Würzburg 1880. 8.

Tageblatt der 53. Versammlung Deutscher Naturforscher und Ärzte in Danzig vom 18. bis 24. September 1880. Danzig 1880. 4.

Monumenta Germaniae historica. Scriptores XXV. Hannoverae 1880. fol.

Der deutsch-französische Krieg 1870—71. Redigirt von der kriegsgeschichtlichen Abtheilung des Grossen Generalstabes. Th. II. Heft 18. Berlin 1880. 8.

Landwirthschaftliche Jahrbücher. Bd. IX. Heft 6. Berlin 1880. 8.

Elektrotechnische Zeitschrift. Jahrg. I. Heft XII. Berlin 1880. 4.

Mittheilungen des Deutschen Archäologischen Institutes in Athen. Jahrg. V. Heft 3. Athen 1880. 8.

Archiv für Mittel- und Neugriechische Philologie. Herausgegeben von Dr. M. Deffner. Athen 1880. 8.

*Möbius, K., *Beiträge zur Meeresfauna der Insel Mauritius und der Seychellen.* Berlin 1880. 4. 2 Ex.

H. Schliemann, *Ilios. Stadt und Land der Trojaner.* Leipzig 1881. 8.

L. Diefenbach, *Völkerkunde Osteuropas.* 2. Bd. 2. Halbband (als Schluss). Darmstadt 1880. 8.

F. R. Helmert, *Die mathematischen und physikalischen Theorien der höheren Geodäsie. Einleitung und 1. Theil: Die mathematischen Theorien.* Leipzig 1880. 8.

A. Nehring, *Übersicht über vierundzwanzig mitteleuropäische Quartär-Faunen.* 1880. 8. Sep.-Abdr.

O. Finsch, *Über die Bewohner von Ponapé (östl. Carolinen). Nach eigenen Beobachtungen und Erkundigungen.* Berlin 1880. 8. Sep.-Abdr.

Sitzungsberichte der math.-naturw. Classe der K. Akademie der Wissenschaften in Wien. Jahrg. 1880. XIII. 8.

Mittheilungen der K. K. Central-Commission zur Erforschung und Erhaltung der Kunst- und historischen Denkmale. Bd. IV. Heft 4 (Schluss). Wien 1880. 4.

38ster Bericht über das Museum Francisco-Carolinum. Linz 1880. 8.

Quellen zur Geschichte Siebenbürgens aus Sächsischen Archiven. Bd. I. Abth. 1. Rechnungen 1. Hermannstadt 1880. 8.

Monthly Notices of the Royal Astronomical Society. Vol. XLI. N. 1. Nov. 1880. London. 8.

Proceedings of the London Mathematical Society. N. 163. 164. London 1880. 8.

Proceedings of the Royal Geographical Society and Monthly Record of Geography. Vol. II. N. 12. Dec. 1880. London. 8.

Journal of the Royal Microscopical Society. Vol. III. N. 6. 6a. London 1880. 8.

The Quarterly Journal of the Geological Society. Vol. XXVI. P. 4. N. 144. London 1880. 8.

List of the Geological Society of London. Nov. 1st. 1880. London 1880.

Journal of the Chemical Society. N. CCXVII. Dec. 1880. London. 8.

The Annals and Magazine of Natural History. Vol. VI. N. 31—36. London 1880. 8.

The Journal of the Royal Asiatic Society of Great Britain and Ireland. New Series. Vol. XII. Part. II. III. IV. April, July, October 1880. London. 8.

Kew Observatory 1880. — Report of the Kew Committee for the year ending Oct. 31, 1880. London 1880. 8. Extr.

G. M. Whipple, *On the rate at which Barometric changes traverse the British Isles.* London 1880. 8. Extr.

— — —, *Results of an inquiry into the Periodicity of Rainfall.* London 1880. 8. Extr.

The Qur'ân. Translated by E. H. Palmer. P. I. II. Oxford 1880. 8.

Comptes rendus hebdomadaires des Séances de l'Académie des Sciences. T. XCII 1880. Second Semestre. N. 20. 21. 22. 23. 24. Paris 1880. 4.

Bulletin de l'Académie de Médecine. Sér. II. T. IX. N. 47. 48. 49. 50. Paris 1880. 8.

Bulletin de la Société géologique de France. Ser. III. T. VII. 1879. N. 7. 8. Paris 1880. 8.

Bulletin de la Société de Géographie. Sept. 1880. Paris 1880. 8.

Annales des Ponts et Chaussées. Mémoires et Documents. Sér. V. Cah. 11. 1880. Novembre. Paris. 8.

Précis analytique des travaux de l'Académie des Sciences, Belles-lettres et Arts de Rouen, pendant l'année 1878—79. Rouen 1879. 8.

Bulletin de la Société de Géographie commerciale de Bordeaux. Sér. II. N. 23. 24. Bordeaux 1880. 8.

Revue scientifique de la France et de l'étranger. Année X. Sér. 2. N. 22. 23. 24. 25. 26. Paris 1880. 4.

Polybiblion. — Revue bibliographique universelle. Part. litt. Ser. II. T. XII. Livr. 6. Paris 1880. 8.

E. J. Maumené, *Théorie générale de l'action chimique.* Paris 1880. 8.

L. Aucoc, *Les tarifs des chemins de fer et l'autorité de l'état.* Paris 1880. 8.

A. Preudhomme de Borre, *Étude sur les espèces de la Tribu des Feronides.* 1879. 8. Extr.

P. Hunfalvy, *Le peuple roumain ou valaque.* Tours 1879. 8. Extr.

Atti della R. Accademia dei' Lincei. Anno CCLXXVII. (1880—81.) Ser. III. Transunti Vol. V. Fasc. 1. Roma 1881. 4.

Atti dell' Accademia Pontificia de' Nuovi Lincei. Anno XXXIII. Sessione V. Roma 1880. 4.

Annali dell' Ufficio centrale de Meteorologia Italiana. Ser. II. Vol. I. 1879. Roma 1880. 4.

Pubblicazioni del R. Osservatorio di Brera in Milano. N. XV. — G. V. Schiaparelli, *Sull' umidità atmosferica nel clima di Milano.* Milano 1880. 4.

B. Boncompagni, *Bullettino.* T. XIII. Gennaio-Febbrario 1880. Roma 1880. 4.

Il R. Liceo Pontano di Spoleto nell' Anno scolastico 1878—79. Spoleto 1880. 8.

A. Bajo, *De' momenti flettenti sopra i varii appoggi di una orizzontale a sezione costante comunque caricata.* 2e. Ediz. Napoli 1880. 8.

M. Bellati, *Proprietà termiche notevoli di alcuni joduri doppi.* Venezia 1880. 8. Extr.

L. Benvenuti, *Il Museo Euganeo-Romano di Este.* Bologna 1880. 8.

G. Canestrini e A. Berlese, *La streghia degli Imenotteri.* Padova 1880. 8.

Annales de l'Observatoire de Moscou. Vol. VII. Livr. 1. Moscou 1880. 4.

Liste des travaux de M. Brosset. St. Pétersbourg 1880. 4.

N. P. Angelin & G. Lingström, *Fragmenta Silurica.* Holmiae 1880. fol.

Bulletin de l'Académie R. des Sciences de Belgique. Année 49. Sér. II. T. 50. N. 9. 10. 11. Bruxelles 1880. 8.

Annales de la Société entomologique de Belgique. T. XXIV. Bruxelles 1880. 8.

Coutumes des Pays et Comité de Flandre. — Coutumes du Franc de Bruges, par L. Gilliodts- van Severen. T. 3. Bruxelles 1880. 4.

Levé géologique des planchettes XVI/5, XXIV/1,2,3,7 et XXXII/3 N. 3. 7 de la Carte topographique de la Belgique. Par M. le Baron O. van Ertborn, avec la collaboration de M. P. Cogels: Boisschot. — d'Aerschot. Bruxelles 1880. 8.

O. v. Ertborn, *Texte explicatif du levé géologique des planchettes du Boisschot et d'Aerschot.* Bruxelles 1880. 8.

Revista Euskara. Año tercero. N. 31. Noviembre de 1880. Pamplona 1880. 8.

J. F. J. Biker, *Supplemento à Collecção dos Tratados etc. e Actos publicos celebrados entre a Corôa de Portugal e as mais potencias.* T. XXVI (T. XVIII do Suppl.) T. XXVIII (T. XX do Suppl.) Lisboa 1880. 8.

The American Journal of Science. Vol. XX. N. 120. New Haven 1880. 8.

Bulletin of the U. S. Geological and Geographical Survey of the Territories. Vol. V. N. 4. Washington 1880. 8.

Astronomical Papers prepared for the use of the American Ephemeris and Nautical Almanac. Vol. I. P. III. *Velocity of light.* Washington 1880. 4.

Memorias del General O'Leary publicadas por su hijo Simon B. O'Leary. T. VII. VIII. IX. Carácas 1880. 8.

Nachtrag.

---

8. Juli 1880. Öffentliche Sitzung zur Feier des Leibnizischen Jahrestages.

Der an diesem Tage vorsitzende Secretar Hr. du Bois-Reymond hielt folgende Festrede:

Als ich vor acht Jahren übernommen hatte, in öffentlicher Sitzung der Versammlung deutscher Naturforscher und Ärzte einen Vortrag zu halten, zögerte ich lange bis ich mich entschloss, die Grenzen des Naturerkennens zu meinem Gegenstande zu wählen. Die Unmöglichkeit, einerseits das Wesen von Materie und Kraft zu begreifen, andererseits das Bewusstsein auch auf niederster Stufe mechanisch zu erklären, erschien mir eigentlich als triviale Wahrheit. Dass man mit Atomistik, Dynamistik, stetiger Ausfüllung des Raumes in gleicher Weise in die Brüche gerathe, ist eine alte Erfahrung, an welcher keine Entdeckung der Naturwissenschaft etwas zu ändern vermochte. Dass durch keine Anordnung und Bewegung von Materie auch nur die einfachste Sinnesempfindung verständlich werde, haben längst vortreffliche Denker erkannt. Wohl wusste ich, dass über letzteren Punkt falsche Begriffe weit verbreitet seien; fast aber schämte ich mich, den deutschen Naturforschern so abgestandenen Trunk zu schenken, und nur durch die Neuheit meiner Beweisführung hoffte ich Interesse zu erwecken.

Der Empfang, der meiner Auseinandersetzung wurde, zeigte mir, dass ich mich in der Sachlage getäuscht hatte. Dem anfangs kühl aufgenommenen Vortrage widerfuhr bald die Ehre, Gegenstand zahlreicher Besprechungen zu werden, in denen eine grosse Mannigfaltigkeit von Standpunkten sich kundgab. Die Kritik schlug alle Töne vom freudig zustimmenden Lobe bis zum wegwerfendsten Tadel an, und das Wort 'Ignorabimus', in welchem meine Untersuchung gipfelte, ward förmlich zu einer Art von naturphilosophischem Schiboleth.[1]

Die durch meinen Vortrag in der deutschen Welt hervorgebrachte Erregung lässt die philosophische Bildung der Nation, auf welche wir gewohnt sind, uns etwas zu gute zu thun, in keinem günstigen Licht erscheinen. So schmeichelhaft es mir war, meine Darlegung als Kant'sche That gepriesen zu sehen, ich muss diesen Ruhm zurückweisen. In dem, was ich sagte, war, wie schon bemerkt, Nichts enthalten, was bei einiger Belesenheit in älteren philosophischen Schriften nicht Jedem bekannt sein konnte, der sich darum kümmerte. Aber seit der Umgestaltung der Philosophie durch Kant hat diese Disciplin einen so esoterischen Charakter angenommen; sie hat die Sprache des gemeinen Mutterwitzes und der verständigen Überlegung so verlernt; sie ist den Fragen, die den unbefangenen Jünger am tiefsten bewegen, so weit ausgewichen, oder sie hat sie so sehr von oben herab als unberufene Zumuthungen behandelt; sie hat sich endlich der neben ihr emporwachsenden neuen Weltmacht, der Naturwissenschaft, lange so feindselig gegenübergestellt: dass nicht zu verwundern ist, wenn, namentlich unter Naturforschern, das Andenken selbst an ganz thatsächliche Ergebnisse aus früheren Tagen der Philosophie verloren ging.

Einen Theil der Schuld trägt wohl der Umstand, dass die neuere Philosophie zur positiven Religion meist in einem negirenden, mindestens in keinem klaren Verhältniss sich befand, und dass sie, bewusst oder unbewusst, vermied, sich über gewisse Fragen unumwunden auszusprechen, wie dies beispielsweise Leibniz konnte, welcher vor keinem Kirchentribunal etwas zu verbergen gehabt hätte. Die Philosophie soll dafür weder gelobt noch getadelt werden; aber so kommt es, dass bei den Philosophen von der Mitte des vorigen Jahrhunderts an die packendsten Probleme der Metaphysik sich nicht unverholen, wenigstens nicht in einer dem inductiven Naturforscher zusagenden Sprache, aufgestellt und erörtert finden. Auch das möchte einer der Gründe sein, warum die Philosophie so vielfach als gegenstandslos und unerspriesslich bei Seite geschoben wird, und warum jetzt, wo die Naturwissenschaft selber an manchen Punkten beim Philosophiren angelangt ist, oft solch ein Mangel an Vorbegriffen, solche Unwissenheit im wirklich Geleisteten sich zeigt.

Denn während von der einen Seite mein Verdienst weit überschätzt wurde, rief man von der anderen Anathema über mich, weil ich dem menschlichen Erkenntnissvermögen unübersteigliche Grenzen zog. Man konnte nicht begreifen, warum nicht das Bewusstsein in derselben Art verständlich sein sollte, wie Wärmeentwickelung bei chemischer Verbindung, oder Elektricitätserregung in der galvanischen Kette. Schuster verliessen ihren Leisten und rümpften die Nase über „das fast nach consistorialräthlicher Demuth „schmeckende Bekenntniss des 'Ignorabimus', wodurch das Nicht- „wissen in Permanenz erklärt werde". Fanatiker dieser Richtung, die es besser wissen konnten, denuncirten mich als zur schwarzen Bande gehörig, und zeigten auf's Neue, wie nah bei einander Despotismus und äusserster Radicalismus wohnen.[2] Gemässigtere Köpfe verriethen doch bei dieser Gelegenheit, dass es mit ihrer Dialektik schwach bestellt sei. Sie vermochten nicht den Unterschied zu erfassen zwischen der Behauptung, die ich widerlegte: Bewusstsein kann mechanisch erklärt werden, und der Behauptung, die ich nicht bezweifelt, ja durch neue Gründe gestützt hatte: Bewusstsein ist an materielle Vorgänge gebunden.

Schärfer sah David Friedrich Strauss. Der grosse Kritiker hatte spät die Wandlung durchgemacht, welche tiefer angelegte Naturen früher nicht selten in der Jugend rasch durchliefen, vom theologischen Studium zur Naturwissenschaft. Der Naturforscher von Fach mag von den Auseinandersetzungen zweiter Hand gering denken, in denen der Verfasser 'des alten und des neuen Glaubens' sich vielleicht etwas zu sehr gefällt. Dem Ethiker, Juristen, Lehrer, Arzt mag die etwas gewaltsame Folgerichtigkeit bedenklich scheinen, mit welcher Strauss seine Weltanschauung in's Leben einzuführen versucht. Wenn ich selber einmal an dieser Stelle mich in diesem Sinn gegen ihn wandte,[3] so bewundere ich deshalb nicht minder die Geisteskraft und Charakterstärke, welche diesen zugleich künstlerisch so begabten Meister des Gedankens in die Mitte der alten

Welträthsel trugen, die er freilich auch nicht lösen sollte, aber doch ohne jede irdische Scheu beim Namen zu nennen sich getraut.

Strauss entging es nicht, dass ich mich den geistigen Vorgängen gegenüber durchaus auf den Standpunkt des inductiven Naturforschers gestellt hatte, der den Process nicht vom Substrat trennt, an welchem er den Process kennen lernte, und der an das Dasein des vom Substrat gelösten Processes ohne zureichenden Grund nicht glaubt. Etwas erfahrener in verschlungenen Gedankenwegen, und an abstractere Ausdrucksweise gewöhnt, verstand er natürlich den Unterschied zwischen jenen beiden Behauptungen. Strauss und Lange, der zu früh der Wissenschaft entrissene Verfasser der 'Geschichte des Materialismus'[4], überhoben mich der Mühe, den Jubel derer, welche in mir einen Vorkämpfer des Dualismus erstanden wähnten, mit dem Spruche niederzuschlagen: „Und wer mich nicht verstehen kann, der lerne besser lesen."

Aber auch Strauss tadelte merkwürdigerweise meinen Satz von der Unbegreiflichkeit des Bewusstseins aus mechanischen Gründen. Er sagt: „Drei Punkte sind es bekanntlich in der „aufsteigenden Entwickelung der Natur, an denen vorzugsweise „der Schein des Unbegreiflichen haftet. Es sind die drei Fra„gen: wie ist das Lebendige aus dem Leblosen, wie das Em„pfindende aus dem Empfindungslosen, wie das Vernünftige aus „dem Vernunftlosen hervorgegangen? Der Verfasser der 'Grenzen „des Naturerkennens' hält das erste der drei Probleme, *A*, den „Hervorgang des Lebens, für lösbar. Die Lösung des dritten Pro„blems, *C*, der Intelligenz und Willensfreiheit, bahnt er sich, wie „es scheint, dadurch an, dass er es im engsten Zusammenhange „mit dem zweiten, die Vernunft nur als höchste Stufe des schon „mit der Empfindung gegebenen Bewusstseins fasst. Das zweite „Problem, *B*, das der Empfindung, hält er dagegen für unlösbar. Ich „gestehe, mir könnte noch eher einleuchten, wenn mir einer sagte: „unerklärlich ist und bleibt *A*, nämlich das Leben; ist aber einmal „das gegeben, so folgt von selber, d. h. mittels natürlicher Entwicke„lung, *B* und *C*, nämlich Empfinden und Denken. Oder meinet„wegen auch umgekehrt: *A* und *B* lassen sich noch begreifen, aber „an *C*, am Selbstbewusstsein, reisst unser Verständniss ab. Beides, „wie gesagt, erschiene mir noch annehmlicher, als dass gerade die „mittlere Station allein die unpassirbare sein soll."[5]

So weit Strauss. Ich bedaure es aussprechen zu müssen, aber er hat den Nerven meiner Betrachtung nicht erfasst. Ich nannte astronomische Kenntniss eines materiellen Systemes solche Kenntniss, wie wir sie vom Planetensystem hätten, wenn alle Beobachtungen unbedingt richtig, alle Schwierigkeiten der Theorie völlig besiegt wären. Besässen wir astronomische Kenntniss dessen, was innerhalb eines noch so räthselhaften Organes des Thier- oder Pflanzenleibes vorgeht, so wäre in Bezug auf dies Organ unser Causalitätsbedürfniss so befriedigt, wie in Bezug auf das Planetensystem, d. h., soweit es die Natur unseres Intellectes gestattet, welches von vorn herein am Begreifen von Materie und Kraft scheitert. Besässen wir dagegen astronomische Kenntniss dessen, was innerhalb des Gehirnes vorgeht, so wären wir in Bezug auf das Zustandekommen des Bewusstseins nicht um ein Haar breit gefördert. Auch im Besitze der Weltformel jener dem unsrigen so unermesslich überlegene, aber doch ähnliche Laplace'sche oder vielmehr Leibnizische Geist wäre hierin nicht klüger als wir; ja nach Leibniz' Fiction mit solcher Technik ausgerüstet, dass er Atom für Atom, Molekel für Molekel, einen Homunculus zusammensetzen könnte, würde er ihn zwar denkend machen, aber nicht begreifen, wie er dächte.[6]

Die erste Entstehung des Lebens hat an sich mit dem Bewusstsein nichts zu schaffen. Es handelt sich dabei nur um Anordnung von Atomen und Molekeln, um Einleitung gewisser Bewegungen. Folglich ist nicht bloss astronomische Kenntniss dessen denkbar, was man Urzeugung, *Generatio spontanea seu aequivoca*, neuerlich Abiogenese oder Heterogenie nennt, sondern diese astronomische Kenntniss würde auch in Bezug auf erste Entstehung des Lebens unser Causalitätsbedürfniss ebenso befriedigen, wie in Bezug auf die Bewegungen der Himmelskörper.

Das ist der Grund, weshalb, um mit Strauss zu reden, 'in der aufsteigenden Entwickelung der Natur' der Hiat für unser Verständniss noch nicht am Punkt *A* eintrifft, sondern erst am Punkte *B*. Übrigens habe ich keinesweges behauptet, dass mit gegebener Empfindung jede höhere Stufe geistiger Entwickelung verständlich, das Problem *C* ohne Weiteres lösbar sei. Ich legte auf die mechanische Unbegreiflichkeit auch der einfachsten Sinnesempfindung nur deshalb so grosses Gewicht, weil daraus die Unbegreiflichkeit aller höheren geistigen Processe erst recht, durch ein *Argumentum a fortiori*, folgt.

Zwar erscheint die erste Entstehung des Lebens jetzt in noch tieferes Dunkel gehüllt, als da man noch hoffen durfte, Lebendiges aus Todtem im Laboratorium, unter dem Mikroskop, hervorgehen zu sehen. In Hrn. Pasteur's Versuchen ist die Heterogenie wohl für lange, wenn nicht für immer, der Panspermie unterlegen: wo man glaubte dass Leben entstehe, entwickelten sich schon vorhandene Lebenskeime. Und doch haben die Dinge so sich gewendet, dass, wer nicht auf ganz kindlichem Standpunkte verharrt, logisch gezwungen werden kann, mechanische Entstehung des Lebens zuzugeben. Dem geologischen Actualismus und der Descendenztheorie gegenüber wird sich kaum noch ein ernster Verfechter der Lehre von den Schöpfungsperioden finden, nach welcher die schaffende Allmacht stets von Neuem ihr Werk vernichten sollte, um es, gleich einem stümperhaften Künstler, stets von Neuem, in einem Punkte besser, in einem anderen schlechter, von vorn wieder anzufangen. Auch wer an Endursachen glaubt, wird eingestehen, dass solches Beginnen wenig würdig der schaffenden Allmacht erscheine. Ihr geziemt höchstens, durch supernaturalistischen Eingriff in die Weltmechanik einmal einfachste Lebenskeime in's Dasein zu rufen, aber so ausgestattet, dass aus ihnen, ohne weitere Nachhülfe, die heutige organische Schöpfung werde. Wird dies zugestanden, so ist die weitere Frage erlaubt, ob es nun nicht wieder der schaffenden Allmacht würdiger sei, auch jenes einmaligen Eingriffes in gegebene Gesetze sich zu entschlagen, und die Materie gleich von vorn herein mit solchen Kräften auszurüsten, dass unter geeigneten Umständen auf Erden, auf anderen Himmelskörpern, Lebenskeime ohne weitere Nachhülfe entstehen mussten? Dies zu verneinen giebt es keinen Grund; damit ist aber auch zugestanden, dass rein mechanisch Leben entstehen könne, und nun wird es sich nur noch darum handeln, ob die Materie, die sich rein mechanisch zu Lebendigem zusammenfügen kann, stets da war, oder ob sie, wie Leibniz meinte, erst von Gott geschaffen ward.

Dass astronomische Kenntniss des Gehirnes uns das Bewusstsein aus mechanischen Gründen nicht verständlicher machen würde als heute, schloss ich daraus, dass es einer Anzahl von Kohlenstoff-, Wasserstoff-, Stickstoff-, Sauerstoff- u. s. w. Atomen gleichgültig sein müsse, wie sie liegen und sich bewegen, es sei denn, dass sie schon einzeln Bewusstsein hätten, womit weder das Bewusstsein überhaupt, noch das einheitliche Bewusstsein des Gesammthirnes erklärt werde.

Ich hielt diese Schlussfolgerung für völlig überzeugend; David Friedrich Strauss meint, am Ende könne doch nur die Zeit darüber entscheiden, ob dies wirklich das letzte Wort in der Sache sei. Das ist es nun freilich insofern nicht geblieben, als Hr. Haeckel die von mir behufs der *Reductio ad absurdum* gemachte Annahme, dass die Atome einzeln Bewusstsein haben, umgekehrt als metaphysisches Axiom hingestellt hat. „Jedes Atom“, sagt er, „besitzt eine inhärente Summe von Kraft, und ist in diesem Sinne „'beseelt'. Ohne die Annahme einer 'Atom-Seele' sind die gewöhnlichsten und allgemeinsten Erscheinungen der Chemie unerklärlich. Lust und Unlust, Begierde und Abneigung, Anziehung „und Abstossung müssen allen Massen-Atomen gemeinsam sein; „denn die Bewegungen der Atome, die bei Bildung und Auflösung „einer jeden chemischen Verbindung stattfinden müssen, sind nur „erklärbar, wenn wir ihnen Empfindung und Willen beilegen... „Wenn der 'Wille' des Menschen und der höheren Thiere frei erscheint im Gegensatz zu dem 'festen' Willen der Atome, so ist „das eine Täuschung, hervorgerufen durch die höchst verwickelte „Willensbewegung der ersteren im Gegensatze zu der höchst einfachen Willensbewegung der letzteren.“ Und ganz im Geist der einst von derselben Stätte aus der deutschen Wissenschaft verderblich gewordenen falschen Naturphilosophie fährt Hr. Haeckel fort in Constructionen über das 'unbewusste Gedächtniss' gewisser von ihm als 'Plastidule' bezeichneter 'belebter' Atomcomplexe.[7]

So verschmäht er den uns von La Mettrie gewiesenen Weg des inductorischen Erforschens, unter welchen Bedingungen Bewusstsein entstehe.[8] Er sündigt wider eine der ersten Regeln des Philosophirens: '*Entia non sunt creanda sine necessitate*', denn wozu Bewusstsein, wo Mechanik reicht? Und wenn Atome empfinden, wozu noch Sinnesorgane? Hr. Haeckel übergeht die doch genügend von mir betonte Schwierigkeit zu begreifen, wie den zahllosen 'Atom-Seelen' das einheitliche Bewusstsein des Gesammthirnes entspringe. Übrigens gedenke ich seiner Aufstellung nur um daran die Frage zu knüpfen, warum er es für jesuitisch hält, die Möglichkeit der Erklärung des Bewusstseins aus Anordnung und Bewegung von Atomen zu läugnen, wenn er selber nicht daran denkt, das Bewusstsein so zu erklären, sondern es als nicht weiter zergliederbares Attribut der Atome postulirt?

Einem mehr in Anschauung von Formen geübten Morphologen ist es zu verzeihen, wenn er Begriffe wie Wille und Kraft nicht auseinanderzuhalten vermag. Aber auch von besser geschulter Seite wurden ähnliche Missgriffe begangen. Anthropomorphische Träumereien aus der Kindheit der Wissenschaft erneuernd, erklärten Philosophen und Physiker die Fernwirkung von Körper auf Körper durch den vermeintlich leeren Raum aus einem den Atomen innewohnenden Willen. Ein wunderlicher Wille in der That, zu welchem immer Zwei gehören! Ein Wille, der, wie Adelheid's im Götz, wollen soll, er mag wollen oder nicht, und das im geraden Verhältniss des Productes der Massen und im umgekehrten des Quadrates der Entfernungen! Ein Wille, der das geschleuderte Subject im Kegelschnitt bewegen muss! Ein Wille fürwahr, der an jenen Glauben erinnert, welcher Berge versetzt, aber in der Mechanik bisher als Bewegungsursache noch nicht verwerthet wurde. Zu solchem Widersinn gelangt, wer, anstatt in Demuth sich zu bescheiden, die Flagge an den Mast nagelt, und durch lärmende Phraseologie bei sich und Anderen den Rausch zu unterhalten sucht, ihm sei gelungen, woran Newton verzweifelte. In welchem Gegensatze zu solchem Unterfangen erscheint die weise Zurückhaltung des Meisters, der als Aufgabe der analytischen Mechanik hinstellt, die Bewegungen der Körper zu beschreiben.[9]

Auf alle Fälle zeigt der heftige und weit verbreitete Widerspruch gegen die von mir behauptete Unbegreiflichkeit des Bewusstseins aus mechanischen Gründen, wie unrecht die neuere Philosophie daran thut, diese Unbegreiflichkeit als selbstverständlich vorauszusetzen. Mit Feststellung dieses Punktes, also mit irgend einer der meinigen entsprechenden Argumentation, scheint vielmehr alles Philosophiren über den Geist anfangen zu müssen; wäre Bewusstsein mechanisch begreifbar, so gäbe es genau genommen keine Metaphysik.

Wenn ich hier einen Versuch der Neuzeit anreihe, die andere Schranke des Naturerkennens weiter hinauszurücken, und Licht auf die Natur der Materie zu werfen, um auch ihn als unbefriedigend zu bezeichnen, so ist meine Meinung nicht, ihn mit der Beseelung der Atome gleich niedrig zu stellen. Dieser Versuch ging aus von der Schottischen mathematisch-physikalischen Schule, von

Sir William Thomson und jenem Hrn. Tait, dessen Chauvinismus den Streit über Leibniz' Antheil an der Erfindung der Infinitesimal-Rechnung wieder anfachte, und der so weit geht, Leibniz einen Dieb zu schelten,[10] daher die Ehre, heut in diesem Saale genannt zu werden, ihm eigentlich nicht gebührt. Sir William Thomson und Hr. Tait glauben, dass sich aus den merkwürdigen Eigenschaften, welche Hr. Helmholtz an den Wirbelringen der Flüssigkeiten entdeckte, mehrere wichtige Eigenthümlichkeiten herleiten lassen, die wir den Atomen zuschreiben müssen. Man könne sich unter den Atomen ausserordentlich kleine, von Ewigkeit her fort und fort sich drehende, verschiedentlich geknotete Wirbelringe denken.[11] Nichts kann ungerechter sein, als, wie in Deutschland geschah, diese Theorie für eine Wiederbelebung der Cartesischen Wirbel auszugeben. Obwohl in den Wirbelringen die Materie nicht, wie in den die Eisentheilchen umgebenden Strömchen die Elektricität, in der zum Ringe gebogenen Axe, sondern um diese Axe kreist, fühlt man sich durch die Ampère'sche Theorie doch günstig für die Thomson'sche gestimmt. Aber so vorschnell es wäre, Sir William Thomson's sinnreiche Speculation, weil sie in vielen Stücken zu kurz kommt, leichthin abweisen zu wollen, Eines kann man schon sicher behaupten: dass sie, so wenig wie irgend eine frühere Vorstellung, die Widersprüche schlichtet, auf welche unser Intellect bei seinem Bestreben stösst, Materie und Kraft zu begreifen. Denn nichts verhindert mich den Thomson'schen Wirbelring, der einem Atom Wasserstoff entsprechen soll, mir so gross vorzustellen wie die Saturnsringe, und wie soll ich mir dann die darin wirbelnde Materie denken?

Übrigens anerkennt die Thomson'sche Theorie, indem sie die Wirbelbewegung von Ewigkeit her bestehen, oder durch supernaturalistischen Anstoss entstehen lässt, die zweite Schwierigkeit, welche dem Begreifen der Welt entgegensteht.

Dieser Schwierigkeiten lassen sich im Ganzen sieben unterscheiden. Transcendent nenne ich darunter die, welche mir auch dann unüberwindlich erscheinen, wenn ich mir die in der aufsteigenden Entwickelung ihnen voraufgehenden gelöst denke.

Die erste Schwierigkeit ist das Wesen von Materie und Kraft. Als meine eine Grenze des Naturerkennens ist sie an sich transcendent.

Die zweite Schwierigkeit ist der Ursprung der Bewegung. Wir sehen Bewegung entstehen und vergehen; wir können uns die

Materie in Ruhe vorstellen; die Bewegung erscheint uns an der Materie als etwas Zufälliges. Unser Causalitätsbedürfniss fühlt sich nur befriedigt, wenn wir uns vor unendlicher Zeit die Materie ruhend und gleichmässig im unendlichen Raume vertheilt denken. Da ein supernaturalistischer Anstoss in unsere Begriffswelt nicht passt, fehlt es dann am zureichenden Grunde für die erste Bewegung. Oder wir stellen uns die Materie als von Ewigkeit bewegt vor. Dann verzichten wir von vorn herein auf Verständniss in diesem Punkt. Wie bemerkt, halte ich diese Schwierigkeit für transcendent.

Die dritte Schwierigkeit ist die erste Entstehung des Lebens. Ich sagte schon öfter und erst eben wieder, dass ich, der hergebrachten Meinung entgegen, keinen Grund sehe, diese Schwierigkeit für transcendent zu halten. Hat einmal die Materie angefangen sich zu bewegen, so können Welten entstehen; unter geeigneten Bedingungen, die wir so wenig nachahmen können, wie die unter welchen eine Menge unorganischer Vorgänge stattfinden, kann auch der eigenthümliche Zustand dynamischen Gleichgewichtes der Materie, den wir Leben nennen, geworden sein. Ich wiederhole es und bestehe darauf: sollten wir einen supernaturalistischen Act zulassen, so genügte ein einziger solcher Act, der bewegte Materie schüfe: auf alle Fälle brauchten wir nur Einen Schöpfungstag.

Die vierte Schwierigkeit wird dargeboten durch die anscheinend absichtsvoll zweckmässige Einrichtung der Natur. Organische Bildungsgesetze können nicht zweckmässig wirken, wenn nicht die Materie zu Anfang zweckmässig geschaffen wurde; also sind sie mit der mechanischen Naturansicht unverträglich. Aber auch diese Schwierigkeit ist nicht unbedingt transcendent. Hr. Darwin zeigte in der natürlichen Zuchtwahl eine Möglichkeit, sie zu umgehen, und die innere Zweckmässigkeit der organischen Schöpfung, ihre Anpassung an die unorganischen Bedingungen, durch eine nach Art eines Mechanismus mit Naturnothwendigkeit wirkende Verkettung von Umständen zu erklären. Den Grad von Wahrscheinlichkeit, welcher der Selectionstheorie zukommt, erwog ich schon früher einmal bei gleicher Gelegenheit an dieser Stelle. „Mögen wir immerhin“, sagte ich, „indem wir an diese Lehre uns halten, die Empfindung des sonst rettungslos Versinkenden haben, der an eine ihn nur eben über Wasser tragende Planke sich klammert. Bei der Wahl zwischen Planke und

Untergang ist der Vortheil entschieden auf Seiten der Planke".[12] Dass ich die Selectionstheorie einer Planke verglich, an der ein Schiffbrüchiger Rettung sucht, erweckte im jenseitigen Lager solche Genugthuung, dass man vor Vergnügen beim Weitererzählen aus der Planke einen Strohhalm machte. Zwischen Planke und Strohhalm aber ist ein grosser Unterschied. Der auf einen Strohhalm Angewiesene versinkt, eine ordentliche Planke rettete schon manches Menschenleben: und deshalb ist auch die vierte Schwierigkeit bis auf Weiteres nicht transcendent, wie zagend ernstes und gewissenhaftes Nachdenken auch immer wieder davor stehe.

Erst die fünfte ist es wieder durchaus: meine andere Grenze des Naturerkennens, das Entstehen der einfachen Sinnesempfindung.

So eben wurde daran erinnert, wie ich die hypermechanische Natur dieses Problems, folglich seine Transcendenz, bewies. Es ist nicht unnütz zu betrachten, wie dies Leibniz thut. An mehreren Stellen seiner nicht systematischen Schriften findet sich die nackte Behauptung, dass durch keine Figuren und Bewegungen, in unserer heutigen Sprache, keine Anordnung und Bewegung von Materie, Bewusstsein entstehen könne.[13] In den sonst gerade gegen den *Essay on Human Understanding* gerichteten *Nouveaux Essais sur l'Entendement humain* lässt Leibniz den Anwalt des Sensualismus, Philalethes, fast mit Locke's Worten[14] sagen: „Vielleicht wird es angemessen sein, etwas Nachdruck auf „die Frage zu legen, ob ein denkendes Wesen von einem nicht „denkenden Wesen ohne Empfindung und Bewusstsein, wie die Ma„terie, herrühren könne. Es ist ziemlich klar, dass ein materielles „Theilchen nicht einmal vermag, irgend etwas durch sich hervor„zubringen und sich selber Bewegung zu ertheilen. Entweder also „muss seine Bewegung von Ewigkeit, oder sie muss ihm durch „ein mächtigeres Wesen eingeprägt sein. Aber auch wenn sie von „Ewigkeit wäre, könnte sie nicht Bewusstsein erzeugen. Theilt „die Materie, wie um sie zu vergeistigen, in beliebig kleine Theile; „gebt ihr was für Figuren und Bewegungen Ihr wollt; macht dar„aus eine Kugel, einen Würfel, ein Prisma, einen Cylinder u. d. m., „deren Dimensionen nur ein Tausendmilliontel eines philosophischen „Fusses, d. h. des dritten Theiles des Secundenpendels unter 45° „Breite betragen. Wie klein auch dies Theilchen sei, es wird auf „Theilchen gleicher Ordnung nicht anders wirken, als Körper von

„einem Zoll oder einem Fuss Durchmesser es untereinander thun.
„Und man könnte mit demselben Recht hoffen, Empfindung, Gedanken, Bewusstsein durch Zusammenfügung grober Theile der „Materie von bestimmter Figur und Bewegung zu erzeugen, wie „mittels der kleinsten Theilchen in der Welt. Diese stossen, „schieben und widerstehen einander gerade wie die groben, und „weiter können sie nichts. Könnte aber Materie, unmittelbar und „ohne Maschine, oder ohne Hülfe von Figuren und Bewegungen, „Empfindung, Wahrnehmung und Bewusstsein aus sich selber „schöpfen: so müssten diese ein untrennbares Attribut der Materie „und aller ihrer Theile sein". Darauf anwortet Theophil, der Vertreter des Leibnizischen Idealismus: „Ich finde diese Schlussfolgerung so fest begründet wie nur möglich, und nicht bloss genau zutreffend, sondern auch tief, und ihres Urhebers würdig. „Ich bin ganz seiner Meinung, dass es keine Combination oder „Modification der Theilchen der Materie giebt, wie klein sie auch „seien, welche Wahrnehmung erzeugen könnte; da, wie man klar „sieht, die groben Theile dies nicht vermöchten, und in den kleinen „Theilen alle Vorgänge denen in den grossen proportional sind." [15]

In der später für Prinz Eugen verfassten 'Monadologie' sagt Leibniz kürzer und mit ihm eigener, charakteristischer Wendung: „Man ist gezwungen zu gestehen, dass die Wahrnehmung, und „was davon abhängt, aus mechanischen Gründen, d. h. durch Figuren und Bewegungen, unerklärlich ist. Stellt man sich eine „Maschine vor, deren Bau Denken, Fühlen, Wahrnehmen bewirke, „so wird man sie sich in denselben Verhältnissen vergrössert denken können, so dass man hineintreten könnte, wie in eine „Mühle. Und dies vorausgesetzt wird man in ihrem Inneren nichts „antreffen als Theile, die einander stossen, und nie irgend etwas „woraus Wahrnehmung sich erklären liesse." [16]

So gelangt Leibniz zu demselben Ergebniss wie wir, doch ist dazu zweierlei zu bemerken. Erstens verlor Locke's von Leibniz angenommene Beweisführung an Bündigkeit durch die Fortschritte der Naturwissenschaft. Denn vom heutigen Standpunkt aus könnte eingewendet werden, dass bei immer feinerer Zertheilung der Materie allerdings ein Punkt kommt, wo sie neue Eigenschaften entfaltet: bei der Diffusion, den chemischen Vorgängen, der Krystallbildung, in den Organismen. Es fällt sogar sehr auf, dass weder Locke noch Leibniz daran dachten, wie es keinesweges gleichgültig ist, ob fussgrosse Klumpen Kohle, Schwefel und Salpeter neben und aufeinander ruhen, oder ob diese Stoffe in bestimmtem Verhältniss zu einem Mischpulver verrieben, und zu Klümpchen von einer gewissen Feinheit gekörnt sind. Nicht einmal die mechanische Leistung einander ähnlicher Maschinen ist ihrer Grösse proportional. Wenn so die Materie nach dem Grad ihrer Zertheilung andere und andere Wirkungen äussert, warum sollte sie bei noch feinerer Zertheilung nicht auch denken? Um zu dieser nur scheinbar berechtigten, doch vielleicht Manche irreleitenden Frage nicht erst Gelegenheit zu geben, ist es besser, Locke's fortschreitende Zerkleinerung der Materie, Leibniz' Gedankenmühle aus dem Spiel zu lassen, und gleich von der in ihre physikalischen Atome zerlegten Materie auszusagen, dass durch keine Anordnung und Bewegung dieser Atome das Bewusstsein erklärt wird.

Die zweite Bemerkung ist, dass wir zwar bis hierher mit Leibniz gehen, aber vorläufig nicht weiter. Aus der Unbegreiflichkeit des Bewusstseins aus mechanischen Gründen schliesst er, dass es nicht durch materielle Vorgänge erzeugt werde. Wir begnügen uns damit, jene Unbegreiflichkeit anzuerkennen, der ich gern den drastischen Ausdruck gebe, dass es eben so unmöglich ist zu verstehen, warum Zwicken des N. trigeminus Höllenschmerz verursacht, wie warum die Erregung gewisser anderer Nerven wohlthut. Leibniz verlegt das Bewusstsein in die dem Körper zuertheilte Seelenmonade, und lässt durch Gottes Allmacht darin eine den Erlebnissen des Körpers entsprechende Reihe von Traumbildern ablaufen. Wir dagegen häufen Gründe dafür, dass das Bewusstsein an materielle Vorgänge gebunden sei.

Nicht mit voller Überzeugung stelle ich als sechste Schwierigkeit das vernünftige Denken und den Ursprung der damit eng verbundenen Sprache auf. Zwischen einer Amoebe und einem Menschen, zwischen Neugeborenem und Erwachsenem ist sicher eine gewaltige Kluft; sie lässt sich aber bis zu einem gewissen Grade durch Übergänge ausfüllen. Die Entwickelung des geistigen Vermögens in der Thierreihe leistet dies objectiv bis zu den anthropomorphen Affen; um beim Einzelwesen von der einfachen Empfindung zu den höheren Stufen geistiger Thätigkeit zu gelangen, bedarf die Erkenntnisstheorie wahrscheinlich nur des Gedächtnisses und des Vermögens der Verallgemeinerung. Wie gross auch der zwischen den höchsten Thieren und den untersten Menschen übrig bleibende Sprung und wie schwer die hier zu lösenden Aufgaben seien, bei einmal gegebenem Bewusstsein ist deren Schwierigkeit ganz anderer Art als die, welche der mechanischen Erklärung des Bewusstseins überhaupt entgegensteht: diese und jene sind incommensurabel. Daher bei gelöstem Problem *B*, um wieder Strauss' Notation anzuwenden, das Problem *C* mir nicht transcendent erscheint. Wie Strauss richtig bemerkt,[17] hängt aber das Problem *C* eng zusammen mit einem anderen, welches in unserer Reihe als siebentes und letztes auftritt. Dies ist die Frage nach der Willensfreiheit.

Zwar liegt es in der Natur der Dinge, dass alle hier aufgezählten Probleme die Menschheit beschäftigt haben, so lange sie denkt. Über Constitution der Materie, Ursprung des Lebens und der Sprache ist jederzeit, bei allen Culturvölkern, gegrübelt worden. Doch waren es stets nur wenig erlesene Geister, die bis zu diesen Fragen vordrangen, und wenn auch gelegentlich scholastisches Gezänk um sie sich erhob, reichte doch der Hader kaum über akademische Hallen hinaus. Anders mit der Frage, ob der Mensch in seinem Handeln frei, oder durch unausweichlichen Zwang gebunden sei. Jeden berührend, scheinbar Jedem zugänglich, innig verflochten mit den Grundbedingungen der menschlichen Gesellschaft, auf das Tiefste eingreifend in die religiösen Überzeugungen, hat diese Frage in der Geistes- und Culturgeschichte eine Rolle unermesslicher Wichtigkeit gespielt, und in ihrer Behandlung spiegeln sich die Entwickelungsstadien des Menschengeistes deutlich ab.

Das classische Alterthum hat sich nicht sehr den Kopf über das Problem der Willensfreiheit zerbrochen. Da für die antike Weltanschauung im Allgemeinen weder der Begriff unverbrüchlich bindender Naturgesetze, noch der einer absoluten Weltregierung vorhanden war, so lag kein Grund vor zu einem Conflict zwischen Willensfreiheit und dem herrschenden Weltprincip. Die Stoa glaubte an ein Fatum, und läugnete demgemäss die Willensfreiheit, die römischen Moralisten stellten diese aber aus ethischem Bedürfniss auf naïv subjectiver Grundlage wieder her. „*Sentit animus se moveri:*" — heisst es in den Tusculanen[18] — „*quod quum sentit, illud una sentit se vi sua, non aliena moveri;*" und der stoïsche Fatalismus wurde durch Anekdoten verspottet, wie die von dem Sklaven des

Zenon von Kition, der den begangenen Diebstahl durch das Fatum entschuldigend zur Antwort erhält: Nun wohl, so war es auch dein Fatum geprügelt zu werden. Eine Geschichte, welche heute noch am Bosporus spielen könnte, wo das türkische *Kismeth* an Stelle der stoïschen Ἑιμαρμένη trat.

Der christliche Dogmatismus (gleichviel wie viel semitische und wie viel hellenistische Elemente zu ihm verschmolzen) war es, der durch die Frage nach der Willensfreiheit in die dunkelsten, selbstgegrabenen Irrwege gerieth. Von den Kirchenvätern und Schismatikern, von Augustinus und Pelagius, durch die Scholastiker Scotus Erigena und Anselm von Canterbury, bis zu den Reformatoren Luther und Calvin und darüber hinaus, zieht sich der hoffnungslos verworrene Streit über Willensfreiheit und Praedestination. Gott ist allmächtig und allwissend; nichts geschieht, was er nicht von Ewigkeit wollte und vorhersah. Also ist der Mensch unfrei; denn handelte er anders als Gott vorherbestimmt hatte, so wäre Gott nicht allmächtig und allwissend gewesen. Also liegt es nicht in des Menschen Willen, dass er das Gute thue oder sündige. Wie kann er dann für seine Thaten verantwortlich sein? Wie verträgt es sich mit Gottes Gerechtigkeit und Güte, dass er den Menschen straft oder belohnt für Handlungen, welche im Grunde Gottes eigene Handlungen sind?

Das ist die Form, in welcher das Problem der Willensfreiheit dem durch heiligen Wahnsinn verfinsterten Menschengeiste sich darstellte. Die Lehre von der Erbsünde, die Fragen nach der Erlösung durch eigenes Verdienst oder durch das Blut des Heilandes, durch den Glauben oder durch die Werke, nach den verschiedenen Arten der Gnade, verwuchsen tausendfältig mit jenem an Spitzfindigkeiten schon hinlänglich fruchtbaren Dilemma, und vom vierten bis zum siebzehnten Jahrhundert wiederhallten durch die ganze Christenheit Klöster und Schulen von Disputationen über Determinismus und Indeterminismus. Vielleicht giebt es keinen Gegenstand menschlichen Nachdenkens, über welchen längere Reihen nie mehr aufgeschlagener Folianten im Staube der Bibliotheken modern. Aber nicht immer blieb es beim Bücherstreit. Wüthende Verketzerung mit allen Greueln, die damals der herrschenden Religionspartei gegen Andersdenkende freistanden, hing sich an solche abstruse Controversen um so lieber, je weniger damit Vernunft und aufrichtiges Streben nach Wahrheit zu thun hatten.

Wie anders fasst unsere Zeit das Problem der Willensfreiheit auf. Die Erhaltung der Energie besagt, dass, so wenig wie Materie, jemals Kraft entsteht oder vergeht. Der Zustand der ganzen Welt, auch eines menschlichen Gehirnes, in jedem Augenblick ist die unbedingte mechanische Wirkung des Zustandes im vorhergehenden Augenblick, und die unbedingte mechanische Ursache des Zustandes im nächstfolgenden Augenblick. Dass in einem gegebenen Augenblick von zwei Dingen das eine oder das andere geschehe, ist undenkbar. Die Hirnmolekeln können stets nur auf bestimmte Weise fallen, so sicher wie Würfel, nachdem sie den Becher verliessen. Wiche ein Molecül ohne zureichenden Grund aus seiner Lage oder Bahn, so wäre das ein Wunder so gross als bräche der Jupiter aus seiner Ellipse und versetzte das Planetensystem in Aufruhr. Wenn nun, wie der Monismus es sich denkt, unsere Vorstellungen und Strebungen, also auch unsere Willensacte, zwar unbegreifliche, doch nothwendige und eindeutige Begleiterscheinungen der Bewegungen und Umlagerungen unserer Hirnmolekeln sind, so leuchtet ein, dass es keine Willensfreiheit giebt; dem Monismus ist die Welt ein Mechanismus, und in einem Mechanismus ist kein Platz für Willensfreiheit.

Der Erste, dem die materielle Welt in solcher Gestalt vorschwebte, war Leibniz. Wie ich an dieser Stelle schon öfter bemerklich machte, war seine mechanische Weltanschauung durchaus dieselbe, wie die unsrige. Wenn er die Erhaltung der Energie auch noch nicht wie wir durch die verschiedenen Molecularvorgänge zu verfolgen vermochte, er war von dieser Erhaltung überzeugt. Er befand sich sämmtlichen Molecularvorgängen gegenüber in der Lage, in welcher wir uns noch einzelnen gegenüber befinden. Da nun Leibniz ebenso fest an eine Geisterwelt glaubte, die ethische Natur des Menschen in den Kreis seiner Betrachtungen zog, ja sich mit der positiven Religion trefflich abfand, so lohnt sich zu fragen, was er von der Willensfreiheit hielt, insbesondere wie er sie mit der mechanischen Weltansicht zu verbinden wusste.

Leibniz war unbedingter Determinist, und musste es seiner ganzen Lehre nach sein.[19] Er nahm zwei von Gott geschaffene Substanzen an, die materielle Welt und die Welt seiner Monaden. Die eine kann nicht auf die andere wirken; in beiden laufen mit unabänderlich vorherbestimmter Nöthigung, vollkommen unabhängig von einander, aber genau Schritt haltend, mit einander harmonirende

Processe ab: das mathematisch vor- und rückwärts berechenbare Getriebe der Weltmaschine, und in den zu jedem beseelten Einzelwesen gehörigen Seelenmonaden die Vorstellungen, welche den scheinbaren Sinneseindrücken, Willensacten und Vorstellungen des Wirthes der Monade entsprechen. Der blosse Name der praestabilirten Harmonie, den Leibniz seinem Systeme giebt, schliesst die Freiheit aus. Da die Vorstellungen der Monaden blosse Traumbilder ohne mechanische Ursache, ohne Zusammenhang mit der Körperwelt sind, so hat es Leibniz leicht, die subjective Überzeugung von der Freiheit unserer Handlungen zu erklären. Gott hat einfach den Fluss der Vorstellungen der Seelenmonade so angeordnet, dass sie frei zu handeln meint.

Bei anderer Gelegenheit schliesst sich Leibniz mehr der gewöhnlichen Denkweise an, indem er dem Menschen einen Schein von Freiheit lässt, hinter welchem sich geheime zwingende Antriebe verbergen. Durch den Artikel 'Buridan' in seinem *Dictionnaire historique et critique*[20] hatte Pierre Bayle wieder die Aufmerksamkeit auf das vielbesprochene, fälschlich jenem Scholastiker zugeschriebene, schon bei Dante,[21] ja bei Aristoteles vorkommende Sophisma gelenkt von

„........... dem grauen Freunde,
„Der zwischen zwei Gebündel Heu ....."

elendiglich verhungert, da beiderseits Alles gleich ist, er aber als Thier das *franc arbitre* entbehrt. „Es ist wahr," sagt Leibniz in der Theodicee, „dass, wäre der Fall möglich, man urtheilen müsste, dass er sich „Hungers sterben lassen würde: aber im Grunde handelt es sich um „Unmögliches; es sei denn dass Gott die Sache absichtlich verwirk„liche. Denn durch eine den Esel der Länge nach hälftende senk„rechte Ebene könnte nicht auch das Weltall so gehälftet werden, „dass beiderseits Alles gleich wäre; wie eine Ellipse oder sonst „eine der von mir *amphidexter* genannten ebenen Figuren, welche „jede durch ihren Mittelpunkt gezogene Grade hälftet. Denn weder „die Theile des Weltalls noch die Eingeweide des Thieres sind auf „beiden Seiten jener senkrechten Ebene einander gleich und gleich „gelegen. Es würde also immer viel Dinge im Esel und ausser„halb des Esels geben, welche, obschon wir sie nicht bemerken, „ihn bestimmen würden eher der einen als der anderen Seite sich „zuzuwenden. Und obschon der Mensch frei ist, was der Esel „nicht ist, erscheint doch auch im Menschen der Fall vollkomme-

„nen Gleichgewichtes der Bestimmungsgründe für zwei Entschlüsse „unmöglich, und ein Engel, oder wenigstens Gott, würde stets „einen Grund für den vom Menschen gefassten Entschluss angeben „können, wenn auch wegen der weit reichenden Verkettung der „Ursachen dieser Grund oft sehr zusammengesetzt und uns selber „unbegreiflich wäre.“ [22]

Über die Frage, wo beim Determinismus die Verantwortlichkeit des Menschen, die Gerechtigkeit und Güte Gottes bleiben, hilft sich Leibniz mit seinem Optimismus fort. Am Schluss der Theodicee, von der ein grosser Theil diesem Gegenstande gewidmet ist, führt er, eine Fiction des Laurentius Valla fortspinnend,[23] aus, wie es für den Sextus Tarquinius freilich schlimm war, Verbrechen begehen zu müssen, für welche ihm die Strafe nicht erspart werden konnte. Zahllose Welten waren möglich, in denen Tarquinius eine mehr oder minder achtungswerthe Rolle gespielt, mehr oder minder glücklich gelebt hätte, darunter solche sogar, wo er als tugendhafter Greis, von seinen Mitbürgern geehrt und beweint, hochbejahrt gestorben wäre: allein Gott musste vorziehen, diese Welt zu erschaffen, in welcher Sextus Tarquinius ein Bösewicht wurde, weil voraussichtlich sie die beste, in ihr das Gute im Grossen und Ganzen ein Maximum war.[24]

Es braucht nicht gesagt zu werden, dass dem Monismus mit diesen immerhin in sich folgerichtigen, aber, um das Geringste zu sagen, höchst willkürlichen und das Gepräge des Unwirklichen tragenden Vorstellungen nicht gedient sein kann, und so muss er denn selber seine Stellung zum Problem der Willensfreiheit sich suchen. Sobald man sich entschliesst, das subjective Gefühl der Freiheit für Täuschung zu erklären, ist es auf monistischer Grundlage so leicht, wie bei extremem Dualismus, die scheinbare Freiheit mit der Nothwendigkeit zu versöhnen. Die Fatalisten aller Zeiten, worin auch ihre Überzeugung wurzelte, Zenon, Augustinus und die Thomisten, Calvin, Leibniz, Laplace,[25] — Jacques und seinen Hauptmann nicht zu vergessen — fanden darin keine Schwierigkeit. Mit mässiger dialektischer Gewandtheit lässt sich Einem jenes von Cicero beschriebene Gefühl wegdisputiren. Auch im Traume fühlen wir uns frei, da doch die Phantasmen unserer Sinnsubstanzen mit uns spielen. Von vielen scheinbar mit Überlegung ausgeführten, weil zweckmässigen Handlungen wissen wir jetzt, dass sie unwillkürliche Wirkungen gewisser Einrichtungen unseres Nervensystemes sind, der Reflexmechanismen und der sogenannten automatischen Nervencentren. Wenn wir auf den Fluss unserer Gedanken achten, bemerken wir bald, wie unabhängig von unserem Wollen Einfälle kommen, Bilder aufleuchten und verlöschen. Sollten unsere vermeintlichen Willensacte in der That viel willkürlicher sein? Sind überdies alle unsere Empfindungen, Strebungen, Vorstellungen nur das Erzeugniss gewisser materieller Vorgänge in unserem Gehirn, so entspricht der Molecularbewegung, mit der die Willensempfindung zum Heben des Armes verbunden ist, auch der materielle Anstoss, der die Hebung des Armes rein mechanisch bewirkt, und es bleibt also beim ersten Blick gar kein Dunkel zurück.

Das Dunkel zeigt sich aber für die meisten Naturen, sobald man die physische Sphäre mit der ethischen vertauscht. Denn man giebt leicht zu, dass man nicht frei, sondern als Werkzeug verborgener Ursachen handelt, so lange die Handlung gleichgültig ist. Ob Caesar in Gedanken die rechte oder linke Caliga zuerst anlegt, bleibt sich gleich, in beiden Fällen tritt er gestiefelt aus dem Zelt. Ob er den Rubicon überschreitet oder nicht, davon hängt der Lauf der Weltgeschichte ab. So wenig frei sind wir in gewissen kleinen Entschliessungen, dass ein Kenner der menschlichen Natur mit überraschender Sicherheit vorhersagt, welche Karte von mehreren unter bestimmten Bedingungen hingelegten wir aufnehmen werden. Aber auch der entschlossenste Monist vermag den ernsteren Forderungen des praktischen Lebens gegenüber die Vorstellung nur schwer festzuhalten, dass das ganze menschliche Dasein nichts sei als eine *Fable convenue*, in welcher mechanische Nothwendigkeit dem Cajus die Rolle des Verbrechers, dem Sempronius die des Richters ertheile, und deshalb Cajus zum Richtplatz geführt werde, während Sempronius frühstücken gehe. Wenn Hr. Stephan uns berichtet, dass auf hunderttausend Briefe Jahr aus Jahr ein so und so viel entfallen, welche ohne Adresse in den Kasten geworfen wurden, denken wir uns nichts Besonderes dabei. Aber dass nach Quetelet unter hunderttausend Einwohnern einer Stadt Jahr aus Jahr ein naturnothwendig so und so viel Diebe, Mörder und Brandstifter sind,[26] das empört unser sittliches Gefühl; denn es ist peinlich denken zu müssen, dass wir nur deshalb nicht Verbrecher wurden, weil Andere für uns die schwarzen Loose zogen, die auch unser Theil hätten werden können.

Wer gleichsam schlafwandelnd durch das Leben geht, ob

er in seinem Traum die Welt regiere oder Holz hacke; wer als Historiker, Jurist, Poët in einseitiger Beschaulichkeit mehr mit menschlichen Satzungen und Leidenschaften, oder wer naturforschend und -beherrschend ebenso beschränkten Blickes nur mit Naturgesetzen verkehrt: der vergisst jenes Dilemma, auf dessen Hörner gespiesst unser Verstand gleich der Beute des Neuntödters schmachtet; wie wir die Doppelbilder vergessen, welche Schwindel erregend uns sonst überall verfolgen würden. In um so verzweifelteren Anstrengungen, solcher Qual sich zu entwinden, erschöpft sich die kleine Schaar derer, die mit dem Rabbi von Amsterdam das All *sub specie aeternitatis* anschauen: es sei denn, dass sie wie Leibniz getrost die Selbstbestimmung sich absprechen. Die Schriften der Metaphysiker bieten eine lange Reihe von Versuchen, Willensfreiheit und Sittengesetz mit mechanischer Weltordnung zu versöhnen. Wäre ihrer Einem, etwa Kant, diese Quadratur wirklich gelungen, so würde wohl die Reihe zu Ende sein. So unsterblich pflegen nur unbesiegbare Probleme zu sein.

Minder bekannt als diese metaphysischen sind die neuerlich in Frankreich hervorgetretenen, auf dasselbe Ziel gerichteten mathematischen Bestrebungen. Sie knüpfen an Descartes' verunglückten Versuch an, die Einwirkung der Seele auf den Leib, der geistigen Substanz auf die materielle zu erklären. Obschon nämlich Descartes die Quantität der Bewegung in der Welt für constant hielt, und obschon er nicht glaubte, dass die Seele Bewegung erzeugen könne, meinte er doch, dass die Seele die Richtung zu bestimmen vermöge, in welcher Bewegung stattfinde. Leibniz zeigte, dass nicht die Summe der Bewegungen, sondern die der Bewegungskräfte constant ist, und dass auch die in der Welt vorhandene Summe der Richtkräfte oder des Fortschrittes nach irgend einer im Raum gezogenen Axe dieselbe bleibt. So nennt er die algebraische Summe der jener Axe parallelen Componenten aller mechanischen Momente. Nach letzterem, von Descartes übersehenen Satze könne auch die Richtung von Bewegungen nicht ohne entsprechenden Kraftaufwand bestimmt oder verändert werden. Wie klein man sich solchen Kraftaufwand auch denke, er mache einen Theil des Naturmechanismus aus, und könne nicht der geistigen Substanz zugeschrieben werden.[27] Eine Einsicht, zu welcher es wohl kaum des von Leibniz herangezogenen Apparates bedurfte, da der Hinweis auf Galilei's Bewegungsgesetze genügt.

Der verstorbene Mathematiker Cournot,[28] der durch seine Arbeiten über Elasticität rühmlich bekannte Pariser Akademiker Hr. de Saint-Venant,[29] und Hr. Boussinesq, Professor in Lille, haben sich die Aufgabe gestellt, die Bande des mechanischen Determinismus durch den Nachweis zu sprengen, dass, Leibniz' Behauptung entgegen, ohne Kraftaufwand Bewegung erzeugt oder die Richtung der Bewegung geändert werden könne. Cournot und Hr. de Saint-Venant führen dazu den der deutschen physiologischen Schule längst geläufigen[30] Begriff der Auslösung (*décrochement*) ein. Sie glauben, dass die zur Auslösung der willkürlichen Bewegung nöthige Kraft nicht bloss verhältnissmässig sehr klein, sondern gleich Null sein könne. Hr. Boussinesq seinerseits weist auf gewisse Differentialgleichungen der Bewegung hin, deren Integrale singuläre Lösungen der Art zulassen, dass der Sinn der weiteren Bewegung zweideutig oder völlig unbestimmt wird.[31] Schon Poisson hatte auf diese Lösungen als auf eine Art mechanischen Paradoxon's aufmerksam gemacht.[32] Solch ein Fall ist beispielsweise der, wo ein schwerer Punkt am Umfang eines vollkommen glatten Paraboloïds mit senkrechter Axe und aufwärts gerichtetem Gipfel in einer durch die Axe gelegten Ebene die tangentiale Geschwindigkeit nach oben erhält, welche er vom Gipfel fallend an derselben Stelle erlangt. Er kommt dann mit der Geschwindigkeit Null auf dem Gipfel an, und bleibt liegen, bis es etwa einem dort hausenden '*Principe directeur*' gefällt, dem Punkt in beliebiger Richtung einen Anstoss zu ertheilen, der, obschon gleich Null, doch im Stande sein soll, ihn wieder am Paraboloïd hinabgleiten zu lassen.

Cournot glaubt der auslösenden Kraft gleich Null, Hr. Boussinesq der Integrale mit singulären Lösungen schon zu bedürfen, um dadurch, in Verbindung mit dem 'lenkenden Principe', die Mannigfaltigkeit und Unbestimmbarkeit der organischen Vorgänge zu erklären. Die deutsche physiologische Schule, längst gewöhnt, in den Organismen nichts zu sehen als eigenartige Mechanismen, wird sich mit dieser Auffassung schwerlich befreunden, und trotz den gegentheiligen Versicherungen, trotz der Auctorität Cournot's und Claude Bernard's,[33] hinter dem 'lenkenden Principe' die in Frankreich stets, unter der einen oder anderen Gestalt und Benennung, wieder auftauchende Lebenskraft fürchten.

Dabei sei bemerkt, dass Hr. Boussinesq mich missversteht, wenn er mich in den 'Grenzen des Naturerkennens' sagen lässt, ein Organismus unterscheide sich von einer Krystallbildung, etwa von Eisblumen oder dem Dianabaum, nur durch grössere Verwickelung. Ich lege im Gegentheil Werth darauf, den Umstand genau bezeichnet zu haben, in welchem mir alle die sinnfälligen Unterschiede zu wurzeln scheinen, die jederzeit die Menschheit trieben, in der lebenden und der todten Natur zwei verschiedene Reiche zu erkennen, obschon, unserer jetzigen Überzeugung nach, in beiden dieselben Kräfte walten. Dieser Umstand ist der, dass in den unorganischen Individuen, den Krystallen, die Materie sich in stabilem Gleichgewicht befindet, während in den organischen Individuen mehr oder minder vollkommenes dynamisches Gleichgewicht der Materie herrscht, bald mit positiver, bald mit negativer Bilanz. Während der das Thier durchrauschende Strom von Materie der Umwandlung potentieller in kinetische Energie dient, erklärt er zugleich die Abhängigkeit des Lebens von äusseren Bedingungen, den integrirenden Reizen der älteren Physiologie, und die Vergänglichkeit des Organismus gegenüber der Ewigkeit des bedürfnisslos in sich ruhenden Krystalls.[34]

Unseres Bedünkens kann die Theorie des unbewussten Lebens ohne sich gabelnde Integrale und ohne 'lenkendes Princip' auskommen. Andererseits ist zu bezweifeln, dass mit diesen Hülfsmitteln, oder mit der Auslösung, in dem Streit zwischen Willensfreiheit und Nothwendigkeit irgend etwas auszurichten sei. Hrn. Paul Janet's empfehlender Bericht an die *Académie des Sciences morales et politiques*,[35] dessen lichtvolle Schönheit ich höchlich bewundere, lässt auf die Verantwortung der drei Mathematiker hin die Möglichkeit eines mechanischen Indeterminismus gelten. Indem aber diese Lehre von der Behauptung, die auslösende Kraft könne unendlich klein sein, übergeht zu der, sie könne auch wirklich Null sein, scheint sie von einem in der Infinitesimal-Rechnung unter ganz anderen Bedingungen üblichen Verfahren unstatthaften Gebrauch zu machen. Erstere Behauptung will doch nur sagen, dass die auslösende Kraft im Vergleich zur ausgelösten Kraft verschwindend klein sein könne. So verschwindet die Kraft des Flügelschlages einer Krähe, welcher die Lauine zu Fall bringt, gegen die Kraft der schliesslich zu Thal stürzenden Schneemassen, d. h. wir können eine der ersteren gleiche Kraft bei Messung der letzteren vernachlässigen, weil sie bei keiner ziffermässigen Erwägung merklichen Einfluss übt, auch weit innerhalb der Grenzen der Beobachtungsfehler fällt. Aber wie winzig, vom Thal aus betrachtet, neben der rasenden Gewalt der Lauine der Flügelschlag hoch oben erscheint, in der Nähe bleibt er ein Flügelschlag, dem ein bestimmtes Gewicht auf bestimmte Höhe gehoben entspricht. Im Wesen der Auslösung liegt, dass auslösende und ausgelöste Kraft von einander unabhängig, durch kein Gesetz verknüpft sind. Daher es ungenau ist zu sagen, „das Verhältniss der auslösenden zur aus„gelösten Kraft strebe der Grenze Null zu",[36] ohne hinzuzufügen, dass dies nur auf einem im Sinne der auslösenden Kraft zufälligen Wachsen der ausgelösten Kraft beruhe, also in unserem Beispiel bei sich gleich bleibendem Flügelschlag auf immer grösserer Höhe, Steilheit, Glätte der Bergwand, immer mächtigerer Anhäufung von Schnee u. d. m. So wenig kann die auslösende Kraft an sich wahrhaft Null sein, dass, soll nicht die Auslösung versagen, sie nicht einmal unter einen gewissen, von den Umständen abhängigen 'Schwellenwerth' sinken darf; und somit ist nicht daran zu denken, mit Hülfe des Principes der Auslösung zu erklären, wie eine geistige Substanz materielle Änderungen bewirken könne.

Was die von Hrn. Boussinesq vorgeschlagene Lösung betrifft, so ist der schwere Punkt im *Point d'arrêt* einfach in labilem Gleichgewicht liegen geblieben, und, um die Folgen dieser Lagerung zu erwägen, war nicht nöthig, ihn erst durch Integration hinauf zu befördern. In der That unterscheidet sich der Fall nur durch abstracte Ausdrucksweise und mathematische Einkleidung von dem Dante's oder Buridan's, der sich auch so formuliren lässt, dass das hungernde Geschöpf sich

„*Intra duo cibi, distanti e moventi*
„*D'un modo ....*,"

in labilem Gleichgewicht befinde. Kein 'lenkendes Princip' immaterieller Natur vermag den schweren Punkt auf dem Gipfel des Paraboloïds um die kleinste Grösse zu verschieben; auch auf bis zur Reibungslosigkeit polirter Unterlage gehört dazu eine wenn auch noch so kleine mechanische Kraft. Könnte dies eine Kraft gleich Null, so verschwände zugleich unsere zweite transcendente Schwierigkeit, Entstehung der Bewegung bei gleichmässiger Vertheilung der Materie im unendlichen Raum; da es an einem Anstoss gleich Null ja nirgend fehlt.

Hr. Boussinesq bringt auch die bekannte Frage zur Spracb was die Folge der Umkehr aller Bewegungen in der Welt wär Denkt man sich den Weltmechanismus nur aus umkehrbaren Vo gängen bestehend, und in einem gegebenen Augenblick die Bew gungen aller grossen und kleinen Theile der Materie mit gleich Geschwindigkeit in gleicher Richtung umgekehrt, wie die ein zurückgeworfenen Balles, so müsste die Geschichte der materielle Welt sich rückwärts wieder abspielen. Alles, was je sich e eignet, trüge sich in umgekehrter Ordnung nach gemessener Fri wieder zu, das Huhn würde wieder zum Ei, der Baum wüchs rückwärts zum Samen, und nach unendlicher Zeit löste der Kosm wieder zum Chaos sich auf. Welche Empfindungen, Strebunge Vorstellungen begleiteten nun wohl die verkehrten Bewegungen d Hirnmolekeln? Wären die geistigen Zustände nur an Stellungen vo Atomen geknüpft, so würden mit denselben Stellungen dieselbe Zustände wiederkehren, was zu wunderlichen Folgerungen, im Al gemeinen zu der führt, dass stets einen Augenblick ehe wir etwa beabsichtigten davon das Gegentheil geschähe. Wir können un aber die Erwägung der hier denkbaren Möglichkeiten spare Nicht bloss, wie Hr. Boussinesq ausführt, wegen der in Punkte labilen Gleichgewichtes sich gabelnden oder völlig unbestimmt we denden Integrale, sondern auch sonst ist die Annahme falsch, das so die Kurbel der Weltmaschine auf 'Rückwärts' gestellt werde könnte. Unter Anderem würde die durch Reibung in Wärme um gewandelte Massenbewegung nicht wieder in denselben Betrag mi verändertem Vorzeichen gleichgerichteter Massenbewegung zurück verwandelt werden. Die verkehrte Welt bleibt ein unmögliches me chanisches Phantasiestück, aus welchem über Zustandekommen vo Bewusstsein und über Willensfreiheit nichts sich folgern lässt.[37]

Mit unserer siebenten Schwierigkeit also steht es so, dass si keine ist, wofern man sich entschliesst, die Willensfreiheit zu läug nen und das subjective Freiheitsgefühl für Täuschung zu erklären dass sie aber anderenfalls für transcendent gelten muss; und es is dem Monismus nur ein schlechter Trost, dass er den Dualismu in dem Maass hülfloser in das gleiche Netz verstrickt sieht, wi dieser mehr Gewicht auf das Ethische legt. In diesem Sinn schrieb ich einst, in der Vorrede zu meinen 'Untersuchungen übe thierische Elektricität', die Worte, auf welche sich jetzt Straus gegen mich berief:[38] „Die analytische Mechanik reicht bis zum Pro blem der persönlichen Freiheit, dessen Erledigung Sache der Abstractionsgabe jedes Einzelnen bleiben muss."[39] Es kam aber später, ich mache daraus kein Hehl, für mich der Tag von Damaskus. Wiederholtes Nachdenken zum Zweck meiner öffentlichen Vorlesungen 'Über einige Ergebnisse der neueren Naturforschung' führte mich zur Überzeugung, dass dem Problem der Willensfreiheit mindestens noch drei transcendente Probleme vorhergehen: nämlich ausser dem auch schon früher von mir unterschiedenen des Wesens von Materie und Kraft, das der ersten Bewegung und das der ersten Empfindung in der Welt.

Dass die sieben Welträthsel hier wie in einem mathematischen Aufgabenbuch hergezählt und numerirt wurden, geschah wegen des wissenschaftlichen *Divide et impera.* Man kann sie auch zu einem einzigen Problem, dem Weltproblem, zusammenfassen.

Der gewaltige Denker, dessen Gedächtniss wir heute feiern, glaubte dies Problem gelöst zu haben: er hatte sich die Welt zu seiner Zufriedenheit zurechtgelegt. Könnte Leibniz, auf seinen eigenen Schultern stehend, heut unsere Erwägungen theilen, er sagte sicher mit uns:

'*Dubitemus.*'

Anmerkungen.

1 Über die Grenzen des Naturerkennens. Ein Vortrag in der zweiten öffentlichen Sitzung der 46. Versammlung Deutscher Naturforscher und Ärzte zu Leipzig am 14. August 1872 gehalten von E. du Bois-Reymond. Leipzig 1872; — Zweite Auflage. Leipzig 1872; — Dritte Auflage. Leipzig 1873; — Vierte, vermehrte und verbesserte Auflage. Leipzig 1876.

2 Ernst Haeckel, Anthropogenie oder Entwickelungsgeschichte des Menschen. Leipzig 1874. S. XII ff.

3 Vergl. in diesen Berichten, 1875. S. 104. 105; — La Mettrie. Rede in der öffentlichen Sitzung der K. Preuss. Akademie der Wissenschaften zur Gedächtnissfeier Friedrich's II. am 26. Januar 1875 gehalten von E. du Bois-Reymond, beständigem Secretar. Berlin 1875. S. 29.

[4] Friedr. Albert Lange, Geschichte des Materialismus uud Kritik seiner Bedeutung in der Gegenwart. Zweite Auflage. Zweites Buch. Iserlohn 1873. S. 148 ff.

[5] „Ein Nachwort als Vorwort zu den neuen Auflagen meiner Schrift: „„Der alte und der neue Glaube".“ Gesammelte Schriften von David Friedrich Strauss u. s. w. Eingeleitet u. s. w. von Eduard Zeller. 6. Band. Bonn 1877. S. 267.

[6] Vergl.: „Über die Grenzen des Naturerkennens u. s. w.“

[7] Ernst Haeckel, Die Perigenesis der Plastidule oder die Wellenzeugung der Lebenstheilchen. Ein Versuch zur mechanischen Erklärung der elementaren Lebensvorgänge. Berlin 1876. S. 38. 39.

[8] Diese Berichte, 1875. S. 101. 102; — La Mettrie. U. s. w. Berlin 1875. S. 25.

[9] Gustav Kirchhoff, Vorlesungen über mathematische Physik. Mechanik. Leipzig 1876. S. III. 1.

[10] Nature: a weekly illustrated Journal of Science. vol. V. p. 81 (Nov. 30, 1871); — vol. XIX. p. 288 (Jan. 30, 1879). — Vergl. „Über das Nationalgefühl“. Rede zur Gedächtnissfeier des Kaisers in der Akademie der Wissenschaften zu Berlin am 28. März 1878 gehalten von E. du Bois-Reymond. Diese Berichte, 1878. S. 241 ff.; — Nord und Süd. U. s. w. 1878. Bd. V. S. 320. 321; — Besonders erschienen bei Dümmler. 1879. S. 27 ff.

[11] P. G. Tait, Lectures on Some Recent Advances in Physical Science with a special Lecture on Force. Second Edition, revised. London 1876. p. 290 sqq.

[12] Diese Berichte, 1876. S. 400; — Darwin *versus* Galiani. Rede in der öffentlichen Sitzung der K. Preuss. Akademie der Wissenschaften zur Feier des Leibnizischen Jahrestages am 6. Juli 1876 gehalten von E. du Bois-Reymond, beständigem Secretar. Berlin 1876. S. 23.

[13] God. Guil. Leibnitii Opera philosophica. Ed. Erdmann. Berolini 1840. p. 203 (Réplique aux réflexions ... de Mr. Bayle); — p. 463 (Commentatio de Anima Brutorum, § IV).

[14] The Works of John Locke in ten volumes. Vol. III. London 1812. p. 55. 56.

[15] Leibnitii Opera etc. L. c. p. 375. 376. — Cfr. Avant-propos, p. 203.

[16] Leibnitii Opera etc. L. c. p. 706. — Leibniz konnte wohl bei dem Prinzen die Kenntniss keiner anderen grossen Maschine voraussetzen, als einer Mühle. Ihm selber war die Dampf- (Feuer-) Maschine eine ganz vertraute Vorstellung (Leibnizens und Huygens' Briefwechsel mit Papin, nebst der Biographie Papin's u. s. w. Bearbeitet und auf Kosten der K. Preuss. Akademie der Wissenschaften herausgegeben von Dr. E. Gerland. Berlin 1881.)

[17] A. a. O. S. 267. 268.

[18] M. Tullii Ciceronis Scripta quae manserunt omnia. Recognovit Reinholdus Klotz. Partis IV. vol. I. Lipsiae 1872. p. 261. 262 (Tusculanarum Disputationum Lib. I. Cap. 23).

[19] Vergl. unter anderen: Lettre à Mr. Bayle (1702) Opera etc. p. 191. „Pour ce qui est du franc arbitre, je suis de l'avis des Thomistes et autres philosophes, qui croient que tout est prédéterminé.“

[20] Dictionnaire historique et critique etc. Cinquième Édition. À Amsterdam etc. 1740. Fol. t. I. p. 708 et suiv.

[21] Il Paradiso. Canto quarto. V. 1 sqq.

[22] Théodicée. Essais sur la Bonté de Dieu, la Liberté de l'Homme et l'Origine du Mal. Partie 1. 49 (Opera etc. p. 517). — Buridan's Esel kommt bei Leibniz noch vor: l. c. p. 225. 448. 449. 594.

[23] Laurentii Vallae Opera etc. Basileae apud Henrichum Petrum, Mense Augusto, Anno MDXLIII. (Gr. 8°). p. 1005. (In der Schrift: De Libero Arbitrio ad Garsam Episcopum Illerdensem.)

[24] L. c. p. 620. (Partie III. § 405 sqq.)

[25] Essai philosophique sur les Probabilités. Seconde Éd. Paris 1814. p. 3.

[26] Sur l'Homme et le Développement de ses Facultés, ou Essai de Physique sociale. Bruxelles 1836. t. II. p. 171 et suiv.

[27] Leibnitii Opera etc. p. 133: „..... il se *conserve* non seulement la même quantité de la force mouvante, mais encore *la même quantité de direction vers quel coté qu'on le prenne dans le monde.* C'est-à-dire: menant une ligne droite telle qu'il vous plaira, et prenant encore des corps tels et tant qu'il vous plaira; vous trouverez, en considérant tous ces corps ensemble, sans omettre aucun de ceux qui agissent sur quelqu'un de ceux que vous avez pris, qu'il y aura toujours la même quantité de progrès du même côté dans toutes les parallèles à la droite que vous avez prise: prenant garde qu'il faut estimer la somme du progrès, en ôtant celui des corps qui vont en sens contraire de celui de ceux qui vont dans le sens qu'on a pris.“ — Cfr. p. 108. 429. 430. 520. 645. 702. 711. 723.

[28] Traité de l'enchaînement des idées fondamentales dans les Sciences et dans l'Histoire. 1861. t. I. p. 364. 370. 374. (Nach Boussinesq [s. Anm. 31] angeführt.)

[29] Accord des lois de la Mécanique avec la Liberté de l'homme dans son action sur la Matière. Comptes rendus etc. 5 Mars 1877. t. LXXXIV. p. 419 et suiv.

[30] Man sehe meine Auseinandersetzung in: Die Fortschritte der Physik im Jahre 1847. Dargestellt von der physikalischen Gesellschaft zu Berlin. Bd. III. Berlin 1850. S. 415.

[31] Conciliation du véritable Déterminisme mécanique avec l'existence de la Vie et de la Liberté morale. (Extrait des Mémoires de la Société des Sciences, de l'Agriculture et des Arts de Lille, année 1878, t. VI, 4e série). Paris 1878. — S. auch Comptes rendus etc. 19 Février 1877. t. LXXXIV. p. 362.

[32] Journal de l'École Polytechnique. XIIIe cahier. t. VI. 1806. p. 63. 106.

[33] Claude Bernard, Rapport sur le marche et les progrès de la physiologie générale en France. Paris 1867. p. 223.

[34] „Über die Grenzen des Naturerkennens." In allen Auflagen. Vierte Auflage S. 17. 18.

[35] Comptes rendus de l'Académie des Sciences morales et politiques. 1878. t. IX. p. 696 et suiv.; — Abgedruckt bei Boussinesq, L. c. p. 3 et suiv.

[36] De Saint-Venant, l. c. p. 422: „Nous avons dit que la production des plus immenses effets n'exigeait qu'un échange adéquat des deux espèces d'énergie", — potentielle et actuelle ou cinétique — „et *que la proportion du travail déterminant le commencement de cet échange tendait vers une limite zéro.* Rien n'empêche donc de supposer que l'union toute mystérieuse du sujet à son organe ait été établie telle, qu'elle puisse, *sans travail mécanique*, y déterminer le commencement de pareils échanges." Die cursiv gedruckten Worte habe ich hervorgehoben.

[37] Hr. Boussinesq führt über diesen Gegenstand eine Schrift von dem Ingénieur en chef Philippe Breton an unter dem Titel: La Réversion ou le monde à l'envers. Paris 1876, welche ich mir nicht verschaffen konnte.

[38] A. a. O. S. 267.

[39] A. a. O. Bd. I. Berlin 1848. S. xxxv. xxxvi.

Namen-Register.

Die mit * bezeichneten Vorträge sind nicht mitgetheilt.

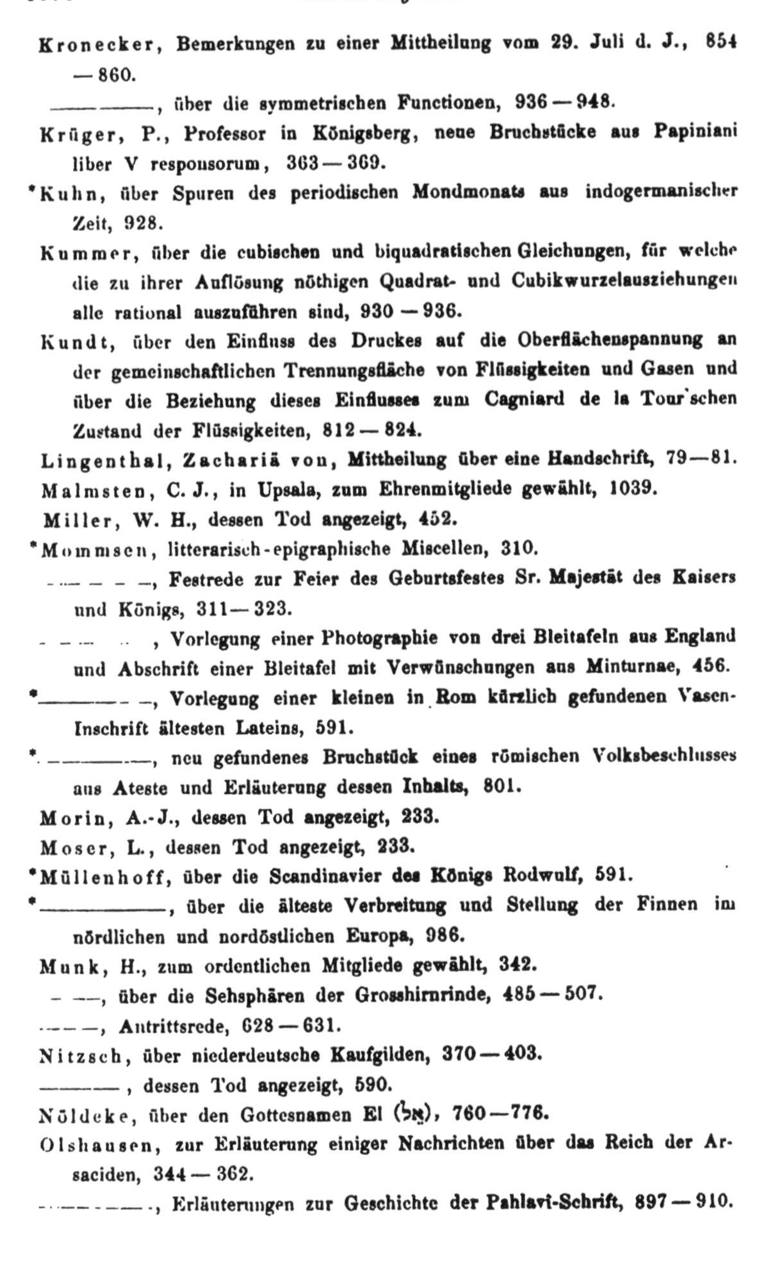

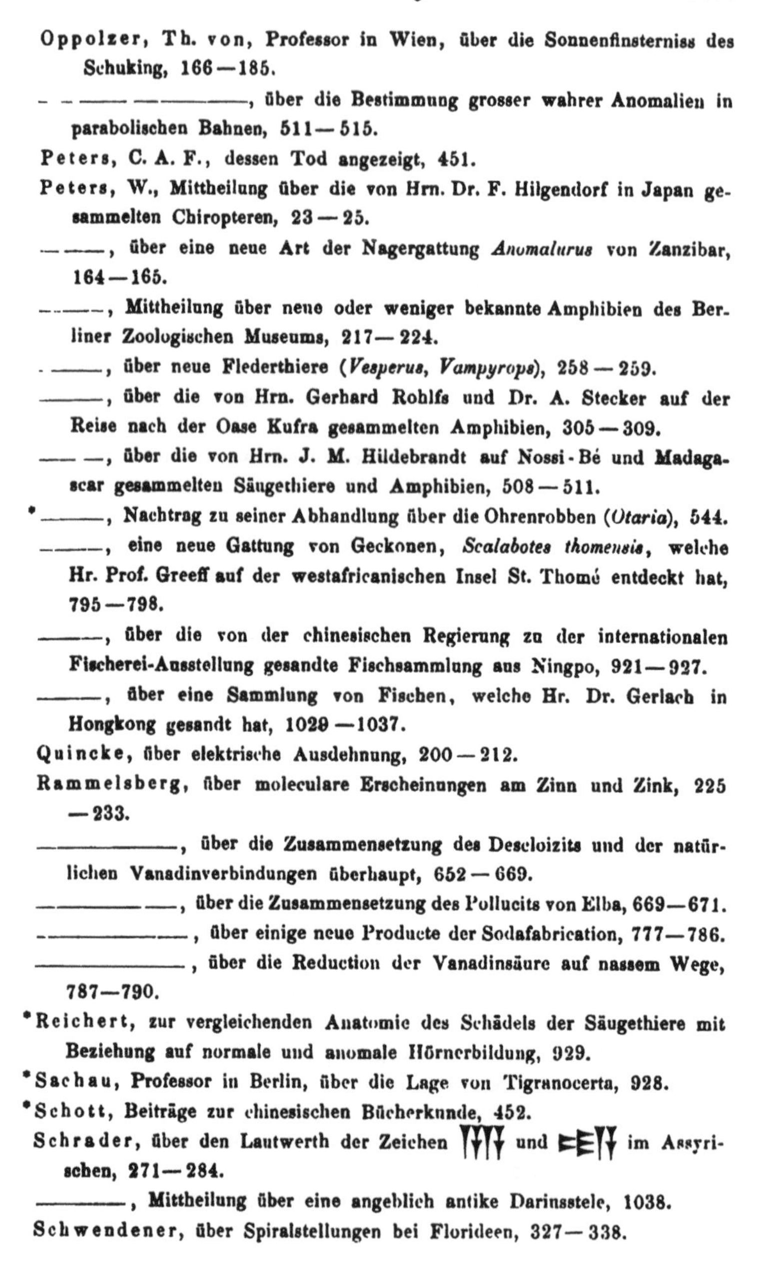

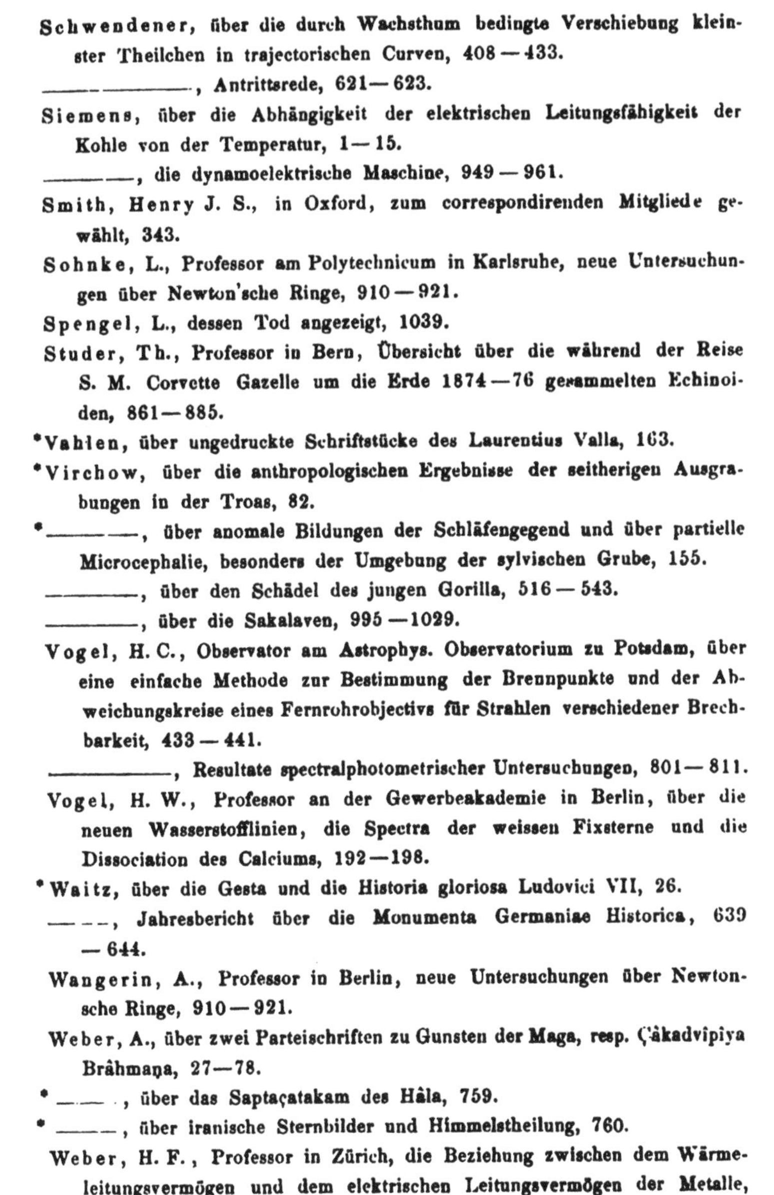

Sach-Register.

Buchdruckerei der Königl. Akademie der Wissenschaften (G. Vogt).
Berlin, Universitätsstr. 8.

Lightning Source UK Ltd.
Milton Keynes UK
UKHW012024110219
337098UK00012B/380/P

9 780266 227106